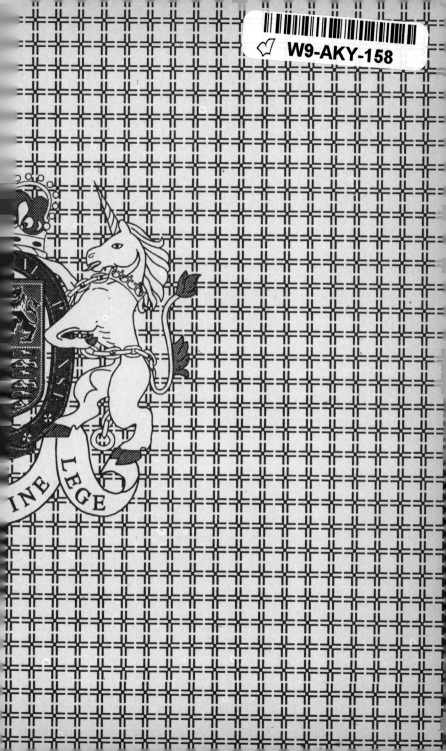

ARTUR CONAN DOYLE
ALL SHERLOCK HOLMES

АРТУР
КОНАН ДОЙЛ

ВЕСЬ
ШЕРЛОК
ХОЛМС

ДЕБЮТ

Санкт-Петербург
Лениздат
1993

84.4Англ
К64

Перевод с английского

Под общей редакцией
А. И. Белинского

К $\frac{4703010100-159}{\text{М}171(03)-93}$ без объявл.

ISBN 5-289-01796-8

© Лениздат, составление, 1993
© Архипов И. Г., Чигирев Ю. Н.,
оформление, 1993

ЭТЮД В БАГРОВЫХ ТОНАХ

ЧАСТЬ I

Из воспоминаний доктора Джона Г. Уотсона, отставного офицера военно-медицинской службы

ГЛАВА I

Мистер Шерлок Холмс

В 1878 году я окончил Лондонский университет, получив звание врача, и сразу же отправился в Нетли, где прошел специальный курс для военных хирургов. После окончания занятий я был назначен ассистентом хирурга в Пятый Нортумберлендский стрелковый полк. В то время полк стоял в Индии, и не успел я до него добраться, как вспыхнула вторая война с Афганистаном. Высадившись в Бомбее, я узнал, что мой полк форсировал перевал и продвинулся далеко в глубь неприятельской территории. Вместе с другими офицерами, попавшими в такое же положение, я пустился вдогонку своему полку; мне удалось благополучно добраться до Кандагара, где я наконец нашел его и тотчас же приступил к своим новым обязанностям.

Многим эта кампания принесла почести и повышения, мне же не досталось ничего, кроме неудач и несчастья. Я был переведен в Беркширский полк, с которым я участвовал в роковом сражении при Майванде[1]. Ружейная пуля угодила мне в плечо, разбила кость и задела подключичную артерию. Вероятнее всего я попал бы в руки беспощадных гази[2], если бы не преданность и мужество моего ординарца Мюррея, который перекинул меня через спину вьючной лошади и ухитрился благополучно доставить в расположение английских частей.

Измученный раной и ослабевший от длительных лишений, я вместе с множеством других раненых страдальцев

---

[1] В битве при Майванде во время второй англо-афганской войны (1878—1880) англичане потерпели поражение.
[2] Г а з и — фанатик-мусульманин.

был отправлен поездом в главный госпиталь в Пешавер. Там я стал постепенно поправляться и уже настолько окреп, что мог передвигаться по палате и даже выходить на веранду, чтобы немножко погреться на солнце, как вдруг меня свалил брюшной тиф, бич наших индийских колоний. Несколько месяцев меня считали почти безнадежным, а вернувшись наконец к жизни, я еле держался на ногах от слабости и истощения, и врачи решили, что меня необходимо немедля отправить в Англию. Я отплыл на военном транспорте «Оронтес» и месяц спустя сошел на пристань в Плимуте с непоправимо подорванным здоровьем, зато с разрешением отечески заботливого правительства восстановить его в течение девяти месяцев.

В Англии у меня не было ни близких друзей, ни родни, и я был свободен, как ветер, вернее, как человек, которому положено жить на одиннадцать шиллингов и шесть пенсов в день. При таких обстоятельствах я, естественно, стремился в Лондон, в этот огромный мусорный ящик, куда неизбежно попадают бездельники и лентяи со всей империи. В Лондоне я некоторое время жил в гостинице на Стрэнде и влачил неуютное и бессмысленное существование, тратя свои гроши гораздо более привольно, чем следовало бы. Наконец мое финансовое положение стало настолько угрожающим, что вскоре я понял: необходимо либо бежать из столицы и прозябать где-нибудь в деревне, либо решительно изменить образ жизни. Выбрав последнее, я для начала решил покинуть гостиницу и найти себе какое-нибудь более непритязательное и менее дорогостоящее жилье.

В тот день, когда я пришел к этому решению, в баре Критерион кто-то хлопнул меня по плечу. Обернувшись, я увидел молодого Стэмфорда, который когда-то работал у меня фельдшером в лондонской больнице. Как приятно одинокому увидеть вдруг знакомое лицо в необъятных дебрях Лондона! В прежние времена мы со Стэмфордом никогда особенно не дружили, но сейчас я приветствовал его почти с восторгом, да и он тоже, по-видимому, был рад видеть меня. От избытка чувств я пригласил его позавтракать со мной, и мы тотчас же взяли кэб и поехали в Холборн.

— Что вы с собой сделали, Уотсон?— с нескрываемым любопытством спросил он, когда кэб застучал колесами по людным лондонским улицам.— Вы высохли, как щепка, и пожелтели, как лимон!

Я вкратце рассказал ему о своих злоключениях и едва успел закончить рассказ, как мы доехали до места.

— Эх, бедняга! — посочувствовал он, узнав о моих бедах.— Ну, и что же вы поделываете теперь?

— Ищу квартиру,— ответил я.— Стараюсь решить вопрос, бывают ли на свете удобные комнаты за умеренную цену.

— Вот странно,— заметил мой спутник,— вы второй человек, от которого я сегодня слышу эту фразу.

— А кто же первый? — спросил я.

— Один малый, который работает в химической лаборатории при нашей больнице. Нынче утром он сетовал: он отыскал очень милую квартирку и никак не найдет себе компаньона, а платить за нее целиком ему не по карману.

— Черт возьми! — воскликнул я.— Если он действительно хочет разделить квартиру и расходы, то я к его услугам! Мне тоже куда приятнее поселиться вдвоем, чем жить в одиночестве!

Молодой Стэмфорд как-то неопределенно посмотрел на меня поверх стакана с вином.

— Вы ведь еще не знаете, что такое этот Шерлок Холмс,— сказал он.— Быть может, вам и не захочется жить с ним в постоянном соседстве.

— Почему? Чем же он плох?

— Я не говорю, что он плох. Просто немножко чудаковат — энтузиаст некоторых областей науки. Но вообще-то, насколько я знаю, он человек порядочный.

— Должно быть, хочет стать медиком? — спросил я.

— Да нет, я даже не пойму, чего он хочет. По-моему, он отлично знает анатомию, и химик он первоклассный, но, кажется, медицину никогда не изучал систематически. Он занимается наукой совершенно бессистемно и как-то странно, но накопил массу, казалось бы, ненужных для дела знаний, которые немало удивили бы профессоров.

— А вы никогда не спрашивали, что у него за цель? — поинтересовался я.

— Нет, из него не так-то легко что-нибудь вытянуть, хотя, если он чем-то увлечен, бывает, что его и не остановишь.

— Я не прочь с ним познакомиться,— сказал я.— Если уж иметь соседа по квартире, то пусть лучше это будет человек тихий и занятый своим делом. Я недостаточно окреп, чтобы выносить шум и всякие сильные впечатления. У меня столько было того и другого в Афганистане, что с меня хватит до конца моего земного бытия. Как же мне встретиться с вашим приятелем?

— Сейчас он наверняка сидит в лаборатории,— ответил мой спутник.— Он либо не заглядывает туда по неделям, либо торчит там с утра до вечера. Если хотите, поедем к нему после завтрака.

— Разумеется, хочу,— сказал я, и разговор перешел на другие темы.

Пока мы ехали из Холборна в больницу, Стэмфорд успел рассказать мне еще о некоторых особенностях джентльмена, с которым я собирался поселиться вместе.

— Не будьте на меня в обиде, если вы с ним не уживетесь,— сказал он.— Я ведь знаю его только по случайным встречам в лаборатории. Вы сами решились на эту комбинацию, так что не считайте меня ответственным за дальнейшее.

— Если мы не уживемся, нам ничто не помешает расстаться,— ответил я.— Но мне кажется, Стэмфорд,— добавил я, глядя в упор на своего спутника,— что по каким-то соображениям вы хотите умыть руки. Что же, у этого малого ужасный характер, что ли? Не скрытничайте, ради бога!

— Попробуйте-ка объяснить необъяснимое,— засмеялся Стэмфорд.— На мой вкус, Холмс слишком одержим наукой — это у него уже граничит с бездушием. Легко могу себе представить, что он впрыснет своему другу небольшую дозу какого-нибудь новооткрытого растительного алкалоида, не по злобе, конечно, а просто из любопытства, чтобы иметь наглядное представление о его действии. Впрочем, надо отдать ему справедливость, я уверен, что он так же охотно сделает этот укол и себе. У него страсть к точным и достоверным знаниям.

— Что ж, это неплохо.

— Да, но и тут можно впасть в крайность. Если дело доходит до того, что трупы в анатомичке он колотит палкой, согласитесь, что это выглядит довольно-таки странно.

— Он колотит трупы?

— Да, чтобы проверить, могут ли синяки появиться после смерти. Я видел это своими глазами.

— И вы говорите, что он не собирается стать медиком?

— Вроде нет. Одному богу известно, для чего он все это изучает. Но вот мы и приехали, теперь уж вы судите о нем сами.

Мы свернули в узкий закоулок двора и через маленькую дверь вошли во флигель, примыкающий к огромному больничному зданию. Здесь все было знакомо, и мне не нужно было указывать дорогу, когда мы поднялись по темноватой каменной лестнице и пошли по длинному коридору вдоль бесконечных выбеленных стен с коричневыми дверями по обе стороны. Почти в самом конце в сторону отходил низенький сводчатый коридорчик — он вел в химическую лабораторию.

В этой высокой комнате на полках и где попало поблескивали бесчисленные бутыли и пузырьки. Всюду стояли низкие широкие столы, густо уставленные ретортами, пробирками и бунзеновскими горелками с трепещущими язычками синего пламени. Лаборатория пустовала, и лишь в дальнем углу, пригнувшись к столу, с чем-то сосредоточенно возился какой-то молодой человек. Услышав наши шаги, он оглянулся и вскочил с места.

— Нашел! Нашел! — ликующе крикнул он, бросившись к нам с пробиркой в руках.— Я нашел наконец реактив, который осаждается только гемоглобином и ничем другим! — Если бы он нашел золотые россыпи, и то, наверное, его лицо не сияло бы таким восторгом.

— Доктор Уотсон, мистер Шерлок Холмс,— представил нас друг другу Стэмфорд.

— Здравствуйте! — приветливо сказал Холмс, пожимая мне руку с силой, которую я никак не мог в нем заподозрить.— Я вижу, вы жили в Афганистане.

— Как вы догадались? — изумился я.

— Ну, это пустяки,— бросил он, усмехнувшись.— Вот гемоглобин — это другое дело. Вы, разумеется, понимаете важность моего открытия?

— Как химическая реакция — это, конечно, интересно,— ответил я,— но практически...

— Господи, да это же самое практически важное открытие для судебной медицины за десятки лет. Разве вы не понимаете, что это дает возможность безошибочно определять кровяные пятна? Подите-ка, подите сюда! — В пылу нетерпения он схватил меня за рукав и потащил к своему столу.— Возьмем немножко свежей крови,— сказал он и, уколов длинной иглой свой палец, вытянул пипеткой капельку крови.— Теперь я растворю эту каплю в литре воды. Глядите, вода кажется совершенно чистой. Соотношение количества крови к воде не больше, чем один к миллиону. И все-таки, ручаюсь вам, что мы получим характерную реакцию.— Он бросил в стеклянную банку несколько белых кристалликов и накапал туда какой-то бесцветной жидкости. Содержимое банки мгновенно окрасилось в мутно-багровый цвет, а на дне появился коричневый осадок.

— Ха, ха! — Он захлопал в ладоши, сияя от радости,

как ребенок, получивший новую игрушку.— Что вы об этом думаете?

— Это, по-видимому, какой-то очень сильный реактив,— заметил я.

— Чудесный! Чудесный! Прежний способ с гваяковой смолой очень громоздок и ненадежен, как и исследование кровяных шариков под микроскопом,— оно вообще бесполезно, если кровь пролита несколько часов назад. А этот реактив действует одинаково хорошо, свежая кровь или нет. Если бы он был открыт раньше, то сотни людей, что сейчас разгуливают на свободе, давно бы уже расплатились за свои преступления.

— Вот как! — пробормотал я.

— Раскрытие преступлений всегда упирается в эту проблему. Человека начинают подозревать в убийстве, быть может, через несколько месяцев после того, как оно совершено. Пересматривают его белье или платье, находят буроватые пятна. Что это: кровь, грязь, ржавчина, фруктовый сок или еще что-нибудь? Вот вопрос, который ставил в тупик многих экспертов, а почему? Потому что не было надежного реактива. Теперь у нас есть реактив Шерлока Холмса, и всем затруднениям конец!

Глаза его блестели, он приложил руку к груди и поклонился, словно отвечая на аплодисменты воображаемой толпы.

— Вас можно поздравить,— сказал я, немало изумленный его энтузиазмом.

— Год назад во Франкфурте разбиралось запутанное дело фон Бишофа. Он, конечно, был бы повешен, если бы тогда знали мой способ. А дело Мэзона из Брадфорда, и знаменитого Мюллера, и Лефевра из Монпелье, и Сэмсона из Нью-Орлеана? Я могу назвать десятки дел, в которых мой реактив сыграл бы решающую роль.

— Вы просто ходячая хроника преступлений,— засмеялся Стэмфорд.— Вы должны издавать специальную газету. Назовите ее «Полицейские новости прошлого».

— И это было бы весьма увлекательное чтение,— подхватил Шерлок Холмс, заклеивая крошечную ранку на пальце кусочком пластыря.— Приходится быть осторожным,— продолжал он, с улыбкой повернувшись ко мне,— я часто вожусь со всякими ядовитыми веществами.— Он протянул руку, и я увидел, что пальцы его покрыты такими же кусочками пластыря и пятнами от едких кислот.

— Мы пришли по делу,— заявил Стэмфорд, усаживаясь на высокую трехногую табуретку и кончиком ботинка придвигая ко мне другую.— Мой приятель ищет себе жилье, а так как вы жаловались, что не можете найти компаньона, я решил, что вас необходимо свести.

Шерлоку Холмсу, очевидно, понравилась перспектива разделить со мной квартиру.

— Знаете, я присмотрел одну квартирку на Бейкер-стрит,— сказал он,— которая нам с вами подойдет во всех отношениях. Надеюсь, вы не против запаха крепкого табака?

— Я сам курю «корабельный»,— ответил я.

— Ну и отлично. Я обычно держу дома химикалии и время от времени ставлю опыты. Это не будет вам мешать?

— Нисколько.

— Погодите-ка, какие же еще у меня недостатки? Да, иногда на меня находит хандра, и я по целым дням не раскрываю рта. Не надо думать, что я на вас дуюсь. Просто не обращайте на меня внимания, и это скоро пройдет. Ну а вы в чем можете покаяться? Пока мы еще не поселились вместе, хорошо бы узнать друг о друге самое худшее.

Меня рассмешил этот взаимный допрос.

— У меня есть щенок-бульдог,— сказал я,— и я не выношу никакого шума, потому что у меня расстроены нервы, я могу проваляться в постели полдня и вообще невероятно ленив. Когда я здоров, у меня появляется еще ряд пороков, но сейчас эти самые главные.

— А игру на скрипке вы тоже считаете шумом? — с беспокойством спросил он.

— Смотря как играть,— ответил я.— Хорошая игра — это дар богов, плохая же...

— Ну, тогда все в порядке,— весело рассмеялся он.— По-моему, можно считать, что дело улажено, если только вам понравятся комнаты.

— Когда мы их посмотрим?

— Зайдите за мной завтра в полдень, мы поедем отсюда вместе и обо всем договоримся.

— Хорошо, значит, ровно в полдень,— сказал я, пожимая ему руку.

Он снова занялся своими химикалиями, а мы со Стэмфордом пошли пешком к моей гостинице.

— Между прочим,— вдруг остановился я, повернувшись к Стэмфорду,— как он ухитрился угадать, что я приехал из Афганистана?

Мой спутник улыбнулся загадочной улыбкой.

— Это главная его особенность,— сказал он.— Многие дорого бы дали, чтобы узнать, как он все угадывает.

— А, значит, тут какая-то тайна? — воскликнул я, потирая руки.— Очень занятно! Спасибо вам за то, что вы нас познакомили. Знаете, ведь «чтобы узнать человечество, надо изучить человека».

— Стало быть, вы должны изучать Холмса,— сказал Стэмфорд, прощаясь.— Впрочем, вы скоро убедитесь, что это твердый орешек. Могу держать пари, что он раскусит вас быстрее, чем вы его. Прощайте!

— Прощайте,— ответил я и зашагал к гостинице, немало заинтересованный своим новым знакомым.

ГЛАВА II

Искусство делать выводы

На следующий день мы встретились в условленный час и поехали смотреть квартиру на Бейкер-стрит, № 221б, о которой Холмс говорил накануне. В квартире было две удобные спальни и просторная, светлая, уютно обставленная гостиная с двумя большими окнами. Комнаты нам пришлись по вкусу, а плата, поделенная на двоих, оказалась такой небольшой, что мы тут же договорились о найме и немедленно вступили во владение квартирой. В тот же вечер я перевез из гостиницы свои пожитки, а наутро прибыл Шерлок Холмс с несколькими ящиками и саквояжами. День-другой мы возились с распаковкой и раскладкой нашего имущества, стараясь найти для каждой вещи наилучшее место, а потом стали постепенно обживать свое жилище и приспосабливаться к новым условиям.

Холмс, безусловно, был не из тех, с кем трудно ужиться. Он вел спокойный, размеренный образ жизни и обычно был верен своим привычкам. Редко когда он ложился спать после десяти вечера, а по утрам, как правило, успевал позавтракать и уйти, пока я еще валялся в постели. Иногда он просиживал целый день в лаборатории, иногда — в анатомичке, а порой надолго уходил гулять, причем эти прогулки, по-видимому, заводили его в самые глухие закоулки Лондона. Его энергии не было предела, когда на него находил рабочий стих, но время от времени наступала реакция, и тогда он целыми днями лежал на диване в гостиной, не произнося ни слова и почти не шевелясь. В эти дни я подмечал такое мечтательное, такое отсутствующее выражение в его глазах, что заподозрил бы его в пристрастии к наркотикам, если бы размеренность и целомудренность его образа жизни не опровергали подобных мыслей.

Неделя шла за неделей, и меня все сильнее и глубже интересовала его личность, и все больше разбирало любопытство относительно его целей в жизни. Даже внешность его могла поразить воображение самого поверхностного наблюдателя. Ростом он был больше шести футов, но при своей необычайной худобе казался еще выше. Взгляд у него был острый, пронизывающий, если не считать тех периодов оцепенения, о которых говорилось выше; тонкий орлиный нос придавал его лицу выражение живой энергии и решимости. Квадратный, чуть выступающий вперед подбородок тоже говорил о решительном характере. Его руки были вечно в чернилах и в пятнах от разных химикалий, зато он обладал способностью удивительно деликатно обращаться с предметами,— я не раз это замечал, когда он при мне возился со своими хрупкими алхимическими приборами.

Читатель, пожалуй, сочтет меня отпетым охотником до чужих дел, если я признаюсь, какое любопытство возбуждал во мне этот человек и как часто я пробовал пробить стенку сдержанности, которой он огораживал все, что касалось лично его. Но прежде чем осуждать, вспомните, до чего бесцельна была тогда моя жизнь и как мало было вокруг такого, что могло бы занять мой праздный ум. Здоровье не позволяло мне выходить в пасмурную или прохладную погоду, друзья меня не навещали, потому что у меня их не было, и ничто не скрашивало монотонности моей повседневной жизни. Поэтому я даже радовался некоторой таинственности, окружавшей моего компаньона, и жадно стремился развеять ее, тратя на это немало времени.

Холмс не занимался медициной. Он сам однажды ответил на этот вопрос отрицательно, подтвердив тем самым мнение Стэмфорда. Я не видел также, чтобы он систематически читал какую-либо научную литературу, которая пригодилась бы для получения ученого звания и открыла бы ему путь в мир науки. Однако некоторые предметы он изучал с поразительным рвением, и в каких-то довольно странных областях обладал настолько обширными и точными познаниями, что порой я бывал просто ошеломлен. Человек, читающий что попало, редко может похвастаться глубиной своих знаний. Никто не станет обременять свою память мелкими подробностями, если на то нет достаточно веских причин.

Невежество Холмса было так же поразительно, как и его знания. О современной литературе, политике и философии он почти не имел представления. Мне случилось упомянуть имя Томаса Карлейля, и Холмс наивно спросил, кто он такой и чем знаменит. Но когда оказалось, что он ровно ничего не знает ни о теории Коперника, ни о строении солнечной системы, я просто опешил от изумления. Чтобы цивилизованный человек, живущий в девятнадцатом веке, не знал, что Земля вертится вокруг Солнца,— этому я просто не мог поверить!

— Вы, кажется, удивлены,— улыбнулся он, глядя на мое растерянное лицо.— Спасибо, что вы меня просветили, но теперь я постараюсь как можно скорее все это забыть.

— Забыть?!

— Видите ли,— сказал он,— мне представляется, что человеческий мозг похож на маленький пустой чердак, который вы можете обставить, как хотите. Дурак натащит туда всякой рухляди, какая попадется под руку, и полезные, нужные вещи уже некуда будет всунуть или в лучшем случае до них среди всей этой завали и не докопаешься. А человек толковый тщательно отбирает то, что он поместит в свой мозговой чердак. Он возьмет лишь инструменты, которые понадобятся ему для работы, но зато их будет множество, и все он разложит в образцовом порядке. Напрасно люди думают, что у этой маленькой комнатки эластичные стены и их можно растягивать сколько угодно. Уверяю вас, придет время, когда, приобретая новое, вы будете забывать что-то из прежнего. Поэтому страшно важно, чтобы ненужные сведения не вытесняли собой нужных.

— Да, но не знать о солнечной системе!..— воскликнул я.

— На кой черт она мне? — перебил он нетерпеливо.— Ну хорошо, пусть, как вы говорите, мы вращаемся вокруг Солнца. А если бы я узнал, что мы вращаемся вокруг Луны, много бы это помогло мне или моей работе?

Я хотел было спросить, что же это за работа, но почувствовал, что он будет недоволен. Я задумался над нашим коротким разговором и попытался сделать кое-какие выводы. Он не хочет засорять голову знаниями, которые не нужны для его целей. Стало быть, все накопленные знания он намерен так или иначе использовать. Я перечислил в уме все области знаний, в которых он проявил отличную осведомленность. Я даже взял карандаш и записал все это на бумаге. Перечитав список, я не мог удержаться от улыбки. «Аттестат» выглядел так:

Шерлок Холмс — его возможности:

1. Знания в области литературы — никаких.
2.   "   "   "   философии — никаких.

3. " " " астрономии — никаких.
4. " " " политики — слабые.
5. " " " ботаники — неравномерные. Знает свойства белладонны, опиума и ядов вообще. Не имеет понятия о садоводстве.
6. " " " геологии — практические, но ограниченные. С первого взгляда определяет образцы различных почв. После прогулок показывает мне брызги грязи на брюках и по их цвету и консистенции определяет, из какой она части Лондона.
7. " " " химии — глубокие.
8. " " " анатомии — точные, но бессистемные.
9. " " " уголовной хроники — огромные. Знает, кажется, все подробности каждого преступления, совершенного в девятнадцатом веке.
10. Хорошо играет на скрипке.
11. Отлично фехтует на шпагах и эспадронах, прекрасный боксер.
12. Основательные практические знания английских законов.

Дойдя до этого пункта, я в отчаянии швырнул «аттестат» в огонь. «Сколько ни перечислять все то, что он знает,— сказал я себе,— невозможно догадаться, для чего ему это нужно и что за профессия требует такого сочетания! Нет, лучше уж не ломать себе голову понапрасну!» Я уже сказал, что Холмс прекрасно играл на скрипке. Однако и тут было нечто странное, как во всех его занятиях. Я знал, что он может исполнять скрипичные пьесы, и довольно трудные: не раз по моей просьбе он играл «Песни» Мендельсона и другие любимые мною вещи. Но когда он оставался один, редко можно было услышать пьесу или вообще что-либо похожее на мелодию. Вечерами, положив скрипку на колени, он откидывался на спинку кресла, закрывал глаза и небрежно водил смычком по струнам. Иногда раздавались звучные, печальные аккорды. Другой раз неслись звуки, в которых слышалось неистовое веселье. Очевидно, они соответствовали его настроению, но то ли звуки рождали это настроение, то ли они сами были порождением каких-то причудливых мыслей или просто прихоти, этого я никак не мог понять. И наверное, я взбунтовался бы против этих скребущих

16

по нервам «концертов», если бы после них, как бы вознаграждая меня за долготерпение, он не проигрывал одну за другой несколько моих любимых вещей.

В первую неделю к нам никто не заглядывал, и я было начал подумывать, что мой компаньон так же одинок в этом городе, как и я. Но вскоре я убедился, что у него множество знакомых, причем из самых разных слоев общества. Как-то три-четыре раза на одной неделе появлялся щуплый человечек с изжелта-бледной крысьей физиономией и острыми черными глазками; он был представлен мне как мистер Лестрейд. Однажды утром пришла элегантная молодая девушка и просидела у Холмса не меньше получаса. В тот же день явился седой обтрепанный старик, похожий на еврея-старьевщика, мне показалось, что он очень взволнован. Почти следом за ним пришла старуха в стоптанных башмаках. Однажды с моим сожителем долго беседовал пожилой джентльмен с седой шевелюрой, потом — вокзальный носильщик в форменной куртке из вельветина. Каждый раз, когда появлялся кто-нибудь из этих непонятных посетителей, Шерлок Холмс просил позволения занять гостиную, и я уходил к себе в спальню. «Приходится использовать эту комнату для деловых встреч»,— объяснил он как-то, прося по обыкновению извинить его за причиняемые неудобства. «Эти люди — мои клиенты». И опять у меня был повод задать ему прямой вопрос, но опять я из деликатности не захотел насильно выведывать чужие секреты.

Мне казалось тогда, что у него есть какие-то веские причины скрывать свою профессию, но вскоре он доказал, что я не прав, заговорив об этом по собственному почину.

Четырнадцатого марта — мне хорошо запомнилась эта дата — я встал раньше обычного и застал Шерлока Холмса за завтраком. Наша хозяйка так привыкла к тому, что я поздно встаю, что еще не успела поставить мне прибор и сварить на мою долю кофе. Обидевшись на все человечество, я позвонил и довольно вызывающим тоном сообщил, что я жду завтрака. Схватив со стола какой-то журнал, я принялся его перелистывать, чтобы убить время, пока мой сожитель молча жевал гренки. Заголовок одной из статей был отчеркнут карандашом, и, совершенно естественно, я стал пробегать ее глазами.

Статья называлась несколько претенциозно: «Книга жизни»; автор пытался доказать, как много может узнать человек, систематически и подробно наблюдая все, что проходит перед его глазами. На мой взгляд, это была поразительная смесь разумных и бредовых мыслей. Если в рассуждениях и была какая-то логика и даже убедительность, то выводы показались мне совсем уж нарочитыми и, что называется, высосанными из пальца. Автор утверждал, что по мимолетному выражению лица, по непроизвольному движению какого-нибудь мускула или по взгляду можно угадать самые сокровенные мысли собеседника. По словам автора выходило, что человека, умеющего наблюдать и анализировать, обмануть просто невозможно. Его выводы будут безошибочны, как теоремы Эвклида. И результаты окажутся столь поразительными, что люди непосвященные сочтут его чуть не за колдуна, пока не поймут, какой процесс умозаключений этому предшествовал.

«По одной капле воды,— писал автор,— человек, умеющий мыслить логически, может сделать вывод о возможности существования Атлантического океана или Ниагарского водопада, даже если он не видал ни того, ни другого и никогда о них не слыхал. Всякая жизнь — это огромная цепь причин и следствий, и природу ее мы можем познать по одному звену. Искусство делать выводы и анализировать, как и все другие искусства, постигается долгим и прилежным трудом, но жизнь слишком коротка, и поэтому ни один смертный не может достичь полного совершенства в этой области. Прежде чем обратиться к моральным и интеллектуальным сторонам дела, которые представляют собою наибольшие трудности, пусть исследователь начнет с решения более простых задач. Пусть он, взглянув на первого встречного, научится сразу определять его прошлое и его профессию. Поначалу это может показаться ребячеством, но такие упражнения обостряют наблюдательность и учат, как смотреть и на что смотреть. По ногтям человека, по его рукавам, обуви и сгибе брюк на коленях, по утолщениям на большом и указательном пальцах, по выражению лица и обшлагам рубашки — по таким мелочам нетрудно угадать его профессию. И можно не сомневаться, что все это, вместе взятое, подскажет сведущему наблюдателю верные выводы».

— Что за дикая чушь! — воскликнул я, швыряя журнал на стол.— В жизни не читал такой галиматьи.

— О чем вы? — осведомился Шерлок Холмс.

— Да вот об этой статейке,— я ткнул в журнал чайной ложкой и принялся за свой завтрак.— Я вижу, вы ее уже читали, раз она отмечена карандашом. Не спорю, написано лихо, но меня все это просто злит. Хорошо ему, этому бездельнику, развалясь в мягком кресле в тиши своего кабинета, сочинять изящные парадоксы! Втиснуть бы его в вагон третьего класса подземки да заставить угадать профессии пассажиров! Ставлю тысячу против одного, что у него ничего не выйдет!

— И вы проиграете,— спокойно заметил Холмс.— А статью написал я.

— Вы?!

— Да. У меня есть наклонности к наблюдению и к анализу. Теория, которую я здесь изложил и которая кажется вам такой фантастической, на самом деле очень жизненна, настолько жизненна, что ей я обязан своим куском хлеба с маслом.

— Но каким образом? — вырвалось у меня.

— Видите ли, у меня довольно редкая профессия. Пожалуй, я единственный в своем роде. Я сыщик-консультант, если только вы представляете себе, что это такое. В Лондоне множество сыщиков, и государственных и частных. Когда эти молодцы заходят в тупик, они бросаются ко мне, и мне удается направить их по верному следу. Они знакомят меня со всеми обстоятельствами дела, и, хорошо зная историю криминалистики, я почти всегда могу указать им, где ошибка. Все злодеяния имеют большое фамильное сходство, и если подробности целой тысячи дел вы знаете как свои пять пальцев, странно было бы не разгадать тысячу первое. Лестрейд — очень известный сыщик. Но недавно он не сумел разобраться в одном деле о подлоге и пришел ко мне.

— А другие?

— Чаще всего их посылают ко мне частные агентства. Все это люди, попавшие в беду и жаждущие совета. Я выслушиваю их истории, они выслушивают мое толкование, и я кладу в карман гонорар.

— Неужели вы хотите сказать,— не вытерпел я,— что, не выходя из комнаты, вы можете распутать клубок, над которым тщетно бьются те, кому все подробности известны лучше, чем вам?

— Именно. У меня есть своего рода интуиция. Правда, время от времени попадается какое-нибудь дело посложнее. Ну, тогда приходится немножко побегать, чтобы кое-что увидеть своими глазами. Понимаете, у меня есть специальные знания, которые я применяю в каждом конкретном случае, они удивительно облегчают дело. Правила дедукции, изложенные мной в статье, о которой вы отозвались так презрительно, просто бесценны для моей практической работы. Наблюдательность — моя вторая натура. Вы, кажется, удивились, когда при первой встрече я сказал, что вы приехали из Афганистана?

— Вам, разумеется, кто-то об этом сказал.

— Ничего подобного. Я сразу догадался, что вы приехали из Афганистана. Благодаря давней привычке цепь умозаключений возникает у меня так быстро, что я пришел к выводу, даже не замечая промежуточных посылок. Однако они были, эти посылки. Ход моих мыслей был таков: «Этот человек по типу — врач, но выправка у него военная. Значит, военный врач. Он только что приехал из тропиков — лицо у него смуглое, но это не природный оттенок его кожи, так как запястья у него гораздо белее. Лицо изможденное,— очевидно, немало натерпелся и перенес болезнь. Был ранен в левую руку — держит ее неподвижно и немножко неестественно. Где же под тропиками военный врач-англичанин мог натерпеться лишений и получить рану? Конечно же, в Афганистане». Весь ход мыслей не занял и секунды. И вот я сказал, что вы приехали из Афганистана, а вы удивились.

— Послушать вас, так это очень просто,— улыбнулся я.— Вы напоминаете мне Дюпена у Эдгара Аллана По. Я думал, что такие люди существуют лишь в романах.

Шерлок Холмс встал и принялся раскуривать трубку.

— Вы, конечно, думаете, что, сравнивая меня с Дюпеном, делаете мне комплимент,— заметил он.— А по-моему, ваш Дюпен — очень недалекий малый. Этот прием — сбивать с мыслей своего собеседника какой-нибудь фразой «к случаю» после пятнадцатиминутного молчания, право же, очень дешевый показной трюк. У него, несомненно, были кое-какие аналитические способности, но его никак нельзя назвать феноменом, каким, по-видимому, считал его По.

— Вы читали Габорио? — спросил я.— Как, по-вашему, Лекок — настоящий сыщик?

Шерлок Холмс иронически хмыкнул.

— Лекок — жалкий сопляк,— сердито сказал он.— У него только и есть что энергия. От этой книги меня просто тошнит. Подумаешь, какая проблема — установить личность преступника, уже посаженного в тюрьму! Я бы это сделал за двадцать четыре часа. А Лекок копается почти полгода. По этой книге можно учить сыщиков, как не надо работать.

Он так высокомерно развенчал моих любимых литературных героев, что я опять начал злиться. Я отошел к окну и повернулся спиной к Холмсу, рассеянно глядя на уличную суету. «Пусть он умен,— говорил я про себя,— но, помилуйте, нельзя же быть таким самоуверенным!»

— Теперь уже не бывает ни настоящих преступлений, ни настоящих преступников,— ворчливо продолжал Холмс.— Будь ты хоть семи пядей во лбу, какой от этого толк в нашей профессии? Я знаю, что мог бы прославиться. На свете нет и не было человека, который посвятил бы раскрытию преступлений столько врожденного таланта и упорного труда, как я. И что же? Раскрывать нечего, преступлений нет, в лучшем случае какое-нибудь грубо сработанное мошенничество с такими незамысловатыми мотивами, что даже полицейские из Скотленд-Ярда видят все насквозь.

Меня положительно коробил этот хвастливый тон. Я решил переменить тему разговора.

— Интересно, что он там высматривает? — спросил я, показывая на дюжего, просто одетого человека, который медленно шагал по другой стороне улицы, вглядываясь в номера домов. В руке он держал большой синий конверт,— очевидно, это был посыльный.

— Кто, этот отставной флотский сержант? — сказал Шерлок Холмс.

«Кичливый хвастун! — обозвал я его про себя.— Знает же, что его не проверишь!»

Едва успел я это подумать, как человек, за которым мы наблюдали, увидел номер на нашей двери и торопливо перебежал через улицу. Раздался громкий стук, внизу загудел густой бас, затем на лестнице послышались тяжелые шаги.

— Мистеру Шерлоку Холмсу,— сказал посыльный, входя в комнату, и протянул письмо моему приятелю.

Вот прекрасный случай сбить с него спесь! Прошлое посыльного он определил наобум и, конечно, не ожидал, что тот появится в нашей комнате.

— Скажите, уважаемый,— вкрадчивейшим голосом спросил я,— чем вы занимаетесь?

— Служу посыльным,— угрюмо бросил он.— Форму отдал заштопать.

— А кем были раньше? — продолжал я, не без злорадства поглядывая на Холмса.

— Сержантом королевской морской пехоты, сэр. Ответа не ждать? Есть, сэр.

Он прищелкнул каблуками, отдал честь и вышел.

ГЛАВА III

Тайна Лористон-Гарденс

Должен сознаться, что я был немало поражен тем, как оправдала себя на деле теория моего компаньона. Уважение мое к его способностям сразу возросло. И все же я не мог отделаться от подозрения, что все это было подстроено заранее, чтобы ошеломить меня, хотя зачем, собственно,— этого я никак не мог понять. Когда я взглянул на него, он держал в руке прочитанную записку, и взгляд его был рассеянным и тусклым, что свидетельствовало о напряженной работе мысли.

— Как же вы догадались? — спросил я.

— О чем? — хмуро отозвался он.

— Да о том, что он отставной сержант флота?

— Мне некогда болтать о пустяках,— отрезал он, но тут же, улыбнувшись, поспешил добавить: — Извините за резкость. Вы прервали ход моих мыслей, но, может, это и к лучшему. Так, значит, вы не сумели увидеть, что он в прошлом флотский сержант?

— Нет, конечно.

— Мне было легче понять, чем объяснить, как я догадался. Представьте себе, что вам нужно доказать, что дважды два — четыре,— трудновато, не правда ли, хотя вы в этом твердо уверены. Даже через улицу я заметил на его руке татуировку — большой синий якорь. Тут уже запахло морем. Выправка у него военная, и он носит баки военного образца. Стало быть, перед нами флотский. Держится он с достоинством, пожалуй, даже начальственно. Вы должны были бы заметить, как высоко он держит голову и как помахивает своей палкой, а с виду он степенный мужчина средних лет — вот и все приметы, по которым я узнал, что он был сержантом.

— Чудеса! — воскликнул я.

— А, чепуха,— отмахнулся Холмс, но по лицу его я видел, что он доволен моим восторженным изумлением.— Вот я только что говорил, что теперь больше нет преступников. Кажется, я ошибся, взгляните-ка! — Он протянул мне записку, которую принес посыльный.

— Послушайте, да ведь это ужасно! — ахнул я, пробежав ее глазами.

— Да, что-то, видимо, не совсем обычное,— хладнокровно заметил он.— Будьте добры, прочтите мне это вслух.

Вот письмо, которое я прочел:

«Дорогой мистер Шерлок Холмс!

Сегодня ночью в доме № 3 в Лористон-Гарденс на Брикстон-роуд произошла скверная история. Около двух часов ночи наш полисмен, делавший обход, заметил в доме свет, а так как дом нежилой, он заподозрил что-то неладное. Дверь оказалась незапертой, и в первой комнате, совсем пустой, он увидел труп хорошо одетого джентльмена; в кармане он нашел визитную карточку: «Енох Дж. Дреббер, Кливленд, Огайо, Соединенные Штаты». И никаких следов грабежа, никаких признаков насильственной смерти. На полу есть кровяные пятна, но на трупе ран не оказалось. Мы не можем понять, как он очутился в пустом доме, и вообще это дело — сплошная головоломка. Если вы приедете в любое время до двенадцати, вы застанете меня здесь. В ожидании вашего ответа или приезда я оставляю все как было. Если не сможете приехать, я сообщу вам все подробности и буду чрезвычайно обязан, если вы соблаговолите поделиться со мной вашим мнением.

Уважающий вас *Тобиас Грегсон*».

— Грегсон — самый толковый сыщик в Скотленд-Ярде,— сказал мой приятель.— Он и Лестрейд выделяются среди прочих ничтожеств. Оба расторопны и энергичны, хотя банальны до ужаса. Друг с другом они на ножах. Они ревнивы к славе, как профессиональные красавицы. Будет потеха, если оба нападут на след.

Удивительно неторопливо журчала его речь!

— Но ведь, наверное, нельзя терять ни секунды,— встревожился я.— Пойти позвать кэб?

— А я не уверен, поеду я или нет. Я же лентяй, каких свет не видел, то есть, конечно, когда на меня нападет лень, а вообще-то могу быть и проворным.

— Вы же мечтали о таком случае!

— Дорогой мой, да что мне за смысл? Предположим, я распутаю это дело — ведь все равно Грегсон, Лестрейд и компания прикарманят всю славу. Такова участь лица неофициального.

— Но он просит у вас помощи.

— Да. Он знает, что до меня ему далеко, и сам мне это говорил, но скорее отрежет себе язык, чем признается кому-то третьему. Впрочем, пожалуй, давайте поедем и посмотрим. Возьмусь за дело на свой риск. По крайней мере посмеюсь над ними, если ничего другого мне не останется. Пошли!

Он засуетился и бросился за своим пальто: приступ энергии сменил апатию.

— Берите шляпу,— велел он.

— Хотите, чтобы я поехал с вами?

— Да, если вам больше нечего делать.

Через минуту мы оба сидели в кэбе, мчавшем нас к Брикстон-роуд.

Стояло пасмурное, туманное утро, над крышами повисла коричневатая дымка, казавшаяся отражением грязно-серых улиц внизу. Мой спутник был в отличном настроении, без умолку болтал о кремонских скрипках и о разнице между скрипками Страдивариуса и Амати. Я помалкивал; унылая погода и предстоявшее нам грустное зрелище угнетали меня.

— Вы как будто совсем не думаете об этом деле,— прервал я наконец его музыкальные рассуждения.

— У меня еще нет фактов,— ответил он.— Строить предположения, не зная всех обстоятельств дела,— крупнейшая ошибка. Это может повлиять на дальнейший ход рассуждений.

— Скоро вы получите ваши факты,— сказал я, указывая пальцем.— Вот Брикстон-роуд, а это, если не ошибаюсь, тот самый дом.

— Правильно. Стойте, кучер, стойте!

Мы не доехали ярдов сто, но по настоянию Холмса вышли из кэба и к дому подошли пешком.

Дом № 3 в тупике, носившем название «Лористон-Гарденс», выглядел зловеще, словно затаил в себе угрозу. Это был один из четырех домов, стоявших немного поодаль от улицы; два дома были обитаемы и два пусты. Номер 3 смотрел на улицу тремя рядами тусклых окон; то здесь, то там на мутном темном стекле, как бельмо на глазу, выделялась надпись *Сдается внаем*. Перед каждым домом был разбит маленький палисадник, отделявший его от улицы,— несколько деревцев над редкими и чахлыми кустами; по палисаднику шла узкая желтоватая дорожка, судя по виду, представлявшая собою смесь глины и песка. Ночью прошел дождь, и всюду стояли лужи. Вдоль улицы тянулся кирпичный забор в три фута высотой, с деревянной решеткой наверху; к забору прислонился дюжий констебль, окруженный небольшой кучкой зевак, которые вытягивали шеи в тщетной надежде хоть мельком увидеть, что происходит за забором.

Мне думалось, что Шерлок Холмс поспешит войти в дом и сразу же займется расследованием. Ничего похожего. Казалось, это вовсе не входило в его намерения. С беспечностью, которая при таких обстоятельствах граничила с позерством, он прошел взад и вперед по тротуару, рассеянно поглядывая на небо, на землю, на дома напротив и на решетку забора. Закончив осмотр, он медленно зашагал по дорожке, вернее, по траве, сбоку дорожки, и стал пристально разглядывать землю. Дважды он останавливался; один раз я заметил на лице его улыбку и услышал довольное хмыканье. На мокрой глинистой земле было много следов, но ведь ее уже основательно истоптали полицейские, и я недоумевал, чтó еще надеется обнаружить там Холмс. Однако я успел убедиться в его необычайной проницательности и не сомневался, что он может увидеть много такого, что недоступно мне.

В дверях дома нас встретил высокий человек с льняными волосами и с записной книжкой в руке. Он бросился к нам и с чувством пожал руку моему спутнику.

— Как хорошо, что вы приехали! — сказал он.— Никто ничего не трогал, я все оставил, как было.

— Кроме этого,— ответил Холмс, указывая на дорожку.— Стадо буйволов и то не оставило бы после себя такое месиво! Но, разумеется, вы обследовали дорожку, прежде чем дали ее так истоптать?

— У меня было много дела в доме,— уклончиво ответил сыщик.— Мой коллега, мистер Лестрейд, тоже здесь. Я понадеялся, что он проследит за этим.

Холмс бросил на меня взгляд и саркастически поднял брови.

— Ну, после таких мастеров своего дела, как вы и Лестрейд, мне, пожалуй, тут нечего делать,— сказал он.

Грегсон самодовольно потер руки.

— Да уж, кажется, сделали все, что можно. Впрочем, дело заковыристое, а я знаю, что вы такие любите.

— Вы сюда подъехали в кэбе?

— Нет, пришел пешком, сэр.

— А Лестрейд?

— Тоже, сэр.

— Ну, тогда пойдемте, посмотрим комнату,— совсем уж непоследовательно заключил Холмс и вошел в дом. Грегсон, удивленно подняв брови, поспешил за ним.

Небольшой коридор с давно не метенным дощатым полом вел в кухню и другие службы. Справа и слева были две двери. Одну из них, видимо, уже несколько месяцев не открывали; другая вела в столовую, где и было совершено загадочное убийство. Холмс вошел в столовую, я последовал за ним с тем гнетущим чувством, которое вселяет в нас присутствие смерти.

Большая квадратная комната казалась еще больше оттого, что в ней не было никакой мебели. Яркие безвкусные обои были покрыты пятнами плесени, а кое-где отстали и свисали лохмотьями, обнажая желтую штукатурку. Прямо против двери стоял аляповатый камин с полкой, отделанной под белый мрамор; на краю полки был прилеплен огарок красной восковой свечки. В неверном, тусклом свете, пробивавшемся сквозь грязные стекла единственного окна, все вокруг казалось мертвенно-серым, чему немало способствовал толстый слой пыли на полу.

Все эти подробности я заметил уже после. В первые минуты я смотрел только на одинокую страшную фигуру, распростертую на голом полу, на пустые, незрячие глаза, устремленные в потолок. Это был человек лет сорока трех — сорока четырех, среднего роста, широкоплечий, с жесткими, кудрявыми черными волосами и коротенькой, торчащей вверх бородкой. На нем был сюртук и жилет из плотного сукна, светлые брюки и рубашка безукоризненной белизны. Рядом валялся вылощенный цилиндр. Руки убитого были раскинуты, пальцы сжаты в кулаки, ноги скрючены, словно в мучительной агонии. На лице застыло выражение ужаса и, как мне показалось, ненависти — такого выражения я никогда еще не видел на человеческом лице. Страшная, злобная гримаса, низкий лоб, приплюснутый нос и выступающая вперед челюсть придавали мертвому сходство с гориллой, которое еще больше усиливала его неестественная вывернутая поза. Я видел смерть в разных ее видах, но никогда еще она не казалась мне такой страшной, как сейчас, в этой мрачной комнате близ одной из главных магистралей лондонского предместья.

Щуплый, похожий на хорька Лестрейд стоял у двери. Он поздоровался с Холмсом и со мной.

— Этот случай наделает много шуму, сэр,— заметил он.— Такого мне еще не встречалось, а ведь я человек бывалый.

— И нет никакого ключа к этой тайне,— сказал Грегсон.

— Никакого,— подхватил Лестрейд.

Шерлок Холмс подошел к трупу и, опустившись на колени, принялся тщательно разглядывать его.

— Вы уверены, что на нем нет ран? — спросил он, указывая на брызги крови вокруг тела.

— Безусловно! — ответили оба.

— Значит, это кровь кого-то другого — вероятно, убийцы, если тут было убийство. Это мне напоминает обстоятельства смерти Ван Янсена в Утрехте, в тридцать четвертом году. Помните это дело, Грегсон?

— Нет, сэр.

— Прочтите, право, стоит прочесть. Да, ничто не ново под луной. Все уже бывало прежде.

Его чуткие пальцы в это время беспрерывно летали по мертвому телу, ощупывали, нажимали, расстегивали, исследовали, а в глазах стояло то же отсутствующее выражение, которое я видел уже не раз. Осмотр произошел так быстро, что вряд ли кто-либо понял, как тщательно он был сделан. Наконец Холмс понюхал губы трупа, потом взглянул на подметки его лакированных ботинок.

— Его не сдвигали с места? — спросил он.

— Нет, только осматривали.

— Можно отправить в морг,— сказал Холмс.— Больше в нем нет надобности.

Четыре человека с носилками стояли наготове. Грегсон позвал их, они положили труп на носилки и понесли. Когда его поднимали, на пол упало и покатилось кольцо. Лестрейд схватил его и стал рассматривать.

— Здесь была женщина! — удивленно воскликнул он.— Это женское обручальное кольцо...

Он положил его на ладонь и протянул нам. Обступив Лестрейда, мы тоже уставились на кольцо. Несомненно, этот гладкий золотой ободок когда-то украшал палец новобрачной.

— Дело осложняется,— сказал Грегсон.— А оно, ей-богу, и без того головоломное.

— А вы уверены, что это не упрощает его? — возразил Холмс.— Но довольно любоваться кольцом, это нам не поможет. Что вы нашли в карманах?

— Все тут.— Грегсон, выйдя в переднюю, указал на кучку предметов, разложенных на нижней ступеньке лестницы.— Золотые часы фирмы Баро, Лондон, № 97163. Золотая цепочка, очень тяжелая и массивная. Золотое кольцо с масонской эмблемой. Золотая булавка — голова бульдога с рубиновыми глазами. Бумажник русской кожи для визитных карточек и карточки, на них написано: Енох Дж. Дреббер, Кливленд,— это соответствует меткам на белье — Е. Д. Д. Кошелька нет, но в карманах оказалось семь фунтов тринадцать шиллингов. Карманное издание «Декамерона» Боккаччо с надписью *Джозеф Стэнджерсон* на форзаце. Два письма — одно адресовано Е. Дж. Дребберу, другое — Джозефу Стэнджерсону.

— Адрес какой?

— Стрэнд, Американская биржа, до востребования. Оба письма от пароходной компании «Гийон» и касаются отплытия их пароходов из Ливерпуля. Ясно, что этот несчастный собирался вернуться в Нью-Йорк.

— Вы начали разыскивать этого Стэнджерсона?

— Сразу же, сэр. Я разослал объявления во все газеты, а один из моих людей поехал на Американскую биржу, но еще не вернулся.

— А Кливленд вы запросили?

— Утром послали телеграмму.

— Какую?

— Мы просто сообщили, что произошло, и просили дать сведения.

— А вы не просили сообщить подробнее относительно чего-нибудь такого, что показалось вам особенно важным?

— Я спросил насчет Стэнджерсона.

— И больше ни о чем? Нет ли здесь, по-вашему, каких-либо особых обстоятельств в жизни Дреббера, которые необходимо выяснить?

— Я спросил обо всем, что считал нужным,— обиженным тоном ответил Грегсон.

Шерлок Холмс усмехнулся про себя и хотел было что-то сказать, как вдруг перед нами возник Лестрейд, который остался в комнате, когда мы вышли в переднюю. Он пыжился от самодовольства и потирал руки.

— Мистер Грегсон, я только что сделал открытие величайшей важности! — объявил он.— Не догадайся я тщательно осмотреть стены, мы ничего бы и не узнали!

У маленького человечка блестели глаза, он, видимо, внутренне ликовал оттого, что обставил своего коллегу на одно очко.

— Пожалуйте сюда,— сказал он суетливо, ведя нас обратно в комнату, где, казалось, стало немного светлее после того, как унесли ее страшного обитателя.— Вот встаньте-ка сюда!

Он чиркнул спичкой о подошву ботинка и поднес ее к стене.

— Глядите! — торжествующе сказал он.

Я уже говорил, что во многих местах обои висели клочьями. В этом углу от стены отстал большой кусок, обнажив желтый квадрат шероховатой штукатурки. На ней кровью было выведено

RACHE

— Видали? — хвастливо сказал Лестрейд, как балаганщик, представляющий публике аттракцион.— Это самый темный угол, и никому не пришло в голову сюда заглянуть. Убийца — он или она — написал это своей собственной кровью. Глядите, вот кровь стекла со стены, и здесь на полу пятно. Во всяком случае, самоубийство исключается. А почему убийца выбрал именно этот угол? Сейчас объясню. Видите огарок на камине? Когда он горел, этот угол был самый светлый, а не самый темный.

— Ну хорошо, надпись попалась вам на глаза, а как вы ее растолкуете? — пренебрежительным тоном сказал Грегсон.

— Как? А вот как. Убийца — будь то мужчина или женщина — хотел написать женское имя «Рэчел», но не успел докончить, наверное, что-то помешало. Попомните мои слова: рано или поздно выяснится, что тут замешана женщина по имени Рэчел. Смейтесь сколько угодно, мистер Шерлок Холмс. Вы, конечно, человек начитанный и умный, но в конечном счете старая ищейка даст вам несколько очков вперед!

— Прошу прощения,— сказал мой приятель, рассердивший маленького человечка своим смехом.— Разумеется, честь этого открытия принадлежит вам, и надпись, без сомнения, сделана вторым участником ночной драмы. Я не успел еще осмотреть комнату и с вашего позволения осмотрю сейчас.

Он вынул из кармана рулетку и большую круглую лупу и бесшумно заходил по комнате, то и дело останавливаясь или опускаясь на колени; один раз он даже лег на пол. Холмс так увлекся, что, казалось, совсем забыл о нашем существовании,— а мы слышали то бормотанье, то стон, то легкий присвист, то одобрительные и радостные восклицания. Я смотрел на него, и мне невольно пришло на ум, что он сейчас похож на чистокровную, хорошо выдрессированную гончую, которая рыщет взад-вперед по лесу, скуля от нетерпения, пока не нападет на утерянный след. Минут двадцать, если не больше, он продолжал свои поиски, тщательно измеряя расстояние между какими-то совершенно незаметными для меня следами, и время от времени — так же непонятно для меня — что-то измерял рулеткой на стенах. В одном месте он осторожно собрал щепотку серой пыли с пола и положил в конверт. Наконец, он стал разглядывать через лупу надпись на стене, внимательно исследуя каждую букву. Видимо, он был удовлетворен осмотром, потому что спрятал рулетку и лупу в карман.

— Говорят, будто гений — это бесконечная выносливость,— с улыбкой заметил он.— Довольно неудачное определение, но к работе сыщика подходит вполне.

Грегсон и Лестрейд наблюдали за маневрами своего коллеги-дилетанта с нескрываемым любопытством и не без презрения. Очевидно, они не могли оценить того, что понимал я: все, что делал Холмс, вплоть до незначительных с виду мелочей, служило какой-то вполне определенной и практической цели.

— Ну, что скажете, сэр? — спросили оба хором.

— Не хочу отнимать у вас пальму первенства в раскрытии преступления,— сказал мой приятель,— и поэтому не позволю себе навязывать советы. Вы оба так хорошо справляетесь, что было бы грешно вмешиваться.— В голосе его звучал явный сарказм.— Если вы сообщите о ходе расследования,— продолжал он,— я буду счастлив помочь вам, если смогу. А пока я хотел бы поговорить с констеблем, который обнаружил труп. Будьте добры сказать мне его имя и адрес.

Лестрейд вынул записную книжку.

— Джон Рэнс,— сказал он.— Сейчас он свободен. Его адрес: Одли-корт, 46, Кеннингтон-парк-гейт.

Холмс записал адрес.

— Пойдемте, доктор,— сказал он мне.— Мы сейчас же отправимся к нему. А вам я хочу кое-что сказать,— обратился он к сыщикам,— быть может, это поможет следствию. Это, конечно, убийство, и убийца — мужчина. Рост у него чуть больше шести футов, он в расцвете лет, ноги у него очень небольшие для такого роста, обут в тяжелые ботинки с квадратными носками и курит трихинопольские сигары. Он и его жертва приехали сюда вместе в четырехколесном экипаже, запряженном лошадью с тремя старыми и одной новой подковой на правом переднем копыте. Вероятно, у убийцы красное лицо и очень длинные ногти на правой руке. Это, конечно, мелочи, но они могут вам пригодиться.

Лестрейд и Грегсон, недоверчиво усмехаясь, переглянулись.

— Если этот человек убит, то каким же образом?

— Яд,— коротко бросил Шерлок Холмс и зашагал к двери.— Да, вот еще что, Лестрейд,— добавил он, обернувшись.— «Rache» — по-немецки «месть», так что не теряйте времени на розыски мисс Рэчел.

Выпустив эту парфянскую стрелу, он ушел, а оба соперника смотрели ему вслед, разинув рты.

ГЛАВА IV

Что рассказал Джон Рэнс

Мы вышли из дома № 3 в Лористон-Гарденс около часу дня. Шерлок Холмс потащил меня в ближайшую телеграфную контору, откуда он послал какую-то длинную телеграмму. Затем он подозвал кэб и велел кучеру ехать по адресу, который дал нам Лестрейд.

— Самое ценное — это показания очевидцев,— сказал мне Холмс.— Откровенно говоря, у меня сложилось довольно ясное представление о деле, но тем не менее надо узнать все, что только можно.

— Знаете, Холмс, вы меня просто поражаете,— сказал я.— Вы очень уверенно описали подробности преступления, но скажите, неужели вы в душе ничуть не сомневаетесь, что все было именно так?

— Тут трудно ошибиться,— ответил Холмс.— Первое, что я увидел, подъехав к дому, были следы кэба у самой обочины дороги. Заметьте, что до прошлой ночи дождя не было целую неделю. Значит, кэб, оставивший две глубокие колеи, очевидно, проехал там нынешней ночью. Потом я заметил следы лошадиных копыт, причем один отпечаток был более четким, чем три остальных, а это значит, что подкова была новая. Кэб прибыл после того, как начался дождь, а утром, по словам Грегсона, никто не приезжал,— стало быть, этот кэб подъехал ночью, и, конечно же, он-то и доставил туда тех двоих.

— Все это вполне правдоподобно,— сказал я,— но как вы угадали рост убийцы?

— Да очень просто: рост человека в девяти случаях из десяти можно определить по ширине его шага. Это очень несложно, но я не хочу утомлять вас вычислениями. Я измерил шаги убийцы и на глинистой дорожке и на пыльном полу в комнате. А потом мне представился случай проверить свои вычисления. Когда человек пишет на стене, он инстинктивно пишет на уровне своих глаз. От пола до надписи на стене шесть футов. Одним словом, задачка для детей!

— А как вы узнали его возраст?

— Ну, вряд ли дряхлый старец может сразу перемахнуть четыре с половиной фута. А это как раз ширина лужи на дорожке, которую он, судя по всему, перепрыгнул. Лакированные ботинки обошли ее стороной, а Квадратные носы перепрыгнули. Ничего таинственного, как видите. Просто я применяю на практике некоторые правила наблюдательности дедуктивного мышления, которые я отстаивал в своей статье... Ну, что же еще вам непонятно?

— Ногти и трихинопольская сигара,— ответил я.

— Надпись на стене сделана указательным пальцем, обмокнутым в кровь. Я рассмотрел через лупу, что, выводя буквы, убийца слегка царапал штукатурку, чего не случилось бы, если бы ноготь на пальце был коротко подстрижен. Пепел, который я собрал с полу, оказался темным и слоистым — такой пепел остается только от трихинопольских сигар. Ведь я специально изучал пепел от разных сортов табака; если хотите знать, я написал об этом целое исследование. Могу похвастаться, что с первого же взгляда определю вам по пеплу сорт сигары или табака. Между прочим, знание таких мелочей и отличает искусного сыщика от всяких Грегсонов и Лестрейдов.

— Ну а красное лицо? — спросил я.

— А вот это уже более смелая догадка, хотя я не сомневаюсь, что и тут я прав. Но об этом вы пока что не расспрашивайте.

Я провел рукой по лбу.

— У меня просто голова кругом идет,— сказал я,— чем больше думаешь об этом преступлении, тем загадочнее оно становится. Как могли попасть эти двое — если их было двое — в пустой дом? Куда девался кучер, который их привез? Каким образом один мог заставить другого принять яд? Откуда взялась кровь? Что за цель преследовал убийца, если он даже не ограбил свою жертву? Как попало туда женское кольцо? А главное, зачем второй человек, прежде чем скрыться, написал немецкое слово «Rache»? Должен сознаться, решительно не понимаю, как связать между собой эти факты.

Мой спутник одобрительно улыбнулся.

— Вы кратко и очень толково подытожили все трудности этого дела,— сказал он.— Тут еще многое неясно, хотя с помощью главных фактов я уже нашел разгадку. А что до открытия бедняги Лестрейда, то это просто уловка убийцы, чтобы направить полицию по ложному следу, внушив ей, будто тут замешаны социалисты и какие-то тайные общества. Написано это не немцем. Букву «А», если вы заметили, он пытался вывести готическим шрифтом, а настоящий немец всегда пишет печатными буквами на латинский манер, поэтому мы можем утверждать, что писал не немец, а неумелый и перестаравшийся имитатор. Конечно же, это хитрость с целью запутать следствие. Пока я вам больше ничего не скажу, доктор. Знаете, стоит фокуснику объяснить хоть один свой фокус, и в глазах зрителей сразу же меркнет ореол его славы; и если я открою вам метод своей работы, вы, пожалуй, придете к убеждению, что я самая рядовая посредственность!

— Вот уж никогда! — возразил я.— Вы сделали великое дело: благодаря вам раскрытие преступлений находится на грани точной науки.

Мои слова и серьезная убежденность тона, очевидно, доставили моему спутнику немалое удовольствие — он даже порозовел. Я уже говорил, что он был чувствителен к похвалам его искусству не меньше, чем девушка к похвалам своей красоте.

— Я скажу вам еще кое-что,— продолжал он.— Лакированные ботинки и Квадратные носы приехали в одном кэбе и вместе, по-дружески, чуть ли не под руку, пошли по дорожке к дому. В комнате они расхаживали взад и вперед, вернее, Лакированные ботинки стояли, а расхаживали Квадратные носы. Я это прочел по следам на полу и прочел также, что человека, шагавшего по комнате, охватывало все большее возбуждение. Он все время что-то говорил, пока не взвинтил себя до того, что пришел в бешенство. И тогда произошла трагедия. Ну вот, я рассказал вам все, что знаю, наверное, остальное — лишь догадки и предположения. Впрочем, фундамент для них крепкий. Но давайте-ка поторопимся, я еще хочу успеть на концерт, послушать Норман Неруду.

Кэб наш тем временем пробирался по бесконечным убогим уличкам и мрачным переулкам. Наш кучер вдруг остановился в самом мрачном и унылом из них.

— Вот вам Одли-корт,— произнес он, указывая на узкую щель в ряде тусклых кирпичных домов.— Когда вернетесь, я буду стоять здесь.

Одли-корт был местом малопривлекательным. Тесный проход привел нас в четырехугольный, вымощенный плитняком двор, окруженный грязными лачугами. Мы протолкались сквозь гурьбу замурзанных ребятишек и, ныряя под веревки с линялым бельем, добрались до номера 46. На двери красовалась маленькая медная дощечка, на которой было выгравировано имя Рэнса. Нам сказали, что констебль еще не вставал, и предложили подождать в крохотной гостиной.

Вскоре появился и сам Рэнс. Он, по-видимому, был сильно не в духе оттого, что мы потревожили его сон.

— Я уже дал показания в участке,— проворчал он.

Холмс вынул из кармана полсоверена и задумчиво повертел его в пальцах.

— Нам было бы куда приятнее послушать вас лично,— сказал он.

— Что ж, я не прочь рассказать все, что знаю,— ответил констебль, не сводя глаз с золотого кружка.

— Просто расскажите нам все по порядку.

Рэнс уселся на диван, набитый конским волосом, и озабоченно сдвинул брови, как бы стараясь восстановить в памяти каждую мелочь.

— Начну с самого начала,— сказал он.— Я дежурил ночью, с десяти до шести утра. Около одиннадцати в «Белом олене» малость подрались, а вообще-то в моем районе было тихо. В час ночи полил дождь, я повстречался с Гарри Мерчером — с тем, что дежурит в районе Холленд-Грув. Мы постояли на углу Генриетта-стрит, покалякали о том о сем, а потом, часа, наверное, в два или чуть позже, я решил пройтись по Брикстон-роуд, проверить, все ли в порядке. Грязь там была невылазная, и кругом ни души, разве что один-два кэба проехали. Иду себе и думаю, между нами говоря, что хорошо бы сейчас пропустить стаканчик горяченького джина, как вдруг вижу: в окне того самого дома мелькнул свет. Ну, я-то знаю, что два дома на Лористон-Гарденс стоят пустые, и все потому, что хозяин не желает чистить канализационные трубы, хотя, между прочим, последний жилец умер там от брюшного тифа... Ну и вот, я как увидел в окне свет, так даже опешил и, конечно, заподозрил что-то неладное. Когда я подошел к двери...

— Вы остановились, потом пошли обратно к калитке,— перебил его мой приятель.— Почему вы вернулись?

Рэнс подскочил на месте и изумленно уставился на Холмса.

— А ведь верно, сэр! — сказал он.— Хотя откуда вам это известно, один бог знает! Понимаете, когда я подошел к двери, кругом было так пустынно и тихо, что я решил: лучше-ка я захвачу кого-нибудь с собой. Вообще-то я не боюсь никого, кто ходит по земле; вот те, кто лежат под землей, конечно, другое дело... Я и подумал: а вдруг это тот, что умер от брюшного тифа, пришел осмотреть канализационные трубы, которые его погубили?.. Мне, признаться, стало жутковато, ну я и вернулся к калитке, думал, может, увижу фонарь Мерчера, но только никого вокруг не оказалось.

— И на улице никого не было?

— Ни души, сэр, даже ни одна собака не пробежала. Тогда я собрался с духом, вернулся и распахнул дверь. В доме было тихо, и я вошел в комнату, где горел свет. На камине стояла свечка, красная, восковая, и я увидел...

— Знаю, что вы увидели. Вы несколько раз обошли комнату, стали на колени возле трупа, потом пошли и открыли дверь в кухню, а потом...

Джон Рэнс порывисто вскочил на ноги, с испугом и подозрением глядя на Холмса.

— Постойте, а где же вы прятались, почему вы все это видели, а? — закричал он.— Что-то вы слишком много знаете!

Холмс рассмеялся и бросил на стол перед констеблем свою визитную карточку.

— Пожалуйста, не арестовывайте меня по подозрению в убийстве,— сказал он.— Я не волк, а одна из ищеек; мистер Грегсон или мистер Лестрейд это подтвердят. Продолжайте, прошу вас. Что же было дальше?

Рэнс снова сел, но вид у него был по-прежнему озадаченный.

— Я пошел к калитке и свистнул в свисток. Прибежал Мерчер, а с ним еще двое.

— А на улице так никого и не было?

— Да, в общем, можно сказать, никого.

— Как это понять?

По лицу констебля расплылась улыбка.

— Знаете, сэр, видал я пьяных на своем веку, но уж чтоб так нализаться, как этот,— таких мне еще не попадалось. Когда я вышел на улицу, он привалился к забору возле калитки, но никак не мог устоять, а сам во всю мочь горланил какую-то песню. А ноги его так и разъезжались в стороны.

— Каков он был с виду? — быстро спросил Шерлок Холмс.

Джон Рэнс был явно раздражен этим не относящимся к делу вопросом.

— Пьяный, как свинья, вот какой он был с виду,— ответил он.— Если б мы не были заняты, конечно, сволокли бы его в участок.

— Какое у него лицо, одежда, вы не заметили? — нетерпеливо добивался Холмс.

— Как не заметить, ведь мы с Мерчером попробовали было поставить его на ноги, этого краснорожего верзилу. Подбородок у него был замотан шарфом до самого рта.

— Так, достаточно! — воскликнул Холмс.— Куда же он делся?

— Некогда нам было возиться с пьяницей, других забот хватало,— обиженно заявил полисмен.— Уж как-нибудь сам доплелся домой, будьте уверены.

— Как он был одет?

— Пальто у него было коричневое.

— А в руке он не держал кнут?

— Кнут? Нет.

— Значит, бросил его где-то поблизости,— пробормотал мой приятель.— Может быть, вы видели или слышали, не проехал ли потом кэб?

— Нет.

— Ну вот вам полсоверена,— сказал Холмс, вставая и берясь за шляпу.— Боюсь, Рэнс, вы никогда не получите повышения по службе. Головой надо иногда думать, а не носить ее, как украшение. Вчера ночью вы могли бы заработать сержантские нашивки. У человека, которого вы поднимали на ноги, ключ к этой тайне, его-то мы и разыскиваем. Сейчас нечего об этом рассуждать, но можете мне поверить, что это так. Пойдемте, доктор!

Оставив нашего констебля в тягостном недоумении, мы направились к кэбу.

— Неслыханный болван! — сердито хмыкнул Холмс, когда мы ехали домой.— Подумать только: прозевать такую редкостную удачу!

— Я все-таки многого тут не понимаю. Действительно, приметы этого человека совпадают с вашим представлением о втором лице, причастном к этой тайне. Но зачем ему было опять возвращаться в дом? Убийцы так не поступают.

— Кольцо, друг мой, кольцо — вот зачем он вернулся. Если не удастся словить его иначе, мы закинем удочку с кольцом. Я его поймаю на эту наживку, ставлю два против одного, что поймаю. Я вам очень благодарен, доктор. Если б не вы, я, пожалуй, не поехал бы и пропустил то, что я назвал бы интереснейшим этюдом. В самом деле, почему бы не воспользоваться жаргоном художников? Разве это не этюд, помогающий изучению жизни? Этюд в багровых тонах, а? Убийство багровой нитью проходит сквозь бесцветную пряжу жизни, и наш долг — распутать эту нить, отделить ее и обнажить дюйм за дюймом. А теперь пообедаем и поедем слушать Норман Неруду. Она великолепно владеет смычком, и тон у нее удивительно чистый. Как мотив этой шопеновской вещицы, которую она так прелестно играет? Тра-ля-ля, лира-ля!..

Откинувшись на спинку сиденья, этот сыщик-любитель распевал, как жаворонок, а я думал о том, как разносторонен человеческий ум.

ГЛАВА V

К нам приходят по объявлению

Волнения нынешнего утра оказались мне не по силам, и к концу дня я почувствовал себя совершенно разбитым. Когда Холмс уехал на концерт, я улегся на диване, надеясь, что сумею заснуть часа на два. Но не тут-то было. Мозг мой был перевозбужден сегодняшними событиями, в голове теснились самые странные образы и догадки. Стоило мне закрыть глаза, как я видел перед собой искаженное, гориллообразное лицо убитого — лицо, которое нагоняло на меня такую жуть, что я невольно проникался благодарностью к тому, кто отправил его владельца на тот свет. Наверное, еще ни одно человеческое лицо не отражало столь явно самые низменные пороки, как лицо Еноха Дж. Дреббера из Кливленда. Но правосудие есть правосудие, и порочность жертвы не может оправдать убийцу в глазах закона.

Чем больше я раздумывал об этом преступлении, тем невероятнее казались мне утверждения Холмса, что Енох Дреббер был отравлен. Я вспомнил, как он обнюхивал его губы, — несомненно, он обнаружил что-нибудь такое, что навело его на эту мысль. Кроме того, если не яд, то что же было причиной смерти, раз на мертвеце не оказалось ни раны, ни следов удушения? А с другой стороны, чьей же кровью так густо забрызган пол? В комнате не было никаких признаков борьбы, а на жертве не найдено никакого оружия, которым он мог бы ранить своего противника. И мне казалось, что, пока на все эти вопросы не найдется ответов, ни я, ни Холмс не сможем спать по ночам. Мой приятель держался спокойно и уверенно, — надо полагать, у него уже сложилась какая-то теория, объяснявшая все факты, но какая — я не имел ни малейшего представления.

Мне пришлось ждать Холмса долго — так долго, что не было сомнений: после концерта у него нашлись и другие дела. Когда он вернулся, обед уже стоял на столе.

— Это было прекрасно, — сказал он, садясь за стол. — Помните, что говорит Дарвин о музыке? Он утверждает, что человечество научилось создавать музыку и наслаждаться ею гораздо раньше, чем обрело способность говорить. Быть может, оттого-то нас так глубоко волнует музыка. В наших душах сохранилась смутная память о тех туманных веках, когда мир переживал свое раннее детство.

— Смелая теория, — заметил я.

— Все теории, объясняющие явления природы, должны быть смелы, как сама природа,— ответил Холмс.— Но что это с вами? На вас лица нет. Вас, наверное, сильно взволновала эта история на Брикстон-роуд.

— Сказать по правде, да,— вздохнул я.— Хотя после моих афганских мытарств мне следовало бы стать более закаленным. Когда в Майванде у меня на глазах рубили в куски моих товарищей, я и то не терял самообладания.

— Понимаю. В этом преступлении есть таинственность, которая действует на воображение; где нет пищи воображению, там нет и страха. Вы видели вечернюю газету?

— Нет еще.

— Там довольно подробно рассказано об этом убийстве. Правда, ничего не говорится о том, что, когда подняли труп, на пол упало обручальное кольцо,— но тем лучше для нас!

— Почему?

— Прочтите-ка это объявление. Я разослал его во все газеты утром, когда мы заезжали на почту.

Он положил на стол передо мной газету; я взглянул на указанное место. Первое объявление под рубрикой «Находки» гласило: *«Сегодня утром на Брикстон-роуд между трактиром «Белый олень» и Холленд-Грув найдено золотое кольцо. Обращаться к доктору Уотсону, Бейкер-стрит, 221б, от восьми до девяти вечера».*

— Простите, что воспользовался вашим именем,— сказал Холмс.— Если бы я назвал свое, кто-нибудь из этих остолопов догадался бы, в чем дело, и счел бы своим долгом вмешаться.

— О, ради бога,— ответил я.— Но вдруг кто-нибудь явится,— ведь у меня нет кольца.

— Вот оно,— сказал Холмс, протягивая мне какое-то кольцо.— Сойдет вполне: оно почти такое же.

— И кто же, по-вашему, придет за ним?

— Ну, как кто, конечно, человек в коричневом пальто, наш краснолицый друг с квадратными носками. А если не он сам, так его сообщник.

— Неужели он не побоится риска?

— Ничуть. Если я правильно понял это дело,— а у меня есть основания думать, что правильно,— то этот человек пойдет на все, лишь бы вернуть кольцо. Мне думается, он выронил его, когда нагнулся над трупом Дреббера. А выйдя из дома, хватился кольца и поспешил обратно, но туда по его собственной оплошности уже явилась полиция,— ведь он забыл погасить свечу. Тогда, чтобы отвести подозрения, ему пришлось притвориться пьяным. Теперь попробуйте-ка стать на его место. Подумав, он сообразит, что мог потерять кольцо на улице после того, как вышел из дома. Что же он сделает? Наверняка схватится за вечерние газеты в надежде найти объявление о находке. И вдруг — о радость! — он видит наше объявление. Думаете, он заподозрит ловушку? Никогда. Он уверен, что никому и в голову не придет, что между найденным кольцом и убийством есть какая-то связь. И он придет. Вы его увидите в течение часа.

— А потом что? — спросил я.

— О, предоставьте это мне. У вас есть какое-нибудь оружие?

— Есть старый револьвер и несколько патронов.

— Почистите его и зарядите. Он, конечно, человек отчаянный, и, хоть я поймаю его врасплох, лучше быть готовым ко всему.

Я пошел в свою комнату и сделал все, как он сказал. Когда я вернулся с револьвером, со стола было уже убрано, а Холмс предавался своему любимому занятию — пиликал на скрипке.

— Сюжет усложняется,— сказал он.— Только что я получил из Америки ответ на свою телеграмму. Все так, как я и думал.

— А что такое? — жадно спросил я.

— Надо бы купить новые струны для скрипки,— сказал он.— Спрячьте револьвер в карман. Когда явится этот тип, разговаривайте с ним как ни в чем не бывало. Остальное я беру на себя. И не впивайтесь в него глазами, не то вы его спугнете.

— Уже восемь,— заметил я, взглянув на часы.

— Да. Он, наверное, явится через несколько минут. Чуть-чуть приоткройте дверь. Вот так, достаточно. Вставьте ключ изнутри... Спасибо. Вчера на лотке я купил занятную старинную книжку — «De Jure inter Gentes»[1], изданную на латинском языке в Льеже в 1642 году. Когда вышел этот коричневый томик, голова Карла еще крепко сидела на плечах.

— Кто издатель?

— Какой-то Филипп де Круа. На титульном листе сильно выцветшими чернилами написано: «Ex libris Gulidmi whyte»[2]. Любопытно, кто такой был этот Уильям

---

[1] «О международном праве» *(лат.)*.
[2] «Из книг Уильяма Уайта» *(лат.)*.

Уайт. Наверное, какой-нибудь дотошный стряпчий семнадцатого века. У него затейливый почерк крючкотвора. А вот, кажется, и наш гость!

Послышался резкий звонок. Шерлок Холмс встал и тихонько подвинул свой стул поближе к двери. Мы услышали шаги служанки в передней и щелканье замка.

— Здесь живет доктор Уотсон? — донесся до нас четкий, довольно грубый голос. Мы не слышали ответа служанки, но дверь захлопнулась, и кто-то стал подниматься по лестнице. Шаги были шаркающие и неуверенные. Холмс прислушался и удивленно поднял брови. Шаги медленно приближались по коридору, затем раздался робкий стук в дверь.

— Войдите,— сказал я.

Вместо грубого силача перед нами появилась древняя, ковыляющая старуха! Она сощурилась от яркого света; сделав реверанс, она остановилась у двери и, моргая подслеповатыми глазками, принялась нервно шарить в кармане дрожащими пальцами. Я взглянул на Холмса — на лице его было такое несчастное выражение, что я с трудом удержался от смеха. Старая карга вытащила вечернюю газету и ткнула в нее пальцем.

— Я вот зачем пришла, добрые господа,— прошамкала она, снова приседая.— Насчет золотого обручального колечка на Брикстон-роуд. Это дочка моя, Салли, обронила, она только год как замужем, а муж ее плавает буфетчиком на пароходе, и вот было бы шуму, если б он вернулся, а кольца нет! Он и так крутого нрава, а уж когда выпьет — упаси бог! Коли угодно вам знать, она вчера пошла в цирк вместе с...

— Это ее кольцо? — спросил я.

— Слава тебе господи! — воскликнула старуха.— Уж как Салли обрадуется! Оно самое, как же!

— Ваш адрес, пожалуйста,— сказал я, взяв карандаш.

— Хаундсдитч, Дункан-стрит, номер 13. Путь до вас не ближний!

— Брикстон-роуд совсем не по дороге от Хаундсдитча к цирку,— резко произнес Холмс.

Старуха обернулась и остро взглянула на него своими маленькими красными глазками.

— Они ведь спросили, где живу я,— сказала она,— а Салли живет в Пекхэме, Мэйсфилд-плейс, дом 3.

— Как ваша фамилия?

— Моя-то Сойер, а ее — Деннис, потому как она вышла за Тома Денниса,— малый он из себя аккуратный, тихий, пока в море, и пароходная компания им не нахвалится, а уж сойдет на берег, тут и женский пол, и пьянки, и...

— Вот ваше кольцо, миссис Сойер,— перебил я, повинуясь знаку, поданному Холмсом.— Оно, несомненно, принадлежит вашей дочери, и я рад, что могу его вернуть законной владелице.

Бормоча слова благодарности и призывая на меня божье благословение, старая карга спрятала кольцо в карман и заковыляла вниз по лестнице. Едва она успела выйти за дверь, как Шерлок Холмс вскочил со стула и ринулся в свою комнату. Через несколько секунд он появился в пальто и шарфе.

— Я иду за ней,— торопливо бросил он.— Она, конечно, сообщница, и приведет меня к нему. Дождитесь меня, пожалуйста.

Когда внизу захлопнулась дверь за нашей гостьей, Холмс уже сбегал с лестницы. Я выглянул в окно,— старуха плелась по другой стороне улицы, а Холмс шагал за нею, держась немного поодаль. «Либо вся его теория ничего не стоит,— подумал я,— либо сейчас он ухватится за нить, ведущую к разгадке этой тайны». Просьба дождаться его была совершенно излишней: разве я мог уснуть, не узнав, чем кончилось его приключение?

Он ушел около девяти. Я, конечно, и понятия не имел, когда он вернется, но тупо сидел в столовой, попыхивая трубкой и перелистывая страницы «Vie de bohéme»[1] Мюрже. Пробило десять; по лестнице протопала служанка, отправляясь спать. Вот уже и одиннадцать, и снова шаги; я узнал величавую поступь нашей хозяйки, тоже собиравшейся отходить ко сну. Около двенадцати внизу резко щелкнул замок. Как только Холмс вошел, я сразу понял, что он не мог похвастаться удачей. На лице его боролись смешливость и досада, наконец чувство юмора взяло верх, и он весело расхохотался.

— Что угодно, лишь бы мои дружки из Скотленд-Ярда не пронюхали об этом! — воскликнул он, бросаясь в кресло.— Я столько раз издевался над ними, что они мне этого ни за что не спустят! А посмеяться над собой я имею право — я ведь знаю, что в конечном счете возьму реванш!

— Да что же произошло? — спросил я.

— Я остался в дураках, но это не беда. Так вот. Старуха шла по улице, потом вдруг стала хромать, и по всему было видно, что у нее разболелась нога. Наконец

---

[1] «Жизнь богемы» (франц.).

она остановилась и подозвала проезжавший мимо кэб. Я старался подойти как можно ближе, чтобы услышать, куда она велит ехать, но мог бы и не трудиться: она закричала на всю улицу: «Дункан-стрит, номер тринадцать!» Неужели же здесь нет обмана, подумал я, но когда она села в кэб, я на всякий случай прицепился сзади — этим искусством должен отлично владеть каждый сыщик. Так мы и покатили без остановок до самой Дункан-стрит. Я соскочил раньше, чем мы подъехали к дому, и не спеша пошел по тротуару. Кэб остановился. Кэбмен спрыгнул и открыл дверцу — никого! Когда я подошел, он в бешенстве заглядывал в пустой кэб, и должен сказать, что такой отборной ругани я еще на своем веку не слыхал! Старухи и след простыл, и, боюсь, ему долго придется ждать своих денежек! Мы справились в доме тринадцать — владельцем оказался почтенный обойщик по имени Кесуик, а о Сойерах и Деннисах там никто и не слышал.

— Неужели вы хотите сказать,— изумился я,— что эта немощная хромая старуха выскочила из кэба на ходу, да так, что ни вы, ни кучер этого не заметили?

— Какая там к черту старуха! — сердито воскликнул Шерлок Холмс.— Это мы с вами — старые бабы, и нас обвели вокруг пальца! То был, конечно, молодой человек, очень ловкий, и к тому же бесподобный актер. Грим у него был превосходный. Он, конечно, заметил, что за ним следят, и проделал этот трюк, чтобы улизнуть. Это доказывает, что человек, которого мы ищем, действует не в одиночку, как мне думалось,— у него есть друзья, готовые для него пойти на риск. Однако, доктор, вы, я вижу, совсем никуда не годитесь! Ступайте-ка спать, вот что я вам скажу!

Я и в самом деле очень устал и охотно последовал его совету. Холмс уселся у тлеющего камина, и я еще долго слышал тихие, заунывные звуки его скрипки. Я уже знал, что это значит — Холмс обдумывал странную тайну, которую решил распутать во что бы то ни стало.

ГЛАВА VI

Тобиас Грегсон доказывает, на что он способен

На следующий день все газеты были полны сообщениями о так называемой «Брикстонской тайне». Каждая газета поместила подробный отчет о происшедшем, а некоторые напечатали и статьи. Из них я узнал кое-что для меня новое. У меня до сих пор хранится множество газетных вырезок, а в записной книжке есть выписка из статей о загадочном убийстве. Вот содержание нескольких из них:

«Дейли телеграф» писала, что в истории преступлений вряд ли можно найти убийство, которому сопутствовали бы столь странные обстоятельства. Немецкая фамилия жертвы, отсутствие каких-либо явных мотивов и зловещая надпись на стене — все говорит о том, что преступление совершено политическими эмигрантами и революционерами. В Америке много социалистских организаций; по-видимому, убитый нарушил какие-то их неписаные законы и его выследили. Бегло упомянув германский фемгерихт[1], aqua tofana[2], карбонариев, маркизу де Бренвилье[3], теорию Дарвина, теорию Мальтуса и убийства на Рэтклиффской дороге[4], автор статьи под конец призывал правительство быть начеку и требовал усиления надзора за иностранцами в Англии.

«Стандард» подчеркивала, что беззакония такого рода, как правило, происходят при либеральном правительстве. Причина тому — неустойчивое настроение масс, что порождает неуважение к закону. Убитый, по происхождению американец, прожил в нашей столице несколько недель. Он остановился в пансионе мадам Шарпантье на Торки-Террас, в Камберуэлле. В поездках его сопровождал личный секретарь, мистер Джозеф Стэнджерсон. Во вторник, четвертого числа сего месяца, оба простились с хозяйкой и поехали на Юстонский вокзал к ливерпульскому экспрессу. На перроне их видели вместе. После этого о них ничего не было известно, пока, согласно приведенному выше отчету, тело мистера Дреббера не было обнаружено в пустом доме на Брикстон-роуд, в нескольких милях от вокзала. Как он туда попал и каким образом был убит — все это пока окутано мраком неизвестности. «Мы рады слышать, что расследование ведут мистер Лестрейд и мистер Грегсон из Скотленд-Ярда; можно с уверенностью сказать, что с помощью этих известных сыщиков загадка разъяснится очень скоро».

---

[1] Ф е м г е р и х т — тайный суд в средневековой Германии, выносивший свои приговоры на секретных ночных заседаниях.

[2] А к в а т о ф а н а — яд, названный по имени применявшей его отравительницы Теофании ди Адамо, казненной в Палермо в 1633 году.

[3] Б р е н в и л ь е, Мария Мадлен,— из корыстных целей отравила своего отца и двух братьев. Казнена в Париже в 1676 году.

[4] Убийства на Рэтклиффской дороге — одно из самых знаменитых преступлений в истории английской криминалистики.

Газета «Дейли ньюс» не сомневалась, что это — убийство на политической почве. Деспотизм континентальных правительств и их ненависть к либерализму прибили к нашим берегам множество эмигрантов, которые стали бы превосходными гражданами Англии, если бы не были отравлены воспоминаниями о том, что им пришлось претерпеть. У этих людей существует строгий кодекс чести, и малейшее его нарушение карается смертью. Нужно приложить все усилия, чтобы разыскать секретаря покойного, некоего Стэнджерсона, и разузнать об особенностях и привычках его патрона. Чрезвычайно важно то, что удалось установить адрес дома, где он жил, — это следует целиком приписать энергии и проницательности мистера Грегсона из Скотленд-Ярда.

Мы прочли эти статьи за завтраком; Шерлок Холмс потешался над ними вовсю.

— Я же говорил, — что бы ни случилось, Лестрейд и Грегсон всегда останутся в выигрыше!

— Это зависит от того, какой оборот примет дело.

— Ну что вы, это ровно ничего не значит. Если убийцу поймают, то исключительно благодаря их стараниям; если он удерет — то несмотря на их старания. Одним словом, «мне вершки, тебе корешки», и они всегда выигрывают. Что бы они ни натворили, у них всегда найдутся поклонники. Un sot trouve toujours un plus sot qui l'admire[1].

— Боже, что там такое? — воскликнул я, услышав в прихожей и на лестнице топот множества ног и гневные возгласы нашей хозяйки.

— Это отряд уголовной полиции Бейкер-стрит, — серьезно ответил Шерлок Холмс.

В комнату ворвалась целая орава на редкость грязных и оборванных уличных мальчишек.

— Смирно! — строго крикнул Холмс, и шестеро оборванцев, выстроившись в ряд, застыли неподвижно, как маленькие и, надо сказать, довольно безобразные изваяния. — Впредь с докладом будет приходить один Уиггинс, остальные пусть ждут на улице. Ну что, Уиггинс, нашли?

— Не нашли, сэр, — выпалил один из мальчишек.

— Я так и знал. Ищите, пока не найдете. Вот ваше жалованье. — Холмс дал каждому по шиллингу. — А теперь марш отсюда, и в следующий раз приходите с хорошими новостями!

---

[1] «Глупец глупцу всегда внушает восхищенье» (франц.). Н. Буало. «Поэтическое искусство».

Он махнул им рукой, и мальчишки, как стайка крыс, помчались вниз по лестнице; через минуту их пронзительные голоса донеслись уже с улицы.

— От этих маленьких попрошаек больше толку, чем от десятка полисменов,— заметил Холмс.— При виде человека в мундире у людей деревенеет язык, а эти сорванцы всюду пролезут и все услышат. Смышленый народ, им не хватает только организованности.

— Вы наняли их для Брикстонского дела? — спросил я.

— Да, мне нужно установить один факт. Но это только вопрос времени. Ага! Сейчас мы услышим что-то новенькое насчет убийства из мести. К нам жалует сам Грегсон, и каждая черта его лица источает блаженство.

Нетерпеливо зазвонил звонок; белобрысый сыщик через несколько секунд взбежал по лестнице, перепрыгивая через три ступеньки зараз, и влетел в нашу гостиную.

— Дорогой коллега, поздравьте меня! — закричал он, изо всех сил тряся покорную руку Холмса.— Я разгадал загадку, и теперь все ясно, как божий день!

Мне показалось, что на выразительном лице моего приятеля мелькнула тень беспокойства.

— Вы хотите сказать, что напали на верный след? — спросил он.

— Да что там след! Ха-ха! Преступник сидит у нас под замком!

— Кто же он такой?

— Артур Шарпантье, младший лейтенант флота ее величества! — воскликнул Грегсон, горделиво выпятив грудь и потирая пухлые руки.

Шерлок Холмс с облегчением вздохнул, и его чуть сжавшиеся губы распустились в улыбке.

— Садитесь и попробуйте вот эти сигары,— сказал он.— Мы горим нетерпением узнать, как это вам удалось. Хотите виски с водой?

— Не возражаю,— ответил сыщик.— Последние два дня отняли у меня столько сил, что я просто валюсь с ног — не столько от физической усталости, конечно, сколько от умственного перенапряжения. Вам это знакомо, мистер Холмс, мы же с вами одинаково работаем головой.

— Вы мне льстите,— с серьезным видом возразил Холмс.— Итак, каким же образом вы пришли к столь блистательным результатам?

Сыщик удобно уселся в кресло и задымил сигарой. Но вдруг он хлопнул себя по ляжке и захохотал.

— Нет, вот что интересно! — воскликнул он.— Этот болван Лестрейд воображает, что умнее всех, а сам пошел по совершенно ложному следу! Он ищет секретаря Стэнджерсона, а этот Стэнджерсон так же причастен к убийству, как неродившееся дитя. А он, наверное, уже посадил его под замок!

Эта мысль показалась Грегсону столь забавной, что он смеялся до слез.

— А как же вы напали на след?

— Сейчас все расскажу. Доктор Уотсон, это, конечно, строго между нами. Первая трудность состояла в том, как разузнать о жизни Дреббера в Америке. Другой бы стал ждать, пока кто-то откликнется на объявление или сам вызовется дать сведения об убитом. Но Тобиас Грегсон работает иначе. Помните цилиндр, что нашли возле трупа?

— Помню,— сказал Холмс.— На нем была марка — «Джон Ундервуд и сыновья», Камберуэлл-роуд, 129.

Грегсон заметно помрачнел.

— Вот уж никак не думал, что вы это заметили,— сказал он.— Вы были в магазине?

— Нет.

— Ха! — с облегчением усмехнулся Грегсон.— В нашем деле нельзя упускать ни единой возможности, хоть и самой малой.

— Для великого ума мелочей не существует,— сентенциозно произнес Холмс.

— Само собой, я пошел к Ундервуду и спросил, не случилось ли ему продать такой-то цилиндр такого-то размера. Он заглянул в свою книгу и сразу же нашел запись. Он послал цилиндр мистеру Дребберу в пансион Шарпантье на Торки-Террас. Вот таким образом я узнал его адрес.

— Ловко, ничего не скажешь,— пробормотал Шерлок Холмс.

— Затем я отправился к миссис Шарпантье,— продолжал детектив.— Она была бледна и, очевидно, очень расстроена. При ней находилась дочь — на редкость хорошенькая, между прочим; глаза у нее были красные, а когда я с ней заговорил, губы ее задрожали. Я, конечно, сразу почуял, что дело тут нечисто. Вам знакомо это ощущение какого-то особого холодка внутри, когда нападаешь на верный след, мистер Холмс? Я спросил: «Вам известно о загадочной смерти вашего бывшего квартиранта, мистера Еноха Дреббера из Кливленда?»

Мать кивнула. У нее, видно, не было силы вымолвить хоть слово. Дочь вдруг расплакалась. Тут мне уже стало ясно: эти женщины что-то знают.

«В котором часу мистер Дреббер уехал на вокзал?» — спрашиваю я.

Мать, стараясь побороть волнение, судорожно глотнула воздух.

«В восемь,— ответила она.— Его секретарь, мистер Стэнджерсон, сказал, что есть два поезда: один — в девять пятнадцать, другой — в одиннадцать. Он собирался ехать первым».

«И больше вы его не видели?»

Женщина вдруг сильно изменилась в лице. Она стала белой, как мел, и хрипло, через силу произнесла «нет».

Наступило молчание; вдруг дочь сказала ясным, спокойным голосом:

«Ложь никогда не приводит к добру, мама. Давайте скажем все откровенно. Да, мы видели мистера Дреббера еще раз».

«Да простит тебя бог! — крикнула мадам Шарпантье, всплеснув руками, и упала в кресло.— Ты погубила своего брата!»

«Артур сам велел бы нам говорить только правду»,— твердо сказала девушка.

«Советую вам рассказать все без утайки,— сказал я.— Полупризнание хуже, чем запирательство. Кроме того, мы сами уже кое-что знаем».

«Пусть же это будет на твоей совести, Алиса! — воскликнула мать и повернулась ко мне.— Я вам расскажу все, сэр. Не подумайте, что я волнуюсь потому, что мой сын причастен к этому ужасному убийству. Он ни в чем не виновен. Я боюсь только, что в ваших глазах и, может быть, в глазах других он будет невольно скомпрометирован. Впрочем, этого тоже быть не может. Порукой тому его кристальная честность, его убеждения, вся его жизнь!»

«Вы лучше расскажите все начистоту,— сказал я.— И можете поверить, если ваш сын тут ни при чем, ничего плохого с ним не случится».

«Алиса, пожалуйста, оставь нас вдвоем,— сказала мать, и девушка вышла из комнаты.— Я решила молчать, но раз уж моя бедняжка дочь заговорила об этом, то делать нечего. И поскольку я решилась, то расскажу все подробно».

«Вот это разумно!» — согласился я.

«Мистер Дреббер жил у нас почти три недели. Он и его секретарь, мистер Стэнджерсон, путешествовали по Европе. На каждом чемодане была наклейка «Копенгаген» — стало быть, они прибыли прямо оттуда. Стэнджерсон — человек спокойный, сдержанный, но хозяин его, к сожалению, был совсем другого склада. У него были дурные привычки, и вел он себя довольно грубо. Когда они приехали, он в первый же вечер сильно напился, и если уж говорить правду, после полудня вообще не бывал трезвым. Он заигрывал с горничными и позволял себе с ними недопустимые вольности. Самое ужасное, что он вскоре повел себя так и с моей дочерью Алисой и не раз говорил ей такое, чего она, к счастью, по своей невинности даже не могла понять. Однажды он дошел до крайней наглости — схватил ее и стал целовать; даже его собственный секретарь не вытерпел и упрекнул его за столь неприличное поведение».

«Но вы-то почему это терпели? — спросил я.— Вы ведь могли выставить вон ваших жильцов в любую минуту».

Вопрос, как видите, вполне естественный, однако миссис Шарпантье сильно смешалась.

«Видит бог, я отказала бы им на другой же день,— сказала она,— но слишком велико было искушение — ведь каждый платил по фунту в день — значит, четырнадцать фунтов в неделю, а в это время года так трудно найти жильцов! Я вдова, сын мой служит во флоте, и это стоит немалых денег. Не хотелось лишаться дохода, ну я и терпела, сколько могла. Но последняя его выходка меня совсем уж возмутила, и я сейчас же попросила его освободить комнаты. Потому-то он и уехал».

«А дальше?»

«У меня отлегло от сердца, когда они уехали. Сын мой сейчас дома, он в отпуску, но я побоялась рассказать ему — он очень уж вспыльчивый и нежно любит сестру. Когда я заперла за ними дверь, у меня словно камень с души свалился. Но, увы, не прошло и часа, как раздался звонок и мне сказали, что мистер Дреббер вернулся. Он вел себя очень развязно, очевидно, успел порядком напиться. Он вломился в комнату, где сидели мы с дочерью, и буркнул мне что-то невразумительное насчет того, что он-де опоздал на поезд. Потом повернулся к Алисе и прямо при мне предложил ей уехать с ним. «Вы уже взрослая,— сказал он,— и по закону никто вам запретить не может. Денег у меня куча. Не обращайте внимания на свою старуху, едемте вместе сейчас же! Вы будете жить, как герцогиня!» Бедная Алиса перепугалась и бросилась прочь, но он схватил ее за руку и потащил к двери. Я закричала, и тут вошел мой сын, Артур. Что было потом, я не знаю. Я слышала только злобные проклятия и шумную возню. Я была так напугана, что не смела открыть глаза. Наконец я подняла голову и увидела, что Артур стоит на пороге с палкой в руках и смеется. «Думаю, что наш прекрасный жилец сюда больше не покажется,— сказал он.— Пойду на улицу, погляжу, что он там делает». Артур взял шляпу и вышел. А наутро мы узнали, что мистер Дреббер убит неизвестно кем».

Рассказывая, миссис Шарпантье то вздыхала, то всхлипывала. Временами она даже не говорила, а шептала так тихо, что я еле разбирал слова. Но все, что она сказала, я записал стенографически, чтобы потом не было недоразумений.

— Очень любопытно,— сказал Холмс, зевая.— Ну, и что же дальше?

— Миссис Шарпантье замолчала,— продолжал сыщик,— и тут я понял, что все зависит от одного-единственного обстоятельства. Я посмотрел на нее пристальным взглядом — я не раз убеждался, как сильно он действует на женщин,— и спросил, когда ее сын вернулся домой.

«Не знаю»,— ответила она.

«Не знаете?»

«Нет, у него есть ключи, он сам отпирает дверь».

«Но вы уже спали, когда он пришел?»

«Да».

«А когда вы легли спать?»

«Около одиннадцати».

«Значит, ваш сын отсутствовал часа два, не меньше?»

«Да».

«А может, четыре или пять часов?»

«Может быть».

«Что же он делал все это время?»

«Не знаю»,— сказала она, так побледнев, что даже губы у нее побелели.

Конечно, после этого уже не о чем было говорить.

Я разузнал, где находится лейтенант Шарпантье, взял с собой двух полицейских и арестовал его. Когда я тронул его за плечо и велел спокойно идти с нами, он нагло спросил: «Вы, наверное, подозреваете, что я убил этого негодяя Дреббера?» А поскольку об убийстве и речи пока не было, то все это весьма подозрительно.

— Очень,— подтвердил Холмс.

— При нем была палка, с которой он, по словам матери, бросился вслед за Дреббером. Толстая, тяжелая дубинка, сэр.

— Как же, по-вашему, произошло убийство?

— А вот как. Он шел за Дреббером до самой Брикстон-роуд. Там снова завязалась драка. Шарпантье ударил этой палкой Дреббера, всего вероятнее, в живот,— и тот сразу же умер, а на теле никаких следов не осталось. Лил дождь, кругом не было ни души, и Шарпантье оттащил свою жертву в пустой дом. А свеча, кровь на полу, надпись на стене и кольцо — это всего-навсего хитрости, чтобы запутать следствие.

— Молодец! — одобрительно воскликнул Холмс.— Право, Грегсон, вы делаете большие успехи. У вас большая будущность.

— Я тоже доволен собой, кажется, я недурно справился с делом,— горделиво ответил сыщик.— Молодой человек в своих показаниях утверждает, что он пошел за Дреббером, но тот вскоре заметил его и, подозвав кэб, уехал. Шарпантье утверждает, что, возвращаясь домой, он якобы встретил своего товарища по флоту, и они долго гуляли по улицам. Однако он не смог сказать, где живет этот его товарищ. Мне кажется, тут все сходится одно к одному необыкновенно точно. Но Лестрейд-то, Лестрейд! Как подумаю, что он сейчас рыщет по ложному следу, так меня разбирает смех! Смотрите-ка, да вот и он сам!

Да, действительно в дверях стоял Лестрейд — за разговором мы не услышали его шагов на лестнице. Но куда девалась его самоуверенность, его обычная щеголеватость? На лице его были написаны растерянность и тревога, измятая одежда забрызгана грязью. Очевидно, он пришел о чем-то посоветоваться с Шерлоком Холмсом, потому что, увидев своего коллегу, был смущен и раздосадован. Он стоял посреди комнаты, нервно теребя шляпу, и, казалось, не знал, как поступить.

— Совершенно небывалый случай,— произнес он наконец,— непостижимо запутанное дело!

— Неужели, мистер Лестрейд! — торжествующе воскликнул Грегсон.— Я не сомневался, что вы придете к такому заключению. Удалось ли вам найти секретаря, мистера Джозефа Стэнджерсона?

— Мистер Джозеф Стэнджерсон,— серьезным тоном сказал Лестрейд,— убит в гостинице «Холлидей» сегодня около шести часов утра.

ГЛАВА VII

Проблеск света

Неожиданная и важная весть, которую принес нам Лестрейд, слегка ошеломила всех нас. Грегсон вскочил с кресла, пролив на пол остатки виски с водой. Шерлок

Холмс сдвинул брови и крепко сжал губы, а я молча уставился на него.

— И Стэнджерсон тоже...— пробормотал Холмс.— Дело осложняется.

— Оно и без того достаточно сложно,— проворчал Лестрейд, берясь за стул.— Но я, кажется, угодил на военный совет?

— А вы... вы точно знаете, что он убит? — запинаясь, спросил Грегсон.

— Я только что был в его комнате,— ответил Лестрейд.— И первый обнаружил его труп.

— А мы тут слушали Грегсона, который по-своему решил загадку,— заметил Холмс.— Будьте добры, расскажите нам, что вы видели и что успели сделать.

— Пожалуйста,— ответил Лестрейд, усаживаясь на стул.— Не скрою, я держался того мнения, что Стэнджерсон замешан в убийстве Дреббера. Сегодняшнее событие доказало, что я ошибался. Одержимый мыслью о его соучастии, я решил выяснить, где он и что с ним. Третьего числа вечером, примерно в половине девятого, их видели вместе на Юстонском вокзале. В два часа ночи труп Дреббера нашли на Брикстон-роуд. Следовательно, я должен был узнать, что делал Стэнджерсон между половиной девятого и тем часом, когда было совершено преступление, и куда он девался после этого. Я послал в Ливерпуль телеграмму, сообщил приметы Стэнджерсона и просил проследить за пароходами, отходящими в Америку. Затем я объехал все гостиницы и меблированные комнаты в районе Юстонского вокзала. Видите ли, я рассуждал так: если они с Дреббером расстались у вокзала, то скорее всего секретарь переночует где-нибудь поблизости, а утром опять явится на вокзал.

— Они, вероятно, заранее условились о месте встречи,— вставил Холмс.

— Так и оказалось. Вчерашний вечер я потратил на поиски Стэнджерсона, но безуспешно. Сегодня я начал искать его с раннего утра и к восьми часам добрался наконец до гостиницы «Холлидей» на Литл-Джордж-стрит. На вопрос, не живет ли здесь мистер Стэнджерсон, мне сразу ответили утвердительно.

«Вы, наверное, тот джентльмен, которого он поджидает,— сказали мне.— Он ждет вас уже два дня».

«А где он сейчас?» — спросил я.

«У себя наверху, он еще спит. Он просил разбудить его в девять».

«Я сам его разбужу»,— сказал я.

Я подумал, что мой внезапный приход застанет его врасплох и от неожиданности он может проговориться насчет убийства. Коридорный вызвался проводить меня до его комнаты — она была на втором этаже и выходила в узенький коридорчик. Показав мне его дверь, коридорный пошел было вниз, как вдруг я увидел такое, от чего, несмотря на мой двадцатилетний опыт, мне едва не стало дурно. Из-под двери вилась тоненькая красная полоска крови, она пересекала пол-коридорчика и образовала лужицу у противоположной стены. Я невольно вскрикнул; коридорный тотчас же вернулся назад. Увидев кровь, он чуть не хлопнулся без чувств. Дверь оказалась заперта изнутри, но мы высадили ее плечами и ворвались в комнату. Окно было открыто, а возле него на полу, скорчившись, лежал человек в ночной рубашке. Он был мертв, и, очевидно, уже давно: труп успел окоченеть. Мы перевернули его на спину, и коридорный подтвердил, что это тот самый человек, который жил у них в гостинице под именем Джозефа Стэнджерсона. Смерть наступила от сильного удара ножом в левый бок; должно быть, нож задел сердце. И тут обнаружилось самое странное. Как вы думаете, что мы увидели над трупом?

Прежде чем Холмс успел ответить, я почувствовал, что сейчас услышу что-то страшное, и у меня по коже поползли мурашки.

— Слово «Rache», написанное кровью,— сказал Холмс.

— Да, именно.— В голосе Лестрейда звучал суеверный страх.

Мы помолчали. В действиях неизвестного убийцы была какая-то зловещая методичность, и от этого его преступления казались еще ужаснее. Нервы мои, ни разу не сдававшие на полях сражений, сейчас затрепетали.

— Убийцу видели,— продолжал Лестрейд.— Мальчик, приносивший молоко, шел обратно в молочную через проулок, куда выходит конюшня, что на задах гостиницы. Он заметил, что лестница, всегда валявшаяся на земле, приставлена к окну второго этажа гостиницы, а окно распахнуто настежь. Отойдя немного, он оглянулся и увидел, что по лестнице спускается человек. И спускался он так спокойно, не таясь, что мальчик принял его за плотника или столяра, работавшего в гостинице. Мальчик не обратил особого внимания на этого человека, хотя у него мелькнула мысль, что в такую рань обычно еще не работают. Он припоминает, что человек этот был высокого роста, с красноватым лицом и в длинном коричневом пальто. Он, должно быть, ушел из комнаты не сразу после убийства — он ополоснул руки в тазу с водой и тщательно вытер нож о простыню, на которой остались кровяные пятна.

Я взглянул на Холмса — описание убийцы в точности совпадало с его догадками. Однако лицо его не выражало ни радости, ни удовлетворения.

— Вы не нашли в комнате ничего такого, что могло бы навести на след убийцы?

— Ничего. У Стэнджерсона в кармане был кошелек Дреббера, но тут нет ничего удивительного: Стэнджерсон всегда за него расплачивался. В кошельке восемьдесят фунтов с мелочью, и, очевидно, оттуда ничего не взято. Не знаю, каковы мотивы этих странных преступлений, но только не ограбление. В карманах убитого не обнаружено никаких документов или записок, кроме телеграммы из Кливленда, полученной с месяц назад. Текст ее —«Дж. X. в Европе». Подписи в телеграмме нет.

— И больше ничего?— спросил Холмс.

— Ничего существенного. На кровати брошен роман, который Стэнджерсон читал на ночь вместо снотворного, а на стуле рядом лежит трубка убитого. На столе стоит стакан с водой, на подоконнике — аптекарская коробочка, и в ней две пилюли.

С радостным возгласом Шерлок Холмс вскочил со стула.

— Последнее звено!— воскликнул он.— Теперь все ясно!

Оба сыщика вытаращили на него глаза.

— Сейчас в моих руках все нити этого запутанного клубка,— уверенно заявил мой приятель.— Конечно, еще не хватает кое-каких деталей, но цепь событий, начиная с той минуты, как Дреббер расстался со Стэнджерсоном на вокзале, и вплоть до того, как вы нашли труп Стэнджерсона, мне ясна, как будто все происходило на моих глазах. И я вам это докажу. Не могли бы вы взять оттуда пилюли?

— Они у меня,— сказал Лестрейд, вытаскивая маленькую белую коробочку.— Я взял и пилюли, и кошелек, и телеграмму, чтобы сдать в полицейский участок. По правде говоря, пилюли я прихватил случайно: я не придал им никакого значения.

— Дайте сюда,— сказал Холмс и повернулся ко мне.— Доктор, как вы думаете, это обыкновенные пилюли?

Нет, пилюли, конечно, нельзя было назвать обыкновенными. Маленькие, круглые, жемчужно-серого цвета, они были почти прозрачными, если смотреть их на свет.

— Судя по легкости и прозрачности, я полагаю, что они растворяются в воде,— сказал я.

— Совершенно верно,— ответил Холмс.— Будьте добры, спуститесь вниз и принесите этого несчастного парализованного терьера,— хозяйка вчера просила усыпить его, чтобы он больше не мучился.

Я сошел вниз и принес собаку. Тяжелое дыхание и стекленеющие глаза говорили о том, что ей недолго осталось жить. Судя по побелевшему носу, она уже почти перешагнула предел собачьего существования. Я положил терьера на коврик у камина.

— Сейчас я разрежу одну пилюлю пополам,— сказал Холмс, вынимая перочинный нож.— Одну половинку мы положим обратно — она еще может пригодиться. Другую я кладу в этот бокал и наливаю чайную ложку воды. Видите, наш доктор прав — пилюля быстро растворяется.

— Да, весьма занятно,— обиженным тоном произнес Лестрейд, очевидно заподозрив, что над ним насмехаются,— но я все-таки не понимаю, какое это имеет отношение к смерти Джозефа Стэнджерсона?

— Терпение, друг мой, терпение! Скоро вы убедитесь, что пилюли имеют к ней самое прямое отношение. Теперь я добавлю немного молока, чтобы было повкуснее и собака вылакала бы все сразу.

Вылив содержимое бокала в блюдце, он поставил его перед собакой. Та вылакала все до капли. Серьезность Холмса так подействовала на нас, что мы молча, как завороженные, следили за собакой, ожидая чего-то необычайного. Ничего, однако, не произошло. Терьер лежал на коврике, все так же тяжело дыша, но от пилюли ему не стало ни лучше, ни хуже.

Холмс вынул часы; прошла минута, другая, собака дышала по-прежнему, а Шерлок Холмс сидел с глубоко огорченным, разочарованным видом. Он прикусил губу, потом забарабанил пальцами по столу — словом, выказывал все признаки острого нетерпения. Он так волновался, что мне стало его искренне жаль, а оба сыщика иронически улыбались, явно радуясь его провалу.

— Неужели же это просто совпадение? — воскликнул он наконец; вскочив со стула, он яростно зашагал по комнате.— Нет, не может быть! Те самые пилюли, которые, как я предполагал, убили Дреббера, найдены возле мертвого Стэнджерсона. И вот они не действуют! Что же это значит? Не верю, чтобы весь ход моих рассуждений оказался неправильным. Это невозможно! И все-таки бедный пес жив... А! Теперь я знаю! Знаю!

С этим радостным возгласом он схватил коробочку, разрезал вторую пилюлю пополам, растворил в воде, долил молока и поставил перед терьером. Едва несчастный пес лизнул языком эту смесь, как по телу его пробежали судороги, он вытянулся и застыл, словно сраженный молнией.

Шерлок Холмс глубоко вздохнул и отер со лба пот.

— Надо больше доверять себе,— сказал он.— Пора бы мне знать, что если какой-нибудь факт идет вразрез с длинной цепью логических заключений, значит, его можно истолковать иначе. В коробке лежало две пилюли — в одной содержался смертельный яд, другая — совершенно безвредная. Как это я не догадался раньше чем увидел коробку!

Последняя фраза показалась мне настолько странной, что я усомнился, в здравом ли он уме. Однако труп собаки служил доказательством правильности его доводов. Я почувствовал, что туман в моей голове постепенно рассеивается и я начинаю смутно различать правду.

— Вам всем это кажется сущей дичью,— продолжал Холмс,— потому что в самом начале расследования вы не обратили внимания на единственное обстоятельство, которое и служило настоящим ключом к тайне. Мне посчастливилось ухватиться за него, и все дальнейшее только подтверждало мою догадку и, в сущности, являлось ее логическим следствием. Поэтому все то, что ставило вас в тупик и, как вам казалось, еще больше запутывало дело, мне, наоборот, многое объясняло и только подтверждало мои заключения. Нельзя смешивать странное с таинственным. Часто самое банальное преступление оказывается самым загадочным, потому что ему не сопутствуют какие-нибудь особенные обстоятельства, которые могли бы послужить основой для умозаключений. Это убийство было бы бесконечно труднее разгадать, если бы труп просто нашли на дороге, без всяких «outré»[1] и сенсационных подробностей, которые придали ему характер необыкновенности. Странные подробности вовсе не осложняют расследование, а, наоборот, облегчают его.

Грегсон, сгоравший от нетерпения во время этой речи, не выдержал.

— Послушайте, мистер Шерлок Холмс,— сказал он,— мы охотно признаем, что вы человек сообразительный и изобрели свой особый метод работы. Но сейчас нам ни к чему выслушивать лекцию по теории. Сейчас надо

---
[1] Явные признаки *(франц.)*.

ловить убийцу. У меня было свое толкование дела, но, кажется, я ошибся. Молодой Шарпантье не может быть причастен ко второму убийству. Лестрейд подозревал Стэнджерсона и, очевидно, тоже промахнулся. Вы все время сыплете намеками и делаете вид, будто знаете гораздо больше нас, но теперь мы вправе спросить напрямик: что вам известно о преступлении? Можете ли вы назвать убийцу?

— Не могу не согласиться с Грегсоном, сэр,— заметил Лестрейд.— Мы оба пытались найти разгадку, и оба ошиблись. С той минуты, как я пришел, вы уже несколько раз говорили, что у вас есть все необходимые улики. Надеюсь, теперь-то вы не станете их утаивать?

— Если медлить с арестом убийцы,— добавил я,— он может совершить еще какие-нибудь злодеяния.

Мы так наседали на Холмса, что он явно заколебался. Нахмурив брови и опустив голову, он шагал по комнате взад и вперед, как всегда, когда он что-то напряженно обдумывал.

— Убийств больше не будет,— сказал он, внезапно остановившись.— Об этом можете не беспокоиться. Вы спрашиваете, знаю ли я имя убийцы. Да, знаю. Но знать имя — это еще слишком мало, надо суметь поймать преступника. Я очень надеюсь, что принятые мною меры облегчат эту трудную задачу, но тут нужно действовать с величайшей осторожностью, ибо нам придется иметь дело с человеком хитрым и готовым на все, и к тому же, как я уже имел случай доказать, у него есть сообщник, не менее умный, чем он сам. Пока убийца не знает, что преступление разгадано, у нас еще есть возможность схватить его; но если у него мелькнет хоть малейшее подозрение, он тотчас же переменит имя и затеряется среди четырех миллионов жителей нашего огромного города. Не желая никого обидеть, я должен все же сказать, что такие преступники не по плечу сыскной полиции, поэтому-то я и не обращался к вашей помощи. Если я потерплю неудачу, вся вина за упущение падет на меня — и я готов понести ответственность. Пока же могу пообещать, что немедленно расскажу вам все, как только я буду уверен, что моим планам ничто не угрожает.

Грегсон и Лестрейд были явно недовольны и этим обещанием и обидным намеком на сыскную полицию. Грегсон вспыхнул до корней своих льняных волос, а похожие на бусинки глаза Лестрейда загорелись гневом и любопытством. Однако ни тот, ни другой не успели произнести ни слова: в дверь постучали, и на пороге появился своей собственной непрезентабельной персоной представитель уличных мальчишек.

— Сэр,— заявил он, прикладывая руку к вихрам надо лбом,— кэб ждет на улице.

— Молодчина!— одобрительно сказал Холмс.— Почему Скотленд-Ярд не пользуется этой новой моделью?— продолжал он, выдвинув ящик стола и доставая пару стальных наручников.— Смотрите, как прекрасно действует пружина — они захлопываются мгновенно.

— Мы обойдемся и старой моделью,— ответил Лестрейд,— было бы на кого их надеть.

— Отлично, отлично!— улыбнулся Холмс.— Пусть кэбмен пока что снесет вниз мои вещи. Позови его, Уиггинс.

Я удивился: Холмс, видимо, собрался уезжать, а мне не сказал ни слова! В комнате стоял небольшой чемодан; Холмс вытащил его на середину и, став на колени, начал возиться с ремнями.

— Помогите мне затянуть этот ремень,— не поворачивая головы, сказал он вошедшему кэбмену.

Кэбмен с вызывающе пренебрежительным видом шагнул вперед и протянул руки к ремню. Послышался резкий щелчок, металлическое звяканье, и Шерлок Холмс быстро поднялся на ноги. Глаза его блестели.

— Джентльмены,— воскликнул он,— позвольте представить вам мистера Джефферсона Хоупа, убийцу Еноха Дреббера и Джозефа Стэнджерсона!

Все произошло в одно мгновение, я даже не успел сообразить, в чем дело. Но в память мою навсегда врезалась эта минута — торжествующая улыбка Холмса и его звенящий голос и дикое, изумленное выражение на лице кэбмена при виде блестящих наручников, словно по волшебству сковавших его руки. Секунду-другую мы, оцепенев, стояли, словно каменные идолы. Вдруг пленник с яростным ревом вырвался из рук Холмса и кинулся к окну. Он вышиб раму и стекло, но выскочить не успел: Грегсон, Лестрейд и Холмс набросились на него, как ищейки, и оттащили от окна. Началась жестокая схватка. Рассвирепевший преступник обладал недюжинной силой: как мы ни старались навалиться на него, он то и дело раскидывал нас в разные стороны. Такая сверхъестественная сила бывает разве только у человека, бьющегося в эпилептическом припадке. Лицо его и руки были изрезаны осколками стекла, но, несмотря на потерю крови, он сопротивлялся с ничуть не ослабевавшей яростью. И только когда Лестрейд изловчился просунуть руку под его шарф, схватил его за горло и чуть не задушил, он понял, что бороться бесполезно; все же мы не чувствовали себя в безопасности, пока не связали ему ноги. Наконец, еле переводя дух, мы поднялись с пола.

— Внизу стоит кэб,— сказал Шерлок Холмс.— На нем мы и доставим его в Скотленд-Ярд. Ну что же, джентльмены,— приятно улыбнулся он,— нашей маленькой тайны уже не существует. Прошу вас, задавайте любые вопросы и не опасайтесь, что я откажусь отвечать.

ЧАСТЬ II
Страна святых

ГЛАВА I
В великой соляной пустыне

В центральной части огромного североамериканского материка лежит унылая, бесплодная пустыня, с давних времен служившая преградой на пути цивилизации. От Сьерра-Невады до Небраски, от реки Йеллоустон на севере до Колорадо на юге простирается страна безлюдья и мертвой тишины. Но природа и в этом унылом запустении показала свой прихотливый нрав. Здесь есть и высокие горы, увенчанные снежными шапками, и темные, мрачные долины. Здесь есть скалистые ущелья, где пробегают быстрые потоки, и огромные равнины, зимою белые от снега, а летом покрытые серой солончаковой пылью. Но всюду одинаково голо, неприютно и печально.

В этой стране безнадежности не живут люди. Иногда в поисках новых мест для охоты туда забредают индейцы из племени поуни или черноногих, но даже самые отчаянные храбрецы стремятся поскорее покинуть эти зловещие равнины и вернуться в родные прерии. Здесь по кустарникам рыщут койоты, порой в воздухе захлопает крыльями сарыч и, грузно переваливаясь, пройдет по темной лощине серый медведь, стараясь найти пропитание среди голых скал. Вот, пожалуй, и все обитатели этой глухомани.

Наверное, нет в мире картины безрадостнее той, что открывается с северного склона Сьерра-Бланка. Кругом, насколько хватает глаз, простирается бесконечная плоская равнина, сплошь покрытая солончаковой пылью; лишь кое-где на ней темнеют карликовые кусты чаппараля. Далеко на горизонте высится длинная цепь гор с зубчатыми вершинами, на которых белеет снег. На всем этом огромном пространстве нет ни признаков жизни, ни следов, оставленных живыми существами. В голубовато-стальном небе не видно птиц, и ничто не шевельнется на тусклой серой земле — все обволакивает полная тишина. Сколько ни напрягать слух, в этой великой пустыне не услышишь ни малейшего звука, здесь царит безмолвие — нерушимое, гнетущее безмолвие.

Выше говорилось, что на равнине нет никаких следов живой жизни; пожалуй, это не совсем верно. С высоты Сьерра-Бланка видна извилистая дорога, которая тянется через пустыню и исчезает где-то вдали. Она изборождена колесами и истоптана ногами многих искателей счастья. Вдоль дороги, поблескивая под солнцем, ярко белеют на сером солончаке какие-то предметы. Подойдите ближе и приглядитесь! Это кости — одни крупные и массивные, другие помельче и потоньше. Крупные кости бычьи, другие же — человеческие. На полторы тысячи миль можно проследить страшный караванный путь по этим вехам — останкам тех, кто погиб в соляной пустыне.

4 мая 1847 года все это увидел перед собой одинокий путник. По виду он мог бы сойти за духа или за демона этих мест. С первого взгляда трудно было определить, сколько ему лет — под сорок или под шестьдесят. Желтая пергаментная кожа туго обтягивала кости его худого, изможденного лица, в длинных темных волосах и бороде серебрилась сильная проседь, запавшие глаза горели неестественным блеском, а рука, сжимавшая ружье, напоминала кисть скелета. Чтобы устоять на ногах, ему приходилось опираться на ружье, хотя, судя по высокому росту и могучему сложению, он должен был обладать крепким, выносливым организмом; впрочем, его заострившееся лицо и одежда, мешком висевшая на его иссохшем теле, ясно говорили, почему он выглядит немощным стариком. Он умирал — умирал от голода и жажды.

Напрягая последние силы, он спустился в лощину, потом одолел подъем в тщетной надежде найти здесь, на равнине, хоть каплю влаги, но увидел перед собой лишь соляную пустыню и цепь неприступных гор вдали. И нигде ни дерева, ни кустика, ни признака воды! В этом необозримом пространстве для него не было ни проблеска надежды. Диким, растерянным взглядом он посмотрел на север, потом на восток и запад и понял, что его скитаниям пришел конец,— здесь, на голой скале, ему придется встретить свою смерть. «Не все ли равно, здесь или на пуховой постели лет через двадцать пять»,— пробормотал он, собираясь сесть в тень возле большого валуна.

Но прежде чем усесться, он положил на землю ненужное теперь ружье и большой узел, завязанный серой шалью, который он нес, перекинув через правое плечо.

Узел был, очевидно, слишком тяжел для него,— спустив с плеча, он не удержал его в руках и почти уронил на землю. Тотчас раздался жалобный крик, и из серой шали высунулось сначала маленькое испуганное личико с блестящими карими глазами, потом два грязных пухлых кулачка.

— Ты меня ушиб! — сердито произнес детский голосок.

— Правда? — виновато отозвался путник.— Прости, я нечаянно.

Он развязал шаль; в ней оказалась хорошенькая девочка лет пяти, в изящных туфельках, нарядном розовом платьице и полотняном переднике; все это свидетельствовало о том, что ее одевала заботливая мать. Лицо девочки побледнело и осунулось, но, судя по крепким ножкам и ручкам, ей пришлось вытерпеть меньше лишений, чем ее спутнику.

— Тебе больно? — забеспокоился он, глядя, как девочка, запустив пальцы в спутанные золотистые кудряшки, потирает затылок.

— Поцелуй, и все пройдет,— важно сказала она, подставляя ему ушибленное место.— Так всегда делает мама. А где моя мама?

— Она ушла. Думаю, ты скоро ее увидишь.

— Ушла? — переспросила девочка.— Как же это она не сказала «до свиданья»? Она всегда прощалась, даже когда уходила к тете пить чай, а теперь ее нет целых три дня. Ужасно пить хочется, правда? Нет ли здесь воды или чего-нибудь поесть?

— Ничего тут нет, дорогая. Потерпи немножко, и все будет хорошо. Положи сюда голову, тебе станет лучше. Нелегко говорить, когда губы сухие, как бумага, но уж лучше я тебе скажу все, как есть. Что это у тебя?

— Смотри, какие красивые! Какие чудесные! — восторженно сказала девочка, подняв два блестящих кусочка слюды.— Когда вернемся домой, я подарю их братцу Бобу.

— Скоро ты увидишь много вещей куда красивее этих,— твердо ответил ее спутник.— Ты только немножко потерпи. Вот что я хотел тебе сказать: ты помнишь, как мы ушли с реки?

— Помню.

— Понимаешь, мы думали, что скоро придем к другой реке. Не знаю, что нас подвело — компас ли, карта или что другое, только мы сбились с дороги. Вода наша вся вышла, сберегли мы каплю для вас, детишек, и... и...

— И тебе нечем было умыться? — серьезным тоном перебила девочка, глядя в его грустное лицо.

— Да, и попить было нечего. Ну вот, сначала умер мистер Бендер, потом индеец Пит, а за ним миссис Мак-Грегор, Джонни Хоунс и, наконец, твоя мама.

— Мама тоже умерла! — воскликнула девочка и, уткнув лицо в передничек, горько заплакала.

— Да, малышка, все умерли, кроме нас с тобой. Тогда я решил поглядеть, нет ли воды в этой стороне, взвалил тебя на плечи, и мы двинулись дальше. А тут оказалось еще хуже. И нам теперь и вовсе не на что надеяться.

— Значит, мы тоже умрем? — спросила девочка, подняв залитое слезами лицо.

— Да, видно, дело к тому идет.

— Что же ты мне раньше не сказал? — обрадовалась она.— Я так испугалась! Но когда мы умрем, мы же пойдем к маме!

— Ты-то, конечно, пойдешь, милая.

— И ты тоже. Я расскажу маме, какой ты добрый. Наверное, она встретит нас на небе в дверях с кувшином воды и с целой грудой гречишных лепешек, горяченьких и поджаристых,— мы с Бобом так их любили! А долго еще ждать, пока мы умрем?

— Не знаю, должно быть, недолго.— Он не отрываясь смотрел на север, где на самом краю голубого небосвода показались три темные точки. С каждой секундой они становились все больше и все ближе и вскоре превратились в трех крупных коричневых птиц, которые медленно покружили над головами путников и уселись на скале чуть выше них. Это были сарычи, хищники западных равнин, их появление предвещало смерть.

— Курочки, курочки! — радостно воскликнула девочка, указывая на зловещих птиц, и захлопала в ладошки, чтобы они снова взлетели.— Послушай, а это место тоже создал бог?

Неожиданный вопрос вывел его из задумчивости.

— Конечно!

— Он создал Иллинойс, и Миссури тоже он создал,— продолжала девочка.— А это место, наверное, создал кто-то другой и забыл про деревья и воду. Тут не так хорошо, как там.

— Может, помолимся? — неуверенно предложил ее спутник.

— Но мы же еще не ложимся спать,— возразила девочка.

— Это ничего. Конечно, еще не время для молитвы, но бог не обидится, ручаюсь тебе. Прочти те молитвы, что ты всегда читала на ночь в повозке, когда мы ехали по долинам.

Девочка удивленно раскрыла глаза.

— А почему ты сам не хочешь?

— Я их позабыл,— сказал он.— Я не молился с тех пор, как был чуть побольше, чем ты. Молись, а я буду повторять за тобой.

— Тогда ты должен стать на колени, и я тоже стану,— сказала девочка, расстилая на земле шаль.— Сложи руки вот так, и тебе сразу станет хорошо.

Это было странное зрелище, которого, впрочем, не видел никто, кроме сарычей. На расстеленной шали бок о бок стояли на коленях двое путников: щебечущий ребенок и отчаянный, закаленный жизнью бродяга. Его изможденное, костлявое лицо и круглая мордашка девочки были запрокинуты вверх; глядя в безоблачное небо, оба горячо молились страшному божеству, с которым они остались один на один. Два голоса — тоненький, звонкий и низкий и хриплый — молили его о милости и прощении. Помолившись, они сели в тени возле валуна; девочка вскоре уснула, прикорнув на широкой груди своего покровителя. Он долго сторожил ее сон, но мало-помалу усталость взяла свое. Три дня и три ночи он не смыкал глаз и не давал себе отдыха. Его отяжелевшие веки постепенно опускались, а голова все ниже и ниже клонилась на грудь, пока его поседевшая борода не коснулась золотистых локонов девочки. Оба спали крепким, тяжелым сном без сновидений.

Если бы путнику удалось побороть сонливость, то через полчаса его глазам представилась бы странная картина. Далеко, на самом краю соляной равнины, показалось крошечное облачко пыли; поначалу еле заметное, сливающееся с дымкой на горизонте, оно постепенно разрасталось вверх и вширь, пока не превратилось в плотную тучу. Она увеличивалась все больше, и наконец стало ясно, что эта пыль поднята множеством движущихся живых существ. Будь эти места более плодородны, можно было бы подумать, что это бизоны, которые огромными стадами пасутся в прериях. Но здесь, в мертвой пустыне, вряд ли водились бизоны. Облако медленно приближалось к одинокой скале, где спали двое несчастных. Сквозь дымку пыли показались парусиновые крыши повозок и силуэты вооруженных всадников — загадочное явление оказалось двигавшимся с запада караваном. Но каким караваном! Когда головная его часть приблизилась к скале, на горизонте еще не было видно конца. Пересекая огромную равнину, тянулись нестройными вереницами телеги, крытые повозки, всадники, пешие, множество женщин, сгибавшихся под ношей; были здесь и дети, семенившие возле повозок или выглядывавшие из-под белых парусиновых крыш. Очевидно, это была не просто партия переселенцев, а целое кочевое племя, которое какие-то обстоятельства вынудили искать себе новое пристанище. В ясном воздухе над этим громадным скопищем людей плыл разноголосый гул, смешанный с топотом, ржанием лошадей и скрипом колес. Но как ни громок был этот шум, он не разбудил обессиленных путников, спавших на скале.

Во главе колонны ехало несколько всадников в темной домотканой одежде и с ружьями за спиной. Лица их были неподвижны и суровы. У подножия скалы они остановились и стали совещаться.

— Родники направо, братья,— сказал всадник с гладко выбритым лицом, жестким складом рта и сильной проседью в волосах.

— Направо от Сьерра-Бланка,— стало быть, мы выедем к Рио-Гранде,— отозвался другой.

— Не бойтесь остаться без воды! — воскликнул третий.— Тот, кто мог высечь воду из скал, не покинет свой избранный народ!

— Аминь! Аминь! — подхватили остальные.

Они собирались двинуться дальше, как вдруг самый молодой и зоркий из них удивленно вскрикнул, указывая на зубчатый утес над ними. Вверху, ярко выделяясь на сером камне, трепетал клочок розовой ткани. Всадники мгновенно сдержали лошадей и перекинули ружья на грудь. Отделившись от колонны, к ним на подмогу галопом поскакала еще группа всадников. У всех на устах было одно слово: «Краснокожие».

— Тут не может быть много индейцев,— сказал седоволосый человек, судя по всему, глава отряда.— Мы миновали племя поуни, а по эту сторону гор других племен нет.

— Брат Стэнджерсон, я пойду вперед и посмотрю, что там такое,— вызвался один из всадников.

— И я! И я! — раздались голоса.

— Оставьте лошадей здесь, мы будем ждать вас внизу,— распорядился старший.

Молодые люди мгновенно спрыгнули с лошадей и, привязав их, начали карабкаться по крутизне вверх, к розовому предмету, разжегшему их любопытство. Они взбирались быстро и бесшумно, с той ловкостью и уверенностью движений, какая бывает только у опытных лазутчиков. Стоявшие внизу следили, как они перепрыгивали с уступа на уступ, пока наконец не увидели их фигуры вверху, на фоне неба. Тот юноша, что первый поднял тревогу, опередил остальных. Люди, шедшие следом, вдруг увидели, как он удивленно вскинул руки, и, догнав его, тоже остановились, пораженные представшим перед ними зрелищем.

На маленькой площадке, венчавшей голую вершину, высился гигантский валун, а возле него лежал крупный, но невероятно исхудалый мужчина с длинной бородой. По безмятежному выражению его изможденного лица и по ровному дыханию было видно, что он крепко спит. Рядом, обхватив его темную жилистую шею круглыми беленькими ручками и положив голову ему на грудь, спала девочка. Ее золотистые волосы рассыпались по вытертому бархату его куртки, розовые губы чуть раздвинулись в счастливой улыбке, показывая ровный ряд белоснежных зубов. Ее пухлые белые ножки в белых носочках и аккуратных туфельках с блестящими пряжками представляли странный контраст с длинными высохшими ногами ее спутника. Над ними, на краю скалы, торжественно и мрачно восседали три сарыча; при появлении пришельцев они с хриплым, сердитым клекотом медленно взмыли вверх.

Крик этих мерзких птиц разбудил спящих; они подняли головы, растерянно озираясь вокруг. Мужчина шатаясь встал и поглядел вниз, на равнину, такую пустынную в тот час, когда его сморил сон, а теперь кишевшую множеством людей и животных. Не веря своим глазам, он провел рукой по лицу.

— Вот это, наверное, и есть предсмертный бред,— пробормотал он. Девочка стояла рядом, держась за полу его куртки, и молча глядела вокруг широко раскрытыми глазами.

Пришельцам быстро удалось убедить несчастных, что их появление не галлюцинация. Один из них поднял девочку и посадил себе на плечо, а двое других, поддерживая изможденного путника, помогли ему спуститься вниз и подойти к каравану.

— Меня зовут Джон Ферье,— сказал он.— Нас было двадцать два человека, остались в живых только я да эта малютка. Остальные погибли от голода и жажды еще там, на юге.

— Это твоя дочь? — спросил кто-то.

— Теперь моя! — вызывающе сказал путник.— Моя, потому что я ее спас. Никому ее не отдам! С этого дня она — Люси Ферье. Но вы-то кто? — спросил он, с любопытством глядя на своих рослых загорелых спасителей.— Похоже, вас тут целая туча!

— Почти десять тысяч! — ответил один из молодых людей.— Мы божьи чада в изгнании, избранный народ ангела Мерона.

— В первый раз о таком слышу,— сказал путник.— Порядочно же у него избранников, как я погляжу!

— Не смей кощунствовать! — строго прикрикнул его собеседник.— Мы те, кто верит в святые заповеди, начертанные египетскими иероглифами на скрижалях кованого золота, которые были вручены святому Джозефу Смиту в Палмайре. Мы прибыли из Нову в штате Иллинойс, где мы построили свой храм. Мы скрываемся от жестокого тиранства и от безбожников и ищем убежище, пусть даже среди голой пустыни.

Название «Нову», видимо, что-то напомнило Джону Ферье.

— А, теперь знаю,— сказал он.— Вы мормоны[1].

— Да, мы мормоны,— подтвердили незнакомцы.

— Куда же вы направляетесь?

— Мы не знаем. Нас ведет рука господа в лице нашего Провидца. Сейчас ты предстанешь перед ним. Он скажет, что с тобой делать.

К этому времени они уже спустились к подножию горы; их ждала целая толпа пилигримов — бледные, кроткие женщины, крепенькие, резвые дети и озабоченные мужчины с суровыми глазами. Увидев, как изможден путник и как мала шедшая с ним девочка, они разразились возгласами удивления и сочувствия. Но сопровождающие, не останавливаясь, вели их дальше, пока не очутились возле повозки, которая была гораздо больше остальных и украшена ярче и изящнее. Ее везла шестерка лошадей, другие же повозки были запряжены парой и лишь немногие — четверкой. Рядом с возницей сидел человек лет тридцати на вид; такая крупная голова и волевое лицо могли быть только у вождя. Он читал толстую книгу в коричневом переплете; когда подошла толпа, он отложил книгу и со вниманием выслушал рассказ о происшедшем. Затем он повернулся к путникам.

---

[1] М о р м о н ы — религиозная секта, основанная Д. Смитом (1805—1844) в 1830 году. Учение мормонов — причудливая смесь христианских, мусульманских, буддистских и других верований.

— Мы возьмем вас с собой,— торжественно произнес он,— лишь в том случае, если вы примете нашу веру. Мы не потерпим волков в нашем стаде. Если вы окажетесь червоточиной, постепенно разъедающей плод, то пусть лучше ваши кости истлеют в пустыне. Согласны вы идти с нами на этих условиях?

— Да, я пойду с вами на каких угодно условиях! — с такой пылкостью воскликнул Ферье, что суровые старейшины не могли удержаться от улыбки. И только строгое выразительное лицо вождя не изменило прежнего выражения.

— Возьми его к себе, брат Стэнджерсон,— сказал он,— накорми и напои его и ребенка. Поручаю тебе также научить их нашей святой вере. Но мы слишком долго задержались. Вперед, братья! В Сион!

— В Сион! В Сион! — воскликнули стоявшие поблизости мормоны. Этот клич, подхваченный остальными, понесся по длинному каравану и, перейдя в неясный гул, затих где-то в дальнем его конце. Защелкали кнуты, заскрипели колеса, повозки тронулись с места, и караван снова потянулся через пустыню. Старейшина, попечениям которого Провидец поручил двух путников, отвел их в свой фургон, где их накормили обедом.

— Вы будете жить здесь,— сказал он.— Пройдет несколько дней, и ты совсем окрепнешь. Но не забывай, что отныне и навсегда ты принадлежишь к нашей вере. Так сказал Бригем Янг[1], а его устами говорил Джозеф Смит, то есть глас божий.

ГЛАВА II

Цветок Юты

Здесь, пожалуй, не место вспоминать все бедствия и лишения, которые пришлось вынести беглым мормонам, пока они не нашли свою тихую пристань. С беспримерным в истории упорством они пробирались от берегов Миссисипи до западных отрогов Скалистых гор. Дикари, хищные звери, голод, жажда, изнеможение и болезни — словом, все препятствия, которые природа ставила на их пути, преодолевались с чисто англосаксонской стойкостью. И все же долгий путь и бесконечные беды расшатали волю даже самых отважных. Когда внизу перед ними открылась залитая солнцем широкая долина Юты, когда

---

[1] Бригем Янг (1801—1877) — вождь мормонов после смерти Д. Смита.

они услышали от своего вождя, что это и есть земля обетованная и что эта девственная земля отныне будет принадлежать им навеки, все, как один, упали на колени, в жарких молитвах благодаря бога.

Янг оказался не только смелым вожаком, но и толковым управителем. Вскоре появились карты местности и чертежи с планировкой будущего города. Вокруг него были разбиты участки для ферм, распределявшиеся соответственно положению каждого. Торговцам предоставили возможность заниматься торговлей, ремесленникам — своим ремеслом. Городские улицы и площади возникали словно по волшебству. В долине осушали болота, ставили изгороди, расчищали поля, сажали, сеяли, и на следующее лето она золотилась зреющей пшеницей. В этом необычном поселении все росло, как на дрожжах. И быстрее всего вырастал огромный храм в центре города; с каждым днем он становился все выше и обширней. С ранней зари до наступления ночи возле этого монумента, воздвигаемого поселенцами тому, кто благополучно провел их через множество опасностей, стучали молотки и визжали пилы.

Два одиноких путника, Джон Ферье и маленькая девочка, делившая его судьбу в качестве приемной дочери, прошли с мормонами до конца их трудных странствий. Маленькая Люси удобно путешествовала в повозке Стэнджерсона, где вместе с нею помещались три жены мормона и его сын, бойкий, своевольный мальчик двенадцати лет. Детская душа обладает упругостью, и Люси быстро оправилась от удара, причиненного смертью матери; вскоре она стала любимицей женщин и привыкла к новой жизни на колесах под парусиновой крышей. А Ферье, окрепнув после невзгод, оказался полезным проводником и неутомимым охотником. Он быстро завоевал уважение мормонов, и, добравшись наконец до земли обетованной, они единодушно решили, что он заслуживает такого же большого и плодородного участка земли, как и все прочие поселенцы, разумеется за исключением Янга и четырех главных старейшин — Стэнджерсона, Кемболла, Джонстона и Дреббера, которые были на особом положении.

На своем участке Ферье поставил добротный бревенчатый сруб, а в последующие годы делал к нему пристройки, и в конце концов его жилище превратилось в просторный загородный дом. Ферье обладал практической сметкой, любое дело спорилось в его ловких руках, а железное здоровье позволяло ему трудиться на своей земле от зари до зари, поэтому дела на ферме шли отлично. Через три года он стал зажиточнее всех своих соседей, через шесть лет был состоятельным человеком, через девять — богачом, а через двенадцать лет в Солт-Лейк-Сити не нашлось бы и десяти человек, которые могли бы сравняться с ним. От Солт-Лейк-Сити до далекого хребта Уосатч не было имени известнее, чем имя Джона Ферье.

И только одно-единственное обстоятельство огорчало и обижало его единоверцев. Никакие доводы и уговоры не могли заставить его взять себе, по примеру прочих, несколько жен. Он не объяснял причины отказа, но держался своего решения твердо и непреклонно. Одни обвиняли его в недостаточной приверженности к принятой им вере, другие считали, что он просто скупец и не желает лишних расходов. Некоторые утверждали, что всему причиной старая любовь и что где-то на берегах Атлантического океана по нему тоскует белокурая красавица. Но как бы то ни было, Ферье упорно оставался холостяком. В остальном же он строго следовал вере поселенцев и слыл человеком набожным и честным.

Люси Ферье росла в бревенчатом доме и помогала приемному отцу во всех его делах. Мать и нянек ей заменяли свежий горный воздух и целительный аромат сосен. Время шло, и с каждым годом она становилась все выше и сильнее, все ярче рдел ее румянец, и все более упругой делалась походка. И не в одном путнике, проезжавшем по дороге мимо фермы Ферье, оживали вдруг давно заглохшие чувства при виде стройной девичьей фигурки, мелькавшей на пшеничном поле или сидевшей верхом на отцовском мустанге, которым она правила с легкостью и изяществом настоящей дочери Запада. Бутон превратился в цветок, и в тот год, когда Джон Ферье оказался самым богатым из фермеров, его дочь считалась самой красивой девушкой во всей Юте.

Конечно, не отец был первым, кто заметил превращение ребенка в женщину. Отцы вообще замечают это редко. Перемена совершается так постепенно и неуловимо, что ее невозможно определить точной датой. Ее не сознает даже сама девушка, пока от звука чьего-то голоса или прикосновения чьей-то руки не затрепещет ее сердце и она вдруг с гордостью и страхом не почувствует, что в ней зреет что-то новое и большое. Редкая женщина не запомнит на всю жизнь тот пустяковый случай, который возвестил ей зарю новой жизни. Для Люси Ферье этот случай был отнюдь не пустяковым, не говоря уже о том, что он повлиял на ее судьбу и судьбы многих других.

Стояло жаркое июньское утро. Мормоны трудились, как пчелы,— недаром они избрали своей эмблемой пчелиный улей. Над полями, над улицами стоял деловитый гул. По пыльным тяжелым дорогам тянулись длинные вереницы нагруженных тяжелой поклажей мулов — они шли на запад, ибо в Калифорнии вспыхнула золотая лихорадка, а путь по суше проходил через город Избранных. Туда же двигались гурты овец и волов с дальних пастбищ, тянулись караваны усталых переселенцев; нескончаемое путешествие одинаково изматывало и людей и животных.

Сквозь эту пеструю толчею с уверенностью искусного наездника скакала на своем мустанге Люси Ферье. Лицо ее раскраснелось, длинные каштановые волосы развевались за спиной. Отец послал ее в город с каким-то поручением, и, думая лишь о деле и о том, как она его выполнит, девушка с бесстрашием юности врезалась в самую гущу движущейся толпы. Охотники за золотом, обессиленные долгой дорогой, с восторженным изумлением глазели ей вслед. Даже бесстрастным индейцам, обвешанным звериными шкурами, изменила их привычная выдержка, и они восхищенно разглядывали эту бледнолицую красавицу.

У самой окраины города дорогу запрудило огромное стадо скота, с ним еле справлялись пять-шесть озверевших пастухов. Люси, горевшей нетерпением, показалось, что животные расступились, и она решила ехать напрямик сквозь стадо. Но едва она успела въехать в образовавшийся проезд, как ряды животных снова сомкнулись, и она очутилась в живом потоке, со всех сторон окруженная длиннорогими быками с налитыми кровью глазами. Девушка привыкла управляться со скотом и, ничуть не растерявшись, при каждой возможности подгоняла лошадь, надеясь пробиться вперед. К несчастью, один из быков случайно или намеренно боднул мустанга в бок, и тот мгновенно пришел в неистовство. Храпя от ярости, он взвился на дыбы, загарцевал, заметался так, что, будь Люси менее искусной наездницей, он непременно сбросил бы ее с седла. Положение становилось опасным. Каждый раз, опуская передние копыта, взбешенный мустанг снова натыкался на рога и снова вставал на дыбы, разъяряясь еще больше. Девушка изо всех сил старалась удержаться в седле, иначе ее ждала страшная смерть под копытами грузных, перепуганных быков. Она не знала, что делать; у нее закружилась голова, рука, сжимавшая поводья, ослабела. Задыхаясь от пыли, от запаха разгоряченных животных, она в отчаянии чуть было не выпустила из рук поводья, как вдруг рядом послышался ободряющий голос, и она поняла, что ей пришли на помощь. И тотчас же смуглая мускулистая рука схватила испуганного мустанга за уздечку, и незнакомый всадник, протискиваясь между быков, вскоре вывел его на окраинную улицу.

— Надеюсь, вы не пострадали, мисс? — почтительно обратился к Люси ее спаситель.

Взглянув в его энергичное смуглое лицо, она весело рассмеялась.

— Я ужасно струсила,— наивно сказала она,— вот уж не думала, что мой Пончо испугается стада быков!

— Слава богу, что вы удержались в седле,— серьезно произнес всадник, высокий молодой человек в грубой охотничьей куртке и с длинным ружьем за спиной. Лошадь под ним была крупная, чалой масти.

— Вы, должно быть, дочь Джона Ферье? — спросил он.— Я видел, как вы выезжали из ворот его фермы. Когда вы его увидите, спросите, помнит ли он Джефферсона Хоупа из Сент-Луиса. Если он тот самый Ферье, то они с моим отцом были очень дружны.

— Почему бы вам не зайти и не спросить об этом самому? — спокойно спросила девушка.

Молодому человеку, очевидно, понравилось это предложение — у него даже заблестели глаза.

— Я бы с удовольствием,— сказал он,— но мы два месяца пробыли в горах, и я не знаю, удобно ли в таком виде делать визиты. Придется принять нас такими, как есть.

— Он примет вас с огромной благодарностью, и я тоже,— ответила Люси.— Он очень любит меня. Если бы меня растоптали эти быки, он горевал бы всю жизнь.

— Я тоже,— сказал молодой охотник.

— Вы? Но вам-то что до меня? Ведь мы с вами даже не друзья.

Смуглое лицо охотника так помрачнело, что Люси Ферье громко рассмеялась.

— О, не принимайте это всерьез,— сказала она.— Конечно, теперь вы наш друг. Приходите к нам непременно! А сейчас я должна торопиться, иначе отец ничего не станет мне поручать! До свиданья!

— До свиданья! — Он снял свое широкое сомбреро и наклонился к ее маленькой ручке. Люси круто повернула мустанга, стегнула его хлыстом и поскакала по широкой дороге, вздымая за собой облако пыли.

Джефферсон Хоуп-младший вернулся к своим спутникам. Он был угрюм и молчалив. Они искали в горах

Невады серебро и возвратились в Солт-Лейк-Сити, надеясь собрать денег для разработки открытых ими залежей. Он был увлечен этим делом не меньше остальных, пока внезапное происшествие не отвлекло его мысли совсем в иную сторону.

Образ прелестной девушки, чистой и свежей, как ветерок Сьерры, до глубины всколыхнул его пылкую, необузданную душу. Когда она скрылась из виду, он понял, что отныне для него началась новая жизнь и что ни спекуляция серебром, ни любые другие дела не могут быть для него важнее, чем это неожиданное и всепоглощающее чувство. Это была не юношеская мимолетная влюбленность, а бурная, неистовая страсть человека с сильной волей и властным характером. Он привык добиваться всего, чего хотел. Он поклялся себе, что добьется и теперь, если только удача зависит от напряжения всех сил и от всей настойчивости, на какую он способен.

В тот же вечер он пришел к Джону Ферье и потом навещал его так часто, что вскоре стал своим человеком в доме. Джон целых двенадцать лет не выезжал за пределы долины и к тому же был настолько поглощен своей фермой, что почти ничего не знал о том, что делается в мире. А Джефферсон Хоуп мог рассказать немало, и рассказчик он был такой, что его заслушивались и отец и дочь. Он был пионером в Калифорнии и знал много диковинных историй о том, как в те безумные и счастливые дни создавались и гибли целые состояния. Он был разведчиком необжитых земель, искал в горах серебряную руду, промышлял охотой и работал на ранчо. Если что-либо сулило рискованные приключения, Джефферсон Хоуп всегда был тут как тут. Вскоре он стал любимцем старого фермера, который не скупился на похвалы его достоинствам. Люси при этом обычно помалкивала, но горячий румянец и радостно блестевшие глаза ясно говорили о том, что ее сердце ей уже не принадлежит. Простодушный фермер, быть может, и не видел этих красноречивых признаков, но они не ускользнули от внимания того, кто завоевал ее любовь.

Однажды летним вечером он подскакал верхом к ферме и спешился у ворот. Люси, стоявшая на пороге дома, пошла ему навстречу. Он привязал лошадь к забору и зашагал по дорожке.

— Я уезжаю, Люси,— сказал он, взяв ее руку в свои и нежно глядя ей в глаза.— Я не прошу вас ехать со мной сейчас, но согласны ли вы уехать со мной, когда я вернусь?

— А когда вы вернетесь? — засмеялась она, краснея.

— Самое большее месяца через два. Я приеду и увезу вас, дорогая моя. Никто не посмеет встать между нами.

— А что скажет отец?

— Он согласен, если дела на рудниках пойдут хорошо. А я в этом не сомневаюсь.

— Ну, если вы с отцом уже столковались, что же мне остается делать...— прошептала девушка, прижавшись щекой к его широкой груди.

— Благодарю тебя, господи! — хрипло произнес он и, нагнувшись, поцеловал девушку.— Значит, решено! Чем дольше я останусь с тобой, тем труднее будет уехать. Меня ждут в каньоне. До свиданья, радость моя, до свиданья. Увидимся через два месяца.

Он наконец оторвался от нее, вскочил на лошадь и бешеным галопом поскакал прочь — даже не оглянулся, словно боясь, что, если увидит ее хоть раз, у него не хватит силы уехать. Стоя у ворот, Люси глядела ему вслед, пока он не скрылся из виду. Тогда она вошла в дом, чувствуя, что счастливее ее нет никого во всей Юте.

ГЛАВА III

Джон Ферье беседует с Провидцем

С тех пор как Джефферсон Хоуп и его товарищи уехали из Солт-Лейк-Сити, прошло три недели. Сердце Джона Ферье сжималось от тоски при мысли о возвращении молодого человека и о неизбежной разлуке со своей приемной дочерью. Однако сияющее личико девушки действовало на него сильнее любых доводов, и он почти примирился с неизбежностью. В глубине своей мужественной души он твердо решил, что никакая сила не заставит его выдать дочь за мормона. Он считал, что мормонский брак — это стыд и позор. Как бы он ни относился к догмам мормонской веры, в вопросе о браке он был непоколебим. Разумеется, ему приходилось скрывать свои убеждения, ибо в стране святых в те времена было опасно высказывать еретические мысли.

Да, опасно, и настолько опасно, что даже самые благочестивые не осмеливались рассуждать о религии иначе, как шепотом, боясь, как бы их слова не были истолкованы превратно и не навлекли бы на них немедленную кару. Жертвы преследования сами стали преследователями и отличались при этом необычайной жестокостью. Ни севильская инквизиция, ни германский фемгерихт, ни тайные общества в Италии не могли создать более мощной организации, чем та, что темной ночью тенью стлалась по всему штату Юта.

Организация эта была невидима, окутана таинственностью и поэтому казалась вдвое страшнее. Она была всеведущей и всемогущей, но действовала незримо и неслышно. Человек, высказавший хоть малейшее сомнение в непогрешимости мормонской церкви, внезапно исчезал, и никто не ведал, где он и что с ним сталось. Сколько ни ждали его жена и дети, им не суждено было увидеть его и узнать, что он испытал в руках его тайных судей. Неосторожное слово или необдуманный поступок неизбежно вели к уничтожению виновного, но никто не знал, что за страшная сила гнетет их. Неудивительно, что люди жили в непрерывном страхе, и даже посреди пустыни они не смели шептаться о своих тягостных сомнениях.

Поначалу эта страшная темная сила карала только непокорных — тех, кто, приняв веру мормонов, отступался от нее или нарушал ее догмы. Вскоре, однако, ее стали чувствовать на себе все больше и больше людей. У мормонов не хватало взрослых женщин; а без женского населения доктрина о многоженстве теряла всякий смысл. И вот поползли странные слухи — слухи об убийствах среди переселенцев, о разграблении их лагерей, причем в тех краях, где никогда не появлялись индейцы. А в гаремах старейшин появлялись новые женщины — тоскующие, плачущие, с выражением ужаса, застывшим на их лицах. Путники, проезжавшие в горах поздней ночью, рассказывали о шайках вооруженных людей в масках, которые бесшумно прокрадывались мимо них в темноте. Слухи и басни обрастали истинными фактами, подтверждались и подкреплялись новыми свидетельствами, и наконец эта темная сила обрела точное название. И до сих пор еще в отдаленных ранчо Запада слова «союз данитов» или «ангелы-мстители» вызывают чувство суеверного страха.

Но, узнав, что это за организация, люди стали бояться ее не меньше, а больше. Никто не знал, из кого состояла эта беспощадная секта. Имена тех, кто участвовал в кровавых злодеяниях, совершенных якобы во имя религии, сохранялись в глубокой тайне. Друг, которому вы поверяли свои сомнения относительно Провидца и его миссии, мог оказаться одним из тех, которые, жажда мести, явятся к вам ночью с огнем и мечом. Поэтому каждый боялся своего соседа и никто не высказывал вслух своих сокровенных мыслей.

В одно прекрасное утро Джон Ферье собрался было ехать в поля, как вдруг услышал стук щеколды. Выглянув в окно, он увидел полного рыжеватого мужчину средних лет, который направлялся к дому. Ферье похололел: это был не кто иной, как великий Бригем Янг.

Ферье, дрожа, бросился к двери встречать вождя мормонов — он знал, что это появление не сулит ничего хорошего. Янг сухо ответил на приветствия и, сурово сдвинув брови, прошел вслед за ним в гостиную.

— Брат Ферье, — сказал он, усевшись и сверля фермера взглядом из-под светлых ресниц, — мы, истинно верующие, были тебе добрыми друзьями. Мы подобрали тебя в пустыне, где ты умирал от голода, мы разделили с тобой кусок хлеба, мы привезли тебя в Обетованную долину, наделили тебя хорошей землей и, покровительствуя тебе, дали возможность разбогатеть. Разве не так?

— Так, — ответил Джон Ферье.

— И взамен мы потребовали только одного: чтобы ты приобщился к истинной вере и во всем следовал ее законам. Ты обещал, но если то, что говорят о тебе, правда, значит, ты нарушил обещание.

— Как же я его нарушил? — протестующе поднял руки Ферье. — Разве я не вношу свою долю в общий фонд? Разве я не хожу в храм? Разве я...

— Где твои жены? — перебил Янг, оглядываясь вокруг. — Пусть придут, я хочу с ними поздороваться.

— Это верно, я не женат. Но женщин мало, и многие среди нас нуждаются в них больше, чем я. Я все-таки не одинок — обо мне заботится моя дочь.

— Вот о дочери я и хочу поговорить с тобой, — сказал вождь мормонов. — Она уже взрослая и слывет цветком Юты; она пришлась по сердцу некоторым достойнейшим людям.

Джон Ферье насторожился.

— О ней болтают такое, чему я не склонен верить. Ходят слухи, что она обручена с каким-то язычником. Это, конечно, пустые сплетни. Что сказано в тринадцатой заповеди святого Джозефа Смита? «Каждая девица, исповедующая истинную веру, должна быть женой одного из избранных; если же она станет женой иноверца, то совершит тяжкий грех». Я не могу поверить, чтобы ты, истинно верующий, позволил своей дочери нарушить святую заповедь.

Джон Ферье молчал, нервно теребя свой хлыст.

— Вот это будет испытанием твоей веры — так решено на Священном Совете Четырех. Девушка молода, мы не хотим выдавать ее за седого старика и не станем лишать ее права выбора. У нас, старейшин, достаточно своих телок[1], но мы должны дать жен нашим сыновьям. У Стэнджерсона есть сын, у Дреббера тоже, и каждый из них с радостью примет в дом твою дочь. Пусть она выберет одного из двух. Оба молоды, богаты и исповедуют нашу святую веру. Что ты на это скажешь?

Ферье, сдвинув брови, молчал.

— Дайте нам время подумать,— сказал он наконец.— Моя дочь еще очень молода, ей рано выходить замуж.

— Она должна сделать свой выбор за месяц,— ответил Янг, поднимаясь с места.— Ровно через месяц она обязана дать ответ.

В дверях он обернулся; лицо его вдруг налилось кровью, глаза злобно сверкнули.

— Если ты, Джон Ферье,— почти закричал он,— вздумаешь со своими слабыми силенками противиться приказу Четырех, то ты пожалеешь, что твои и ее кости не истлели тогда на Сьерра-Бланка!

Погрозив ему кулаком, он вышел за дверь. Ферье молча слушал, как хрустит галька на дорожке под его тяжелыми сапогами.

Он сидел, упершись локтем в колено, и раздумывал, как сообщить обо всем этом дочери, но вдруг почувствовал ласковое прикосновение руки и, подняв голову, увидел, что Люси стоит рядом.

— Я не виновата,— сказала она, отвечая на его недоуменный взгляд.— Его голос гремел по всему дому. Ах, отец, отец, что нам теперь делать?

— Ты только не бойся! — Он притянул девушку к себе и ласково провел широкой грубой ладонью по ее каштановым волосам.— Все уладится. Как тебе кажется, ты еще не начала остывать к этому малому?

В ответ послышалось горькое всхлипывание, и ее рука стиснула руку отца.

— Значит, нет. Ну и слава богу — не хотел бы я услышать, что ты его разлюбила. Он славный мальчик и настоящий христианин к тому же, не то что здешние святоши, несмотря на все их молитвы и проповеди. Завтра в Неваду едут старатели — я уж как-нибудь дам ему

---

[1] Гебер Ч. Кембелл в одной из проповедей наградил этим нежным эпитетом сотню своих жен. *(Прим. автора.)*

знать, что с нами приключилось. И насколько я понимаю, он примчится сюда быстрее, чем телеграфная депеша!

Это сравнение рассмешило Люси, и она улыбнулась сквозь слезы.

— Он приедет и посоветует, как нам быть,— сказала она.— Но мне страшно за тебя, дорогой. Говорят... говорят, что с теми, кто идет наперекор Провидцу, всегда случается что-то ужасное...

— Но мы еще не идем ему наперекор,— возразил отец.— А дальше видно будет, еще успеем поостеречься. У нас впереди целый месяц, а потом, мне думается, нам лучше всего бежать из Юты.

— Бросить Юту!

— Да, примерно так.

— А наша ферма?

— Постараемся продать, что можно, выручим немного денег, а остальное — что ж, пусть пропадает. По правде говоря, Люси, я уже не раз подумывал об этом. Ни перед кем я не могу пресмыкаться, как здешний народ пресмыкается перед этим чертовым Провидцем. Я свободный американец, и все это не по мне. А переделывать себя уже поздно. Если он вздумает шататься вокруг нашей фермы, то, чего доброго, навстречу ему вылетит хороший заряд дроби!

— Но они нас не выпустят!

— Погоди, пусть приедет Джефферсон, и мы все устроим. А пока ни о чем не беспокойся, девочка, и не плачь, а то у тебя опухнут глазки, и мне от него здорово попадет! Бояться нечего, и никакая опасность нам не грозит.

Джон Ферье успокаивал ее весьма уверенным тоном, но Люси не могла не заметить, что в этот вечер он с особой тщательностью запер все двери, а потом вычистил и зарядил старое, заржавленное охотничье ружье, которое висело у него над кроватью.

ГЛАВА IV

Побег

На следующее утро после разговора с мормонским Провидцем Джон Ферье отправился в Солт-Лейк-Сити и, найдя знакомого, который уезжал в горы Невады, вручил ему письмо для Джефферсона Хоупа. Он написал, что им угрожает неминуемая опасность и что крайне необходимо, чтобы он приехал поскорее. Когда Ферье отдал письмо, на душе у него стало легче, и, возвращаясь домой, он даже повеселел.

Подойдя к ферме, он удивился, увидев, что к столбам ворот привязаны две лошади. Удивление его возросло, когда он вошел в дом: в гостиной весьма непринужденно расположились двое молодых людей. Один, длиннолицый и бледный, развалился в кресле-качалке, положив ноги на печь; второй, с бычьей шеей и грубым, одутловатым лицом, стоял у окна, заложив руки в карманы, и насвистывал церковный гимн. Оба кивнули вошедшему Ферье.

— Вы, вероятно, нас не знаете,— начал тот, что сидел в кресле-качалке.— Это сын старейшины Дреббера, а я Джозеф Стэнджерсон, который странствовал с вами в пустыне, когда господь простер свою руку и направил вас в лоно истинной церкви.

— Как направит он всех людей на свете, когда придет время,— гнусавым голосом подхватил второй.— У бога для праведных места много.

Джон Ферье холодно поклонился. Он догадался, кто они, эти гости.

— Мы пришли,— продолжал Стэнджерсон,— просить руки вашей дочери для того из нас, кто полюбится вам и ей. Правда, поскольку у меня всего четыре жены, а у брата Дреббера — семь, то у меня есть некоторое преимущество.

— Ничего подобного, брат Стэнджерсон! — воскликнул Дреббер.— Дело вовсе не в том, сколько у кого жен,— главное, кто сможет их содержать. Мне отец передал свои фабрики, стало быть, я теперь богаче тебя.

— Зато виды на будущее у меня лучше! — запальчиво возразил Стэнджерсон.— Когда господь призовет к себе моего отца, мне достанется его кожевенный завод и дубильня. Кроме того, я старше тебя и выше по положению!

— Пусть девушка выберет сама,— усмехнулся Дреббер, любуясь своим отражением в зеркале.— Мы предоставим решать ей.

Джон Ферье слушал этот разговор у двери, кипя от злости и еле сдерживая желание обломать свой хлыст о спины гостей.

— Ну, вот что,— сказал он, шагнув вперед.— Когда моя дочь вас позовет, тогда и придете, а до тех пор я не желаю видеть ваши физиономии!

Молодые мормоны остолбенело воззрились на хозяина. По их понятиям, спор из-за девушки был высочайшей честью и для нее и для ее отца.

— Из этой комнаты два выхода,— продолжал Ферье,— через дверь и через окно. Который вы предпочитаете?

Ярость, исказившая его лицо, и угрожающе поднятый кулак заставили гостей вскочить на ноги и поспешно обратиться в бегство. Старый фермер шел за ними до дверей.

— Когда договоритесь, кто из вас жених, дайте мне знать,— с издевкой сказал он.

— Ты за это поплатишься! — выкрикнул Стэнджерсон, побелев от злости.— Ты ослушался Провидца и Совета Четырех и будешь раскаиваться в этом до конца своих дней!

— Тяжело тебя покарает десница божья! — воскликнул Дреббер-младший.— Мы сотрем тебя с лица земли!

— Еще посмотрим, кто кого,— взревел Ферье и бросился было за ружьем, но Люси удержала его, схватив за руку.

А за воротами уже слышался стук копыт, и Ферье понял, что их теперь не догнать.

— Ах, подлые ханжи! — бранился фермер, отирая со лба пот.— Да лучше мне видеть тебя мертвой, чем женой кого-нибудь из них!

— Я тоже предпочла бы умереть, отец,— твердо сказала девушка.— Но ведь скоро приедет Джефферсон.

— Да. Теперь уже скоро. И чем скорее, тем лучше: от них всего можно ожидать.

И в самом деле, мужественный старый фермер и его приемная дочь сейчас отчаянно нуждались в совете и помощи. Среди мормонов еще не было случая, чтобы кто-нибудь оказывал открытое неповиновение старейшинам. Если даже мелкие проступки карались столь сурово, чего же мог ждать такой бунтарь, как Ферье? Он знал, что ни положение, ни богатство его не спасут. Люди, не менее известные и состоятельные, чем он, внезапно исчезали навсегда, а все их имущество переходило к церкви. Ферье был далеко не труслив, и все же он трепетал, думая о нависшей над ним таинственной, неосязаемой угрозе. Любую явную опасность он встретил бы, не теряя присутствия духа, но его страшила неизвестность. Он скрывал этот страх от дочери и делал вид, будто все происшедшее — сущие пустяки, но любовь к отцу сделала ее прозорливой, и она подмечала все оттенки его настроения и ясно видела, что ему сильно не по себе.

Он ждал, что Янг возмутится его поведением и призовет его к ответу, и не ошибся, хотя это случилось совершенно неожиданным образом. На следующее же утро, он, проснувшись, с изумлением обнаружил маленький квадратный листок бумаги, пришпиленный к одеялу прямо у него на груди. Крупным размашистым почерком на нем было написано:

«На искупление вины тебе дается двадцать девять дней, а потом —».

Тире было страшнее всяких угроз. Ферье тщетно ломал голову, стараясь догадаться, как могла эта бумажка попасть к нему в комнату. Слуги спали в отдельном флигеле, а все окна и двери дома были накрепко заперты. Он уничтожил бумажку и ничего не сказал дочери, но сердце его холодело от ужаса. Двадцать девять дней оставалось до конца месяца, то есть срока, назначенного Янгом. Какое же мужество, какие силы нужны для борьбы с врагом, обладающим такой таинственной властью? Рука, приколовшая к его одеялу записку, могла нанести ему удар в сердце, и он так и не узнал бы, кто его убийца.

На другое утро ему стало еще страшнее. Сидя с ним за завтраком, Люси вдруг удивленно вскрикнула и показала на потолок. Там, на самой середине, было выведено — очевидно, обугленной палкой — число «28». Для Люси это было загадкой, а Ферье не стал ей ничего объяснять. Всю эту ночь он просидел с ружьем в руках, не смыкая глаз и навострив слух. Он ничего не увидел и не услышал, но утром снаружи на двери появилось число «27».

Так проходил день за днем, и каждое утро он неизменно убеждался, что незримые враги ведут точный счет и где-нибудь на виду обязательно оставляют напоминание о том, сколько дней осталось до конца назначенного срока. Иногда роковые цифры появлялись на стенах, иногда — на полу, а то и на листках бумаги, приклеенных к садовой калитке или к доскам забора. При всей своей бдительности Джон Ферье так и не мог обнаружить, каким образом появлялись эти ежедневные предупреждения. Каждый раз при виде цифр его охватывал почти суеверный ужас. Он потерял покой, исхудал, и в глазах его стоял тоскливый страх, как у затравленного зверя. Его поддерживала лишь единственная надежда на то, что вот-вот из Невады примчится молодой охотник.

Число двадцать постепенно сократилось до пятнадцати, пятнадцать до десяти, а от Джефферсона Хоупа все не было никаких вестей. Количество оставшихся дней таяло, но Хоуп не появлялся. Услышав на улице стук конских копыт или окрик возчика, погонявшего лошадей, старый фермер бросался к воротам, надеясь, что наконец-то пришла помощь. Но когда цифра пять сменилась четверкой, а четверка тройкой, он совсем пал духом и перестал надеяться на спасение. Он понимал, что один, да еще плохо зная окружающие горы, он будет совершенно беспомощен. Все проезжие дороги тщательно охранялись, и никто не мог выехать без пропуска, выданного Советом Четырех. Куда ни поверни, нигде не скрыться от нависшей над ним смертельной опасности. И все-таки ничто не могло поколебать его решения скорее расстаться с жизнью, чем обречь свою дочь на позор и бесчестье.

Однажды вечером он сидел один, уйдя в мысли о своей беде и тщетно стараясь найти какой-нибудь выход. Утром на стене дома появилась цифра «2»; завтра — последний день назначенного срока. И что будет потом? Воображение смутно рисовало ему всякие ужасы. А дочь — что будет с ней, когда его не станет? Неужели нет способа вырваться из этой паутины, плотно облепившей их обоих? Он уронил голову на стол и заплакал от сознания своего бессилия.

Но что это? До него донесся легкий скребущий звук, отчетливо слышный в ночной тишине. Звук этот шел от входной двери. Ферье прокрался в прихожую и напряженно прислушался. Несколько секунд полной тишины, затем снова тот же чуть слышный и словно бы вкрадчивый звук. Очевидно, кто-то тихонько постукивал пальцем по дверной филенке. Быть может, ночной убийца, явившийся привести в исполнение приговор тайного судилища? Или это напоминание о том, что наступил последний день отпущенного ему срока? Джон Ферье решил, что мгновенная смерть лучше мучительного ожидания, которое истерзало его сердце и заставляло трепетать каждый нерв. Бросившись вперед, он выдернул засов и распахнул дверь.

Снаружи было тихо и спокойно. Стояла ясная ночь, в небе ярко переливались звезды. Фермер оглядел маленький, огороженный решеткой садик перед домом — ни там, ни на улице не было ни души. Облегченно вздохнув, Ферье посмотрел направо и налево и вдруг, случайно опустив глаза, увидел прямо у своих ног ничком распростертого на земле человека.

Ферье в ужасе отпрянул к стене и схватился за горло, чтобы подавить крик. Первой его мыслью было, что человек на земле ранен или мертв; но тот вдруг быстро и бесшумно, как змея, пополз по земле прямо в дом. Очутившись в прихожей, человек вскочил на ноги и запер дверь. Затем обернулся — и изумленный фермер узнал жесткое и решительное лицо Джефферсона Хоупа.

— Господи!— задыхаясь, произнес Джон Ферье.— Как ты меня напугал! Почему ты явился ползком?

— Дайте мне поесть,— прохрипел Хоуп.— Двое суток у меня не было во рту ни крошки.— Он набросился на холодное мясо и хлеб, оставшиеся на столе после ужина, и жадно поглощал кусок за куском.

— Как Люси?— спросил он, утолив голод.

— Ничего. Она не знает, в какой мы опасности,— ответил Ферье.

— Это хорошо. За домом следят со всех сторон. Вот почему мне пришлось ползти. Но как они ни хитры, а охотника из Уошоу им не поймать!

Почувствовав, что теперь у него есть преданный союзник, Джон Ферье словно переродился. Он схватил загрубевшую руку Хоупа и крепко стиснул.

— Таким, как ты, можно гордиться,— сказал он.— Не многие бы рискнули разделить с нами такую беду!

— Что верно, то верно,— ответил молодой охотник.— Я очень вас уважаю, но, по чести сказать, будь вы один, я бы еще дважды подумал, прежде чем совать голову в это осиное гнездо. Я приехал из-за Люси, и пока Джефферсон Хоуп ходит по земле, с ней ничего не случится!

— Что же мы будем делать?

— Завтра — последний день, и если сегодня не скрыться, вы погибли. В Орлином ущелье нас ждут две лошади и мул. Сколько у вас денег?

— Две тысячи долларов золотом и пять тысяч банкнотами.

— Достаточно. У меня примерно столько же. Надо пробраться через горы в Карсон-Сити. Разбудите Люси. Хорошо, что слуги спят не в доме.

Пока Ферье помогал дочери собираться в путешествие, Джефферсон Хоуп собрал в узелок все съестное, что нашлось в доме, и наполнил глиняный кувшин водой — он знал по опыту, что в горах источников мало, к тому же они находятся далеко один от другого. Едва он закончил сборы, как явился фермер с дочерью, уже одетой и готовой отправиться в путь. Влюбленные поздоровались пылко, но торопливо: сейчас нельзя было терять ни минуты, а дел предстояло еще много.

— Мы должны выйти немедленно,— сказал Джефферсон Хоуп тихо и твердо, как человек, сознающий, насколько велика опасность, но решивший не сдаваться.— За передним и черным ходом следят, но мы можем осторожно вылезти в боковое окно и пойти полями. Выйдем к дороге, а оттуда всего две мили до Орлиного ущелья, где нас ждут лошади. К рассвету мы проедем половину пути через горы.

— А что, если нас задержат?— спросил Ферье.

Джефферсон похлопал по рукоятке револьвера, торчащей из-под его куртки.

— Если их будет слишком много, то двух-трех мы возьмем с собой,— мрачно усмехнулся он.

В доме потушили свет, и Ферье из темного окна поглядел на свои поля, которые он покидал навсегда. Он давно уже приучал себя к мысли о том, что эта жертва неизбежна: честь и счастье дочери были для него дороже утраченного состояния. Вокруг стояла безмятежная тишь, чуть слышно шелестели деревья, широкие поля дышали покоем, и было трудно представить себе, что где-то там притаилась смерть. Однако, судя по бледности и суровому выражению лица молодого охотника, пробираясь к дому, он видел достаточно и был осторожным не зря.

Ферье взял мешок с деньгами, Джефферсон Хоуп — скудный запас еды и воду, а Люси.— маленький сверток с несколькими дорогими ее сердцу вещицами. Очень медленно и осторожно открыв окно, они подождали, пока черная туча не наползла на небо, закрыв собою звезды, и тогда один за другим спустились в маленький садик. Пригнувшись и затаив дыхание, они прокрались к забору и бесшумно двинулись вдоль него к пролому, выходившему в пшеничное поле. Внезапно молодой человек толкнул своих спутников в тень, и все трое, дрожа, приникли к земле.

Жизнь в прериях развила у Джефферсона Хоупа острый, рысий слух. Едва он и его друзья успели растянуться на земле, как в нескольких шагах раздался заунывный крик горной совы; в ответ послышался такой же крик где-то неподалеку. И тотчас же в проломе, куда стремились беглецы, возникла неясная темная фигура; опять тот же жалобный условный крик — и из темноты выступил второй человек.

— Завтра в полночь,— произнес первый, по-видимому, начальник.— Когда трижды прокричит козодой.

— Хорошо,— ответил второй.— Сказать брату Дреберу?

— Скажи ему, а он пусть передаст другим. Девять к семи!

— Семь к пяти!— сказал второй, и они разошлись в разные стороны. Последние слова, очевидно, были паролем и отзывом. Когда шаги их затихли вдали, Джефферсон вскочил на ноги, помог своим спутникам пройти через пролом и побежал по полю, поддерживая девушку и почти неся ее на руках, когда она выбивалась из сил.

— Скорей, скорей!— то и дело шептал он, задыхаясь.— Мы прошли линию часовых. Теперь все зависит от быстроты. Скорей!

Попав наконец на дорогу, где идти было легче, беглецы зашагали быстрее. Лишь однажды им кто-то попался навстречу, но им удалось вовремя броситься в поле, и они остались незамеченными. Не доходя до города, охотник свернул на узкую каменистую тропу, ведшую в горы. В темноте над ними маячили две черные зубчатые вершины, разделенные узким ущельем,— это и было Орлиное ущелье, где беглецов ждали лошади. С безошибочным чутьем Джефферсон Хоуп провел своих спутников между огромными валунами и затем по высохшему руслу потока к укромному месту среди скал, где были привязаны верные животные. Девушку усадили на мула, старый Ферье со своим мешком сел на одну из лошадей, другую же Джефферсон Хоуп, взяв под уздцы, повел по крутой, обрывистой тропе.

Это был трудный путь для тех, кто не привык к природе в самом первобытном ее состоянии. С одной стороны на тысячу футов вверх вздымалась огромная скала, черная, суровая и грозная, с длинными базальтовыми столбами вдоль отвесной стены, похожими на ребра окаменевшего чудовища. С другой стороны — обрыв и дикий хаос внизу, нагромождение каменных глыб и обломков, по которым ни пройти, ни проехать. А посредине беспорядочно петляла тропа, местами такая узкая, что ехать по ней можно было лишь гуськом; и такая скалистая, что одолеть ее мог только опытный наездник. И все же, несмотря на трудности и опасности, беглецы воспрянули духом, ибо с каждым шагом увеличивалось расстояние между ними и той страшной деспотической силой, от которой они пытались спастись.

Однако вскоре им пришлось убедиться, что они еще не совсем ушли из-под власти святых. Они доехали до самого глухого места на всем пути, как вдруг девушка испуганно вскрикнула и указала наверх. Там, над самой тропинкой, на темной скале четко выделялся на фоне неба силуэт одинокого часового. И в ту же минуту часовой заметил их, и над безмолвным ущельем прогремел окрик: «Кто идет?»

— Путники в Неваду,— отозвался Джефферсон Хоуп, хватаясь за ружье, лежавшее поперек седла.

Часовой, взведя курок, вглядывался в них сверху, видимо, не удовлетворенный ответом Хоупа.

— Кто дал разрешение?— спросил он.

— Священный Совет Четырех,— сказал Ферье. Живя среди мормонов, он знал, что Совет Четырех представляет собою высшую власть.

— Девять к семи!— крикнул часовой.

— Семь к пяти,— быстро ответил Джефферсон Хоуп, вспомнив подслушанный в саду пароль.

— Проезжайте с богом,— сказал голос сверху.

За сторожевым постом дорога стала шире, и лошади перешли на рысь. Оглянувшись, путники увидели одинокого человека, который стоял, опершись на ружье, и поняли, что благополучно миновали границу страны избранного народа. Впереди их ждала свобода!

ГЛАВА V

Ангелы-мстители

Всю ночь они ехали по извилистым ущельям, по петляющим каменистым тропам. Не раз они сбивались с пути, но Хоуп, отлично знавший горы, снова выводил их на правильную дорогу. Когда рассвело, перед ними открылось зрелище удивительной, хотя и дикой красоты. Со всех сторон их обступали огромные снежные вершины — каждая словно выглядывала из-за плеча другой, чтобы увидеть дальние горизонты. Их скалистые склоны были так круты, что сосны и лиственницы как бы висели над головами проезжих и, казалось, первый же порыв ветра сбросит их вниз. И, наверное, эти опасения были не напрасны: голая долина была сплошь усеяна деревьями и валунами, рухнувшими сверху. Когда беглецы проезжали долиной, где-то неподалеку сорвался огромный камень и с сиплым грохотом покатился вниз, будя эхо в гулких ущельях и перепугав усталых лошадей, которые вдруг понеслись вскачь.

Над горизонтом медленно вставало солнце, и снежные вершины загорались одна за другой, как фонарики на празднестве, пока все сразу не запылали красным пламенем. Путники невольно залюбовались этим великолепным зрелищем — они даже ощутили прилив новых сил. Сделав привал у ручья, вытекавшего из какого-то ущелья, они наскоро перекусили и напоили лошадей. Люси и ее отец охотно остались бы здесь подольше, но Джефферсон Хоуп был неумолим.

— Они уже пустились в погоню за нами,— сказал он.— Теперь все зависит от быстроты. Доберемся до Карсона — и можем отдыхать хоть всю жизнь.

Весь день они пробирались по ущельям и к вечеру, по их расчетам, были больше чем за тридцать миль от своих врагов. Они нашли себе приют на ночь под выступом скалы, где кое-как можно было укрыться от холодного ветра, и там, прижавшись друг к другу, чтобы согреться, проспали несколько часов, но еще до рассвета снова пустились в путь. Они не замечали никаких признаков погони, и Джефферсон Хоуп начал уже думать, что им удалось ускользнуть от страшной организации, гнев которой они навлекли на себя. Он не знал, как далеко простирается ее железная рука и как скоро она сожмет их в кулак и раздавит.

В середине второго дня их странствий скудные запасы еды почти истощились. Впрочем, это мало беспокоило охотника: в горах водилась дичь, а ему и прежде часто приходилось добывать себе пищу с помощью ружья. Найдя укромный уголок, он собрал кучу валежника и разжег яркий костер, чтобы Люси и старый Ферье могли погреться. Они находились на высоте около пяти тысяч футов над уровнем моря, и воздух резко похолодал. Привязав лошадей и кивнув на прощание Люси, он перебросил ружье через плечо и отправился на поиски какой-нибудь дичи. Пройдя немного, он оглянулся: старик и девушка сидели у костра, а за ними неподвижно стояли привязанные лошади. Затем их заслонили собою скалы.

Он прошел мили две, блуждая по ущельям, но ничего не нашел, хотя по ободранной кое-где коре деревьев и по другим приметам он заключил, что где-то поблизости обитает множество медведей. Потратив на тщетные поиски часа два-три, он вконец отчаялся и хотел было повернуть обратно, как вдруг, подняв глаза, увидел нечто такое, от чего радостно забилось его сердце. На выступе высокой скалы, футах в трехстах — четырехстах над ним стояло животное, с виду похожее на овцу, но с гигантскими рогами. Снежный баран — так называлось это животное — был, вероятно, вожаком стада, которого Хоуп не мог увидеть снизу. К счастью, баран смотрел в другую сторону и не заметил охотника.

Джефферсон Хоуп бросился на землю, положил дуло ружья на камень и долго прицеливался, прежде чем спустить курок. Наконец он выстрелил; животное подпрыгнуло, чуть-чуть задержалось на краю выступа и рухнуло вниз в долину.

Снежный баран оказался таким тяжелым, что охотник не стал тащить его на себе и отрезал лишь заднюю ногу и часть бока. Взвалив свои трофеи на плечо, он поспешил в обратный путь, так как начинало уже смеркаться. Но не успел он пройти и нескольких шагов, как понял, что, увлекшись поисками, он забрел в незнакомые места и теперь будет не так-то легко отыскать дорогу обратно. Долину окружали ущелья, ничем не отличавшиеся одно от другого. По какому-то из них он прошел около мили и наткнулся на горный поток, который, как он точно помнил, не встречался ему по пути в долину. Убедившись, что он заблудился, охотник попробовал было пойти по другому ущелью — и опять ему пришлось повернуть обратно. Быстро надвигалась ночь и почти уже стемнело, когда он наконец нашел ущелье, которое показалось ему знакомым. Но и тут ему стоило большого труда не сбиться с пути: луна еще не взошла, и среди высоких скал царила полная тьма. Сгибаясь под тяжелой ношей, измученный бесконечными блужданиями, Джефферсон Хоуп брел вперед, подбадривая себя мыслью, что с каждым шагом он все ближе к Люси и что мяса, которое он несет, хватит им до конца путешествия.

Наконец он подошел ко входу в то самое ущелье, где оставил Люси и ее отца. Даже в темноте Хоуп узнал очертания скал, окружавших долину. Должно быть, подумал он, о нем уже беспокоятся — ведь он ушел почти пять часов назад. У него стало радостно на душе; он приставил руки ко рту, и гулкое эхо далеко разнесло веселый клич, которым он оповещал о своем возвращении. Он прислушался, ожидая ответа. Ни звука, кроме его собственного голоса, прогремевшего в мрачных, безмолвных ущельях и снова и снова повторяемого эхом. Он крикнул еще раз, погромче прежнего, и опять не услышал никакого отклика от друзей, с которыми так недавно расстался. В сердце его закралась неясная тревога; он в смятении ринулся вперед, сбросив с плеч свою ношу.

Обогнув скалу, он увидел площадку, где был разведен костер. Там еще дымилась куча золы, но, очевидно, никто не поддерживал огонь после его ухода. Вокруг царила все та же мертвая тишина. Его смутные опасения превратились в уверенность; он подбежал ближе.

Возле тлеющих остатков костра не было ни одного живого существа: девушка, старик, лошади — все исчезли. Было ясно, что в его отсутствие сюда нагрянула страшная беда — беда, которая настигла их всех, не оставив никаких следов.

У Джефферсона Хоупа, потрясенного тяжким ударом, вдруг все поплыло перед глазами, и ему пришлось опереться на ружье, чтобы не упасть. Однако он был человеком действия и быстро преодолел свою слабость. Выхватив из золы тлеющую головешку, он дул, пока она не запылала, и светя себе этим факелом, принялся осматривать маленький лагерь. Земля была истоптана конскими копытами, значит, на беглецов напал большой отряд всадников, а по направлению следов было видно, что отсюда они повернули обратно, к Солт-Лейк-Сити. Очевидно, они увезли с собой и старика и девушку. Джефферсон Хоуп почти убедил себя, что это так, но вдруг сердце его дрогнуло и нервы напряглись до предела. Чуть поодаль он увидел нечто такое, чего здесь не было прежде,— небольшую кучку красноватой земли. Сомнений быть не могло — это недавно засыпанная могила. Молодой охотник подошел ближе: из земли торчала палка, в ее расщепленный конец был засунут листок бумаги. Джефферсон Хоуп прочел краткую, но исчерпывающую надпись:

ДЖОН ФЕРЬЕ
из Солт-Лейк-Сити
умер 4 августа 1860.

Значит, мужественного старого фермера, с которым он расстался так недавно, уже нет в живых, и вот это — все, что написали на его могиле! Джефферсон Хоуп дико огляделся вокруг, ища вторую могилу. Второй не оказалось. Люси увезли с собой эти чудовища, она обречена быть одной из жен в гареме сына старейшины. Поняв, что судьба ее решена и что он бессилен помешать мормонам, молодой человек горько пожалел, что не лежит вместе со стариком в этой тихой могиле.

Но деятельная натура снова преодолела апатию, которую порождает отчаяние. Если он не в силах помочь девушке, то по крайней мере может посвятить свою жизнь отмщению. Наряду с безграничным терпением и настойчивостью в характере Джефферсона Хоупа была и мстительность — это, вероятно, передалось ему от индейцев, среди которых он вырос. Стоя у потухшего костра, он чувствовал, что облегчить его горе может только полное возмездие врагам, совершенное его собственной рукой. Отныне его сильная воля и неутомимая энергия будут посвящены только этой единственной цели. Бледный и угрюмый, Джефферсон Хоуп пошел туда, где он бросил мясо убитого барана, потом развел огонь и приготовил себе еду на несколько дней. Он сложил мясо в мешок и, несмотря на усталость, отправился в путь через горы, по следам ангелов-мстителей.

Пять дней, чуть не падая от изнеможения, сбивая до крови ноги, брел он по тем же ущельям, где недавно проезжал верхом. Ночью он забывался на несколько часов где-нибудь на земле среди скал, но еще до рассвета поднимался и снова шагал дальше. На шестой день он дошел до Орлиного ущелья, откуда начался их неудачный побег. Перед ним открылся вид на гнездо мормонов. Джефферсон Хоуп, обессилевший, изможденный, оперся на ружье и яростно погрозил кулаком широко раскинувшемуся внизу безмолвному городу. Он увидел флаги на главных улицах: очевидно, там происходило какое-то торжество. Раздумывая, что бы это могло значить, он услышал топот копыт — к нему приближался какой-то всадник. Хоуп узнал в нем мормона по имени Каупер, которому он не раз оказывал услуги. Он подошел к нему, надеясь выведать что-нибудь о судьбе Люси.

— Я Джефферсон Хоуп,— сказал он.— Вы меня помните?

Мормон уставился на него с нескрываемым изумлением. И в самом деле, трудно было узнать прежнего молодого щеголеватого охотника в этом грязном оборванце с мертвенно-бледным лицом и горящими глазами. Но когда он в конце концов убедился, что перед ним Джефферсон Хоуп, изумление на его лице сменилось ужасом.

— Вы с ума сошли! Зачем вы сюда явились? — воскликнул он.— Если кто увидит, что я с вами разговариваю, мне несдобровать! Священный Совет Четырех дал приказ арестовать вас за то, что вы помогли сбежать Ферье и его дочери!

— Не боюсь я ни вашего Совета, ни его приказов,— твердо сказал Хоуп.— Вы, должно быть, что-нибудь о них знаете. Заклинаю вас всем, что для вас дорого, ответьте мне на несколько вопросов. Мы же были друзьями. Ради бога, не отказывайте мне в этой просьбе!

— Ну, что вам нужно? — беспокойно озираясь, спросил мормон.— Скорее только. У скал есть уши, а у деревьев — глаза.

— Что с Люси Ферье?

— Ее вчера обвенчали с младшим Дреббером. Эй, эй, да что с вами такое? Вы просто помертвели!

— Пустяки,— побелевшими губами еле выговорил Хоуп и опустился на камень.— Вы говорите, обвенчали?

— Да, вчера. Потому и флаги возле храма вывесили. Младший Дреббер и младший Стэнджерсон все спори ли, кому из них она достанется. Оба были в отряде, который помчался в погоню, и Стэнджерсон застрелил ее отца, и это вроде бы давало ему преимущество, но на Совете у Дреббера была сильная поддержка, и Провидец отдал девушку ему. Только, думается мне, ненадолго, вчера по лицу ее было видно, что не жить ей на этом свете. Не женщина стояла под венцом, а привидение. Вы что, уходите?

— Ухожу,— сказал Джефферсон Хоуп, поднимаясь. Его застывшее, суровое лицо, казалось, было высечено из мрамора, и только глаза горели недобрым огнем.

— Куда же вы идете?

— Это неважно,— ответил он и, вскинув ружье на плечо, побрел в ущелье, а оттуда — в самое сердце гор, к логовам хищных зверей. Среди них не было более опасного и свирепого зверя, чем он сам.

Предсказание мормона сбылось. Подействовала на нее ужасная смерть отца или ненавистный насильственный брак, но бедняжка Люси, ни разу не поднявшая глаз, стала чахнуть и через месяц умерла. Вечно пьяный Дреббер, который женился на Люси главным образом из-за состояния Джона Ферье, не слишком скорбел о своей утрате. Ее оплакивали остальные его жены, по обычаю мормонов просидевшие у ее гроба всю ночь накануне погребения. А когда забрезжил рассвет, дверь вдруг распахнулась, и перепуганные, изумленные женщины увидели перед собой косматого одичалого человека в лохмотьях. Не обращая внимания на сбившихся в кучу женщин, он подошел к бездыханному телу, в котором еще так недавно обитала чистая душа Люси Ферье. Нагнувшись, он благоговейно прижался губами к ее холодному лбу, потом поднял ее руку и снял с пальца обручальное кольцо.

— Она не ляжет в могилу с этим кольцом!— гневно прорычал он и, прежде чем женщины успели поднять тревогу, бросился на лестницу и исчез. Все это было так диковинно и произошло так быстро, что женщины не поверили бы себе и не убедили других, если бы не один неоспоримый факт: маленький золотой ободок, символ брака, исчез с ее пальца.

Несколько месяцев Джефферсон Хоуп бродил по горам, вел странную полузвериную жизнь и лелеял в своем сердце свирепую жажду мести. В городе ходили слухи о таинственном существе, которое обитало в глухих горных ущельях и не раз прокрадывалось к окраинам города. Однажды в окно Стэнджерсона влетела пуля и расплющилась о стену в каком-нибудь футе от его головы. Другой раз возле проходившего под скалой Дреббера пролетел огромный камень,— он избежал ужасной смерти лишь потому, что мгновенно бросился ничком на землю. Оба молодых мормона сразу догадались, кто покушался на их жизнь, и неоднократно устраивали набеги в горы, надеясь поймать или убить своего врага, но все их попытки кончались безуспешно. Тогда они решили из предосторожности не выходить из дома в одиночку, тем более вечером, а возле своих домов поставили караульных. Но постепенно они перестали соблюдать осторожность, ибо враг больше не давал о себе знать, и они надеялись, что время остудило его мстительный пыл.

Это было далеко не так, оно скорее усилило его. Охотник, упрямый и неподатливый по натуре, был так одержим навязчивой мыслью о мести, что не мог уже думать больше ни о чем другом.

Однако он обладал прежде всего практическим умом. Он вскоре понял, что даже его железный организм не выдержит постоянных испытаний, которым он себя подвергал. Жизнь под открытым небом и отсутствие здоровой пищи подорвали его силы. Но если он тут, в горах, околеет как собака, кто же отомстит негодяям? А его, конечно, ждет именно такая смерть, если он будет вести тот же образ жизни. Он знал, что это сыграет на руку его врагам, и поэтому заставил себя вернуться в Неваду, на свои рудники, чтобы восстановить здоровье и накопить денег, а потом снова добиваться своей цели, не терпя особых лишений.

Он намеревался прожить в Неваде не больше года, но всякие непредвиденные обстоятельства задержали его на пять лет. Несмотря на долгий срок, он так же остро чувствовал свое горе и так же жаждал мести, как в ту памятную ночь, когда он стоял у могилы Джона Ферье. Он вернулся в Солт-Лейк-Сити, изменив свой облик и назвавшись другим именем. Его ничуть не заботила собственная участь — лишь бы удалось свершить справедливое возмездие. В городе его ждали плохие вести. Несколько месяцев назад среди избранного народа произошел раскол: младшие члены церкви взбунтовались против власти старейшин. В результате некоторая часть недовольных отказалась от мормонской веры и покинула Юту. Среди них были Дреббер и Стэнджерсон; куда они уехали, никто не знал. Говорили, будто Дребберу удалось выручить за свое имущество немалые деньги и он уехал богачом, а его товарищ Стэнджерсон был сравнительно беден. Однако никто не мог подсказать, где их следует разыскивать.

Многие, даже самые мстительные люди, столкнувшись с таким препятствием, перестали бы и думать о возмездии, но Джефферсон Хоуп не колебался ни минуты. Денег у него было немного, но он, хватаясь за любую возможность подработать и кое-как сводя концы с концами, ездил из города в город, разыскивая своих врагов. Год проходил за годом, черные волосы Хоупа засеребрились сединой, а он, как ищейка, все рыскал по городам, сосредоточившись на той единственной цели, которой посвятил свою жизнь. И наконец его упорство было вознаграждено. Проходя по улице, он бросил всего лишь один взгляд на мелькнувшее в окне лицо, но этого было достаточно: теперь он знал, что люди, за которыми он гонится столько лет, находятся здесь, в Кливленде, штат Огайо. Он вернулся в свое жалкое жилище с готовым планом мести. Случилось, однако, так, что Дреббер, выглянувший в окно, заметил бродягу на улице и прочел в его глазах свой смертный приговор. Вместе со Стэнджерсоном, который стал его личным секретарем, он кинулся к мировому судье и заявил, что их из ревности преследует старый соперник и им угрожает опасность.

В тот же вечер Джефферсон Хоуп был арестован, и так как не нашлось никого, кто бы взял его на поруки, то он просидел в тюрьме несколько недель. Выйдя на свободу, Хоуп обнаружил, что дом Дреббера пуст: он со своим секретарем уехал в Европу.

Мститель снова потерял их следы, и снова ненависть заставила его продолжать погоню. Но для этого необходимы были деньги, и он опять стал работать, стараясь сберечь каждый доллар для предстоящей поездки. Наконец, скопив достаточно, чтобы не умереть с голода, он уехал в Европу и опять начал скитаться по городам, не гнушаясь никакой работой и выслеживая своих врагов. Догнать их, однако, не удавалось. Когда он добрался до Петербурга, Дреббер и Стэнджерсон уже уехали в Париж; он поспешил туда и узнал, что они только что отбыли в Копенгаген. В столицу Дании он тоже опоздал — они отправились в Лондон, где наконец-то он и настиг их.

О том, что там произошло, лучше всего узнать из показаний старого охотника, записанных в дневнике доктора Уотсона, которому мы и так уже многим обязаны.

ГЛАВА VI

Продолжение записок доктора Джона Уотсона

По-видимому, яростное сопротивление нашего пленника вовсе не означало, что он пылает ненавистью к нам, ибо, поняв бесполезность борьбы, он неожиданно улыбнулся и выразил надежду, что никого не зашиб во время этой свалки.

— Вы, наверное, повезете меня в участок,— обратился он к Шерлоку Холмсу.— Мой кэб стоит внизу. Если вы развяжете мне ноги, я сойду сам. А то нести меня будет не так-то легко: я потяжелел с прежних времен.

Грегсон и Лестрейд переглянулись, очевидно, считая, что это довольно рискованно, но Шерлок Холмс, поверив пленнику на слово, тотчас же развязал полотенце, которым были скручены его щиколотки. Тот встал и прошелся по комнате, чтобы размять ноги. Помню, глядя на него, я подумал, что не часто можно увидеть человека столь могучего сложения; выражение решимости и энергии на его смуглом, опаленном солнцем лице придавало его облику еще большую внушительность.

— Если случайно место начальника полиции сейчас не занято, то лучше вас никого не найти,— сказал он, глядя на моего сожителя с нескрываемым восхищением.— Как вы меня выследили — просто уму непостижимо!

— Вам тоже следовало бы поехать со мной,— сказал Холмс, повернувшись к сыщикам.

— Я могу быть за кучера,— предложил Лестрейд.

— Отлично, а Грегсон сядет с нами в кэб. И вы тоже, доктор. Вы ведь интересуетесь этим делом, так давайте поедем все вместе.

Я охотно согласился, и мы спустились вниз. Наш пленник не делал никаких попыток к бегству; он спокойно сел в принадлежавший ему кэб, а мы последовали за ним. Взобравшись на козлы, Лестрейд стегнул лошадь и очень быстро доставил нас в участок. Нас ввели в небольшую комнату, где полицейский инспектор, бледный и вялый, выполнявший свои обязанности механически, со скучающим видом записал имя арестованного и его жертв.

— Арестованный будет допрошен судьями в течение недели,— сказал инспектор.— Джефферсон Хоуп, хотите ли вы что-либо заявить до суда? Предупреждаю: все, что вы скажете, может быть обращено против вас.

— Я многое могу сказать,— медленно произнес наш пленник.— Мне хотелось бы рассказать этим джентльменам все.

— Может, расскажете на суде?— спросил инспектор.

— А до суда я, наверное, и не доживу. Не бойтесь, я не собираюсь кончать самоубийством. Вы ведь доктор?— спросил он, устремив на меня свои горячие черные глаза.

— Да,— подтвердил я.

— Ну, так положите сюда вашу руку,— усмехнулся Хоуп, указывая скованными руками на свою грудь.

Я так и сделал и тотчас же ощутил под рукой сильные, неровные толчки. Грудная клетка его вздрагивала и тряслась, как хрупкое здание, в котором работает огромная машина. В наступившей тишине я расслышал в его груди глухие хрипы.

— Да ведь у вас аневризма аорты!— воскликнул я.

— Так точно,— безмятежно отозвался Хоуп.— На прошлой неделе я был у доктора — он сказал, что через несколько дней она лопнет. Дело к тому идет уже много лет. Это у меня оттого, что в горах Соляного озера я долго жил под открытым небом и питался как попало. Я сделал что хотел, и мне теперь безразлично, когда я умру, только прежде мне нужно рассказать, как это все случилось. Не хочу, чтобы меня считали обыкновенным головорезом.

Инспектор и оба сыщика торопливо посовещались, не нарушат ли они правила, позволив ему говорить.

— Как вы считаете, доктор, положение его действительно опасно?— обратился ко мне инспектор.

— Да, безусловно,— ответил я.

— В таком случае наш долг — в интересах правосудия снять с него показания,— решил инспектор.— Можете говорить, Джефферсон Хоуп, но еще раз предупреждаю: ваши показания будут занесены в протокол.

— С вашего позволения, я сяду,— сказал арестованный, опускаясь на стул.— От этой аневризмы я быстро устаю, да к тому же полчаса назад мы здорово отколошматили друг друга. Я уже на краю могилы и лгать вам не собираюсь. Все, что я вам скажу,— чистая правда, а как вы к ней отнесетесь, меня не интересует.

Джефферсон Хоуп откинулся на спинку стула и начал свою удивительную историю. Рассказывал он подробно, очень спокойным тоном, будто речь шла о чем-то самом обыденном. За точность приведенного ниже рассказа я ручаюсь, так как мне удалось раздобыть записную книжку Лестрейда, а он записывал все слово в слово.

— Вам не так уж важно знать, почему я ненавидел этих людей,— начал Джефферсон Хоуп,— достаточно сказать, что они были причиной смерти двух человеческих существ — отца и дочери,— и поплатились за это жизнью. С тех пор как они совершили это преступление, прошло столько времени, что мне уже не удалось бы привлечь их к суду. Но я знал, что они убийцы, и решил, что сам буду их судьей, присяжными и палачом. На моем месте вы поступили бы точно так же, если только вы настоящие мужчины.

Девушка, которую они сгубили, двадцать лет назад должна была стать моей женой. Ее силком выдали замуж за этого Дреббера, и она умерла от горя. Я снял обручальное кольцо с пальца покойницы и поклялся, что в предсмертную минуту он будет видеть перед собой это кольцо и, умирая, думать лишь о преступлении, за которое он понес кару. Я не расставался с этим кольцом и преследовал Дреббера и его сообщника на двух континентах, пока не настиг обоих. Они надеялись взять меня измором, но не тут-то было. Если я умру завтра, что очень вероятно, то умру я с сознанием, что дело мое сделано и сделано как следует. Я отправил их на тот свет собственной рукой. Мне больше нечего желать и не на что надеяться.

Они были богачами, а я нищим, и мне было нелегко гоняться за ними по свету. Когда я добрался до Лондона, у меня не осталось почти ни гроша; пришлось искать хоть какую-нибудь работу. Править лошадьми и ездить верхом для меня так же привычно, как ходить по земле пешком; я обратился в контору наемных кэбов и вскоре пристроился на работу. Я должен был каждую неделю давать хозяину определенную сумму, а все, что я зарабатывал сверх того, шло в мой карман. Мне перепадало немного, но кое-что удавалось наскрести на жизнь. Самое трудное для меня было разбираться в улицах — уж такой путаницы, как в Лондоне, наверное, нигде на свете нет! Я обзавелся планом города, запомнил главные гостиницы и вокзалы, и тогда дело пошло на лад.

Не сразу я разузнал, где живут эти мои господа; я справлялся везде и всюду и наконец выследил их. Они остановились в меблированных комнатах в Камберуэлле, на той стороне Темзы. Раз я их нашел, значит, можно было считать, что они в моих руках. Я отрастил бороду — узнать меня было невозможно. Оставалось только не упускать их из виду. Я решил следовать за ними повсюду, чтобы им не удалось улизнуть.

95

А улизнуть они могли в любую минуту. Мне приходилось следить за ними, куда бы они ни отправлялись. Иногда я ехал в своем кэбе, иногда шел пешком, но ехать было удобнее — так им трудно было бы скрыться от меня. Теперь я мог зарабатывать только рано по утрам или ночью и, конечно, задолжал хозяину. Но меня это не заботило; самое главное — они были у меня в руках!

Они, впрочем, оказались очень хитры. Должно быть, они опасались слежки, поэтому никогда не выходили поодиночке, а в позднее время и вовсе не показывались на улице. Я колесил за ними две недели подряд и ни разу не видел одного без другого. Дреббер часто напивался, но Стэнджерсон всегда был настороже. Я следил за ними днем и ночью, а удобного для меня случая все не выпадало; но я не отчаивался — что-то подсказывало мне, что скоро наступит мой час. Я боялся только, что эта штука у меня в груди лопнет и я не успею сделать свое дело.

Наконец, как-то под вечер я ездил взад-вперед по Торки-Террас — так называется улица, где они жили,— и увидел, что к их двери подъехал кэб. Вскоре вынесли багаж, потом появились Стэнджерсон и Дреббер, сели в кэб и уехали. У меня екнуло сердце — чего доброго, они уедут из Лондона! Я хлестнул лошадь и пустился за ними. Они вышли у Юстонского вокзала, я попросил мальчишку присмотреть за лошадью и пошел за ними на платформу. Они спросили, когда отходит поезд на Ливерпуль; дежурный ответил, что поезд только что ушел, а следующий отправится через несколько часов. Стэнджерсон, как видно, был недоволен, а Дреббер вроде даже обрадовался. В вокзальной сутолоке я ухитрился незаметно пробраться поближе к ним и слышал каждое слово. Дреббер сказал, что у него есть маленькое дело, пусть Стэнджерсон подождет его здесь, он скоро вернется. Стэнджерсон запротестовал, напомнив ему, что они решили всюду ходить вместе. Дреббер ответил, что дело его щекотливого свойства и он должен идти один. Я не расслышал слов Стэнджерсона, но Дреббер разразился бранью и заявил, что Стэнджерсон, мол, всего лишь наемный слуга и не смеет ему указывать. Стэнджерсон, видимо, решил не спорить и договорился с Дреббером, что, если тот опоздает к последнему поезду, он будет ждать его в гостинице «Холлидей». Дреббер ответил, что вернется еще до одиннадцати, и ушел.

Наконец-то настала минута, которой я ждал так долго. Враги были в моих руках. Пока они держались вместе, я бы не мог с ними справиться, но, очутившись врозь, они были бессильны против меня. Я, конечно, действовал не наобум. У меня заранее был составлен план. Месть не сладка, если обидчик не поймет, от чьей руки он умирает и за что несет кару. По моему плану тот, кто причинил мне зло, должен был узнать, что расплачивается за старый грех. Случилось так, что за несколько дней до того я возил одного джентльмена, он осматривал пустые дома на Брикстон-роуд и обронил ключ от одного из них в моем кэбе. В тот же вечер он хватился пропажи, и ключ я вернул, но днем успел снять с него слепок и заказать такой же. Теперь у меня имелось хоть одно место в этом огромном городе, где можно было не бояться, что мне помешают. Самое трудное было заполучить туда Дреббера, и вот сейчас я должен был что-то придумать.

Дреббер пошел по улице, заглянул в одну распивочную, потом в другую — во второй он пробыл больше получаса. Оттуда он вышел пошатываясь — видно, здорово накачался. Впереди меня стоял кэб: он сел в него, а я поехал следом, да так близко, что морда моей лошади была почти впритык к задку его кэба. Мы проехали мост Ватерлоо, потом колесили по улицам, пока, к удивлению моему, не оказались у того дома, откуда он выехал. Зачем он туда вернулся, бог его знает; на всякий случай я остановился ярдах в ста. Он отпустил кэб и вошел... Дайте мне, пожалуйста, воды. У меня во рту пересохло.

Я подал ему стакан; он осушил его залпом.

— Теперь легче,— сказал он.— Так вот, я прождал примерно с четверть часа, и вдруг из дома донесся шум, будто там шла драка. Потом дверь распахнулась, выбежали двое — Дреббер и какой-то молодой человек — его я видел впервые. Он тащил Дреббера за шиворот и на верхней ступеньке дал ему такого пинка, что тот кувырком полетел на тротуар. «Мерзавец!— крикнул молодой человек, грозя ему палкой.— Я тебе покажу, как оскорблять честную девушку!» Он был до того взбешен, что я даже испугался, как бы он не пристукнул Дреббера своей дубинкой, но подлый трус пустился бежать со всех ног. Добежав до угла, он вскочил в мой кэб. «В гостиницу «Холлидей»!»— крикнул он.

Он сидит в моем кэбе! Сердце у меня так заколотилось от радости, что я начал бояться, как бы моя аневризма не прикончила меня тут же. Я поехал медленно, обдумывая, что делать дальше. Можно было завезти его куда-нибудь за город и расправиться с ним на безлюдной дороге. Я было решил, что другого выхода нет, но он сам пришел мне на выручку. Его опять, видно, потянуло на выпивку — он велел мне остановиться возле питейного заведения и ждать его. Там он просидел до самого закрытия и так надрался, что, когда вышел, я понял — теперь все будет по-моему.

Не думайте, что я намеревался просто взять да убить его. Конечно, это было бы только справедливо, но к такому убийству у меня не лежала душа. Я давно уже решил дать ему возможность поиграть со смертью, если он того захочет. Во время моих скитаний по Америке я брался за любую работу, и среди всего прочего мне пришлось быть служителем при лаборатории Нью-Йоркского университета. Там однажды профессор читал лекцию о ядах и показал студентам алкалоид — так он это назвал,— добытый им из яда, которым в Южной Америке отравляют стрелы. Этот алкалоид такой сильный, говорил он, что одна крупица его убивает мгновенно. Я приметил склянку, в которой содержался препарат, и, когда все разошлись, взял немножко себе. Я неплохо знал аптекарское дело и сумел приготовить две маленькие растворимые пилюли с этим алкалоидом и каждую положил в коробочку рядом с такой же по виду, но совсем безвредной. Я решил, что, когда придет время, я заставлю обоих моих молодчиков выбрать себе одну из двух пилюль в коробочке, а я проглочу ту, что останется. Алкалоид убьет наверняка, а шуму будет меньше, чем от выстрела сквозь платок. С того дня я всегда носил при себе две коробочки с пилюлями, и наконец-то настало время пустить их в ход.

Миновала полночь, время близилось к часу. Ночь была темная, ненастная, выл ветер, и дождь лил как из ведра. Но, несмотря на холод и мрак, меня распирала радость — такая радость, что я готов был заорать от восторга. Если кто-либо из вас, джентльмены, когда-нибудь имел желанную цель, целых двадцать лет только о ней одной и думал и вдруг увидел бы, что она совсем близка, вы бы поняли, что со мной творилось. Я закурил сигару, чтобы немного успокоиться, но руки у меня дрожали, а в висках стучало. Я ехал по улицам, и в темноте мне улыбались старый Джон Ферье и милая моя Люси — я видел их так же ясно, как сейчас вижу вас, джентльмены. Всю дорогу они были передо мной, справа и слева от лошади, пока я не остановился у дома на Брикстон-роуд.

Кругом не было ни души, не слышно было ни единого звука, кроме шума дождя. Заглянув внутрь кэба, я увидел, что Дреббер храпит, развалясь на сиденье. Я потряс его за плечо.

— Пора выходить,— сказал я.

— Ладно, сейчас,— пробормотал он.

Должно быть, он думал, что мы подъехали к его гостинице,— он молча вылез и потащился через палисадник. Мне пришлось идти рядом и поддерживать его — хмель у него еще не выветрился. Я отпер дверь и ввел его в переднюю. Даю вам слово, что отец и дочь все это время шли впереди нас.

— Что за адская тьма,— проворчал он, топчась на месте.

— Сейчас зажжем свет,— ответил я и, чиркнув спичкой, зажег принесенную с собой восковую свечу.— Ну, Енох Дреббер,— продолжал я, повернувшись к нему и держа свечку перед собой,— ты меня узнаешь?

Он уставился на меня бессмысленным пьяным взглядом. Вдруг лицо его исказилось, в глазах замелькал ужас — он меня узнал! Побледнев, как смерть, он отпрянул назад, зубы его застучали, на лбу выступил пот. А я, увидев все это, прислонился спиной к двери и громко захохотал. Я всегда знал, что месть будет сладка, но не думал, что почувствую такое блаженство.

— Собака!— сказал я.— Я гонялся за тобой от Солт-Лейк-Сити до Петербурга, и ты всегда удирал от меня. Но теперь уж странствиям твоим пришел конец — кто-то из нас не увидит завтрашнего утра!

Он все отступал назад; по лицу его я понял, что он принял меня за сумасшедшего. Да, пожалуй, так оно и было. В висках у меня били кузнечные молоты; наверное, мне стало бы дурно, если бы вдруг из носа не хлынула кровь — от этого мне полегчало.

— Ну что, вспомнил Люси Ферье?— крикнул я, заперев дверь и вертя ключом перед его носом.— Долго ты ждал возмездия, и наконец-то пришел твой час!

Я видел, как трусливо затрясся его подбородок. Он, конечно, стал бы просить пощады, но понимал, что это бесполезно.

— Ты решишься на убийство?— пролепетал он.

— При чем тут убийство?— ответил я.— Разве уничтожить бешеную собаку значит совершить убийство? А ты жалел мою дорогую бедняжку, когда оторвал ее от убитого вами отца и запер в свой гнусный гарем?

— Это не я убил ее отца!— завопил он.

— Но ты разбил ее невинное сердце!— крикнул я и сунул ему коробочку.— Пусть нас рассудит всевышний. Выбери пилюлю и проглоти. В одной смерть, в другой жизнь. Я проглочу ту, что останется. Посмотрим, есть ли на земле справедливость или нами правит случай.

Скорчившись от страха, он дико закричал и стал умолять о пощаде, но я выхватил нож, приставил к его горлу, и в конце концов он повиновался. Затем я проглотил оставшуюся пилюлю, с минуту мы молча стояли друг против друга, ожидая, кто из нас умрет. Никогда не забуду его лица, когда, почувствовав первые приступы боли, он понял, что проглотил яд! Я захохотал и поднес к его глазам кольцо Люси. Все это длилось несколько секунд — алкалоид действует быстро. Лицо его исказилось, он выбросил вперед руки, зашатался и с хриплым воплем тяжело рухнул на пол. Я ногой перевернул его на спину и положил руку ему на грудь. Сердце не билось. Он был мертв!

Из носа у меня текла кровь, но я не обращал на это внимания. Не знаю, почему мне пришло в голову сделать кровью надпись на стене. Может, из чистого озорства мне захотелось сбить с толку полицию,— очень уж весело и легко у меня было тогда на душе! Я вспомнил, что в Нью-Йорке нашли как-то труп немца, а под ним было написано слово «Rache»; газеты писали тогда, что это, должно быть, дело рук какого-то тайного общества. Что поставило в тупик Нью-Йорк, то поставит в тупик и Лондон, решил я и, обмакнув палец в свою кровь, вывел на видном месте это слово. Потом я пошел к кэбу — на улице было пустынно, а дождь лил по-прежнему. Я отъехал от дома, и вдруг, сунув руку в карман, где у меня всегда лежало кольцо, обнаружил, что его нет. Я был как громом поражен — ведь это была единственная памятка от Люси! Подумав, что я обронил его, когда наклонялся к телу Дреббера, я оставил кэб в переулке и побежал к дому — я готов был на любой риск, лишь бы найти кольцо. Возле дома я чуть было не попал в руки выходящего оттуда полисмена и отвел от себя подозрение только потому, что прикинулся в стельку пьяным.

Вот, значит, как Енох Дреббер нашел свою смерть. Теперь мне оставалось проделать то же самое со Стэнджерсоном и расквитаться с ним за Джона Ферье. Я знал, что он остановился в гостинице «Холлидей», и слонялся возле нее целый день, но он так и не вышел на улицу. Думается мне, он что-то заподозрил, когда Дреббер не явился на вокзал. Он был хитер, этот Стэнджерсон, и всегда держался начеку. Но напрасно он воображал, будто убережется от меня, если будет отсиживаться в гостинице! Вскоре я уже знал окно его комнаты, и на следующий день, едва стало светать, я взял лестницу, что валялась в проулке за гостиницей, и забрался к нему.

Разбудив его, я сказал, что настал час расплатиться за жизнь, которую он отнял двадцать лет назад. Я рассказал ему о смерти Дреббера и дал на выбор две пилюли. Вместо того, чтобы ухватиться за единственный шанс спасти свою жизнь, он вскочил с постели и стал меня душить. Защищаясь, я ударил его ножом в сердце. Все равно ему суждено было умереть — провидение не допустило бы, чтобы рука убийцы выбрала пилюлю без яда.

Мне уже немного осталось рассказать, и слава богу, а то я совсем выбился из сил. Еще день-два я возил седоков, надеясь немного подработать и вернуться в Америку. И вот сегодня я стоял на хозяйском дворе, когда какой-то мальчишка-оборванец спросил, нет ли здесь кучера по имени Джефферсон Хоуп. Его, мол, просят подать кэб на Бейкер-стрит, номер 221б. Ничего не подозревая, я поехал, и тут вдруг этот молодой человек защелкнул на мне наручники, да так ловко, что я и оглянуться не успел. Вот и все, джентльмены. Можете считать меня убийцей, но я утверждаю, что я так же послужил правосудию, как и вы.

История эта была столь захватывающей, а рассказывал он так выразительно, что мы слушали не шелохнувшись и не проронив ни слова. Даже профессиональные сыщики, blasé[1] всеми видами преступлений, казалось, следили за его рассказом с острым интересом. Когда он кончил, в комнате стояла полная тишина, нарушаемая только скрипом карандаша,— это Лестрейд доканчивал свою стенографическую запись.

— Мне хотелось бы выяснить еще одно обстоятельство,— произнес наконец Шерлок Холмс.— Кто ваш сообщник — тот, который приходил за кольцом?

Джефферсон Хоуп шутливо подмигнул моему приятелю.

— Свои тайны я могу уже не скрывать,— сказал он,— но другим не стану причинять неприятности. Я прочел объявление и подумал, что либо это ловушка, либо мое кольцо и в самом деле найдено на улице. Мой друг вызвался пойти и проверить. Вы, наверное, не станете отрицать, что он вас ловко провел.

— Что верно, то верно,— искренне согласился Холмс.

— Джентльмены,— важно произнес инспектор,— надо все же подчиняться установленным порядкам. В четверг арестованный предстанет перед судом, и вас пригласят тоже. А до тех пор ответственность за него лежит на мне.

---

[1] Пресыщенные *(франц.)*.

Он позвонил. Джефферсона Хоупа увели два тюремных стражника, а мы с Шерлоком Холмсом, выйдя из участка, подозвали кэб и поехали на Бейкер-стрит.

ГЛАВА VII

Заключение

Всех нас предупредили, что в четверг мы будем вызваны в суд; но когда наступил четверг, оказалось, что наши показания уже не понадобятся — Джефферсона Хоупа призвал к себе высший судия, чтобы вынести ему свой строгий и справедливый приговор. Ночью после ареста его аневризма лопнула, и наутро его нашли на полу тюремной камеры с блаженной улыбкой на лице, словно, умирая, он думал о том, что прожил жизнь не зря и хорошо сделал свое дело.

— Грегсон и Лестрейд, наверное, рвут на себе волосы,— сказал Холмс вечером, когда мы обсуждали это событие.— Он умер, и пропали все их надежды на шумную рекламу.

— По-моему, они мало что сделали для поимки преступника,— заметил я.

— В этом мире неважно, сколько вы сделали,— с горечью произнес Холмс.— Самое главное — суметь убедить людей, что вы сделали много. Но все равно,— продолжал он после паузы, уже веселее,— я ни за что не отказался бы от этого расследования. Я не помню более интересного дела. И как оно ни просто, все же в нем было немало поучительного.

— Просто?!— воскликнул я.

Холмса рассмешило мое изумление.

— Разумеется, его никак нельзя назвать сложным,— сказал он.— И вот вам доказательство — за три дня я без всякой помощи и только посредством самых обыкновенных умозаключений сумел установить личность преступника.

— Это верно!

— Я уже как-то говорил вам, что необычное — скорее помощь, чем помеха в нашем деле. При решении подобных задач очень важно уметь рассуждать ретроспективно. Это чрезвычайно ценная способность, и ее нетрудно развить, но теперь почему-то мало этим занимаются. В повседневной жизни гораздо полезнее думать наперед, поэтому рассуждения обратным ходом сейчас не в почете. Из пятидесяти человек лишь один умеет рассуждать аналитически, остальные же мыслят только синтетически.

— Должен признаться, я вас не совсем понимаю.

— Я так и думал. Попробую объяснить это понятнее. Большинство людей, если вы перечислите им все факты один за другим, предскажут вам результат. Они могут мысленно сопоставить факты и сделать вывод, что должно произойти то-то. Но лишь немногие, узнав результат, способны проделать умственную работу, которая дает возможность проследить, какие же причины привели к этому результату. Вот эту способность я называю ретроспективными, или аналитическими, рассуждениями.

— Понимаю,— сказал я.

— Этот случай был именно таким — мы знали результат и должны были сами найти все, что к нему привело. Я попытаюсь показать вам различные стадии моих рассуждений. Начнем с самого начала. Вам известно, что я, не внушая себе заранее никаких идей, подошел к дому пешком. Естественно, я прежде всего исследовал мостовую и, как я уже говорил вам, обнаружил отчетливые следы колес, а из расспросов выяснилось, что кэб мог подъехать сюда только ночью. По небольшому расстоянию между колесами я убедился, что это был наемный кэб, а не частный экипаж — обыкновенный лондонский кэб гораздо уже господской коляски.

Это было, так сказать, первое звено. Затем я медленно пошел через палисадник по дорожке; она была глинистая, то есть такая, на которой особенно заметно отпечатываются следы. Вам, конечно, эта дорожка представлялась просто полоской истоптанной грязи, но для моего натренированного глаза имела значение каждая отметина на ее поверхности. В сыскном деле нет ничего важнее, чем искусство читать следы, хотя именно ему у нас почти не уделяют внимания. К счастью, я много занимался этим, и благодаря долгой практике умение распознавать следы стало моей второй натурой. Я увидел глубоко вдавленные следы констеблей, но разглядел и следы двух человек, проходивших по садику до того, как явилась полиция. Определить, что эти двое проходили раньше, было нетрудно: кое-где их следы были совершенно затоптаны констеблями. Так появилось второе звено. Я уже знал, что ночью сюда приехали двое — один, судя по ширине его шага, очень высокого роста, а второй был щегольски одет: об этом свидетельствовали изящные очертания его узких подошв.

Когда я вошел в дом, мои выводы подтвердились. Передо мной лежал человек в щегольских ботинках. Значит, если это было убийством, то убийца должен быть высокого роста. На мертвом не оказалось ран, но по ужасу, застывшему на его лице, я убедился, что он предвидел свою участь. У людей, внезапно умерших от разрыва сердца или от других болезней, не бывает ужаса на лице. Понюхав губы мертвого, я почувствовал чуть кисловатый запах и понял, что его заставили принять яд. Это подтверждалось еще и выражением ненависти и страха на его лице. Я убедился в этом с помощью метода исключения — известные мне факты не укладывались ни в какую другую гипотезу. Не воображайте, что тут произошло нечто неслыханное. Насильственное отравление ядом вовсе не новость в уголовной хронике. Каждый токсиколог тотчас вспомнил бы дело Дольского в Одессе или Летюрье в Монпелье.

Теперь передо мной встал главный вопрос: каковы мотивы преступления? Явно не грабеж: все, что имел убитый, осталось при нем. Быть может, это политическое убийство или тут замешана женщина? Я склонялся скорее ко второму предположению. Политические убийцы, сделав свое дело, стремятся как можно скорее скрыться. Это убийство, наоборот, было совершено без спешки, следы преступника видны по всей комнате, значит, он пробыл там довольно долго. Причины, по-видимому, были частного, а не политического характера и требовали обдуманной, жестокой мести. Когда на стене была обнаружена надпись, я еще больше утвердился в своем мнении. Надпись была сделана для отвода глаз. Когда же нашли кольцо, вопрос для меня был окончательно решен. Ясно, что убийца хотел напомнить своей жертве о какой-то умершей или находящейся где-то далеко женщине. Тут-то я и спросил Грегсона, не поинтересовался ли он, посылая телеграмму в Кливленд, каким-либо особым обстоятельством в жизни Дреббера. Как вы помните, он ответил отрицательно.

Затем я принялся тщательно исследовать комнату, нашел подтверждение моих догадок о росте убийцы, а заодно узнал о трихинопольской сигаре и о длине его ногтей. Так как следов борьбы не оказалось, я заключил, что у убийцы от волнения хлынула из носа кровь. Кровяные пятна на полу совпадали с его шагами. Редко бывает, чтобы у человека шла носом кровь от сильных эмоций — разве только он очень полнокровен, поэтому я рискнул сказать, что преступник, вероятно, дюжий и краснолицый. События доказали, что я рассуждал правильно.

Выйдя из дома, я прежде всего исправил промах Грегсона. Я отправил телеграмму начальнику кливлендской полиции с просьбой сообщить факты, относящиеся к браку Еноха Дреббера. Ответ был исчерпывающим. Я узнал, что Дреббер уже просил у закона защиты от своего старого соперника, некоего Джефферсона Хоупа, и что этот Хоуп сейчас находится в Европе. Теперь ключ к тайне был в моих руках — оставалось только поймать убийцу.

Я уже решил про себя, что человек, вошедший в дом вместе с Дреббером, был не кто иной, как кэбмен. Следы говорили о том, что лошадь бродила по мостовой, чего не могло быть, если бы за ней кто-то присматривал. Где же, спрашивается, был кэбмен, если не в доме? К тому же нелепо предполагать, будто человек в здравом уме станет совершать задуманное преступление на глазах третьего лица, которое наверняка его выдало бы. И наконец, представим себе, что человек хочет выследить кого-то в Лондоне — можно ли придумать что-либо лучше, чем сделаться кэбменом? Все эти соображения привели меня к выводу, что Джефферсона Хоупа надо искать среди столичных кэбменов.

Но если он кэбмен, вряд ли он бросил бы сейчас это занятие, рассуждал я. Наоборот, с его точки зрения, внезапная перемена ремесла привлекла бы к нему внимание. Вернее всего, он какое-то время еще будет заниматься своим делом. И вряд ли он живет под другим именем. Зачем ему менять свое имя в стране, где его никто не знает? Поэтому я составил из уличных мальчишек отряд сыскной полиции и гонял их по всем конторам наемных кэбов, пока они не разыскали нужного мне человека. Как они его доставили и как быстро я этим воспользовался, вы знаете. Убийство Стэнджерсона было для меня полной неожиданностью, но, во всяком случае, я не смог бы его предотвратить. В результате, как вам известно, я получил пилюли, в существовании которых не сомневался. Вот видите, все расследование представляет собой цепь непрерывных и безошибочных логических заключений.

— Просто чудеса!— воскликнул я.— Ваши заслуги должны быть признаны публично. Вам нужно написать статью об этом деле. Если вы не напишете, это сделаю я!

— Делайте что хотите, доктор,— ответил Холмс.— Но сначала прочтите-ка вот это.

Он протянул мне свежую газету «Эхо». Статейка, на которую он указал, была посвящена делу Джефферсона Хоупа.

«Публика лишилась возможности испытать острые ощущения,— говорилось в ней,— из-за скоропостижной смерти некоего Хоупа, обвинявшегося в убийстве мистера Еноха Дреббера и мистера Джозефа Стэнджерсона. Теперь, наверное, нам никогда не удастся узнать все подробности этого дела, хотя мы располагаем сведениями из авторитетных источников, что преступление совершено на почве старинной романтической вражды, в которой немалую роль сыграли любовь и мормонизм. Говорят, будто обе жертвы в молодые годы принадлежали к секте «Святых последних дней», а скончавшийся в тюрьме Хоуп тоже жил в Солт-Лейк-Сити. Если этому делу и не суждено иметь другого воздействия, то, во всяком случае, оно является блистательным доказательством энергии нашей сыскной полиции, а также послужит уроком для всех иностранцев: пусть они сводят свои счеты у себя на родине, а не на британской земле. Уже ни для кого не секрет, что честь ловкого разоблачения убийцы всецело принадлежит известным сыщикам из Скотленд-Ярда, мистеру Грегсону и мистеру Лестрейду. Преступник был схвачен в квартире некоего мистера Шерлока Холмса, сыщика-любителя, который обнаружил некоторые способности в сыскном деле; будем надеяться, что, имея таких учителей, он со временем приобретет навыки в искусстве раскрытия преступлений. Говорят, что оба сыщика в качестве признания их заслуг получат достойную награду».

— Ну, что я вам говорил с самого начала?— смеясь, воскликнул Шерлок Холмс.— Вот для чего мы с вами создали этот этюд в багровых тонах,— чтобы обеспечить им достойную награду!

— Ничего,— ответил я,— все факты записаны у меня в дневнике, и публика о них узнает. А пока довольствуйтесь сознанием, что вы победили, и повторите вслед за римским скрягой:

«Populus me sibilat, at mihi plaudo.
Ipse dome simul ac nummos contemplar in arca»[1].

---

[1] «Пусть их освищут меня, говорит, но зато я в ладоши
Хлопаю дома себе, как хочу, на сундук свой любуясь».

Г о р а ц и й. Сатиры, I, строки 66—67.

ЗНАК
ЧЕТЫРЕХ

ГЛАВА I

Суть дедуктивного метода Холмса

Шерлок Холмс взял с камина пузырек и вынул из аккуратного сафьянового несессера шприц для подкожных инъекций. Нервными длинными белыми пальцами он закрепил в шприце иглу и завернул манжет левого рукава. Несколько времени, но недолго, он задумчиво смотрел на свою мускулистую руку, испещренную бесчисленными точками прошлых инъекций. Потом вонзил острие и откинулся на спинку плюшевого кресла, глубоко и удовлетворенно вздохнул.

Три раза в день в течение многих месяцев я был свидетелем одной и той же сцены, но не мог к ней привыкнуть. Наоборот, я с каждым днем чувствовал все большее раздражение и мучался, что у меня не хватает смелости протестовать. Снова и снова я давал себе клятву сказать моему другу, что́ я думаю о его привычке, но его холодная, бесстрастная натура пресекала всякие поползновения наставить его на путь истинный. Зная его выдающийся ум, властный характер и другие исключительные качества, я робел, и язык прилипал у меня к гортани.

Но в тот день, то ли благодаря кларету, выпитому за завтраком, то ли в порыве отчаяния, овладевшего мной при виде неисправимого упрямства Холмса, я не выдержал и взорвался.

— Что сегодня,— спросил я,— морфий или кокаин?

Холмс лениво отвел глаза от старой книги с готическим шрифтом.

— Кокаин,— ответил он.— Семипроцентный. Хотите попробовать?

— Благодарю покорно!— отрезал я.— Мой организм еще не вполне оправился после афганской кампании. И я не хочу подвергать его лишней нагрузке.

Холмс улыбнулся моему возмущению.

— Возможно, вы правы, Уотсон,— сказал он.— И наркотики вредят здоровью. Но зато я открыл, что они удивительно стимулируют умственную деятельность и проясняют сознание. Так что их побочным действием можно пренебречь.

— Но подумайте,— горячо воскликнул я,— какую цену вы за это платите! Я допускаю, что мозг ваш начинает интенсивно работать, но это губительный процесс, ведущий к перерождению нервных клеток и в конце концов к слабоумию. Вы ведь очень хорошо знаете, какая потом наступает реакция. Нет, Холмс, право же, игра не стоит свеч! Как можете вы ради каких-то нескольких минут возбуждения рисковать удивительным даром, каким природа наделила вас? Поймите, я говорю с вами не просто как приятель, а как врач, отвечающий за здоровье своего пациента.

Шерлок Холмс не обиделся. Наоборот, наш разговор, казалось, развлекал его.

— Мой мозг,— сказал он, опершись локтями о ручки кресла и соединив перед собой кончики растопыренных пальцев,— бунтует против безделья. Дайте мне дело! Дайте мне сложнейшую проблему, неразрешимую задачу, запутаннейший случай — и я забуду про искусственные стимуляторы. Я ненавижу унылое, однообразное течение жизни. Ум мой требует напряженной деятельности. Именно поэтому я и выбрал для себя свою уникальную профессию, точнее, создал ее, потому что второго Шерлока Холмса нет на свете.

— Единственный на весь мир частный детектив?— спросил я, поднимая брови.

— Единственный частный детектив-консультант,— ответил Шерлок Холмс.— Последняя и высшая инстанция. Когда Грегсон, Лестрейд или Этелни Джонс в тупике, а это их нормальное состояние, они немедленно зовут меня. Я знакомлюсь с подробностями дела и высказываю свое мнение, мнение специалиста. Я не ищу славы. Когда мне удается распутать дело, мое имя не фигурирует в газетах. Я вижу высшую награду в самой работе, в возможности применить на практике мой метод. Вы, Уотсон, хорошо его знаете. Вспомните хотя бы дело Джефферсона Хоупа.

— Да, помню,— ответил я, смягчаясь.— Интереснейший случай. Я даже написал о нем нечто вроде повести под интригующим названием: «Этюд в багровых тонах».

— Я видел вашу повесть,— без энтузиазма покачал головой Холмс.— И, должен признаться, не могу поздравить вас с успехом. Расследование преступления — точная наука, по крайней мере должно ею быть. И описывать этот вид деятельности надо в строгой, бесстрастной манере. А у вас там сантименты. Это все равно что в рассуждение о пятом постулате Эвклида включить пикантную любовную историю.

— Но там действительно была романтическая история!— запротестовал я.— Я просто строго придерживался фактов.

— Кое о чем можно было и умолчать или хотя бы соблюдать меру в изложении фактов. Единственное, что заслуживает внимания в этом деле,— цепь рассуждений от следствия к причине. Это и привело к успешному раскрытию дела.

Меня рассердили эти слова — ведь я описал дело Холмса, чтобы сделать ему приятное. И еще меня раздражал его эгоизм, в угоду которому надо было бы каждую строку моей книжки посвятить его бесценному методу. Прожив с моим другом на Бейкер-стрит несколько лет, я не раз подмечал в нем некоторое тщеславие, скрывавшееся под его обычной сдержанной и наставительной манерой. Однако я ничего не ответил ему, а сидел, покачивая больной ногой, из которой не так давно извлекли пулю, выпущенную из афганского ружья, и, хотя рана не мешала ходить, нога к перемене погоды всякий раз ныла.

— С недавних пор я стал участвовать в раскрытии преступлений на континенте,— сказал немного погодя Холмс, набивая свою любимую эпиковую трубку.— На прошлой неделе ко мне обратился за советом Франсуа ле Виллар, который, как вы, вероятно, знаете, выдвинулся за последнее время в число лучших сыщиков Франции. Он обладает замечательно быстрой интуицией, свойственной кельтской расе, но для первоклассного сыщика он недостаточно сведущ в специальных областях нашего искусства. Дело касалось одного завещания и содержало несколько интересных деталей. Я напомнил Виллару два подобных случая — один расследовался в 1857 году в Риге, другой — в 1871-м в Сент-Луисе. И это дало ему ключ к решению. Сегодня утром я получил от него письмо, в котором он благодарит меня за помощь.

Говоря это, он протянул мне сложенный вдвое лист бумаги иностранного производства, который, как я заметил, пестрел словами: magnifique, coup-de-maitre и tour-de-force[1], свидетельствующими о горячем восхищении француза.

---

[1] Великолепно, мастерски, гениально (*франц.*).

— Он пишет вам, как ученик учителю,— сказал я.

— Он переоценивает мою помощь,— заметил Холмс безразлично.— Он сам очень способный человек и обладает по меньшей мере двумя из трех качеств, необходимых идеальному детективу: он умеет наблюдать и на основе наблюдений строить выводы. Ему пока еще не хватает знаний, но со временем и это придет. Он сейчас переводит на французский мои брошюры.

— А вы разве пишете?

— Есть грех,— рассмеялся Холмс.— Я написал несколько небольших работ. Одна из них под названием «Определение сортов табака по пеплу» описывает сто сорок сортов сигарного, сигаретного и трубочного табака. К ней приложены цветные фотографии, показывающие разные виды пепла. Табачный пепел — одна из самых частых улик. Иногда очень важная. Если, например, вы можете точно сказать, что человек, совершивший убийство, курит индийский табак, то круг поисков, естественно, сужается. Для опытного глаза разница между черным пеплом трихинопольского табака и белыми хлопьями «птичьего глаза» так же велика, как между картошкой и капустой.

— У вас поразительная способность замечать мелочи,— сказал я.

— Просто я понимаю их важность. Или вот еще работа об отпечатках следов, в ней говорится об использовании гипса для сохранения отпечатка. Одно небольшое исследование посвящено влиянию профессий на форму руки, в ней даны литографии рук кровельщика, моряка, пробочника, композитора, ткача и шлифовальщика алмазов. Это исследование представляет собой большой практический интерес для детектива, относящегося к своей профессии как к науке. Оно особенно полезно, когда нужно опознать труп или определить занятие преступника. Но я вижу, что злоупотребляю вашим терпением, оседлав любимого конька.

— Нисколько! — горячо запротестовал я.— Мне все это в высшей степени интересно, особенно потому, что я своими глазами видел практическое применение ваших знаний. Вот вы упомянули сейчас умение наблюдать и умение делать выводы. А мне казалось, что это — почти одно и то же.

— Нет, это разные вещи,— ответил Шерлок Холмс, с наслаждением откидываясь на мягкую спинку кресла и выпуская из трубки толстые сизые кольца дыма.— Вот, например, наблюдение показало мне, что утром вы были на почте на Уигмор-стрит, а умение логически мыслить позволило сделать вывод, что вы ходили туда посылать телеграмму.

— Поразительно!— воскликнул я.— Вы правы. Но должен признаться, я не понимаю, как вы догадались. Я зашел на почту случайно и не помню, чтобы кому-нибудь говорил об этом.

— Проще простого,— улыбнулся Шерлок Холмс моему недоумению.— Так просто, что и объяснять нечего. Хотя, пожалуй, на этом примере я смог бы показать вам разницу между умением наблюдать и умением строить умозаключения. Наблюдение показало мне, что подошвы ваших ботинок испачканы красноватой глиной. А у самой почты на Уигмор-стрит как раз ведутся земляные работы. Земля вся разрыта, и войти на почту, не испачкав ног, невозможно. Глина там особого, красноватого цвета, какой поблизости нигде больше нет. Вот что дало наблюдение. Остальное я вывел логическим путем.

— А как вы узнали, что я посылал телеграмму?

— Тоже просто. Мне известно, что утром вы не писали никаких писем, ведь я все утро сидел напротив вас. А в открытом ящике вашего бюро я заметил толстую пачку почтовых открыток и целый лист марок. Для чего же тогда идти на почту, как не за тем, чтобы послать телеграмму? Отбросьте все, что не могло иметь места, и останется один-единственный факт, который и есть истина.

— Действительно, все очень просто,— сказал я, помолчав.— Но случай этот, как вы сами заметили, простейший. Извините мою назойливость, но мне хотелось бы подвергнуть ваш метод более серьезному испытанию.

— Я буду очень рад. Это избавит меня от лишней дозы кокаина. Дайте мне любую задачу по вашему усмотрению.

— Я помню, вы говорили, что когда долго пользуются вещью, на ней обязательно остается отпечаток личности ее владельца. И опытный глаз многое может по ней прочесть. У меня есть часы, они попали ко мне недавно. Будьте так добры, скажите, пожалуйста, каковы были привычки и характер их последнего хозяина?

Я протянул ему часы, признаться, не без тайного удовольствия, ибо, на мой взгляд, задача была неразрешима, а мне хотелось немножко сбить спесь с моего приятеля, чей нравоучительный и не допускающий возражений тон меня иногда раздражал. Он подержал часы в руке, как бы взвешивая их, внимательно рассмотрел циферблат, потом открыл крышку и стал разглядывать механизм, сперва просто так, а потом вооружившись сильной двояковыпуклой лупой. Я едва удержался от улыбки, когда Холмс, щелкнув крышкой, с разочарованным видом протянул мне часы.

— Почти ничего нельзя сказать,— проговорил он.— Часы недавно побывали у мастера. Он их тщательно почистил. Так что я лишен возможности утверждать что-нибудь наверняка.

— Вы правы,— ответил я.— Перед тем как попасть ко мне, они действительно побывали у часовщика.

Мысленно я упрекнул моего приятеля за то, что он свою неудачу объяснил такой неубедительной отговоркой. Интересно, что можно прочесть по нечищеным часам?

— Хотя я и не могу похвастаться результатами, но все-таки я в них кое-что увидел,— сказал он, устремив в потолок отрешенный взгляд.— Если я ошибусь, поправьте меня, пожалуйста, Уотсон. Так вот, часы, по-моему, принадлежали вашему старшему брату, а он унаследовал их от отца.

— Вас, конечно, навели на эту мысль буквы «Г. У.», выгравированные на крышке?

— Именно. Ваша фамилия ведь начинается на «У», не так ли? Часы были сделаны полстолетия назад, инициалы выгравированы почти в то же время. Из этого я заключил, что часы принадлежали человеку старшего поколения. Семейные драгоценности, насколько мне известно, переходят от отца к старшему сыну. Вполне вероятно, что вашего брата звали так же, как вашего отца. А ваш отец, если мне не изменяет память, умер много лет назад. Стало быть, до вас ими владел ваш брат.

— Да, пока все правильно,— заметил я.— А что еще вы увидели в этих часах?

— Ваш брат был человек очень беспорядочный, легкомысленный и неаккуратный. Он унаследовал приличное состояние, перед ним было будущее. Но он все промотал, жил в бедности, хотя порой ему и улыбалась фортуна. В конце концов он спился и умер. Вот и все, что удалось мне извлечь из часов.

Расстроенный, я вскочил со стула и, хромая, зашагал по комнате.

— Это, Холмс, в высшей степени некрасиво с вашей стороны. Вы каким-то образом проведали о судьбе моего несчастного брата, а теперь делаете вид, что вам это стало известно каким-то чудом только сейчас. Я никогда не поверю, что все это рассказали вам какие-то старые часы! Это жестоко и, уж если на то пошло, отдает шарлатанством!

— Мой дорогой Уотсон,— сказал мягко Холмс,— простите меня, ради бога. Решая вашу задачу, я забыл, как близко она вас касается, и не подумал, что упоминание о вашем брате будет тяжело для вас. Но, уверяю вас, я ничего не знал о существовании вашего брата до той минуты, пока не увидел часы.

— Тогда объясните мне, как вы все это узнали. Ваш рассказ о моем брате соответствует действительности до мельчайших подробностей.

— Счастливое совпадение. Я мог только предполагать с той или иной степенью вероятности, но оказалось, что так все и было.

— Но это не просто догадка?

— Разумеется, нет. Я никогда не гадаю. Очень дурная привычка: действует гибельно на способность логически мыслить. Вы поражены, потому что не видите хода моих мыслей, а мелкие факты для вас не существуют. А ведь именно на них, как правило, строится рассуждение. Вот, например, мой первый вывод — что вашему брату была несвойственна аккуратность. Если вы внимательно рассмотрите тыльную сторону часов, то заметите, что футляр не только в двух местах помят, но и сильно поцарапан чем-то твердым, например, ключом или монетами, которые ваш брат носил в одном кармане с часами. Ясно, что не надо быть семи пядей во лбу, чтобы предположить, что человек, обращающийся с часами, стоящими пятьдесят гиней, таким беспардонным образом, аккуратностью не отличается. Нетрудно также сообразить, что если человек получил по наследству такие дорогие часы, то, значит, и само наследство было не маленькое.

Я кивнул, чтобы показать, что слушаю его со вниманием.

— В английском ломбарде, когда берут в залог часы, номер квитанции обычно наносят иглой на внутреннюю сторону крышки. Это гораздо удобнее всяких ярлыков. Нет опасности, что ярлык потеряется или что его подменят. На этих часах я разглядел при помощи лупы не менее четырех таких номеров. Вывод — ваш брат часто оказывался на мели. Второй вывод — время от времени ему удавалось поправить свои дела, иначе он не смог бы выкупить заложенные часы. Наконец, взгляните на нижнюю крышку, в которой отверстие для ключа.

Смотрите, сколько царапин, это следы ключа, которым не сразу попадают в отверстие. У человека непьющего таких царапин на часах не бывает. У пьяниц они есть всегда. Ваш брат заводил часы поздно вечером, и вон сколько отметин оставила его нетвердая рука. Что же во всем этом чудесного и таинственного?

— Да, теперь и я вижу, что все очень просто. И сожалею, что был несправедлив. Я должен был больше доверять вашим исключительным способностям. Можно мне задать один вопрос: есть ли у вас сейчас на руках какое-нибудь интересное дело?

— Нет. Отсюда и кокаин. Я не могу жить без напряженной умственной работы. Исчезает цель жизни. Посмотрите в окно. Как уныл, отвратителен и безнадежен мир! Посмотрите, как желтый туман клубится по улице, обволакивая грязно-коричневые дома. Что может быть более прозаично и грубо материально? Какая польза от исключительных способностей, доктор, если нет возможности применять их? Преступление скучно, существование скучно, ничего не осталось на земле, кроме скуки.

Я открыл было рот, чтобы возразить на его тираду, но в дверь громко постучали, и в комнату вошла хозяйка, неся на медном подносе визитную карточку.

— Вас спрашивает молодая девушка, сэр,— обратилась хозяйка к моему другу.

— Мисс Мэри Морстен,— ответил он.— Хм, это имя мне незнакомо. Пригласите, пожалуйста, мисс Морстен войти, миссис Хадсон. Не уходите, доктор. Я хочу, чтобы вы остались.

ГЛАВА II

Мы знакомимся с делом

Мисс Морстен вошла в комнату легким, уверенным шагом, держась спокойно и непринужденно. Это была совсем молодая девушка, блондинка, хрупкая, изящная, одетая с безупречным вкусом и в безупречно чистых перчатках. Но в ее одежде была заметна та скромность, если не простота, которая наводит на мысль о стесненных обстоятельствах. На ней было платье из темно-серой шерсти, без всякой отделки, и маленькая шляпка того же серого тона, которую слегка оживляло белое перышко сбоку. Лицо ее было бледно, а черты не отличались правильностью, но зато выражение этого лица было милое и располагающее, а большие синие глаза светились одухотворенностью и добротой. На своем веку я встречал женщин трех континентов, но никогда не доводилось мне видеть лица, которое так ясно свидетельствовало бы о благородстве и отзывчивости души. Когда мисс Морстен садилась на стул, который Холмс предложил ей, я заметил, что руки и губы ее дрожат, видимо, от сильного внутреннего волнения.

— Я пришла именно к вам, мистер Холмс,— начала наша гостья,— потому что это вы помогли моей хозяйке миссис Сесил Форрестер распутать одну семейную историю. Она до сих пор не может забыть вашу доброту и ваш ум.

— Миссис Сесил Форрестер?— повторил задумчиво Холмс.— Помню, что мне действительно удалось немного помочь ей. Случай, однако, был весьма простой.

— Миссис Форрестер о нем другого мнения. Но зато о деле, которое привело меня к вам, вы этого не скажете. Трудно вообразить себе ситуацию более странную и необъяснимую, чем та, в которой я очутилась.

Холмс потер руки, и глаза у него заблестели. Он подался вперед на своем кресле, его резко очерченные, ястребиные черты приняли выражение самого напряженного внимания.

— Изложите ваше дело,— сказал он сухим, деловым тоном.

Я почувствовал себя неловко и, поднимаясь со стула, сказал:

— С вашего позволения, я покину вас?

К моему удивлению, мисс Морстен остановила меня, подняв затянутую в перчатку руку.

— Если ваш друг останется,— сказала она,— он окажет мне неоценимую услугу.

Я опять сел, мисс Морстен продолжала:

— Вкратце дело состоит в следующем. Мой отец служил офицером в одном полку в Индии. Когда я была совсем маленькой, он отправил меня в Англию. Мать моя умерла, родственников в Англии у нас не было, и отец поместил меня в один из лучших частных пансионов в Эдинбурге. Там я воспитывалась до семнадцати лет. В 1878 году мой отец, бывший в то время старшим офицером полка, получил годичный отпуск и приехал в Англию. Он дал мне телеграмму из Лондона, что доехал благополучно, остановился в гостинице «Лэнем» и очень ждет меня. Каждое слово в телеграмме — я очень хорошо помню ее — дышало отцовской любовью и заботой.

Приехав в Лондон, я прямо с вокзала отправилась в гостиницу. Там мне сказали, что капитан Морстен действительно остановился у них, но что накануне вечером он ушел куда-то и до сих пор не возвращался. Весь день я ждала от него известий. Вечером по совету администратора гостиницы я обратилась в полицию. На следующий день во всех газетах появилось объявление об исчезновении моего отца, на которое мы не получили никакого ответа. С того самого дня и до сих пор я ни слова не слыхала о моем несчастном отце. Он вернулся в Англию, мечтая увидеть дочь, отдохнуть, пожить счастливой, спокойной жизнью, а вместо этого...— Мисс Морстен прижала руку к горлу, и сдавленное рыдание оборвало на полуслове фразу.

— Когда это случилось?— спросил Холмс, открывая записную книжку.

— Мой отец исчез 3 декабря 1878 года, почти десять лет назад.

— А его вещи?

— Они остались в гостинице. В них не было ничего, что помогло бы раскрыть тайну его исчезновения: одежда, книги, много редких вещиц с Андаманских островов. Отец служил офицером в части, несшей охрану тюрьмы.

— Были ли у него в Лондоне друзья?

— Я знала только одного: майора Шолто. Они служили вместе в Тридцать четвертом бомбейском пехотном полку. Майор вышел в отставку, вернулся в Англию незадолго до приезда моего отца и поселился в Аппер-Норвуде. Мы, конечно, связались с ним, но он, оказывается, даже не слыхал о возвращении своего друга.

— Очень странное дело,— заметил Холмс.

— Но самое интересное впереди. Шесть лет назад, именно 4 мая 1882 года, в «Таймсе» появилось объявление о том, что разыскивается мисс Морстен, адрес просили в ее интересах сообщить в «Таймс». Я тогда только что поступила на место компаньонки к миссис Сесил Форрестер. Она посоветовала мне послать мой адрес в отдел объявлений. И в тот же день, как адрес появился в газете, я получила по почте посылку — небольшую картонную коробочку. В ней оказалась очень крупная и красивая жемчужина, но никакой даже самой маленькой записки, объясняющей, от кого подарок, в посылке не было. И с тех пор каждый год в один и тот же день я получала по почте точно такую коробку с точно таким жемчугом без всякого указания, кто отправитель. Я показывала жемчуг ювелиру, и он сказал, что это редкий и дорогой сорт. Вы и сами сейчас увидите, как он красив.

Мисс Морстен открыла плоскую коробочку: там было шесть превосходных жемчужин, каких я никогда не видел.

— Очень интересно,— проговорил Шерлок Холмс.— А не произошло ли с вами еще чего-нибудь?

— Да, не далее как сегодня. Поэтому-то я и пришла к вам. Утром я получила вот это письмо. Прочитайте его.

— Спасибо,— сказал Холмс, беря письмо.— И конверт, пожалуйста. На штемпеле — Лондон, Юго-Запад, 7 июля. Гм! В углу — отпечаток мужского большого пальца. Вероятно, почтальона. Бумага самого лучшего качества. Конверт — шесть пенсов за пачку. Человек со вкусом, по крайней мере в этом отношении. Обратного адреса нет. «Будьте сегодня вечером у третьей колонны, слева у входа в театр «Лицеум». Если вы боитесь, возьмите с собой двоих друзей. С вами поступили несправедливо. Это должно быть исправлено. Полиции не сообщайте. Если вмешается полиция, все рухнет. Ваш доброжелатель». Н-да, действительно! Отличная, превосходнейшая загадка! Что вы собираетесь делать, мисс Морстен?

— Это как раз я и хотела у вас спросить.

— Тогда, конечно, сегодня вечером мы едем куда указано в письме. Вы, я и, конечно, доктор Уотсон. Он самый подходящий для этого человек. Ваш незнакомый доброжелатель пишет, чтобы вы привели с собой двоих друзей. А мы с Уотсоном уже не раз работали вместе.

— А доктор Уотсон согласится пойти?— спросила мисс Морстен, и я услыхал в ее голосе чуть ли не мольбу.

— Почту за честь и особое счастье,— сказал я горячо,— если смогу быть вам полезен!

— Вы оба так добры ко мне,— ответила мисс Морстен.— Я живу очень уединенно, у меня нет друзей, на чью помощь я могла бы рассчитывать. Так я приду к вам к шести. Это не будет поздно?

— Только не опаздывайте,— ответил Холмс.— У меня к вам еще один вопрос. Скажите, это письмо написано тем же почерком, что и адрес на коробках с жемчужинами?

— Они у меня с собой,— ответила мисс Морстен, вынимая из сумочки несколько листов оберточной бумаги.

— Вы идеальный клиент. У вас хорошая интуиция. Ну посмотрим.

Он разложил листы на столе и стал внимательно разглядывать один за другим.

— Почерк везде, кроме письма, изменен,— сказал он вскоре.— Но никакого сомнения: все адреса и письмо написаны одним человеком. Смотрите, «e» везде одинаково, обратите также внимание, как изогнуто конечное «s». И там и здесь видна одна рука. Я не хотел бы заронить в вас ложную надежду, но скажите, мисс Морстен, нет ли сходства между этим почерком и рукой вашего отца?

— Никакого.

— Я так и думал. Так, значит, мы ждем вас в шесть. Позвольте мне оставить у себя все эти бумаги. Я еще подумаю о вашем деле. Время у нас есть. Сейчас только половина четвертого. До свидания.

— До свидания,— ответила наша гостья и, спрятав коробочку с жемчужинами за корсаж и взглянув на нас обоих добрыми, ясными глазами, ушла. Стоя у окна, я смотрел, как она удалялась легким, быстрым шагом, пока серая шляпка и белое перышко не затерялись в серой толпе.

— Какая очаровательная девушка!— воскликнул я, повернувшись к моему другу.

Холмс опять разжег свою трубку и, прикрыв глаза, откинулся на спинку кресла.

— Очаровательная?— переспросил он апатично.— Я не заметил.

— Нет, Холмс, вы не человек, вы арифмометр!— воскликнул я.— Вы иногда просто поражаете меня!

Холмс мягко улыбнулся.

— Самое главное — не допускать, чтобы личные качества человека влияли на ваши выводы. Клиент для меня — некоторое данное, один из компонентов проблемы. Эмоции враждебны чистому мышлению. Поверьте, самая очаровательная женщина, какую я когда-либо видел, была повешена за убийство своих троих детей. Она отравила их, чтобы получить деньги по страховому полису. А самую отталкивающую наружность среди моих знакомых имел один филантроп, истративший почти четверть миллиона на лондонских бедняков.

— Но на сей раз...

— Я никогда не делаю исключений. Исключения опровергают правило. Послушайте, Уотсон, вам когда-нибудь приходилось заниматься изучением характера по почерку? Что вы можете сказать об этом?

— Почерк разборчивый и правильный,— ответил я,— по-видимому, принадлежит человеку деловому и с сильным характером.

Холмс покачал головой.

— Посмотрите на высокие буквы,— сказал он.— Они едва выступают над строчкой: «d» можно принять за «a», а «l» за «e». Человек с сильным характером может писать очень неразборчиво, но высокие буквы у него действительно высокие. Наш корреспондент букву «к» везде пишет по-разному, а заглавные буквы таковы, что можно предположить в его характере амбицию. Ну, ладно, я ухожу. Мне надо навести кое-какие справки. Рекомендую почитать в мое отсутствие эту книгу — замечательное произведение. «Мученичество человека» Уинвуда Рида. Я вернусь через час.

Я сидел возле окна с книгой в руках, но мысли мои были далеко от смелых рассуждений автора. Я вспоминал нашу недавнюю посетительницу — ее улыбку, красивый грудной голос. Необъяснимая тайна омрачила ее жизнь. Ей было семнадцать лет, когда исчез ее отец, значит, сейчас ей двадцать семь — прекрасный возраст, когда робкая застенчивость юности уже прошла и жизнь уже немного остудила голову. Так я сидел и размышлял, пока мои мысли не приняли столь опасное направление, что я поспешил за письменный стол и яростно набросился на только что появившийся курс патологии. Как я мог, простой армейский хирург с простреленной ногой и тощим кошельком, как осмелился мечтать о подобных вещах? Она была неким данным, одним из компонентов проблемы — ничего больше. Если будущее мое черно, то лучше думать о нем с холодным спокойствием, как подобает мужчине, а не расцвечивать его пустой игрой воображения.

ГЛАВА III

В поисках решения

Холмс возвратился в половине шестого. Он был оживлен, весел и бодр — так обычно сменялись его приступы черной меланхолии.

— В этом деле нет ничего загадочного,— сказал он, беря из моих рук чашку чаю, которую я ему налил.— Факты, по-видимому, допускают только одно объяснение.

— Вы уже нашли разгадку?!

— Ну, это еще рано утверждать. Пока я нашел одну чрезвычайно важную деталь. Она позволяет предположить многое, но многое еще предстоит и выяснить. Я только что обнаружил, просмотрев подшивку «Таймса», что майор Шолто из Аппер-Норвуда, служивший в Тридцать четвертом бомбейском пехотном полку, умер 28 апреля 1882 года.

— Вы, вероятно, Холмс, сочтете меня тупицей, но я не вижу в этом ничего особенного.

— Не видите? Вы поражаете меня, Уотсон. Ну, ладно, посмотрим на дело с другой стороны. Итак, капитан Морстен исчез. Единственный человек в Лондоне, кого он мог навестить,— майор Шолто. Но майор Шолто сказал, что о приезде Морстена в Англию ничего не слышал. А через четыре года майор умирает. Проходит неделя после его смерти, и дочка капитана Морстена получает ценный подарок. Через год еще один, потом еще. И так несколько лет подряд, пока не приходит письмо, где сказано, что с ней поступили несправедливо. Это, безусловно, намек на исчезновение ее отца. Зачем бы наследники Шолто стали посылать ей драгоценные подарки, если бы они не знали какой-то тайны и если бы не хотели за что-то вознаградить мисс Морстен? Можете ли вы как-нибудь по-другому объяснить и связать воедино все эти факты?

— Но какое странное вознаграждение! И в какой странной форме оно предложено! Почему он прислал свое письмо сейчас, а не шесть лет назад? Кроме того, в письме говорится, что несправедливость должна быть заглажена. Какая несправедливость? Ведь не может же быть, что отец ее жив. Значит, он имеет в виду что-то другое.

— Да, в этой истории есть еще темные места,— задумчиво проговорил Холмс.— Но наша сегодняшняя поездка все объяснит. А вот и мисс Морстен. Слышите, подъехал кэб. Вы готовы? Тогда идемте. Уже седьмой час.

Я взял шляпу и свою самую толстую трость. Холмс, я заметил, достал из ящика письменного стола револьвер и сунул его в карман. Было ясно, что нашу ночную поездку он считает делом серьезным.

На мисс Морстен был темный плащ, ее милое лицо было бледно, но спокойно. Она не была бы представительницей слабого пола, если бы наше странное путешествие не вызвало у нее тревоги, но самообладание ее было поразительно, и она охотно отвечала на вопросы Шерлока Холмса.

— Майор Шолто был очень близкий друг моего отца. В своих письмах отец неизменно упоминал о майоре. Они вместе служили офицерами в охранных войсках на Андаманских островах и, таким образом, много времени проводили вместе. Между прочим, в письменном столе отца был найден один очень странный документ. Никто не мог понять, что это такое. Я не знаю, имеет ли он к этой истории отношение, но на всякий случай захватила его с собой. Может быть, вам будет интересно взглянуть на него. Вот он.

Холмс развернул сложенный в несколько раз лист бумаги и осторожно разгладил его у себя на коленях. Затем с помощью лупы он стал очень тщательно рассматривать его.

— Бумага сделана в Индии,— сказал он.— Какое-то время лист был приколот кнопками к доске. На нем набросан план одного крыла какого-то большого дома с многочисленными комнатами, коридорами и переходами. В одном месте красными чернилами поставлен крестик, над ним полуистершаяся надпись карандашом «3,37 слева». В левом углу странный иероглиф, похожий на четыре написанных в ряд креста, перекладины которых соприкасаются, за ним грубым, размашистым почерком стоит: *«Знак четырех — Джонатан Смолл, Мохаммед Сингх, Абдулла Хан, Дост Акбар».* Не понимаю, какое это может иметь отношение к вашей истории? Однако, по-видимому, это важный документ. Его заботливо хранили в записной книжке, так как обе его стороны чистые.

— Мы и нашли его в записной книжке.

— Не потеряйте его, мисс Морстен. Может быть, он еще нам пригодится. Я начинаю думать, что это дело более сложное и запутанное, чем мне показалось сначала. Я должен заново все обдумать.

Холмс откинулся на спинку сиденья, по его сдвинутым бровям и отсутствующему взгляду я понял, что он напряженно думает. Мы с мисс Морстен говорили вполголоса о нашем путешествии и о том, чем оно может кончиться, а наш спутник всю дорогу хранил непроницаемое молчание.

Был сентябрьский вечер, около семи часов. С самого утра стояла отвратительная погода. И сейчас огромный город окутывала плотная пелена тумана, то и дело переходящего в дождь. Мрачные, грязного цвета тучи низко нависли над грязными улицами. Фонари на Стрэнде расплывались дымными желтыми пятнами, отбрасывая на мокрый тротуар поблескивающие круги. Освещенные окна магазинов бросали через улицу, полную пешеходов, полосы слабого, неверного сияния, в котором, как белые облака, клубился туман. В бесконечной процессии лиц, проплывавших сквозь узкие коридоры света,— лиц печальных и радостных, угрюмых и веселых,— мне почудилось что-то жуткое, будто двигалась толпа привидений. Как весь род человеческий, они возникали из мрака и снова погружались во мрак. Я человек не впечатлительный, но этот унылый, тягостный вечер и наше странное путешествие подействовали мне на нервы, и мне стало не по себе. Я видел, что и мисс Морстен испытывает то же. Один Холмс, казалось, не замечал ничего. Он держал на коленях открытую записную книжку и время от времени заносил туда какие-то цифры и заметки при свете карманного фонарика.

У боковых входов театра «Лицеум» толпилось уже много народу, к главному входу нескончаемым потоком подъезжали двуколки и кареты, из которых выходили мужчины с белой накрахмаленной грудью и женщины, закутанные в шали и сверкающие бриллиантами. Едва мы достигли третьей колонны — назначенного места встречи, как от нее отделился низенький, смуглый, вертлявый человек в одежде кучера и подошел к нам.

— Вы вместе с мисс Морстен? — спросил он.

— Я мисс Морстен, а эти джентльмены — мои друзья.

Незнакомец посмотрел на нас очень внимательным, пронизывающим насквозь взглядом.

— Простите меня, мисс,— сказал он настойчиво,— но я прошу вас дать слово, что никто из ваших друзей не служит в полиции.

— Даю вам слово,— спокойно ответила мисс Морстен.

Человек пронзительно свистнул, и какой-то уличный мальчишка подвел к нам стоявший на той стороне кэб и отворил дверцу. Наш собеседник вскочил на козлы, мы сели внутрь. Возница взмахнул вожжами, и кэб с бешеной скоростью покатил сквозь туман.

Ситуация была несколько необычной. Мы ехали неизвестно куда и неизвестно зачем. Или вся эта история была мистификацией, чьей-то шуткой, чего не было никаких оснований предполагать, или, что было более похоже на истину, нам предстояло узнать что-то очень важное. Мисс Морстен держала себя по обыкновению спокойно и сдержанно. Я пытался ободрить ее рассказами о своих приключениях в Афганистане, но, сказать по правде, меня самого так взволновала эта поездка и так разбирало любопытство, что мои истории были, пожалуй, несколько путанны. Мисс Морстен и по сей день утверждает, что я рассказал ей тогда занятный случай, как однажды глубокой ночью ко мне в палатку заглянул мушкет и я дуплетом уложил его из двуствольного тигренка. Сперва я еще мог уследить, куда мы едем, но очень скоро благодаря быстроте, с которой мы мчались, туману, а также моему плохому знанию Лондона я перестал ориентироваться и мог сказать только, что мы едем уже очень давно. Шерлок Холмс, однако, не терял направления и то и дело шепотом называл площади и улицы, по которым мы проносились.

— Рочестер-роуд,— говорил он.— А вот и Винсент-сквер. Выезжаем на Воксхолл-бридж-роуд. Очевидно, мы едем в Суррей. Да, пожалуй, что туда. Проезжаем мост. Смотрите, в проемах блестит вода.

И в самом деле, внизу блеснула темная вода Темзы, в которой отражаются зажженные фонари, но вот кэб уже на другом берегу, мчится по запутанному лабиринту узких, извилистых улочек.

— Уондсуэрт-роуд,— говорит Холмс.— Прайори-роуд, Ларкхолл-лейн, Стокуэлл-плейс, Роберт-стрит, Коулд-харбор-лейн. А цель нашего путешествия лежит, кажется, не в фешенебельной части города.

Мы действительно проезжали через один из самых мрачных и подозрительных районов Лондона. Слева и справа тянулись ряды унылых кирпичных домов, однообразие которых нарушали только ярко освещенные трактиры непрезентабельного вида на углах улиц. Затем пошли двухэтажные виллы с миниатюрными садиками перед окнами, затем снова бесконечные ряды новых безвкусных кирпичных зданий — чудовищные щупальца, которые протягивает во все стороны город-гигант.

Наконец кэб остановился у третьего дома совсем новой улицы. Ни один из соседних домов не был обитаем. Тот, у которого мы остановились, был такой же темный, как и соседние, не считая светлого окошка в кухне. Мы постучали, нам тотчас открыл слуга-индус в желтом тюрбане и белом свободном платье, подпоясанном желтым кушаком. Было странно видеть эту экзотическую фигуру в дверях третьеразрядного лондонского загородного дома.

— Сагиб ждет вас,— сказал он, и в тот же миг из внутренних комнат послышался тонкий, пронзительный голос:

— Проведите их ко мне. Немедленно проведите их ко мне!

ГЛАВА IV

История человечка с лысиной

Мы последовали за индусом по скудно освещенному и почти пустому мрачному коридору. У двери справа он остановился и распахнул ее настежь. В глаза нам ударил яркий желтый свет. Посреди комнаты стоял маленький человечек с вытянутой головой. Блестящую лысину, торчащую, как голая вершина горы в окружении сосен, обрамляли рыжие волосы. Он стоял, потирая руки, черты его лица находились в постоянном движении: он то улыбался, то хмурился, ни на минуту не оставаясь в покое. Природа наделила его отвислой нижней губой и выдающимися желтыми и неровными зубами, которые он безуспешно пытался прикрыть, то и дело поглаживая рукой нижнюю часть лица. Несмотря на столь заметную лысину, он производил впечатление молодого человека. Ему и было в действительности около тридцати лет.

— К вашим услугам, мисс Морстен,— повторял он тонким, высоким голосом.— К вашим услугам, господа. Прошу вас, входите в кабинет затворника. Как видите, мисс, мой кабинет мал, но зато я все в нем устроил по собственному вкусу. Оазис искусства среди мерзости запустения Южного Лондона.

Мы были поражены видом комнаты, куда он нас приглашал. В этом мрачном доме она походила на бриллиант чистой воды в медной оправе: на окнах шелковые занавеси, гобелены, картины в тяжелых рамах, восточные вазы. Ковер на полу был в янтарных и черных тонах и такой толстый, пушистый и мягкий, что ноги утопали в нем по щиколотку, как во мху. Поверх ковра были брошены две большие тигровые шкуры, которые вместе с огромным кальяном, стоящим в углу на подстилке, создавали в комнате ощущение восточной роскоши. На почти невидимой золотой проволоке в центре комнаты висела серебряная лампа в виде голубя. Она горела, наполняя комнату тонким, легким ароматом.

— Мистер Таддеуш Шолто,— проговорил маленький человечек, все так же дергаясь и улыбаясь.— Так меня зовут. Вы, конечно, мисс Морстен. А эти джентльмены...

— Мистер Шерлок Холмс и доктор Уотсон.

— Доктор, а! — воскликнул человечек, явно обрадованный.— А у вас есть с собой стетоскоп? Можно ли попросить вас об одном одолжении? Не будете ли вы столь любезны? У меня, видите ли, существует подозрение, что мой митральный клапан не в порядке. Насчет аорты я не беспокоюсь, но вот митральный клапан! Я бы хотел узнать ваше о нем мнение.

Я выслушал его сердце, но не нашел никаких отклонений от нормы, если не считать того, что человечек был чем-то до полусмерти напуган — его трясло с головы до ног.

— Митральный клапан в порядке,— сказал я.— У вас нет причин тревожиться.

— Вы должны извинить мне мою тревогу, мисс Морстен,— галантно сказал человечек.— Я великий страдалец. И я уже давно подозреваю — с моим митральным клапаном что-то неладное. И счастлив слышать, что мои подозрения беспочвенны. Если бы, мисс Морстен, ваш отец щадил свое сердце, он был бы все еще жив.

Я чуть не дал ему пощечину, так разозлил он меня своим грубым и бесцеремонным прикосновением к столь деликатному предмету. Мисс Морстен села, лицо ее побледнело так, что даже губы стали белые.

— Я сердцем чувствовала, что моего отца нет в живых,— проговорила она.

— Я вам все-все объясню,— сказал человечек.— Больше того, я исправлю причиненную вам несправедливость. Я обязательно это сделаю, что бы ни говорил мой брат Бартоломью. Я очень рад видеть у себя ваших друзей не только как ваших телохранителей, но и как свидетелей всего, что я сегодня собираюсь сказать и сделать. Мы трое в состоянии оказать решительное сопротивление брату Бартоломью. Но пусть не будет свидетелей — ни полиции, ни понятых. Мы все хорошо уладим между собой, не вмешивая никого постороннего. Ничто так сильно не может рассердить брата Бартоломью, как огласка,— сказал человечек и сел на низкую софу, вопросительно прищурив на нас свои близорукие, водянистые голубые глаза.

— Что касается меня,— сказал Шерлок Холмс,— то готов вас заверить: все вами сказанное дальше меня не пойдет.

Я в знак согласия кивнул.

— Ну и прекрасно, ну и прекрасно! Позвольте предложить вам рюмку кьянти, мисс Морстен, или, быть может, токайского? Других вин я не держу. Прикажете открыть бутылку? Нет? Тогда, я надеюсь, вы не станете возражать, если я закурю? Вас не обеспокоит табачный дым, легкий бальзамический аромат восточного табака? Я немного нервничаю, а мой кальян — несравненное успокаивающее средство.

Он приладил к большому сосуду трубку, и дым весело забулькал в розовой воде. Мы сидели полукругом, вытянув головы и уперев подбородки в ладони, а странный дергающийся человечек с блестящей куполообразной лысиной сидел в центре и нервно курил кальян.

— Решив послать вам это приглашение,— сказал он наконец,— я мог бы, конечно, просто написать в письме мой адрес, но я побоялся, что вы оставите без внимания мою просьбу и пригласите с собой не тех людей. Поэтому я позволил себе назначить вам это свидание у театра с моим слугой Уильямом, которому полностью доверяю. Ему были даны инструкции, что если он что-нибудь заподозрит, пусть едет домой один. Вы простите мне эту предосторожность, но я человек, склонный к уединению и, если можно так сказать, утонченный, а ничего более прозаического, чем полиция, нет. У меня инстинктивное отвращение ко всяким проявлениям грубого материализма. Я редко вступаю в соприкосновение с чернью. Как видите, я живу окруженный самой изысканной обстановкой. Я могу назвать себя покровителем искусств. Это моя слабость. Пейзаж на стене — подлинный Коро, и если знаток мог бы, пожалуй, оспаривать подлинность вот этого Сальватора Роза, то насчет вон того Бугро не может быть и сомнения. Я поклонник современной французской школы.

— Простите меня, мистер Шолто,— сказала мисс Морстен,— я здесь по вашей просьбе, вы хотели что-то рассказать мне. Сейчас уже очень поздно, и мне бы хотелось, чтобы наш разговор был как можно короче.

— Но он все-таки займет у нас какое-то время, — ответил наш хозяин.— Ибо мы, без всякого сомнения, должны будем поехать в Норвуд к моему брату Бартоломью. Мы поедем все вместе и попытаемся одолеть его упрямство. Он очень сердит на меня за то, что я повел дело так, как считаю наиболее справедливым. Вчера вечером мы с ним сильно поспорили. Вы не представляете себе, каким ужасным бывает мой брат, когда сердится.

— Если нам предстоит ехать в Норвуд, так не лучше ли отправиться немедленно, — осмелился предложить я.

Человечек рассмеялся так, что у него покраснели уши.

— Ну нет, это вряд ли получится! — воскликнул он.— Я не знаю, как мой брат воспримет ваш приезд. Поэтому я должен сперва приготовить вас, объяснить, в каких мы стоим отношениях друг к другу. Прежде всего я должен заметить, что в этой истории имеются моменты, которые для меня самого остаются тайной. Стало быть, я вам расскажу не все, а только то, что известно мне самому.

Мой отец, как вы уже догадались,— майор Джон Шолто, служивший некогда в Индии в колониальных войсках. Одиннадцать лет назад он подал в отставку, вернулся в Англию и поселился в усадьбе Пондишери-Лодж в Аппер-Норвуде. В Индии он разбогател и вернулся домой с богатой коллекцией восточных редкостей и целым штатом туземных слуг. Таким образом, он смог купить себе дом и зажил, окруженный роскошью. Других детей, кроме меня и моего брата-близнеца Бартоломью, у него не было.

Я очень хорошо помню, какие чувства вызвало у нас исчезновение капитана Морстена. О том, что он исчез, мы узнали из газет, а так как капитан Морстен был другом нашего отца, мы с братом обсуждали происшествие в его присутствии. Он обычно присоединялся к нам и гадал, что же в действительности произошло. Мы ни на один миг не подозревали, что тайна исчезновения капитана похоронена в его груди, что из всех людей ему одному была известна судьба Артура Морстена.

Но мы, однако, знали, что какая-то тайна тяготеет над нашим отцом, какая-то несомненная опасность угрожает ему. Он очень боялся выходить один и в качестве привратников в Пондишери-Лодж всегда держал бывших профессиональных боксеров. Уильям, который привез вас сегодня, один из них. Он был когда-то чемпионом Англии в легком весе. Наш отец никогда не говорил нам, чего он боится. Но из его поведения было ясно, что он смертельно боится людей на деревянной ноге. Однажды он выстрелил из пистолета в человека на деревяшке, который оказался всего-навсего безобидным торговцем; чтобы замять дело, отцу пришлось заплатить большие деньги. Мы с братом склонны были считать это простой причудой отца, но последующие события заставили нас изменить мнение.

В начале 1882 года мой отец получил из Индии письмо, которое как громом поразило его. Он чуть не лишился сознания, когда распечатал его утром за завтраком, и с того дня до самой смерти он так и не оправился. Что было в том письме, мы так никогда и не узнали, но когда он держал его, я успел заметить, что это была скорее коротенькая записка, кое-как нацарапанная. Наш отец уже много лет страдал хронической нервной болезнью. Теперь же состояние его резко ухудшилось, он стал на глазах слабеть, и в конце апреля врачи предупредили нас, что надежды на выздоровление нет. Нас позвали к отцу, он хотел сказать нам свое последнее слово.

Когда мы вошли в комнату, отец сидел на постели в подушках и тяжело дышал. Он попросил нас запереть дверь на замок и подойти к его постели с обеих сторон. Взяв нас обоих за руки, он заговорил голосом, надломленным волнением и болью, и мы с братом услыхали поразительное признание, которое я попытаюсь воспроизвести дословно.

«Есть только одно,— начал он,— что тяготит мою душу в эту торжественную минуту. Это несправедливость, которую я допустил по отношению к бедной сироте — дочери Морстена. Проклятая жадность, которая была неотступным пороком всю мою жизнь, лишила ее сокровищ, по крайней мере той их части, которая по справедливости принадлежит ей. Но и я сам ни на что не употребил их, так слепа и глупа алчность. Самое чувство владения сокровищами так было приятно мне, что я не мог ни с кем поделить их. Видите жемчужные четки рядом с пузырьком хины? Даже с ними я не могу расстаться, хотя я и вынул их специально, чтобы послать ей. Вы, мои сыновья, должны будете отдать принадлежащую ей часть сокровищ Агры. Но ничего не отдавайте, даже эти четки, пока не закроете мне глаза. Ведь бывало, что человек стоит одной ногой в могиле и все-таки остается жив.

Я расскажу вам, как умер Морстен,— продолжал он.— Много лет он страдал болезнью сердца, но скрывал это от всех, кроме меня. В Индии мы с ним благодаря удивительному стечению обстоятельств стали обладателями огромного богатства, которое я, выйдя в отставку, увез в Англию. Скоро вернулся в Англию и Морстен и в день возвращения явился ко мне за своей долей. Со станции он пришел в Пондишери-Лодж пешком, его впустил мой преданный слуга старик Лал Човдар, которого уже нет в живых. У нас с Морстеном вышла ссора из-за того, как поделить сокровища. Морстен в приступе ярости вскочил со стула, лицо у него вдруг почернело, он прижал руку к сердцу, упал навзничь, ударившись головой об угол ларца, в котором хранились сокровища. Когда я нагнулся над ним, то, к ужасу своему, обнаружил, что он мертв.

Долгое время я оставался в растерянности, не зная, что делать. Первым моим побуждением было, конечно, позвать на помощь, но я понимал, что имеются все основания подозревать меня в убийстве. Смерть в момент ссоры, глубокая рана на голове — все это было против меня. К тому же официальное расследование неминуемо занялось бы сокровищами, а у меня были веские основания никого не посвящать в их тайну. Морстен сказал мне, что ни одна душа на свете не знает, куда он поехал, И я стал склоняться к мысли, что нет надобности, чтобы хоть одна душа узнала это.

Я все еще пребывал в полной растерянности, как вдруг, подняв голову, увидел в дверях моего слугу Лала Човдара. Он неслышно скользнул в комнату и запер за собой дверь.

— Не бойтесь, сагиб,— сказал он.— Никто не узнает, что вы убили его. Спрячем его подальше — и концы в воду.

— Но я не убивал! — запротестовал я.

— Я все слышал,— улыбаясь, покачал головой Лал Човдар.— Я слышал, как вы ссорились, слышал звук удара. Но на губах моих печать молчания. Все в доме спят. Давайте вместе унесем его.

И я решился. Если мой собственный слуга не верит мне, как можно рассчитывать, что в твою невиновность поверят двенадцать глупых торговцев в камере присяжных? В ту же ночь мы с Лалом Човдаром спрятали тело, а через несколько дней все лондонские газеты были заполнены сообщениями о таинственном исчезновении капитана Морстена. Из того, что я рассказал вам, вы видите, что меня, в сущности, не в чем винить. Но я скрыл тело капитана, а сокровища, принадлежавшие нам обоим, стал считать с того дня своей нераздельной собственностью. Поэтому я хотел бы, чтобы вы, мои сыновья, восстановили справедливость. Наклонитесь ко мне поближе, к самым губам. Сокровища спрятаны...» В этот момент лицо его страшно исказилось, глаза чуть не вылезли из орбит, челюсть отвисла, и он закричал голосом, которого я никогда не забуду: «Не пускайте его. Ради всего святого, не пускайте!» Мы оба взглянули в окно, куда был устремлен его взгляд. Из темноты на нас глядело лицо. Был хорошо виден побелевший нос, прижатый к стеклу. Лицо, налитое злобой, до бровей заросло бородой, глаза смотрели угрюмо и жестоко. Мы с братом бросились к окну, но лицо исчезло. Когда мы вернулись к изголовью отца, голова его поникла, пульс перестал биться.

В ту ночь мы обшарили весь сад, но никаких следов ночного вторжения не нашли, кроме отпечатка одной ноги на цветочной клумбе как раз под самым окном. Если бы не этот единственный след, мы могли бы подумать, что то дикое, полное злобы лицо — плод нашего воображения. Однако очень скоро мы обнаружили еще и другие, значительно более осязаемые признаки, что против нас действуют какие-то таинственные силы. Однажды утром окно в спальне моего отца оказалось распахнутым, шкафы и сундуки перерыты сверху донизу, и на его письменном столе приколот обрывок бумаги, на котором было нацарапано: *«знак четырех»*. Мы так и не узнали, кто был наш таинственный посетитель и что означают эти слова. Насколько мы могли судить, ничего из вещей отца не пропало, хотя все было перерыто вверх дном. Вполне естественно, что это ночное посещение мы с братом связали с теми страхами, которые всю жизнь преследовали отца. Но кто это был, до сих пор остается полнейшей загадкой.

Человечек замолчал, раскурил погасший кальян и несколько секунд глубокомысленно пускал дым. Мы все с неослабным вниманием слушали его в высшей степени удивительное повествование. Во время короткого рассказа о смерти отца мисс Морстен побелела, как мел, мне даже на миг показалось, что она упадет в обморок. Но, выпив воды, которую я налил из графина венецианского стекла, стоявшего в углу на маленьком столике, она поборола волнение. Шерлок Холмс с отсутствующим выражением лица сидел, откинувшись в кресле; из-под опущенных век было видно, как блестят его глаза. Я посмотрел на него и не мог не вспомнить, что только сегодня он горько жаловался на скуку и однообразие жизни. Теперь по крайней мере он получил проблему, разрешение которой потребует напряжения всех его удивительных способностей. Мистер Таддеуш Шолто поглядывал то на одного из нас, то на другого, явно гордясь впечатлением, которое произвел его рассказ. Попыхивая своей непомерно длинной трубкой, он продолжал:

— Мой брат и я, как вы можете догадаться, были весьма взволнованы рассказом отца о сокровищах. В течение нескольких месяцев мы перерыли весь сад метр за метром и ничего не нашли. Мысль, что отец умер в тот самый миг, когда с уст его были готовы сорваться слова, которые сделали бы нас обладателями несметных сокровищ, могла свести с ума. О размерах богатства мы судили по жемчужным четкам. Относительно этих четок у нас с братом возникло небольшое недоразумение. Жемчужины были, по всей видимости, очень дорогие, и он не желал с ними расставаться, унаследовав, между нами говоря, частично отцовскую слабость. Кроме того, он полагал, что если еще кто-нибудь узнает об этих четках, то пойдут всякие сплетни, и тогда нам не миновать беды. Мне удалось только убедить его разыскать адрес мисс Морстен и посылать ей через определенное время жемчужины по одной, чтобы по крайней мере избавить ее от нужды.

— У вас доброе сердце.— Мисс Морстен с признательностью посмотрела на рассказчика.— Это был великодушный поступок.

— Но ведь мы были все равно как ваши опекуны,— энергично замахал руками человечек.— Так по крайней мере считал я. Но брат Бартоломью никак с этим не соглашался. У нас было много денег. Я был доволен тем, что мы имели. Вести себя так низко по отношению к молодой девушке — это дурной тон. Le mauvais gout mene au crime[1]. Как элегантно выражают французы подобные мысли! Наше расхождение зашло так далеко, что я предпочел поселиться отдельно. Так я и покинул Пондишери-Лодж, взяв с собой старого слугу-индуса и Уильяма. Но вчера я узнал, что произошло событие огромной важности: обнаружен тайник, где спрятаны сокровища. Я немедленно дал знать мисс Морстен, и теперь нам остается только отправиться в Норвуд и потребовать свою долю. Вчера вечером я сказал брату Бартоломью, что написал мисс Морстен. Так что незваными гостями мы не будем, хотя и желанными тоже.

Мистер Шолто умолк, он сидел на своей роскошной софе и подергивался. А мы, не проронив ни слова, размышляли о том неожиданном обороте, который получило это таинственное дело. Первым вскочил на ноги Шерлок Холмс.

— Вы правильно вели себя, сэр, от начала до конца,— сказал он.— Мы постараемся приоткрыть завесу над всем темным, что есть в рассказанной вами истории, и этим отблагодарить вас. Но, как только что сказала мисс Морстен, уже поздно, и нам лучше всего взяться за дело без промедления.

Наш новый знакомый очень аккуратно отвернул трубку с кальяна и достал из-за занавески длинное пальто, отделанное тесьмой, с каракулевым воротником и манжетами. Он застегнулся сверху донизу на все пуговицы, хотя вечер был теплый, даже душный, и нахлобучил на голову кроличий треух, так что боковые клапаны плотно закрывали уши, оставив острую подвижную мордочку.

— Здоровье у меня хрупкое,— объяснил он нам, идя к выходу,— я вынужден соблюдать строгий режим.

Кэб ждал нас у ворот. Программа была, по-видимому, составлена заранее: не успели мы расположиться внутри, как лошади тронулись и помчались. Таддеуш

---
[1] Дурной тон ведет к преступлению (франц.).

132

Шолто трещал без умолку, его резкий высокий голос заглушал стук колес.

— Бартоломью — умная голова. Как, вы думаете, он отыскал ларец с сокровищами? Он пришел к выводу, что раз ларца нет снаружи, он должен быть где-то в доме. И он перемерил все комнаты, все коридоры и чуланы, не оставив невымеренным ни дюйма. Оказалось, что высота всего дома семьдесят четыре фута, а если взять отдельно высоту комнат, расположенных одна над другой, и сложить, и еще прибавить толщину перекрытий, которые он вымерил, просверлив сквозные отверстия, то окажется, что общая высота равна не более семидесяти футов. Значит, куда-то исчезли целых четыре фута. Было ясно, что их надо искать наверху. Тогда мой брат пробил дыру в потолке комнаты верхнего этажа, и там, как и следовало ожидать, оказался еще один крошечный чердак, который был замурован, и поэтому о нем никто не знал. Посередине чердака на стропилах стоял ларец с сокровищами. Согнувшись в три погибели, Бартоломью вытащил его и открыл. В нем оказалось драгоценностей на сумму не менее полумиллиона фунтов стерлингов.

Услыхав такую цифру, мы все широко раскрыли глаза. Мисс Морстен, если нам удастся отстоять ее права, из бедной компаньонки превращалась в одну из самых богатых невест Англии. Без сомнения, всякий настоящий друг должен был бы обрадоваться, услыхав такую новость. Но я, к своему стыду, должен сказать, что сердце мое налила свинцовая тяжесть. Я пробормотал, запинаясь, несколько поздравительных слов и мрачно уставился в пол, не слушая дальнейших разглагольствований нашего нового знакомого. Он был типичнейший ипохондрик, и я, как сквозь сон, слушал бесконечное перечисление симптомов его болезней и нескончаемые мольбы объяснить ему состав и действие многочисленных шарлатанских снадобий, которые он всюду возил с собой в кожаном футляре. Я уповаю только на то, что он не запомнил мои советы, которые я дал ему в тот вечер. Холмс утверждает, что он слышал, как я предупреждал его ни в коем случае не принимать более двух капель касторового масла, поскольку это очень опасно, и настоятельно советовал в качестве успокаивающего средства в больших дозах стрихнин. Как бы там ни было, но я почувствовал облегчение, когда наш кэб рывком остановился, кучер спрыгнул с козел и открыл дверь.

— Это, мисс Морстен, и есть Пондишери-Лодж,— сказал мистер Таддеуш, подавая ей руку.

ГЛАВА V

Трагедия в Пондишери-Лодж

Было около одиннадцати часов, когда мы достигли этого последнего этапа нашего ночного путешествия. Мы оставили позади сырой туман большого города, здесь же, в деревне, ночь была суха и тепла. С запада дул теплый ветерок, тяжелые тучи медленно ползли по небу, в разрывы иногда выглядывал месяц. Было довольно светло, но Таддеуш Шолто снял с кэба дорожный фонарь и пошел с ним вперед.

В глубине парка стоял дом, обнесенный очень высокой каменной стеной, верх которой был усыпан битым стеклом. Попасть внутрь можно было только через узкую, окованную железом дверь в стене. Наш спутник как-то по-особенному постучал, как иногда стучат почтальоны.

— Кто там? — спросил из-за двери грубый голос.

— Это я, Мак-Мурдо. Пора бы уже научиться узнавать мой стук.

Послышалось ворчание, затем звяканье и скрежет ключей, и дверь тяжело повернулась на петлях. На пороге стоял низкорослый, с могучей грудью человек, желтый огонь его фонаря освещал выдвинутое вперед лицо и недоверчиво блестевшие глазки.

— Это вы, мистер Таддеуш? А это кто с вами? Я не получал никаких распоряжений от хозяина насчет ваших гостей.

— Никаких распоряжений. Вы меня поражаете, Мак-Мурдо! Я ж говорил моему брату вчера вечером, что со мной приедут мои друзья.

— Хозяин сегодня весь день не выходил из своей комнаты. Вы и сами очень хорошо знаете наши строгости. Вас я могу впустить, но ваши друзья — они пусть подождут вас снаружи.

Это было неожиданное препятствие. Таддеуш Шолто смотрел на стража растерянно и беспомощно.

— Это очень нехорошо с вашей стороны, Мак-Мурдо! — пролепетал он.— Я отвечаю за них, вам этого должно быть достаточно. С нами к тому же молодая девушка. Ей неприлично оставаться в такой час на проезжей дороге.

— Очень сожалею, мистер Таддеуш,— ответил неумолимый страж.— Гости могут быть вашими друзьями, но недругами моего хозяина. Мне хорошо платят, чтобы я хорошо исполнял свои обязанности. И я хорошо их исполняю. Я не знаю этих людей.

— Да нет же, Мак-Мурдо, знаете,— вдруг добродушно проговорил Шерлок Холмс.— Я не думаю, чтобы вы забыли меня. Помните любителя-боксера, с которым вы провели три раунда на ринге Алисона в день вашего бенефиса четыре года назад?

— Уж не мистера ли Шерлока Холмса я вижу?! — воскликнул боксер.— А ведь он самый и есть! Как это я сразу вас не узнал? Вы не стояли бы здесь таким тихоней, а нанесли бы мне ваш знаменитый встречный удар в челюсть, я бы тогда сразу узнал вас. Э-э, да что говорить! Вы из тех, кто зарывает таланты в землю. А то бы далеко пошли, если бы захотели!

— Видите, Уотсон, если моя профессия никому не будет больше нужна, у меня еще есть в запасе мои любительские таланты,— сказал, смеясь, Холмс.— Наш друг, я уверен, не станет дольше держать нас под открытым небом.

— Входите, входите, сэр, вы и ваши друзья,— отвечал привратник.— Очень сожалею о происшедшем, мистер Таддеуш, но порядок есть порядок. Я должен быть абсолютно уверен в ваших друзьях, чтобы впустить их в дом.

За каменной стеной через пустынный парк шла усыпанная гравием аллея. Дом был весь в тени, кроме одной стены, залитой лунным светом, наверху в ней поблескивало окно. От этого огромного мрачного дома, погруженного в тишину, становилось жутко. Даже привычному Таддеушу было не по себе: фонарь дрожал и поскрипывал в его руке.

— Ничего не понимаю,— бормотал он.— Здесь какая-то ошибка. Я же ясно объяснил Бартоломью, что сегодня вечером мы будем у него. А в его кабинете почему-то нет света. Не понимаю, что бы это могло значить.

— Он всегда так строго охраняет свой дом? — спросил Шерлок Холмс.

— Да, это заведено еще моим отцом. Бартоломью был любимчиком, и мне иногда казалось, что отец рассказывает ему больше, чем мне. Вон, видите освещенное луной окно — это кабинет Бартоломью. Но в нем, по-моему, темно.

— Да, темно,— сказал Шерлок Холмс.— Но в маленьком окошке у входа как будто горит свет.

— А, это комната экономки. Миссис Берстон, наша старая экономка, там обычно проводит вечера. Она-то все и объяснит нам. Не согласитесь ли вы несколько минут подождать меня здесь? Если мы войдем все сразу, то миссис Берстон испугается, она ведь не ожидает нашего вторжения. Тс, тише! Что это?

Он поднял дрожащей рукой фонарь, и вокруг нас запрыгало и закачалось пятно света. Мисс Морстен схватила меня за руку, мы все трое остановились с бьющимися сердцами, напрягая слух. От темной мрачной громады дома доносились сквозь ночную тишину скорбные, жалостные звуки — всхлипывания чем-то испуганной женщины.

— Это миссис Берстон,— сказал Шолто.— В доме только одна женщина. Подождите здесь. Я сейчас же вернусь.

Он подошел к двери и постучал своим особенным стуком. Его пустила высокая пожилая женщина, при виде его всплеснувшая от радости руками.

— О, мистер Таддеуш, я так рада, что вы пришли! Так рада, так рада! — услыхали мы ее причитания, затем дверь затворилась, и голос ее замер в глубине дома.

Таддеуш Шолто оставил нам фонарь. Холмс медленно посветил фонарем по сторонам, затем пристально посмотрел на дом и на большие кучи земли, загромождавшие двор. Мы с мисс Морстен стояли совсем близко, и ее рука была в моей. Удивительная, непостижимая вещь любовь, вот мы стоим тут двое, мы никогда не встречались до этого дня, никогда не сказали друг другу ни одного ласкового слова, не смотрели ласково друг на друга, и вот сейчас в минуту опасности наши руки инстинктивно потянулись одна к другой. Я потом часто вспоминал с удивлением об этой минуте, но тогда мне все казалось естественным, и она потом часто говорила мне, что сразу же потянулась ко мне, уверенная, что найдет во мне утешение и защиту. Так мы стояли вдвоем, перед этим странным, мрачным домом, держась за руки, как дети, и наши сердца вдруг объял покой.

— Какое странное место,— проговорила мисс Морстен, оглядываясь.

— Похоже, что над этим парком трудились все кроты Англии. Мне довелось видеть нечто подобное под Балларэтом. Но там весь холм был перекопан и изрыт золотоискателями.

— И здесь трудились золотоискатели,— заметил Холмс.— Вернее, искатели кладов. Не забывайте, хозяева этого дома шесть лет искали сокровища. Ничего удивительного, что парк похож на золотой прииск.

В этот миг входная дверь распахнулась, и с протянутыми вперед руками из дому выбежал Таддеуш Шолто, в глазах его стоял ужас.

— С Бартоломью что-то случилось! — воскликнул он.— Я так боюсь! Нервы мои не выдерживают.

Он действительно чуть не захлебывался слезами, и его дергающееся, бледное лицо, выступающее из каракулевого воротника, имело беспомощное, умоляющее выражение до смерти перепуганного ребенка.

— Идемте в дом,— решительно проговорил Холмс.

— Да, идемте,— умоляюще пролепетал Таддеуш Шолто.— Я, правда, совсем уже не понимаю, что теперь делать.

Мы последовали за ним в комнату экономки, которая находилась по левую руку от входа. В ней взад и вперед металась испуганная женщина, нервно теребя пальцы, но появление мисс Морстен подействовало на нее успокаивающе.

— Господь да благословит вас,— воскликнула она, подавляя рыдания.— Какое кроткое и доброе у вас лицо! Я гляжу на вас, и мне становится легче. Что я вынесла за этот день!

Мисс Морстен, погладив худую, загрубевшую от работы руку экономки, сказала ей несколько ласковых, утешительных слов с чисто женским участием, и бледные, бескровные щеки пожилой женщины слегка порозовели.

— Хозяин заперся у себя и не отвечает на стук,— объяснила она.— Я целый день ждала, когда он позовет меня. Но вообще-то он любит оставаться один. Час назад я начала тревожиться, уж не случилось ли чего, поднялась наверх и заглянула в замочную скважину. Вы должны сами подняться туда, мистер Таддеуш, и посмотреть. Десять лет я живу в этом доме, я видела мистера Бартоломью и в горе и в радости, но такого лица я не видала у него никогда.

Шерлок Холмс взял лампу и пошел наверх первый, так как у Таддеуша от страха зуб на зуб не попадал. Колени у него подгибались, и я взял его под руку, чтобы он смог подняться по лестнице. Дважды, пока мы шли наверх, Холмс вынимал из кармана лупу и тщательно разглядывал какие-то темные пятна на циновке из кокосового волокна, которые показались мне простой пылью. Он двигался очень медленно, лампу нес низко и бросал влево и вправо цепкие взгляды. Мисс Морстен осталась внизу с перепуганной экономкой.

Третий пролет вывел нас в длинный прямой коридор, на правой стене которого висел ручной работы индийский ковер. Слева выходили три двери. Холмс медленно пошел вперед, тщательно осматривая все на ходу, мы шли за ним по пятам, а за нами двигались вдоль коридора наши длинные черные тени. Нам нужна была третья дверь. Холмс постучал и, не получив ответа, попытался повернуть ручку и нажал на нее. Дверь оказалась запертой изнутри. Холмс поднес лампу к самому замку, и мы увидели, что язык замка — широкий и очень прочный. Ключ, однако, был повернут, и в скважине оставалась щелка. Шерлок Холмс наклонился к ней и тут же резко отпрянул.

— Что-то в этом есть дьявольское, Уотсон! — прошептал он. Я никогда раньше не видел его таким встревоженным.— Что вы об этом думаете?

Я нагнулся к скважине и содрогнулся от ужаса. В окно лился лунный свет, наполняя комнату слабым зыбким сиянием. Прямо на меня смотрело как бы висевшее в воздухе — так как все под ним было в тени — лицо нашего спутника Таддеуша. Та же высокая блестящая лысина, та же рыжая бахрома вокруг, то же бескровное лицо. Только черты его лица застыли в ужасной улыбке — напряженной и неестественной, которая в этой спокойной, залитой лунным светом комнате производила более страшное впечатление, чем гримаса боли или страха. Лицо было так похоже на лицо нашего крошечного приятеля, что я оглянулся, чтобы убедиться, что он здесь, рядом со мной. «Они ведь с братом близнецы»,— вспомнил я.

— Какой ужас! Что теперь делать? — сказал я Шерлоку Холмсу.

— Нужно высадить дверь,— ответил он и, навалившись на нее всем телом, попытался взломать замок. Дверь трещала и скрипела, но не поддавалась. Тогда мы с силой навалились вдвоем, замок щелкнул, дверь распахнулась, и мы очутились в кабинете Бартоломью Шолто.

Кабинет был оборудован под химическую лабораторию. На полке, висевшей на стене, против двери, стояли два ряда бутылей и пузырьков со стеклянными притертыми пробками, стол был уставлен бунзеновскими горелками, пробирками и колбами. По углам на полу стояли большие бутыли в корзинах, в которых держат кислоту. Одна из них, по-видимому, треснула или раскололась, так как из-под нее вытекала струйка какой-то темной жидкости, и комнату наполнял тяжелый, сладковатый запах, похожий на запах дегтя. В одном углу комнаты стояла стремянка, пол у ее основания был усыпан штукатуркой и дранкой, а верх упирался в потолок, рядом с отверстием, достаточно большим, чтобы в него мог пролезть человек. На полу рядом с лестницей был брошен моток толстой веревки.

Возле стола в деревянном кресле сидел в поникшей позе хозяин дома, наклонив голову к левому плечу и улыбаясь этой ужасной, непостижимой улыбкой. Он был холодный и уже окоченел. Он был мертв, по-видимому, уже несколько часов. Я обратил внимание, что не только его лицо было искажено гримасой, но руки и ноги были вывернуты и скручены самым невероятным образом. На столе рядом с его рукой лежало странное орудие — коричневая тонкая трость с каменным наконечником в виде молотка, грубо привязанным веревкой. Рядом с ней лежал вырванный из блокнота листок бумаги, на котором было нацарапано несколько слов. Холмс взглянул на него и протянул мне.

— Видите,— многозначительно подняв брови, сказал он.

В свете фонаря я прочитал, содрогнувшись от ужаса: *«знак четырех».*

— Во имя всего святого, что все это значит?

— Это значит, что здесь было совершено убийство,— сказал Холмс, наклоняясь к окоченевшему трупу несчастного Бартоломью Шолто.— А, я так и ожидал. Смотрите! — И он указал на вонзившийся в кожу над ухом тонкий длинный темный шип.

— Походит на шип от какого-то растения,— заметил я.

— Это и есть шип. Можете вынуть его. Только осторожно, он отравлен.

Осторожно, двумя пальцами я вынул шип. Он поддался очень легко, не оставив на коже почти никакого следа. Место прокола обозначалось только маленьким пятнышком засохшей крови.

— Для меня все это непостижимая тайна,— признался я,— и чем дальше, тем загадочнее она становится.

— Для меня наоборот,— ответил Холмс,— дело с каждой минутой проясняется. Недостает только нескольких звеньев, чтобы восстановить ход событий.

Мы почти забыли о присутствии нашего спутника, попав в эту комнату. Он все еще стоял в дверях, ломая руки и издавая время от времени сдавленные стоны. Фигура его была олицетворением отчаяния. Вдруг из его груди вырвался безумный, полный отчаяния вопль.

— Сокровища исчезли! — вопил он.— Они ограбили его! Видите вон ту дыру? Мы вытащили ларец оттуда. Я помогал ему! Я последний, кто видел его живым! Я ушел отсюда вчера вечером и слышал, когда спускался по лестнице, как он запирал за мной дверь.

— В котором часу это было?

— В десять часов. И вот он мертв! Сюда позовут полицию. Подозрение падет на меня. Да, я уверен, что так и будет. Но вы не считаете меня виновным, господа? Вы, конечно, не можете думать, что это сделал я! Разве бы я привез вас сюда, если бы это я? О, господи! О, господи! Нет, я сойду с ума!

Он ломал руки, топал ногами, его трясло, как в лихорадке.

— Вам нечего бояться, мистер Шолто,— сказал Холмс, успокаивающе похлопывая его по плечу.— Послушайтесь меня и поезжайте в полицейский участок. Надо сообщить о случившемся. Обещайте оказать им всевозможную помощь. А мы вас здесь подождем.

Человечек повиновался, все еще полностью не придя в себя. И мы услышали, как он, спотыкаясь в темноте, спускается по лестнице.

ГЛАВА VI

Шерлок Холмс
демонстрирует свой метод

— Итак, Уотсон,— сказал Шерлок Холмс, потирая руки.— В нашем распоряжении полчаса. Давайте как можно лучше используем это время. Как я уже вам сказал, дело мне вполне ясно. Но все-таки мы можем ошибиться, доверившись слишком очевидным фактам. Каким бы простым поначалу ни показался случай, он всегда может обернуться гораздо более сложным.

— Простым! — в изумлении воскликнул я.

— Конечно,— ответил Холмс с видом профессора, демонстрирующего ученикам интересного больного.— Пожалуйста, сядьте в тот угол, чтобы ваши следы не осложнили дело. А теперь за работу. Во-первых, как эти молодцы проникли сюда и как выбрались наружу? Дверь со вчерашнего вечера не отпиралась. Как насчет окна? — Он поднес к окну лампу, высказывая вслух свои соображения, но обращаясь скорее к себе, чем ко мне.— Окно заперто изнутри. Рамы очень прочные. Давайте откроем его. Рядом никакой водосточной трубы. Крыша недосягаема. И все-таки человек проник в комнату через окно. Прошлую ночь шел небольшой дождь. Видите, на подоконнике земля; отпечаток ботинка и еще один странный круглый отпечаток. А вот опять этот след. На этот раз на полу. А вот он уже на столе. Смотрите, Уотсон, картина вполне ясная.

Я стал рассматривать круглые бляшки земли на полу.

— Это след не от ноги,— сказал я.

— Поэтому он так и важен. Это отпечаток деревянного протеза. Видите, здесь на подоконнике след тяжелого, грубого башмака с широкой металлической подковой. А рядом круглый след деревяшки.

— Человек на деревянной ноге!

— Вот именно. Он здесь был не один. У него был очень способный и ловкий помощник. Вы могли бы, доктор, залезть по этой стене?

Я выглянул в открытое окно. Луна все еще ярко освещала эту часть дома. Мы были на высоте добрых шестидесяти футов от земли, и, насколько я мог видеть, нигде в кирпичной кладке не было ни трещины, ни выемки, куда можно было поставить ногу.

— Это абсолютно невозможно,— ответил я.

— Да, одному невозможно. Но предположим, в комнате находится ваш сообщник, который выбросил вам надежную веревку, вон ту, что валяется в углу, привязав один ее конец к торчащему в стене крюку. Ну тогда, если вы человек ловкий, то и с деревянной ногой вы, пожалуй, смогли бы забраться по этой стене. Потом вы спустились бы вниз, ваш друг втащил бы веревку наверх, отвязал от крюка, запер окно на задвижку, а сам ушел из этой комнаты тем же путем, каким и вошел сюда. Деталь помельче,— продолжал Холмс, показывая на веревку,— хотя наш друг на деревяшке оказался отличным верхолазом, но он по профессии не моряк. Его руки не задубели от лазания по канатам. Моя лупа обнаружила в нескольких местах следы крови, особенно заметные на конце веревки. Значит, он спускался вниз так поспешно, что содрал кожу с рук.

— Очень хорошо,— сказал я,— но все дело не стало от этого ни на йоту понятнее. Кто этот таинственный помощник? Как он проник в эту комнату?

— Да, помощник,— повторил Холмс задумчиво.— Этот помощник — личность примечательная. Благодаря ему дело приобретает совершенно исключительную окраску. Я думаю, что оно впишет новую страницу в историю преступлений в Англии. Подобные случаи бывали раньше, но только в Индии и еще, если память не изменяет мне, в Сенегамбии.

— Но как же все-таки он проник в эту комнату? — повторил я.— Дверь заперта, окна снаружи недоступны. Может быть, через трубу?

— Каминное отверстие слишком мало,— ответил Холмс.— Я уже проверил эту возможность.

— Но как же тогда?

— Вы просто не хотите применить мой метод,— сказал он, качая головой.— Сколько раз я говорил вам, отбросьте все невозможное, то, что останется, и будет ответом, каким бы невероятным он ни казался. Нам известно, что он не мог попасть в комнату ни через дверь, ни через окна, ни через дымовой ход. Мы знаем также, что он не мог спрятаться в комнате, поскольку в ней прятаться негде. Как же тогда он проник сюда?

— Через крышу! — воскликнул я.

— Без сомнения. Он мог проникнуть в эту комнату только через крышу. Если вы будете добры посветить мне, мы продолжим наши поиски в тайнике, где был спрятан ларец с сокровищами.

Холмс поднялся по стремянке к потолку, ухватился обеими руками за балку и, подтянувшись, влез в отверстие. Затем, высунув лицо,— он, видимо, распластался там,— протянул руку, взял у меня лампу и держал ее, пока я поднимался следом.

Чердак, на котором мы очутились, был десяти футов в длину и шести в ширину. Полом служили потолочные балки и тонкий слой дранки со штукатуркой, так что ступать с балки на балку надо было с осторожностью. Крыша была двускатная, заканчивалась коньком. Потолком чердака служила, по всей вероятности, внутренняя сторона крыши. Пол покрывал толстый слой пыли, скопившийся за многие годы. Кроме пыли, на чердаке ничего не было.

— Вот, пожалуйста,— сказал Шерлок Холмс, кладя руку на покатую стену.— Это слуховое окно ведет наружу. Откройте его и очутитесь прямо на крыше, а крыша, к счастью, пологая. Именно этим путем Номер Первый и проник в комнату. Давайте посмотрим, не оставил ли он каких-нибудь следов.

Холмс опустил лампу к полу, и я второй раз за сегодняшний вечер увидел на его лице удивленное и озадаченное выражение. Проследив его взгляд, я почувствовал, как мороз подирает меня по коже: на полу было множество отпечатков босых ног — четких, хорошо заметных, но эти следы были чуть не в половину меньше следов взрослого человека.

— Холмс,— прошептал я,— выходит, что это страшное дело сделал ребенок!

Самообладание уже вернулось к Холмсу.

— Я было, признаться, оказался в тупике. Память подвела. А ведь дело-то простое. Я должен был с самого начала догадаться, какие будут следы. Ну что ж, здесь больше делать нечего. Идемте вниз.

— Но что это за следы? — спросил я, сгорая от любопытства.

— Дорогой Уотсон, проанализируйте факты,— сказал он с легким раздражением.— Вы знаете мой метод. Примените его, будет интересно сравнить результаты.

— Нет, я ничего не понимаю,— отвечал я.

— Скоро все поймете,— рассеянно бросил Холмс.— Я думаю, что ничего интересного здесь больше нет. И все-таки я проверю еще раз.

Быстрым движением он вынул из кармана лупу и сантиметр и, приблизив свой острый тонкий нос к самой обшивке, стал внимательно изучать каждый миллиметр. Его глаза, блестящие, глубоко посаженные, напоминали мне глаза хищной птицы. Так быстры, неслышны и вкрадчивы были его движения, точь-в-точь как у ищейки, взявшей след, что я вдруг подумал, каким страшным преступником он мог бы стать, если бы направил свой талант и свою энергию не в защиту закона, а против него.

Осматривая чердак, он все время что-то шептал себе под нос и вдруг радостно вскрикнул.

— Вот уж, можно сказать, повезло,— сказал он.— Это сэкономит нам много времени и трудов. Номер Первый имел неосторожность вступить в креозот. Видите, с правой стороны этой вязкой, вонючей лужи отпечатался краешек маленькой ноги. Бутыль с креозотом, по-видимому, треснула, и жидкость потекла.

— Ну и что?

— А то, что теперь мы его очень быстро поймаем. Есть собака, которая по следу, пахнущему креозотом, пойдет хоть на край света. Если обычная ищейка будет держать след до самых границ графства, как вы думаете, куда может уйти специально натренированная собака? Обычная пропорциональная зависимость, неизвестный член которой равен... Стоп! Я слышу, на место прибыли полномочные представители закона.

Внизу послышались тяжелые шаги и громкие голоса, сильно хлопнула входная дверь.

— Пока они еще не пришли,— сказал Холмс,— коснитесь ладонью руки и ноги этого бедняги. Что вы чувствуете?

— Мускулы затвердели, как дерево,— ответил я.

— Вот именно. Они сведены сильнейшей судорогой. Это не простое трупное окоченение. На какую мысль наводит вас эта гиппократовская, или, как любили писать старые писатели, сардоническая улыбка и это окостенение?

— Смерть наступила в результате действия какого-то сильного алкалоида растительного происхождения,— отвечал я,— наподобие стрихнина, вызывающего столбняк.

— Это первое, о чем я подумал, когда увидел это перекошенное лицо. Войдя в комнату, я сразу же стал искать, чем был введен яд. И, как помните, обнаружил шип, который едва наколол кожу. Обратите внимание, что шип поразил ту часть головы, которая обращена к отверстию в потолке, если сидеть прямо на этом стуле. А теперь давайте осмотрим самый шип.

Я осторожно взял шип и поднес к фонарю. Он был длинный, острый и черный, у самого острия блестел засохший подтек какой-то густой жидкости. Тупой конец имел овальную форму и носил следы ножа.

— Это от дерева, растущего в Англии?

— Разумеется, нет. Так вот, Уотсон, имея в своем распоряжении столько фактов, вы должны прийти к правильному заключению. А вот и представители регулярных частей; вспомогательные силы должны уступить им место.

Шаги были слышны все громче, наконец они зазвучали прямо за дверью, и в комнату вошел, тяжело ступая, грузный, большой мужчина в сером. У него было красное, мясистое лицо, с которого хитро поглядывали на нас из-под припухших, одутловатых век маленькие блестящие глазки. За ним вошел инспектор полиции в мундире и следом все еще не переставший дрожать Таддеуш Шолто.

— Ну и дельце!— воскликнул вошедший глухим, хриплым голосом.— Хорошенькое дельце! Кто это здесь? Почему в доме людей, как в садке кроликов?..

— Вы, должно быть, помните меня, мистер Этелни Джонс?— спокойно проговорил Холмс.

— Ясное дело, помню,— прохрипел в ответ тот.— Вы мистер Холмс, Шерлок Холмс, теоретик. Я никогда не забуду, как вы поучали нас, объясняя, куда девались бишопгейтские бриллианты. Справедливость требует заметить, что вы показали нам верный путь, но теперь-то уж вы можете признать, что в тот раз вам помог просто счастливый случай.

— Мне помогла в тот раз простая логика.

— Ну будет, будет. Никогда не стыдитесь правды. Так что же здесь произошло? Скверное дело! Скверное! Факты, к счастью, налицо, так что всякие там теории ни к чему. К счастью, я как раз оказался в Норвуде, по поводу другого дела. И вдруг эта смерть в Пондишери-Лодж. Как вы думаете, отчего она наступила?

— Теории здесь ни к чему,— сухо заметил Холмс.

— Конечно, конечно. Но мы ведь не отрицаем, что вы иногда удивительно попадаете в точку. Господи помилуй! Дверь, как я понимаю, заперта. Хм, хм... Исчезли драгоценности стоимостью в полмиллиона. А как насчет окна?

— Тоже на запоре, но на подоконнике есть следы.

— Отлично, отлично, но если оно заперто, то следы не имеют никакого отношения к делу. Это подсказывает здравый смысл. Человек может умереть от удара. Да, но ведь исчезли драгоценности. Ага! У меня есть версия. Иногда и на меня находят озарения. Пожалуйста, отойдите в сторону, сержант, и вы, мистер Шолто. Ваш друг может остаться, где стоит. Что вы об этом думаете, Холмс? Шолто, как он сам признался, был вчера весь вечер со своим братом. С братом случился удар, после чего Шолто ушел и унес с собой все драгоценности. Ну, что скажете?

— После чего мертвый хозяин очень предусмотрительно встал и заперся изнутри.

— Гм, гм! В этом слабое место моей версии. Призовем на помощь здравый смысл. Этот Таддеуш Шолто пришел к брату. Завязалась ссора. Это нам известно. Брат мертв, драгоценности исчезли — это тоже известно. Никто не видел брата после ухода Таддеуша. Постель его не тронута. Таддеуш явно пребывает в большом смятении. Как вы видите, я плету сеть вокруг Таддеуша. И сеть затягивается.

— Но вам еще неизвестны все факты,— заметил Холмс.— Видите этот шип; у меня есть все основания полагать, что он отравлен. Его нашли вонзенным в голову убитого. Там остался след. На столе лежала вот эта записка, прочтите ее. Рядом было вот это странное оружие с наконечником из камня. Как ваша версия объясняет эти факты?

— Замечательно объясняет,— напыщенно ответил жирный детектив.— Дом полон индийских редкостей. И Таддеуш принес эту штуку сюда. А если шип был отравлен, то ему было проще простого использовать его как орудие убийства. Эта записка — ловкий трюк для отвода глаз. Одно только неясно — каким путем он вышел отсюда? Ага, в потолке отверстие! Разумеется, через него.

С неожиданной для его тучности ловкостью он полез вверх по лестнице и нырнул в отверстие. В ту же минуту мы услыхали его торжествующий голос. Он кричал, что с чердака на крышу ведет слуховое окно.

— Он, пожалуй, найдет там еще что-нибудь,— проговорил Холмс, пожав плечами.— Иногда в нем как будто заметны проблески разума. Il n'y a pas des sots si incommodes que ceux qui ont de l'esprit[1].

— Вот видите!— сказал Этелни Джонс, спускаясь по лестнице.— Факты надежнее всякой теории. Моя версия подтверждается полностью. На чердаке есть дверь на крышу. И она даже приоткрыта.

— Это я ее открыл.

— В самом деле? Так, значит, вы тоже ее видели?

Джонс был явно обескуражен, услыхав слова Холмса.

— Неважно, кто первый ее заметил,— сказал он примирительно,— важно то, что теперь ясно, как он выбрался отсюда. Инспектор!

— Да, сэр!— Голос из коридора.

— Пригласи сюда мистера Шолто. Мистер Шолто, мой долг предупредить вас, что все ваши слова могут быть обращены против вас. Я арестую вас именем королевы как лицо, причастное к смерти вашего брата.

— Ну вот! Я говорил вам!— воскликнул плачущим голосом маленький человечек, протягивая к нам руки.

— Не расстраивайтесь, мистер Шолто,— сказал Холмс.— Я думаю, что сумею снять с вас это обвинение.

---

[1] «Нет более несносных глупцов, чем те, которые не совсем лишены ума» (*франц.*). Ф. Ларошфуко. «Максимы и моральные размышления».

— Не обещайте слишком много, мистер Теоретик, не обещайте!— воскликнул детектив.— Это может оказаться не таким простым делом.

— Я не только сниму с мистера Шолто обвинение, мистер Джонс, но я еще и сделаю вам подарок: назову имя и приметы одного из двоих людей, которые были в этой комнате прошлой ночью. У меня есть все основания утверждать, что его имя Джонатан Смолл. Он почти неграмотный, невысокого роста, подвижный, у него нет правой ноги, он ходит на стоптанной внутрь деревяшке. Левая его нога обута в грубый, с квадратным носом башмак на железной подкове. Это бывший каторжник, лет ему около сорока, он очень загорелый. Вот несколько примет, которые могут помочь вам, тем более, что на этой веревке имеется кровь: он вчера ночью ободрал здесь ладони. Другой...

— Ах, есть и другой,— насмешливо проговорил Этелни Джонс, но было заметно, что уверенность, с какой Холмс описывал преступника, произвела на него впечатление.

— Это довольно любопытная личность,— сказал Холмс, поворачиваясь на пятках.— Я надеюсь, что очень скоро передам эту парочку в ваши руки. Уотсон, мне надо сказать вам несколько слов.

Он вывел меня на площадку лестницы.

— Неожиданный поворот событий,— сказал он,— заставил нас забыть о первоначальной цели нашего путешествия.

— Я тоже как раз об этом подумал,— ответил я.— Нельзя, чтобы мисс Морстен дольше находилась в этом злосчастном доме.

— Нельзя. Вы должны отвезти ее домой. Она живет у миссис Сесил Форрестер в Лоуэр-Камберуэлле. Это не так далеко отсюда. Если вы решите вернуться, я вас здесь подожду. Но, может быть, вы очень устали?

— Нисколько. Я не смогу уснуть, пока эта фантастическая история не станет для меня более или менее ясной. Я не раз попадал в чрезвычайно сложные и острые ситуации, но, должен признаться, сегодняшнее нагромождение этих поистине невероятных происшествий вывело меня из равновесия. Но раз уж я оказался в самой гуще событий, я останусь с вами до конца.

— Ваше присутствие мне будет очень необходимо,— сказал Холмс.— Мы поведем это дело самостоятельно. И пусть Джонс тешит себя своими фантазиями. Когда вы отвезете мисс Морстен, поезжайте, пожалуйста, в

Ламбет, улица Пинчин-лейн, 3. Это на самом берегу. В третьем доме по правую руку живет чучельник по имени Шерман, он набивает чучела птиц. В его окне вы увидите ласку, держащую крольчонка. Разбудите Шермана, передайте от меня привет и скажите ему, что мне немедленно нужен Тоби. Возьмите Тоби и привезите его сюда.

— Это собака?

— Да, забавный такой пес, не чистокровный, но с поразительным нюхом. Я предпочитаю воспользоваться помощью Тоби, чем всеми сыскными силами Лондона.

— Я привезу его вам,— ответил я.— Обратно я вернусь около трех, если найду свежую лошадь.

— А я,— сказал Холмс,— попробую узнать что-нибудь у миссис Берстон и слуги-индуса, который, как сказал мистер Таддеуш, спит в чулане на чердаке. Затем я примусь за изучение методов великого мистера Джонса и послушаю его иронические и малоделикатные замечания. «Wir sind gewohnt, dass die Menschen verhonen was sie nicht verstehen»[1]. Гете, как всегда, глубок и краток.

ГЛАВА VII

Эпизод с бочкой

Полицейские приехали в двух кэбах, одним я воспользовался, чтобы отвезти мисс Морстен домой. Обладавшая в высшей степени чувством сострадания, мисс Морстен весь этот ужасный вечер держала себя стойко, пока рядом было существо, нуждавшееся в поддержке. Когда я спустился вниз, она ласково и невозмутимо разговаривала с перепуганной экономкой. Когда же мы очутились с ней вдвоем в кэбе, она вдруг совсем обессилела, а потом безутешно разрыдалась — так сильно подействовали на нее события этого вечера. Впоследствии она говорила мне, что во время этого путешествия в кэбе я показался ей чужим и холодным. Она и не подозревала, какая во мне происходила борьба и сколько мне стоило усилий сдержать себя. Я был так же полон к ней сострадания и нежности, как там, в саду, когда мы держались за руки. Я понимал, что за многие годы безмятежной жизни я не узнал бы лучше ее доброго и храброго сердца, чем за один этот невероятный день. Но два соображения мешали мне что-нибудь сказать. Она была беззащитна и сла-

---

[1] Мы привыкли, что люди издеваются над тем, чего они не понимают *(нем.)*.

ба, нервы у нее сильно расстроились. Говорить ей сейчас о своей любви значило воспользоваться ее беспомощностью. Но еще хуже было то, что она была богата. Если поиски Холмса увенчаются успехом, она станет наследницей найденных сокровищ, по крайней мере половины их. Будет ли справедливо, будет ли благородно, если отставной хирург на половинном жалованье воспользуется минутой близости, которую подарил ему случай? Не отнесется ли она ко мне, как к обычному искателю богатых невест? Я не могу допустить, чтобы она так обо мне подумала. Эти сокровища Агры легли между нами непреодолимым барьером.

Было около двух часов, когда мы добрались до дома миссис Сесил Форрестер. Слуги уже давно легли спать, но миссис Форрестер еще не ложилась, а ждала возвращения мисс Морстен — так заинтересовало ее странное письмо, полученное ее компаньонкой. Она сама открыла нам дверь. Это была очень приятная средних лет дама; я с радостью заметил, как ласково она обняла мисс Морстен и голос ее звучал по-матерински. Было ясно, что мисс Морстен не просто живет в услужении, но она еще и друг. Она представила меня миссис Форрестер, и та предложила мне войти в дом, несмотря на поздний час, и рассказать о наших приключениях. Но я объяснил ей всю важность поручения Холмса и твердо обещал в скором времени заехать к ним и рассказать, как подвинулось дело. Когда кэб отъехал немного, я оглянулся, и до сих пор передо мной эта картина: две изящные женские фигурки, тесно прижавшиеся друг к другу на ступеньках крыльца, открытая входная дверь, прихожая, освещенная сквозь матовое стекло внутренней двери, барометр на стене, ярко начищенные металлические прутья на лестнице. Как умиротворяюще подействовал на меня спокойный уют английского дома! Я даже забыл на секунду это ужасное, загадочное дело.

И чем больше я о нем думал, тем загадочнее и ужаснее оно мне казалось. Пока кэб громыхал по тихим, освещенным газовыми фонарями ночным улицам, я вспомнил всю цепь невероятных событий прошлого дня и ночи. Начальная проблема вполне прояснилась. Смерть капитана Морстена, посылки с жемчужинами, объявление в газете, письмо — все это больше не было тайной, но зато нам открылась еще одна тайна, куда более загадочная и трагическая. Индийские сокровища, непонятный план, найденный среди вещей капитана Морстена, странные события, приведшие к смерти майора Шолто, открытие тайника и убийство того, кто этот тайник нашел, исключительные обстоятельства убийства, странные следы, странное оружие, слова, нацарапанные на клочке бумаги, те же самые, что были на плане Морстена,— это был настоящий лабиринт, в котором человек, не наделенный такими исключительными способностями, как мой друг Шерлок Холмс, непременно бы заблудился, потеряв всякую надежду когда-нибудь найти выход.

Пинчин-лейн была рядом старых двухэтажных кирпичных домов в нижней части Ламбета. Я долго стучал в двери дома № 3. Наконец за ставнем блеснул огонек свечи, и в окне второго этажа появилось лицо.

— Убирайся отсюда сейчас же, пьяная тварь!— раздалось сверху.— Если ты не перестанешь колотить, я отопру двери и выпущу на тебя сорок три собаки.

— Мне нужно только одну, я за тем и приехал.

— Убирайся!— вопил тот же голос.— У меня здесь в корзине гадюка! Если ты не уйдешь, я брошу ее тебе на голову!

— Мне нужна собака, а не змея!— кричал я в ответ.

— Надоело мне с тобой пререкаться. Считаю до трех. Если не уйдешь, бросаю гадюку!

— Мистер Шерлок Холмс...— начал я.

Имя Шерлока Холмса возымело магическое действие, ибо рама немедленно опустилась, а не прошло и минуты, как загремели ключи, и дверь отворилась. Мистер Шерман оказался длинным, худым стариком, с сутулыми плечами, жилистой шеей и в синих очках.

— Друг Шерлока Холмса всегда желанный гость в этом доме,— сказал он.— Входите, сэр. Держитесь подальше от барсука, он кусается. Фу, как стыдно! Ты хочешь укусить этого господина? — Эти слова были обращены к горностаю, который просовывал свою хищную мордочку с красными глазками между прутьями клетки.— Не обращайте на эту змею внимания. Это всего-навсего веретенница. Она не ядовитая, и я пускаю ее бегать по комнате. Она уничтожает жуков. Вы не сердитесь на меня за то, что я поначалу был несколько груб? Спасения нет от мальчишек. Любят торчать под моими окнами. Чем я могу быть полезным мистеру Шерлоку Холмсу, сэр?

— Ему нужна ваша собака.

— А-а! Ему нужен Тоби!

— Да, именно Тоби.

— Тоби живет здесь в номере седьмом по левую руку.

Он медленно побрел со свечой в руках по этому удивительному звериному городку. В неверном, слабом свете свечи я различал в каждом закоулке, в каждой щели блестящие, мерцающие глаза, следящие за нами. Над нашими головами на потолочных балках сидели важные птицы и лениво переступали с ноги на ногу, когда наши голоса тревожили их сон.

Тоби оказался маленьким уродцем, длинношерстным и длинноухим, помесь спаниеля и шотландской ищейки. Он был коричневый с белым, и у него была смешная, неуклюжая походка вперевалочку. После некоторого колебания он взял от меня кусок сахару, данный мне старым натуралистом, и, заключив таким образом со мной союз, без всяких уговоров последовал за мной в кэб. На дворце Ламбетского епископа как раз пробило три, когда я во второй раз в эту ночь очутился у ворот Пондишери-Лодж. Бывший профессиональный боксер Мак-Мурдо, как я узнал, был арестован по подозрению в соучастии и вместе с мистером Шолто отправлен в полицию. Узкую входную дверь караулили два полицейских, но меня с собакой они пропустили немедленно, как только я назвал имя знаменитого сыщика. Холмс стоял на пороге, засунув руки в карманы и куря свою трубку.

— А, вы привезли его! — сказал он, увидев меня.— Хорошая собака! Этелни Джонс ушел. Пока вас не было, мы были свидетелями его неукротимой энергии. Он арестовал не только нашего друга Таддеуша Шолто, но и экономку, привратника и слугу-индуса. Так что мы здесь одни, не считая сержанта в кабинете наверху. Оставьте собаку здесь и пойдемте со мной.

Мы привязали Тоби к столу в прихожей и поднялись по лестнице. Комната была в том же виде, как я ее оставил, только тело посреди комнаты было укрыто простыней. В углу прикорнул усталый сержант.

— Дайте мне, пожалуйста, ваш фонарь, сержант,— сказал Холмс.— А теперь завяжите сзади вот эту бечевку, чтобы фонарь висел у меня на груди. Ботинки с носками я сниму. Вы захватите их с собой вниз, Уотсон. Я хочу попробовать профессию верхолаза. Опустите, пожалуйста, мой носовой платок в креозот. Так, хорошо. А теперь поднимемся ненадолго наверх.

Мы опять поднялись по стремянке и влезли через отверстие в потолке на чердак. Холмс направил свет фонаря на странные следы в пыли.

— Это очень интересные следы,— сказал он.— Вы заметили в них что-нибудь необыкновенное?

— Это следы ребенка,— ответил я,— или миниатюрной женщины.

— Если судить по их размеру. А еще что в них поражает?

— По-моему, они больше ничем не отличаются от всякого другого следа.

— Отличаются, да еще как! Смотрите. В пыли отпечаток правой ступни. Я наступаю рядом своей ступней. В чем разница?

— Ваши пальцы прижаты друг к другу. На маленьком следе все пальцы торчат врозь.

— Совершенно верно. Это очень важно запомнить. А теперь подойдите к слуховому окну и понюхайте подоконник. Я со своим платком останусь здесь.

Так я и сделал и почувствовал сильный запах дегтя.

— Вот куда он поставил ногу, когда уходил отсюда. Если вы учуяли его след, то Тоби и подавно учует. А теперь ступайте вниз, отвяжите собаку — и в погоню за Номером Первым.

Когда я вышел во двор, Шерлок Холмс был уже на коньке крыши, по которому он медленно полз, как огромный светляк. Он было исчез за трубами, но скоро опять появился и снова исчез за коньком — видимо, стал спускаться по противоположному скату крыши. Я обошел дом и увидел, что он уже сидит на карнизе, рядом с угловой водосточной трубой.

— Уотсон, это вы? — крикнул он сверху.

— Я,— ответил я.

— Вот где он поднимался. Что там внизу?

— Бочка!

— Крышка на ней есть?

— Есть.

— А лестницы поблизости не видно?

— Нет!

— Вот дьявол! Тут и шею сломать недолго. Но там, где прошел он, пройду и я. Водосточная труба довольно прочная. Ну, я спускаюсь!

Послышалось шарканье босых ног, и огонь фонаря медленно пополз вниз по стене. Затем Холмс легко прыгнул на крышку бочки и оттуда на землю.

— Нетрудно было идти по его следу,— сказал он, надевая носки и ботинки.— Черепица, где он ступал, ослабла, и впопыхах он обронил вот что. Это подтверждает мой диагноз, как любите говорить вы, медики.

Он протянул мне что-то вроде небольшого кошелька, сплетенного из цветной соломки и украшенного дешевым бисером. По виду и форме он напоминал портсигар. Внутри было полдюжины длинных темных колючек, острых с одной стороны и закругленных с другой,— точно таких, какая поразила Бартоломью Шолто.

— Дьявольские иголки,— проговорил Холмс.— Осторожнее, не уколитесь. Я очень рад, что нашел их. Вряд ли у него с собой есть еще. Теперь можно не бояться, что такой вот шип продырявит мне или вам кожу. Я скорее соглашусь получить пулю из боевой винтовки. Ну что, Уотсон, вы достаточно бодро себя чувствуете для шестимильного пробега?

— Конечно,— ответил я.

— Нога выдержит?

— Выдержит.

— Поди сюда, Тоби. Поди сюда, хорошая собака. Нюхай, Тоби! Нюхай!

Холмс сунул собаке под нос платок, испачканный креозотом. Расставив свои лохматые ноги и смешно задрав вверх одно ухо, Тоби нюхал платок с видом дегустатора, наслаждающегося букетом старого вина. Холмс бросил платок подальше, привязал толстый шпагат к ошейнику собаки и подвел ее к бочке. Собака немедленно залилась тонким, возбужденным лаем и, уткнув нос в землю, а хвост задрав вверх, помчалась по следу с такой быстротой, что поводок натянулся, и мы бросились за ней бежать изо всех сил.

Восток стал понемногу бледнеть, и мы уже могли различать предметы вокруг нас в холодных утренних сумерках. Большой, похожий на коробку дом с черными провалами окон и высокими голыми стенами высился, печальный и молчаливый, позади нас. Наш путь лежал через парк, между ямами и канавами, которые пересекали его по всем направлениям. Это место с кучами мусора и земли, с кустами и деревьями, давно не видавшими ножниц садовника, являло вид мрачный и заброшенный, что вполне гармонировало с разыгравшейся здесь трагедией.

Достигнув каменной ограды, Тоби побежал вдоль нее, жалобно и нетерпеливо скуля, пока не остановился наконец в углу, заслоненном от всего парка большим молодым буком. Там, где стены сходились, несколько кирпичей сдвинулось, образуя как бы ступеньки, которые были стерты и закруглены у наружного края, что говорило о том, что ими часто пользовались. Холмс поднялся по ним и, взяв у меня из рук Тоби, бросил его на землю.

— Здесь есть отпечаток руки человека на деревянной ноге,— сказал он, когда я поднялся к нему.— Видите, слабые пятна крови на белой краске. Какая удача, что со вчерашнего дня не было дождя! Запах остался на дороге, несмотря на то, что они прошли здесь двадцать восемь часов назад.

Признаюсь, у меня были на этот счет некоторые сомнения, когда я подумал, какое сильное движение бывает на Лондонском шоссе. Но сомнения мои скоро рассеялись. Тоби, ни секунды не колеблясь, побежал вперед, смешно переваливаясь на ходу. Резкий запах креозота победил на дороге все остальные запахи.

— Не думайте, пожалуйста,— сказал Холмс,— что только благодаря этой случайности преступники скоро окажутся в наших руках. Я знаю сейчас уже так много, что вижу несколько способов поймать их, но это, конечно, самый легкий и быстрый. Было бы глупо им не воспользоваться, раз уж судьба так благосклонна к нам. Но этот счастливый случай оказал мне и плохую услугу: решение перестало быть чисто логическим, каким я вначале представлял его. Тогда бы это дело действительно принесло мне лавры.

— Какие лавры вам еще нужны, Холмс! Я восхищен вашим дедуктивным методом. Такой блестящий успех! Он затмил даже дело Джефферсона Хоупа. Норвудское дело кажется мне более сложным и загадочным. Объясните мне, например, откуда вам с такой достоверностью известна наружность человека на деревянной ноге?

— А, мой дорогой Уотсон! Ведь это так просто! И это я говорю не из ложной скромности. Два офицера из тюремной охраны становятся обладателями важной тайны. Англичанин, по имени Джонатан Смолл, нарисовал и передал им план, указывающий местонахождение клада. Вы помните, что именно это имя было на плане, найденном в записной книжке капитана Морстена. От имени своих товарищей он подписался, с некоторой претензией, *«знак четырех»*. Пользуясь планом, офицеры, а может быть, один из них, завладели кладом и увезли его в Англию, нарушив, как можно догадаться, соглашение, в силу которого этот клад попал им в руки. Можно спросить: почему Джонатан Смолл сам не завладел кладом? И это ясно. Если вы помните, план помечен числом, когда Морстен постоянно общался с заключенными. Отсюда следует, что Джонатан Смолл вместе со своими приятелями был в то время в тюрьме и, следовательно, сам не мог завладеть сокровищами.

— Это — чистое предположение,— сказал я.

— Больше чем предположение. Это гипотеза, которая объясняет все без исключения факты. Давайте проверим.

Майор Шолто живет спокойно, наслаждаясь сокровищами, находящимися в его безраздельном владении. Потом вдруг он получает из Индии письмо, которое пугает его до полусмерти. Что это письмо могло сообщить?

— То, что человек, с которым поступили несправедливо, выпущен на свободу.

— Или бежал. Что более вероятно, так как майор Шолто, несомненно, знал сроки заключения Джонатана Смолла и его друзей. И если бы срок истек, его появление не испугало бы его до такой степени. Что же он делает? Он вооружается, ставит в воротах усадьбы надежную охрану, боясь до умопомрачения человека на деревянной ноге, причем белого. Помните, он, обознавшись, стрелял из револьвера в хромого торговца? Дальше, на плане только одно английское имя. Другие — индусские или магометанские. Поэтому мы можем с уверенностью сказать, что человек на деревянной ноге и есть Джонатан Смолл. Вам пока не кажется, что мое рассуждение грешит против логики?

— Нет, все очень ясно и убедительно.

— Хорошо. Тогда давайте поставим себя на место Джонатана Смолла. Посмотрим на дело с его точки зрения. Он возвращается в Англию с намерением вернуть себе то, что считает по праву принадлежащим ему, а также отомстить нарушившему соглашение. Он узнает, где живет Шолто, и, по всей вероятности, вступает в контакт с кем-нибудь из слуг. Там есть дворецкий, которого мы еще не видели, его имя Лал Рао. Миссис Берстон отозвалась о нем неодобрительно. Но Смоллу не удалось, однако, найти тайник, где были спрятаны сокровища, потому что никто, кроме самого майора и его преданного слуги, который уже умер, о тайнике не знал. Неожиданно Смолл узнает, что майор при смерти. В отчаянии, что тайна клада умрет вместе с ним, он, каким-то образом обманув бдительность привратника, пробирается в парк и заглядывает в окно спальни умирающего. Только присутствие у постели майора двух его сыновей помешало ему проникнуть внутрь. Обезумев от ярости, он той же ночью пробирается в спальню усопшего, перерывает в ней все вверх дном в поисках какого-нибудь указания, где хранится сундук с драгоценностями, и оставляет как свидетельство своего визита уже известный нам *«знак четырех»*. Без сомнения, он заранее решил, убив майора, оставить возле его тела такую записку в знак того, что это не простое убийство, а месть. Примеров подобного пристрастия к дешевым эффектам можно встретить немало в анналах преступного мира, и они обычно являются ценным ключом для установления личности преступника. Пока все ясно?

— Абсолютно все.

— Хорошо. Что же Джонатану Смоллу остается делать? Остается только установить секретное наблюдение за домом, где начались поиски сокровищ. Возможно, он жил за пределами Англии и только время от времени наезжал сюда. Затем был обнаружен тайник, и Смолла тотчас уведомили об этом. Здесь опять выступает на сцену его сообщник из домочадцев. Джонатан Смолл со своей деревянной ногой не смог бы забраться в кабинет Бартоломью Шолто, расположенный так высоко. Тогда он находит себе очень странного помощника, который легко взбирается на крышу по водосточной трубе, но попадает босой ногой в креозот, вследствие чего в дело вступает Тоби и отставной хирург с простреленным сухожилием отправляется в шестимильную прогулку.

— Так, значит, это не он, а его помощник убил майора?

— Да. И, судя по следам Смолла в комнате, он был этим очень недоволен. Он не питал ненависти к Бартоломью Шолто и считал, что надо только связать его и заткнуть ему рот. Ему совсем не хотелось лезть в петлю. Но сделанного, как говорится, не воротишь. В его сообщнике проснулись дикие инстинкты, и яд сделал свое дело. Тогда Джонатан Смолл оставил свой «знак четырех», спустил через окно на землю ларец с сокровищами и ушел сам. Таков в моем представлении ход событий. Что касается его наружности, то он, конечно, должен быть средних лет и очень смуглым, после стольких лет каторжных работ на Андаманских островах. Рост его легко рассчитывается по длине шага, а о том, что у него есть борода, мы знаем из рассказа Таддеуша Шолто, которого особенно поразило обилие растительности на лице, показавшемся в окне в ночь смерти его отца. Ну вот, собственно, и все.

— А помощник?

— Ах да, помощник, но и с ним все так же ясно. Да вы все скоро узнаете. А как хорошо дышится свежим утренним воздухом! Видите вон то маленькое облачко? Оно плывет, как розовое перо гигантского фламинго. Красный диск солнца еле продирается вверх сквозь лондонский туман. Оно светит многим добрым людям, любящим вставать спозаранку, но вряд ли есть среди них хоть один, кто спешит по более странному делу, чем мы с вами. Каким ничтожным кажется человек с его жалкой амбицией и мечтами в присутствии этих стихий! Как поживает ваш Жан Поль?

— Прекрасно! Я напал на него через Карлейля.

— Это все равно что, идя по ручью, дойти до озера, откуда он вытекает. Он высказал одну парадоксальную, но глубокую мысль о том, что истинное величие начинается с понимания собственного ничтожества. Она предполагает, что умение оценивать, сравнивая, уже само по себе говорит о благородстве духа. Рихтер дает много пищи для размышлений. У вас есть с собой пистолет?

— Нет, только палка.

— Возможно, нам понадобится оружие, когда мы сунемся в их логово. Джонатана вы возьмете на себя. Если же тот, другой, будет сопротивляться, я просто застрелю его.

Холмс вынул свой пистолет и, зарядив его двумя патронами, сунул обратно в правый карман пиджака.

Все это время след вел нас то по проселку, то по шоссе в сторону Лондона, и скоро мы очутились в бесконечном лабиринте улиц предместья, полных уже заводскими рабочими и докерами. Неряшливого вида женщины открывали ставни и подметали ступеньки у входа. В кабачке на углу одной из улиц жизнь уже кипела вовсю, то и дело из него появлялись бородатые мужчины, вытирая рот рукавом после утреннего возлияния. Бродячие собаки провожали нас любопытным взглядом, но наш неподражаемый Тоби не смотрел ни вправо, ни влево, а бежал вперед, почти касаясь носом земли, и время от времени нетерпеливо повизгивал, чуя горячий след.

Таким образом мы миновали Стритем, Брикстон, Камберуэлл и очутились в районе Кеннингтон-лейн, выйдя окольными путями к восточной стороне Кеннингтонского стадиона. По-видимому, Джонатан Смолл и его страшный помощник специально выбрали этот сложный маршрут, чтобы сбить со следа преследователей. Они ни разу не шли главной улицей, если можно было двигаться в желаемом направлении боковыми улочками. В начале Кеннингтон-лейн они свернули налево и пошли по Бонд-стрит и Майлс-стрит. Там, где последняя улица вливается в Найтс-плейс, Тоби остановился и забегал взад и вперед, одно ухо задрав, другое опустив, выражая всем своим видом полное недоумение. Затем он стал кружить на месте, время от времени поглядывая на нас, точно искал у нас сочувствия.

— Что такое творится с собакой? — вскипел Холмс.— Ведь не взяли же они здесь кэб и не улетели отсюда на воздушном шаре?

— Может, они останавливались здесь ненадолго? — предположил я.

— Да, по всей вероятности. Тоби опять взял след,— сказал он с облегчением.

На этот раз Тоби буквально полетел стрелой. Обнюхав все кругом своим острым носом, он вдруг опять обрел уверенность и бросился вперед с такой прытью, какую еще не проявлял. След, очевидно, был совсем свежий, так как Тоби не только почти зарылся носом в землю, но и рвался с поводка, который теперь мешал ему развить настоящий бег. По блеску глаз Холмса я видел, что конец нашего путешествия, по его мнению, близок.

Мы бежали теперь по Найн-Элмс, оставив позади большой дровяной склад фирмы «Бродерик и Нельсон». У соседней со складом таверны «Белый орел» Тоби в сильном возбуждении нырнул в калитку, и мы очутились во дворе склада, где пильщики уже начали свой дневной труд. Тоби, не обращая на них внимания, прямо по стружкам и опилкам выбежал на дорогу, обогнул сарай, проскочил коридор из двух поленниц и наконец с ликующим лаем вскочил на большую бочку, еще стоявшую на ручной тележке, на которой ее сюда привезли. Со свесившимся языком и блестящими глазами Тоби стоял на бочке и торжествующе поглядывал на нас, ожидая похвалы. Вся бочка и колеса тележки были измазаны темной густой жидкостью, кругом сильно пахло креозотом.

Мы с Шерлоком Холмсом посмотрели друг на друга и одновременно разразились неудержимым смехом.

ГЛАВА VIII

Нерегулярные полицейские части с Бейкер-стрит

— Что же теперь делать? — воскликнул я.— Тоби потерял свою непогрешимую репутацию.

— Он действовал в меру своего разумения,— ответил Холмс, снимая Тоби с бочки и уводя его со склада.— Представьте себе, сколько Лондон потребляет в течение дня креозота, так что не удивительно, что наш след оказался пересеченным. Пошла мода пропитывать им дерево. Нет, бедняга Тоби не виноват.

— Значит, вернемся к начальному следу?

— Да. К счастью, это недалеко. Я теперь понимаю, почему Тоби так растерялся на углу Найтс-плейс. Оттуда в разные стороны убегало два одинаковых следа. Мы попали на ложный. Остается вернуться и найти правильный след.

Это было нетрудно. Мы привели Тоби туда, где он ошибся. Он сделал там еще один круг и бросился совсем в другом направлении.

— Как бы он не привел нас к месту, откуда эта бочка прикатила,— заметил я.

— Не бойтесь. Видите, Тоби сейчас бежит по тротуару, а ведь тележка ехала по мостовой. Нет, на сей раз мы на верном пути.— След свернул к берегу, позади остались Бельмонт-плейс и Принсис-стрит. В конце Брод-стрит след подошел прямо к воде, к небольшому деревянному причалу. Тоби вывел нас на самый край и остановился, возбужденно повизгивая и глядя на темную быструю воду внизу.

— Не повезло,— проговорил Холмс.— Здесь они взяли лодку.

К причалу было привязано несколько яликов и плоскодонок. Мы подвели Тоби к каждой, но как он ни внюхивался, запах креозота исчез.

Неподалеку от этого простенького причала стоял небольшой кирпичный домик. Над его вторым окном висела большая деревянная вывеска со словами *«Мордекай Смит»*, пониже было написано: *«Прокат лодок на час или на день»*. Надпись на двери возвещала, что у хозяина есть паровой катер, о чем красноречиво говорила большая куча кокса у самого берега. Шерлок Холмс огляделся по сторонам, и лицо его помрачнело.

— Дело плохо,— сказал он.— Эти молодчики оказались умнее, чем я предполагал. Кажется, они сумели замести следы. Боюсь, что отступление было подготовлено заранее.

Он подошел к домику. Дверь вдруг распахнулась, и на порог выбежал маленький кудрявый мальчишка лет шести, а следом за ним полная, краснощекая женщина с губкой в руке.

— Сейчас же иди домой мыться, Джек! — кричала женщина.— Какой ты чумазый! Если папа увидит тебя, знаешь, как нам попадет!

— Славный мальчуган,— начал Холмс наступление.— Какие у проказника румяные щеки! Послушай, Джек, чего ты очень хочешь?

— Шиллин,— ответил он, подумав.

— А может, еще что-нибудь?

— Два шиллинга,— ответил юнец, поразмыслив еще немного.

— Тогда лови! Какой прекрасный у вас ребенок, миссис Смит!

— Благослови вас бог, сэр! Такой смышленый растет, что и не приведи господь. Никакого сладу с ним, особенно когда отца нет дома. Как вот сейчас.

— Нет дома? — переспросил Холмс разочарованно.— Очень жаль. Я к нему по делу.

— Он уехал еще вчера утром, сэр. И я уже начинаю беспокоиться. Но если вам нужна лодка, сэр, то я могу отвязать ее.

— Мне бы хотелось взять напрокат катер.

— Катер? Вот ведь какая жалость. Он как раз на нем и ушел! Поэтому-то я и беспокоюсь. Угля в нем только, чтобы доплыть до Вулиджа и обратно. Если бы на яхте, то я бы ничего не думала. Он ведь иногда и в Грейвсенд уезжает. Даже ночует там, если много дел. Но ведь на баркасе далеко не уедешь.

— Уголь можно купить на любой пристани.

— Можно-то можно, да только он этого не любит. Слишком, говорит, они дерут за уголь... И еще мне не нравится человек на деревяшке, у него такое страшное лицо и говорит не по-нашему. Вечно здесь околачивается!

— Человек на деревяшке? — изумленно переспросил Холмс.

— Ну да, сэр. Такой загорелый, похожий на обезьяну. Это он приходил вчера ночью за моим мужем. А муж мой, как видно, ждал его, потому что катер был уже под парами. Скажу вам прямо, сэр, не нравится мне все это, очень не нравится.

— Моя дорогая миссис Смит,— сказал Холмс, пожимая плечами,— вы только напрасно волнуете себя. Ну, откуда вы можете знать, что ночью приходил не кто-то другой, а именно человек на деревянной ноге? Не понимаю, откуда такая уверенность.

— А голос, сэр? Я хорошо запомнила его голос, он такой хриплый и грубый. Он постучал в окно, было около трех. «А ну-ка проснись, дружище,— прохрипел он,— пора на вахту». Мой старик разбудил Джима — это наш старший,— и оба они, не сказав мне ни слова, ушли. Ночью было хорошо слышно, как по булыжнику стучит деревяшка.

— А что, этот, на деревяшке, был один?

— Не могу вам сказать, сэр. Больше я ничего не слышала.

— Прошу простить меня за беспокойство, миссис Смит, но мне так нужен был катер. Мне очень рекомендовали его. Как же это он называется?

— «Аврора», сэр.

— Ну да. Такая старая посудина, зеленая с желтой полосой и очень широкая в корме.

— Нет, это не он. Наш катер маленький такой, аккуратный. Его только что покрасили в черный цвет с двумя красными полосами.

— Спасибо. Уверен, что мистер Смит скоро вернется. Я хочу прокатиться вниз по реке и, если увижу «Аврору», крикну вашему мужу, что вы волнуетесь. С черной трубой, вы сказали?

— Труба черная с белой каймой, сэр.

— Ах да, конечно. Это бока черные. До свидания, миссис Смит. Я вижу лодочника, Уотсон. Мы переправимся сейчас на ту сторону.

— Самое главное,— начал Холмс, когда мы расположились на снастях ялика,— имея дело с простыми людьми, не давать им понять, что хочешь что-то узнать у них. Стоит им это понять, сейчас же защелкнут створки, как устрицы. Если же выслушивать их с рассеянным видом и спрашивать невпопад, узнаешь от них все, что угодно.

— Теперь дальнейший план действий ясен,— сказал я. Нанять катер и искать «Аврору».

— Друг мой, это было бы невероятно трудной задачей. «Аврора» могла остановиться у любой пристани на том и другом берегу до самого Гринвича. За мостом пойдут бесконечные пристани одна за другой. Целый лабиринт пристаней. Если мы пустимся в погоню одни, они нас дня два-три поводят за нос.

— Так позовите на помощь полицию.

— Нет. Я позову Этелни Джонса разве что в последний момент. Он, в сущности, неплохой человек, и я не хотел бы портить ему карьеру. Но теперь, когда так много сделано, я хочу сам довести дело до конца.

— Может, поместить объявление в газете, чтобы хозяева пристаней сообщили нам, если увидят «Аврору»?

— Нет, это еще хуже. Наши приятели узнают, что погоня на хвосте, и, чего доброго, удерут из Англии. Я думаю, что покинуть Англию и без того входит в их планы. Но пока опасности нет, они не будут спешить. Расторопность Джонса нам только на пользу. Не сомневаюсь, что его версия обошла уже все газеты и беглецы вполне уверены, что полиция устремилась по ложному следу.

— Что же тогда делать? — спросил я, когда мы причаливали возле милбанкского исправительного дома.

— Возьмем этот кэб, поедем домой, позавтракаем и часок поспим. Вполне вероятно, что и эту ночь мы будем на ногах. Кэбмен, остановитесь возле почты. Тоби пока оставим у себя. Он еще может пригодиться.

Мы вышли у почтамта на Грейт-Питер-стрит, где Холмс послал телеграмму.

— Как вы думаете, кому? — спросил меня Холмс, когда мы опять сели в кэб.

— Не имею представления.

— Вы помните отряд сыскной полиции с Бейкер-стрит, который помог мне расследовать дело Джефферсона Хоупа?

— Помню,— засмеялся я.

— Так вот сейчас опять требуется их помощь. Если они потерпят неудачу, у меня есть еще помощники. Но сперва я все-таки испробую их. Эта телеграмма моему чумазому помощнику Уиггинсу. И я уверен, что он со своей ватагой будет у нас — мы еще не кончим завтракать.

Было около половины девятого, и я почувствовал, что наступила реакция после такой бурной и полной событий ночи. Нога моя сильно хромала, все тело ломило от усталости, в голове был туман. У меня не было того профессионального энтузиазма, которым горел мой друг. Не мог я также относиться к этому из ряда вон выходящему случаю, как к простой логической задаче. Что касается Бартоломью Шолто, убитого прошлой ночью, то я, слыхав о нем мало хорошего, не мог чувствовать сильной неприязни к его убийце. С сокровищами же было дело другое. Эти сокровища, или, вернее, их часть, по праву принадлежали мисс Морстен. И покуда была надежда разыскать их, я был готов посвятить этому всю мою жизнь. Правда, если я найду их, мисс Морстен, по всей вероятности, будет навсегда для меня потеряна. Но если бы я руководился только такими мыслями, какой же мелкой и себялюбивой была бы моя любовь! Если Холмс не щадил себя, чтобы поймать преступников, то причина, побуждавшая меня заняться поисками сокровищ, была во сто крат сильнее.

Ванна на Бейкер-стрит и чистое белье освежили меня как нельзя лучше. Когда я спустился вниз, завтрак был уже на столе, а Холмс потягивал кофе.

— Смотрите,— сказал он мне, смеясь и протягивая газету,— неукротимый Джонс и вездесущий газетный репортер сделали доброе дело. Но вы, пожалуй, по горло сыты норвудской историей. Принимайтесь-ка лучше за яичницу с ветчиной.

Я взял у него газету и прочитал небольшую заметку под названием «Загадочное происшествие в Аппер-Норвуде».

«Около двенадцати часов прошлой ночью,— писала «Стандард»,— мистер Бартоломью Шолто, живший в Пондишери-Лодж, в Аппер-Норвуде, был найден мертвым в своей спальне при обстоятельствах, заставляющих подозревать участие чьей-то преступной воли. На теле мистера Шолто не обнаружено никаких признаков насилия. Но исчезло богатейшее собрание индийских драгоценностей, унаследованное покойным от его отца. Первыми обнаружили преступление Шерлок Холмс и доктор Уотсон, приехавшие в Пондишери-Лодж вместе с братом убитого. По исключительно счастливой случайности, хорошо известный полицейский инспектор мистер Этелни Джонс был в это время в полицейском участке Норвуда и прибыл на место преступления через полчаса после того, как подняли тревогу. Мистер Этелни Джонс с присущим ему профессиональным мастерством сейчас же взялся за дело, и результаты не замедлили сказаться: арестован брат покойного Таддеуш Шолто, а также экономка миссис Берстон, дворецкий Лал Рао, по национальности индус, и привратник по имени Мак-Мурдо. Нет сомнения, что вор или воры хорошо знакомы с расположением дома, ибо, как твердо установлено мистером Джонсом, известным своей исключительной наблюдательностью и знанием преступного мира, негодяи не могли проникнуть в комнату ни в дверь, ни в окно, а только по крыше дома, через слуховое окно и чердак, сообщающийся с кабинетом мистера Шолто, где было найдено тело. Этот факт, который был установлен со всей тщательностью, непреложно свидетельствует о том, что мы имеем дело не со случайными грабителями. Быстрые и эффективные действия представителей закона лишний раз демонстрируют, как полезно присутствие на месте подобных преступлений человека с энергичным, проницательным умом. Мы считаем, что этот случай подтверждает правоту тех, кто держится мнения, что наша полиция должна быть более децентрализована. Тогда дела будут расследоваться более быстро и тщательно».

— Не правда ли, великолепно! — улыбнулся Холмс, отпивая из чашки кофе.— Что вы на это скажете?

— Скажу, что мы с вами едва избежали ареста как соучастники преступления.

— И я так думаю. Если его обуяет еще один приступ неукротимой деятельности, не миновать нам участи Таддеуша Шолто.

В этот миг в прихожей раздалось громкое звяканье колокольчика, вслед за ним испуганный голос нашей хозяйки, уговаривающей кого-то.

— Боже мой, Холмс, — сказал я, вставая, — никак это действительно они!

— Нет, до этого еще не дошло. Это нерегулярные полицейские части, моя команда с Бейкер-стрит.

Пока он говорил, на лестнице послышался быстрый топот босых ног, громкие мальчишеские голоса, и в комнату ворвалась ватага грязных, оборванных уличных мальчишек. Несмотря на шумное вторжение, было заметно все-таки, что это отряд, подчиняющийся дисциплине, так как мальчишки немедленно выстроились в ряд и нетерпеливо воззрились на нас. Один из них, повыше и постарше других, выступил вперед с видом небрежного превосходства. Нельзя было без смеха смотреть на это чучело, отнюдь не внушающее доверия.

— Получил вашу телеграмму, сэр, — сказал он. — И привел всех. Три шиллинга и шесть пенсов на билеты.

— Пожалуйста, — сказал Холмс, протянув несколько монет. — В дальнейшем, Уиггинс, они будут докладывать тебе, а ты мне. Я не могу часто подвергать мой дом такому вторжению. Но сейчас даже хорошо, что пришли все. Послушаете мои инструкции. Нужно установить местонахождение парового катера «Аврора», хозяин которого Мордекай Смит. Катер черный с двумя красными полосами. Труба тоже черная с белой каймой. Он затерялся где-то на реке. Я бы хотел, чтобы один из вас дежурил возле причала Смита — это напротив милбанкского исправительного дома — на случай, если катер вернется. Распределите между собой обязанности и обыщите оба берега. Если что-нибудь узнаете, немедленно сообщите мне. Ясно?

— Да, начальник, — ответил Уиггинс.

— Условия прежние, и нашедшему катер — гинея. А это за день вперед. Ну, а теперь за работу! — Холмс каждому вручил шиллинг, мальчишки застучали голыми пятками по лестнице и высыпали на улицу.

— Эти «Аврору» из-под земли достанут, — сказал Шерлок Холмс, вставая из-за стола и зажигая трубку. — Они всюду пролезут, все увидят, все услышат. Я уверен, что уже к вечеру мы будем знать, где «Аврора». А пока ничего не остается, как ждать. След оборвался, и мы не возьмем его, пока не найдем «Аврору» или хотя бы ее хозяина.

— Эти остатки доест Тоби. Вы ляжете отдохнуть, Холмс?

— Нет, я не устал. У меня странный организм. Я не помню случая, чтобы работа утомляла меня. Зато безделье меня изнуряет. Я покурю и подумаю над этим необыкновенным делом, которым мы обязаны нашей белокурой клиентке. Конец представляется мне чрезвычайно легким. Людей с деревянной ногой не так уж много, а Номер Первый — просто уникальный экземпляр.

— Опять этот таинственный Номер Первый!

— Я отнюдь не хочу делать из него тайны, тем более от вас. Но помилуйте, Уотсон, у вас уже должно было сложиться о нем определенное мнение. Давайте еще раз вспомним все его приметы. Маленькая нога, пальцы которой никогда не знали ботинок, ходит босиком, деревянная палка с каменным наконечником, очень ловок, мал ростом, отравленные шипы. Какой вы делаете из этого вывод?

— Дикарь! — воскликнул я.— Возможно, один из тех индусов, кто был в компании с Джонатаном Смоллом.

— Ну, едва ли,— возразил Холмс.— Когда я первый раз увидел его следы, я подумал было то же самое, но потом мое мнение о нем переменилось. Среди населения полуострова Индостан есть низкорослые племена, но таких маленьких ног вы там не найдете. У собственно индусов ступни ног узкие и длинные. Магометане носят сандалии, и большой палец у них, как правило, отстоит от других, потому что отделен ремешком. Эти маленькие стрелы могут быть выпущены только одним путем. Из трубки, в которую дуют. Ну, как, по-вашему, откуда наш дикарь?

— Южная Америка,— сказал я наудачу.

Холмс протянул руку и снял с полки толстую книгу.

Это первый том географического справочника, издающегося сейчас. Можно считать его последним словом географической науки. Посмотрим, что здесь есть для нас интересного. Андаманские острова. Расположены в Бенгальском заливе в трехстах сорока милях к северу от Суматры. Хм-хм... Ну, а что дальше? Влажный климат, коралловые рифы, акулы, Порт-Блэр, каторжная тюрьма, остров Ратленд... Ага, нашел: «Аборигены Андаманских островов могут, пожалуй, претендовать на то, что они самое низкорослое племя на земле, хотя некоторые антропологи отдают пальму первенства бушменам Африки, американским индейцам племени «диггер» и аборигенам Огненной Земли. Средний рост взрослого около четырех футов, хотя встречаются отдельные экземпляры гораздо ниже. Это злобные, угрюмого вида люди, почти не поддающиеся цивилизации, но зато они способны на самую преданную дружбу». Обратите на это особенное внимание, Уотсон. Слушайте дальше: «Они очень некрасивы. У них большая, неправильной формы голова, крошечные, злые глазки и отталкивающие черты лица. Руки и ноги у них замечательно малы. Они так злобны и дики, что все усилия английских властей приручить их всегда кончались неудачей. Они всегда были грозой потерпевших кораблекрушение. Захваченных в плен они обычно убивают дубинками с каменным наконечником или отравленными стрелами. Побоище, как правило, заканчивается каннибальским пиршеством». Какие милые, располагающие к себе люди, не правда ли, Уотсон? Если бы этот красавчик имел возможность действовать по собственному усмотрению, дело могло бы принять еще более страшный оборот. Думается мне, что Джонатан Смолл не очень-то охотно прибег к его помощи.

— Но откуда у него этот странный партнер?

— Не могу вам сказать. Но, поскольку, как нам известно, Джонатан Смолл прибыл в Англию не откуда-нибудь, а с Андаманских островов, то особенно удивляться тому, что среди его знакомых есть тамошние жители, не приходится. Несомненно, что со временем мы будем знать все подробно. Послушайте, Уотсон, у вас чертовски плохой вид. Ложитесь-ка на тот диван, и посмотрим, как скоро я сумею усыпить вас.

Он взял из угла свою скрипку. Я растянулся на диване, и он заиграл тихую, медленную, навевающую дремоту мелодию, без сомнения, его собственную: у Шерлока Холмса был неподражаемый талант импровизатора. Я смутно вспоминаю его тонкую, худую руку, серьезное лицо и взмахи смычка. Потом мне стало казаться, что я мирно уплываю куда-то по морю звуков, и вот я уже в стране снов и надо мной склонилось милое лицо Мэри Морстен.

ГЛАВА IX

РАЗРЫВ В ЦЕПИ

Когда я проснулся, день уже клонился к вечеру. Я чувствовал себя окрепшим и полным энергии. Сон вернул мне силы. Шерлок Холмс сидел все на том же месте, только скрипки у него в руках не было. Услыхав, что я шевелюсь, он посмотрел в мою сторону, лицо у него потемнело и выражало тревогу.

— Вы так крепко спали,— сказал он,— а я боялся, что мы разбудим вас своим разговором.

— Нет, я ничего не слыхал,— ответил я.— Есть какие-нибудь новости?

— К сожалению, нет. И должен признаться, что я удивлен и разочарован. Я рассчитывал к этому времени уже узнать что-то определенное. Только что прибегал Уиггинс. Он сказал мне, что никаких следов катера нигде нет. Досадное промедление, когда дорога каждая минута.

— Не могу ли я помочь чем-нибудь? Я чувствую себя вполне отдохнувшим и готов еще одну ночь провести на ногах.

— Нет, сейчас делать нечего. Ждать — вот все, что нам осталось. Если мы уйдем, в наше отсутствие может прибыть долгожданное известие, и опять будет задержка. Располагайте собой как хотите, а я останусь здесь, на посту.

— Тогда я съезжу в Камберуэлл, навещу миссис Сесил Форрестер. Она просила меня вчера зайти.

— Миссис Сесил Форрестер? — переспросил Холмс, и в его глазах блеснула искорка смеха.

— И мисс Морстен тоже, само собой разумеется. Им так хотелось, чтобы я пришел и рассказал, что будет дальше!

— Я бы не стал им рассказывать всего. Женщинам никогда нельзя доверять полностью, даже лучшим из них.

Я не стал оспаривать это вопиющее заявление, а только заметил, что вернусь часа через два.

— Прекрасно! Счастливого пути. Да, вот что, если уж вы отправляетесь через реку, захватите с собой Тоби. Я думаю, он нам теперь не понадобится.

Я сделал, как сказано, и отдал его старому натуралисту с Пинчин-лейн вместе с полсовереном. Оттуда я поехал прямо в Камберуэлл. Мисс Морстен еще не оправилась от переживаний прошлого вечера, но была полна любопытства. И миссис Форрестер жаждала узнать дальнейший ход событий. Я рассказал им все, как было, опустив только самые ужасные подробности. Рассказывая о смерти мистера Шолто, я умолчал о деталях убийства. Но, несмотря на сокращения, мой рассказ все-таки сильно поразил и разволновал их.

— Как в романе! — воскликнула миссис Форрестер.— Принцесса — жертва несправедливости, клад с драгоценностями, чернокожий каннибал, разбойник на деревянной ноге. Это вместо традиционного дракона или какого-нибудь коварного графа.

— И два странствующих рыцаря-спасителя,— прибавила мисс Морстен и ясными глазами посмотрела в мою сторону.

— Послушайте, Мэри, ведь от исхода поисков зависит ваша судьба. Мне кажется, что вы не подумали об этом и поэтому так равнодушны. Только вообразите, что значит быть богатой и чтобы весь мир был у твоих ног.

Сердце мое радостно забилось, когда я увидел, что мисс Морстен не проявила никакого восторга по поводу блестящих возможностей, открывающихся ей. Наоборот, она небрежно тряхнула своей гордой головкой, как будто эти сокровища не имели к ней отношения.

— Меня очень беспокоит судьба мистера Таддеуша Шолто,— сказала она.— Все остальное неважно. Он был так добр и благороден. Наш долг сделать так, чтобы с него сняли это ужасное, несправедливое обвинение.

Когда я покинул дом миссис Форрестер, уже сильно смеркалось. На Бейкер-стрит я вернулся, когда было совсем темно. Книга и трубка моего друга лежали в его кресле, но его самого не было. Я поискал записку, но не нашел.

— Что, мистер Холмс вышел куда-нибудь? — спросил я хозяйку, когда она вошла в комнату, чтобы опустить шторы.

— Нет, он ушел к себе. Знаете, мистер Уотсон,— тут хозяйка перешла на многозначительный шепот,— я боюсь, что он нездоров.

— Почему вы так думаете?

— Очень он сегодня странный. Как только вы ушли, он стал ходить по комнате туда-сюда, туда-сюда, я слушать и то устала эти бесконечные шаги. Потом он стал разговаривать сам с собой, бормотал что-то. И всякий раз, как брякал звонок, выходил на площадку и спрашивал: «Что там такое, миссис Хадсон?» А потом пошел к себе и хлопнул дверью, но и оттуда все время слышно, как он ходит. Хоть бы он не заболел. Я предложила ему успокаивающее лекарство, но он так посмотрел на меня, что я не помню, как и убралась из его комнаты.

— Думаю, миссис Хадсон, что особенных причин для беспокойства нет,— сказал я.— Я не раз видел его в таком состоянии. Он сейчас решает одну небольшую задачу и, конечно, волнуется.

Я говорил с нашей хозяйкой самым спокойным тоном, но, признаться, и сам начал тревожиться о состоянии моего друга, когда, просыпаясь несколько раз ночью, все время слышал за стеной глухой стук его шагов. Я понимал, какой вред может причинить его деятельному уму это вынужденное бездействие.

За завтраком Холмс выглядел осунувшимся и усталым. На щеках лихорадочно горели два пятнышка.

— Вы не жалеете себя, Холмс,— заметил я.— Вы ведь всю ночь, я слыхал, не прилегли ни на часок.

— Я не мог спать,— ответил он.— Это проклятое дело изводит меня. Застрять на месте из-за какого-то пустяка, когда так много сделано, это уже слишком. Я знаю преступников, знаю их катер, знаю все. И ни с места. Я пустил в ход весь мой арсенал. Вся Темза, оба ее берега обшарены вдоль и поперек, и никаких следов проклятой «Авроры». Ни ее, ни ее хозяина. Можно подумать, что они затопили катер. Хотя есть факты, говорящие против.

— Может быть, миссис Смит направила нас по ложному следу?

— Нет, это исключается. Я навел справки. Катер с такими приметами существует.

— Может, он поднялся вверх по реке?

— Я и это учел. Сейчас ведутся поиски до самого Ричмонда. Если сегодня не будет новостей, я завтра выеду сам. И буду искать не катер, а людей. Но я все-таки уверен, абсолютно уверен, что известие придет.

Однако оно не пришло. Ни от Уиггинса, ни из других источников. Газеты продолжали печатать сообщения о норвудской трагедии. Все они были настроены враждебно к бедному Таддеушу Шолто. Ни в одной из газет не сообщалось ничего нового, не считая того, что дознание было назначено на завтра.

Вечером я опять побывал в Камберуэлле и рассказал о нашем невезении. Вернувшись, я застал Холмса в самом мрачном расположении духа. Он едва отвечал на мои вопросы и ставил весь вечер какие-то сложные химические опыты. Нагревал реторты, дистиллировал воду и развел под конец такую вонь, что я чуть не убежал из дому. До рассвета я слышал, как он звенит пробирками и колбами, занимаясь своими ароматными экспериментами.

Проснулся я рано утром, как будто кто-то толкнул меня. Надо мной стоял Холмс, одетый, к моему удивлению, в грубую матросскую робу. На нем был бушлат, и вокруг шеи повязан грубый красный шарф.

— Я отправляюсь в поиски вниз по реке, Уотсон,— сказал он мне.— Я много думал над моим планом и считаю, что попытаться стоит.

— Я тоже поеду с вами.

— Нет, вы мне поможете гораздо больше, если останетесь здесь. Я ухожу неохотно. В любую минуту может прийти долгожданное известие, хотя Уиггинс, как я заметил вчера вечером, совсем упал духом. Прошу вас вскрывать все телеграммы и письма, адресованные мне. И если прочтете что-нибудь важное, действуйте по собственному усмотрению. Могу я положиться на вас?

— Вполне.

— Боюсь, что мне нельзя будет послать телеграмму, потому что я и сам еще не знаю, где в какое время я буду. Но если мне повезет, я вернусь скоро. И уж, конечно, не с пустыми руками.

Все утро и во время завтрака от Холмса не было никаких известий. Открыв «Стандард», я нашел, однако, сообщение, отличающееся от прежних. Газета писала: «Что касается трагедии в Аппер-Норвуде, то дело может оказаться куда более сложным и загадочным, чем показалось сначала. Как только что установлено, мистер Таддеуш Шолто абсолютно непричастен к смерти брата. Он и экономка миссис Берстон вчера вечером выпущены на свободу. Как сообщают, полиция располагает данными, позволяющими установить личность настоящих преступников. Расследование дела находится в надежных руках полицейского инспектора из Скотленд-Ярда мистера Этелни Джонса, известного своей энергией и проницательностью. Преступники каждую секунду могут быть арестованы».

«Ну, слава богу,— подумал я.— По крайней мере наш друг Шолто на свободе. Что же это за «данные», интересно? Впрочем, так всегда пишут, когда полиция садится в лужу».

Я бросил газету на стол, и вдруг в глаза мне бросилось объявление в колонке происшествий. В нем говорилось:

«Разыскиваются пропавшие: Мордекай Смит и его сын Джон, покинувшие причал Смита около трех часов ночи во вторник на катере «Аврора». Катер черный с двумя красными полосами, труба черная с белой каймой. Вознаграждение — пять фунтов тому, кто сообщит о местонахождении вышеупомянутого Смита и катера «Аврора» его жене миссис Смит, причал Смита, или на Бейкер-стрит, 221б».

Адрес говорил, что объявление помещено Холмсом. «Хитро составлено,— подумал я.— Беглецы увидят в нем только естественное беспокойство жены, разыскивающей мужа».

День тянулся очень долго. Всякий раз, как стучали в дверь или снаружи раздавались чьи-то громкие шаги, я настораживался, ожидая, что это или вернулся Холмс, или пришли с ответом на объявление. Я пытался читать, но мысли мои неотступно вращались вокруг этого странного преступления и его странных участников, за которыми мы охотились. А вдруг в рассуждения моего друга вкралась роковая ошибка и он стал жертвой чудовищного самообмана? Вдруг его точный логический ум построил эту фантастическую версию на ложных посылках? Я не знал случая, когда бы Шерлок Холмс ошибся, но ведь даже самый сильный ум один раз может ошибиться. Его могла ввести в заблуждение слишком уж изощренная логика. Он предпочитал странные, хитроумные объяснения, отбрасывая прочь более простые и естественные, находившиеся под рукой. Но, с другой стороны, я сам был очевидцем происшедшего, своими ушами слышал доводы Холмса.

Проследив в который раз с самого начала всю длинную цепь странных событий, многие из которых сами по себе могли бы показаться пустяком, я должен был признать, что если Холмс и заблуждается, то истина все равно лежит где-то в области удивительного и маловероятного.

В три часа пополудни послышалось резкое звяканье колокольчика, в прихожей раздался чей-то властный голос, и, к моему удивлению, в комнату вошел не кто иной, как мистер Этелни Джонс собственной персоной. Но как не походил он сегодня на того высокомерного и бесцеремонного поборника здравого смысла, который с таким непререкаемым апломбом взялся расследовать норвудскую трагедию! Лицо у него было понурое, весь он как-то обмяк, а в его осанке появилось даже что-то просительное.

— Добрый день, сэр, добрый день,— проговорил он.— Мистера Холмса, как я вижу, нет дома?

— Нет. И я не знаю, когда он придет. Но, может быть, вы подождете его? Садитесь в это кресло. Вот вам сигары.

— Благодарю вас. Я и правда подожду,— сказал он, вытирая лицо красным, в клетку носовым платком.

— Виски с содовой хотите?

— Э-э, полстакана. Слишком жаркая стоит погода для сентября. К тому же нет конца всяким волнениям. Вы ведь знаете мою норвудскую версию?

— Помню, вы излагали ее.

— Ну вот, я был вынужден ее пересмотреть. Я так ловко подвел сеть под мистера Шолто, так крепко ее затянул, и вдруг — бац! — в сети оказалась дырка, и он ушел. У него неоспоримое алиби. С той минуты, как за ним захлопнулась дверь комнаты брата, его видели то здесь, то там, словом, он ни на одну секунду не оставался один. И не мог поэтому ни влезть на крышу, ни проникнуть на чердак сквозь слуховое окно. Это очень темное дело, и мой профессиональный престиж поставлен на карту. Я был бы очень рад небольшой помощи.

— Все мы нуждаемся иногда в помощи,— заметил я.

— Ваш друг мистер Шерлок Холмс — выдающаяся личность, сэр,— сказал он доверительно осипшим голосом.— Он человек, не знающий поражений. Мне-то известно, в скольких делах участвовал этот молодой человек, и всегда ему удавалось докопаться до истины. Он несколько непоследователен в своих методах и, пожалуй, чересчур торопится делать выводы, но вообще, я думаю, он мог бы стать самым выдающимся сыщиком Скотленд-Ярда, и готов заявить это кому угодно. Сегодня утром я получил от него телеграмму, из которой ясно, что у него есть свежие факты по этому делу. Вот телеграмма.

Он вынул ее из кармана и протянул мне. Она была послана в двенадцать часов из Поплара. *«Немедленно идите на Бейкер-стрит,*—писал Холмс.— *Если я не успею вернуться, подождите меня. Следую по пятам норвудской парочки. Если хотите участвовать в финише, можете присоединиться к нам».*

— Хорошие новости! Значит, Холмс опять напал на их след,— сказал я.

— Ага, значит, и он допустил промах! — воскликнул с явным удовольствием Джонс.— Даже лучшим из нас свойственно ошибаться. Конечно, эта телеграмма может оказаться ложной тревогой, но мой долг инспектора Скотленд-Ярда не упускать ни одного шанса. Я слышу шаги. Возможно, это Холмс.

На лестнице послышалось тяжелое шарканье ног, сильное пыхтение и кашель, как будто шел человек, для которого дышать было непосильным трудом. Один или два раза он останавливался. Но вот наконец он подошел к нашей двери и отворил ее. Его внешность вполне соответствовала звукам, которые доносились до нас. Это был

мужчина преклонных лет в одежде моряка — старый бушлат был застегнут до подбородка. Спина у него была
согнута, колени дрожали, а дыхание было затрудненное
и болезненное, как у астматика. Он стоял, опершись на
толстую дубовую палку, и его плечи тяжело поднимались,
набирая в легкие непослушный воздух. На шее у него
был цветной платок, лица, обрамленного длинными седыми бакенбардами, почти не было видно, только светились
из-под белых мохнатых бровей темные умные глаза. В
общем, он произвел на меня впечатление почтенного старого моряка, впавшего на склоне лет в бедность.

— Чем можем вам служить, папаша? — спросил я.

Он обвел комнату медленным взглядом старика.

— Мистер Шерлок Холмс дома? — спросил он.

— Нет. Но я его заменяю. Вы можете рассказать
мне все, что хотели рассказать ему.

— А я хочу видеть самого Шерлока Холмса,— упрямо
повторил старик.

— Но я же вам говорю, что я его заменяю. Вы пришли
по поводу катера Смита, конечно?

— Да, я знаю, где он. Еще я знаю, где люди, которых он ищет. Знаю, где сокровища. Я все знаю!

— Расскажите мне; это все равно что рассказать
Холмсу.

— Нет, я должен рассказать только ему самому,—
твердил наш гость со стариковским упрямством и раздражительностью.

— Тогда подождите его.

— Не хочу ждать. Не хочу даром терять день ни ради
кого. Если мистера Холмса нет, пусть себе все узнает
сам. А вам я ничего не скажу, больно мне ваши физиономии не нравятся.

Он поковылял к двери, но Джонс обогнал его.

— Подожди, приятель,— сказал он.— У тебя есть
важные сведения, и ты не уйдешь отсюда. Придется тебе
подождать, хочешь ты или нет, нашего друга Холмса.

Старик рванулся к двери, но Этелни Джонс заслонил
ее своей широкой спиной, и старик понял, что сопротивление бесполезно.

— Хорошенькое обращение с гостем,— сказал он, стуча палкой.— Я пришел сюда, чтобы поговорить с мистером Холмсом. А вы двое набросились на меня, хотя я вас
знать не знаю. Хорошенькое обращение с человеком!

— Вам не сделают ничего плохого,— сказал я.— Садитесь сюда на диван и подождите. Холмс очень скоро
вернется.

Он мрачно подошел к дивану и сел, подперев ладонями свою большую голову. Мы с Джонсом снова взяли наши сигары и продолжили разговор.

Вдруг голос Холмса оборвал нас на полуслове:

— Могли бы предложить сигару и мне.

Мы так и подпрыгнули в креслах. Прямо перед нами сидел Холмс и довольно улыбался.

— Холмс! — воскликнул я.— Вы здесь? А где же старик?

— Вот он,— ответил Холмс, протягивая в руке копну белых волос.— Вот он весь — бакенбарды, парик, брови. Я знал, что мой маскарад удачен, но не предполагал, что он выдержит такое испытание.

— Вот это класс! — с искренним восхищением воскликнул Джонс.— Из вас вышел бы отличный актер, первосортный! Вы кашляете точь-в-точь как постоялец работного дома. А за ваши дрожащие колени можно дать десять фунтов в неделю. Мне, правда, показался знакомым блеск глаз. Но уйти вы все-таки от нас не смогли.

— Я работал в этом маскарадном костюме весь день,— сказал он, зажигая сигару.— Видите ли, преступный мир уже довольно хорошо знает меня, особенно после того, как мой друг, сидящий здесь, взялся за перо. Так что я теперь могу появляться на передовых позициях только в переодетом виде. Вы получили мою телеграмму?

— Да, поэтому-то я здесь.

— Как подвигается ваша версия?

— Лопнула. Мне пришлось отпустить двух моих пленников, а против остальных двух нет ни одной улики.

— Не расстраивайтесь. Мы вам дадим парочку других взамен. Я только прошу вас на время целиком подчиняться мне, действовать по выработанному мной плану. Согласны? Конечно, вся заслуга в этом деле будет официально признана за вами.

— Согласен, если вы поможете мне взять этих двоих.

— Тогда, во-первых, мне необходима быстроходная посудина — полицейский моторный катер. К семи часам у Вестминстерского причала.

— Будет сделано. Там всегда дежурит полицейская лодка. Но, пожалуй, мне лучше пойти через дорогу и позвонить для верности.

— Затем два полицейских посильнее на случай сопротивления.

— В катере всегда есть два или три человека.

— Когда мы их возьмем, у нас в руках окажутся сокровища. Я думаю, мой друг будет очень рад доставить сундучок одной молодой леди, которой по праву принадлежит половина. Пусть она первая откроет его. А, Уотсон?

— Мне это было бы очень приятно.

— Нарушение процедуры, но дело такое необычное, что можно будет закрыть глаза. Но потом клад надо передать властям до окончания следствия.

— Конечно. Это будет легко сделать. Еще один момент. Мне бы очень хотелось услыхать о некоторых подробностях из уст самого Джонатана Смолла. Вы знаете, я люблю выяснять все до конца. Не будет возражений, если я с ним неофициально встречусь здесь, у меня, или в каком-нибудь другом месте, конечно, под надежной охраной?

— Вы хозяин положения, вам и карты в руки. Но у меня до сих пор нет никаких доказательств существования этого самого Джонатана Смолла. Однако если вы мне представите его, я не смогу отказать вам в вашей просьбе.

— Значит, решено?

— Решено. Еще что?

— Это уже последнее: я хочу, чтобы вы пообедали с нами. У нас есть устрицы, пара куропаток и небольшой выбор белых вин. Нет, Уотсон, вы не умеете ценить мои достоинства домашней хозяйки.

ГЛАВА X

Конец островитянина

Обед проходил очень оживленно. Холмс, когда хотел, мог быть исключительно интересным собеседником. А в тот вечер он был в ударе — сказалось сильное нервное возбуждение. Я никогда прежде не видел его таким разговорчивым. Он говорил о средневековой керамике и о мистериях, о скрипках Страдивари, буддизме Цейлона и о военных кораблях будущего. И говорил так, будто был специалистом в каждой области. Эта яркая вспышка была реакцией живого ума после мрачного уныния, которое завладело им накануне. Этелни Джонс в свободную от дел минуту оказался очень общительным человеком и за обедом доказал, что знает толк в жизненных радостях. Я тоже был в приподнятом настроении, предчувствуя конец дела и заразившись весельем Холмса. Никто из нас за весь вечер не упомянул о причине, которая собрала нас вместе.

Когда убрали со стола, Холмс посмотрел на часы и разлил в бокалы портвейн.

— Давайте выпьем,— сказал он,— за успех нашей маленькой вылазки. А теперь пора идти. У вас есть оружие, Уотсон?

— Мой старый боевой пистолет. Он в ящике стола.

— Возьмите его с собой. Это необходимо. Я вижу, что кэб уже у двери, он был заказан на половину седьмого.

У Вестминстерского причала мы были в семь с небольшим. Катер уже ждал нас. Холмс оглядел его критически.

— Есть на нем что-нибудь, что выдавало бы его принадлежность полиции? — спросил он.

— Да. Зеленый фонарь сбоку.

— Тогда снимите его.

Все было сделано мгновенно, мы вошли в катер и отчалили. Джонс, Холмс и я сидели на корме. Один полицейский стоял у руля, другой следил за топкой, впереди расположились два дюжих полисмена.

— Куда? — спросил Джонс.

— К Тауэру. Прикажите им остановиться напротив Джекобсон-Ярда.

Наше суденышко оказалось очень быстроходным. Мы промчались мимо вереницы груженых барж, как будто они не плыли, а стояли на месте. Когда мы догнали и оставили позади речной пароход, Холмс удовлетворенно улыбнулся.

— Можно подумать, что наш катер — самое быстроходное судно на реке,— заметил он.

— Ну, это вряд ли. Но катеров быстрее этого, пожалуй, найдется немного.

— Мы должны догнать «Аврору». А она слывет быстроходным судном. Сейчас я введу вас, Уотсон, в курс дела. Вы помните, как меня угнетала эта нелепая задержка.

— Помню.

— Так вот, я решил дать голове полный отдых и занялся химическими опытами. Один из наших великих государственных мужей сказал как-то, что перемена занятия — лучший отдых. И это правильно. Когда мне удалось наконец разложить углеводород, я вернулся к нашей загадке и все заново обдумал. Моя команда мальчишек обшарила всю реку не один раз, и безрезультатно. «Авроры» нигде не было — ни на причалах, ни дома. Вряд ли они затопили ее, чтобы замести следы. Хотя и эту возможность следует иметь в виду, если поиски в конце концов не приведут ни к чему. Я знал, что этот Смолл довольно хитер, но я думаю, что какая-нибудь особенно утонченная хитрость ему не по плечу. Ее ожидаешь, как правило, от человека образованного. Дальше, нам известно, что он жил несколько времени в Лондоне, вел наблюдение за Пондишери-Лодж, а это значит, что покинуть пределы Англии он сразу же не мог; чтобы уладить дела, нужно время — день, а может, на наше счастье, и больше. Такой по крайней мере напрашивается вывод.

— Вывод довольно слабый,— заметил я.— Он мог все уладить и до нападения на Пондишери-Лодж.

— Нет, не думаю. Он очень дорожит своим убежищем, где можно отлежаться в случае опасности, и покинет его только тогда, когда будет в полной уверенности, что ему совсем ничего не грозит. И вот еще что пришло мне в голову: Джонатан Смолл должен был понимать, что необычная внешность его помощника, как бы ни старался он замаскировать его, может вызвать всякие толки, и, возможно, кое-кто догадается связать его с норвудской трагедией. Он достаточно умен, чтобы понимать это. Итак, они покинули свою штаб-квартиру ночью, под покровом темноты. И, конечно, лучшим вариантом было бы вернуться до света. Но «Аврора» отошла от причала, по словам миссис Смит, когда был уже четвертый час. В это время совсем светло, через час-другой на улицах появится народ. На основании этого я сделал вывод, что они не должны уйти далеко. Они хорошо заплатили Смиту, чтобы он держал язык за зубами, наняли его катер до окончательного исчезновения и поспешили с кладом в свое логово. Они решили выждать пару деньков, чтобы узнать из газет, в каком направлении пошло следствие и нет ли за ними слежки. И тогда уже опять под покровом темноты идти в Грейвсенд или куда-нибудь в Даунс. Они, несомненно, заранее позаботились заказать места на какой-нибудь корабль, уходящий в Америку или колонии.

— А как же катер? Не могли же они захватить его в свое логово?

— Конечно, не могли. А это значит, что «Аврора», несмотря на неуловимость, находится где-то совсем рядом. Я поставил себя на место Смолла и постарался взглянуть на дело его глазами. По всей вероятности, он решил, что отпустить «Аврору» или поставить у ближайшего причала опасно: вдруг полиция все-таки напала на их след. Куда же деть «Аврору», чтобы она была невидима для всех, а для него досягаема в любую минуту? Что бы сделал я, случись мне решать такую задачу? И я увидел одну-единственную возможность. Надо поставить ее в какой-нибудь док для мелкого ремонта. Там она будет надежно укрыта от посторонних глаз и всегда готова к отплытию.

— Как просто!

— В том-то и дело, что простое объяснение всегда приходит в голову в последнюю очередь. Когда я это сообразил, я решил немедленно действовать и, приняв обличье безобидного старого матроса, отправился вниз по Темзе осматривать доки. В пятнадцати доках об «Авроре» никто и не слыхал. Зато в шестнадцатом я был вознагражден за терпение: мне сказали, что «Аврору» два дня назад поставил к ним человек на деревянной ноге и попросил проверить руль. «Но руль оказался в полном порядке,— сказал мне корабельный мастер.— Вон она там стоит, черная с красными полосами». Не успел он это сказать, как в доке появился не кто иной, как сам пропавший хозяин «Авроры» Мордекай Смит. Я бы, конечно, не узнал его, но он, будучи основательно пьян, орал во всю глотку, что он хозяин «Авроры». Мордекай Смит требует, чтобы его посудина была готова сегодня к восьми часам. «Ровно к восьми,— повторил он,— я обещал двум джентльменам, которые не любят ждать». Они, по-видимому, хорошо заплатили ему, потому что он швырял шиллинги налево и направо. Я несколько времени шел было за ним, но он юркнул в первый же кабачок. Тогда я пошел обратно в док. По дороге случайно встретил одного из мальчишек и поставил его наблюдать за «Авророй». Увидев, что она отчаливает, он начнет махать платком. Мы тем временем будем караулить их на реке. И как только они выйдут из дока, схватим их вместе с «Авророй» и сокровищами.

— Те это люди, которых мы ищем, или нет, но продумано все образцово,— сказал Джонс.— И все-таки я лучше направил бы в Джекобсон-Ярд отряд полиции и спокойно схватил бы их, только бы они там появились.

— А они бы там не появились. Смолл хитер. Я не сомневаюсь, что он вышлет вперед разведчика, и, если тот почует опасность, Смолл заляжет в берлогу еще на неделю.

— Но можно выследить Смита и таким образом найти их убежище,— сказал я.

— Тогда мы потеряем еще день. К тому же я на девяносто девять процентов убежден, что Смит не знает, где они прячутся. Ему хорошо платят, виски есть, к чему задавать ненужные, не относящиеся к делу вопросы... Распоряжения ему посылаются, он выполняет их... Нет, я обдумал все возможные пути, этот наилучший.

Пока мы говорили, наша лодка проносилась под многочисленными мостами, перекинутыми через Темзу. Последние лучи солнца золотили крест на куполе собора святого Павла. Тауэра мы достигли, когда уже сильно смеркалось.

— Вот Джекобсон-Ярд,— сказал Холмс, указывая на лес мачт и снастей в стороне Суррея.

— Курсируйте взад и вперед под прикрытием этой флотилии,— приказал Холмс, поднося к глазам ночной морской бинокль, и несколько времени обозревал берег.— Я вижу моего караульного, но платком он еще не машет.

— А что, если мы пройдем немного ниже и будем ждать их там? — предложил сгоравший от нетерпения Джонс.

Мы все уже сидели как на иголках. Даже ничего не знавшие полицейские и рулевой с кочегаром, и те заразились нашим волнением.

— Мы не имеем права рисковать,— сказал Холмс.— Десять шансов против одного, что они пойдут вниз по реке, а не вверх. И все-таки мы должны учесть и эту возможность. Отсюда нам хорошо виден вход в док, а нас почти незаметно. Ночь обещает быть светлой, и огней на реке много. Мы должны оставаться там, где мы есть. Видите, как хорошо видны отсюда люди, снующие в свете газовых фонарей.

— Они возвращаются домой после работы в доке.

— Какие они усталые и грязные! Но в каждом горит искра бессмертного огня. Глядя на них, ни за что не скажешь этого. И тем не менее это так. Странное все-таки существо человек.

— Кто-то назвал человека животным, наделенным душой.

— Уинвуд Рид хорошо сказал об этом,— продолжал Холмс.— Он говорит, что отдельный человек — это неразрешимая загадка, зато в совокупности люди представляют собой некое математическое единство и подчинены определенным законам. Разве можно, например, предсказать действия отдельного человека, но поведение целого коллектива можно, оказывается, предсказать с большей точностью. Индивидуумы различаются между собой, но процентное отношение человеческих характеров в любом коллективе остается постоянным. Так говорит статистика. Но что это, кажется, платок? В самом деле, там кто-то машет белым.

— Это один из ваших мальчишек. Я отчетливо вижу его! — воскликнул я.

— А вот и «Аврора»! — крикнул Холмс.— Отличный у нее ход. Эй, там, внизу, полный вперед! Следуйте за тем катером с желтым огнем. Я не прощу себе, если он уйдет от нас!

«Аврора» незаметно выскользнула из дока и, набирая скорость, прошла за маленькими суденышками, так что, когда мы увидели ее, она уже мчалась на всех парах. Она уходила вниз по реке, держась берега. Быстроходность ее была поразительна. Джонс посмотрел на нее с тревогой.

— Очень лихо идет,— сказал он.— Нам ее не догнать.

— Должны догнать! — проговорил Холмс, стиснув зубы.— Не жалейте угля! Выжмите из машины все, что можно. Пусть лучше сгорит катер, чем они уйдут от нас!

Теперь мы шли прямо на них. Огонь в топках гудел, мощная машина стучала, как огромное металлическое сердце. Острый, отвесный нос лодки, как ножом, рассекал спокойную воду, посылая влево и вправо две круглые, длинные, тугие волны. В такт машине вся лодка вибрировала и вздрагивала, как живое существо. Желтый фонарь на носу бросал вперед длинный мерцающий столб света. Впереди нас бежало по воде темное пятно — это была «Аврора». Вихрь белой пены за ней свидетельствовал о скорости, с какой она шла. Мы проносились мимо барж, пароходов, торговых парусников, обгоняя их слева и справа. Из темноты доносились громкие голоса, а «Аврора» все уходила вперед, и мы висели у нее на хвосте.

— Наддайте ходу! — крикнул Холмс, заглянув в машинное отделение; яркое пламя осветило снизу его напряженное, орлиное лицо.

— Мне кажется, мы нагоняем их,— сказал Джонс, не спуская с «Авроры» глаз.

— Нет никакого сомнения! — воскликнул я.— Еще несколько минут — и мы нагоним их.

И в тот же миг судьба зло посмеялась над нами: путь наш пересек буксир с тремя баржами. Если бы не рулевой, вывернувший до отказа руль, мы врезались бы в него. Когда наконец мы обогнули их и снова легли на курс, оказалось, что «Аврора» ушла вперед на добрых двести ярдов, но, к счастью, все еще была хорошо видна. Наша машина давала полную мощность, хрупкая посудина вибрировала и трещала под напором яростной энергии, которая несла нас. Мы оставили позади Пул, миновали Вест-индские доки, обогнули длинную Дептфордскую косу и Собачий остров. Смутное пятно впереди нас стало принимать изящные очертания «Авроры». Джонс включил прожектор, и мы ясно увидели на ее борту людей. Один сидел на корме, нагнувшись к какому-то черному предмету у его ног. Рядом лежала темная куча, похожая на огромного ньюфаундленда. Красное пламя топки освещало старшего Смита, он был обнажен до пояса и яростно, как заведенный, бросал в топку уголь, сын его держал румпель. Беглецы не сразу поняли, что за ними погоня, но, видя, что мы неотступно идем за ними, повторяя все их зигзаги и повороты, они перестали сомневаться. У Гринвича нас разделяло саженей сто, к Блэкуоллу расстояние сократилось до семидесяти пяти. За годы моей полной приключений армейской жизни мне не раз приходилось участвовать в погоне, но никогда я не испытывал такого жгучего волнения, как во время этой бешеной гонки по Темзе. Мы все ближе и ближе. В ночной тиши слышен стук и пыхтение их машины. Человек на корме все еще стоит, нагнувшись над чем-то на палубе, что-то делая руками, поминутно поднимая голову, чтобы прикинуть на глаз расстояние между «Авророй» и нами. Мы уже совсем близко. Джонс крикнул, чтобы они остановились. Нас разделяет всего четыре корпуса, и обе лодки летят, как на крыльях. На этом участке Темзы было пустынно. С одной стороны протянулась низина Баркинглевел, с другой — печальные Пламстедские болота. Услыхав приказ Джонса, человек на корме вскочил на ноги и, тряся над головой сжатыми кулаками, стал ругать нас грубым и охрипшим голосом. Это был сильный, рослый человек, он стоял на палубе, широко расставив ноги, и я увидел, что, начиная от бедра, вместо правой ноги у него деревянный протез. При звуках его резкого, хриплого голоса темная куча на палубе зашевелилась и обернулась маленьким черным человечком, у него была огромная, неправильной формы голова с копной всклокоченных волос. Холмс вынул свой пистолет, и я тоже схватился за свой при виде этого чудовища. На нем было что-то темное, не то балахон, не то одеяло, открытым оставалось только лицо, какое может привидеться только в кошмарном сне. Никогда в жизни ни в одном лице я не встречал столько жестокости и кровожадности. Глаза его блестели мрачным, угрюмым блеском, а толстые губы, вывернутые наружу, изгибались злобной усмешкой, обнажая зубы, лязгавшие от животной ярости.

— Если он поднимет руку, стреляйте,— невозмутимо проговорил Холмс.

«Аврора» была уже на расстоянии одного корпуса от нас, можно сказать, на расстоянии вытянутой руки. Я хорошо видел этих двоих — большого белого мужчину, стоящего, широко расставив ноги, и поносящего нас отборными ругательствами, и страшного карлика: его отвратительное лицо и оскаленные желтые зубы, поблескивающие в свете нашего фонаря.

Хорошо, что мы успели подойти так близко. Несмотря на то, что мы не спускали с него глаз, он быстрым движением вынул из складок своего одеяния короткую деревянную трубку, похожую на линейку школьника, и сунул ее в рот. Наши выстрелы грянули одновременно. Карлик повернулся, раскинул руки и, издав захлебывающийся кашель, упал боком в воду. На один миг в пене волн я увидел его смертоносный, ненавидящий взгляд. В тот же миг человек на деревянной ноге изо всех сил налег на руль, и его лодка круто повернула к южному берегу. Мы продолжали стрелять по ней, но мимо. Пули пролетели всего в нескольких футах от нее. Мы тоже повернули, но поздно: «Аврора» уже ткнулась носом в берег. Это было дикое, пустынное место. Луна заливала мертвенным светом огромную болотистую равнину, на которой блестели окна стоячей воды и темнели островки гниющих растений. Глухо ударившись о берег, «Аврора» застряла прочно, нос ее задрался в воздух, а корма погрузилась в воду. Беглец выскочил на берег, и его деревянная нога тотчас ушла на всю длину в вязкую почву. Напрасно он старался высвободить ее, дергаясь всем телом. Он не мог больше сделать ни одного шага ни вперед, ни назад. Он завыл в бессильной злобе и яростно заколотил другой ногой по болотистой жиже. Но его злополучная деревяшка только еще глубже уходила в предательскую почву. Когда наш катер подошел к нему, он уже так прочно встал на якорь, что мы сумели вытащить его только с помощью веревки, которой он обвязал свое туловище. И мы долго тянули его, как огромную, опасную рыбину. Оба Смита, отец и сын, сидели понурившись в своем катере, но безропотно подчинились нашему приказу и перешли к нам на борт. Потом вы вызволили «Аврору» и крепко привязали ее к своей корме. На ее палубе стоял тяжелый железный сундучок ручной индийской работы, безо всякого сомнения, тот самый, в котором хранились приносящие несчастье сокровища семьи Шолто. Ключа не было, и мы осторожно отнесли его, хотя он был довольно тяжел, в нашу маленькую кабину. Мы медленно возвращались в Лондон и все время пути обшаривали прожектором реку и берега, но так и не нашли следов маленького островитянина. Где-то на илистом дне Темзы так и останутся лежать до скончания века кости этого странного чужеземца, нашедшего свой конец на наших туманных берегах.

— Смотрите,— показал Холмс на створку деревянной двери,— он все-таки выстрелил первый.

Действительно, в дереве как раз против того места, где мы с Холмсом стояли, торчала одна из тех черных колючек, которые мы так хорошо знали. Должно быть, она пролетела между нами в тот самый миг, когда мы одновременно разрядили свои пистолеты. Холмс улыбнулся, а меня, признаться, пробрала дрожь, когда я представил себе, какой страшной смерти мы чудом избежали этой ночью.

ГЛАВА XI

Сокровища Агры

Наш пленник сидел в кабине напротив ларца, к которому он так стремился и ради которого столько преодолел препятствий. Его лицо, точно вырезанное из красного дерева, с отчаянным до дерзости взглядом и сетью крупных и мелких морщин, говорило о жизни, сопряженной с трудом на открытом воздухе. Его подбородок, покрытый густой растительностью, сильно выдавался вперед, обличая упрямый, несговорчивый характер. Ему было, наверное, лет около пятидесяти, его черные кудрявые волосы были сильно подернуты сединой. Черты его лица, когда оно было спокойно, не были лишены приятности, зато стоило ему прийти в ярость — мы это только что видели — и оно становилось жестоким и мрачным от нависших бровей и агрессивно торчащего подбородка. Сейчас он сидел неподвижно, положив большие руки в наручниках на колени и опустив на грудь голову. Время от времени он бросал острый блестящий взгляд на ларец — причину своих преступных действий. Мне показалось, что в его суровом, замкнутом лице было больше печали, чем злобы. Однажды он взглянул вверх, и мне почудилась в его взгляде усмешка.

— Знаете, Джонатан Смолл,— начал Шерлок Холмс,— мне очень жаль, что так все обернулось.

— И мне тоже, сэр,— отозвался он с чувством.— Но я думаю, виселица мне на этот раз не грозит. Я готов присягнуть на Библии, что я не повинен в смерти мистера Шолто. Это маленький дьявол Тонга выстрелил в него своей проклятой стрелой. Мои руки не запятнаны кровью, сэр. Мне было очень жаль этого Шолто, как будто он был мой родной брат. Я хорошенько вздул Тонгу свободным концом веревки, но да что толку. Сделанного не воротишь.

— Возьмите сигару,— сказал Холмс.— И глотните из моей фляги: вы промокли насквозь. Но скажите, как вы могли ожидать, что такой маленький, тщедушный человечек одолеет мистера Шолто да еще будет держать его, пока вы лезли по веревке?

— Вы, я вижу, сэр, знаете все, как будто видели собственными глазами. Я рассчитывал на то, что в этот час в кабинете никого не будет. Я хорошо знаю распорядок жизни в Пондишери-Лодж. В это время мистер Шолто обычно спускался вниз ужинать. Я не хочу ничего скрывать. Сейчас самая лучшая защита — говорить правду. Будь это старый майор, я бы с легким сердцем позволил вздернуть себя на виселицу. Ударить его ножом мне все равно что выкурить сигару. Но такое уж мое невезение, что я пойду на каторгу из-за молодого Шолто, с которым мы даже ни разу не поссорились.

— Вы находитесь в руках Этелни Джонса из Скотленд-Ярда,— прервал его Холмс.— Он обещал завезти вас ко мне, и я попрошу вас чистосердечно мне все рассказать. Тогда, возможно, я смогу вам помочь. Я попробую доказать, что яд этот действует так быстро, что, когда вы появились в комнате, мистер Шолто был уже мертв.

— Но так оно и было, сэр. Когда я влез в окно и увидел его оскаленное, склоненное набок лицо, меня чуть удар не хватил. Я готов был задушить Тонгу, но он вырвался и убежал на чердак. Тогда-то он и забыл свою дубинку и потерял эти проклятые колючки, как он потом мне признался. Я думаю, они-то и были главной уликой против нас. Но я, хоть убейте, не понимаю, как вы смогли напасть на наш след?! Я не питаю к вам злобы,— он горько улыбнулся,— я только заметил одну странную вещь. Имея законное право на добрых полмиллиона фунтов, я должен был первую половину жизни строить волнорезы на Андаманских островах, а вторую в лучшем случае посвящу земляным работам в Дартмуре. В злосчастную минуту встретил я купца Ахмета и услыхал о сокровищах Агры, которые всем своим владельцам приносили только несчастье. Ахмет был убит из-за них, майор Шолто жил всю жизнь под бременем вины и трясся от страха. Мне они принесут пожизненную каторгу.

В эту минуту в дверь кабины просунулось широкое лицо и могучие плечи Этелни Джонса.

— Ни дать ни взять семейный пикник! — сказал он.— Позвольте, Холмс, приложиться к вашей фляге. Ну что ж, я думаю, нам ничего не остается, как поздравить друг друга. Жаль только, что второго не удалось взять живым. Но выхода, к сожалению, не было. А знаете, Холмс, вы должны признаться, что пошли на слишком большой риск. А если бы мы не догнали их?

— Все хорошо, что хорошо кончается,— сказал Холмс.— Но я и вправду не знал, что «Аврора» — такое быстроходное судно.

— Смит говорит, на Темзе нет ни одного катера быстрее его «Авроры» и что, если бы у него был кочегар, мы ни за что бы его не догнали. Между прочим, он клянется, что ничего не знал о норвудском деле.

— Абсолютно ничего,— подтвердил наш пленник.— Я выбрал его катер, потому что слыхал про его качества. Мы ничего не сказали ему, но хорошо заплатили и обещали заплатить еще больше на борту «Эсмеральды», которая отплывает из Грейвсенда в Бразилию.

— Ну что ж, раз он не сделал ничего плохого, и мы ничего плохого ему не сделаем. Мы быстро ловим наших парней, но с обвинением не спешим.

Было смешно смотреть, как тщеславный Джонс надувается спесью — еще бы, поймал такую птицу! По легкой улыбке, игравшей на лице Холмса, я понял, что и его забавляет хвастовство полицейского инспектора.

— Скоро мы будем у Воксхоллского моста,— обратился Джонс ко мне.— Там высадим вас вместе с сокровищами. Вряд ли надо говорить вам, что я беру на себя большую ответственность. Это — совершенно недопустимое действие. Но, как говорится, уговор дороже денег. Однако по долгу службы я должен послать с вами полисмена, поскольку вы повезете такой ценный груз. Вы возьмете кэб, надеюсь?

— Да.

— Как жаль, что нет ключа, а то мы произвели бы осмотр уже здесь. Где ключ, парень?

— На дне,— ответил коротко Смолл.

— Гм! Какой смысл доставлять нам лишние хлопоты, когда у нас их было и без того немало. Я думаю, доктор, мне не надо предупреждать вас быть как можно осторожнее. И сразу же везите сундук на Бейкер-стрит. Мы сперва поедем туда, а уж потом в полицию.

Они высадили меня у Воксхоллского моста с одним из полицейских, простым и добродушным малым. А через четверть часа мы были уже у дома миссис Сесил Форрестер. Служанка была очень удивлена такому позднему визиту. Она сказала, что миссис Форрестер в гостях и вернется нескоро, а мисс Морстен в гостиной. Полицейский любезно согласился подождать меня в кэбе, и я, держа ларец на руках, направил свои стопы в гостиную.

Мисс Морстен сидела у раскрытого окна в белом воздушном платье с чем-то розовым у шеи и талии. Мягкий свет лампы под абажуром озарял ее фигурку, откинувшуюся в плетеном кресле, ее милое серьезное лицо и золотил тусклым блеском тугие локоны ее роскошных волос. Белая рука небрежно покоилась на ручке кресла, и от всей ее задумчивой позы веяло тихой грустью. Услыхав мои шаги, она встрепенулась и встала с кресла, ее бледные щеки залились радостным румянцем.

— Я слышала, что подъехал кэб, но подумала, что это миссис Форрестер вернулась так рано. Я и не предполагала, что это вы. Какие новости вы привезли нам?

— Я привез нечто большее, чем новости,— сказал я, ставя ларец на стол и разговаривая бойким, веселым тоном, хотя сердце у меня в груди так и ныло.— Я привез вам то, что стоит дороже всех новостей на свете. Я привез вам богатство.

Она посмотрела на ларец.

— Так это и есть клад? — спросила она довольно равнодушно.

— Да, это сокровища Агры. Половина принадлежит вам, другая половина — мистеру Шолто. Каждому из вас приходится около двухсот тысяч. Это десять тысяч фунтов годового дохода. В Англии мало найдется девушек с таким приданым. Это ли не прекрасно?

По-моему, я несколько переигрывал, стараясь выразить свой восторг. Она почувствовала фальшь в моем голосе, когда я рассыпался в поздравлениях, и, чуть-чуть подняв брови, с удивлением посмотрела на меня.

— Если я и получила их,— сказала она,— так только благодаря вам.

— Нет, нет,— воскликнул я,— не мне, а моему другу Шерлоку Холмсу. Я бы никогда в жизни не решил этой загадки, даже мощный аналитический ум моего друга и то не сразу решил ее. Мы ведь в конце чуть не упустили их.

— Ради бога, садитесь, доктор Уотсон, и расскажите мне все по порядку.

Я коротко рассказал ей, что произошло в то время, пока мы не виделись: о переодевании Холмса, о розысках «Авроры», о появлении Этелни Джонса на Бейкерстрит, о нашей вечерней экспедиции и, наконец, бешеной гонке по Темзе. Она слушала рассказ о наших приключениях с блестящими глазами и полуоткрытым ртом. Когда я дошел до отравленной стрелы, пролетевшей мимо нас на расстоянии дюйма, она так побледнела, что, казалось, вот-вот потеряет сознание.

— Это ничего,— сказала она, когда я поспешил протянуть ей стакан с водой.— Все уже в прошлом. Просто мне стало страшно: ведь это из-за меня мои друзья подвергались смертельной опасности.

— Все страшное позади,— сказал я.— Да и опасности особой не было. Не хочу я больше рассказывать обо всяких ужасах. Давайте лучше поговорим о приятном. Видите, в этом ларце сокровища. Как это замечательно! Холмс специально отпустил меня, чтобы я привез его вам и вы первая открыли его.

— Да, конечно, мне будет очень интересно посмотреть,— сказала мисс Морстен, не проявляя, однако, энтузиазма. Она, без сомнения, подумала, что бестактно оставаться равнодушной при виде предмета, который стоил таких трудных и опасных поисков.

— Какой хорошенький ларец! — прибавила она, наклоняясь над ним.— Кажется, это настоящая индийская работа?

— Да, производство бенаресских кустарей-литейщиков.

— Какой тяжелый! — попробовала она поднять его.— Он один, наверное, немало стоит. А где ключ?

— Смолл выбросил его в Темзу,— ответил я.— Придется попробовать кочергу миссис Форрестер.

У ларца был литой, массивный запор, изображавший сидящего Будду. Под этот запор я всунул конец кочерги и нажал ее как рычаг. Запор громко щелкнул и раскрылся. Дрожащими руками я поднял крышку и откинул ее назад. Какое же изумление изобразилось на наших лицах! Ларец был пуст.

Не мудрено, что он был очень тяжелый. Низ, стенки и крышка были на две трети железные. Ларец был надежный, красивый и прочный, видно, специально сделан для хранения драгоценностей, но самих драгоценностей там не было. Хотя бы одна нить жемчуга, или крупинка золота, или бриллиант. Ничего. Ларец был совершенно, вопиюще пуст...

— Сокровище пропало, — спокойно заметила мисс Морстен.

Когда я услышал эти ее слова, когда до меня дошло, что они значат, тень, все это время омрачавшая мою душу, рассеялась. Вздохнув свободно, я только сейчас понял, какой тяжестью лежал у меня на сердце этот клад. Это было низко, это было эгоистично, но я знал, видел, чувствовал только одно — золотого барьера, стоявшего между нами, не стало.

— Слава богу! — воскликнул я от всего сердца.

Она удивленно посмотрела на меня и улыбнулась.

— Почему вы так говорите? — спросила она.

— Потому что вы опять стали досягаемы для меня, — ответил я, беря ее за руку. Она не отняла ее. — Потому что я люблю вас, Мэри, люблю, как никто никогда на свете не любил! Потому что эти сокровища, эти несметные богатства наложили печать на мои уста. Но теперь их нет, и я могу сказать вам смело, что я люблю вас. И я еще раз повторяю: «Слава богу».

— Тогда и я скажу: «Слава богу», — прошептала она, и я привлек ее к себе. Может, кто и потерял какие-то там сокровища, но я в эту ночь стал самым богатым человеком на земле.

ГЛАВА XII

История Джонатана Смолла

Полицейский в кэбе оказался очень терпеливым человеком, потому что, как можно догадаться, я нескоро покинул дом миссис Форрестер. Но когда я показал ему пустой ларец, он заметно приуныл.

— Пропала награда! — вздохнул он. — Нет сокровищ, не будет и награды. Если бы они нашлись, мы с Сэмом Брауном получили бы по десяти фунтов за ночную работу.

— Мистер Таддеуш Шолто — богатый человек, — сказал я, — он вознаградит вас и без сокровищ.

Он, однако, покачал головой.

— Плохо дело,— уныло проговорил он.— Мистер Этелни Джонс скажет то же самое.

Его предсказание сбылось, ибо лицо у Джонса вытянулось, когда, вернувшись на Бейкер-стрит, я показал ему пустой ларец. Они тоже только что приехали, ибо по дороге переменили планы, и вместо того, чтобы ехать прямо домой, заехали в Скотленд-Ярд, и Джонс доложил о результатах. Мой друг сидел в своем кресле, как всегда, с непроницаемым лицом. Смолл — в кресле напротив, положив деревянную ногу поверх здоровой. Когда я стал демонстрировать пустой ларец, он вдруг расхохотался.

— Это твоих рук дело, Смолл,— сказал Этелни Джонс сердито.

— Да, моих. Сокровища спрятаны там, куда вам никогда не добраться,— сказал он, торжествуя.— Это мои сокровища, и если уж мне не суждено владеть ими, так пусть и никто не владеет. Я позаботился об этом. Никто в целом свете не имеет права на них, кроме троих каторжников в андаманской тюрьме и меня. Я знаю, что не мог бы обладать ими сейчас, не могут и они. Все, что я сделал, сделано и от их имени. Наш союз четырех — до конца дней. Так вот, я знаю, они бы одобрили меня. Пусть лучше сокровища лежат на дне Темзы, чем достанутся детям Шолто или Морстена. Не ради них мы прикончили Ахмета. Сокровища там, где ключ. Там, где Тонга. Когда я увидел, что вы настигаете нас, я спрятал добычу в надежное место. На этот раз победа не принесла вам ни рупии.

— Ты обманываешь нас, Смолл,— нахмурился Джонс.— Если бы ты решил бросить сокровища в Темзу, ты бросил бы их вместе с сундуком. Это удобнее.

— Удобнее бросить — удобнее найти,— насмешливо поглядывая на нас, ответил Смолл.— Человек, у которого хватило ума выследить меня, достанет сокровища и со дна реки. Теперь это, конечно, будет труднее — они разбросаны в радиусе пяти миль. Сердце мое чуть не разорвалось, когда я расставался с ними. Я чувствовал, что схожу с ума, увидев, что вы совсем близко. Но что толку теперь жалеть о них! Я столько испытал в жизни, что научился не плакать по убежавшему молоку.

— Это очень плохо, Смолл,— сказал Джонс.— Если бы вы помогли правосудию вместо того, чтобы так посмеяться над ним, у вас было бы больше шансов заслужить снисхождение.

— Правосудие? — воскликнул бывший каторжник.— Хорошенькое правосудие! Это мои сокровища! А правосудие требует отдать их людям, не имеющим к ним никакого отношения! Вы хотите знать, как оно стало моим? Двадцать долгих лет в этом болоте, испаряющем лихорадку! Днем не выпускаешь из рук лопату, ночью гремишь кандалами в вонючем тюремном бараке. Москиты, лихорадка, ругань черных надсмотрщиков, они любят поизмываться над белыми. Вот как я стал хозяином сокровищ Агры. Вы говорите о справедливости — а я не хочу, чтобы другие пользовались сокровищами, за которые я заплатил своей жизнью. Пусть меня вздернут на виселицу, пусть в мою шкуру вонзятся колючки Тонги, но я не хочу гнить в тюремной камере, зная, что кто-то другой купается в золоте, которое по праву принадлежит мне.

Маска безразличия спала со Смолла. Он говорил возбужденно, глаза его горели, наручники бряцали, когда он в ярости сжимал кулаки. Видя, какая неукротимая ненависть снедает этого человека, я понял, что страх, обуявший Шолто при известии о его появлении, был вполне обоснованным.

— Вы забываете, что мы ничего этого не знали,— сказал Холмс мягко.— Мы и сейчас еще не знаем, законным ли путем попали к вам эти сокровища.

— Вы разговариваете со мной, как с равным, сэр. И хотя я прекрасно понимаю, что именно вам я обязан вот этими украшениями,— Смолл показал на наручники,— я не в обиде на вас. Игра была честная. Если вы хотите послушать, я расскажу вам всю мою историю от начала до конца. Видит бог, каждое слово в ней — чистая правда. Благодарю вас, сэр, с удовольствием сделаю глоток-другой, если во рту пересохнет.

Родом я из Вустершира, родился в местечке под Першором. Если вы заглянете к нам, найдете не одно семейство Смоллов. Я часто подумывал съездить туда, но я никогда не был гордостью своего семейства и сомневаюсь, чтобы они очень мне обрадовались. Все они люди почтенные, ходят в церковь, пользуются уважением в округе. Они фермеры, а у меня всегда были дурные наклонности. Когда мне было восемнадцать лет, я попал в историю из-за одной девушки. Спасло меня только то, что я завербовался и стал солдатом королевы в Третьем линейном пехотном полку, который как раз отправлялся в Индию.

Но служба моя кончилась скоро, я выучился только стрелять из ружья и ходить «гусиным шагом». Понесла меня однажды нелегкая купаться в Ганг, хорошо еще, что рядом со мной оказался в воде наш сержант Джон Холдер. А он был в нашем полку одним из лучших пловцов. Выплыл я на середину, глядь — крокодил. Оттяпал мне ногу выше колена, как ножом отрезал. Я бы утонул от шока и большой потери крови, да рядом оказался Холдер, он подхватил меня и вынес на берег. Пять месяцев я пролежал в госпитале. Выписался я на деревяшке полным инвалидом, неспособным к воинской службе, да и вообще ни к какой другой.

Мне тогда довольно солоно пришлось, как вы можете себе представить,— беспомощный калека; и всего только двадцать лет. Но, как говорится, нет худа без добра. Одному человеку, по имени Эйблуайт, хозяину индиговых плантаций, потребовался надсмотрщик. Случилось, что он был другом нашего полковника, принимавшего во мне участие. Он горячо рекомендовал меня Эйблуайту. Надсмотрщик большую часть времени проводит верхом на лошади, а так как культя у меня была довольно длинная, то держаться в седле я мог, деревяшка мне не мешала. Я должен был верхом объезжать плантации, смотреть за тем, как работают кули, и докладывать о ленивых. Плата была хорошая, жилье тоже, и я уж думал, что до конца дней останусь на индиговых плантациях. Хозяин был человек добрый, он часто заходил ко мне выкурить трубку, потому что белые люди, живущие там, тянутся друг к другу. Совсем не то, что здесь.

Но счастье никогда долго не сопутствовало мне. В стране вдруг начался бунт. Еще накануне мы жили мирно и безмятежно, как где-нибудь в Кенте или Суррее, а сегодня все полетело вверх дном. Вы, конечно, знаете эту историю лучше меня. О ней много написано, а я не большой охотник до чтения. Знаю только то, что видел своими глазами. Наши плантации находились возле городка Муттры у границы Северо-западных провинций. Каждую ночь все небо озарялось огнем горящих бунгало. Каждый день через нашу усадьбу шли европейцы с женами и детьми, спеша под защиту английских войск, стоявших в Агре. Мистер Эйблуайт был упрямый человек. Он вбил себе в голову, что все дело выеденного яйца не стоит и не сегодня завтра кончится. Он сидел на своей веранде, потягивал виски и курил сигары. А вся Индия была в огне. Мы, конечно, остались с ним. Мы — это я и Доусон, который вместе с женой вел и счета и хозяйство. Но катастрофа все-таки разразилась. Я был весь день на дальней плантации и под вечер возвращался верхом домой. На дне неглубокого оврага темнела какая-то бесформенная куча. Я подъехал ближе, и сердце мое сжалось от ужаса: это была жена Доусона, разрезанная на куски и брошенная на съедение шакалам. Немного дальше на дороге лицом вниз лежал сам Доусон, его уже окоченевшая рука сжимала револьвер, а рядом друг подле друга лежали четверо сипаев. Я натянул поводья и остановил лошадь, не решаясь, в какую сторону ехать. В этот миг из крыши бунгало Эйблуайта повалил густой дым, наружу вырвалось пламя. Я понял, что ничем не могу помочь моему хозяину, а только и сам погибну, если очертя голову брошусь на выручку. С моего места мне хорошо были видны мятежники в красных мундирах, их было не меньше нескольких сотен, они громко кричали и плясали вокруг пылающего дома. Меня заметили, и мимо моей головы просвистело несколько пуль. Тогда я повернул коня и поскакал через рисовое поле. Ночью я был в Агре.

Оказалось, что и там небезопасно. Вся страна гудела, как растревоженный улей. Англичане собирались в небольшие отряды. Они оставались хозяевами только на той земле, которую удерживали силой оружия. На всей остальной земле они были во власти восставших. Это была война миллионов против нескольких сотен. И самое трагическое было то, что нашим противником были наши же отборные войска — пехота, артиллерия и кавалерия. Мы их обучили и вышколили, и теперь они сражались против нас нашим оружием и трубили в горн наши сигналы. В Агре стояли Третий бенгальский стрелковый полк, несколько отрядов сикхов, два эскадрона кавалерии и одна батарея. Когда началось восстание, был сформирован отряд добровольцев из гражданских чиновников и купцов. В этот отряд, несмотря на свою ногу, записался и я. Мы выступили из Агры, чтобы встретиться с противником у Шахганджа в начале июля, и несколько времени успешно сдерживали их, но скоро у нас кончился порох, и мы вернулись обратно в Агру. Со всех сторон приходили тревожные вести, что было не удивительно: ведь Агра находилась в самом центре мятежа. Лакхнау был более чем в сотне миль на восток, Канпур — почти столько же на юг. Какое направление ни возьми, всюду резня, разорение и гибель.

Агра — древний город. Он всегда наполнен индусами-фанатиками и свирепыми дикарями-язычниками. Горстка англичан потерялась бы среди узких извилистых улочек. Поэтому наш командир приказал перейти реку и укрыться в старинной Агрской крепости. Не знаю, джентльмены, слыхал ли кто-нибудь из вас об этой крепости. Это — очень странное сооружение. Такого я никогда не видывал, а уж поверьте, я много странного повидал на своем веку. Крепость очень большая и состоит из двух фортов — нового и старого. Наш гарнизон, женщины, дети, припасы и все остальное разместились в новом форте. Но он размерами был гораздо меньше старого. В старую крепость никто не ходил, в ней жили только скорпионы и сороконожки. Там было много огромных пустых залов, галерей, длинных коридоров с бесконечными переходами и поворотами, так что было легко заблудиться. Поэтому туда редко кто отваживался ходить, хотя время от времени собиралась группа любопытных и отправлялась с факелами.

Передний фасад Агрской крепости омывала река, служившая ей защитой, зато боковые и задняя стены имели множество выходов, которые надо было охранять. Людей у нас было мало, едва хватало только, чтобы поставить к пушкам и бойницам. Тогда мы хорошо укрепили центральный форт, а у каждых ворот выставили небольшой караул — по одному англичанину и по два-три сикха. Мне выпало охранять ночью дальнюю дверь в юго-западной стене. Мне дали под начало двух сикхов и сказали, чтобы я в случае опасности стрелял, чтобы вызвать подкрепление из центральной охраны. Но поскольку наш пост находился метрах в двухстах от главных сил и добраться к нам можно было, только преодолев бесконечный лабиринт коридоров и галерей, то я очень сомневался, что в случае нападения помощь придет вовремя.

Я очень гордился тем, что у меня был свой маленький отряд — ведь солдатом я прослужил без году неделя, да еще эта нога. Две ночи прошли безо всяких происшествий. Мои пенджабцы были рослые, свирепого вида сикхи. Одного звали Мохаммед Сингх, другого Абдулла Хан, оба воевали против нас под Чилианвалла. По-английски они говорили довольно хорошо, но я с ними общался мало. Они предпочитали держаться вдвоем и что-то лопотали все время на своем странном сикхском языке. Я же обычно стоял снаружи возле двери и смотрел вниз на широкую извивающуюся ленту реки и на мерцающие огни древнего города. Дробь барабанов и тамтамов, крики и пение мятежников, опьяненных опиумом и гашишем, напоминали нам всю ночь об опасности, грозившей с того берега. Каждые два часа дозор центральной охраны обходил посты, проверяя, все ли благополучно.

Третья ночь моего дежурства была особенно темной и мрачной, то и дело моросил дождь. Ничего нет хуже стоять час за часом на страже в такую ночь. Я несколько раз пытался заговорить со своими необщительными товарищами, но все безуспешно. В два часа ночи пришел дозор и немного скрасил мое тоскливое бдение. Видя, что мне не удастся втянуть сикхов в разговор, я вынул трубку, положил ружье и чиркнул спичкой. И в тот же миг оба сикха набросились на меня. Один схватил мой мушкет и занес его над моей головой, второй приставил к моему горлу длинный нож и поклялся сквозь зубы всадить мне его в глотку, если я пошевелюсь.

Моей первой мыслью было, что негодяи в заговоре с мятежниками и что это — начало штурма. Если бы восставшие захватили наш вход, то крепость бы пала и все женщины и дети оказались бы в их руках. Возможно, джентльмены, вы подумаете сейчас, что я хочу расположить вас в свою пользу, но даю слово, что, когда я сообразил это, то, забыв о ноже, я уже раскрыл было рот, чтобы закричать, — пусть это был бы мой последний крик. Державший меня сикх точно прочитал мои мысли, ибо, видя мою решимость, прошептал мне на ухо: «Не поднимай шума. Крепость в безопасности. На нашем берегу нет негодяев-мятежников». Голос его звучал искренне, к тому же я знал, стоит мне издать звук, песенка моя спета. Это я прочел в глазах шептавшего. Поэтому я решил подождать и посмотреть, что они хотят от меня.

— Послушай, сагиб, — сказал один из них, тот, у которого был более свирепый вид и которого звали Абдулла Хан. — Либо ты должен присоединиться к нам, либо ты замолчишь навеки. Мы не можем ждать: дело слишком важное. Или ты душой и телом будешь наш и поклянешься в этом на христианском кресте, или твое тело этой ночью будет брошено в канаву, а мы уйдем к повстанцам на ту сторону реки. Выбора у тебя нет. Ну что — жизнь или смерть? Даем на размышление три минуты. Время идет, а надо все кончить до возвращения дозора.

— Как я могу решать? — возразил я. — Вы ведь не сказали мне, что я должен делать. Но знайте, если на карту поставлена судьба крепости, убивайте меня, и пусть ваша рука не дрогнет.

— Крепости ничего не грозит, — опять зашептал сикх. — Мы хотим, чтобы ты сделал только то, ради чего твои соотечественники едут в эту страну: мы хотим, чтобы ты разбогател. Если ты будешь в эту ночь с нами, то мы клянемся тебе обнаженным кинжалом и тройной клятвой сикхов — эту клятву не нарушил еще ни один сикх, что честно поделимся с тобой захваченной добычей. Ты получишь четвертую часть всех сокровищ. Что может быть справедливее?

— Каких сокровищ? — спросил я.— Я так же, как вы, не прочь разбогатеть. Но скажите, как это сделать?

— Поклянись сперва,— ответили они,— прахом твоего отца, честью матери, святым крестом твоей веры, что ни сейчас, ни впредь не поднимешь на нас руки и будешь нерушимо хранить тайну!

— Клянусь,— ответил я,— если только крепости не будет угрожать опасность.

— Тогда и мы все клянемся, что честно поделим между собой сокровища и ты получишь свою четвертую часть.

— Но ведь нас трое,— сказал я.

— Нет, четверо. Дост Акбар тоже должен получить свое. Пока будем их ждать, я тебе все расскажу. Мохаммед Сингх постоит снаружи и даст нам знать, когда они покажутся. Ну так вот, сагиб, я расскажу тебе все, потому что ты ференги, а я знаю, что ференги не нарушают клятвы. Если бы ты был лживым индусским псом, то, сколько бы ты ни клялся всеми своими богами из нечестивых храмов, твоя кровь пролилась бы, а тело было брошено в сточную канаву. Но сикхи верят англичанам, а англичане верят сикхам. Так что слушай, сагиб, что я тебе расскажу.

В северных провинциях живет один раджа. Он очень богат, хотя земли у него мало. Большие богатства унаследовал он от отца и еще больше скопил сам, потому что он любит копить и не любит тратить. Когда заварилась каша, он был другом и льва и тигра — сипаев и англичан. Но вот до него стали доходить слухи, что белых людей повсюду гонят и убивают, и он решил, что белым пришел конец. Будучи человеком осторожным, он повел себя так, чтобы в любом случае сохранить хотя бы половину сокровищ. Золото и серебро он оставил в подвалах своего дворца, а самые дорогие камни и жемчуг сложил в железный сундук и поручил своему верному слуге под видом торговца пронести в Агрскую крепость, чтобы они оставались там, пока не наступит замирение. Таким образом, если победят мятежники, он будет иметь золото и серебро, если же победят англичане, то уцелеют драгоценности. Разделив таким образом свои богатства, он присоединился к сипаям, потому что их победа тогда была очевидна. Значит, сагиб, обрати на это внимание, драгоценности должны были достаться тому, кто остался бы до конца верен долгу.

Этот мнимый купец, путешествующий под именем Ахмета, сейчас в Агре. Он жаждет проникнуть в Агрскую крепость. С ним мой молочный брат Дост Акбар, знающий его тайну. Дост Акбар обещал этой ночью привести его к западному входу в крепость. И выбрал как раз нашу дверь. Они вот-вот придут, и мы с Мохаммедом Сингхом их встретим. Место это пустынное, об Ахмете никто ничего не знает. И мы позаботимся, чтобы никто никогда не узнал. А потом поделим сокровища. Что ты на это скажешь, сагиб?

В Вустершире жизнь человека священна и неприкосновенна, но совсем другое дело, когда кругом огонь и кровь и смерть поджидает тебя на каждом шагу. Мне было все равно, будет ли жить какой-то купец Ахмет или нет. Зато рассказ о сокровищах задел мое сердце. Я стал думать, как хорошо вернуться в Англию с таким богатством, вот уж мои родные вытаращат глаза, увидев бездельника Джонатана с карманами, полными золота. Из этого вы можете судить, какой я сделал выбор. Абдулла Хан, однако, решил, что я все еще колеблюсь.

— Послушай, сагиб,— продолжал он меня уговаривать,— если этот человек попадет в руки начальника гарнизона, его все равно расстреляют или повесят, а драгоценности раджи уйдут в казну правительства, и никому не будет никакой радости. Раз уж мы устроили на него засаду, дело надо кончать. А сокровищам у нас будет ничуть не хуже, чем в государственной казне. Мы сразу разбогатеем и станем важными господами. Мы здесь совсем одни, и никто никогда не узнает об этом. Все нам благоприятствует. Повтори еще раз, сагиб, с нами ты или против нас?

— С вами, всей душой и всем сердцем,— ответил я.

— Хорошо,— ответил он, возвращая мне мое ружье.— Ты видишь, мы доверяем тебе, потому что ты, как и мы, не можешь нарушить слова. А теперь будем ждать.

— Твой брат знает, что вы затеяли?

— Это его план. Он все и придумал. А теперь пойдем к Мохаммеду Сингху, будем ждать там.

Дождь все продолжался, потому что уже начался сезон дождей. Тяжелые, черные тучи заволокли небо, и в двух шагах ничего не было видно. Прямо перед нами обрывался неглубокий ров, он местами почти пересох, и через него было легко перебраться. У меня было очень странное ощущение, что вот я стою здесь с двумя дикими пенджабцами и жду человека, спешащего навстречу своей смерти.

Вдруг глаза мои уловили во тьме по ту сторону рва слабую вспышку от прикрытого полой фонаря. Свет исчез за кучами земли, потом опять появился и стал медленно к нам приближаться.

— Идут! — сказал я.

— Окликните его, сагиб, как полагается в таких случаях,— зашептал Абдулла.— Пусть он ничего не подозревает. Дайте нас ему в провожатые, а сами оставайтесь у входа. Приготовьте фонарь, чтобы не ошибиться, что это он.

Свет фонаря то останавливался, то опять двигался в нашу сторону, и скоро я разглядел на той стороне две темные фигуры. Они подошли ко рву и начали чуть ли не на четвереньках спускаться по отлогой стенке рва, потом прошлепали по вязкому дну и стали карабкаться на нашу сторону. Тут я их и окликнул.

— Кто там? — спросил я негромко.

— Друзья,— последовал ответ.

Я открыл фонарь и осветил их. Впереди шел огромный сикх с черной бородой, спускавшейся чуть не до пояса. Только в цирке я видел таких высоких людей. Другой был маленький, толстенький и круглый, на нем был желтый тюрбан, а в руках узел — что-то завязанное в шаль. Он весь дрожал от страха, руки его тряслись так, точно его била лихорадка, он то и дело озирался по сторонам маленькими карими блестящими глазками, он походил на мышку, боязливо выглядывающую из норки. Меня самого продрал озноб, когда я подумал, что этот человечек сейчас умрет. Но я вспомнил про сокровища, и сердце мое стало как каменное. Увидев мое светлое лицо, толстяк радостно закудахтал и бросился ко мне.

— Я ищу вашей защиты, сагиб,— задыхался он.— Я несчастный купец Ахмет. Чтобы добраться до надежных стен Агрской крепости, я прошел по всей Раджпутане. Меня ограбили по дороге, били, издевались надо мной, потому что я друг правительства. Благословенна ночь, которая принесла мне спасение. Мне и моему жалкому имуществу.

— Что у вас в узле? — спросил я.

— Железный сундучок,— ответил он.— А в нем две или три семейные реликвии, не представляющие ни для кого, кроме меня, никакой ценности. Но я не нищий, я награжу тебя, молодой сагиб, и твоего начальника, если ты позволишь мне укрыться за этими стенами.

Я почувствовал, что еще немного, и я не выдержу. Чем больше я глядел на его жирные, прыгающие от страха щеки, тем более чудовищным казалось мне это хладнокровно обдуманное убийство. Скорее бы уж все кончалось.

— Отведите его в центральный форт,— приказал я.

Двое сикхов пошли по бокам, третий сзади. Все четверо медленно удалялись по коридору. Несчастный купец оказался буквально бок о бок со смертью. Я со своим фонарем остался у входа.

Я слышал, как мерные звуки их шагов разносились под пустынными гулкими сводами коридоров. Вдруг шаги замолкли. Раздались голоса, шум драки, удары. А минуту спустя я, к своему ужасу, услыхал дробный стук шагов и тяжелое дыхание бегущего в мою сторону человека. Я осветил фонарем длинный прямой коридор и увидел толстяка с залитым кровью лицом. Он мчался что было духу ко мне, а за ним по пятам тигриными прыжками несся огромный чернобородый сикх, и в его руке блестел нож. Я никогда не видел, чтобы люди так быстро бегали, как этот маленький торговец. Ему оставалось только пробежать мимо меня и выскочить на улицу. Там он был бы спасен. Мне опять на какую-то долю секунды стало жалко его, но я вспомнил о сокровищах и опять ожесточился. Когда он поравнялся со мной, я бросил ему в ноги ружье, и он упал, перевернувшись два раза через голову, как подстреленный заяц. Он не успел вскочить на ноги — сикх был уже на нем и дважды ударил его ножом в бок. Ахмет не дрогнул, не издал стона, а так и остался лежать, где упал. По-моему, он, когда падал, сломал шею. Как видите, джентльмены, я держу обещание и рассказываю все как есть, не заботясь, какое это производит на вас впечатление.

Он остановился и протянул свои скованные наручниками руки к стакану виски с содовой, приготовленному для него Холмсом. Я посмотрел на него и почувствовал, что содрогаюсь от ужаса, и не только потому, что он был участником этого коварного убийства: меня потрясло, как легко и даже цинично он об этом рассказывал. Какое бы ни уготовано ему наказание, мне не жаль его. Шерлок Холмс и Джонс оба сидели молча, сложив руки на коленях, на их лицах было написано отвращение. Он, очевидно, заметил это, потому что, когда он снова заговорил, в его голосе послышался вызов.

— Все это, конечно, очень плохо,— сказал он.— Но я бы хотел знать, много ли найдется людей, которые, оказавшись на моем месте, вели бы себя по-другому, то есть отказались бы от богатства, зная, что за их доброту им перережут глотку. К тому же когда Ахмет вступил в крепость, дело уже пошло так — он или я. Если бы он убежал, все открылось бы, меня судили бы военно-полевым судом и расстреляли, потому что в такие времена рассчитывать на снисходительность не приходится.

— Продолжайте,— коротко приказал Холмс.

— Так вот, мы втроем, Абдулла, Акбар и я, втащили его в крепость. Хотя он был коротышка, но руки нам оттянул. Мохаммед Сингх остался караулить вход. Сикхи еще раньше присмотрели место, где его можно было спрятать. Галерея со многими поворотами привела нас в большой, пустой зал, кирпичные стены которого постепенно разрушались. Земляной пол в одном месте осел и треснул, образовав естественную могилу. Здесь мы и похоронили купца Ахмета, заложив могилу кирпичами, выпавшими из стен. Покончив с Ахметом, мы вернулись к сундучку с сокровищами.

Он остался там, где Ахмет уронил его, когда сикхи первый раз на него напали. Это был тот самый сундук, который стоит сейчас на столе перед вами. К резной ручке на крышке был привязан шелковым шнуром ключ. Мы открыли его, и в свете фонаря заблестели, заиграли драгоценные камни, о каких я читал в приключенческих книгах и мечтал мальчишкой в Першоре. От их блеска можно было ослепнуть. Насытившись этим великолепным зрелищем, мы выложили драгоценности и стали считать их. Там было сто сорок три бриллианта чистой воды, и среди них знаменитый «Великий могол», по-моему, он именно так называется. Говорят, что это второй камень в мире по величине. Затем там было девяносто очень красивых изумрудов, сто семьдесят рубинов, правда, много мелких. Еще там было сорок карбункулов, двести десять сапфиров, шестьдесят один агат и несчетное количество бериллов, ониксов, кошачьего глаза, бирюзы, и еще много других камней, чьи названия я тогда не знал. Теперь я знаком с камнями гораздо лучше, чем раньше. Еще там был жемчуг — около трехсот превосходных жемчужин, двенадцать из них снизаны в четки. Между прочим, эти четки исчезли из сундука. Их там не было, когда я недавно открывал его.

Сосчитав наши сокровища, мы уложили их обратно в сундук и понесли показать их Мохаммеду Сингху. Затем мы еще раз торжественно поклялись, что никогда не предадим друг друга и будем верно хранить нашу тайну. Мы решили поделить сокровища, когда в стране воцарится мир, а пока спрятать сундук в надежное место. Делить их сейчас не было смысла: если у нас увидят такие драгоценности, это вызовет подозрения. В крепости все жили тесно, так что спрятать их от постороннего глаза не было никакой возможности. Поэтому мы отнесли сундук в тот самый зал, где лежал Ахмет, и в одной из стен, уцелевшей лучше других, мы замуровали наши сокровища. Мы хорошо запомнили место, а на следующий день я нарисовал четыре плана и на каждом написал внизу *знак четырех*, ибо мы все четверо были связаны нерушимой клятвой. И я клянусь вам положа руку на сердце, что никогда не изменял ей.

Мне не надо рассказывать вам, джентльмены, чем закончилось восстание. После того, как Уилсон взял Дели, а сэр Колин освободил Лакхнау, дело восставших было проиграно. Подоспели свежие английские части, и сам Нана Сагиб бежал за границу. Летучие отряды полковника Грейтхеда окружили Агру и выгнали из города всех мятежников. Мир наконец водворился в стране, и мы четверо стали уже надеяться, что не за горами день, когда мы сумеем незаметно вынести из крепости свои сокровища. Но нашим надеждам не суждено было сбыться — нас арестовали как убийц Ахмета.

А произошло вот что. Когда раджа поручил драгоценности Ахмету, он сделал это потому, что доверял ему. Но люди на Востоке подозрительны, поэтому раджа вслед за Ахметом отправил второго слугу, которому он доверял больше, чем Ахмету. Этому второму он приказал ни на секунду не выпускать из вида Ахмета, и тот всюду следовал за ним, как тень. В ту роковую ночь он шел за Ахметом до самых дверей и видел, как его впустили в крепость. Он не сомневался, что Ахмету дали убежище, и на другой день сам отправился туда. Но Ахмета он там не встретил. Это насторожило его, и он заявил об исчезновении Ахмета сержанту охраны, а тот доложил начальнику. Немедленно огранизовали поиски, и тело Ахмета очень скоро нашли. Мы были уверены, что начисто замели следы, и тешили себя радужными мечтами, как вдруг нас всех четверых арестовывают и обвиняют в убийстве Ахмета. Трое из нас стояли в ту ночь на страже у юго-западной двери, а четвертый, как стало известно, путешествовал вместе с убитым. О драгоценностях на суде не было сказано ни слова, потому что раджу лишили княжеского престола и изгнали из Индии. Обстоятельства дела были очень быстро расследованы, и суд предъявил нам обвинение в убийстве. Сикхи были присуждены к пожизненной каторге, а я к смертной казни, которая позже была заменена каторгой на тот же срок.

Мы очутились в дурацком положении. Сидеть под замком, не имея никакой надежды выйти на свободу, и знать, что обладаешь тайной, которая могла бы так высоко вознести тебя,— это было невыносимо. Сносить издевку и побои надзирателей, есть один рис и пить воду, когда на воле тебя ждет сказочное богатство,— можно было сойти с ума или наложить на себя руки, но я всегда был упрямым малым и, скрепив сердце, я стал ждать своего часа.

И вот, как мне показалось, он пробил. Из Агры нас перевели в Мадрас, а оттуда на Андаманские острова в Порт-Блэр. В новой тюрьме было очень мало белых, а так как я сразу стал примерно вести себя, то скоро оказался на привилегированном положении. Мне дали в Хоптауне маленькую хижину. Хоптаун — это небольшое селение, раскинувшееся на склонах горы Харриет, и у меня даже появилось время, когда я был предоставлен самому себе. Место было отвратительное, зараженное лихорадкой; на островах, за оградой наших каторжных поселений, жили каннибальские племена. Их развлечением было при всяком удобном случае стрелять в заключенных своими ядовитыми колючками. Мы рыли землю, проводили канализацию, работали на бататовых плантациях, и было еще много других работ, так что весь день у нас был занят, зато вечер принадлежал нам. Я научился, помимо всего прочего, готовить для нашего врача лекарства и старался усвоить кое-что из его науки. И все время я был начеку — не подвернется ли случай бежать. Но Андаманские острова находятся на расстоянии сотен миль от ближайшей земли, а в морях под теми широтами ветер очень слабый или совсем не дует. Так что бежать оттуда — дело невероятно трудное.

Доктор Соммертон был молодой человек, веселый и общительный. Офицеры помоложе собирались по вечерам у него в комнате и играли в карты. Его приемная, где я обычно готовил лекарства, примыкала к гостиной, и между комнатами в стене было маленькое окошко. Часто, когда мне было особенно тоскливо и одиноко, я гасил лампу в приемной и стоял там, наблюдая через окошко игру и слушая их разговоры. Я люблю играть в карты, и это было почти все равно что играть самому. Там обычно собирались майор Шолто, капитан Морстен и лейтенант Бромли Браун, начальник тюремной охраны из туземцев, сам доктор и двое или трое тюремных чиновников, старых, опытных игроков, которые вели умную и беспроигрышную игру. Компания собиралась дружная.

Скоро я обратил внимание, что военные всегда проигрывали, а чиновники выигрывали. Я не говорю, что они играли нечестно, нет. Но так уж получалось. Эти тюремные крысы, попав на Андаманские острова, никогда ничем, кроме карт, не занимались, они хорошо знали привычки своих партнеров и играли серьезно, а военные садились за карты только затем, чтобы провести время. От вечера к вечеру военные все больше проигрывали, а проигрывая, все больше хотели отыграться. Хуже всех приходилось майору Шолто. Сперва он платил проигрыш наличными — золотом и банкнотами, потом стал давать расписки на очень крупные суммы. Иногда он немного выигрывал, я думаю, это делалось нарочно, чтобы подбодрить его. А затем неудачи снова начинали преследовать его с еще большим ожесточением. Целыми днями он ходил мрачный, как туча, и даже стал выпивать в ущерб здоровью.

Однажды он сильно проигрался. Я сидел в своей хижине, когда майор с капитаном Морстеном, пошатываясь, возвращался домой. Они были большие друзья и никогда не разлучались. Майор сокрушался из-за своих проигрышей.

— Все кончено, Морстен,— сказал он.— Я погибший человек. Мне ничего не остается, как подать в отставку.

— Глупости, старина!— воскликнул капитан, хлопая приятеля по плечу.— Я сам в не менее затруднительном положении, но...

Вот все, что я услышал тогда, но слова майора заставили меня призадуматься.

Дня через два я увидел, как майор Шолто медленно брел по берегу, и решил поговорить с ним.

— Мне надо посоветоваться с вами, майор,— сказал я.

— Слушаю тебя, Смолл. В чем дело?— ответил он, вынимая изо рта сигару.

— Вы не знаете,— начал я,— какому официальному лицу я должен сообщить о спрятанных сокровищах?

Мне известно, где лежат полмиллиона фунтов, а поскольку я сам не могу ими воспользоваться, то я подумал, не лучше ли передать их властям? Может, мне за это сократят срок.

— Ты говоришь, Смолл, полмиллиона?— У майора даже дыхание сперло, и он пристально посмотрел на меня, чтобы понять, говорю ли я серьезно.

— Да, в драгоценных камнях и жемчуге. Они лежат там себе и лежат. И никто о них не знает. Их владелец — каторжник, вне закона. Так что фактически они принадлежат первому, кто их найдет.

— Они принадлежат правительству, Смолл,— проговорил майор изменившимся голосом,— правительству, и никому больше.

Но он сказал это так неуверенно, запинаясь, что я понял, что майор попался на удочку.

— Так вы мне советуете, сэр, заявить о. драгоценностях генерал-губернатору?— сказал я, прикидываясь простаком.

— Не надо торопиться, Смолл, чтобы потом не пришлось жалеть. Расскажи мне об этом подробно. Чтобы дать правильный совет, я должен знать все.

Я рассказал ему всю историю с некоторыми изменениями, чтобы он не догадался, где это произошло. Когда я кончил, он долго стоял, как в столбняке, и думал. По движению его губ я понял, какая в нем происходит борьба.

— Это очень важное дело, Смолл,— сказал он наконец.— Никому о нем ни слова. Я скоро еще приду к тебе. И тогда мы поговорим.

Он пришел ко мне через два дня поздней ночью вместе с капитаном Морстеном.

— Я бы хотел, Смолл, чтобы капитан Морстен послушал эту историю из твоих уст,— сказал майор.

Я повторил слово в слово, что рассказывал майору.

— Звучит правдиво, а?— спросил он капитана.— Я бы, пожалуй, поверил.

Капитан Морстен, ничего не сказав, кивнул.

— Послушай, Смолл,— начал майор.— Мы с капитаном все обсудили и пришли к выводу, что генерал-губернатор здесь ни при чем. Это твое личное дело, и ты волен поступать, как сочтешь нужным. Но я хотел бы вот что спросить у тебя: какую цену ты предложил бы за свои сокровища? Мы могли бы съездить за ними или по крайней мере позаботиться об их сохранности. Если, конечно, договоримся об условиях.

Он говорил холодным, безразличным тоном, но глаза его блестели волнением и алчностью.

— Видите ли, джентльмены,— отвечал я, стараясь тоже говорить спокойно, но чувствуя при этом не меньшее волнение.— Человеку в моем положении нужно одно — свобода. Это и есть мое условие: свобода мне и моим друзьям. Тогда мы примем вас в долю и разделим сокровища на пять равных частей. Вы двое получите пятую часть.

— Хм, пятую?— проговорил майор.— Это немного.

— Пятьдесят тысяч фунтов на одного,— сказал я.

— Но как мы можем освободить вас? Ты же знаешь хорошо, что требуешь невозможного.

— Ничего подобного,— ответил я.— Все продумано до мельчайших подробностей. Побегу мешает только одно — нет лодки, годной для дальнего перехода, и пищи, которой бы хватило на несколько дней. В Калькутте или в Мадрасе легко найти подходящую лодку. Вы доставите ее сюда. Мы ночью погрузимся и, если вы переправите нас в любое место на индийском побережье, считайте, что вы свою долю заработали.

— Если бы ты был один,— заметил майор.

— Все четверо или никто,— сказал я.— Мы поклялись стоять друг за друга и всегда действовать вместе.

— Видите, Морстен,— сказал майор.— Смолл — хозяин своего слова. Он не бросает друзей. Я думаю, мы можем на него положиться.

— Грязное это дело,— сказал капитан.— Но вы правы, деньги спасут нашу офицерскую честь.

— Хорошо, Смолл,— сказал майор.— Мы постараемся сделать, что ты просишь. Но сперва, разумеется, мы должны убедиться, что рассказанное тобой не выдумка. Скажи мне, где спрятаны сокровища. Я возьму месячный отпуск и на провиантском судне уеду в Индию.

— Подождите, подождите,— сказал я, становясь спокойнее, чем больше он волновался.— Я должен иметь согласие моих друзей. Я же сказал вам: все четверо или никто.

— Глупости!— воскликнул майор.— Какое отношение эти черномазые имеют к нашему джентльменскому соглашению?

— Черные или зеленые,— сказал я,— но они мои друзья, и мы поклялись никогда не бросать друг друга.

Дело было окончательно улажено на втором свидании, в присутствии Мохаммеда Сингха, Абдуллы Хана и Доста Акбара. Мы еще раз все обсудили и решили следующее: мы даем и майору Шолто и капитану Морстену план той части Агрской крепости, где спрятаны сокровища. Майор Шолто едет в Индию убедиться в правильности моего рассказа. Если сундук на месте, он покупает маленькую яхту и продовольствие и плывет к острову Ратленду, где мы его будем ждать. Затем возвращается к своим обязанностям. Немного погодя в отпуск едет капитан Морстен. Мы встречаем его в Агре и делим сокровища. Он забирает свою часть и часть майора и едет обратно на Андаманские острова. Приняв такой план, мы поклялись не нарушать его под страхом вечных мук. Я всю ночь просидел с бумагой и чернилами, и к утру были готовы два плана, подписанные *знаком четырех»,—* то есть Абдуллой, Акбаром, Мохаммедом и мной.

Но я, кажется, утомил вас, джентльмены, длинным рассказом, а моему другу мистеру Джонсу, как я вижу, не терпится упрятать меня за решетку. Постараюсь быть краток. Майор Шолто уехал в Индию и никогда больше не возвращался на Андаманские острова. Капитан Морстен вскорости показал мне его имя в списке пассажиров пакетбота, ушедшего в Англию. Оказалось, что у него умер дядюшка, оставив ему наследство, и он подал в отставку. Он думал, что никогда больше не увидит нас. Ведь он совершил такую подлость — предал всех нас, и в том числе своего друга. Морстен вскоре после этого ездил в Индию и, конечно, сундука в тайнике не нашел, негодяй похитил его, не выполнив условий, на которых мы открыли ему тайну. С того самого дня я живу только мщением. Я думал об этом и днем и ночью. Отомстить Шолто стало для меня единственной, всепоглощающей страстью. Я ничего не боялся — ни суда, ни виселицы. Бежать во что бы то ни стало, найти Шолто, перерезать ему глотку своей рукой — вот о чем я мечтал. Даже сокровища Агры и те померкли перед сладостной картиной расправы с Шолто.

Я многое замышлял в этой жизни, и всегда мне все удавалось. Но прошло еще много унылых, однообразных лет, прежде чем судьба улыбнулась мне. Я уже говорил вам, что набрался кое-чего по медицинской части. Однажды, когда доктор Соммертон лежал в приступе малярии, заключенные подобрали в лесу крошечного туземца. Он был смертельно болен и ушел умирать в лес. Я взял его на руки, хотя он, как змееныш, источал злобу. Я лечил его два месяца и, представьте, поставил его на ноги. Он сильно привязался ко мне и, по-видимому, не стремился возвращаться в леса, потому что день-деньской слонялся возле моей хижины. Я выучил у него несколько слов его языка, чем еще сильнее привязал его. Тонга, как его звали, был отличным мореходом. У него было большое, просторное каноэ. Когда я увидел, как он привязан ко мне и что готов для меня на все, я стал серьезно помышлять о побеге. Мы придумали с ним такой план. Он должен был ночью пригнать свою лодку к старой, заброшенной пристани, которая не охранялась, и там подобрать меня. Я велел ему взять с собой несколько бутылей из тыкв с пресной водой, кокосовых орехов и сладкого картофеля.

Маленький Тонга был верный, надежный друг. Ни у кого никогда не было и не будет таких друзей. Ночью, как мы условились, он пригнал лодку к пристани. Но так случилось, что в ту ночь поставили караульного — одного афганца, который никогда не упускал случая оскорбить или ударить меня. Я давно поклялся отомстить ему, и вот этот час настал. Судьба нарочно столкнула нас в последние минуты моей жизни на острове, чтобы я мог с ним расквитаться. Он стоял на берегу ко мне спиной, с карабином через плечо. Я поискал вокруг камень, которым я мог бы вышибить ему мозги, но не нашел. Тогда мне в голову пришла дикая мысль, я понял, что должно быть моим оружием. Я сел в темноте на землю и отвязал свою деревянную ногу. Сделав три больших прыжка, я напал на него. Он успел приложить карабин к плечу, но я размахнулся деревяшкой и размозжил ему череп. На моей деревяшке осталась выбоина в том месте, которым я нанес удар. Мы оба упали, потому что я не мог удержать равновесия. Я поднялся и увидел, что он лежит без движения. Я поспешил к лодке, и через час мы были уже далеко в море. Тонга захватил все свои пожитки, все оружие и всех богов. Среди прочих вещей я нашел у него длинное бамбуковое копье и несколько циновок, сплетенных из листьев кокосовой пальмы, из которых я сделал какое-то подобие паруса. Десять дней мы носились по морю, на одиннадцатый нас подобрало торговое судно, идущее из Сингапура в Джидду с грузом паломников из Малайи. Это была пестрая компания, и мы с Тонгой скоро среди них затерялись. У них было одно очень хорошее качество — они не задавали вопросов.

Если я стану рассказывать все приключения, какие пришлось пережить мне и моему маленькому приятелю, вы не поблагодарите меня, потому что я не кончу до рассвета. Куда только не бросала нас судьба! Но вот в Лондон мы никак не могли попасть. И все время скитаний

206

я не забывал главной цели. Я видел Шолто по ночам во сне. Тысячу раз ночью во сне я убивал его. Наконец года три или четыре назад мы очутились в Англии. Мне было нетрудно узнать, где живет Шолто. Затем я принялся выяснять, что сталось с сокровищами. Я свел дружбу с одним из его домочадцев. Не стану называть имени, не хочу, чтобы кто-нибудь еще гнил в тюрьме. Я скоро узнал, что сокровища целы и находятся у Шолто. Тогда я стал думать, как напасть на него. Но Шолто был хитер. В качестве привратников он всегда держал двух профессиональных боксеров, и при нем всегда были его сыновья и слуга-индус.

И вот я узнаю, что он при смерти. Как безумный, бросился я в Пондишери-Лодж: неужели он ускользнет от меня таким образом? Я пробрался в сад и заглянул к нему в окно. Он лежал на своей постели, слева и справа стояли оба его сына. Я дошел до того, что чуть не бросился на всех троих, но тут я взглянул на него — он увидел меня в окне, челюсть у него отпала, и я понял, что для майора Шолто все на этом свете кончено. В ту же ночь я все-таки влез к нему в спальню и перерыл все бумаги — я искал какого-нибудь указания, куда он спрятал наши сокровища. Но я ничего не нашел. И тут мне пришла в голову мысль, что, если я когда-нибудь встречусь с моими друзьями-сикхами, им будет приятно узнать, что мне удалось оставить в комнате майора свидетельство нашей ненависти. И я написал на клочке бумаги «знак четырех», как было на наших картах, и приколол бумагу на грудь покойного. Пусть он и в могиле помнит о тех четверых, которых он обманул и ограбил.

На жизнь мы зарабатывали тем, что ходили по ярмаркам и бедный Тонга за деньги показывал себя. Черный каннибал, он ел перед публикой сырое мясо и плясал свои воинственные пляски. Так что к концу дня у нас всегда набиралась целая шапка монет. Я по-прежнему держал связь с Пондишери-Лодж, но никаких новостей оттуда не было. Я знал только, что его сыновья продолжают поиски. Наконец пришло известие, которого мы так долго ждали. Сокровища нашлись. Они оказались на чердаке, над потолком химической лаборатории Бартоломью Шолто. Я немедленно прибыл на место и все осмотрел. Я понял, что с моей ногой мне туда не забраться. Я узнал, однако, о слуховом окне на крыше, а также о том, что ужинает мистер Шолто внизу. И я подумал, что с помощью Тонги все будет очень легко сделать.

Я взял его с собой и обвязал вокруг пояса веревкой, которую мы предусмотрительно захватили. Тонга лазал, как кошка, и очень скоро он оказался на крыше. Но, на беду, мистер Бартоломью Шолто еще был в кабинете, и это стоило ему жизни. Тонга думал, что поступил очень хорошо, убив его. Когда я влез по веревке в комнату, он расхаживал гордый, как петух. И очень удивился, когда я назвал его кровожадным дьяволом и стал бить свободным концом веревки. Потом я взял сундук с сокровищами и спустил его вниз, затем и сам спустился, написав на бумажке «знак четырех» и оставив ее на столе. Я хотел показать, что драгоценности наконец вернулись к тем, кому они принадлежат по праву. Тонга вытянул веревку, запер окно и ушел через крышу, так же, как и пришел.

Не знаю, что еще прибавить к моему рассказу. Я слыхал, как какой-то лодочник хвалил за быстроходность катер Смита «Аврору». И я подумал, что это именно то, что нам нужно. Я договорился со старшим Смитом, нанял катер и пообещал ему хорошо заплатить, если он доставит нас в целости и сохранности на корабль, уходивший в Бразилию. Он, конечно, догадывался, что дело нечисто, но в тайну норвудского убийства посвящен не был. Все, что я рассссказал вам, джентльмены,— истинная правда, и сделал я это не для того, чтобы развлечь вас: вы мне оказали плохую услугу,— а потому, что мое единственное спасение — рассказать все в точности, как было, чтобы весь мир знал, как обманул меня майор Шолто и что я абсолютно неповинен в смерти его сына.

— Замечательная история,— сказал Шерлок Холмс.— Вполне достойный финал для не менее замечательного дела. Во второй половине вашего рассказа для меня нет ничего нового, кроме разве того, что веревку вы принесли с собой. Этого я не знал. Между прочим, я считал, что Тонга потерял все свои колючки. А он выстрелил в нас еще одной.

— Той, что оставалась в трубке. Остальные он потерял.

— Понятно,— сказал Холмс.— Как это мне не пришло в голову.

— Есть еще какие-нибудь вопросы? — любезно спросил наш пленник.

— Нет, спасибо, больше нет,— ответил мой друг.

— Послушайте, Холмс,— сказал Этелни Джонс,— вы человек, которого дóлжно ублажать. Всем известно, что по части раскрытия преступлений равного вам нет. Но долг есть долг, а я уж и так сколько допустил нарушений порядка, ублажая вас и вашего друга. Мне будет куда спокойнее, если я водворю нашего рассказчика в надежное место. Кэб еще ждет, а внизу сидят два полисмена. Очень обязан вам и вашему другу за помощь. Само собой разумеется, ваше присутствие на суде необходимо. Покойной ночи.

— Покойной ночи, джентльмены,— сказал Смолл.

— Ты первый, Смолл,— проговорил предусмотрительно Джонс, когда они выходили из комнаты.— Я не хочу, чтобы ты огрел меня по голове своей деревяшкой, как ты это сделал на Андаманских островах.

— Вот и конец нашей маленькой драме,— сказал я, после того, как мы несколько времени молча курили.— Боюсь, Холмс, что это в последний раз я имел возможность изучать ваш метод. Мисс Морстен оказала мне честь, согласившись стать моей женой.

Холмс издал вопль отчаяния.

— Я так боялся этого!— сказал он.— Нет, я не могу вас поздравить.

— Вам не нравится мой выбор?— спросил я, слегка уязвленный.

— Нравится. Должен сказать, что мисс Морстен — очаровательная девушка и могла бы быть настоящим помощником в наших делах. У нее, бесспорно, есть для этого данные. Вы обратили внимание, что она в первый же день привезла нам из всех бумаг отца не что иное, как план Агрской крепости. Но любовь — вещь эмоциональная, и, будучи таковой, она противоположна чистому и холодному разуму. А разум я, как известно, ставлю превыше всего. Что касается меня, то я никогда не женюсь, чтобы не потерять ясности рассудка.

— Надеюсь,— сказал я, смеясь,— что мой ум выдержит это испытание. Но у вас, Холмс, опять очень утомленный вид.

— Да, начинается реакция. Теперь я всю неделю буду как выжатый лимон.

— Как странно у вас чередуются периоды того, что я, говоря о другом человеке, назвал бы ленью, с периодами, полными самой активной и напряженной деятельности.

— Да,— сказал он,— во мне заложены качества и великого лентяя и отъявленного драчуна. Я часто вспоминаю слова Гете: Schade, dass die Natur nur einen Menschen aus dir schuf, denn zum würdigen Mann war und zum

Schelmen der Stoff[1]. Между прочим,— возвращаясь к норвудскому делу,— у них, как я и предполагал, в доме действительно был помощник. И это не кто иной, как дворецкий Лал Рао. Итак, Джонсу все-таки принадлежит честь поимки одной крупной рыбы.

— Как несправедливо распределился выигрыш!— заметил я.— Все в этом деле сделано вами. Но жену получил я. А слава вся достанется Джонсу. Что же остается вам?

— Мне?— сказал Холмс.— А мне — ампула с кокаином.

И он протянул свою узкую белую руку к несессеру.

---

[1] Как жаль, что природа сделала из тебя одного человека: материала в тебе хватило бы и на праведника и на подлеца (нем.).

ПРИКЛЮЧЕНИЯ ШЕРЛОКА ХОЛМСА

СКАНДАЛ В БОГЕМИИ

I

Для Шерлока Холмса она всегда оставалась «Этой Женщиной». Я редко слышал, чтобы он называл ее каким-либо другим именем. В его глазах она затмевала всех представительниц своего пола. Не то чтобы он испытывал к Ирэн Адлер какое-либо чувство, близкое к любви. Все чувства, и особенно любовь, были ненавистны его холодному, точному, но удивительно уравновешенному уму. По-моему, он был самой совершенной мыслящей и наблюдающей машиной, какую когда-либо видел мир; но в качестве влюбленного он оказался бы не на своем месте. Он всегда говорил о нежных чувствах не иначе, как с презрительной насмешкой, с издевкой. Нежные чувства были в его глазах великолепным объектом для наблюдения, превосходным средством сорвать покров с человеческих побуждений и дел. Но для изощренного мыслителя допустить такое вторжение чувства в свой утонченный и великолепно налаженный внутренний мир означало бы внести туда смятение, которое свело бы на нет все завоевания его мысли. Песчинка, попавшая в чувствительный инструмент, или трещина в одной из его могучих линз — вот что такое была бы любовь для такого человека, как Холмс. И все же для него существовала одна женщина, и этой женщиной была покойная Ирэн Адлер, особа весьма и весьма сомнительной репутации.

За последнее время я редко виделся с Холмсом — моя женитьба отдалила нас друг от друга. Моего личного безоблачного счастья и чисто семейных интересов, которые возникают у человека, когда он впервые становится господином собственного домашнего очага, было достаточно, чтобы поглотить все мое внимание. Между тем Холмс, ненавидевший своей цыганской душой всякую форму светской жизни, остался жить в нашей квартире на Бейкер-стрит, окруженный грудами своих старых книг, чередуя недели увлечения кокаином с приступами честолюбия, дремотное состояние наркомана — с дикой энергией, присущей его натуре.

Как и прежде, он был глубоко увлечен расследованием преступлений. Он отдавал свои огромные способности и необычайный дар наблюдательности поискам нитей к выяснению тех тайн, которые официальной полицией были признаны непостижимыми. Время от времени до меня доходили смутные слухи о его делах: о том, что его вызывали в Одессу в связи с убийством Трепова, о том, что ему удалось пролить свет на загадочную трагедию братьев Аткинсон в Тринкомали, и, наконец, о поручении голландского королевского дома, выполненном им исключительно тонко и удачно.

Однако, помимо этих сведений о его деятельности, которые я так же, как и все читатели, черпал из газет, я мало знал о моем прежнем друге и товарище.

Однажды ночью — это было 20 марта 1888 года — я возвращался от пациента (так как теперь я вновь занялся частной практикой), и мой путь привел меня на Бейкер-стрит. Когда я проходил мимо хорошо знакомой двери, которая в моем уме навсегда связана с воспоминанием о времени моего сватовства и с мрачными событиями «Этюда в багровых тонах», меня охватило острое желание вновь увидеть Холмса и узнать, над какими проблемами нынче работает его замечательный ум. Его окна были ярко освещены, и, посмотрев вверх, я увидел его высокую, худощавую фигуру, которая дважды темным силуэтом промелькнула на опущенной шторе. Он быстро, стремительно ходил по комнате, низко опустив голову и заложив за спину руки. Мне, знавшему все его настроения и привычки, его ходьба из угла в угол и весь его внешний облик говорили о многом. Он вновь принялся за работу. Он стряхнул с себя навеянные наркотиками туманные грезы и распутывал нити какой-то новой загадки. Я позвонил, и меня проводили в комнату, которая когда-то была отчасти и моей.

Он встретил меня без восторженных излияний. Таким излияниям он предавался чрезвычайно редко, но, мне кажется, был рад моему приходу. Почти без слов, он приветливым жестом пригласил меня сесть, подвинул ко мне коробку сигар и указал на погребец, где хранилось вино. Затем он встал перед камином и оглядел меня своим особым, проницательным взглядом.

— Семейная жизнь вам на пользу,— заметил он.— Я думаю, Уотсон, что с тех пор, как я вас видел, вы пополнели на семь с половиной фунтов.

— На семь.

— Правда? Нет, нет, немного больше. Чуточку больше, уверяю вас. И снова практикуете, как я вижу. Вы мне не говорили, что собираетесь впрячься в работу.

— Так откуда же вы это знаете?

— Я вижу это, я делаю выводы. Например, откуда я знаю, что вы недавно сильно промокли и что ваша горничная большая неряха?

— Дорогой Холмс,— сказал я,— это уж чересчур. Вас несомненно сожгли бы на костре, если бы вы жили несколько веков назад. Правда, что в четверг мне пришлось быть за городом и я вернулся домой весь испачканный, но ведь я переменил костюм, так что от дождя не осталось следов. Что касается Мэри Джен, она и в самом деле неисправима, и жена уже предупредила, что хочет уволить ее. И все же я не понимаю, как вы догадались об этом.

Холмс тихо рассмеялся и потер свои длинные нервные руки.

— Проще простого!— сказал он.— Мои глаза уведомляют меня, что с внутренней стороны вашего левого башмака, как раз там, куда падает свет, на коже видны шесть почти параллельных царапин. Очевидно, царапины были сделаны кем-то, кто очень небрежно обтирал края подошвы, чтобы удалить засохшую грязь. Отсюда я, как видите, делаю двойной вывод, что вы выходили в дурную погоду и что у вас очень скверный образчик лондонской прислуги. А что касается вашей практики,— если в мою комнату входит джентльмен, пропахший йодоформом, если у него на указательном пальце правой руки черное пятно от азотной кислоты, а на цилиндре — шишка, указывающая, куда он запрятал свой стетоскоп, я должен быть совершенным глупцом, чтобы не признать в нем деятельного представителя врачебного мира.

Я не мог удержаться от смеха, слушая, с какой легкостью он объяснил мне путь своих умозаключений.

— Когда вы раскрываете свои соображения,— заметил я,— все кажется мне смехотворно простым, я и сам без труда мог бы все это сообразить. А в каждом новом случае я совершенно ошеломлен, пока вы не объясните мне ход ваших мыслей. Между тем я думаю, что зрение у меня не хуже вашего.

— Совершенно верно,— ответил Холмс, закуривая папиросу и вытягиваясь в кресле.— Вы смотрите, но вы не наблюдаете, а это большая разница. Например, вы часто видели ступеньки, ведущие из прихожей в эту комнату?

— Часто.

— Как часто?

— Ну, несколько сот раз!

— Отлично. Сколько же там ступенек?

— Сколько? Не обратил внимания.

— Вот-вот, не обратили внимания. А между тем вы видели! В этом вся суть. Ну, а я знаю, что ступенек — семнадцать, потому что я и видел, и наблюдал. Кстати, вы ведь интересуетесь теми небольшими проблемами, в разрешении которых заключается мое ремесло, и даже были добры описать два-три из моих маленьких опытов. Поэтому вас может, пожалуй, заинтересовать вот это письмо.

Он бросил мне листок толстой розовой почтовой бумаги, валявшейся на столе.

— Получено только что,— сказал он.— Прочитайте-ка вслух.

Письмо было без даты, без подписи и без адреса.

«Сегодня вечером, без четверти восемь,— говорилось в записке,— к Вам придет джентльмен, который хочет получить у Вас консультацию по очень важному делу. Услуги, оказанные Вами недавно одному из королевских семейств Европы, показали, что Вам можно доверять дела чрезвычайной важности. Такой отзыв о Вас мы со всех сторон получали. Будьте дома в этот час и не подумайте ничего плохого, если Ваш посетитель будет в маске».

— Это в самом деле таинственно,— заметил я.— Как вы думаете, что все это значит?

— У меня пока нет никаких данных. Теоретизировать, не имея данных, опасно. Незаметно для себя человек начинает подтасовывать факты, чтобы подогнать их к своей теории, вместо того чтобы обосновывать теорию фактами. Но сама записка! Какие вы можете сделать выводы из записки?

Я тщательно осмотрел письмо и бумагу, на которой оно было написано.

— Написавший это письмо, по-видимому, располагает средствами,— заметил я, пытаясь подражать приемам моего друга.— Такая бумага стоит не меньше полкроны за пачку. Очень уж она прочная и плотная.

— Диковинная — самое подходящее слово,— заметил Холмс.— И это не английская бумага. Посмотрите ее на свет.

Я так и сделал и увидел на бумаге водяные знаки: большое «Е» и маленькое «g», затем «Р» и большое «G» с маленьким «t».

— Какой вывод вы можете из этого сделать?— спросил Холмс.

— Это несомненно имя фабриканта или, скорее, его монограмма[1].

— Вот и ошиблись! Большое «G» с маленьким «t»— это сокращение «Gesellschaft», что по-немецки означает «компания». Это обычное сокращение, как наше «К°». «Р», конечно, означает «Papier», бумага. Расшифруем теперь «Е». Заглянем в иностранный географический справочник...— Он достал с полки тяжелый фолиант[2] в коричневом переплете.— Eglow, Eglönitz... Вот мы и нашли: Egeria. Это местность, где говорят по-немецки, в Богемии, недалеко от Карлсбада[3]. Место смерти Валленштейна[4], славится многочисленными стекольными заводами и бумажными фабриками... Ха-ха, мой мальчик, какой вы из этого делаете вывод?— Глаза его сверкнули торжеством, и он выпустил из своей папиросы большое синее облако.

— Бумага изготовлена в Богемии,— сказал я.

— Именно. А человек, написавший записку, немец. Вы замечаете странное построение фразы: *«Такой отзыв о вас мы со всех сторон получали»*? Француз или русский не мог бы так написать. Только немцы так бесцеремонно обращаются со своими глаголами. Следовательно, остается только узнать, что нужно этому немцу, который пишет на богемской бумаге и предпочитает носить маску, лишь бы не показывать своего лица... Вот и он сам, если я не ошибаюсь. Он разрешит все наши сомнения.

Мы услышали резкий стук лошадиных копыт и визг колес, скользнувших вдоль ближайшей обочины. Вскоре затем кто-то с силой дернул звонок.

Холмс присвистнул.

---

[1] Монограмма — соединение двух букв (инициалов) в одном рисунке.
[2] Фолиант — книга большого формата.
[3] Карлсбад (Карловы Вары) — курорт в Чехословакии.
[4] Валленштейн — немецкий полководец XVII века.

— Судя по звуку, парный экипаж... Да,— продолжал он, выглянув в окно,— изящная маленькая карета и пара рысаков... по сто пятьдесят гиней[1] каждый. Так или иначе, но это дело пахнет деньгами, Уотсон.

— Я думаю, что мне лучше уйти, Холмс?

— Нет, нет, оставайтесь! Что я стану делать без моего биографа? Дело обещает быть интересным. Будет жаль, если вы пропустите его.

— Но ваш клиент...

— Ничего, ничего. Мне может понадобиться ваша помощь, и ему тоже... Ну, вот он идет. Садитесь в это кресло, доктор, и будьте очень внимательны.

Медленные, тяжелые шаги, которые мы слышали на лестнице и в коридоре, затихли перед самой нашей дверью. Затем раздался громкий и властный стук.

— Войдите!— сказал Холмс.

Вошел человек ростом едва ли меньше шести футов и шести дюймов[2], геркулесовского[3] сложения. Он был одет роскошно, но эту роскошь сочли бы в Англии вульгарной. Рукава и отвороты его двубортного пальто были оторочены тяжелыми полосами каракуля; темно-синий плащ, накинутый на плечи, был подбит огненно-красным шелком и застегнут на шее пряжкой из сверкающего берилла[4]. Сапоги, доходящие до половины икр и обшитые сверху дорогим коричневым мехом, дополняли то впечатление варварской пышности, которое производил весь его облик. В руке он держал широкополую шляпу, а верхняя часть его лица была закрыта черной маской, опускавшейся ниже скул. Эту маску, походившую на забрало, он, очевидно, только что надел, потому что, когда он вошел, рука его была еще поднята. Судя по нижней части лица, это был человек сильной воли: толстая выпяченная губа и длинный прямой подбородок говорили о решительности, переходящей в упрямство.

— Вы получили мою записку?— спросил он низким, грубым голосом с сильным немецким акцентом.— Я сообщал, что приду к вам.— Он смотрел то на одного из нас, то на другого, видимо не зная, к кому обратиться.

---

[1] Гинея — английская золотая монета.
[2] Шесть футов и шесть дюймов — приблизительно 1 метр 90 сантиметров.
[3] Геркулес — герой древнегреческих сказаний, отличавшийся необыкновенной силой.
[4] Берилл — прозрачный бледно-зеленый драгоценный камень.

— Садитесь, пожалуйста,— сказал Холмс.— Это мой друг и товарищ, доктор Уотсон. Он так добр, что иногда помогает мне в моей работе. С кем имею честь говорить?

— Вы можете считать, что я граф фон Крамм, богемский дворянин. Полагаю, что этот джентльмен, ваш друг,— человек, достойный полного доверия, и я могу посвятить его в дело чрезвычайной важности? Если это не так, я предпочел бы беседовать с вами наедине.

Я встал, чтобы уйти, но Холмс схватил меня за руку и толкнул обратно в кресло:

— Говорите либо с нами обоими, либо не говорите. В присутствии этого джентльмена вы можете сказать все, что сказали бы мне с глазу на глаз.

Граф пожал широкими плечами.

— В таком случае я должен прежде всего взять с вас обоих слово, что дело, о котором я вам сейчас расскажу, останется в тайне два года. По прошествии двух лет это не будет иметь значения. В настоящее время я могу, не преувеличивая, сказать: вся эта история настолько серьезна, что может отразиться на судьбах Европы.

— Даю слово,— сказал Холмс.

— И я.

— Простите мне эту маску,— продолжал странный посетитель.— Августейшее лицо, по поручению которого я действую, пожелало, чтобы его доверенный остался для вас неизвестен, и я должен признаться, что титул, которым я себя назвал, не совсем точен.

— Это я заметил,— сухо сказал Холмс.

— Обстоятельства очень щекотливые, и необходимо принять все меры, чтобы из-за них не разросся огромный скандал, который мог бы сильно скомпрометировать одну из царствующих династий Европы. Говоря проще, дело связано с царствующим домом Ормштейнов, королей Богемии.

— Так я и думал,— пробормотал Холмс, поудобнее располагаясь в кресле и закрывая глаза.

Посетитель с явным удивлением посмотрел на лениво развалившегося равнодушного человека, которого ему, несомненно, описали как самого проницательного и самого энергичного из всех европейских сыщиков. Холмс медленно открыл глаза и нетерпеливо посмотрел на своего тяжеловесного клиента.

— Если ваше величество соблаговолите посвятить нас в свое дело,— заметил он,— мне легче будет дать вам совет.

Посетитель вскочил со стула и принялся шагать по комнате в сильном возбуждении. Затем с жестом отчаяния он сорвал с лица маску и швырнул ее на пол.

— Вы правы,— воскликнул он,— я король! Зачем мне пытаться скрывать это?

— Действительно, зачем? Ваше величество еще не начали говорить, как я уже знал, что передо мной Вильгельм Готтсрейх Сигизмунд фон Ормштейн, великий князь Кассель-Фельштейнский и наследственный король Богемии.

— Но вы понимаете,— сказал наш странный посетитель, снова усевшись и поводя рукой по высокому белому лбу,— вы понимаете, что я не привык лично заниматься такими делами! Однако вопрос настолько щекотлив, что я не мог доверить его кому-нибудь из полицейских агентов, не рискуя оказаться в его власти. Я приехал из Праги инкогнито специально затем, чтобы обратиться к вам за советом.

— Пожалуйста, обращайтесь,— сказал Холмс, снова закрывая глаза.

— Факты вкратце таковы: лет пять назад, во время продолжительного пребывания в Варшаве, я познакомился с хорошо известной авантюристкой Ирэн Адлер. Это имя вам, несомненно, знакомо?

— Будьте любезны, доктор, посмотрите в моей картотеке,— пробормотал Холмс, не открывая глаз.

Много лет назад он завел систему регистрации разных фактов, касавшихся людей и вещей, так что трудно было назвать лицо или предмет, о которых он не мог бы сразу дать сведения. В данном случае я нашел биографию Ирэн Адлер между биографией еврейского раввина и биографией одного начальника штаба, написавшего труд о глубоководных рыбах.

— Покажите-ка,— сказал Холмс.— Гм! Родилась в Нью-Джерси в 1858 году. Контральто, гм... Ла Ска́ла[1], так-так!.. Примадонна императорской оперы в Варшаве, да! Покинула оперную сцену, ха! Проживает в Лондоне... совершенно верно! Ваше величество, насколько я понимаю, попали в сети к этой молодой особе, писали ей компрометирующие письма и теперь желали бы вернуть эти письма.

— Совершенно верно. Но каким образом?

— Вы тайно женились на ней?

— Нет.

---

[1] Ла Скала — знаменитый оперный театр в Милане (Италия).

— Никаких документов или свидетельств?

— Никаких.

— В таком случае я вас не понимаю, ваше величество. Если эта молодая женщина захочет использовать письма для шантажа или других целей, как она докажет их подлинность?

— Мой почерк.

— Пустяки! Подлог.

— Моя личная почтовая бумага.

— Украдена.

— Моя личная печать.

— Подделка.

— Моя фотография.

— Куплена.

— Но мы сфотографированы вместе!

— О-о, вот это очень плохо! Ваше величество действительно допустили большую оплошность.

— Я был без ума от Ирэн.

— Вы серьезно себя скомпрометировали.

— Тогда я был всего лишь кронпринцем. Я был молод. Мне и теперь только тридцать.

— Фотографию необходимо во что бы то ни стало вернуть.

— Мы пытались, но нам не удалось.

— Ваше величество должны пойти на издержки: фотографию надо купить.

— Ирэн не желает ее продавать.

— Тогда ее надо выкрасть.

— Было сделано пять попыток. Я дважды нанимал взломщиков, и они перерыли весь ее дом. Раз, когда она путешествовала, мы обыскали ее багаж. Дважды ее заманивали в ловушку. Мы не добились никаких результатов.

— Никаких?

— Абсолютно никаких.

Холмс засмеялся.

— Ничего себе задачка!— сказал он.

— Но для меня это очень серьезная задача!— с упреком возразил король.

— Да, действительно. А что она намеревается сделать с фотографией?

— Погубить меня.

— Но каким образом?

— Я собираюсь жениться.

— Об этом я слышал.

— На Клотильде Лотман фон Саксе-Менинген. Быть может, вы знаете строгие принципы этой семьи. Сама

Клотильда — воплощенная чистота. Малейшая тень сомнения относительно моего прошлого привела бы к разрыву.

— А Ирэн Адлер?

— Она грозит, что пошлет фотоснимок родителям моей невесты. И пошлет, непременно пошлет! Вы ее не знаете. У нее железный характер. Да, да, лицо обаятельной женщины, а душа жестокого мужчины. Она ни перед чем не остановится, лишь бы не дать мне жениться на другой.

— Вы уверены, что она еще не отправила фотографию вашей невесте?

— Уверен.

— Почему?

— Она сказала, что пошлет фотографию в день моей официальной помолвки. А это будет в ближайший понедельник.

— О, у нас остается три дня!— сказал Холмс, зевая.— И это очень приятно, потому что сейчас мне надо заняться кое-какими важными делами. Ваше величество, конечно, останетесь пока что в Лондоне?

— Конечно. Вы можете найти меня в гостинице Лэнгхэм под именем графа фон Крамма.

— В таком случае я пришлю вам записочку — сообщу, как продвигается дело.

— Очень прошу вас. Я так волнуюсь!

— Ну, а как насчет денег?

— Тратьте, сколько найдете нужным. Вам предоставляется полная свобода действий.

— Абсолютно?

— О, я готов отдать за эту фотографию любую из провинций моего королевства!

— А на текущие расходы?

Король достал из-за плаща тяжелый кожаный мешочек и положил его на стул.

— Здесь триста фунтов золотом и семьсот ассигнациями,— сказал он.

Холмс написал расписку на страничке своей записной книжки и вручил королю.

— Адрес мадемуазель? — спросил он.

— Брайони-лодж, Серпантайн-авеню, Сент-Джонсвуд.

Холмс записал.

— И еще один вопрос,— сказал он.— Фотография была кабинетного размера?

— Да, кабинетного.

— А теперь доброй ночи, ваше величество, и я надеюсь, что скоро у нас будут хорошие вести... Доброй ночи, Уотсон,— добавил он, когда колеса королевского экипажа застучали по мостовой.— Будьте любезны зайти завтра в три часа, я бы хотел потолковать с вами об этом деле.

II

Ровно в три часа я был на Бейкер-стрит, но Холмс еще не вернулся. Экономка сообщила мне, что он вышел из дому в начале девятого. Я уселся у камина с намерением дождаться его, сколько бы мне ни пришлось ждать. Я глубоко заинтересовался его расследованием, хотя оно было лишено причудливых и мрачных черт, присущих тем двум преступлениям, о которых я рассказал в другом месте. Но своеобразные особенности этого случая и высокое положение клиента придавали делу необычный характер. Если даже оставить в стороне самое содержание исследования, которое производил мой друг,— как удачно, с каким мастерством он сразу овладел всей ситуацией и какая строгая неопровержимая логика была в его умозаключениях! Мне доставляло истинное удовольствие следить за быстрыми, ловкими приемами, с помощью которых он разгадывал самые запутанные тайны. Я настолько привык к его неизменным триумфам, что самая возможность неудачи не укладывалась у меня в голове.

Было около четырех часов, когда дверь отворилась и в комнату вошел подвыпивший грум[1], с бакенбардами, с растрепанной шевелюрой, с воспаленным лицом, одетый бедно и вульгарно. Как ни привык я к удивительной способности моего друга менять свой облик, мне пришлось трижды вглядеться, прежде чем я удостоверился, что это действительно Холмс. Кивнув мне на ходу, он исчез в своей спальне, откуда появился через пять минут в темном костюме, корректный, как всегда. Сунув руки в карманы, он протянул ноги к пылающему камину и несколько минут весело смеялся.

— Чудесно! — воскликнул он, затем закашлялся и снова расхохотался, да так, что под конец обессилел и в полном изнеможении откинулся на спинку кресла.

— В чем дело?

— Смешно, невероятно смешно! Уверен, что вы никогда не угадаете, как я провел это утро и что я в конце концов сделал.

---

[1] Г р у м — конюх.

— Не могу себе представить. Полагаю, что вы наблюдали за привычками или, может быть, за домом мисс Ирэн Адлер.

— Совершенно верно, но последствия были довольно необычайные... Однако расскажу по порядку. В начале девятого я вышел из дому под видом безработного грума. Существует удивительная симпатия, своего рода содружество между всеми, кто имеет дело с лошадьми. Станьте грумом, и вы узнаете все, что вам надо. Я быстро нашел Брайони-лодж. Это крохотная шикарная двухэтажная вилла; она выходит на улицу, позади нее сад. Массивный замóк на садовой калитке. С правой стороны большая гостиная, хорошо обставленная, с высокими окнами, почти до полу, и с нелепыми английскими оконными затворами, которые мог бы открыть и ребенок. За домом ничего особенного, кроме того, что к окну галереи можно добраться с крыши каретного сарая. Я обошел этот сарай со всех сторон и рассмотрел его очень внимательно, но ничего интересного не заметил. Затем я пошел вдоль улицы и увидел, как я и ожидал, в переулке, примыкающем к стене сада, конюшню. Я помог конюхам чистить лошадей и получил за это два пенса, стакан водки, два пакета табаку и вдоволь сведений о мисс Адлер, а также и о других местных жителях. Местные жители меня не интересовали нисколько, но я был вынужден выслушать их биографии.

— А что вы узнали об Ирэн Адлер? — спросил я.

— О, она вскружила головы всем мужчинам в этой части города. Она самое прелестное существо из всех, носящих дамскую шляпку на этой планете. Так говорят в один голос все серпантайнские конюхи. Она живет тихо, выступает иногда на концертах, ежедневно в пять часов дня выезжает кататься и ровно в семь возвращается к обеду. Редко выезжает в другое время, кроме тех случаев, когда она поет. Только один мужчина посещает ее — только один, но зато очень часто. Брюнет, красавец, прекрасно одевается, бывает у нее ежедневно, а порой и по два раза в день. Его зовут мистер Годфри Нортон из Темпла[1]. Видите, как выгодно войти в доверие к кучерам! Они его возили домой от серпантайнских конюшен раз двадцать и все о нем знают. Выслушав то, что они мне рассказывали, я снова стал прогуливаться взад и вперед вблизи Брайони-лодж и обдумывать дальнейшие действия.

---

[1] Темпл — лондонский квартал, где сосредоточены конторы юристов.

Этот Годфри Нортон, очевидно, играет существенную роль во всем деле. Он юрист. Это звучит зловеще. Что их связывает и какова причина его частых посещений? Кто она: его клиентка? Его друг? Его возлюбленная? Если она его клиентка, то, вероятно, отдала ему на хранение ту фотографию. Если же возлюбленная — едва ли. От решения этого вопроса зависит, продолжать ли мне работу в Брайони-лодж или обратить внимание на квартиру того джентльмена в Темпле. Этот вопрос очень щекотлив и расширяет поле моих розысков... Боюсь, Уотсон, что надоедаю вам этими подробностями, но, чтобы вы поняли всю ситуацию, я должен открыть вам мои мелкие затруднения.

— Я внимательно слежу за вашим рассказом,— ответил я.

— Я все еще взвешивал в уме это дело, когда к Брайони-лодж подкатил изящный экипаж и из него выскочил какой-то джентльмен, необычайно красивый, усатый, смуглый, с орлиным носом. Очевидно, это и был тот субъект, о котором я слышал. По-видимому, он очень спешил и был крайне взволнован. Приказав кучеру ждать, он пробежал мимо горничной, открывшей ему дверь, с видом человека, который чувствует себя в этом доме хозяином.

Он пробыл там около получаса, и мне было видно через окно гостиной, как он ходит взад и вперед по комнате, возбужденно толкует о чем-то и размахивает руками. Ее я не видел. Но вот он вышел на улицу, еще более взволнованный. Подойдя к экипажу, он вынул из кармана золотые часы и озабоченно посмотрел на них. «Гоните, как дьявол! — крикнул он кучеру.— Сначала к Гроссу и Хенке на Риджент-стрит, а затем к церкви святой Моники на Эджвер-роуд. Полгинеи, если доедете за двадцать минут!»

Они умчались, а я как раз соображал, не последовать ли мне за ними, как вдруг к дому подкатило прелестное маленькое ландо[1]. Пальто на кучере было полузастегнуто, узел галстука торчал под самым ухом, а ремни упряжи выскочили из пряжек. Кучер едва успел остановить лошадей, как Ирэн выпорхнула из дверей виллы и вскочила в ландо. Я видел ее лишь одно мгновение, но и этого было довольно: очень миловидная женщина с таким лицом, в которое мужчины влюбляются до смерти. «Церковь святой Моники, Джон! — крикнула она.— Полгинеи, если доедете за двадцать минут!»

---

[1] Л а н д о — открытая коляска, запряженная парой лошадей.

Это был случай, которого нельзя было упустить, Уотсон. Я уже начал раздумывать, что лучше: бежать за ней вслед или прицепиться к задку ландо, как вдруг на улице показался кэб. Кучер дважды посмотрел на такого неказистого седока, но я вскочил прежде, чем он успел что-либо возразить. «Церковь святой Моники,— сказал я,— и полгинеи, если вы доедете за двадцать минут!» Было без двадцати пяти минут двенадцать, и, конечно, нетрудно было догадаться, в чем дело.

Мой кэб мчался стрелой. Не думаю, чтобы когда-нибудь я ехал быстрее, но экипаж и ландо со взмыленными лошадьми уже стояли у входа в церковь. Я рассчитался с кучером и взбежал по ступеням. В церкви не было ни души, кроме тех, за кем я следовал, да священника, который, по-видимому, обращался к ним с какими-то упреками. Все трое стояли перед алтарем. Я стал бродить по боковому приделу, как праздношатающийся, случайно зашедший в церковь. Внезапно, к моему изумлению, те трое обернулись ко мне, и Годфри Нортон со всех ног бросился в мою сторону.

«Слава богу! — закричал он.— Вас-то нам и нужно. Идемте! Идемте!»

«В чем дело?» — спросил я.

«Идите, идите добрый человек, всего три минуты!»

Меня чуть не силой потащили к алтарю, и, еще не успев опомниться, я бормотал ответы, которые мне шептали в ухо, клялся в том, чего совершенно не знал, и вообще помогал бракосочетанию Ирэн Адлер, девицы, с Годфри Нортоном, холостяком.

Все это совершилось в одну минуту, и вот джентльмен благодарит меня с одной стороны, леди — с другой, а священник так и сияет улыбкой. Это было самое нелепое положение, в каком я когда-либо находился; воспоминание о нем и заставило меня сейчас хохотать. По-видимому, у них не были выполнены какие-то формальности, и священник наотрез отказался совершить обряд бракосочетания, если не будет свидетеля. Мое удачное появление в церкви избавило жениха от необходимости бежать на улицу в поисках первого встречного. Невеста дала мне гинею, и я собираюсь носить эту монету на часовой цепочке как память о своем приключении.

— Дело приняло весьма неожиданный оборот,— сказал я.— Что же будет дальше?

— Ну, я понял, что мои планы под серьезной угрозой. Похоже было на то, что молодожены собираются немедленно уехать, и потому с моей стороны требовались быстрые и энергичные действия. Однако у дверей церкви они расстались: он уехал в Темпл, она — к себе домой. «Я поеду кататься в парк, как всегда, в пять часов»,— сказала она, прощаясь с ним. Больше я ничего не слыхал. Они разъехались в разные стороны, а я вернулся, чтобы взяться за свои приготовления.

— В чем они заключаются?

— Немного холодного мяса и стакан пива,— ответил Холмс, дергая колокольчик.— Я был слишком занят и совершенно забыл о еде. Вероятно, сегодня вечером у меня будет еще больше хлопот. Кстати, доктор, мне понадобится ваше содействие.

— Буду очень рад.

— Вы не боитесь нарушать законы?

— Ничуть.

— И опасность ареста вас не пугает?

— Ради хорошего дела готов и на это.

— О, дело великолепное!

— В таком случае я к вашим услугам.

— Я был уверен, что могу на вас положиться.

— Но что вы задумали?

— Когда миссис Тернер принесет ужин, я вам все объясню... Теперь,— сказал он, жадно накидываясь на скромную пищу, приготовленную нашей экономкой,— я должен во время еды обсудить с вами все дело, потому что времени у меня осталось мало. Сейчас без малого пять часов. Через два часа мы должны быть на месте. Мисс Ирэн, или скорее, миссис, возвращается со своей прогулки в семь часов. Мы должны быть у Брайони-лодж, чтобы встретить ее.

— Что же дальше?

— А это предоставьте мне. Я уже подготовил то, что должно произойти. Я настаиваю только на одном: что бы ни случилось — не вмешивайтесь. Вы понимаете?

— Я должен быть нейтрален?

— Вот именно. Не делать ничего. Вероятно, получится небольшая неприятность. Не вмешивайтесь. Кончится тем, что меня отнесут в дом. Через четыре или пять минут откроют окно гостиной. Вы должны стать поближе к этому открытому окну.

— Хорошо.

— Вы должны наблюдать за мною, потому что я буду у вас на виду.

— Хорошо.

— И когда я подниму руку — вот так,— вы бросите в комнату то, что я вам дам для этой цели, и в то же время закричите: «Пожар!» Вы меня понимаете?

226

— Вполне.

— Тут ничего нет опасного,— сказал он, вынимая из кармана сверток в форме сигары.— Это обыкновенная дымовая ракета, снабженная с обоих концов капсюлем, чтобы она сама собою воспламенялась. Вся ваша работа сводится к этому. Когда вы закричите «Пожар!», ваш крик будет подхвачен множеством людей, после чего вы можете дойти до конца улицы, а я нагоню вас через десять минут. Надеюсь, вы поняли?

— Я должен оставаться нейтральным, подойти поближе к окну, наблюдать за вами и по вашему сигналу бросить в окно этот предмет, затем поднять крик о пожаре и ожидать вас на углу улицы.

— Совершенно верно.

— Можете на меня положиться.

— Ну, и отлично. Пожалуй, мне пора уже начать подготовку к новой роли, которую придется сегодня играть.

Он скрылся в спальне и через несколько минут появился в виде любезного, простоватого священника. Его широкополая черная шляпа, мешковатые брюки, белый галстук, привлекательная улыбка и общее выражение благожелательного любопытства были бесподобны. Дело не только в том, что Холмс переменил костюм. Выражение его лица, манеры, самая душа, казалось, изменялись при каждой новой роли, которую ему приходилось играть. Сцена потеряла в его лице прекрасного актера, а наука — тонкого мыслителя, когда он стал специалистом по расследованию преступлений.

В четверть седьмого мы вышли из дому, и до назначенного часа оставалось десять минут, когда мы оказались на Серпантайн-авеню. Уже смеркалось, на улице только что зажглись фонари, и мы принялись расхаживать мимо Брайони-лодж, поджидая возвращения его обитателей. Дом был как раз такой, каким я его себе представлял по краткому описанию Шерлока Холмса, но местность оказалась далеко не такой безлюдной, как я ожидал. Наоборот: эта маленькая, тихая улица на окраине города буквально кишела народом. На одном углу курили и смеялись какие-то оборванцы, тут же был точильщик со своим колесом, два гвардейца, флиртовавших с нянькой, и несколько хорошо одетых молодых людей, расхаживавших взад и вперед с сигарами во рту.

— Видите ли,— заметил Холмс, когда мы бродили перед домом,— эта свадьба значительно упрощает все дело. Теперь фотография становится обоюдоострым оружием. Возможно, что Ирэн так же не хочется, чтобы фотографию увидел мистер Годфри Нортон, как не хочется нашему клиенту, чтобы она попалась на глаза его принцессе. Вопрос теперь в том, где мы найдем фотографию.

— Действительно, где?

— Совершенно невероятно, чтобы Ирэн носила ее при себе. Фотография кабинетного формата слишком велика, и ее не спрятать под женским платьем. Ирэн знает, что король способен заманить ее куда-нибудь и обыскать. Две попытки такого рода уже были сделаны. Значит, мы можем быть уверены, что с собой она фотографию не носит.

— Ну, а где же она ее хранит?

— У своего банкира или у своего адвоката. Возможно и то и другое, но я сомневаюсь и в том и в другом. Женщины по своей природе склонны к таинственности и любят окружать себя секретами. Зачем ей посвящать в свой секрет кого-нибудь другого? Она могла положиться на собственное умение хранить вещи, но вряд ли у нее была уверенность, что деловой человек, если она вверит ему свою тайну, сможет устоять против политического или какого-нибудь иного влияния. Кроме того, вспомните, что она решила пустить в ход фотоснимок в ближайшие дни. Для этого нужно держать его под рукой. Фотоснимок должен быть в ее собственном доме.

— Но два раза взломщики перерыли дом.

— Чепуха! Они не знали, как надо искать.

— А как вы будете искать?

— Я не буду искать.

— А как же иначе?

— Я сделаю так, что Ирэн покажет его мне сама.

— Она откажется.

— В том-то и дело, что ей это не удастся... Но, я слышу, стучат колеса. Это ее карета. Теперь в точности выполняйте мои указания.

В эту минуту свет боковых фонарей кареты показался на повороте, и нарядное маленькое ландо подкатило к дверям Брайони-лодж. Когда экипаж остановился, один из бродяг, стоявших на углу, бросился открыть дверцы в надежде заработать медяк, но его оттолкнул другой бродяга, подбежавший с тем же намерением. Завязалась жестокая драка. Масла в огонь подлили оба гвардейца, ставшие на сторону одного из бродяг, и точильщик, который с такой же горячностью принялся защищать другого. В одно мгновение леди, вышедшая из экипажа, оказалась в свалке разгоряченных, дерущихся людей, которые дико лупили друг друга кулаками и палками. Холмс бросился в толпу, чтобы защитить леди. Но, пробившись к ней, он вдруг испустил крик и упал на землю с залитым кровью лицом. Когда он упал, солдаты бросились бежать в одну сторону, оборванцы — в другую. Несколько прохожих более приличного вида, не принимавших участия в потасовке, подбежали, чтобы защитить леди и оказать помощь раненому. Ирэн Адлер, как я буду по-прежнему ее называть, взбежала по ступенькам, но остановилась на площадке и стала смотреть на улицу; ее великолепная фигура выделялась на фоне освещенной гостиной.

— Бедный джентльмен сильно ранен? — спросила она.

— Он умер,— ответило несколько голосов.

— Нет, нет, он еще жив! — крикнул кто-то.— Но он умрет раньше, чем вы его довезете до больницы.

— Вот смелый человек! — сказала какая-то женщина.— Если бы не он, они отобрали бы у леди и кошелек и часы. Их тут целая шайка, и очень опасная. А-а, он стал дышать!

— Ему нельзя лежать на улице... Вы позволите перенести его в дом, мадам?

— Конечно! Перенесите его в гостиную. Там удобный диван. Сюда, пожалуйста!

Медленно и торжественно Холмса внесли в Брайони-лодж и уложили в гостиной, между тем как я все еще наблюдал за происходившим со своего поста у окна. Лампы были зажжены, но шторы не были опущены, так что я мог видеть Холмса, лежащего на диване. Не знаю, упрекала ли его совесть за то, что он играл такую роль,— я же ни разу в жизни не испытывал более глубокого стыда, чем в те минуты, когда эта прелестная женщина, в заговоре против которой я участвовал, ухаживала с такой добротой и лаской за раненым. И все же было бы черной изменой, если бы я не выполнил поручения Холмса. С тяжелым сердцем я достал из-под моего пальто дымовую ракету. «В конце концов,— подумал я,— мы не причиняем ей вреда, мы только мешаем ей повредить другому человеку».

Холмс приподнялся на диване, и я увидел, что он делает движения, как человек, которому не хватает воздуха. Служанка бросилась к окну и широко распахнула его. В то же мгновение Холмс поднял руку; по этому сигналу я бросил в комнату ракету и крикнул: «Пожар!» Едва это слово успело слететь с моих уст, как его подхватила вся толпа. Хорошо и плохо одетые джентльмены, конюхи и служанки — все завопили в один голос: «Пожар!» Густые облака дыма клубились в комнате и вырывались через открытое окно. Я видел, как там, за окном, мечутся люди; мгновением позже послышался голос Холмса, уверявшего, что это ложная тревога.

Проталкиваясь сквозь толпу, я добрался до угла улицы. Через десять минут, к моей радости, меня догнал Холмс, взял под руку, и мы покинули место бурных событий. Некоторое время он шел быстро и не проронил ни единого слова, пока мы не свернули в одну из тихих улиц, ведущих на Эджвер-роуд.

— Вы очень ловко это проделали, доктор,— заметил Холмс.— Как нельзя лучше. Все в порядке.

— Достали фотографию?

— Я знаю, где она спрятана.

— А как вы узнали?

— Ирэн мне сама показала, как я вам предсказывал.

— Я все же ничего не понимаю.

— Я не делаю из этого никакой тайны,— сказал он, смеясь.— Все было очень просто. Вы, наверно, догадались, что все эти зеваки на улице были моими сообщниками. Все они были наняты мною.

— Об этом-то я догадался.

— В руке у меня было немного влажной красной краски. Когда началась свалка, я бросился вперед, упал, прижал руку к лицу и предстал окровавленный... Старый прием.

— Это я тоже смекнул...

— Они вносят меня в дом. Ирэн Адлер вынуждена принять меня, что ей остается делать? Я попадаю в гостиную, в ту самую комнату, которая была у меня на подозрении. Фотография где-то поблизости, либо в гостиной, либо в спальне. Я твердо решил выяснить, где именно. Меня укладывают на кушетку, я притворяюсь, что мне не хватает воздуха. Они вынуждены открыть окно, и вы получаете возможность сделать свое дело.

— А что вы от этого выиграли?

— Очень много. Когда женщина думает, что у нее в доме пожар, инстинкт заставляет ее спасать то, что ей всего дороже. Это самый властный импульс, и я не раз извлекал из него пользу. В случае дарлингтоновского скандала я использовал его, также и в деле с арнсворским дворцом. Замужняя женщина спасает ребенка, незамужняя — шкатулку с драгоценностями. Теперь мне ясно, что для нашей леди в доме нет ничего дороже того, что мы ищем. Она бросилась спасать именно это. Пожарная тревога была отлично разыграна. Дыма и крика было достаточно, чтобы потрясти стальные нервы. Ирэн поступила точно так, как я ждал. Фотография находится в тайничке, за выдвижной дощечкой, как раз над шнурком от звонка. Ирэн в одно мгновение очутилась там, и я даже увидел краешек фотографии, когда она наполовину вытащила ее. Когда же я закричал, что это ложная тревога, Ирэн положила фотографию обратно, глянула мельком на ракету, выбежала из комнаты, и после этого я ее не видел. Я встал и, извинившись, выскользнул из дома. Мне хотелось сразу достать фотографию, но в комнату вошел кучер и начал зорко следить за мною, так что мне поневоле пришлось отложить свой налет до другого раза. Излишняя поспешность может погубить все.

— Ну, а дальше? — спросил я.

— Практически наши розыски закончены. Завтра я приду к Ирэн Адлер с королем и с вами, если вы пожелаете нас сопровождать. Нас попросят подождать в гостиной, но весьма вероятно, что, выйдя к нам, леди не найдет ни нас, ни фотографии. Возможно, что его величеству будет приятно своими собственными руками достать фотографию.

— А когда вы отправитесь туда?

— В восемь часов утра. Она еще будет в постели, так что нам обеспечена полная свобода действий. Кроме того, надо действовать быстро, потому что брак может полностью изменить ее быт и ее привычки. Я должен немедленно послать королю телеграмму.

Мы дошли до Бейкер-стрит и остановились у дверей нашего дома. Холмс искал в карманах свой ключ, когда какой-то прохожий сказал:

— Доброй ночи, мистер Шерлок Холмс!

На панели в это время было несколько человек, но приветствие, по-видимому, исходило от проходившего мимо стройного юноши в длинном пальто.

— Я где-то уже слышал этот голос,— сказал Холмс, оглядывая скудно освещенную улицу,— но не понимаю, черт возьми, кто бы это мог быть.

III

Эту ночь я спал на Бейкер-стрит. Мы сидели утром за кофе с гренками, когда в комнату стремительно вошел король Богемии.

— Вы действительно добыли фотографию? — воскликнул он, обнимая Шерлока Холмса за плечи и весело глядя ему в лицо.

— Нет еще.

— Но вы надеетесь ее достать?

— Надеюсь.

— В таком случае идемте! Я сгораю от нетерпения.

— Нам нужна карета.

— Мой экипаж у дверей.

— Это упрощает дело.

Мы сошли вниз и снова направились к Брайони-лодж.

— Ирэн Адлер вышла замуж,— заметил Холмс.

— Замуж? Когда?

— Вчера.

— За кого?

— За английского адвоката, по имени Нортон.

— Но она, конечно, не любит его?

— Надеюсь, что любит.

— Почему вы надеетесь?

— Потому что это избавит ваше величество от всех будущих неприятностей. Если леди любит своего мужа, значит, она не любит ваше величество, и тогда у нее нет основания мешать планам вашего величества.

— Верно, верно. И все же... О, как я хотел бы, чтобы она была одного ранга со мною! Какая бы это была королева!

Он погрузился в угрюмое молчание, которое не прерывал, пока мы не выехали на Серпантайн-авеню.

Двери виллы Брайони-лодж были открыты, и на лестнице стояла пожилая женщина. Она с какой-то странной иронией смотрела на нас, пока мы выходили из экипажа.

— Мистер Шерлок Холмс? — спросила она.

— Да, я Шерлок Холмс,— ответил мой друг, смотря на нее вопрошающим и удивленным взглядом.

— Так и есть! Моя хозяйка предупредила меня, что вы, вероятно, зайдете. Сегодня утром, в пять часов пятнадцать минут, она уехала со своим мужем на континент с Черингкросского вокзала.

— Что?!— Шерлок Холмс отшатнулся назад, бледный от огорчения и неожиданности.— Вы хотите сказать, что она покинула Англию?

— Да. Навсегда.

— А бумаги? — хрипло спросил король.— Все потеряно!

— Посмотрим!— Холмс быстро прошел мимо служанки и бросился в гостиную.

Мы с королем следовали за ним. Вся мебель в комнате была беспорядочно сдвинута, полки стояли пустые, ящики были раскрыты — видно, хозяйка второпях рылась в них, перед тем как пуститься в бегство.

Холмс бросился к шнурку звонка, отодвинул маленькую выдвижную планку и, засунув в тайничок руку, вытащил фотографию и письмо. Это была фотография Ирэн Адлер в вечернем платье, а на письме была надпись: *«Мистеру Шерлоку Холмсу. Вручить ему, когда он придет».*

Мой друг разорвал конверт, и мы все трое принялись читать письмо. Оно было датировано минувшей ночью, и вот что было в нем написано:

«Дорогой мистер Шерлок Холмс, вы действительно великолепно все это разыграли. На первых порах я отнеслась к вам с доверием. До пожарной тревоги у меня не было никаких подозрений. Но затем, когда я поняла, как выдала себя, я не могла не задуматься. Уже несколько месяцев назад меня предупредили, что если король решит прибегнуть к агенту, он, конечно, обратится к вам. Мне дали ваш адрес. И все же вы заставили меня открыть то, что вы хотели узнать. Несмотря на мои подозрения, я не хотела дурно думать о таком милом, добром, старом священнике... Но вы знаете, я сама была актрисой. Мужской костюм для меня не новость. Я часто пользуюсь той свободой, которую он дает. Я послала кучера Джона следить за вами, а сама побежала наверх, надела мой костюм для прогулок, как я его называю, и спустилась вниз, как раз когда вы уходили. Я следовала за вами до ваших дверей и убедилась, что мною действительно интересуется знаменитый Шерлок Холмс. Затем я довольно неосторожно пожелала вам доброй ночи и поехала в Темпл, к мужу.

Мы решили, что, поскольку нас преследует такой сильный противник, лучшим спасением будет бегство. И вот, явившись завтра, вы найдете гнездо опустевшим. Что касается фотографии, то ваш клиент может быть спокоен: я люблю человека, который лучше его. Человек этот любит меня. Король может делать все, что ему угодно, не опасаясь препятствий со стороны той, кому он причинил столько зла. Я сохраняю у себя фотографию только ради моей безопасности, ради того, чтобы у меня осталось оружие, которое защитит меня в будущем от любых враждебных шагов короля. Я оставляю здесь другую фотографию, которую ему, может быть, будет приятно сохранить у себя, и остаюсь, дорогой мистер Шерлок Холмс, преданная вам Ирэн Нортон, урожденная Адлер».

— Что за женщина, о, что за женщина! — воскликнул король Богемии, когда мы все трое прочитали это послание. — Разве я не говорил вам, что она находчива, умна и предприимчива? Разве она не была бы восхитительной королевой? Разве не жаль, что она не одного ранга со мной?

— Насколько я узнал эту леди, мне кажется, что она действительно совсем другого уровня, чем ваше величество, — холодно сказал Холмс. — Я сожалею, что не мог довести дело вашего величества до более удачного завершения.

— Наоборот, дорогой сэр! — воскликнул король. — Большей удачи не может быть. Я знаю, что ее слово нерушимо. Фотография теперь так же безопасна, как если бы она была сожжена.

— Я рад слышать это от вашего величества.

— Я бесконечно обязан вам. Пожалуйста, скажите мне, как я могу вознаградить вас? Это кольцо...

Он снял с пальца изумрудное кольцо и поднес его на ладони Холмсу.

— У вашего величества есть нечто еще более ценное для меня, — сказал Холмс.

— Вам стоит только указать.

— Эта фотография.

Король посмотрел на него с изумлением.

— Фотография Ирэн?! — воскликнул он. — Пожалуйста, если она вам нужна.

— Благодарю, ваше величество. В таком случае с этим делом покончено. Имею честь пожелать вам всего лучшего.

Холмс поклонился и, не замечая руки, протянутой ему королем, вместе со мною отправился домой.

Вот рассказ о том, как в королевстве Богемии чуть было не разразился очень громкий скандал и как хитроумные планы мистера Шерлока Холмса были разрушены мудростью женщины. Холмс вечно подшучивал над женским умом, но за последнее время я уже не слышу его издевательств. И когда он говорит об Ирэн Адлер или вспоминает ее фотографию, то всегда произносит, как почетный титул: «Эта Женщина».

СОЮЗ РЫЖИХ

Это было осенью прошлого года. У Шерлока Холмса сидел какой-то пожилой джентльмен, очень полный, огненно-рыжий. Я хотел было войти, но увидел, что оба они увлечены разговором, и поспешил удалиться. Однако Холмс втащил меня в комнату и закрыл за мной дверь.

— Вы пришли как нельзя более кстати, мой дорогой Уотсон,— приветливо проговорил он.

— Я боялся вам помешать. Мне показалось, что вы заняты.

— Да, я занят. И даже очень.

— Не лучше ли мне подождать в другой комнате?

— Нет, нет... Мистер Уилсон,— сказал он, обращаясь к толстяку,— этот джентльмен не раз оказывал мне дружескую помощь во многих моих наиболее удачных исследованиях. Не сомневаюсь, что и в вашем деле он будет мне очень полезен.

Толстяк привстал со стула и кивнул мне головой; его маленькие, заплывшие жиром глазки пытливо оглядели меня.

— Садитесь сюда, на диван,— сказал Холмс.

Он опустился в кресло и, как всегда в минуты задумчивости, сложил концы пальцев обеих рук вместе.

— Я знаю, мой дорогой Уотсон,— сказал он,— что вы разделяете мою любовь ко всему необычному, ко всему, что нарушает однообразие нашей будничной жизни. Если бы у вас не было этой любви к необыкновенным событиям, вы не стали бы с таким энтузиазмом записывать скромные мои приключения... причем по совести должен сказать, что иные из ваших рассказов изображают мою деятельность в несколько приукрашенном виде.

— Право же, ваши приключения всегда казались мне такими интересными,— возразил я.

— Не далее как вчера я, помнится, говорил вам, что самая смелая фантазия не в силах представить себе тех необычных и диковинных случаев, какие встречаются в обыденной жизни.

— Я тогда же ответил вам, что позволяю себе усомниться в правильности вашего мнения.

— И тем не менее, доктор, вам придется признать, что я прав, ибо в противном случае я обрушу на вас такое множество удивительных фактов, что вы будете вынуждены согласиться со мной. Вот хотя бы та история, которую мне сейчас рассказал мистер Джабез Уилсон. Обстановка, где она произошла, совершенно заурядная и будничная, а между тем мне сдается, что за всю свою жизнь я не слыхал более чудесной истории... Будьте добры, мистер Уилсон, повторите свой рассказ.

Я прошу вас об этом не только для того, чтобы мой друг, доктор Уотсон, выслушал рассказ с начала до конца, но и для того, чтобы мне самому не упустить ни малейшей подробности. Обычно, едва мне начинают рассказывать какой-нибудь случай, тысячи подобных же случаев возникают в моей памяти. Но на этот раз я вынужден признать, что ничего похожего я никогда не слыхал.

Толстый клиент с некоторой гордостью выпятил грудь, вытащил из внутреннего кармана пальто грязную, скомканную газету и разложил ее у себя на коленях. Пока он, вытянув шею, пробегал глазами столбцы объявлений, я внимательно разглядывал его и пытался, подражая Шерлоку Холмсу, угадать по его одежде и внешности, кто он такой.

К сожалению, мои наблюдения не дали почти никаких результатов. Сразу можно было заметить, что наш посетитель — самый заурядный мелкий лавочник, самодовольный, тупой и медлительный. Брюки у него были мешковатые, серые, в клетку. Его не слишком опрятный черный сюртук был расстегнут, а на темном жилете красовалась массивная цепь накладного золота, на которой в качестве брелока болтался просверленный насквозь четырехугольный кусочек какого-то металла. Его поношенный цилиндр и выцветшее бурое пальто со сморщенным бархатным воротником были брошены тут же на стуле. Одним словом, сколько я ни разглядывал этого человека, я не видел в нем ничего примечательного, кроме пламенно-рыжих волос. Было ясно, что он крайне озадачен каким-то неприятным событием.

От проницательного взора Шерлока Холмса не ускользнуло мое занятие.

— Конечно, для всякого ясно,— сказал он с улыбкой,— что наш гость одно время занимался физическим трудом, что он нюхает табак, что он франкмасон[1], что он был в Китае и что за последние месяцы ему приходилось много писать. Кроме этих очевидных фактов, я не мог отгадать ничего.

Мистер Джабез Уилсон вскочил с кресла и, не отрывая указательного пальца от газеты, уставился на моего приятеля.

— Каким образом, мистер Холмс, могли вы все это узнать?— спросил он.— Откуда вы знаете, например,

---

[1] Ф р а н к м а с о н ы (сокр. м а с о н ы)— члены тайного религиозно-философского общества.

что я занимался физическим трудом? Да, действительно, я начал свою карьеру корабельным плотником.

— Ваши руки рассказали мне об этом, мой дорогой сэр. Ваша правая рука больше левой. Вы работали ею, и мускулы на ней сильнее развиты.

— А нюханье табака? А франкмасонство?

— О франкмасонстве догадаться нетрудно, так как вы, вопреки строгому уставу вашего общества, носите запонку с изображением дуги и окружности[1].

— Ах да! Я и забыл про нее... Но как вы отгадали, что мне приходилось много писать?

— О чем ином может свидетельствовать ваш лоснящийся правый рукав и протертое до гладкости сукно на левом рукаве возле локтя!

— А Китай?

— Только в Китае могла быть вытатуирована та рыбка, что красуется на вашем правом запястье. Я изучил татуировки, и мне приходилось даже писать о них научные статьи. Обычай окрашивать рыбью чешую нежно-розовым цветом свойствен одному лишь Китаю. Увидев китайскую монетку на цепочке ваших часов, я окончательно убедился, что вы были в Китае.

Мистер Джабез Уилсон громко расхохотался.

— Вот оно что! — сказал он. — Я сначала подумал, что вы бог знает какими мудреными способами отгадываете, а оказывается, это так просто.

— Я думаю, Уотсон, — сказал Холмс, — что совершил ошибку, объяснив, каким образом я пришел к моим выводам. Как вам известно, «Omne ignotum pro magnifico»[2], и моей скромной славе грозит крушение, если я буду так откровенен... Вы нашли объявление, мистер Уилсон?

— Нашел, — ответил тот, держа толстый красный палец в центре газетного столбца. — Вот оно. С этого все и началось. Прочтите его сами, сэр.

Я взял газету и прочел:

«СОЮЗ РЫЖИХ во исполнение завещания покойного Иезекии Хопкинса из Лебанона, Пенсильвания (США).

ОТКРЫТА новая вакансия для члена Союза. Предлагается жалованье четыре фунта стерлингов в неделю за чисто номинальную работу. Каждый рыжий не моложе двадцати одного года, находящийся в здравом уме и трезвой памяти, может ока-

---

[1] Дуга и окружность — масонские знаки. Прежде они были тайными, но современные масоны, нарушая старинный устав, нередко носят их на брелоках и запонках.

[2] «Все неведомое кажется нам великолепным» (лат.).

заться пригодным для этой работы. Обращаться лично к Дункану Россу в понедельник, в одиннадцать часов, в контору Союза, Флит-стрит, Попс-корт, 7».

— Что это, черт побери, может означать?— воскликнул я, дважды прочитав необычайное объявление.

Холмс беззвучно засмеялся и весь как-то съежился в кресле, а это служило верным признаком, что он испытывает немалое удовольствие.

— Не слишком заурядное объявление, как по-вашему, а?— сказал он.— Ну, мистер Уилсон, продолжайте вашу повесть и расскажите нам о себе, о своем доме и о том, какую роль сыграло это объявление в вашей жизни. А вы, доктор, запишите, пожалуйста, что это за газета и от какого числа.

— «Утренняя хроника». 27 апреля 1890 года. Ровно два месяца назад.

— Отлично. Продолжайте, мистер Уилсон.

— Как я вам уже говорил, мистер Шерлок Холмс,— сказал Джабез Уилсон, вытирая лоб,— у меня есть маленькая ссудная касса на Сэкс-Кобург-сквер, неподалеку от Сити. Дело у меня и прежде шло неважно, а за последние два года доходов с него хватало только на то, чтобы кое-как сводить концы с концами. Когда-то я держал двух помощников, но теперь у меня только один; мне трудно было бы платить и ему, но он согласился работать на половинном жалованье, чтобы иметь возможность изучить мое дело.

— Как зовут этого услужливого юношу?— спросил Шерлок Холмс.

— Его зовут Винсент Сполдинг, и он далеко не юноша. Трудно сказать, сколько ему лет. Более расторопного помощника мне не сыскать. Я отлично понимаю, что он вполне мог бы обойтись без меня и зарабатывать вдвое больше. Но, в конце концов, раз он доволен, зачем же я стану внушать ему мысли, которые нанесут ущерб моим интересам?

— В самом деле, зачем? Вам, я вижу, очень повезло: у вас есть помощник, которому вы платите гораздо меньше, чем платят за такую же работу другие. Не часто встречаются в наше время такие бескорыстные служащие.

— О, у моего помощника есть свои недостатки!— сказал мистер Уилсон.— Я никогда не встречал человека, который так страстно увлекался бы фотографией. Щелкает аппаратом, когда нужно работать, а потом ныряет в погреб, как кролик в нору, и проявляет пластинки. Это его главный недостаток. Но в остальном он хороший работник.

— Надеюсь, он и теперь еще служит у вас?

— Да, сэр. Он да девчонка четырнадцати лет, которая кое-как стряпает и подметает полы. Больше никого у меня нет, я вдовец и к тому же бездетный. Мы трое живем очень тихо, сэр, поддерживаем огонь в очаге и платим по счетам — вот и все наши заслуги... Это объявление выбило нас из колеи,— продолжал мистер Уилсон.— Сегодня исполнилось как раз восемь недель с того дня, когда Сполдинг вошел в контору с этой газетой в руке и сказал:

«Хотел бы я, мистер Уилсон, чтобы господь создал меня рыжим».

«Почему?»— спрашиваю я.

«Да вот,— говорит он,— открылась новая вакансия в Союзе рыжих. Тому, кто займет ее, она даст недурные доходы. Там, похоже, больше вакансий, чем кандидатов, и душеприказчики ломают себе голову, не зная, что делать с деньгами. Если бы волосы мои способны были изменить свой цвет, я непременно воспользовался бы этим выгодным местом».

«Что это за Союз рыжих?»— спросил я.

Видите ли, мистер Холмс, я большой домосед, и так как мне не приходится бегать за клиентами, клиенты сами приходят ко мне, я иногда по целым неделям не переступаю порога. Вот почему я мало знаю о том, что делается на свете, и всегда рад услышать что-нибудь новенькое...

«Неужели вы никогда не слыхали о Союзе рыжих?»— спросил Сполдинг, широко раскрыв глаза.

«Никогда».

«Это очень меня удивляет, так как вы один из тех, кто имеет право занять вакансию».

«А много ли это может дать?»— спросил я.

«Около двухсот фунтов стерлингов в год, не больше, но работа пустяковая и притом такая, что не мешает человеку заниматься любым другим делом».

«Расскажите мне все, что вы знаете об этом Союзе»,— сказал я.

«Как вы видите сами,— ответил Сполдинг, показывая мне объявление,— в Союзе рыжих имеется вакантное место, а вот и адрес, по которому вы можете обратиться за справкой, если хотите узнать все подробности. Насколько мне известно, этот Союз был основан американским миллионером Иезекией Хопкинсом, большим чудаком. Он сам был огненно-рыжий и сочувствовал всем рыжим на свете. Умирая, он оставил своим душеприказчикам огромную сумму и завещал употребить ее на облегчение участи тех, у кого волосы ярко-рыжего цвета. Мне говорили, что этим счастливцам платят превосходное жалованье, а работы не требуют с них почти никакой».

«Но ведь рыжих миллионы,— сказал я,— и каждый пожелает занять это вакантное место».

«Не так много, как вам кажется,— ответил он.— Объявление, как видите, обращено только к лондонцам, и притом лишь ко взрослым. Этот американец родился в Лондоне, прожил здесь свою юность и хотел облагодетельствовать свой родной город. Кроме того, насколько я слышал, в Союз рыжих не имеет смысла обращаться тем лицам, у которых волосы светло-рыжие или темно-рыжие,— там требуются люди с волосами яркого, ослепительного, огненно-рыжего цвета. Если вы хотите воспользоваться этим предложением, мистер Уилсон, вам нужно только пройтись до конторы Союза рыжих. Но имеет ли для вас смысл отвлекаться от вашего основного занятия ради нескольких сот фунтов?..»

Как вы сами изволите видеть, джентльмены, у меня настоящие ярко-рыжие волосы огненно-красного оттенка, и мне казалось, что, если дело дойдет до состязания рыжих, у меня, пожалуй, будет шанс занять освободившуюся вакансию. Винсент Сполдинг, как человек весьма сведущий в этом деле, мог принести мне большую пользу, поэтому я распорядился закрыть ставни на весь день и велел ему сопровождать меня в помещение Союза. Он очень обрадовался, что сегодня ему не придется работать, и мы, закрыв контору, отправились по адресу, указанному в объявлении.

Я увидел зрелище, мистер Холмс, какого мне никогда больше не придется увидеть! С севера, с юга, с востока и с запада все люди, в волосах которых был хоть малейший оттенок рыжего цвета, устремились в Сити. Вся Флит-стрит была забита рыжими, а Попс-корт был похож на тачку разносчика, торгующего апельсинами. Никогда я не думал, что в Англии столько рыжих. Здесь были все оттенки рыжего цвета: соломенный, лимонный, оранжевый, кирпичный, оттенок ирландских сеттеров, оттенок желчи, оттенок глины; но, как и указал Сполдинг, голов настоящего — живого, яркого, огненного цвета тут было очень немного. Все же, увидев такую толпу, я пришел в отчаяние. Сполдинг не растерялся.

Не знаю, как это ему удалось, но он проталкивался и протискивался с таким усердием, что сумел провести меня сквозь толпу, и мы очутились на лестнице, ведущей в контору.

По лестнице двигался двойной людской поток: одни поднимались, полные приятных надежд, другие спускались в унынии. Мы протискались вперед и скоро очутились в конторе...

— Замечательно интересная с вами случилась история! — сказал Холмс, когда его клиент замолчал, чтобы освежить свою память понюшкой табаку. — Пожалуйста, продолжайте.

— В конторе не было ничего, кроме пары деревянных стульев и простого соснового стола, за которым сидел маленький человечек, еще более рыжий, чем я. Он обменивался несколькими словами с каждым из кандидатов, по мере того как они подходили к столу, и в каждом обнаруживал какой-нибудь недостаток. Видимо, занять эту вакансию было не так-то просто. Однако, когда мы, в свою очередь, подошли к столу, маленький человечек встретил меня гораздо приветливее, чем остальных кандидатов, и, едва мы вошли, запер двери, чтобы побеседовать с нами без посторонних.

«Это мистер Джабез Уилсон, — сказал мой помощник. — Он хотел бы занять вакансию в Союзе».

«И он вполне достоин того, чтобы занять ее, — ответил человечек. — Давно не случалось мне видеть такие прекрасные волосы!»

Он отступил на шаг, склонил голову набок и глядел на мои волосы так долго, что мне стало неловко. Затем внезапно кинулся вперед, схватил мою руку и горячо поздравил меня.

«Было бы несправедливостью с моей стороны медлить, — сказал он. — Однако, надеюсь, вы простите меня, если я приму некоторые меры предосторожности».

Он вцепился в мои волосы обеими руками и дернул так, что я взвыл от боли.

«У вас на глазах слезы, — сказал он, отпуская меня. — Значит, все в порядке. Извините, нам приходится быть осторожными, потому что нас дважды обманули с помощью париков и один раз — с помощью краски. Я мог бы рассказать вам о таких бесчестных проделках, которые внушили бы вам отвращение к людям».

Он подошел к окну и крикнул во все горло, что вакансия уже занята. Стон разочарования донесся снизу, толпа расползлась по разным направлениям, и скоро во всей этой местности не осталось ни одного рыжего, кроме меня и того человека, который меня нанимал.

«Меня зовут мистер Дункан Росс,— сказал он,— и я тоже получаю пенсию из того фонда, который оставил нам наш великодушный благодетель. Вы женаты, мистер Уилсон? У вас есть семья?»

Я ответил, что я бездетный вдовец. На лице у него появилось выражение скорби.

«Боже мой!— мрачно сказал он.— Да ведь это серьезнейшее препятствие! Как мне грустно, что вы не женаты! Фонд был создан для размножения и распространения рыжих, а не только для поддержания их жизни. Какое несчастье, что вы оказались холостяком!»

При этих словах мое лицо вытянулось, мистер Холмс, так как я стал опасаться, что меня не возьмут; но, подумав, он заявил, что все обойдется:

«Ради всякого другого мы не стали бы отступать от правил, но человеку с такими волосами можно пойти навстречу. Когда вы могли бы приступить к выполнению ваших новых обязанностей?»

«Это несколько затруднительно, так как я занят в другом деле»,— сказал я.

«Не беспокойтесь об этом, мистер Уилсон!— сказал Винсент Сполдинг.— С той работой я справлюсь и без вас».

«В какие часы я буду занят?»— спросил я.

«От десяти до двух».

Так как в ссудных кассах главная работа происходит по вечерам, мистер Холмс, особенно по четвергам и по пятницам, накануне получки, я решил, что недурно будет заработать кое-что в утренние часы. Тем более что помощник мой — человек надежный и вполне может меня заменить, если нужно.

«Эти часы мне подходят,— сказал я.— А какое вы платите жалованье?»

«Четыре фунта в неделю».

«А в чем заключается работа?»

«Работа чисто номинальная».

«Что вы называете чисто номинальной работой?»

«Все назначенное для работы время вам придется находиться в нашей конторе или, по крайней мере, в здании, где помещается наша контора. Если вы хоть раз уйдете в рабочие часы, вы потеряете службу навсегда. Завещатель особенно настаивает на точном выполнении этого пункта. Будет считаться, что вы не исполнили наших требований, если вы хоть раз покинете контору в часы работы».

«Если речь идет всего о четырех часах в сутки, мне, конечно, и в голову не придет покидать контору»,— сказал я.

«Это очень важно,— настаивал мистер Дункан Росс.— Потом мы никаких извинений и слушать не станем. Никакие болезни, никакие дела не будут служить оправданием. Вы должны находиться в конторе — или вы теряете службу».

«А в чем все-таки заключается работа?»

«Вам придется переписывать «Британскую энциклопедию». Первый том — в этом шкафу. Чернила, перья, бумагу и промокашку вы достаете сами; мы же даем вам стол и стул. Можете ли вы приступить к работе завтра?»

«Конечно»,— ответил я.

«В таком случае до свиданья, мистер Джабез Уилсон. Позвольте мне еще раз поздравить вас с тем, что вам удалось получить такое хорошее место».

Он кивнул мне. Я вышел из комнаты и отправился домой вместе с помощником, радуясь своей необыкновенной удаче. Весь день я размышлял об этом происшествии и к вечеру несколько упал духом, так как мне стало казаться, что все это дело — просто мошенничество, хоть мне никак не удавалось отгадать, в чем может заключаться цель подобной затеи. Казалось невероятным, что существует такое завещание и что люди согласны платить такие большие деньги за переписку «Британской энциклопедии». Винсент Сполдинг изо всех сил старался подбодрить меня, но, ложась спать, я твердо решил отказаться от этого дела. Однако утром мне пришло в голову, что следует хотя бы сходить туда на всякий случай. Купив на пенни[1] чернил, захватив гусиное перо и семь больших листов бумаги, я отправился в Попс-корт. К моему удивлению, там все было в порядке. Я очень обрадовался. Стол был уже приготовлен для моей работы, и мистер Дункан Росс ждал меня. Он велел мне начать с буквы «А» и вышел; однако время от времени он возвращался в контору, чтобы посмотреть, работаю ли я. В два часа он попрощался со мной, похвалил меня за то, что я успел так много переписать, и запер за мной дверь конторы.

Так шло изо дня в день, мистер Холмс. В субботу мой хозяин выложил передо мной на стол четыре золотых соверена[2] — плату за неделю. Так прошла и вто-

---

[1] Пенни — мелкая медная монета.
[2] Соверен — золотая монета.

рая неделя и третья. Каждое утро я приходил туда ровно к десяти и ровно в два уходил. Мало-помалу мистер Дункан Росс начал заходить в контору только по утрам, а со временем и вовсе перестал туда наведываться. Тем не менее я, понятно, не осмеливался выйти из комнаты даже на минуту, так как не мог быть уверен, что он не придет, и не хотел рисковать такой выгодной службой.

Прошло восемь недель; я переписал статьи об Аббатах, об Артиллерии, об Архитектуре, об Аттике и надеялся в скором времени перейти к букве «Б». У меня ушло очень много бумаги, и написанное мною уже едва помещалось на полке. Но вдруг все разом кончилось.

— Кончилось?

— Да, сэр. Сегодня утром. Я пошел на работу, как всегда, к десяти часам, но дверь оказалась запертой на замок, а к двери был прибит гвоздиком клочок картона. Вот он, читайте сами.

Он протянул нам картон величиною с листок блокнота. На картоне было написано:

«СОЮЗ РЫЖИХ РАСПУЩЕН
9 ОКТЯБРЯ 1890 ГОДА»

Мы с Шерлоком Холмсом долго разглядывали и краткую эту записку и унылое лицо Джабеза Уилсона; наконец смешная сторона происшествия заслонила от нас все остальное: не удержавшись, мы захохотали.

— Не вижу здесь ничего смешного! — крикнул наш клиент, вскочив с кресла и покраснев до корней своих жгучих волос.— Если вы, вместо того чтобы помочь мне, собираетесь смеяться надо мной, я обращусь за помощью к кому-нибудь другому!

— Нет, нет! — воскликнул Холмс, снова усаживая его в кресло.— С вашим делом я не расстанусь ни за что на свете. Оно буквально освежает мне душу своей новизной. Но в нем, простите меня, все же есть что-то забавное... Что же предприняли вы, найдя эту записку на дверях?

— Я был потрясен, сэр. Я не знал, что делать. Я обошел соседние конторы, но там никто ничего не знал. Наконец я отправился к хозяину дома, живущему в нижнем этаже, и спросил его, не может ли он сказать мне, что случилось с Союзом рыжих. Он ответил, что никогда не слыхал о такой организации. Тогда я спросил его, кто такой мистер Дункан Росс. Он ответил, что это имя он слышит впервые.

«Я говорю, — сказал я, — о джентльмене, который снимал у вас квартиру номер четыре».

«О рыжем?»

«Да».

«Его зовут Уильям Моррис. Он юрист, снимал у меня помещение временно — его постоянная контора была в ремонте. Вчера выехал».

«Где его можно найти?»

«В его постоянной конторе. Он оставил свой адрес. Вот: Кинг-Эдуард-стрит, 17, близ собора святого Павла».

Я отправился по этому адресу, мистер Холмс, но там оказалась протезная мастерская; в ней никто никогда не слыхал ни о мистере Уильяме Моррисе, ни о мистере Дункане Россе.

— Что же вы предприняли тогда? — спросил Холмс.

— Я вернулся домой на Сэкс-Кобург-сквер и посоветовался со своим помощником. Он ничем не мог мне помочь. Он сказал, что следует подождать и что, вероятно, мне сообщат что-нибудь по почте. Но меня это не устраивает, мистер Холмс. Я не хочу уступать такое отличное место без боя, и, так как я слыхал, что вы даете советы бедным людям, попавшим в трудное положение, я отправился прямо к вам.

— И правильно поступили, — сказал Холмс. — Ваш случай — замечательный случай, и я счастлив, что имею возможность заняться им. Выслушав вас, я прихожу к заключению, что дело это гораздо серьезнее, чем может показаться с первого взгляда.

— Уж чего серьезнее! — сказал мистер Джабез Уилсон. — Я лишился четырех фунтов в неделю.

— Если говорить о вас лично, — сказал Холмс, — вряд ли вы можете жаловаться на этот необычайный Союз. Напротив, вы, насколько я понимаю, стали благодаря ему богаче фунтов на тридцать, не говоря уже о том, что вы приобрели глубокие познания о предметах, начинающихся на букву «А». Так что, в сущности, вы ничего не потеряли.

— Не спорю, все это так, сэр. Но мне хотелось бы разыскать их, узнать, кто они такие и чего ради они сыграли со мной эту шутку, если только это была шутка. Забава обошлась им довольно дорого: они заплатили за нее тридцать два фунта.

— Мы попытаемся все это выяснить. Но сначала разрешите мне задать вам несколько вопросов, мистер Уилсон. Давно ли служит у вас этот помощник... тот, что показал вам объявление?

— К тому времени он служил у меня около месяца.

— Где вы нашли его?

— Он явился ко мне по моему объявлению в газете.

— Только он один откликнулся на ваше объявление?

— Нет, откликнулось человек десять.

— Почему вы выбрали именно его?

— Потому что он разбитной и дешевый.

— Вас прельстила возможность платить ему половинное жалованье?

— Да.

— Каков он из себя, этот Винсент Сполдинг?

— Маленький, коренастый, очень живой. Ни одного волоска на лице, хотя ему уже под тридцать. На лбу у него белое пятнышко от ожога кислотой.

Холмс выпрямился. Он был очень взволнован.

— Я так и думал! — сказал он.— А вы не замечали у него в ушах дырочек для серег?

— Заметил, сэр. Он объяснил мне, что уши ему проколола какая-то цыганка, когда он был маленький.

— Гм! — произнес Холмс и откинулся на спинку кресла в глубоком раздумье.— Он до сих пор у вас?

— О да, сэр, я только что видел его.

— Он хорошо справлялся с вашими делами, когда вас не было дома?

— Не могу пожаловаться, сэр. Впрочем, по утрам в моей ссудной кассе почти нечего делать.

— Довольно, мистер Уилсон. Через день или два я буду иметь удовольствие сообщить вам, что я думаю об этом происшествии. Сегодня суббота... Надеюсь, в понедельник мы всё уже будем знать.

— Ну, Уотсон,— сказал Холмс, когда наш посетитель ушел,— что вы обо всем этом думаете?

— Ничего не думаю,— ответил я откровенно.— Дело это представляется мне совершенно таинственным.

— Общее правило таково,— сказал Холмс,— чем страннее случай, тем меньше в 'нем оказывается таинственного. Как раз заурядные, бесцветные преступления разгадать труднее всего, подобно тому как труднее всего разыскать в толпе человека с заурядными чертами лица. Но с этим случаем нужно покончить как можно скорее.

— Что вы собираетесь делать? — спросил я.

— Курить,— ответил он.— Эта задача как раз на три трубки, и я прошу вас минут десять не разговаривать со мной.

Он скрючился в кресле, подняв худые колени к ястребиному носу, и долго сидел в такой позе, закрыв глаза и выставив вперед черную глиняную трубку, похожую на клюв какой-то странной птицы. Я пришел к заключению, что он заснул, и сам уже начал дремать, как вдруг он вскочил с видом человека, принявшего твердое решение, и положил свою трубку на камин.

— Сарасате[1] играет сегодня в Сент-Джемс-холле,— сказал он.— Что вы думаете об этом, Уотсон? Могут ваши пациенты обойтись без вас в течение нескольких часов?

— Сегодня я свободен. Моя практика отнимает у меня не слишком много времени.

— В таком случае надевайте шляпу и идем. Раньше всего мне нужно в Сити. Где-нибудь по дороге закусим.

Мы доехали в метро до Олдерсгэйта, оттуда прошли пешком до Сэкс-Кобург-сквер, где совершились все те события, о которых нам рассказывали утром.

Сэкс-Кобург-сквер — маленькая сонная площадь с жалкими претензиями на аристократический стиль. Четыре ряда грязноватых двухэтажных кирпичных домов глядят окнами на крохотный садик, заросший сорной травой, среди которой несколько блеклых лавровых кустов ведут тяжкую борьбу с насыщенным копотью воздухом. Три позолоченных шара и висящая на углу коричневая вывеска с надписью *«Джабез Уилсон»*, выведенной белыми буквами, указывали, что здесь находится предприятие нашего рыжего клиента.

Шерлок Холмс остановился перед дверью, устремил на нее глаза, ярко блестевшие из-под полуприкрытых век. Затем он медленно прошелся по улице, потом возвратился к углу, внимательно вглядываясь в дома. Перед ссудной кассой он раза три с силой стукнул тростью по мостовой, затем подошел к двери и постучал. Дверь тотчас же распахнул расторопный, чисто выбритый молодой человек и попросил нас войти.

— Благодарю вас,— сказал Холмс.— Я хотел только спросить, как пройти отсюда на Стрэнд.

— Третий поворот направо, четвертый налево,— мгновенно ответил помощник мистера Уилсона и захлопнул дверь.

— Ловкий малый! — заметил Холмс, когда мы снова зашагали по улице.— Я считаю, что по ловкости он

_____
[1] С а р а с а т е (1844—1908) — знаменитый испанский скрипач и композитор.

занимает четвертое место в Лондоне, а по храбрости, пожалуй, даже третье. Я о нем кое-что знаю.

— Видимо,— сказал я,— помощник мистера Уилсона играет немалую роль в этом Союзе рыжих. Уверен, вы спросили у него дорогу лишь затем, чтобы взглянуть на него.

— Не на него.

— На что же?

— На его колени.

— И что вы увидели?

— То, что ожидал увидеть.

— А зачем вы стучали по камням мостовой?

— Милейший доктор, сейчас время для наблюдений, а не для разговоров. Мы — разведчики в неприятельском лагере. Нам удалось кое-что узнать о Сэкс-Кобург-сквер. Теперь обследуем улицы, которые примыкают к ней с той стороны.

Разница между Сэкс-Кобург-сквер и тем, что мы увидели, когда свернули за угол, была столь же велика, как разница между картиной и ее оборотной стороной. За углом проходила одна из главных артерий города, соединяющая Сити с севером и западом. Эта большая улица была вся забита экипажами, движущимися двумя потоками вправо и влево, а на тротуарах чернели рои пешеходов. Глядя на ряды прекрасных магазинов и роскошных контор, трудно было представить себе, что позади этих самых домов находится такая убогая, безлюдная площадь.

— Позвольте мне вдоволь насмотреться,— сказал Холмс, остановившись на углу и внимательно разглядывая каждый дом один за другим.— Я хочу запомнить порядок зданий. Изучение Лондона — моя страсть... Сначала табачный магазин Мортимера, затем газетная лавчонка, затем кобургское отделение Городского и Пригородного банка, затем вегетарианский ресторан, затем каретное депо Макферлена. А там уже следующий квартал... Ну, доктор, наша работа окончена! Теперь мы можем немного поразвлечься: бутерброд, чашка кофе и — в страну скрипок, где все сладость, нега и гармония, где нет рыжих клиентов, досаждающих нам головоломками.

Мой друг страстно увлекался музыкой; он был не только очень способный исполнитель, но и незаурядный композитор. Весь вечер просидел он в кресле, вполне счастливый, слегка двигая длинными тонкими пальцами в такт музыке; его мягко улыбающееся лицо, его влажные, затуманенные глаза ничем не напоминали о Холмсеищейке, о безжалостном хитроумном Холмсе, преследователе бандитов. Его удивительный характер слагался из двух начал. Мне часто приходило в голову, что его потрясающая своей точностью проницательность родилась в борьбе с поэтической задумчивостью, составлявшей основную черту этого человека. Он постоянно переходил от полнейшей расслабленности к необычайной энергии. Мне хорошо было известно, с каким бездумным спокойствием отдавался он по вечерам своим импровизациям и нотам. Но внезапно охотничья страсть охватывала его, свойственная ему блистательная сила мышления возрастала до степени интуиции, и люди, незнакомые с его методом, начинали думать, что перед ними не человек, а какое-то сверхъестественное существо. Наблюдая за ним в Сент-Джемс-холле и видя, с какой полнотой душа его отдается музыке, я чувствовал, что тем, за кем он охотится, будет плохо.

— Вы, доктор, собираетесь, конечно, идти домой,— сказал он, когда концерт кончился.

— Домой, понятно.

— А мне предстоит еще одно дело, которое отнимет у меня три-четыре часа. Это происшествие на Кобург-сквер — очень серьезная штука.

— Серьезная?

— Там готовится крупное преступление. У меня есть все основания думать, что мы еще успеем предотвратить его. Но все усложняется из-за того, что сегодня суббота. Вечером мне может понадобиться ваша помощь.

— В котором часу?

— Часов в десять, не раньше.

— Ровно в десять я буду на Бейкер-стрит.

— Отлично. Имейте в виду, доктор, что дело будет опасное. Суньте в карман свой армейский револьвер.

Он помахал мне рукой, круто повернулся и мгновенно исчез в толпе.

Я не считаю себя глупее других, но всегда, когда я имею дело с Шерлоком Холмсом, меня угнетает тяжелое сознание собственной тупости. Ведь вот я слышал то же самое, что слышал он, я видел то же самое, что видел он, однако, судя по его словам, он знает и понимает не только то, что случилось, но и то, что случится, мне же все это дело по-прежнему представляется непонятной нелепостью.

По дороге домой я снова припомнил и весь необычайный рассказ рыжего переписчика «Британской энциклопедии», и наше посещение Сэкс-Кобург-сквер, и те зловещие слова, которые Холмс сказал мне при прощании. Что означает эта ночная экспедиция и для чего нужно, чтобы я пришел вооруженным? Куда мы отправимся с ним и что предстоит нам делать? Холмс намекнул мне, что безбородый помощник владельца ссудной кассы весьма опасный человек, способный на большие преступления.

Я изо всех сил пытался разгадать эти загадки, но ничего у меня не вышло, и я решил ждать ночи, которая должна была разъяснить мне все.

В четверть десятого я вышел из дому и, пройдя по Гайд-парку, по Оксфорд-стрит, очутился на Бейкер-стрит. У подъезда стояли два кэба, и, войдя в прихожую, я услышал шум голосов. Я застал у Холмса двух человек. Холмс оживленно разговаривал с ними. Одного из них я знал — это был Питер Джонс, официальный агент полиции; другой был длинный, тощий, угрюмый мужчина в сверкающем цилиндре, в удручающе безукоризненном фраке.

— А, вот мы и в сборе! — сказал Холмс, застегивая матросскую куртку и беря с полки охотничий хлыст с тяжелой рукоятью.— Уотсон, вы, кажется, знакомы с мистером Джонсом из Скотленд-Ярда? Позвольте вас представить мистеру Мерриуэзеру. Мистер Мерриуэзер тоже примет участие в нашем ночном приключении.

— Как видите, доктор, мы с мистером Холмсом снова охотимся вместе,— сказал Джонс с обычным своим важным и снисходительным видом.— Наш друг — бесценный человек. Но в самом начале охоты ему нужна для преследования зверя помощь старого гончего пса.

— Боюсь, что мы подстрелим не зверя, а утку,— угрюмо сказал мистер Мерриуэзер.

— Можете вполне положиться на мистера Холмса, сэр,— покровительственно проговорил агент полиции.— У него свои собственные любимые методы, которые, позволю себе заметить, несколько отвлеченны и фантастичны, но тем не менее дают отличные результаты. Нужно признать, что бывали случаи, когда он оказывался прав, а официальная полиция ошибалась.

— Раз уж вы так говорите, мистер Джонс, значит, все в порядке,— снисходительно сказал незнакомец.— И все же, признаться, мне жаль, что сегодня не придется сыграть мою обычную партию в роббер. Это первый субботний вечер за двадцать семь лет, который я проведу без карт.

— В сегодняшней игре ставка покрупнее, чем в ваших карточных играх,— сказал Шерлок Холмс,— и сама игра увлекательнее. Ваша ставка, мистер Мерриуэзер, равна тридцати тысячам фунтов стерлингов. А ваша ставка, Джонс,— человек, которого вы давно хотите поймать.

— Джон Клей — убийца, вор, взломщик и мошенник,— сказал Джонс.— Он еще молод, мистер Мерриуэзер, но это искуснейший вор в стране: ни на кого другого я не надел бы наручников с такой охотой, как на него. Он замечательный человек, этот Джон Клей. Его дед был герцог, сам он учился в Итоне и в Оксфорде[1]. Мозг его так же изощрен, как его пальцы, и хотя мы на каждом шагу натыкаемся на его следы, он до сих пор остается неуловимым. На этой неделе он обворует кого-нибудь в Шотландии, а на следующей он уже собирает деньги на постройку детского приюта в Корнуэлле. Я гоняюсь за ним уже несколько лет, а еще ни разу не видел его.

— Сегодня ночью я буду иметь удовольствие представить его вам. Мне тоже приходилось раза два натыкаться на подвиги мистера Джона Клея, и я вполне согласен с вами, что он искуснейший вор в стране... Уже одиннадцатый час, и нам пора двигаться в путь. Вы двое поезжайте в первом кэбе, а мы с Уотсоном поедем во втором.

Шерлок Холмс во время нашей долгой поездки был не слишком общителен: он сидел откинувшись и насвистывал мелодии, которые слышал сегодня на концерте. Мы колесили по бесконечной путанице освещенных газом улиц, пока наконец не добрались до Фаррингдон-стрит.

— Теперь мы совсем близко,— сказал мой приятель.— Мерриуэзер — директор банка и лично заинтересован во всем деле. Джонс тоже нам пригодится. Он славный малый, хотя ничего не смыслит в своей профессии. Впрочем, у него есть одно несомненное достоинство: он отважен, как бульдог, и цепок, как рак. Если уж схватит кого-нибудь своей клешней, так не выпустит... Мы приехали. Вот и они.

Мы снова остановились на той же людной и оживленной улице, где были утром. Расплатившись с извозчиками и следуя за мистером Мерриуэзером, мы вошли в какой-то узкий коридор и юркнули в боковую дверцу,

---

[1] В Итоне и Оксфорде находятся аристократические учебные заведения.

которую он отпер для нас. За дверцей оказался коридор, очень короткий. В конце коридора были массивные железные двери. Открыв эти двери, мы спустились по каменным ступеням винтовой лестницы и подошли к еще одним дверям, столь же внушительным. Мистер Мерриуэзер остановился, чтобы зажечь фонарь, и повел нас по темному, пахнущему землей коридору. Миновав еще одну дверь, мы очутились в обширном склепе или погребе, заставленном корзинами и тяжелыми ящиками.

— Сверху проникнуть сюда не так-то легко,— заметил Холмс, подняв фонарь и оглядев потолок.

— Снизу тоже,— сказал мистер Мерриуэзер, стукнув тростью по плитам, которыми был выложен пол.— Черт побери, звук такой, будто там пустота! — воскликнул он с изумлением.

— Я вынужден просить вас не шуметь,— сердито сказал Холмс.— Из-за вас вся наша экспедиция может закончиться крахом. Будьте любезны, сядьте на один из этих ящиков и не мешайте.

Важный мистер Мерриуэзер с оскорбленным видом сел на корзину, а Холмс опустился на колени и с помощью фонаря и лупы принялся изучать щели между плитами. Через несколько секунд, удовлетворенный результатами своего исследования, он поднялся и спрятал лупу в карман.

— У нас впереди по крайней мере час,— заметил он,— так как они вряд ли примутся за дело прежде, чем почтенный владелец ссудной кассы заснет. А когда он заснет, они не станут терять ни минуты, потому что чем раньше они окончат работу, тем больше времени у них останется для бегства... Мы находимся, доктор,— как вы, без сомнения, уже догадались,— в подвалах отделения одного из богатейших лондонских банков. Мистер Мерриуэзер — председатель правления банка; он объяснит нам, что заставляет наиболее дерзких преступников именно в настоящее время с особым вниманием относиться к этим подвалам.

— Мы храним здесь наше французское золото,— шепотом сказал директор.— Мы уже имели ряд предупреждений, что будет совершена попытка похитить его.

— Ваше французское золото?

— Да. Несколько месяцев назад нам понадобились дополнительные средства, и мы заняли тридцать тысяч наполеондоров[1] у банка Франции. Но нам даже не при-

_____

[1] Н а п о л е о н д о р ы — французские золотые монеты.

шлось распаковывать эти деньги, и они до сих пор лежат в наших подвалах. Корзина, на которой я сижу, содержит две тысячи наполеондоров, уложенных между листами свинцовой бумаги. Редко в одном отделении банка хранят столько золота, сколько хранится у нас в настоящее время. Каким-то образом это стало известно многим, и это заставляет директоров беспокоиться.

— У них есть все основания для беспокойства,— заметил Холмс.— Ну, нам пора приготовиться. Я полагаю, что в течение ближайшего часа все будет кончено. Придется, мистер Мерриуэзер, закрыть этот фонарь чем-нибудь темным...

— И сидеть в темноте?

— Боюсь, что так. Я захватил колоду карт, чтобы вы могли сыграть свою партию в роббер, так как нас здесь четверо. Но я вижу, что приготовления врага зашли очень далеко и что оставить здесь свет было бы рискованно. Кроме того, нам нужно поменяться местами. Они смелые люди и, хотя мы нападем на них внезапно, могут причинить нам немало вреда, если мы не будем осторожны. Я стану за этой корзиной, а вы спрячьтесь за теми. Когда я направлю на грабителей свет, хватайте их. Если они начнут стрельбу, Уотсон, стреляйте в них без колебания.

Я положил свой заряженный револьвер на крышку деревянного ящика, а сам притаился за ящиком. Холмс накрыл фонарь и оставил нас в полнейшей тьме. Запах нагретого металла напоминал нам, что фонарь не погашен и что свет готов вспыхнуть в любое мгновение. Мои нервы, напряженные от ожидания, были подавлены этой внезапной тьмой, этой холодной сыростью подземелья.

— Для бегства у них есть только один путь — обратно, через дом на Сэкс-Кобург-сквер,— прошептал Холмс.— Надеюсь, вы сделали то, о чем я просил вас, Джонс?

— Инспектор и два офицера ждут их у парадного входа.

— Значит, мы заткнули все дыры. Теперь нам остается только молчать и ждать.

Как медленно тянулось время! В сущности, прошел всего час с четвертью, но мне казалось, что ночь уже кончилась и наверху рассветает. Ноги у меня устали и затекли, так как я боялся шевельнуться; нервы были натянуты. И вдруг внизу я заметил мерцание света.

Сначала это была слабая искра, мелькнувшая в просвете между плитами пола. Вскоре искра эта превратилась в желтую полоску. Потом без всякого шума в полу возникло отверстие, и в самой середине освещенного пространства появилась рука — белая, женственная,— которая как будто пыталась нащупать какой-то предмет. В течение минуты эта рука с движущимися пальцами торчала из пола. Затем она исчезла так же внезапно, как возникла, и все опять погрузилось во тьму; лишь через узенькую щель между двумя плитами пробивался слабый свет.

Однако через мгновение одна из широких белых плит перевернулась с резким скрипом, и на ее месте оказалась глубокая квадратная яма, из которой хлынул свет фонаря. Над ямой появилось гладко выбритое мальчишеское лицо; неизвестный зорко глянул во все стороны; две руки уперлись в края отверстия; плечи поднялись из ямы, потом поднялось все туловище; колено уперлось в пол. Через секунду незнакомец уже во весь рост стоял на полу возле ямы и помогал влезть своему товарищу, такому же маленькому и гибкому, с бледным лицом и с вихрами ярко-рыжих волос.

— Все в порядке,— прошептал он.— Стамеска и мешки у тебя?.. Черт! Прыгай, Арчи, прыгай, а я уж за себя постою.

Шерлок Холмс схватил его за шиворот. Второй вор юркнул в нору; Джонс пытался его задержать, но, видимо, безуспешно: я услышал треск рвущейся материи. Свет блеснул на стволе револьвера, но Холмс охотничьим хлыстом стегнул своего пленника по руке, и револьвер со звоном упал на каменный пол.

— Бесполезно, Джон Клей,— сказал Холмс мягко.— Вы попались.

— Вижу,— ответил тот совершенно спокойно.— Но товарищу моему удалось ускользнуть, и вы поймали только фалду его пиджака.

— Три человека поджидают его за дверями,— сказал Холмс.

— Ах вот как! Чисто сработано! Поздравляю вас.

— А я — вас. Ваша выдумка насчет рыжих вполне оригинальна и удачна.

— Сейчас вы увидите своего приятеля,— сказал Джонс.— Он шибче умеет нырять в норы, чем я. А теперь я надену на вас наручники.

— Уберите свои грязные руки, пожалуйста! Не трогайте меня!— сказал ему наш пленник после того, как наручники были надеты.— Может быть, вам неизвестно, что во мне течет королевская кровь. Будьте же любезны, обращаясь ко мне, называть меня «сэр» и говорить мне «пожалуйста».

— Отлично,— сказал Джонс, усмехаясь.— Пожалуйста, сэр, поднимитесь наверх и соблаговолите сесть в кэб, который отвезет вашу светлость в полицию.

— Вот так-то лучше,— спокойно сказал Джон Клей.

Величаво кивнув нам головой, он безмятежно удалился под охраной сыщика.

— Мистер Холмс,— сказал Мерриуэзер, выводя нас из кладовой,— я, право, не знаю, как наш банк может отблагодарить вас за эту услугу. Вам удалось предотвратить крупнейшую кражу.

— У меня были свои собственные счеты с мистером Джоном Клеем,— сказал Холмс.— Расходы я на сегодняшнем деле понес небольшие, и ваш банк безусловно возместит их мне, хотя, в сущности, я уже вознагражден тем, что испытал единственное в своем роде приключение и услышал замечательную повесть о Союзе рыжих...

— Видите ли, Уотсон,— объяснил мне рано утром Шерлок Холмс, когда мы сидели с ним на Бейкер-стрит за стаканом виски с содовой,— мне с самого начала было ясно, что единственной целью этого фантастического объявления о Союзе рыжих и переписывания «Британской энциклопедии» может быть только удаление из дома не слишком умного владельца ссудной кассы на несколько часов ежедневно. Способ, который они выбрали, конечно, курьезен, однако благодаря этому способу они вполне добились своего. Весь этот план, без сомнения, был подсказан вдохновенному уму Клея цветом волос его сообщника. Четыре фунта в неделю служили для Уилсона приманкой, а что значит четыре фунта для них, если они рассчитывали получить тысячи! Они поместили в газете объявление; один мошенник снял временно контору, другой мошенник уговорил своего хозяина сходить туда, и оба вместе получили возможность каждое утро пользоваться его отсутствием. Чуть только я услышал, что помощник довольствуется половинным жалованьем, я понял, что для этого у него есть основательные причины.

— Но как вы отгадали их замысел?

— Предприятие нашего рыжего клиента — ничтожное, во всей его квартире нет ничего такого, ради чего стоило бы затевать столь сложную игру. Следовательно, они имели в виду нечто находящееся вне его квартиры. Что это может быть? Я вспомнил о страсти помощника к фотографии, о том, что он пользуется этой страстью, чтобы лазить зачем-то в погреб. Погреб! Вот другой конец запутанной нити. Я подробно расспросил Уилсона об этом таинственном помощнике и понял, что имею дело с одним из самых хладнокровных и дерзких преступников Лондона. Он что-то делает в погребе, что-то сложное, так как ему приходится работать там по нескольку часов каждый день в течение двух месяцев. Что же он может там делать? Только одно: рыть подкоп, ведущий в какое-нибудь другое здание. Придя к такому выводу, я захватил вас и отправился познакомиться с тем местом, где все это происходит. Вы были очень удивлены, когда я стукнул тростью по мостовой. А между тем я хотел узнать, куда прокладывается подкоп — перед фасадом или на задворках. Оказалось, что перед фасадом его не было. Я позвонил. Как я и ожидал, мне открыл помощник. У нас уже бывали с ним кое-какие стычки, но мы никогда не видали друг друга в лицо. Да и на этот раз я в лицо ему не посмотрел. Я хотел видеть его колени. Вы могли бы и сами заметить, как они у него были грязны, помяты, протерты. Они свидетельствовали о многих часах, проведенных за рытьем подкопа. Оставалось только выяснить, куда он вел свой подкоп. Я свернул за угол, увидел вывеску Городского и Пригородного банка и понял, что задача решена. Когда после концерта вы отправились домой, я поехал в Скотленд-Ярд, а оттуда к председателю правления банка.

— А как вы узнали, что они попытаются совершить ограбление именно этой ночью?— спросил я.

— Закрыв контору Союза рыжих, они тем самым давали понять, что больше не нуждаются в отсутствии мистера Джабеза Уилсона,— другими словами, их подкоп готов. Было ясно, что они постараются воспользоваться им поскорее, так как, во-первых, подкоп может быть обнаружен, а во-вторых, золото может быть перевезено в другое место. Суббота им особенно удобна, потому что она предоставляет им для бегства лишние сутки. На основании всех этих соображений я пришел к выводу, что попытка ограбления будет совершена ближайшей ночью.

— Ваши рассуждения прекрасны!— воскликнул я в непритворном восторге.— Вы создали такую длинную цепь, и каждое звено в ней безупречно.

— Этот случай спас меня от угнетающей скуки,— проговорил Шерлок Холмс, зевая.— Увы, я чувствую, что скука снова начинает одолевать меня! Вся моя жизнь — сплошное усилие избегнуть тоскливого однообразия наших жизненных будней. Маленькие загадки, которые я порой разгадываю, помогают мне достигнуть этой цели.

— Вы истинный благодетель человечества,— сказал я.

Холмс пожал плечами:

— Пожалуй, я действительно приношу кое-какую пользу. «L'homme c'est rien — l'oeuvre c'est tout»[1], как выразился Гюстав Флобер в письме к Жорж Санд[2].

УСТАНОВЛЕНИЕ ЛИЧНОСТИ

— Мой дорогой друг, жизнь несравненно причудливее, чем все, что способно создать воображение человеческое,— сказал Шерлок Холмс, когда мы с ним сидели у камина в его квартире на Бейкер-стрит.— Нам и в голову не пришли бы многие вещи, которые в действительности представляют собою нечто совершенно банальное. Если бы мы с вами могли, взявшись за руки, вылететь из окна и, витая над этим огромным городом, приподнять крыши и заглянуть внутрь домов, то по сравнению с открывшимися нам необычайными совпадениями, замыслами, недоразумениями, непостижимыми событиями, которые, прокладывая себе путь сквозь многие поколения, приводят к совершенно невероятным результатам, вся изящная словесность с ее условностями и заранее предрешенными развязками показалась бы нам плоской и тривиальной.

— И все же вы меня не убедили,— отвечал я.— Дела, о которых мы читаем в газетах, как правило, представлены в достаточно откровенном и грубом виде. Натурализм в полицейских отчетах доведен до крайних пределов, но это отнюдь не значит, что они хоть сколько-нибудь привлекательны или художественны.

— Для того, чтобы добиться подлинно реалистического эффекта, необходим тщательный отбор, известная сдержанность,— заметил Холмс.— А этого как раз и не хватает в полицейских отчетах, где гораздо больше места отводится пошлым сентенциям мирового судьи, нежели под-

---

[1] «Человек — ничто, дело — всё» *(франц.)*.
[2] Гюстав Флобер и Жорж Санд (Аврора Дюдеван) — знаменитые французские писатели XIX века.

робностям, в которых для внимательного наблюдателя и содержится существо дела. Поверьте, нет ничего более неестественного, чем банальность.

Я улыбнулся и покачал головой.

— Понятно, почему вы так думаете. Разумеется, находясь в положении неофициального консультанта и помощника вконец запутавшихся в своих делах обитателей трех континентов, вы постоянно имеете дело со всевозможными странными и фантастическими явлениями. Но давайте устроим практическое испытание, посмотрим, например, что написано здесь,— сказал я, поднимая с полу утреннюю газету.— Возьмем первый попавшийся заголовок: «Жестокое обращение мужа с женой». Далее следует полстолбца текста, но я и не читая уверен, что все это хорошо знакомо. Здесь, без сомнения, фигурирует другая женщина, пьянство, колотушки, синяки, полная сочувствия сестра или квартирная хозяйка. Даже бульварный писака не смог бы придумать ничего грубее.

— Боюсь, что ваш пример неудачен, как и вся ваша аргументация,— сказал Холмс, заглядывая в газету.— Это — дело о разводе Дандеса, и случилось так, что я занимался выяснением некоторых мелких обстоятельств, связанных с ним. Муж был трезвенником, никакой другой женщины не было, а жалоба заключалась в том, что он взял привычку после еды вынимать искусственную челюсть и швырять ею в жену, что, согласитесь, едва ли придет в голову среднему новеллисту. Возьмите понюшку табаку, доктор, и признайтесь, что я положил вас на обе лопатки с вашим примером.

Он протянул мне старинную золотую табакерку с большим аметистом на крышке. Великолепие этой вещицы настолько не вязалось с простыми и скромными привычками моего друга, что я не мог удержаться от замечания по этому поводу.

— Да, я совсем забыл, что мы с вами уже несколько недель не виделись,— сказал он.— Это небольшой сувенир от короля Богемии в благодарность за мою помощь в деле с письмами Ирэн Адлер.

— А кольцо? — спросил я, взглянув на великолепный бриллиант, блестевший у него на пальце.

— Подарок голландской королевской фамилии; но это дело настолько деликатное, что я не имею права довериться даже вам, хотя вы любезно взяли на себя труд описать некоторые из моих скромных достижений.

— А сейчас у вас есть на руках какие-нибудь дела? — с интересом спросил я.

— Штук десять — двенадцать, но ни одного интересного. То есть все они по-своему важные, но для меня интереса не представляют. Видите ли, я обнаружил, что именно незначительные дела дают простор для наблюдений, для тонкого анализа причин и следствий, которые единственно и составляют всю прелесть расследования. Крупные преступления, как правило, очень просты, ибо мотивы серьезных преступлений большею частью очевидны. А среди этих дел ничего интересного нет, если не считать одной весьма запутанной истории, происшедшей в Марселе. Не исключено, однако, что не пройдет и нескольких минут, как у меня будет дело позанятнее, ибо, мне кажется, я вижу одну из моих клиенток.

Говоря это, он встал с кресла и, подойдя к окну, смотрел на тихую, серую лондонскую улицу. Взглянув через его плечо, я увидел на противоположной стороне крупную женщину в тяжелом меховом боа, с большим мохнатым красным пером на кокетливо сдвинутой набок широкополой шляпе. Из-под этих пышных доспехов она нерешительно поглядывала на наши окна, то и дело порываясь вперед и нервно теребя застежку перчатки.

Внезапно, как пловец, бросающийся в воду, она кинулась через улицу, и мы услышали резкий звонок.

— Знакомые симптомы,— сказал Холмс, швыряя в камин окурок.— Нерешительность у дверей всегда свидетельствует о сердечных делах. Она хочет попросить совета, но боится: дело, очевидно, слишком щекотливое. Но и здесь бывают разные оттенки. Если женщину глубоко оскорбили, она уже не колеблется и, как правило, обрывает звонок. В данном случае тоже можно предположить любовную историю, однако эта девица не столько рассержена, сколько встревожена или огорчена. А вот и она. Сейчас все наши сомнения будут разрешены.

В эту минуту в дверь постучали, и мальчик в форменной куртке с пуговицами доложил о прибытии мисс Мэри Сазерлэнд, между тем как сама эта дама возвышалась позади его маленькой черной фигурки, словно торговый корабль в полной оснастке, идущий вслед за крохотным лоцманским ботом. Шерлок Холмс приветствовал гостью с присущей ему непринужденной учтивостью, затем закрыл дверь и, усадив ее в кресло, оглядел пристальным и вместе с тем характерным для него рассеянным взглядом.

— Вы не находите,— сказал он,— что при вашей близорукости утомительно так много писать на машинке?

— Вначале я уставала, но теперь печатаю слепым методом,— ответила она. Затем, вдруг вникнув в смысл его слов, она вздрогнула и со страхом взглянула на Холмса. На ее широком добродушном лице выразилось крайнее изумление.

— Вы меня знаете, мистер Холмс? — воскликнула она.— Иначе откуда вам все это известно?

— Неважно,— засмеялся Холмс.— Все знать — моя профессия. Быть может, я приучился видеть то, чего другие не замечают. В противном случае, зачем вам было бы приходить ко мне за советом?

— Я пришла потому, что слышала о вас от миссис Этеридж, мужа которой вы так быстро отыскали, когда все, и даже полиция, считали его погибшим. О, мистер Холмс, если бы вы так же помогли и мне! Я не богата, но все же имею ренту в сто фунтов в год и, кроме того, зарабатываю перепиской на машинке, и я готова отдать все, только бы узнать, что сталось с мистером Госмером Эйнджелом.

— Почему вы так торопились бежать ко мне за советом? — спросил Шерлок Холмс, сложив кончики пальцев и глядя в потолок.

На простоватой физиономии мисс Мэри Сазерлэнд снова появился испуг.

— Да, я действительно прямо-таки вылетела из дома,— сказала она.— Меня разозлило равнодушие, с каким мистер Уиндибенк, то есть мой отец, отнесся к этому делу. Он не ·хотел идти ни в полицию, ни к вам, ничего не желает делать, только знает твердить, что ничего страшного не случилось, вот я и не вытерпела, кое-как оделась и прямо к вам.

— Ваш отец? — спросил Холмс.— Скорее, ваш отчим. Ведь у вас разные фамилии.

— Да, отчим. Я называю его отцом, хотя это смешно — он всего на пять лет и два месяца старше меня.

— А ваша матушка жива?

— О да, мама жива и здорова. Не очень-то я была довольна, когда она вышла замуж, и так скоро после смерти папы, причем он лет на пятнадцать ее моложе. У папы была паяльная мастерская на Тоттенхем-Корт-роуд — прибыльное дельце, и мама продолжала вести его с помощью старшего мастера мистера Харди. Но мистер Уиндибенк заставил ее продать мастерскую: ему, видите ли, не к лицу,— он коммивояжер по продаже вин. Они получили четыре тысячи семьсот фунтов вместе с процентами, хотя отец, будь он в живых, выручил бы гораздо больше.

Я думал, что Шерлоку Холмсу надоест этот бессвязный рассказ, но он, напротив, слушал с величайшим вниманием.

— И ваш личный доход идет с этой суммы? — спросил он.

— О нет, сэр! У меня свое состояние, мне оставил наследство дядя Нэд из Окленда. Капитал в новозеландских бумагах, четыре с половиной процента годовых. Всего две с половиною тысячи фунтов, но я могу получать только проценты.

— Все это очень интересно,— сказал Холмс.— Получая сто фунтов в год и прирабатывая сверх того, вы, конечно, имеете возможность путешествовать и позволять себе другие развлечения. Я считаю, что на доход в шестьдесят фунтов одинокая дама может жить вполне безбедно.

— Я могла бы обойтись меньшим, мистер Холмс, но вы ведь сами понимаете, что я не хочу быть обузой дома и, пока живу с ними, отдаю деньги в семью. Разумеется, это только временно. Мистер Уиндибенк каждый квартал получает мои проценты и отдает их маме, а я отлично живу перепиской на машинке. Два пенса за страницу, и частенько мне удается писать по пятнадцать — двадцать страниц в день.

— Вы очень ясно обрисовали мне все обстоятельства,— сказал Холмс.— Позвольте представить вам моего друга, доктора Уотсона; при нем вы можете говорить откровенно, как наедине со мною. А теперь, будьте любезны, расскажите подробно о ваших отношениях с мистером Госмером Эйнджелом.

Мисс Сазерлэнд покраснела и стала нервно теребить край своего жакета.

— Я познакомилась с ним на балу газопроводчиков. Папе всегда присылали билеты, а теперь они вспомнили о нас и прислали билеты маме. Мистер Уиндибенк не хотел, чтобы мы шли на бал. Он не хочет, чтобы мы где-нибудь бывали. А когда я завожу речь о каком-нибудь пикнике воскресной школы, он приходит в бешенство. Но на этот раз я решила пойти во что бы то ни стало, потому что какое он имеет право не пускать меня? Незачем водить компанию с подобными людьми, говорит он, а ведь там собираются все папины друзья. И еще он сказал, будто мне не в чем идти, когда у меня есть совсем еще не надеванное красное бархатное платье. Больше возражать ему было нечего, и он уехал во Францию по делам фирмы, а мы с мамой и мистером Харди, нашим бывшим мастером, пошли на бал. Там я и познакомилась с мистером Госмером Эйнджелом.

— Полагаю, что, вернувшись из Франции, мистер Уиндибенк был очень недоволен тем, что вы пошли на бал? — спросил Холмс.

— Нет, он ничуть не рассердился. Он засмеялся, пожал плечами и сказал: что женщине ни запрети, она все равно сделает по-своему.

— Понимаю. Значит, на балу газопроводчиков вы и познакомились с джентльменом по имени Госмер Эйнджел?

— Да, сэр. Я познакомилась с ним в тот вечер, а на следующий день он пришел справиться, благополучно ли мы добрались до дому, и после этого мы, то есть я два раза была с ним на прогулке, а затем вернулся отец, и мистер Госмер Эйнджел уже не мог нас навещать.

— Не мог? Почему?

— Видите ли, отец не любит гостей и вечно твердит, что женщина должна довольствоваться своим семейным кругом. А я на это говорила маме: да, женщина должна иметь свой собственный круг, но у меня-то его пока что нет!

— Ну, а мистер Госмер Эйнджел? Он не делал попыток с вами увидеться?

— Через неделю отец снова собирался во Францию, и Госмер написал мне, что до отъезда отца нам лучше не встречаться. Он предложил мне пока переписываться и писал каждый день. Утром я сама брала письма из ящика, и отец ничего не знал.

— К тому времени вы уже обручились с этим джентльменом?

— Да, мистер Холмс. Мы обручились сразу, после первой же прогулки. Госмер... мистер Эйнджел... служит кассиром в конторе на Леднхолл-стрит и...

— В какой конторе?

— В том-то и беда, мистер Холмс, что я не знаю.

— А где он живет?

— Он сказал, что ночует в конторе.

— И вы не знаете его адреса?

— Нет, я знаю только, что контора на Леднхолл-стрит.

— Куда же вы адресовали ваши письма?

— В почтовое отделение Леднхолл-стрит, до востребования. Он сказал, что на адрес конторы писать не надо, сослуживцы будут смеяться над ним, если узнают, что письма от дамы. Тогда я предложила писать свои письма на машинке, как он и сам делал, а он не захотел. Сказал, что письма, написанные моей собственной рукой, дороги ему, а когда они напечатаны, ему кажется, что между нами что-то чужое. Видите, мистер Холмс, как он меня любил и как был внимателен к мелочам.

— Это кое о чем говорит. Я всегда придерживался мнения, что мелочи существеннее всего,— сказал Холмс.— Может быть, вы припомните еще какие-нибудь мелочи, касающиеся мистера Госмера Эйнджела?

— Он был очень застенчив, мистер Холмс. Он охотнее гулял со мною вечером, чем днем, не любил привлекать к себе внимание. Он был очень сдержан и учтив. Даже голос у него был тихий-тихий. Он рассказывал, что в детстве часто болел ангиной и воспалением гланд и у него ослабли голосовые связки, потому он и говорил шепотом. Он хорошо одевался, очень аккуратно, хотя и просто, а вот глаза у него были слабые, как у меня, и поэтому он носил темные очки.

— Ну, а что произошло, когда ваш отчим, мистер Уиндибенк, опять уехал во Францию?

— Мистер Госмер Эйнджел пришел к нам и предложил мне обвенчаться, пока не вернулся отец. Он был необычайно взволнован и заставил меня поклясться на Библии, что я всегда и во всем буду ему верна. Мама сказала, что он правильно сделал,— это, мол, служит доказательством его любви. Мама с самого начала очень хорошо к нему относилась, он ей нравился даже больше, чем мне. Потом решили, что лучше отпраздновать свадьбу еще до конца недели. Я им говорю, как же без отца, а они оба стали твердить, чтоб я об этом не думала, что отцу можно сообщить и после, а мама сказала, что берется все уладить сама. Мне это не очень понравилось, мистер Холмс. Конечно, смешно просить согласия отца, когда он всего на несколько лет старше меня; но я ничего не хотела делать тайком и поэтому написала ему в Бордо — там французское отделение его фирмы, но письмо вернулось обратно в день моей свадьбы.

— Письмо его не застало?

— Да, сэр, он как раз перед тем выехал в Англию.

— Да, неудачно! Значит, свадьба была назначена на пятницу? Она должна была происходить в церкви?

— Да, но очень скромно. Мы должны были обвенчаться в церкви святого Спасителя возле Кингс-кросс, а затем позавтракать в отеле Сент-Пэнкрес. Госмер приехал за нами в двуколке, но так как нас было трое, он усадил нас с мамой, а сам взял кэб, который как раз оказался на улице. Мы доехали до церкви первыми и стали ждать. Потом подъехал кэб, но он не выходил. Тогда кучер слез с козел и заглянул внутрь, но там никого не оказалось! Кучер не мог понять, куда он делся,— он собственными глазами видел, как тот сел в кэб. Это случилось в пятницу, мистер Холмс, и с тех пор я так и не знаю, что с ним произошло.

— Мне кажется, он обошелся с вами самым бессовестным образом,— сказал Шерлок Холмс.

— О нет, сэр! Он добрый и хороший, он не мог меня бросить. Он все утро твердил, что я должна быть ему верна, что бы ни случилось. Даже если случится что-нибудь непредвиденное, я должна всегда помнить, что дала ему слово и что рано или поздно он вернется и я должна буду выполнить обещание. Как-то странно было слышать это перед самой свадьбой, но то, что случилось потом, придает смысл его словам.

— Безусловно. Значит, вы полагаете, что с ним случилось какое-нибудь несчастье?

— Да, сэр, и я думаю, что он предчувствовал какую-то опасность, иначе он бы не говорил таких странных вещей. И мне кажется, что его опасения оправдались.

— Но вы не знаете, чтó бы это могло быть?

— Нет.

— Еще один вопрос. Как отнеслась к этому ваша матушка?

— Она очень рассердилась, сказала, чтобы я и не заикалась об этой истории.

— А ваш отец? Вы рассказали ему, что случилось?

— Да. Он считает, что произошло какое-то несчастье, но что Госмер вернется. Какой смысл везти меня в церковь и скрыться, говорит он. Если бы он занял у меня деньги или женился и перевел на свое имя мое состояние, тогда можно было бы объяснить его поведение, но Госмер очень щепетилен насчет денег и ни разу не взял у меня ни шиллинга. Что могло случиться? Почему он не напишет? Я с ума схожу, ночью не могу уснуть.— Она достала из муфты платок и горько заплакала.

— Я займусь вашим делом,— сказал Холмс, вставая,— и не сомневаюсь, что мы чего-нибудь добьемся. Не думайте ни о чем, не волнуйтесь, а главное, постарайтесь забыть о Госмере Эйндже ле, как будто его и не было.

— Значит, я никогда больше его не увижу?

— Боюсь, что так.

— Но что с ним случилось?

— Предоставьте это дело мне. Мне хотелось бы иметь точное описание его внешности, а также все его письма.

— В субботу я поместила в газете «Кроникл» объявление о его пропаже,— заметила она.— Вот вырезка и вот четыре его письма.

— Благодарю вас. Ваш адрес?

— Камберуэлл, Лайон-плейс, 31.

— Адреса мистера Эйнджела вы не знаете. Где служит ваш отец?

— Фирма «Вестхауз и Марбэнк» на Фенчерч-стрит — это крупнейшие импортеры кларета.

— Благодарю вас. Вы очень ясно изложили свое дело. Оставьте письма у меня и помните мой совет. Забудьте об этом происшествии раз и навсегда.

— Благодарю вас, мистер Холмс, но это невозможно. Я останусь верна Госмеру. Я буду его ждать.

Несмотря на нелепую шляпу и простоватую физиономию, посетительница невольно внушала уважение своим благородством и верностью. Она положила на стол бумаги и ушла, обещав прийти в случае надобности.

Несколько минут Шерлок Холмс сидел молча, сложив кончики пальцев, вытянув ноги и устремив глаза в потолок. Затем он взял с полки старую глиняную трубку, которая всегда служила ему советчиком, раскурил ее и долго сидел, откинувшись на спинку кресла и утопая в густых облаках голубого дыма. На лице его изображалось полнейшее равнодушие.

— Занятное существо эта девица,— сказал он наконец.— Гораздо занятнее, чем ее история, кстати достаточно избитая. Если вы заглянете в мою картотеку, вы найдете немало аналогичных случаев, например Андоверское дело 1877 года. Нечто подобное произошло и в Гааге в прошлом году. В общем, старая история, хотя в ней имеются некоторые новые детали. Однако сама девица дает богатейший материал для наблюдений.

— Вы, очевидно, усмотрели много такого, что для меня осталось невидимым,— заметил я.

— Не невидимым, а незамеченным, Уотсон. Вы не знали, на что обращать внимание, и упустили все существенное. Я никак не могу внушить вам, какое значение может иметь рукав, ноготь на большом пальце или шнурок от ботинок. Интересно, что вы можете сказать на основании внешности этой девицы? Опишите мне ее.

— Ну, на ней была серо-голубая соломенная шляпа с большими полями и с кирпично-красным пером. Черный жакет с отделкой из черного стекляруса. Платье коричневое, скорее даже темно-кофейного оттенка, с полоской алого бархата у шеи и на рукавах. Серые перчатки, протертые на указательном пальце правой руки. Ботинок я не разглядел. В ушах золотые сережки в виде маленьких круглых подвесок. В общем, это девица вполне состоятельная, хотя и несколько вульгарная, добродушная и беспечная.

Шерлок Холмс тихонько захлопал в ладоши и усмехнулся.

— Превосходно, Уотсон, вы делаете успехи. Правда, вы упустили все существенные детали, зато хорошо усвоили метод, и у вас тонкое чувство цвета. Никогда не полагайтесь на общее впечатление, друг мой, сосредоточьте внимание на мелочах. Я всегда сначала смотрю на рукава женщины. Когда имеешь дело с мужчиной, пожалуй, лучше начинать с колен брюк. Как вы заметили, у этой девицы рукава были обшиты бархатом, а это материал, который легко протирается и поэтому хорошо сохраняет следы. Двойная линия немного выше запястья, в том месте, где машинистка касается рукою стола, видна великолепно. Ручная швейная машина оставляет такой же след, но только на левой руке, и притом на наружной стороне запястья, а у мисс Сазерлэнд след проходил через все запястье. Затем я посмотрел на ее лицо и, увидев на переносице следы пенсне, сделал замечание насчет близорукости и работы на пишущей машинке, что ее очень удивило.

— Меня это тоже удивило.

— Но это же совершенно очевидно! Я посмотрел на ее обувь и очень удивился, заметив, что на ней разные ботинки; на одном носок был узорчатый, на другом — совсем гладкий. Далее, один ботинок был застегнут только на две нижние пуговицы из пяти, другой — на первую, третью и пятую пуговицу. Когда молодая девушка, в общем аккуратно одетая, выходит из дому в разных, застегнутых не на все пуговицы ботинках, то не требуется особой проницательности, чтобы сказать, что она очень спешила.

— А что вы еще заметили? — с интересом спросил я, как всегда восхищаясь проницательностью моего друга.

— Я заметил, между прочим, что перед уходом из дому, уже совсем одетая, она что-то писала. Вы обратили внимание, что правая перчатка у нее порвана на указательном пальце, но не разглядели, что и перчатка и палец испачканы фиолетовыми чернилами. Она писала второпях и слишком глубоко обмакнула перо. И это, по всей вероятности, было сегодня утром, иначе пятна не были бы так заметны. Все это очень любопытно, хотя довольно элементарно. Но вернемся к делу, Уотсон. Не прочтете ли вы мне описание внешности мистера Госмера Эйнджела, данное в объявлении?

Я поднес газетную вырезку к свету и прочитал: «Пропал без вести утром 14-го джентльмен по имени **Госмер Эйнджел**. Рост — пять футов семь дюймов, крепкого сложения, смуглый, черноволосый, небольшая лысина на макушке; густые черные бакенбарды и усы; темные очки, легкий дефект речи. Одет в черный сюртук на шелковой подкладке, черный жилет, в кармане часы с золотой цепочкой, серые твидовые брюки, коричневые гетры поверх штиблет с резинками по бокам. Служил в конторе на Леднхолл-стрит. Всякому, кто сообщит...» — и так далее и тому подобное.

— Этого достаточно. Что касается писем,— сказал Холмс, пробегая их глазами,— они очень банальны и ничего не дают для характеристики мистера Эйнджела, разве только, что он упоминает Бальзака. Однако есть одно обстоятельство, которое вас, конечно, поразит.

— Они напечатаны на машинке,— заметил я.

— Главное, что и подпись тоже напечатана на машинке. Посмотрите на аккуратненькое «Госмер Эйнджел» внизу. Есть дата, но нет адреса отправителя, кроме Леднхолл-стрит, а это весьма неопределенно. Но важна именно подпись, и ее мы можем считать доказательством.

— Доказательством чего?

— Милый друг, неужели вы не понимаете, какое значение имеет эта подпись?

— По правде говоря, нет. Может быть, он хотел оставить за собой возможность отрицать подлинность подписи в случае предъявления иска за нарушение обещания жениться.

— Нет, суть не в том. Чтобы решить этот вопрос, я напишу два письма: одно — фирме в Сити, другое — отчиму молодой девушки, мистеру Уиндибенку, и попрошу его зайти к нам завтра в шесть часов вечера. Попробуем вести переговоры с мужской частью семейства. Пока мы не получим ответа на эти письма, мы решительно ничего не можем предпринять и потому отложим это дело.

Зная о тонкой проницательности моего друга и о его необычайной энергии, я был уверен, что раз он так спокойно относится к раскрытию этой странной тайны, значит, у него есть на то веские основания. Мне был известен только один случай, когда он потерпел неудачу,—

история с королем Богемии и с фотографией Ирэн Адлер. Однако я помнил о таинственном «знаке четырех» и о необыкновенных обстоятельствах «Этюда в багровых тонах» и давно проникся убеждением, что, уж если он не сможет распутать какую-нибудь загадку, стало быть, она совершенно неразрешима.

Холмс все еще курил свою черную глиняную трубку, когда я ушел, нисколько не сомневаясь, что к моему возвращению на следующий вечер в его руках уже будут все нити дела об исчезновении жениха мисс Мэри Сазерлэнд.

Назавтра я целый день провел у постели тяжело больного пациента. Только около шести часов я наконец освободился, вскочил в двуколку и поехал на Бейкер-стрит, боясь, как бы не опоздать к развязке этой маленькой драмы. Однако Холмса я застал дремлющим в кресле. Огромное количество бутылок, пробирок и едкий запах соляной кислоты свидетельствовали о том, что он посвятил весь день столь любезным его сердцу химическим опытам.

— Ну что, нашли, в чем дело? — спросил я, входя в комнату.

— Да, это был бисульфат бария.

— Нет, нет, я спрашиваю об этой таинственной истории.

— Ах, вот оно что! Я думал о соли, над которой работал. А в этой истории ничего таинственного нет. Впрочем, я уже вчера говорил, что некоторые детали довольно любопытны. Жаль только, что этого мерзавца нельзя привлечь к суду.

— Но кто же этот субъект и зачем он покинул мисс Сазерлэнд?

Холмс раскрыл было рот, чтобы ответить, но в эту минуту в коридоре послышались тяжелые шаги и в дверь постучали.

— Это отчим девицы, мистер Джеймс Уиндибенк,— сказал Холмс.— Он сообщил мне, что будет в шесть часов. Войдите!

Вошел человек лет тридцати, среднего роста, плотный, бритый, смуглый, с вежливыми вкрадчивыми манерами и необычайно острым, проницательным взглядом серых глаз. Он вопросительно посмотрел на Холмса, затем на меня, положил свой цилиндр на буфет и с легким поклоном уселся на ближайший стул.

— Добрый вечер, мистер Джеймс Уиндибенк,— сказал Холмс.— Полагаю, что это письмо на машинке, в котором вы обещаете прийти ко мне в шесть часов вечера, написано вами?

— Да, сэр. Простите, я немного запоздал, но, видите ли, я не всегда располагаю своим временем. Мне очень жаль, что мисс Сазерлэнд побеспокоила вас этим дельцем: по-моему, лучше не посвящать посторонних в семейные неприятности. Я решительно возражал против ее намерения обратиться к вам, но вы, наверное, заметили, какая она нервная и импульсивная, и уж если она что-нибудь задумала, переубедить ее нелегко. Разумеется, я ничего не имею против вас лично, поскольку вы не связаны с государственной полицией; но все-таки неприятно, когда семейное горе становится общим достоянием. Кроме того, зачем понапрасну тратить деньги. Вы все равно не разыщете этого Госмера Эйнджела.

— Напротив,— спокойно возразил Холмс,— я имею все основания полагать, что мне удастся найти мистера Госмера Эйнджела.

Мистер Уиндибенк вздрогнул и уронил перчатку.

— Очень рад это слышать,— сказал он.

— Обратили ли вы внимание, что любая пишущая машинка обладает индивидуальными чертами в такой же мере, как почерк человека? — сказал Холмс.— Если исключить совершенно новые машинки, то не найти и двух, которые печатали бы абсолютно одинаково. Одни буквы изнашиваются сильнее других, некоторые буквы изнашиваются только с одной стороны. Заметьте, например, мистер Уиндибенк, что в вашей записке буква «е» расплывчата, а у буквы «г» нет хвостика. Есть еще четырнадцать характерных примет, но эти просто бросаются в глаза.

— В нашей конторе на этой машинке пишутся все письма, и шрифт, без сомнения, немного стерся,— ответил наш посетитель, устремив на Холмса проницательный взгляд.

— А теперь, мистер Уиндибенк, я покажу вам нечто особенно интересное,— продолжал Холмс.— Я собираюсь в ближайшее время написать небольшую работу на тему «Пишущие машинки и преступления». Этот вопрос интересует меня уже давно. Все четыре письма, написанные пропавшим. Все они отпечатаны на машинке. Посмотрите: в них все «е» расплываются и у всех «г» нет хвостиков, а если воспользоваться моей лупой, можно также обнаружить и остальные четырнадцать признаков, о которых я упоминал.

Мистер Уиндибенк вскочил со стула и взял свою шляпу.

— Я не могу тратить время на нелепую болтовню, мистер Холмс,— сказал он.— Если вы сможете задержать этого человека, схватите его и известите меня.

— Разумеется,— сказал Холмс, подходя к двери и поворачивая ключ в замке.— В таком случае извещаю вас, что я его задержал.

— Как! Где? — вскричал Уиндибенк, смертельно побледнев и озираясь, как крыса, попавшая в крысоловку.

— Не стоит, право же, не стоит,— учтиво проговорил Холмс.— Вам теперь никак не отвертеться, мистер Уиндибенк. Все это слишком ясно, и вы сделали мне прескверный комплимент, сказав, что я не смогу решить такую простую задачу. Садитесь, и давайте потолкуем.

Наш посетитель упал на стул. Лицо его исказилось, на лбу выступил пот.

— Это... это — неподсудное дело,— пробормотал он.

— Боюсь, что вы правы, но, между нами говоря, Уиндибенк, с таким жестоким, эгоистичным и бессердечным мошенничеством я еще не сталкивался. Я сейчас попробую рассказать, как развивались события, а если я в чем-нибудь ошибусь, вы меня поправите.

Уиндибенк сидел съежившись, низко опустив голову. Он был совершенно уничтожен. Холмс положил ноги на решетку камина, откинулся назад и, заложив руки в карманы, начал рассказывать скорее себе самому, чем нам:

— Человек женится на женщине много старше его самого, позарившись на ее деньги; он пользуется также доходом своей падчерицы, поскольку она живет с ними. Для людей их круга это весьма солидная сумма, и потерять ее — ощутимый удар. Ради таких денег стоит потрудиться. Падчерица мила, добродушна, но сердце ее жаждет любви, и совершенно очевидно, что при ее приятной наружности и порядочном доходе она недолго останется в девицах. Замужество ее, однако, означает потерю годового дохода в сто фунтов. Что же делает отчим, дабы это предотвратить? Он требует, чтобы она сидела дома, запрещает ей встречаться с людьми ее возраста. Скоро он убеждается, что этих мер недостаточно. Девица начинает упрямиться, настаивать на своих правах и, наконец, заявляет, что хочет посетить некий бал. Что же делает тогда ее изобретательный отчим? Он замышляет план, который делает больше чести его уму, нежели сердцу. С ведома своей жены и при ее содействии он изменяет свою внешность, скрывает за темными очками свои проницательные глаза, наклеивает усы и пышные бакенбарды, приглушает свой звонкий голос до вкрадчивого шепота и, пользуясь близорукостью девицы, появляется в качестве мистера Госмера Эйнджела и отстраняет других поклонников своим настойчивым ухаживанием.

— Это была шутка, — простонал наш посетитель. — Мы не думали, что она так увлечется.

— Возможно. Однако, как бы там ни было, молодая девушка искренне увлеклась. Она знала, что отчим во Франции, и потому не могла ничего заподозрить. Она была польщена вниманием этого джентльмена, а шумное одобрение со стороны матери еще более усилило ее чувство. Отлично понимая, что реального результата можно добиться только решительными действиями, мистер Эйнджел зачастил в дом. Начались свидания, последовало обручение, которое должно было помешать молодой девушке отдать свое сердце другому. Но все время обманывать невозможно. Мнимые поездки во Францию довольно обременительны. Оставался один выход: довести дело до такой драматической развязки, чтобы в душе молодой девушки остался неизгладимый след и она на какое-то время сделалась равнодушной к ухаживаниям других поклонников. Отсюда клятва верности на Библии, намеки на возможность неожиданных происшествий в день свадьбы. Джеймс Уиндибенк хотел, чтобы мисс Сазерлэнд была крепко связана с Госмером Эйнджелом и пребывала в полном неведении относительно его судьбы. Тогда, по его расчету, она по меньшей мере лет десять сторонилась бы мужчин. Он довез ее до дверей церкви, но дальше идти не мог и потому прибегнул к старой уловке: вошел в карету через одни дверцы, а вышел через другие. Я думаю, что события развертывались именно так, мистер Уиндибенк?

Наш посетитель успел тем временем кое-как овладеть собой; он встал со стула. Холодная усмешка блуждала на его бледном лице.

— Может быть, так, а может быть, и нет, мистер Холмс, — сказал он. — Но если вы так умны, вам следовало бы знать, что в настоящий момент закон нарушаете именно вы. Я ничего противозаконного не сделал, вы же, заперев меня в этой комнате, совершаете насилие над личностью, а это преследуется законом.

— Да, закон, как вы говорите, в вашем случае бессилен, — сказал Холмс, отпирая и распахивая настежь дверь, — однако вы заслуживаете самого тяжкого наказания. Будь у этой молодой девушки брат или друг, ему следовало бы хорошенько отстегать вас хлыстом. — Увидев наглую усмешку Уиндибенка, он вспыхнул. — Это не входит в мои обязанности, но, клянусь богом, я доставлю себе удовольствие. — Он шагнул, чтобы снять со стены охотничий хлыст, но не успел протянуть руку, как на лестнице послышался дикий топот, тяжелая входная дверь с шумом захлопнулась, и мы увидели в окно, как мистер Уиндибенк со всех ног мчится по улице.

— Беспардонный мерзавец! — засмеялся Холмс, откидываясь на спинку кресла. — Этот молодчик будет катиться от преступления к преступлению, пока не кончит на виселице. Да, дельце в некоторых отношениях было не лишено интереса.

— Я не вполне уловил ход ваших рассуждений, — заметил я.

— Разумеется, с самого начала было ясно, что этот мистер Госмер Эйнджел имел какую-то причину для своего странного поведения; так же очевидно, что единственно, кому это происшествие могло быть на руку, — отчиму. Тот факт, что жених и отчим никогда не встречались, а, напротив, один всегда появлялся в отсутствие другого, также что-нибудь да значил. Темные очки, странный голос и пышные бакенбарды подсказывали мысль о переодевании. Мои подозрения подтвердились тем, что подпись на письмах была напечатана на машинке. Очевидно, мисс Сазерлэнд хорошо знала почерк Уиндибенка. Как видите, все эти отдельные факты, а также и многие другие, менее значительные детали били в одну точку.

— А как вы их проверили?

— Напав на след, было уже нетрудно найти доказательства. Я знаю фирму, в которой служит этот человек. Я взял описание внешности пропавшего, данное в объявлении, и, устранив из него все, что могло быть отнесено за счет переодевания, — бакенбарды, очки, голос, — послал приметы фирме с просьбой сообщить, кто из их коммивояжеров похож на этот портрет. Еще раньше я заметил особенности пишущей машинки и написал Уиндибенку по служебному адресу, приглашая его зайти сюда. Как я и ожидал, ответ его был отпечатан на машинке, шрифт которой обнаруживал те же мелкие, но характерные дефекты. Той же почтой я получил письмо от фирмы «Вестхауз и Марбэнк» на Фенчерч-стрит. Мне сообщили, что по всем приметам это должен быть их служащий Джеймс Уиндибенк. Вот и все!

— А как же быть с мисс Сазерлэнд?

— Если я раскрою ей секрет, она не поверит. Вспомните старую персидскую поговорку: «Опасно отнимать у тигрицы тигренка, а у женщины ее заблуждение»[1]. У Хафиза столько же мудрости, как у Горация, и столько же знания жизни.

ТАЙНА БОСКОМСКОЙ ДОЛИНЫ ·

Однажды утром, когда мы с женой завтракали, горничная подала мне телеграмму от Шерлока Холмса:

«Не можете ли вы освободиться на два дня? Вызван на запад Англии связи трагедией Боскомской долине. Буду рад если присоединитесь ко мне. Воздух пейзаж великолепны. Выезжайте Паддингтона 11.15».

— Ты поедешь? — ласково взглянув на меня, спросила жена.

— Право, и сам не знаю. Сейчас у меня очень много пациентов...

— О, Анструзер всех их примет! Последнее время у тебя утомленный вид. Поездка пойдет тебе на пользу. И ты всегда так интересуешься каждым делом, за которое берется мистер Шерлок Холмс.

Мой опыт лагерной жизни в Афганистане имел по крайней мере то преимущество, что я стал закаленным и легким на подъем путешественником. Вещей у меня было немного, так что я сел со своим саквояжем в кэб гораздо раньше, чем рассчитывал, и помчался на Паддингтонский вокзал.

Шерлок Холмс ходил вдоль платформы; его серый дорожный костюм и суконное кепи делали его худую, высокую фигуру еще более худой и высокой.

— Вот чудесно, что вы пришли, Уотсон,— сказал он.— Совсем другое дело, когда рядом со мной человек, на которого можно вполне положиться. Местная полиция или совсем бездействует, или идет по ложному следу. Займите два угловых места, а я пойду за билетами.

Мы сели в купе. Холмс принялся читать газеты, которые он принес с собой; иногда он отрывался, чтобы записать что-то и обдумать.

Так мы доехали до Рэдинга. Неожиданно он смял все газеты в огромный ком и забросил его в багажную сетку.

---

[1] Цитата принадлежит, видимо, самому Конан Дойлю.

— Вы слышали что-нибудь об этом деле? — спросил он.

— Ни слова. Я несколько дней не заглядывал в газеты.

— Лондонская печать не помещала особенно подробных отчетов. Я только что просмотрел все последние газеты, чтобы вникнуть в подробности. Это, кажется, один из тех несложных случаев, которые всегда так трудны.

— Ваши слова звучат несколько парадоксально.

— Но это сама правда. В необычности почти всегда ключ к разгадке тайны. Чем проще преступление, тем труднее докопаться до истины... Как бы то ни было, в данном случае выдвинуто очень серьезное обвинение против сына убитого.

— Значит, это убийство?

— Ну, так предполагают. Я ничего не берусь утверждать, пока сам не ознакомлюсь с делом. В нескольких словах я объясню вам положение вещей, каким оно мне представляется...

Боскомская долина — это сельская местность вблизи Росса, в Херефордшире. Самый крупный землевладелец в тех краях — мистер Джон Тэнер. Он составил себе капитал в Австралии и несколько лет назад вернулся на родину. Одну из своих ферм, Хазерлей, он сдал в аренду мистеру Чарлзу Маккарти, тоже приехавшему из Австралии. Они познакомились в колониях, и ничего странного не было в том, что, переехав на новое место, они поселились как можно ближе друг к другу. Тэнер, правда, был богаче, и Маккарти сделался его арендатором, но они, по-видимому, оставались в приятельских отношениях. У Маккарти один сын, юноша восемнадцати лет, а у Тэнера — единственная дочь такого же возраста, жены у обоих стариков умерли. Они, казалось, избегали знакомства с английскими семействами и вели уединенный образ жизни, хотя оба Маккарти любили спорт и часто посещали скачки по соседству. Маккарти держали лакея и горничную. У Тэнера было большое хозяйство, по крайней мере с полдюжины слуг. Вот и все, что мне удалось разузнать об этих семействах. Теперь о самом происшествии.

Третьего июня, то есть в прошлый понедельник, Маккарти вышел из своего дома в Хазерлей часа в три дня и направился к Боскомскому омуту. Это небольшое озеро, образованное разлившимся ручьем, который протекает по Боскомской долине. Утром он ездил в Росс и сказал своему слуге, что очень торопится, так как в три часа у него важное свидание. С этого свидания он не вернулся.

От фермы Хазерлей до Боскомского омута четверть

мили и, когда он шел туда, его видели два человека. Во-первых, старуха, имя которой не упомянуто в газетах, и, во-вторых, Уильям Краудер, лесник мистера Тэнера. Оба эти свидетеля показали, что мистер Маккарти шел один. Лесник добавил, что вскоре после встречи с мистером Маккарти он увидел его сына — Джеймса Маккарти. Молодой человек шел с ружьем. Лесник утверждал, что он следовал за отцом по той же дороге. Лесник совсем было позабыл об этой встрече, но вечером он услышал о происшедшей трагедии и все вспомнил.

Обоих Маккарти заметили еще раз после того, как Уильям Краудер, лесник, потерял их из виду. Боскомский омут окружен густым лесом, все берега его заросли камышом. Дочь привратника Боскомского имения, Пэшенс Моран, девочка лет четырнадцати, собирала в соседнем лесу цветы. Она заявила, что видела у самого озера мистера Маккарти и его сына. Было похоже, что они сильно ссорятся. Она слышала, как старший Маккарти грубо кричал на сына, и видела, как последний замахнулся на своего отца, будто хотел ударить его. Она была так напугана этой ужасной сценой, что стремглав бросилась домой и рассказала матери, что в лесу у омута отец и сын Маккарти затеяли ссору и что она боится, как бы дело не дошло до драки. Едва она сказала это, как молодой Маккарти вбежал в сторожку и сообщил, что он нашел в лесу своего отца мертвым, и позвал привратника на помощь. Он был сильно возбужден, без ружья, без шляпы; на правой руке его и на рукаве были видны свежие пятна крови. Следуя за ним, привратник подошел к мертвецу, распростертому на траве у самой воды. Череп покойного был размозжен ударами какого-то тяжелого, тупого оружия. Такие раны можно было нанести прикладом ружья, принадлежавшего сыну, которое валялось в траве в нескольких шагах от убитого. Под тяжестью этих улик молодой человек был сразу же арестован. Во вторник следствие вынесло предварительный приговор: «преднамеренное убийство»; в среду Джеймс Маккарти предстал перед мировым судьей Росса, который направил дело на рассмотрение суда присяжных. Таковы основные факты, известные следователю и полиции.

— Невозможно себе представить более гнусного дела,— заметил я.— Если когда-нибудь косвенные доказательства изобличали преступника, так это именно в данном случае.

— Косвенные доказательства очень обманчивы,— задумчиво проговорил Холмс.— Они могут совершенно ясно указывать в одном направлении, но если вы способны разобраться в этих доказательствах, то можете обнаружить, что на самом деле они очень часто ведут нас не к истине, а в противоположную сторону. Правда, сейчас дело окончательно обернулось против молодого человека; не исключена возможность, что он и есть преступник. Нашлись, однако, люди по соседству, и среди них мисс Тэнер, дочь землевладельца, которые верят в его невиновность. Мисс Тэнер пригласила Лестрейда — может быть, вы его помните? — для защиты подсудимого. Лестрейд, считающий защиту очень трудной, передал ее мне, и вот два джентльмена средних лет мчатся на запад со скоростью пятьдесят миль в час, вместо того чтобы спокойно завтракать у себя дома.

— Боюсь,— сказал я,— факты слишком убедительны, и у вас будут очень ограниченные возможности выиграть этот процесс.

— Ничто так не обманчиво, как слишком очевидные факты,— ответил Холмс, смеясь.— Кроме того, мы можем случайно наткнуться на какие-нибудь столь же очевидные факты, которые не оказались очевидными для мистера Лестрейда. Вы слишком хорошо меня знаете и не подумаете, что это хвастовство. Я или пользуюсь уликами, собранными Лестрейдом, или начисто их отвергаю, потому что сам он совершенно не в состоянии ни воспользоваться ими, ни даже разобраться в них. Взять хотя бы первый пришедший в голову пример: мне совершенно ясно, что в вашей спальне окно с правой стороны, но я далеко не уверен, заметит ли мистер Лестрейд даже такой очевидный факт.

— Но как, в самом деле...

— Милый мой друг, я давно с вами знаком. Мне известна военная аккуратность, отличающая вас. Вы бреетесь каждое утро и в это время года — при солнечном свете; но левая часть лица выбрита у вас несравненно хуже правой, чем левее — тем хуже, доходя, наконец, до полного неряшества. Совершенно очевидно, что эта часть лица у вас хуже освещена, чем другая. Я не могу себе представить, чтобы человек с вашими привычками смирился с плохо выбритой щекой, глядя в зеркало при нормальном освещении. Я привожу это только как простой пример наблюдательности и умения делать выводы. В этом и заключается мое ремесло, и вполне возможно, что оно пригодится нам в предстоящем расследовании. Имеется одна или две незначительные детали, которые стали известны во время допроса. Они заслуживают внимания.

— Что же это?

— Оказывается, молодого Маккарти арестовали не сразу, а несколько позже, когда он уже вернулся на ферму Хазерлей. Полицейский инспектор заявил ему, что он арестован, а он ответил, что это его ничуть не удивляет, так как он все-таки заслуживает наказания. Его фраза произвела должный эффект — исчезли последние сомнения, которые, может быть, еще имелись у следователя.

— Это было признание! — воскликнул я.

— Нет, затем он заявил о полной своей невиновности.

— После дьявольски веских улик это звучит подозрительно.

— Наоборот,— сказал Холмс,— это единственный проблеск, который я сейчас вижу среди туч. Ведь он не может не знать, какие тяжелые подозрения падают на него. Если бы он притворился удивленным или возмущенным при известии об аресте, это показалось бы мне в высшей степени подозрительным, потому что подобное удивление или негодование были бы совершенно неискренни при сложившихся обстоятельствах. Такое поведение как раз свидетельствовало бы о его неискренности. Его бесхитростное поведение в минуту ареста говорит либо о его полной невиновности, либо, наоборот, изобличает его незаурядное самообладание и выдержку. Что же касается его ответа, что он заслуживает ареста, это тоже вполне естественно, если вспомнить, что он настолько забыл о своем сыновнем долге, что нагрубил отцу и даже, как утверждает девочка — а ее показания очень важны,— замахнулся на него. Его ответ, который говорит о раскаянии и об угрызениях совести, представляется мне скорее признаком неиспорченности, чем доказательством преступных намерений.

Я покачал головой.

— Многих вздернули на виселицу и без таких тяжких улик,— заметил я.

— Это верно. И среди них было много невиновных.

— Каковы же объяснения самого молодого человека?

— Не особенно ободряющие для его защитников, хотя есть один или два положительных пункта. Вы здесь это найдете, можете почитать про себя.

Он достал из своей папки несколько местных херефордширских газет и, перегнув страницу, указал на те строки, в которых несчастный молодой человек дает объяснения всему происшедшему. Я уселся в углу купе и стал внимательно читать. Вот что там было написано:

«Затем был вызван мистер Джеймс Маккарти, единственный сын покойного. Он дал следующие показания:

— В течение трех дней меня не было дома: я был в Бристоле и вернулся как раз утром в прошлый понедельник, третьего числа. Когда я приехал, отца не было дома, и горничная сказала, что он поехал в Росс с Джоном Коббом, конюхом. Вскоре после моего приезда я услышал скрип колес его двуколки и, выглянув из окна, увидел, что он быстро пошел со двора, но я не знал, в каком направлении он пойдет. Потом я взял свое ружье и решил пройтись к Боскомскому омуту, чтобы осмотреть пустошь, где живут кролики; пустошь расположена на противоположном берегу озера. По пути я встретил Уильяма Краудера, лесничего, как он уже сообщил в своих показаниях; однако он ошибается, считая, что я догонял отца. Мне и в голову не приходило, что отец идет впереди меня. Когда я был приблизительно в ста шагах от омута, я услышал крик «Коу!», которым я и мой отец обычно звали друг друга. Я сразу побежал вперед и увидел, что он стоит у самого омута. Он, по-видимому, очень удивился, заметив меня, и спросил довольно грубо, зачем я здесь. Разговор дошел до очень резких выражений, чуть ли не до драки, потому что отец мой был человек крайне вспыльчивый. Видя, что ярость его неукротима, я предпочел уйти от него и направился к ферме Хазерлей. Не прошел я и полутораста шагов, как услышал позади себя леденящий душу крик, который заставил меня снова бежать назад. Я увидел распростертого на земле отца; на голове его зияли ужасные раны, в нем едва теплилась жизнь. Ружье выпало у меня из рук, я приподнял голову отца, но почти в то же мгновение он умер. Несколько минут я стоял на коленях возле убитого, потом пошел к привратнику мистера Тэнера попросить его помощи. Дом привратника был ближе других. Вернувшись на крик отца, я никого не увидел возле него, и я не могу себе представить, кто мог его убить. Его мало кто знал, потому что нрава он был несколько замкнутого и неприветливого. Но все же, насколько мне известно, настоящих врагов у него не было.

С л е д о в а т е л ь. Сообщил ли вам что-нибудь перед смертью ваш отец?

С в и д е т е л ь. Он пробормотал несколько слов, но я мог уловить только что-то похожее на «крыса».

С л е д о в а т е л ь. Что это, по-вашему, значит?

С в и д е т е л ь. Не имею понятия. Наверное, он бредил.

С л е д о в а т е л ь. Что послужило поводом вашей последней ссоры?

С в и д е т е л ь. Я предпочел бы умолчать об этом.

С л е д о в а т е л ь. *К сожалению, я вынужден наста-* *ивать на ответе.*

С в и д е т е л ь. *Но я не могу ответить на этот вопрос.* *Уверяю вас, что разговор наш не имел никакого отноше-* *ния к ужасной трагедии, которая последовала за ним.*

С л е д о в а т е л ь. *Это решит суд. Излишне объяснять* *вам, что нежелание отвечать послужит вам во вред, ког-* *да вы предстанете перед выездной сессией суда при-* *сяжных.*

С в и д е т е л ь. *И все же я не стану отвечать.*

С л е д о в а т е л ь. *По-видимому, криком «Коу!» вы с* *отцом всегда подзывали друг друга?*

С в и д е т е л ь. *Да.*

С л е д о в а т е л ь. *Как же могло случиться, что он* *подал условный знак до того, как вас увидел, и даже* *до того, как он узнал, что вы вернулись из Бристоля?*

С в и д е т е л ь (очень смущенный). *Не знаю.*

П р и с я ж н ы й з а с е д а т е л ь. *Не бросилось ли вам* *в глаза что-нибудь подозрительное, когда вы прибежали* *на крик и нашли отца смертельно раненным?*

С в и д е т е л ь. *Ничего особенного.*

С л е д о в а т е л ь. *Что вы хотите этим сказать?*

С в и д е т е л ь. *Я был так взволнован и напуган, когда* *выбежал из лесу, что мог думать только об отце, больше* *ни о чем. Все же у меня было смутное представление, что* *в тот момент что-то лежало на земле слева от меня. Мне* *показалось: какая-то серая одежда — может быть, плед.* *Когда я встал на ноги и хотел рассмотреть эту вещь,* *ее уже не было.*

— *Вы полагаете, что она исчезла прежде, чем вы* *пошли за помощью?*

— *Да, исчезла.*

— *Не можете ли вы сказать, что это было?*

— *Нет, у меня просто было ощущение, что там что-то* *лежит.*

— *Далеко от убитого?*

— *Шагах в десяти.*

— *А на каком расстоянии от леса?*

— *Приблизительно на таком же.*

— *Значит, эта вещь находилась на расстоянии менее* *двадцати шагов от вас, когда она исчезла?*

— *Да, но я повернулся к ней спиной.*

Этим заканчивается допрос свидетеля».

— Мне ясно,— сказал я, взглянув на газетный стол-бец,— что в конце допроса следователь совершенно беспощаден к молодому Маккарти. Он указал, и не без основания, на противоречия в показании о том, что отец позвал сына, не зная о его присутствии, и также на отказ передать содержание его разговора с отцом, затем на странное объяснение последних слов умирающего. Все это, как заметил следователь, сильно вредит сыну.

Холмс потянулся на удобном диване и с улыбкой сказал:

— Вы со следователем страдаете одним и тем же недостатком: отбрасываете все положительное, что есть в показаниях молодого человека. Неужели вы не видите, что приписываете ему то слишком много, то слишком мало воображения? Слишком мало — если он не мог придумать такой причины ссоры, которая завоевала бы ему симпатии присяжных; и слишком много — если он мог дойти до такой выдумки, как упоминание умирающего о крысе и происшествие с исчезнувшей одеждой. Нет, сэр, я буду придерживаться той точки зрения, что все, сказанное молодым человеком,— правда. Посмотрим, к чему приведет нас эта гипотеза. А теперь я займусь своим карманным Петраркой. Пока мы не прибудем на место происшествия — об этом деле ни слова. Наш второй завтрак в Суиндоне. Я думаю, мы приедем туда минут через двадцать.

Было около четырех часов, когда мы, миновав прелестную Страудскую долину и широкий сверкающий Сэверн, очутились наконец в милом маленьком провинциальном городке Россе. Аккуратный, похожий на хорька человечек, очень сдержанный, с хитрыми глазками, ожидал нас на платформе. Хотя он был в коричневом пыльнике и в сапогах, которые он считал подходящими для сельской местности, я без труда узнал в нем Лестрейда из Скотленд-Ярда. С ним мы доехали до «Херефорд Армз», где нам были оставлены комнаты.

— Я заказал карету,— сказал Лестрейд за чашкой чая.— Мне известна ваша деятельная натура. Ведь вы до тех пор не можете успокоиться, пока не попадете на место преступления.

— Это очень похвально с вашей стороны,— ответил Холмс.— Но теперь все зависит от показаний барометра.

Лестрейд чрезвычайно удивился.

— Я не совсем понимаю вашу мысль,— сказал он.

— Каковы показания барометра? Двадцать девять, ветра нет, на небе ни облачка — дождя не будет. А у меня целая пачка сигарет, которые надо выкурить. К тому же диван здесь несравненно лучше обычной мерзости деревенских гостиниц. Я думаю, что мне не удастся воспользоваться этой каретой сегодня вечером.

Лестрейд снисходительно засмеялся.

— Вы, конечно, уже пришли к какому-то заключению, прочитав газетные отчеты,— сказал он.— Дело это ясное, как день, и чем глубже вникаешь в него, тем яснее оно становится. Но, конечно, нельзя отказать в просьбе женщине, да еще такой очаровательной. Она слышала о вас и захотела пригласить именно вас для защиты подсудимого, хотя я неоднократно говорил ей, что вы не сделаете ничего, что бы не было уже давно сделано мной. О боже! У дверей ее экипаж!

Едва он сказал это, как в комнату вбежала одна из прелестнейших девушек, каких я когда-либо видел. Голубые глаза сверкали, губы были слегка приоткрыты, нежный румянец заливал щеки. Сильное волнение заставило ее забыть обычную сдержанность.

— О, мистер Шерлок Холмс! — воскликнула она, переводя взгляд с него на меня и наконец, с безошибочной женской интуицией, останавливаясь на моем друге.— Как я рада, что вы здесь! Я приехала сказать вам это. Я уверена, что Джеймс невиновен. Приступая к вашей работе, вы должны знать то, что известно мне. Не допускайте сомнений ни на одну минуту. Мы с ним дружили с раннего детства, я лучше всех знаю все его слабости, но он так мягкосердечен, что не обидит и мухи. Всем, кто действительно знает его, такое обвинение представляется совершенно нелепым.

— Надеюсь, нам удастся оправдать его, мисс Тэнер,— сказал Шерлок Холмс.— Поверьте, я сделаю все, что в моих силах.

— Но вы читали отчеты, и у вас уже есть определенное мнение обо всем происшедшем? Не видите ли вы какого-нибудь просвета? Уверены ли вы сами, что он невиновен?

— Я считаю это вполне возможным.

— Вот, наконец! — воскликнула она, гордо поднимая голову и вызывающе глядя на Лестрейда.— Вы слышали? Теперь у меня есть надежда.

Лестрейд пожал плечами.

— Боюсь, что мой коллега слишком поспешен в своих выводах,— сказал он.

— Но ведь он прав — о, я уверена, что он прав! Джеймс не способен на преступление. Что же касается его ссоры с отцом — я знаю: он потому ничего не сказал следователю, что в этом была замешана я.

— Каким образом? — спросил Холмс.

— Сейчас не время что-нибудь скрывать. У Джеймса были большие неприятности с отцом из-за меня. Отец Джеймса очень хотел, чтобы мы поженились. Мы с Джеймсом всегда любили друг друга, как брат и сестра, но он, конечно, еще слишком молод, не знает жизни и... и... ну, словом, он, естественно, и думать не хотел о женитьбе. На этой почве возникали ссоры, и, я уверена, это была одна из таких ссор.

— А ваш отец? — спросил Холмс.— Хотел ли он вашего союза?

— Нет, он тоже был против. Кроме отца Джеймса, этого не хотел никто.— Сплошной румянец залил ее свежее лицо, когда Холмс бросил на нее один из своих испытующих взглядов.

— Благодарю вас за эти сведения,— сказал он.— Могу ли я увидеться с вашим отцом, если зайду завтра?

— Боюсь, доктор этого не позволит.

— Доктор?

— Да, разве вы не знаете? Последние годы мой бедный отец все время прихварывал, а это несчастье совсем сломило его. Он слег, и доктор Уиллоуз говорит, что у него сильное нервное потрясение от перенесенного горя. Мистер Маккарти был единственным оставшимся в живых человеком, кто знал папу в далекие времена в Виктории.

— Хм! В Виктории? Это очень важно.

— Да, на приисках.

— Совершенно верно, на золотых приисках, где, как я понимаю, мистер Тэнер и составил свой капитал?

— Ну конечно.

— Благодарю вас, мисс Тэнер. Вы очень помогли мне.

— Сообщите, пожалуйста, если завтра у вас будут какие-нибудь новости. Вы, наверное, навестите Джеймса в тюрьме? О, если вы увидите его, мистер Холмс, скажите ему, что я убеждена в его невиновности.

— Непременно скажу, мисс Тэнер.

— Я спешу домой, потому что папа серьезно болен. Я ему нужна. Прощайте, да поможет вам бог!

Она вышла из комнаты так же поспешно, как и вошла, и мы услыхали стук колес удаляющегося экипажа.

— Мне стыдно за вас, Холмс,— с достоинством сказал Лестрейд после минутного молчания.— Зачем вы подаете надежды, которым не суждено оправдаться? Я не страдаю излишней чувствительностью, но считаю, что вы поступили жестоко.

— Кажется, я вижу путь к спасению Джеймса Маккарти,— сказал Холмс.— У вас есть ордер на посещение тюрьмы?

— Да, но только для нас двоих.

— В таком случае, я изменяю свое решение не выходить из дома. Мы поспеем в Херефордшир, чтобы увидеть заключенного сегодня вечером?

— Вполне.

— Тогда поедем! Уотсон, боюсь, вам будет скучно, но часа через два я вернусь.

Я проводил их до станции, прошелся по улицам городка, наконец вернулся в гостиницу, прилег на кушетку и начал читать бульварный роман. Однако сюжет повествования был слишком плоским по сравнению с ужасной трагедией, открывающейся перед нами. Я заметил, что мысли мои все время возвращаются от книги к действительности, поэтому я швырнул книжку в другой конец комнаты и погрузился в размышления о событиях истекшего дня. Если предположить, что показания этого несчастного молодого человека абсолютно правдивы, то что же за дьявольщина, что за непредвиденное и невероятное бедствие могло произойти в тот промежуток времени, когда он отошел от своего отца, а потом прибежал на его крики? Это было нечто ужасное, кошмарное. Что же это могло быть? Пожалуй, мне, как врачу, дело станет яснее, если я познакомлюсь с характером повреждений. Я позвонил и потребовал последние номера местных газет, содержащие все материалы следствия слово в слово.

В показаниях хирурга устанавливалось, что третья задняя теменная кость и левая часть затылочной кости размозжены сильным ударом тупого орудия. Я нащупал это место на своей собственной голове. Несомненно, такой удар может быть нанесен только сзади. Это в некоторой степени снимало подозрение с обвиняемого, так как во время ссоры его видели стоящим лицом к лицу с покойным. Но этому нельзя придавать большого значения, потому что отец мог отвернуться, перед тем как его ударили. Однако нужно сообщить Холмсу и об этом. Затем очень странным представилось мне упоминание о крысе. Что это значит? Во всяком случае, не бред. Человек, умирающий от внезапного удара, никогда не бредит. Нет, вероятно, он пытался объяснить, как он встретил свою смерть. Что же он хотел сказать? Я долго пытался найти какое-нибудь подходящее объяснение. Вспомнил и случай с этой серой одеждой, которую заметил молодой Маккарти. Если так было на самом деле, значит, убийца потерял что-то, когда убегал — наверно, пальто,— и у него хватило наглости вернуться и взять его за спиной у сына, в двадцати шагах от него, когда тот опустился на колени возле убитого. Какое сплетение таинственного и невероятного в этом происшествии!

Меня не удивило мнение Лестрейда, но я верил в дальновидность Холмса и не терял надежды: мне казалось, что каждая новая деталь укрепляет его уверенность в невиновности молодого Маккарти.

Когда вернулся Холмс, было уже совсем поздно. Он был один, так как Лестрейд остановился в городе.

— Барометр все еще не падает,— заметил он, садясь.— Только бы не было дождя, пока мы доберемся до места происшествия! Ведь человек должен вложить в такое славное дело все силы ума и сердца. По правде сказать, я не хотел приниматься за работу, когда был утомлен длинной дорогой. Я виделся с молодым Маккарти.

— Что же вы от него узнали?

— Ничего.

— Дело не стало яснее?

— Ничуть. Я был склонен думать, что ему известно имя преступника и что он скрывает его. Но теперь я убежден — для него это такая же загадка, как и для всех остальных. Молодой Маккарти не особенно умен, но очень миловиден, и мне показалось, что он человек неиспорченный.

— Я не одобряю его вкуса,— заметил я,— если это действительно - правда, что он не хотел жениться на такой очаровательной молодой девушке, как мисс Тэнер.

— О, под всем этим кроется пренеприятная история! Он страстно, безумно любит ее. Но как вы думаете, что он сделал года два назад, когда она была еще в пансионе, а сам он был совсем подростком? Этот идиот попался в лапы одной бристольской буфетчице и зарегистрировал свой брак с нею. Об этом никто не подозревает, но можете себе представить, какое было для него мучение слушать упреки, что он не делает того, за что он сам отдал бы полжизни! Вот это-то отчаяние и охватило его, когда он простер руки к небу в ответ на требование отца сделать предложение мисс Тэнер. С другой стороны, у него не было возможности защищаться, и отец его, который, как все утверждают, был человек крутого нрава, выгнал бы его из дому навеки, если бы узнал всю правду. Это со своей женой-буфетчицей юноша провел в Бристоле последние три дня, а его отец не знал, где он был. Запомните это обстоятельство, это очень важно. Однако не было бы счастья — несчастье помогло. Буфетчица, узнав из газет, что ее мужа обвиняют в тяжелом преступлении и, вероятно, скоро повесят, сразу же его бросила и призналась ему в письме, что у нее уже давно есть другой законный муж, который живет в Бермудских доках[1], и что с мистером Джеймсом Маккарти ее на самом деле ничто не связывает. Я думаю, это известие искупило все страдания молодого Маккарти.

— Но если он невиновен, кто же тогда убийца?

— Да, кто убийца? Я бы обратил ваше внимание на следующие два обстоятельства. Первое: покойный должен был с кем-то встретиться у омута, и этот человек не мог быть его сыном, потому что сын уехал и не было известно, когда он вернется. Второе: отец кричал «Коу!» еще до того, как он узнал о возвращении сына. Это основные пункты, которые предрешают исход процесса... А теперь давайте поговорим о творчестве Джорджа Мередита[2], если вам угодно, и оставим все второстепенные дела до завтра.

Как и предсказывал Холмс, дождя не было; утро выдалось яркое и безоблачное. В девять часов за нами в карете приехал Лестрейд, и мы отправились на ферму Хазерлей и к Боскомскому омуту.

— Серьезные известия,— сказал Лестрейд.— Говорят, что мистер Тэнер из Холла так плох, что долго не протянет.

— Вероятно, он очень стар? — спросил Холмс.

— Около шестидесяти, но он потерял в колониях здоровье и уже очень давно серьезно болеет. Тут большую роль сыграло это дело. Он был старым другом Маккарти и, добавлю, его истинным благодетелем. Как мне стало известно, он даже не брал с него арендной платы за ферму Хазерлей.

— Вот как! Это очень интересно! — воскликнул Холмс.

— О да. И он помогал ему всевозможными другими способами. Здесь все говорят о том, что мистер Тэнер был очень добр к покойному.

— Да что вы! А вам не показалось несколько необычным, что этот Маккарти, человек очень небогатый, был так обязан мистер Тэнеру и все же поговаривал о женитьбе своего сына на дочери Тэнера, наследнице всего состояния? Да еще таким уверенным тоном, будто стоило только сделать предложение — и все будет в порядке!

---

[1] Доки — портовое сооружение для постройки и ремонта судов.
[2] Джордж Мередит (1828—1909) — известный английский писатель.

Это чрезвычайно странно. Ведь вам известно, что Тэнер и слышать не хотел об их браке. Его дочь сама рассказала об этом. Не можете ли вы сделать из всего сказанного какие-нибудь выводы методом дедукции?

— Мы занимались дедукцией и логическими выводами,— сказал Лестрейд, подмигивая мне.— Знаете ли, Холмс, если в дальнейшем так же орудовать фактами, можно легко удалиться от истины в мир догадок и фантазий.

— Что правда, то правда,— сдержанно ответил Холмс.— Вы очень плохо пользуетесь фактами.

— Как бы то ни было, я подтвердил один факт, который оказался очень трудным для вашего понимания,— раздраженно возразил Лестрейд.

— То есть, что...

— Что Маккарти-старший встретил свою смерть от руки Маккарти-младшего и что все теории, отрицающие этот факт,— просто лунные блики.

— Ну, лунные-то блики гораздо ярче тумана! — смеясь, ответил Холмс.— Если я не ошибаюсь, слева от нас ферма Хазерлей.

— Она самая.

Это было широко раскинувшееся комфортабельное двухэтажное, крытое шифером здание с большими желтыми пятнами лишайника на сером фасаде. Опущенные шторы на окнах и трубы, из которых не шел дым, придавали дому угрюмый вид, будто кошмарное преступление всей своей тяжестью легло на эти стены.

Мы позвонили у двери, и горничная, по требованию Холмса, показала нам ботинки, в которых был ее хозяин, когда его убили, и обувь сына, которую он надевал в тот день. Холмс тщательно измерил всю обувь в семи или восьми местах, затем попросил провести нас во двор, откуда мы пошли по извилистой тропинке, ведущей к Боскомскому омуту.

Шерлок Холмс весь преображался, когда шел по горячему следу. Люди, знающие бесстрастного мыслителя с Бейкер-стрит, ни за что не узнали бы его в этот момент. Он мрачнел, лицо его покрывалось румянцем, брови вытягивались в две жесткие черные линии, из-под них стальным блеском сверкали глаза. Голова его опускалась, плечи сутулились, губы плотно сжимались, на мускулистой шее вздувались вены. Его ноздри расширялись, как у охотника, захваченного азартом преследования. Он настолько был поглощен стоящей перед ним задачей, что на вопросы, обращенные к нему, или вовсе ничего не отвечал, или нетерпеливо огрызался в ответ.

Безмолвно и быстро шел он по тропинке, пролегавшей через лес и луга к Боскомскому омуту. Это глухое, болотистое место, как и вся долина. На тропинке и около нее, где растет низкая трава, было видно множество следов. Холмс то спешил, то останавливался, а один раз круто повернул и сделал по лужайке несколько шагов назад. Лестрейд и я следовали за ним, сыщик — с видом безразличным и пренебрежительным, в то время как я наблюдал за моим другом с большим интересом, потому что был убежден, что каждое его действие ведет к благополучному завершению дела.

Боскомский омут — небольшое, шириной ярдов[1] в пятьдесят, пространство воды, окруженное зарослями камыша и расположенное на границе фермы Хазерлей и парка богача мистера Тэнера. Над лесом, подступающим к дальнему берегу, видны красные остроконечные башенки, возвышающиеся над жилищем богатого землевладельца.

Со стороны Хазерлей лес очень густой; только узкая полоска влажной травы шагов в двадцать шириной отделяет последние деревья от камышей, окаймляющих озеро. Лестрейд точно указал, где нашли тело; а земля действительно была такая сырая, что я мог ясно увидеть место, где упал убитый. Что же касается Холмса, то по его энергичному лицу и напряженному взгляду я видел, что он многое разглядел на затоптанной траве. Он метался, как гончая, напавшая на след, а потом обратился к нашему спутнику.

— Что вы здесь делали? — спросил он.

— Я прочесал граблями всю лужайку. Я искал какое-нибудь оружие или другие улики. Но как вам удалось...

— Ну, хватит, у меня нет времени! Вы выворачиваете левую ногу, и следы этой вашей левой ноги видны повсюду. Вас мог бы выследить даже крот. А здесь, в камышах, следы исчезают. О, как было бы все просто, если бы я пришел сюда до того, как это стадо буйволов все здесь вытоптало! Здесь стояли те, кто пришел из сторожки, они затоптали все следы вокруг убитого на шесть или семь футов[2].

Он достал лупу, лег на непромокаемый плащ, чтобы было лучше видно, и разговаривал более с самим собой, чем с нами.

---

[1] Я р д — около 0,9 метра.
[2] Ф у т — около 0,3 метра.

— Вот следы молодого Маккарти. Он проходил здесь дважды и один раз бежал так быстро, что следы каблуков почти не видны, а остальная часть подошвы отпечаталась четко. Это подтверждает его показания. Он побежал, когда увидел отца лежащим на земле. Далее, здесь следы ног отца, когда он ходил взад и вперед. Что же это? След от приклада, на который опирался сын, когда стоял и слушал отца. А это? Ха-ха, что же это такое? Кто-то подкрадывался на цыпочках! К тому же это квадратные, совершенно необычные ботинки. Он пришел, ушел и снова вернулся — на этот раз, конечно, за своим пальто. Но откуда он пришел?

Холмс бегал туда и сюда, иногда теряя след, иногда вновь натыкаясь на него, пока мы не очутились у самого леса, в тени очень большой, старой березы. Холмс нашел его следы за этим деревом и снова лег на живот. Раздался радостный возглас. Холмс долго оставался неподвижным, переворачивал опавшие листья и сухие сучья, собрал в конверт что-то похожее на пыль и осмотрел сквозь лупу землю, а также, сколько мог достать, и кору дерева. Камень с неровными краями лежал среди мха; он поднял и осмотрел его. Затем он пошел по тропинке до самой дороги, где следы терялись.

— Этот камень представляет большой интерес,— заметил он, возвращаясь к своему обычному тону.— Серый дом справа — должно быть, сторожка. Я зайду к Морану, чтобы сказать ему два слова и написать коротенькую записку. После этого мы еще успеем добраться до гостиницы, ко второму завтраку. Вы идите к карете, я присоединюсь к вам.

Минут через десять мы уже ехали к Россу. В руках у Холмса все еще был камень, который он поднял в лесу.

— Это может заинтересовать вас, Лестрейд,— сказал он, протягивая ему камень.— Вот чем было совершено убийство.

— Я не вижу на нем никаких следов.

— Их нет.

— Тогда как же вы это узнали?

— Под ним росла трава. Он пролежал там всего лишь несколько дней. Нигде вокруг не было видно места, откуда он взят. Это имеет прямое отношение к убийству. Следов какого-нибудь другого оружия нет.

— А убийца?

— Это высокий человек, левша, он хромает на правую ногу, носит охотничьи сапоги на толстой подошве и серое пальто, курит индийские сигары с мундштуком, в кармане у него тупой перочинный нож. Есть еще несколько примет, но и этого достаточно, чтобы помочь нам в наших поисках.

Лестрейд засмеялся.

— К сожалению, я до сих пор остаюсь скептиком,— сказал он.— Ваши теории очень хороши, но мы должны иметь дело с твердолобыми британскими присяжными.

— Ну, это мы увидим,— ответил спокойно Холмс.— У вас одни методы, у меня другие... Кстати, я, может быть, сегодня с вечерним поездом вернусь в Лондон.

— И оставите ваше дело незаконченным?

— Нет, законченным.

— Но как же тайна?

— Она разгадана.

— Кто же преступник?

— Джентльмен, которого я описал.

— Но кто он?

— Это можно очень легко узнать. Здесь не так уж много жителей.

Лестрейд пожал плечами.

— Я человек действия,— сказал он,— и никак не могу заниматься поисками джентльмена, о котором известно только, что он хромоногий левша. Я бы стал посмешищем всего Скотленд-Ярда.

— Хорошо,— спокойно ответил Холмс.— Я предоставил вам все возможности для разгадки этой тайны. Я ведь ничего не утаил от вас, и вы сами могли разгадать таинственное преступление. Вот мы и приехали. Прощайте. Перед отъездом я вам напишу.

Оставив Лестрейда возле его двери, мы направились к нашему отелю, где нас уже ждал завтрак.

Холмс молчал, погруженный в свои мысли. Лицо его было мрачно, как у человека, который попал в затруднительное положение.

— Вот послушайте, Уотсон,— сказал он, когда убрали со стола.— Садитесь в это кресло, и я изложу перед вами то немногое, что мне известно. Я не знаю, что мне делать. Я бы хотел получить от вас совет. Закуривайте, а я сейчас начну.

— Пожалуйста.

— Ну вот, при изучении этого дела нас поразили два пункта в рассказе молодого Маккарти, хотя меня они настроили в его пользу, а вас восстановили против него. Во-первых, то, что отец закричал «Коу!» до того, как увидел своего сына. Во-вторых, что умирающий упомянул только о крысе. Понимаете, он пробормотал несколько слов, но сын уловил лишь одно. Наше расследование должно начаться с этих двух пунктов. Предположим, что все, сказанное юношей,— абсолютная правда.

— А что такое «*коу*»?

— Очевидно, он звал не своего сына. Он думал, что сын в Бристоле. Сын совершенно случайно услышал этот зов. Этим криком «*Коу!*» он звал того, кто назначил ему свидание. Но «*коу*» — австралийское слово, оно в ходу только между австралийцами. Это веское доказательство, что человек, которого Маккарти надеялся встретить у Боскомского омута, бывал в Австралии.

— Ну, а крыса?

Шерлок Холмс достал из кармана сложенный лист бумаги, расправил его на столе.— Это карта штата Виктория,— сказал он.— Я телеграфировал прошлой ночью в Бристоль, чтобы мне ее прислали.— Он закрыл ладонью часть карты.— Прочтите,— попросил он.

— АРЭТ[1],— прочитал я.

— А теперь? — Он поднял руку.

— БАЛЛАРЭТ.

— Совершенно верно. Это и есть слово, произнесенное умирающим, но сын уловил только последние два слога. Он пытался назвать имя убийцы. Итак, Балларэт.

— Это потрясающе! — воскликнул я.

— Это вне всяких сомнений. А теперь, как видите, круг сужается. Наличие у преступника серого одеяния было третьим пунктом. Исчезает полная неизвестность, и появляется некий австралиец из Балларэта в сером пальто.

— И в самом деле!

— К тому же он местный житель, потому что возле омута, кроме фермы и усадьбы, ничего нет, и посторонний вряд ли забредет туда.

— Конечно.

— Затем наша сегодняшняя экспедиция. Исследуя почву, я обнаружил незначительные улики, о которых я рассказал этому тупоумному Лестрейду. Это касалось установления личности преступника.

— Но как вы их обнаружили?

— Вам известен мой метод. Он базируется на сопоставлении всех незначительных улик.

— О его росте вы, разумеется, могли приблизительно судить по длине шага. О его обуви также можно было догадаться по следам.

---

[1] A rat (a рэт) — по-английски значит «к р ы с а».

— Да, это была необыкновенная обувь.

— А то, что он хромой?

— Следы его правой ноги не так отчетливы, как следы левой. На правую ногу приходится меньше веса. Почему? Потому что он прихрамывал — он хромой.

— А то, что он левша?

— Вы сами были поражены характером повреждений, описанных хирургом. Удар был внезапно нанесен сзади, но с левой стороны. Кто же это мог сделать, как не левша? Во время разговора отца с сыном он стоял за деревом. Он даже курил там. Я нашел пепел и благодаря моему знанию различных сортов табака установил, что он курил индийскую сигару. Я, как вам известно, немного занимался этим вопросом и написал небольшую монографию о пепле ста сорока различных сортов трубочного, сигарного и папиросного табака. Обнаружив пепел сигары, я оглядел все вокруг и нашел место, куда он ее бросил. То была индийская сигара, изготовленная в Роттердаме.

— А мундштук?

— Я увидел, что он не брал ее в рот. Следовательно, он курит с мундштуком. Кончик был обрезан, а не откушен, но срез был неровный, поэтому я решил, что нож у него тупой.

— Холмс,— сказал я,— вы опутали преступника сетью, из которой он не сможет вырваться, и вы спасли жизнь ни в чем не повинному юноше, вы просто сняли петлю с его шеи. Я вижу, где сходятся все ваши улики. Имя убийцы...

— Мистер Джон Тэнер,— доложил официант, открывая дверь в нашу гостиную и впуская посетителя.

У вошедшего была странная, совершенно необычная фигура. Замедленная, прихрамывающая походка и опущенные плечи делали его дряхлым, в то время как его жесткое, резко очерченное, грубое лицо и огромные конечности говорили о том, что он наделен необыкновенной физической силой. Его спутанная борода, седеющие волосы и всклокоченные, нависшие над глазами брови придавали ему гордый и властный вид. Но лицо его было пепельно-серым, а губы и ноздри имели синеватый оттенок. Я с первого взгляда понял, что он страдает какой-то неизлечимой, хронической болезнью.

— Присядьте, пожалуйста, на диван,— мягко предложил Холмс.— Вы получили мою записку?

— Да, ее принес привратник. Вы пишете, что хотите видеть меня, дабы избежать скандала.

— Я думаю, будет много толков, если я выступлю в суде.

— Зачем я вам понадобился?

Тэнер посмотрел на моего приятеля. В усталых глазах его было столько отчаяния, будто он уже получил ответ на свой вопрос.

— Да,— промолвил Холмс, отвечая более на взгляд его, чем на слова.— Это так. Мне все известно о Маккарти.

Старик закрыл лицо руками.

— Помоги мне, господи! — воскликнул он.— Но я бы не допустил гибели молодого человека! Даю вам слово, что я открыл бы всю правду, если бы дело дошло до выездной сессии суда присяжных...

— Рад это слышать,— сурово сказал Холмс.

— Я бы уже давно все открыл, если бы не моя дорогая девочка. Это разбило бы ее сердце, она не пережила бы моего ареста.

— Можно и не доводить дело до ареста,— ответил Холмс.

— Неужели?

— Я неофициальное лицо. Поскольку меня пригласила ваша дочь, я действую в ее интересах. Вы сами понимаете, что молодой Маккарти должен быть освобожден.

— Я скоро умру,— сказал старый Тэнер.— Я уже много лет страдаю диабетом. Мой доктор сомневается, протяну я месяц или нет. Все-таки мне легче будет умереть под своей собственной крышей, чем в тюрьме.

Холмс встал, подошел к письменному столу, взял перо и бумагу.

— Рассказывайте, все, как было,— предложил он,— а я вкратце запишу. Вы это подпишете, а Уотсон засвидетельствует. Я представлю ваше признание только в случае крайней необходимости, если нужно будет спасать Маккарти. В противном случае обещаю вам не прибегать к этой мере.

— Хорошо,— ответил старик.— Скорее всего я не доживу до выездной сессии суда, так что меня это мало волнует. Я хотел бы только избавить Алису от такого удара. А теперь я все вам расскажу... Тянулось это долго, но рассказать я могу очень быстро... Вы не знали покойного Маккарти. Это был сущий дьявол, уверяю вас. Упаси вас бог от клещей такого человека! Я был в его тисках последние двадцать лет, он совершенно отравил мне жизнь.

Сначала я расскажу вам, как я очутился в его власти. Это произошло в начале шестидесятых годов на золотых приисках. Я тогда был совсем молодым человеком, безрассудным и горячим, готовым на любое дело. Я попал в плохую компанию, начал выпивать. На участке моем не оказалось ни крупинки золота — я стал бродяжничать и сделался, как у вас говорится, рыцарем большой дороги. Нас было шестеро, мы вели дикую, привольную жизнь, совершали время от времени налеты на станцию, останавливали фургоны на дорогах к приискам. Меня называли Балларэтским Черным Джеком. Моих ребят до сих пор помнят в колониях как банду Балларэта.

Однажды из Балларэта в Мельбурн под охраной конвоя отправили золото. Мы устроили засаду. Золото охраняли шесть конвоиров, нас тоже было шесть человек. Произошла жаркая схватка. Первым залпом мы уложили четырех. Но когда мы взяли добычу, нас осталось только трое. Я приставил дуло пистолета к голове кучера — это и был Маккарти. Господи, лучше бы я убил его тогда! Но я пощадил его, хотя и заметил, что он смотрит на меня своими маленькими злыми глазками, будто хочет запомнить черты моего лица. Мы завладели золотом, стали богатыми людьми и приехали в Англию, никем не заподозренные. Здесь я навсегда расстался со своими бывшими приятелями и начал спокойную, обеспеченную жизнь.

Я купил это имение, которое как раз продавалось в то время, и старался принести хотя бы небольшую пользу своими деньгами, чтобы как-то искупить прошлое. К тому же я женился, и хотя жена моя умерла молодой, она оставила мне милую маленькую Алису. Даже когда Алиса была совсем крошкой, ее ручонки удерживали меня на праведном пути, как ничто в мире. Словом, я навсегда покончил с прошлым. Все шло великолепно, пока я не попался в руки Маккарти...

Я поехал в город по денежным делам и на Риджент-стрит встретил Маккарти. На нем не было ни приличного пальто, ни обуви.

«Вот мы и встретились, Джек,— сказал он, прикасаясь к моей руке.— Теперь уж мы с вами больше не расстанемся. Я не один: у меня есть сынишка, и вы должны о нас позаботиться. В противном случае, вы знаете: Англия прекрасная страна, где чтут законы. Кроме того, везде есть полисмены».

Вот он и поселился со своим сыном на западе, и я не мог от них отделаться; они бесплатно живут на моей земле. У меня не было ни покоя, ни отдыха, ни забвения. Куда бы я ни шел, я везде натыкался на его хитрую, ухмыляющуюся физиономию. Когда Алиса подросла, стало еще хуже, так как он заметил, что для меня страшнее всякой полиции, если о моем прошлом узнает дочь. Что бы он ни захотел, он получал по первому требованию, будь то земля, постройка или деньги, пока он не потребовал невозможного. Он потребовал Алису. Сын его, видите ли, подрос, моя дочь — тоже, и, так как о моей болезни всем было известно, ему представилось, что это великолепный шанс для его сына завладеть всем моим состоянием. Но на этот раз я был тверд. Я и мысли не мог допустить, что его проклятый род соединится с моим.

Нельзя сказать, чтобы мне не нравился его сын, но в жилах юноши текла кровь его отца, этого было достаточно. Я все же стоял на своем. Маккарти, выведенный из себя, стал угрожать.

Мы должны были встретиться у омута, на полпути между нашими домами, чтобы поговорить обо всем. Когда я пришел на условленное место, я увидел, что он толкует о чем-то с сыном. Я закурил и ждал за деревом, пока он останется один. Но по мере того как я вслушивался в его слова, во мне закипала горечь и злоба, я не мог больше этого вынести. Он принуждал сына жениться на моей дочери, ничуть не заботясь о том, как она отнесется к этому, будто речь шла об уличной девчонке.

Я чуть с ума не сошел, когда подумал, что все, чем я дорожу, может очутиться во власти такого человека. Не лучше ли разбить эти оковы? Я уже умирающий, доведенный до отчаяния человек. Хотя рассудок мой ясен и силы не покинули меня, я понимал, что моя жизнь кончена. Но мое имя и моя дочь! Я спасу и то и другое, если заставлю Маккарти держать язык за зубами... Я его убил, мистер Холмс... Я бы убил его снова. Я большой грешник, но разве жизнь, полная страданий, не искупает вины? Я все терпел, но мысль, что моя дочь попадет в ту же западню, была невыносима. Я убил его без угрызения совести, будто это была отвратительная ядовитая тварь. На крик прибежал его сын, но я успел спрятаться в лесу, хотя мне пришлось вернуться за пальто, которое я обронил... Это чистая правда, джентльмены, все случилось именно так.

— Что же, не мне судить вас, — промолвил Холмс, когда старик подписал свои показания. — Думаю, нам не придется представлять эти сведения в суд.

— Я вам полностью доверяю, сэр! Но что вы хотите предпринять?

— Принимая во внимание ваше здоровье — ничего. Вы сами знаете, что скоро предстанете перед судом, который выше земного суда. Я сохраню ваше признание, мне придется воспользоваться им, если Маккарти будет осужден. Если же он будет оправдан — ни один смертный, будете вы живы или нет, не узнает о вашей тайне, все это останется между нами.

— Тогда прощайте,— торжественно сказал старик.— Когда настанет ваш смертный час, вам будет легче при мысли о том, какое успокоение вы внесли в мою душу.

Шатаясь и дрожа всем своим гигантским телом, он медленно вышел из комнаты, прихрамывая на правую ногу.

— Бедные мы, бедные! — после долгой паузы воскликнул Холмс.— Почему судьба играет такими жалкими, беспомощными созданиями, как мы?

Выездная сессия суда присяжных оправдала Джеймса Маккарти под давлением многочисленных доказательств, представленных Холмсом. Старый Тэнер прожил месяцев семь после нашего свидания, сейчас его уже нет в живых. Есть все основания полагать, что Джеймс и Алиса могут спокойно жить в счастливом браке, не думая больше о черных тучах, которые омрачали их прошлое.

ПЯТЬ ЗЕРНЫШЕК АПЕЛЬСИНА

Когда я просматриваю мои заметки о Шерлоке Холмсе за годы от 1882 до 1890-го, я нахожу так много удивительно интересных дел, что просто не знаю, какие выбрать. Однако одни из них уже известны публике из газет, а другие не дают возможности показать во всем блеске те своеобразные качества, которыми мой друг обладал в такой высокой степени. Все же одно из этих дел было так замечательно по своим подробностям и так неожиданно по результатам, что мне хотелось бы рассказать о нем, хотя с ним связаны такие обстоятельства, которые, по всей вероятности, никогда не будут полностью выяснены.

1887 год принес длинный ряд более или менее интересных дел. Все они записаны мною. Среди них — рассказ о «Парадол-чэмбер», Обществе нищих-любителей, которое имело роскошный клуб в подвальном этаже большого мебельного магазина; отчет о фактах, связанных с гибелью британского судна «Софи Эндерсон»; рассказ о странных приключениях Грайса Петерсона на острове Юффа и, наконец, записки, относящиеся к кемберуэльскому делу об отравлении. В последнем деле Шерлоку Холмсу удалось путем исследования механизма часов, найденных на убитом, доказать, что часы были заведены за два часа до смерти и поэтому покойный лег спать в пределах этого времени,— вывод, который помог обнаружить преступника.

Все эти дела я, может быть, опишу когда-нибудь позже, но ни одно из них не обладает такими своеобразными чертами, как те необычайные события, которые я намерен сейчас изложить.

Был конец сентября, и осенние бури свирепствовали с неслыханной яростью. Целый день завывал ветер, и дождь барабанил в окна так, что даже здесь, в самом сердце огромного Лондона, мы невольно отрывались на миг от привычного течения жизни и ощущали присутствие грозных сил разбушевавшейся стихии. К вечеру буря разыгралась сильнее; ветер в трубе плакал и всхлипывал, как ребенок.

Шерлок Холмс был мрачен. Он расположился у камина и приводил в порядок свою картотеку преступлений, а я, сидя против него, так углубился в чтение прелестных морских рассказов Кларка Рассела, что завывание бури слилось в моем сознании с текстом, а шум дождя стал казаться мне рокотом морских волн.

Моя жена гостила у тетки, и я на несколько дней устроился в нашей старой квартире на Бейкер-стрит.

— Послушайте,— сказал я, взглянув на Холмса,— это звонок. Кто же может прийти сегодня? Кто-нибудь из ваших друзей?

— Кроме вас, у меня нет друзей,— ответил Холмс.— А гости ко мне не ходят.

— Может быть, клиент?

— Если так, то дело должно быть очень серьезное. Что другое заставит человека выйти на улицу в такой день и в такой час? Но, скорее всего, это какая-нибудь кумушка, приятельница нашей квартирной хозяйки.

Однако Холмс ошибся, потому что послышались шаги в прихожей и стук в нашу дверь.

Холмс протянул свою длинную руку и повернул лампу от себя так, чтобы осветить пустое кресло, предназначенное для посетителя.

— Войдите! — сказал он.

Вошел молодой человек лет двадцати двух, изящно одетый, с некоторой изысканностью в манерах. Зонт, с которого бежала вода, и блестевший от дождя длинный непромокаемый плащ свидетельствовали об ужасной погоде.

Вошедший тревожно огляделся, и при свете лампы я увидел, что лицо его бледно, а глаза полны беспокойства, как у человека, внезапно охваченного большой тревогой.

— Я должен перед вами извиниться, — произнес он, поднося к глазам золотой лорнет. — Надеюсь, вы не сочтете меня навязчивым... Боюсь, что я принес в вашу уютную комнату некоторые следы бури и дождя.

— Дайте мне плащ и зонт, — сказал Холмс. — Они могут повисеть здесь, на крючке, и быстро высохнут. Я вижу, вы приехали с юго-запада.

— Да, из Хоршема.

— Смесь глины и мела на носках ваших ботинок очень характерна для этих мест.

— Я пришел к вам за советом.

— Его легко получить.

— И за помощью.

— А вот это не всегда так легко.

— Я слышал о вас, мистер Холмс. Я слышал от майора Прендергаста, как вы спасли его от скандала в клубе Тэнкервилл.

— А-а, помню. Он был ложно обвинен в нечистой карточной игре.

— Он сказал мне, что вы можете во всем разобраться.

— Он чересчур много мне приписывает.

— По его словам, вы никогда не знали поражений.

— Я потерпел поражение четыре раза. Три раза меня побеждали мужчины и один раз женщина.

— Но что это значит в сравнении с числом ваших успехов?

— Да, обычно у меня бывают удачи.

— В таком случае вы добьетесь успеха и в моем деле.

— Прошу вас придвинуть ваше кресло к камину и сообщить мне подробности дела.

— Дело мое необыкновенное.

— Обыкновенные дела ко мне не попадают. Я высшая апелляционная инстанция.

— И все же, сэр, я сомневаюсь, чтобы вам приходилось за все время вашей деятельности слышать о таких непостижимых и таинственных происшествиях, как те, которые произошли в моей семье.

— Вы меня очень заинтересовали,— сказал Холмс.— Пожалуйста, сообщите нам для начала основные факты, а потом я расспрошу вас о тех деталях, которые покажутся мне наиболее существенными.

Молодой человек придвинул кресло и протянул мокрые ноги к пылающему камину.

— Меня зовут Джон Опеншоу,— сказал он.— Но насколько я понимаю, мои личные дела мало связаны с этими ужасными событиями. Это какое-то наследственное дело, и поэтому, чтобы дать вам представление о фактах, я должен вернуться к самому началу всей истории...

У моего деда было два сына: мой дядя, Элиас, и мой отец, Джозеф. Мой отец владел небольшой фабрикой в Ковентри. Ему удалось расширить ее, когда началось производство велосипедов. Отец изобрел особо прочные шины «Опеншоу», и его предприятие пошло очень успешно, так что когда отец в конце концов продал свою фирму, он удалился на покой вполне обеспеченным человеком.

Мой дядя Элиас в молодые годы эмигрировал в Америку и стал плантатором во Флориде, где, как говорили, дела его шли очень хорошо. Во времена войны[1] он сражался в армии Джексона, а затем под командованием Гуда и достиг чина полковника. Когда Ли сложил оружие[2], мой дядя возвратился на свою плантацию, где прожил три или четыре года. В 1869 или 1870 году он вернулся в Европу и арендовал небольшое поместье в Сассексе, вблизи Хоршема. В Соединенных Штатах он нажил большой капитал и покинул Америку, так как питал отвращение к неграм и был недоволен республиканским правительством, освободившим их от рабства. Дядя был странный человек — жестокий и вспыльчивый. При всякой вспышке гнева он изрыгал страшные ругательства. Жил он одиноко и чуждался людей. Сомневаюсь, чтобы в течение всех лет, прожитых под Хоршемом, он хоть раз побывал в городе. У него был сад, лужайки вокруг дома, и там он прогуливался, хотя часто неделями не покидал своей комнаты. Он много пил и много курил, но избегал общения с людьми и не знался даже с собственным братом. А ко мне он, пожалуй, даже привязался, хотя впервые мы увиделись, когда

---

[1] Гражданская война Южных и Северных штатов (1861—1865), окончившаяся победой северян над рабовладельческим Югом.
[2] Генерал Л и командовал Южной армией. Д ж е к с о н и Г у д — генералы этой армии.

мне было около двенадцати лет. Это произошло в 1878 году. К тому времени дядя уже восемь или девять лет прожил в Англии. Он уговорил моего отца, чтобы я переселился к нему, и был ко мне по-своему очень добр. В трезвом виде он любил играть со мной в кости и в шашки. Он доверил мне все дела с прислугой, с торговцами, так что к шестнадцати годам я стал полным хозяином в доме. У меня хранились все ключи, мне позволялось ходить куда угодно и делать все что вздумается при одном условии: не нарушать уединения дяди. Но было все же одно странное исключение: на чердаке находилась комната, постоянно запертая, куда дядя не разрешал заходить ни мне, ни кому-либо другому. Из мальчишеского любопытства я заглядывал в замочную скважину, но ни разу не увидел ничего, кроме старых сундуков и узлов.

Однажды — это было в марте 1883 года — на столе перед прибором дяди оказалось письмо с иностранной маркой. Дядя почти никогда не получал писем, потому что покупки он всегда оплачивал наличными, а друзей у него не было.

«Из Индии,— сказал он, беря письмо.— Почтовая марка Пондишери! Что это может быть?»

Дядя поспешно разорвал конверт; из него выпало пять сухих зернышек апельсина, которые выкатились на его тарелку. Я было рассмеялся, но улыбка застыла у меня на губах, когда я взглянул на дядю. Его нижняя губа отвисла, глаза выкатились из орбит, лицо стало серым; он смотрел на конверт, который продолжал держать в дрожащей руке.

«„К. К. К.“! — воскликнул он.— Боже мой, боже мой! Вот расплата за мои грехи!»

«Что это, дядя?» — спросил я.

«Смерть»,— сказал он, встал из-за стола и ушел в свою комнату, оставив меня в недоумении и ужасе.

Я взял конверт и увидел, что на внутренней его стороне красными чернилами была три раза написана буква «К». В конверте не было ничего, кроме пяти сухих зернышек апельсина. Почему дядю охватил такой ужас?

Я вышел из-за стола и взбежал по лестнице наверх. Навстречу мне спускался дядя. В одной руке у него был старый, заржавевший ключ, по-видимому от чердачного помещения, а в другой — небольшая шкатулка из латуни.

«Пусть они делают что хотят, я все-таки им не сдамся! — проговорил он с проклятием.— Скажи Мэри, чтобы затопила камин в моей комнате и пошла за Форд-хэмом, хоршемским юристом».

Я сделал все, как он велел. Когда приехал юрист, меня позвали в комнату дяди. Пламя ярко пылало, а на решетке камина толстым слоем лежал пепел, по-видимому от сожженной бумаги. Рядом стояла открытая пустая шкатулка. Взглянув на нее, я невольно вздрогнул, так как заметил на внутренней стороне крышки тройное «К» — точно такое же, какое я сегодня утром видел на конверте.

«Я хочу, Джон, — сказал дядя, — чтобы ты был свидетелем при составлении завещания. Я оставляю свое поместье моему брату, твоему отцу, от которого оно, несомненно, перейдет к тебе. Если ты сможешь мирно пользоваться им, тем лучше! Если же ты убедишься, что это невозможно, то последуй моему совету, мой мальчик, и отдай поместье своему злейшему врагу. Мне очень грустно, что приходится оставлять такое наследство, но я не знаю, какой оборот примут дела. Будь любезен, подпиши бумагу в том месте, какое тебе укажет мистер Фордхэм».

Я подписал бумагу, как мне было указано, и юрист взял ее с собой.

Этот странный случай произвел на меня, как вы понимаете, очень глубокое впечатление, и я все время думал о нем, не находя объяснений. Я не мог отделаться от смутного чувства страха, хотя оно притуплялось по мере того, как шли недели и ничто не нарушало привычного течения жизни. Правда, я заметил перемену в моем дяде. Он пил больше прежнего и стал еще более нелюдимым. Большую часть времени он проводил запершись в своей комнате. Но иногда в каком-то пьяном бреду он выбегал из дому, слонялся по саду с револьвером в руке и кричал, что никого не боится и не даст ни человеку, ни дьяволу зарезать себя, как овцу. Однако когда эти горячечные припадки проходили, он сразу бежал домой и запирался в комнате на ключ и на засовы, как человек, охваченный непреодолимым страхом. Во время таких припадков его лицо даже в холодные дни блестело от пота, как будто он только что вышел из бани.

Чтобы покончить с этим, мистер Холмс, и не злоупотреблять вашим терпением, скажу только, что однажды настала ночь, когда он совершил одну из своих пьяных вылазок, после которой уже не вернулся. Мы отправились на розыски. Он лежал ничком в маленьком, заросшем тиной пруду, расположенном в глубине нашего сада. На теле не было никаких признаков насилия, а воды в пруду было не больше двух футов. Поэтому суд присяжных, принимая во внимание чудачества дяди, признал причиной смерти самоубийство. Но я, знавший, как его пугала самая мысль о смерти, не мог убедить себя, что он добровольно расстался с жизнью. Как бы то ни было, дело на этом и кончилось, и мой отец вступил во владение поместьем и четырнадцатью тысячами фунтов, которые лежат на его текущем счете в банке...

— Позвольте,— прервал его Холмс.— Ваше сообщение, как я вижу, одно из самых интересных, какие я когда-либо слышал. Укажите мне дату получения вашим дядей письма и дату его предполагаемого самоубийства.

— Письмо пришло десятого марта 1883 года. Он погиб через семь недель, в ночь на второе мая.

— Благодарю вас. Пожалуйста, продолжайте.

— Когда отец вступил во владение хоршемской усадьбой, он по моему настоянию произвел тщательный осмотр чердачного помещения, которое всегда было заперто. Мы нашли там латунную шкатулку. Все ее содержимое было уничтожено. Ко внутренней стороне крышки была приклеена бумажная этикетка с тремя буквами «К» и подписью внизу: *«Письма, записи, расписки и реестр»*. Как мы полагаем, эти слова указывали на характер бумаг, уничтоженных полковником Опеншоу. Кроме этого, на чердаке не было ничего существенного, если не считать огромного количества разбросанных бумаг и записных книжек, касавшихся жизни дяди в Америке. Некоторые из них относились ко времени войны и свидетельствовали о том, что дядя хорошо выполнял свой долг и заслужил репутацию храброго солдата. Другие бумаги относились к эпохе преобразования Южных штатов и по большей части касались политических вопросов, так как дядя, очевидно, играл большую роль в оппозиции.

Так вот, в начале 84-го года отец поселился в Хоршеме, и все шло у нас как нельзя лучше до 85-го года. Четвертого января, когда мы все сидели за завтраком, отец внезапно вскрикнул от изумления. В одной руке он держал только что вскрытый конверт, а на протянутой ладони другой руки — пять сухих зернышек апельсина. Он всегда смеялся над тем, что он называл «небылицами насчет полковника», а теперь и сам испугался, когда получил такое же послание.

«Что бы это могло значить, Джон?» — пробормотал он.

Мое сердце окаменело.

«Это „K. K. K.“», — ответил я.

Отец заглянул внутрь конверта.

«Да, здесь те же буквы. Но что это написано под ними?»

«Положите бумаги на солнечные часы», — прочитал я, заглянув ему через плечо.

«Какие бумаги? Какие солнечные часы?» — спросил он.

«Солнечные часы в саду, других здесь нет. Но бумаги, должно быть, те, которые уничтожены».

«Черт возьми! — сказал он. — Мы живем в цивилизованной стране и не можем принимать всерьез такую чушь. Откуда это письмо?»

«Из Данди», — ответил я, взглянув на почтовый штемпель.

«Чья-нибудь нелепая шутка, — сказал он. — Какое мне дело до солнечных часов и бумаг? Нечего и обращать внимания на этакий вздор!»

«Я бы сообщил полиции», — сказал я.

«Чтобы меня высмеяли? И не подумаю».

«Тогда позвольте мне это сделать».

«Ни в коем случае. Я не хочу поднимать шум из-за таких пустяков».

Уговаривать отца было бы напрасным трудом, потому что он был очень упрям. А меня охватили тяжелые предчувствия.

На третий день после получения письма отец поехал навестить своего старого друга, майора Фрибоди, который командует одним из фортов Портсдаун-Хилла. Я был рад, что он уехал, так как мне казалось, что вне дома он дальше от опасности. Однако я ошибся. На второй день после его отъезда я получил от майора телеграмму, в которой он умолял меня немедленно приехать. Отец упал в один из глубоких меловых карьеров, которыми изобилует местность, и лежал без чувств, с раздробленным черепом. Я поспешил к нему, но он умер, не приходя в сознание. По-видимому, он возвращался из Фэрхема в сумерки. А так как местность ему незнакома и меловые шахты не огорожены, суд присяжных, не колеблясь, вынес решение: «Смерть от несчастного случая».

Я тщательно изучил все факты, связанные с его смертью, но не мог обнаружить ничего, что наводило бы на мысль об убийстве. Не было признаков насилия, не было никаких следов на земле, не было ограбления, не было посторонних лиц на дорогах. И все же излишне говорить вам, что я не находил покоя и был почти уверен, что отец мой попал в расставленные кем-то сети.

При таких трагических обстоятельствах я вступил в права наследства. Вы спросите меня, почему я не отказался от него? Отвечу вам: я был убежден, что наши несчастья каким-то образом связаны с давними событиями в жизни моего дяди и что опасность будет мне угрожать одинаково в любом доме.

Мой бедный отец скончался в январе 85-го года; с тех пор прошло два года и восемь месяцев. Все это время я мирно прожил в Хоршеме и начал уже надеяться, что это проклятие не тяготеет больше над нашей семьей, что оно рассеялось после гибели старшего поколения. Однако я слишком рано успокоился. Вчера утром меня постиг удар в той же самой форме, в какой он постиг моего отца...

Молодой человек достал из кармана смятый конверт и, повернувшись к столу, высыпал на скатерть пять маленьких сухих зернышек апельсина.

— Вот конверт,— продолжал он.— Почтовый штемпель — Лондон, Восточный район. Внутри те же самые слова, которые были в письме, полученном моим отцом: «К. К. К.», а затем: *«Положите бумаги на солнечные часы»*.

— Что вы сделали? — спросил Холмс.

— Ничего.

— Ничего?

— По правде говоря,— он опустил лицо на тонкие белые руки,— я почувствовал себя беспомощным, как жалкий кролик, к которому приближается змея. По-видимому, я во власти какой-то непреодолимой и неумолимой силы, от которой не могут спасти никакие предосторожности.

— Что вы! Что вы! — воскликнул Шерлок Холмс.— Вы должны действовать, иначе вы погибнете. Только энергия может спасти вас. Теперь не время предаваться отчаянию.

— Я был в полиции.

— Ну и?

— Но там с улыбкой выслушали мой рассказ. Я убежден, что инспектор считает эти письма чьей-то шуткой, а смерть моих родных, как и установил суд присяжных,— несчастным случаем, никак не связанным с этими предупреждениями.

Холмс потряс в воздухе сжатыми кулаками.

— Невероятная тупость! — воскликнул он.

— Все же ко мне прикомандировали полицейского, который все время дежурит в моем доме.

— Он пришел с вами сейчас?

— Нет, ему приказано находиться при доме.

Холмс снова потряс в воздухе кулаками.

— Зачем вы пришли ко мне? — спросил он.— И главное, почему вы не пришли ко мне сразу?

— Я не знал. Только сегодня я говорил о моих опасениях с майором Прендергастом, и он посоветовал мне обратиться к вам.

— Ведь уже два дня, как вы получили письмо. Вам следовало начать действовать раньше. У вас нет, я полагаю, других данных, кроме тех, которые вы мне сообщили? Нет каких-либо наводящих подробностей, которые могли бы вам помочь?

— Есть одна вещь,— сказал Джон Опеншоу. Он пошарил в кармане пальто и, вынув кусок выцветшей синей бумаги, положил его на стол.— Мне помнится,— сказал он,— что в день, когда дядя жег бумаги, маленькие несгоревшие полоски, лежавшие среди пепла, были такого же цвета. Этот лист я нашел на полу дядиной комнаты и склонен думать, что это одна из бумаг, которая случайно отлетела от остальных и таким образом избежала уничтожения. Кроме упоминания зернышек, я не вижу в этой бумаге ничего, что могло бы нам помочь. Я думаю, что это страница дневника. Почерк, несомненно, дядин.

Холмс повернул лампу, и мы оба нагнулись над листом бумаги, неровные края которого свидетельствовали о том, что лист был вырван из книги. Наверху была надпись: *«Март 1869 года»*, а внизу следующие загадочные заметки:

4-го. Гудзон явился. Прежняя платформа.
7-го. Посланы зернышки Мак-Коули, Парамору и Джону Свейну из Сент-Августина.
9-го. Мак-Коули убрался.
10-го. Джон Свейн убрался.
12-го. Посетили Парамора. Всё в порядке.

— Благодарю вас,— сказал Холмс, складывая бумагу и возвращая ее нашему посетителю.— Теперь вы не должны терять ни минуты. Мы даже не можем тратить время на обсуждение того, что вы мне сообщили. Вы должны немедленно вернуться домой и действовать.

— Что я должен делать?

— Есть только одно дело, и оно должно быть выполнено немедленно. Вы должны положить бумагу, которую только что нам показали, в латунную шкатулку, описанную вами. Вы должны приложить записку и в ней сообщить, что все остальные бумаги были сожжены вашим дядей и остался только этот лист. Вы должны заявить это словами, внушающими доверие. Написав такое письмо, немедленно поставьте шкатулку на диск солнечных часов, как вам указано. Вы понимаете?

— Вполне понимаю.

— Не думайте в настоящее время о мести или о чем-либо подобном. Я полагаю, что этого мы могли бы добиться законным путем, но ведь нам еще предстоит сплести свою сеть, тогда как их сеть уже сплетена. Прежде всего надо отстранить непосредственную опасность, угрожающую вам. А затем уже выяснить это таинственное дело и наказать виновных.

— Благодарю вас,— сказал молодой человек, вставая и надевая плащ.— Вы вернули мне жизнь и надежду. Я поступлю так, как вы мне советуете.

— Не теряйте ни минуты. И главное, берегите себя, так как не может быть сомнения, что вам угрожает весьма реальная и большая опасность. Каким путем вы думаете вернуться домой?

— Поездом, с вокзала Ватерлоо.

— Еще нет девяти часов. На улице будет очень людно, так что, я надеюсь, вы будете в безопасности. И все же вы должны очень остерегаться врагов.

— Я вооружен.

— Это хорошо. Завтра я примусь за ваше дело.

— Значит, я увижу вас в Хоршеме?

— Нет, секрет вашего дела — в Лондоне, и здесь я буду его искать.

— В таком случае я приду к вам через день или два и сообщу все, что будет выяснено насчет шкатулки и бумаг. Я в точности выполню все ваши советы.

Он пожал нам руки и простился.

Ветер по-прежнему завывал, и дождь стучал в окна. Казалось, этот странный рассказ навеян обезумевшей стихией, занесен к нам, как морская трава заносится бурей, и теперь снова поглощен ею.

Холмс сидел некоторое время молча, опустив голову и устремив взгляд на красное пламя камина. Затем он закурил трубку и, откинувшись на спинку кресла, стал следить за синими кольцами дыма, которые нагоняли друг друга под потолком.

— Я думаю, Уотсон,— заметил он наконец,— что в нашей практике не было более опасного и фантастического дела.

— Но вы составили себе определенное представление о характере этих опасностей? — спросил я.

— Здесь не может быть сомнения относительно их характера,— ответил он.

— Но в чем дело? Кто этот К. К. К. и почему он преследует несчастную семью?

Шерлок Холмс закрыл глаза и, опершись на подлокотники кресла, соединил концы пальцев.

— Истинный мыслитель,— заметил он,— увидев один-единственный факт во всей полноте, может вывести из него не только всю цепь событий, приведших к нему, но также и все последствия, вытекающие из него. Как Кювье[1] мог правильно описать целое животное на основании одной кости, так и наблюдатель, основательно изучивший одно звено в серии событий, должен быть в состоянии точно установить все остальные звенья — и предшествующие, и последующие. Но чтобы довести искусство мышления до высшей точки, необходимо, чтобы мыслитель мог использовать все установленные факты, а для этого ему нужны самые обширные познания. Если мне не изменяет память, вы в ранние дни нашей дружбы очень точно определили границы моих знаний.

— Да,— ответил я, смеясь,— это был необыкновенный документ. Я помню, что философия, астрономия и политика стояли под знаком нуля. Познания в ботанике — колеблющиеся, в геологии — глубокие, поскольку дело касается пятен грязи из любого района в пределах пятидесяти миль вокруг Лондона; в химии — эксцентрические; в анатомии — разрозненные; в области уголовной литературы и судебных отчетов — исключительные; при этом скрипач, боксер, владеет шпагой, юрист, отравляет себя кокаином и табаком. Таковы были главнейшие пункты моего анализа.

Холмс усмехнулся при последних словах.

— Что ж, я говорю сейчас, как говорил и тогда, что человек должен обставить чердачок своего мозга всем, что ему, вероятно, понадобится, а остальные знания он должен сложить в чулан при своей библиотеке, откуда может достать их в случае надобности. Для такого дела, какое было предложено нам сегодня вечером, мы,

---

[1] К ю в ь е (1769—1832) — знаменитый французский ученый, положивший начало палеонтологии (наука об ископаемых животных).

конечно, должны мобилизовать все доступные нам ресурсы. Дайте мне, пожалуйста, том на букву «К» из Американской энциклопедии. Он стоит на полке, которая рядом с вами. Благодарю вас. Теперь обсудим все обстоятельства и посмотрим, какой можно сделать из них вывод. Начать мы должны с предположения, что у полковника Опеншоу были весьма серьезные причины, заставившие его покинуть Америку. В его годы люди не склонны нарушать все свои привычки и добровольно отказываться от прелестного климата Флориды ради уединенной жизни в английском провинциальном городке. Его крайнее пристрастие к уединению в Англии подсказывает мысль, что он боялся кого-то или чего-то. Поэтому мы можем принять как рабочую гипотезу, что то был страх перед кем-то или чем-то, что заставило его покинуть Америку. О том, чего именно он боялся, мы можем судить только на основании зловещих писем, которые получали он и его наследники. Вы заметили почтовые штемпели этих писем?

— Первое было из Пондишери, второе — из Данди и третье — из Лондона.

— Из Восточного Лондона! Какой вы можете сделать отсюда вывод?

— Это все океанские порты. По-видимому, писавший находился на борту корабля.

— Великолепно! У нас уже есть ключ. Вероятно, весьма вероятно, что писавший письма находился на борту корабля. А теперь посмотрим на это дело с другой стороны. В случае с Пондишери прошло семь недель между угрозой и ее выполнением. В случае с Данди между угрозой и выполнением прошло всего три-четыре дня. Это вас наводит на какую-нибудь мысль?

— Большее расстояние, которое надо было в первом случае преодолеть.

— Но ведь письмо тоже должно было пройти большое расстояние.

— Тогда я не понимаю, в чем дело.

— Есть основание предполагать, что судно, на котором находится этот человек — или, может быть, их несколько,— парусное судно. Похоже на то, что они всегда посылали свои странные предупреждения или знаки перед тем, как отправиться на выполнение своего дела. Вы видите, как быстро дело последовало за предупреждением, посланным из Данди. Если бы они ехали из Пондишери пароходом, они прибыли бы почти одновременно с письмом. Но прошло семь недель. Я думаю, что семь не-

307

дель представляют разницу между скоростью почтового парохода, доставившего письмо, и скоростью парусника, доставившего автора письма.

— Это возможно.

— Это более чем возможно. Это вероятно. Теперь вы видите смертельную опасность в нашем последнем деле и понимаете, почему я настаивал, чтобы молодой Опеншоу был осторожен. Удар всегда настигал к концу срока, который нужен был отправителям письма, чтобы пройти расстояние на паруснике. Но ведь это письмо послано из Лондона, и поэтому мы не можем рассчитывать на отсрочку!

— Боже мой! — воскликнул я.— Что значит это беспощадное преследование?

— Очевидно, бумаги, увезенные Опеншоу, представляют жизненный интерес для человека или людей, находящихся на паруснике. Полагаю, что там не один человек. Один человек не мог бы совершить два убийства таким образом, чтобы ввести в заблуждение судебное следствие. В этом должно было участвовать несколько человек, притом изобретательных и решительных. Свои бумаги они решили получить, в чьих бы руках те ни находились. Таким образом, вы видите, что «К. К. К.» перестают быть инициалами человека, а становятся знаком целого общества.

— Но какого общества?

— Вы никогда не слышали о Ку-клукс-клане? — сказал Шерлок Холмс, нагибаясь и понижая голос.

— Никогда не слышал.

Холмс перелистал страницы тома, лежавшего у него на коленях:

— Вот что здесь говорится: *«Ку-клукс-клан — название, происходящее от сходства со звуком взводимого затвора винтовки. Это ужасное тайное общество было создано бывшими солдатами Южной армии после гражданской войны и быстро образовало местные отделения в различных штатах, главным образом в Теннесси, в Луизиане, в обеих Каролинах, в Джорджии и Флориде. Это общество использовало свои силы в политических целях, главным образом для того, чтобы терроризировать негритянских избирателей, а также для убийства или изгнания из страны тех, кто противился его взглядам. Их преступлениям обычно предшествовало предупреждение, посылаемое намеченному лицу в фантастической, но широко известной форме: в некоторых частях страны — дубовые листья, в других — семена дыни или зернышки апельсина.*

Получив это предупреждение, человек должен был либо открыто отречься от прежних взглядов, либо покинуть страну. Если он не обращал внимания на предупреждение, его неизменно постигала смерть, обычно странная и непредвиденная. Общество было так хорошо организовано и его методы были настолько продуманны, что едва ли известен хоть один случай, когда человеку удалось безнаказанно пренебречь предупреждением или когда были раскрыты виновники злодеяния. Несколько лет организация процветала, несмотря на усилия правительства Соединенных Штатов и прогрессивных кругов Юга. В 1869 году движение неожиданно прекратилось, хотя отдельные вспышки расовой ненависти наблюдались и позже...» [1] Заметьте,— сказал Холмс, откладывая том энциклопедии,— что внезапное прекращение деятельности общества совпало с отъездом из Америки Опеншоу, когда он увез с собой бумаги этой организации. Весьма возможно, что тут налицо и причина и следствие. Не приходится удивляться, что за молодым Опеншоу и его семьей следят беспощадные люди. Вы понимаете, что эта опись и дневники могут опорочить виднейших деятелей Юга и что многие не заснут спокойно, пока эти бумаги не будут у них в руках?

— Значит, страница, которую мы видели...

— Такая, какую можно было ожидать. Если мне не изменяет память, там было написано: «*Посланы зернышки А. Б. В*» — то есть послали им предупреждение. Затем последовательно идут записи, что А и Б убрались, что есть покинули страну, и что В навестили. Боюсь, это плохо кончилось для В. Я думаю, доктор, нам удастся пролить некоторый свет на это темное дело. А тем временем единственное спасение для молодого Опеншоу — действовать так, как я ему посоветовал. Сегодня ничего больше мы не можем ни сказать, ни сделать... Передайте мне мою скрипку, и попытаемся на полчаса забыть отвратительную погоду и еще более отвратительные поступки людей.

К утру буря стихла, и солнце тускло светило сквозь туманный покров, нависший над Лондоном. Шерлок Холмс уже завтракал, когда я спустился вниз.

---

[1] Американская энциклопедия, на которую ссылается Холмс, сообщила читателю неверные сведения: террористическая фашистская организация в США Ку-клукс-клан никогда не прекращала своей позорной деятельности и свирепствует и поныне, преследуя главным образом негров, революционно настроенных рабочих и прогрессивных общественных деятелей.

— Извините, что я начал без вас,— сказал он.— Я предвижу, что мне придется много поработать по делу молодого Опеншоу.

— Какие шаги вы собираетесь предпринять? — спросил я.

— Это в значительной степени зависит от результатов моих первых расследований. Может быть, мне придется еще съездить в Хоршем.

— Вы не собираетесь прежде всего поехать туда?

— Нет, я начну с Сити. Позвоните, и служанка принесет нам кофе.

В ожидании кофе я взял со стола газету и стал бегло просматривать ее. Я увидел заголовок, от которого у меня похолодело сердце.

— Холмс,— воскликнул я,— вы опоздали!

— А-а! — сказал он, отставляя чашку.— Я опасался, что так и будет. Как это произошло? — Он говорил спокойно, но я видел, что он глубоко взволнован.

Мне бросилось в глаза имя Опеншоу и заголовок: *Трагедия у моста Ватерлоо*. Вот что было написано:

«Вчера между девятью и десятью вечера констебль[1] Кук, дежуривший у моста Ватерлоо, услышал крик о помощи и всплеск воды. Однако ночь была очень темная, бушевала буря, так что, несмотря на смелые попытки нескольких прохожих, оказалось невозможным спасти тонувшего. Был дан сигнал тревоги, и с помощью речной полиции тело удалось найти. Это был молодой джентльмен, имя которого, как видно по конверту, найденному в его кармане, Джон Опеншоу, проживавший вблизи Хоршема. Предполагают, что он спешил к последнему поезду, отходившему со станции Ватерлоо, и что в спешке при исключительной темноте сбился с дороги и шагнул через край одной из маленьких пристаней речного пароходства. На теле не было обнаружено следов насилия, и не может быть сомнения в том, что покойный оказался жертвой несчастного случая; это должно заставить власти обратить внимание на состояние речных пристаней».

Несколько минут мы сидели молча. Я никогда не видел Холмса таким угнетенным.

— Это наносит удар моему самолюбию,— сказал он наконец.— Бесспорно, самолюбие мелкое чувство, но с этим ничего не поделаешь. Теперь это становится для меня личным делом, и если бог пошлет мне здоровье, я

---

[1] Констебль — полицейский.

выловлю всю банду. Он пришел ко мне за помощью, и я же послал его на смерть!

Он вскочил со стула, зашагал по комнате с пылающим румянцем на бледном лице, нервно сжимая и разжимая свои длинные, тонкие пальцы.

— Хитрые дьяволы! — выкрикнул он наконец.— Как им удалось заманить его туда, вниз, к реке? Набережная не лежит по дороге к станции. На мосту, конечно, даже в такую ночь было слишком людно. Ну, Уотсон, посмотрим, кто в конечном счете победит. Сейчас я пойду!

— В полицию?

— Нет, я сам буду полицией. Я сплету паутину, и пусть тогда полиция ловит в нее мух, но не раньше.

Весь день я был занят своей медицинской практикой и вернулся на Бейкер-стрит поздно вечером. Шерлок Холмс еще не приходил. Было почти десять часов, когда он вошел, бледный и усталый. Он подошел к буфету и, отломив кусок хлеба, стал жадно жевать его, запивая большими глотками воды.

— Проголодались? — заметил я.

— Умираю от голода. Совершенно забыл поесть. С утреннего завтрака у меня не было во рту ни крошки.

— Ничего?

— Ни крошки. Мне некогда было об этом думать.

— А как ваши успехи?

— Хороши.

— Вы нашли ключ?

— Они у меня в руках. Молодой Опеншоу недолго останется неотмщенным. Знаете, Уотсон, поставим на них их собственное дьявольское клеймо! Разве это плохо придумано?

— Что вы хотите сказать?

Он взял из буфета апельсин, разделил его на дольки и выдавил на стол зернышки. Из них он взял пять и положил в конверт. На внутренней стороне конверта он написал: «Щ. X. за Д. О.». Затем он запечатал конверт и адресовал его: «Капитану Джеймсу Келгуну, парусник «Одинокая звезда», Саванна, Джорджия».

— Письмо будет ждать Келгуна, когда он войдет в порт,— сказал Холмс, тихо смеясь.— Это ему обеспечит бессонную ночь. Я уверен, что он сочтет письмо вестником той же судьбы, какая постигла Опеншоу.

— А кто этот капитан Келгун?

— Вожак всей шайки. Я доберусь и до других, но он будет первым.

— Как вы его обнаружили?

Он достал из кармана большой лист бумаги, сплошь исписанный датами и именами.

— Я провел весь день над ллойдовскими журналами и связками старых бумаг, прослеживая дальнейшую судьбу каждого корабля, прибывавшего в Пондишери в январе и феврале 83-го года. За эти месяцы было отмечено тридцать шесть судов значительного водоизмещения; из них одно судно, «Одинокая звезда», сразу привлекло мое внимание, так как местом отправления указан был Лондон, между тем «Одинокая звезда» — это прозвище одного из штатов Америки.

— Кажется, Техаса.

— Я не был в этом уверен, не уверен и сейчас. Но я знал, что это судно должно быть американского происхождения.

— И что же?

— Я просмотрел записи прихода и ухода судов в Данди, и, когда я обнаружил, что парусник «Одинокая звезда» был там в январе 85-го года, мои подозрения обратились в уверенность. Тогда я навел справки относительно судов, находящихся в настоящее время в Лондонском порту.

— И что же?

— «Одинокая звезда» прибыла сюда на прошлой неделе. Я спустился к докам Альберта и узнал, что сегодня утром с ранним приливом «Одинокая звезда» ушла вниз по реке, чтобы последовать обратно в Саванну. Я телеграфировал в Гревзенд и узнал, что «Одинокая звезда» прошла там недавно, и так как ветер восточный, я не сомневаюсь, что она уже миновала Гудуин и находится недалеко от острова Уайт.

— Что же вы теперь сделаете?

— О, Келгун теперь в моих руках! Он и два матроса, как я узнал,— единственные американцы на корабле. Все остальные финны и немцы. Я знаю также, что прошлую ночь все трое провели не на судне. Это мне сказал грузчик, который работал на погрузке «Одинокой звезды». Прежде чем парусник достигнет Саванны, почтовый пароход доставит мое письмо, а телеграф сообщит полиции в Саванне, что эти три джентльмена крайне нужны здесь в связи с обвинением их в убийстве.

Однако в самых лучших человеческих планах всегда оказывается какая-нибудь трещина, и убийцам Джона Опеншоу не суждено было получить зернышки апельсина, которые показали бы им, что другой человек, такой же хитрый и решительный, как они, напал на их след.

В том году равноденственные штормы были очень продолжительны и жестоки. Мы долго ждали из Саванны вестей об «Одинокой звезде», но так и не дождались. Наконец мы узнали, что где-то далеко, в Атлантике, видели разбитую корму корабля, залитую волной; на ней были вырезаны буквы «О. З». Это все, что суждено было нам узнать о судьбе «Одинокой звезды».

ЧЕЛОВЕК
С РАССЕЧЕННОЙ ГУБОЙ

Айза Уитни приучился курить опий[1]. Еще в колледже, прочитав книгу де Куинси, в которой описываются сны и ощущения курильщика опия, он начал подмешивать опий к своему табаку, чтобы пережить то, что пережил этот писатель. Как и многие другие, он скоро убедился, что начать курить гораздо легче, чем бросить, и в продолжение многих лет был рабом своей страсти, внушая сожаление и ужас всем своим друзьям. Я так и вижу перед собой его желтое, одутловатое лицо, его глаза с набрякшими веками и сузившимися зрачками, его тело, бессильно лежащее в кресле,— жалкие развалины человека.

Однажды вечером, в июне 1889 года, как раз в то время, когда начинаешь уже зевать и посматривать на часы, в квартире моей раздался звонок. Я выпрямился в кресле, а жена, опустив свое шитье на колени, недовольно поморщилась.

— Пациент! — сказала она.— Тебе придется идти к больному.

Я вздохнул, потому что незадолго до этого вернулся домой после целого дня утомительной работы.

Мы услышали шум отворяемой двери и чьи-то торопливые шаги в коридоре. Дверь нашей комнаты распахнулась, и вошла дама в темном платье, с черной вуалью на лице.

— Извините, что я ворвалась так поздно,— начала она и вдруг, потеряв самообладание, бросилась к моей жене, обняла ее и зарыдала у нее на плече.— Ох, у меня такое горе! — воскликнула она.— Мне так нужна помощь!

— Да ведь это Кэт Уитни,— сказала жена, приподняв ее вуаль.— Как ты испугала меня, Кэт! Мне и в голову не пришло, что это ты.

---

[1] Опий, или опиум,— наркотик, приготовленный из маковых зерен.

— Я обращаюсь к тебе, потому что не знаю, что делать.

Это было обычным явлением. Люди, с которыми случалась беда, устремлялись к моей жене, как птицы к маяку.

— И правильно поступила. Садись поудобнее, выпей вина с водой и рассказывай, что случилось. Может быть, ты хочешь, чтобы я отправила Джеймса спать?

— О нет, нет! От доктора я тоже жду совета и помощи. Дело идет об Айзе. Вот уже два дня, как его нет дома. Я так боюсь за него!

Не в первый раз беседовала она с нами о своем несчастном муже — со мной как с доктором, а с женой как со своей старой школьной подругой. Мы утешали и успокаивали ее как могли. Знает ли она, где находится ее муж? Нельзя ли съездить за ним и привезти его домой?

Оказалось, что это вполне возможно. Ей было известно, что за последнее время он обычно курил опий в притоне, который находился на одной из восточных улиц Сити. До сих пор его оргии всегда ограничивались одним днем и к вечеру он возвращался домой в полном изнеможении, совершенно разбитый, но на этот раз он отсутствует уже сорок восемь часов и, конечно, лежит там среди всяких подозрительных личностей, вдыхая яд или отсыпаясь после курения. Она была убеждена, что он находился именно там, в «Золотом самородке» на Эппер-Суондем-лейн. Но что она может сделать? Как может она, молодая, застенчивая, робкая женщина, войти в такое место и вырвать своего мужа из толпы подонков?

Не пойти ли нам с ней вместе? Впрочем, зачем ей идти? Я лечил Айзу Уитни и, как доктор, мог повлиять на него. Без нее мне будет легче справиться с ним. Я дал ей слово, что в течение ближайших двух часов усажу ее мужа в кэб и отправлю домой, если он действительно находится в «Золотом самородке».

Через десять минут, покинув уютную гостиную, я уже мчался в экипаже на восток. Я знал, что мне предстоит довольно необычное дело, но в действительности оно оказалось еще более странным, чем я ожидал.

Сначала все шло хорошо. Эппер-Суондем-лейн — грязный переулок, расположенный позади высоких верфей, которые тянутся на восток вдоль северного берега реки, вплоть до Лондонского моста. Притон, который я разыскивал, находился в подвале между грязной лавкой и кабаком; в эту черную дыру, как в пещеру, вели крутые ступени. Посередине каждой ступеньки образовалась ложбинка — такое множество пьяных ног спускалось и поднималось по ним.

Приказав кэбу подождать, я спустился вниз. При свете мигающей керосиновой лампочки, висевшей над дверью, я отыскал щеколду и вошел в длинную низкую комнату, полную густого коричневого дыма; вдоль стен тянулись деревянные нары, как на баке эмигрантского корабля.

Сквозь мрак я не без труда разглядел безжизненные тела, лежащие в странных, фантастических позах: со сгорбленными плечами, с поднятыми коленями, с запрокинутыми головами, с торчащими вверх подбородками. То там, то тут замечал я темные, потухшие глаза, бессмысленно уставившиеся на меня. Среди тьмы вспыхивали крохотные красные огоньки, тускневшие по мере того, как уменьшалось количество яда в маленьких металлических трубках. Большинство лежали молча, но иные бормотали что-то себе под нос, а иные вели беседы странными низкими монотонными голосами, то возбуждаясь и торопясь, то внезапно смолкая, причем никто не слушал своего собеседника — всякий был поглощен лишь собственными мыслями. В самом дальнем конце подвала стояла маленькая жаровня с пылающими углями, возле которой на трехногом стуле сидел высокий, худой старик, опустив подбородок на кулаки, положив локти на колени и неподвижно глядя в огонь.

Как только я вошел, ко мне кинулся смуглый малаец, протянул мне трубку, порцию опия и показал свободное место на нарах.

— Спасибо, я не могу здесь остаться,— сказал я.— Здесь находится мой друг, мистер Айза Уитни. Мне нужно поговорить с ним.

Справа от меня что-то шевельнулось, я услышал чье-то восклицание и, вглядевшись во тьму, увидел Уитни, который пристально смотрел на меня, бледный, угрюмый и какой-то встрепанный.

— Боже, да это Уотсон! — проговорил он.

Он находился в состоянии самой плачевной реакции после опьянения.

— Который теперь час, Уотсон?

— Скоро одиннадцать.

— А какой нынче день?

— Пятница, девятнадцатое июня.

— Неужели? А я думал, что еще среда. Нет, сегодня среда. Признайтесь, что вы пошутили. И что вам за охота пугать человека!

Он закрыл лицо ладонями и зарыдал.

— Говорю вам, что сегодня пятница. Ваша жена ждет вас уже два дня. Право, вам должно быть стыдно!

— Я и стыжусь. Но вы что-то путаете, Уотсон, я здесь всего несколько часов. Три трубки... четыре трубки... забыл сколько! Но я поеду с вами домой. Я не хочу, чтобы Кэт волновалась... Бедная маленькая Кэт! Дайте мне руку. Есть у вас кэб?

— Есть. Ждет у дверей.

— В таком случае, я уеду сейчас же. Но я им должен. Узнайте, сколько я должен, Уотсон. Я совсем размяк и ослабел. Нет сил даже расплатиться.

По узкому проходу между двумя рядами спящих, задерживая дыхание, чтобы не вдыхать одуряющих паров ядовитого зелья, я отправился разыскивать хозяина. Поравнявшись с высоким стариком, сидевшим у жаровни, я почувствовал, что меня кто-то дергает за пиджак, и услышал шепот:

— Пройдите мимо меня, а потом оглянитесь.

Эти слова я расслышал вполне отчетливо. Их мог произнести только находившийся рядом со мной старик. Однако у него по-прежнему был такой вид, будто он погружен в себя и ничего кругом не замечает. Он сидел тощий, сморщенный, согбенный под тяжестью лет; трубка с опием висела у него между колен, словно вывалившись из его обессиленных пальцев. Я сделал два шага вперед и оглянулся. Мне понадобилось все мое самообладание, чтобы не вскрикнуть от удивления. Он повернулся так, что лица его не мог видеть никто, кроме меня. Спина его выпрямилась, морщины разгладились, в тусклых глазах появился их обычный блеск. Возле огня сидел, посмеиваясь над моим удивлением, не кто иной, как Шерлок Холмс. Он сделал мне украдкой знак, чтобы я подошел к нему, и опять превратился в дрожащего старика с отвислой губой.

— Холмс! — прошептал я.— Что делаете вы в этом притоне?

— Говорите как можно тише,— прошептал он,— у меня превосходный слух. Если вы избавитесь от вашего ошалелого друга, я буду счастлив немного побеседовать с вами.

— Меня за дверью ждет кэб.

— Так отправьте вашего друга домой одного в этом кэбе. Вы можете за него не бояться, так как он слишком слаб, чтобы впутаться в какой-нибудь скандал. Будет лучше всего, если вы пошлете с кучером записку вашей жене, что вы встретили меня и остались со мной. Подождите меня на улице, я выйду через пять минут.

Трудно отказать Шерлоку Холмсу: его требования всегда так определенны и точны и выражены таким повелительным тоном. К тому же я чувствовал, что, как только я усажу Уитни в кэб, я уже выполню все свои обязательства по отношению к нему и мне уже ничто не помешает принять участие в одном из тех необычайных приключений, которые составляли повседневную практику моего знаменитого друга.

Помогать Шерлоку Холмсу в его изысканиях было для меня наивысшим счастьем. Поэтому я тотчас же написал записку жене, заплатил за Уитни, усадил его в кэб и стал терпеливо ждать неподалеку от дома. Кэб сразу же скрылся во мраке. Через несколько минут из курильни вышел старик, и я зашагал за ним по улице. Два квартала он прошел не разгибая спины и неуверенно шаркая старческими ногами. Потом торопливо оглянулся, выпрямился и от души захохотал. Предо мною был Шерлок Холмс.

— Вероятно, Уотсон,— сказал он,— вы вообразили, что я пристрастился к курению опия.

— По правде сказать, я действительно был удивлен, когда увидел вас в этой трущобе.

— И все же я удивился еще больше, чем вы, когда увидел в этой трущобе вас.

— Я искал там друга.

— А я — врага.

— Врага?

— Да. Короче говоря, Уотсон, я занят чрезвычайно любопытным делом и надеялся узнать кое-что из бессвязной болтовни очумелых курильщиков опия. Прежде мне это иногда удавалось. Если бы меня узнали в той трущобе, жизнь моя не стоила бы медяка, так как я уже бывал там не раз и негодяй ласкар, хозяин притона, поклялся расправиться со мною. На задворках этого дома, возле верфи святого Павла, есть потайная дверца, которая могла бы порассказать много диковинных историй о том, что выбрасывают через нее в черные, безлунные ночи.

— Неужели трупы?

— Да, Уотсон, трупы. Мы с вами были бы миллионерами, если бы получили по тысяче фунтов за каждого несчастного, убитого в этом притоне. Это самая страшная ловушка на всем берегу реки, и я опасаюсь, что Невилл Сент-Клер, попавший в нее, никогда не вернется домой. Но мы тоже устроим ловушку.

Шерлок Холмс сунул два пальца в рот и резко свистнул. Тотчас же издалека донесся такой же свист, а затем мы услышали грохот колес и стук копыт.

— Ну что же, Уотсон,— сказал Холмс, когда из темноты вынырнула двуколка с двумя фонарями, бросавшими яркие полосы света,— поедете вы со мною?

— Если буду вам полезен...

— Верный товарищ всегда полезен. В моей комнате в «Кедрах» имеются две кровати.

— В «Кедрах»?

— Да. Так называется дом мистера Сент-Клера. Я буду жить в его доме, пока не распутаю это дело.

— Где же этот дом?

— В Кенте, неподалеку от Ли. Нам нужно проехать семь миль.

— Ничего не понимаю.

— Вполне естественно. Сейчас я вам все объясню. Садитесь... Хорошо, Джон, вы нам больше не нужны. Вот вам полкроны. Ждите меня завтра часов в одиннадцать. Дайте мне вожжи. Прощайте.

Он хлестнул лошадь, и мы понеслись по бесконечным темным, пустынным улицам и наконец очутились на каком-то широком мосту, под которым медленно текли мутные воды реки. За мостом были такие же улицы с кирпичными домами; тишина этих улиц нарушалась только тяжелыми размеренными шагами полицейских да песнями и криками запоздалых гуляк.

Черные тучи медленно ползли по небу, и в разрывах между ними то там, то здесь тускло мерцали звезды. Холмс молча правил лошадью, в глубокой задумчивости опустив голову на грудь, а я сидел рядом с ним, стараясь отгадать, что занимает его мысли, и не смея прервать его раздумье. Мы проехали несколько миль и уже пересекали пояс пригородных вилл, когда он наконец очнулся, передернул плечами и закурил трубку.

— Вы наделены великим талантом молчания, Уотсон,— сказал он.— Благодаря этой способности вы незаменимый товарищ. Однако сейчас мне нужен человек, с которым я мог бы поболтать, чтобы разогнать неприятные мысли. Представления не имею, что я скажу этой маленькой милой женщине, когда она встретит меня на пороге.

— Вы забываете, что я ничего не знаю.

— У меня как раз хватит времени рассказать вам все, пока мы доедем до Ли. Дело кажется до смешного простым, а между тем я не знаю, как за него взяться. Нитей много, но ни за одну из них я не могу ухватиться как следует. Я расскажу вам все, Уотсон, и, быть может, вам удастся найти хоть искру света в окружающем мраке.

— Рассказывайте.

— Несколько лет назад — точнее, в мае 1884 года — в Ли появился джентльмен по имени Невилл Сент-Клер, который, видимо, имел много денег. Он снял большую виллу, разбил вокруг нее прекрасный сад и зажил на широкую ногу, по-барски. Мало-помалу он подружился с соседями и в 1887 году женился на дочери местного пивовара, от которой теперь имеет уже двоих детей. Определенных занятий у него нет, но он принимает участие в нескольких коммерческих предприятиях и обычно каждое утро ездит в город, возвращаясь оттуда с поездом 5.14. Мистеру Сент-Клеру теперь тридцать семь лет. Живет он скромно; он хороший муж и любящий отец; люди, встречавшиеся с ним, отзываются о нем превосходно. Могу еще прибавить, что долгов у него всего восемьдесят восемь фунтов десять шиллингов, а в банке на его текущем счету двести двадцать фунтов стерлингов. Следовательно, нет оснований предполагать какие-нибудь денежные затруднения.

В прошлый понедельник мистер Невилл Сент-Клер отправился в город раньше обычного, сказав перед отъездом, что у него два важных дела и что он привезет своему сынишке коробку с кубиками. Случайно в тот же самый понедельник, вскоре после его отъезда, жена его получила телеграмму, что на ее имя в Эбердинском пароходном обществе получена небольшая, но весьма ценная посылка, которую она ожидала уже давно. Если вы хорошо знаете Лондон, вам известно, что контора этого пароходного общества помещается на Фресно-стрит, которая упирается в Эппер-Суондем-лейн, где вы нашли меня сегодня вечером. Миссис Сент-Клер позавтракала, отправилась в город, сделала кое-какие покупки, заехала в контору общества, получила там свою посылку и в четыре часа тридцать пять минут шла по Суондем-лейн, направляясь к вокзалу... До сих пор вам все ясно, не правда ли?

— Конечно, здесь нет ничего непонятного.

— Если помните, в понедельник было очень жарко, и миссис Сент-Клер шла медленно, поглядывая, нет ли где кэба, так как ей очень не понравился район города, в котором она очутилась. И вот, идя по Суондем-лейн, она внезапно услышала крик и вся похолодела, увидев своего мужа, который смотрел на нее из окна второго этажа какого-то дома и, как ей показалось, жестами звал ее к себе. Окно было раскрыто, и она ясно разглядела лицо мужа, показавшееся ей чрезвычайно взволнованным. Он протянул к ней обе руки и вдруг исчез так внезапно, будто его насильно оттащили от окна. Однако ее зоркий женский взгляд успел заметить, что, хотя он одет в тот же черный пиджак, в котором он уехал из дому, на нем нет ни воротничка, ни галстука.

Уверенная, что с мужем случилась беда, она сбежала вниз по ступенькам (дом был тот самый, в котором помещается трущоба, где вы нашли меня нынче вечером) и, пробежав через переднюю комнату, попыталась подняться по лестнице, ведущей в верхние этажи. Но у лестницы она наткнулась на негодяя ласкара, о котором я вам сейчас говорил. Ласкар с помощью своего подручного выставил ее на улицу. У него есть подручный, датчанин. Обезумев от ужаса, она побежала по улице и, к счастью, на Фресно-стрит встретила полицейских, которые совершали обход во главе с инспектором.

Инспектор с двумя констеблями последовал за миссис Сент-Клер, и, несмотря на упорное сопротивление хозяина, им удалось проникнуть в ту комнату, в окне которой она видела мужа. Но здесь его не оказалось. Во всем этаже не нашли никого, кроме какого-то калеки отвратительной внешности, который, видимо, там и живет. И он и ласкар упорно клялись, что тут никого больше не было. Они так решительно все отрицали, что инспектор стал было уже сомневаться, не ошиблась ли миссис Сент-Клер, как вдруг она с криком кинулась к небольшому деревянному ящичку, стоявшему на столе, и сорвала с него крышку. Из ящичка посыпались детские кубики. То была игрушка, которую ее муж обещал привезти из города.

Эта находка и внезапное смущение калеки убедили инспектора в серьезности дела. Комнаты были тщательно обысканы, и обыск привел к открытию гнусного преступления.

Убранство этой квартиры, конечно, убогое. Передняя комната представляет собою что-то вроде гостиной, а рядом с ней помещается небольшая спальня, окно которой выходит на задворки одной из верфей. Между верфью и окном спальни есть узкий канал, который высыхает во время отлива, а во время прилива наполняется водой на четыре с половиной фута. Окно в спальне широкое и открывается снизу.

При осмотре были обнаружены на подоконнике следы крови; несколько кровавых пятен нашли также и на деревянном полу. За шторой в передней комнате удалось обнаружить всю одежду мистера Невилла Сент-Клера. Не было только его пиджака. Его ботинки, его носки, его шляпа, его часы — все оказалось тут. На одежде не нашли никаких следов насилия. Но сам мистер Невилл Сент-Клер бесследно исчез. Исчезнуть он мог только через окно, и зловещие кровавые пятна на подоконнике ясно указывали, что вряд ли ему удалось спастись вплавь, тем более что в тот час, когда совершалась трагедия, прилив достиг наивысшего уровня.

Теперь обратимся к негодяям, на которых падает подозрение. Ласкар известен как человек с темным прошлым, но из рассказа миссис Сент-Клер мы знаем, что через несколько мгновений после появления ее мужа в окне он находился внизу, и, следовательно, его можно считать лишь соучастником преступления. Он отрицает всякую свою причастность к этому делу. По его словам, у него нет ни малейшего представления о том, чем вообще занимается его жилец, Хью Бун. Появление в комнате одежды пропавшего джентльмена — для него полнейшая загадка.

Вот все, что известно о хозяине-ласкаре. Теперь обратимся к угрюмому калеке, который живет во втором этаже над притоном и безусловно является последним человеком, видевшим Невилла Сент-Клера. Его зовут Хью Бун, и его безобразное лицо хорошо знает всякий, кому приходится часто бывать в Сити. Он профессиональный нищий; впрочем, для того чтобы обойти полицейские правила, он делает вид, будто продает восковые спички.

Как вы, вероятно, не раз замечали, на левой стороне Трэд-Нидл-стрит есть ниша. В этой нише сидит калека, поджав ноги и разложив у себя на коленях несколько спичечных коробков; вид его вызывает сострадание, и дождь милостыни так и льется в грязную кожаную кепку, которая лежит перед ним на мостовой. Я не раз наблюдал за ним, еще не предполагая, что нам когда-нибудь придется познакомиться с ним, как с преступником, и всегда удивлялся тому, какую обильную жатву он собирает в самое короткое время. У него такая незаурядная внешность, что никто не может пройти мимо, не обратив на него внимания. Оранжево-рыжие волосы, бледное лицо, изуродованное чудовищным шрамом, нижний конец которого рассек надвое верхнюю губу, бульдожий подбородок и проницательные темные глаза, цвет которых представляет такой резкий контраст с цветом его волос,— все это выделяет его из серой толпы попрошаек. У него всегда наготове едкая шутка для каждого, кто, проходя мимо, попытается задеть его насмешливым словом.

Таков обитатель верхнего этажа этой подозрительной курильни... После него никто уже не видел джентльмена, которого мы разыскиваем.

— Но ведь он калека! — сказал я.— Как мог он один совладать с сильным, мускулистым молодым человеком?

— У него искалечена только нога, и он слегка прихрамывает на ходу, вообще же он здоровяк и силач. Вы, Уотсон, как медик, конечно, знаете, что часто слабость одной конечности возмещается необычайной силой других.

— Пожалуйста, рассказывайте дальше.

— При виде крови на подоконнике миссис Сент-Клер стало дурно, и ее отправили домой в сопровождении полицейского, тем более что для дальнейшего расследования ее присутствие не было необходимо. Инспектор Бартон, принявший на себя ведение этого дела, тщательно обыскал весь притон, но не нашел ничего нового. Сделали ошибку: не арестовали Буна в первую же минуту и тем самым предоставили ему возможность в течение нескольких минут обменяться двумя-тремя словами со своим другом, ласкаром. Однако ошибка эта была скоро исправлена: Буна схватили и обыскали. Но обыск не дал никаких улик против него. Правда, на правом рукаве его рубашки оказались следы крови, но он показал полицейским свой безымянный палец, на котором был порез возле самого ногтя, и прибавил, что следы крови на подоконнике, вероятно, являются следствием того же пореза, так как он подходил к окну, когда у него из пальца шла кровь. Он упорно утверждал, что никогда не видел мистера Сент-Клера, и клялся, что присутствие одежды этого джентльмена у него в комнате — такая же тайна для него, как и для полиции. А когда ему передали, что миссис Сент-Клер видела своего мужа в окне его комнаты, он сказал, что это ей либо почудилось в припадке безумия, либо просто приснилось. Буна отвели в участок. Он громко протестовал. Инспектор остался поджидать отлива, надеясь обнаружить на дне канала какие-нибудь новые улики. И действительно, в липкой грязи, на самом дне, нашли кое-что, но совсем не то, что они с таким страхом ожидали найти. Когда отхлынула вода, они обнаружили в канале не самого Невилла Сент-Клера, а лишь пиджак Невилла Сент-Клера. И как вы думаете, что они нашли в карманах пиджака?

— Представить себе не могу.

— Я и не думаю, чтобы вы могли угадать. Все карманы были набиты монетами в пенни и в полпенни — четыреста двадцать одно пенни и двести семьдесят полпенни. Неудивительно, что отлив не унес пиджака. А вот труп — дело другое. Между домом и верфью очень сильное течение. Вполне допустимо, что труп был унесен в реку, в то время как тяжеловесный пиджак остался на дне.

— Но, если не ошибаюсь, всю остальную одежду нашли в комнате. Неужели на трупе был один лишь пиджак?

— Нет, сэр, но этому можно найти объяснение. Предположим, что Бун выбросил Невилла Сент-Клера через окно и этого никто не видел. Что стал бы он делать дальше? Естественно, что первым долгом он попытался бы избавиться от одежды, которая могла его выдать. Он берет пиджак, хочет выбросить его за окно, но тут ему приходит в голову, что пиджак не потонет, а поплывет. Он страшно торопится, ибо слышит суматоху на лестнице, слышит, как жена Сент-Клера требует, чтобы ее пустили к мужу, да вдобавок, быть может, его сообщник ласкар предупреждает его о приближении полиции. Нельзя терять ни минуты. Он кидается в укромный угол, где спрятаны плоды его нищенства, и набивает карманы пиджака первыми попавшимися под руку монетами. Затем он выбрасывает пиджак и хочет выбросить остальные вещи, но слышит шум шагов на лестнице и перед появлением полиции едва успевает захлопнуть окно.

— Это правдоподобно.

— Примем это как рабочую гипотезу, за неимением лучшего... Бун, как я вам уже говорил, был арестован и приведен в участок. Прежняя его жизнь, в сущности, безупречна. Правда, в продолжение многих лет он был известен как профессиональный нищий, но жил спокойно и ни в чем дурном замечен не был.

Вот в каком положении находится все это дело в настоящее время. Как видите, по-прежнему остаются нерешенными вопросы о том, что делал Невилл Сент-Клер в этой курильне опия, что там с ним случилось, где он теперь и какое отношение имеет Хью Бун к его исчезновению. Должен признаться, что не помню случая в моей практике, который на первый взгляд казался бы таким простым и был бы в действительности таким трудным.

Пока Шерлок Холмс рассказывал мне подробности этих удивительных происшествий, мы миновали предместье огромного города, оставили позади последние дома и покатили по дороге, с обеих сторон которой тянулись деревенские плетни. Как раз к тому времени, как мы очутились в деревне, весь его рассказ был закончен. Кое-где в окнах мерцали огни.

— Мы въезжаем в Ли,— сказал мой приятель.— За время нашего небольшого путешествия мы побывали в трех графствах Англии: выехали из Миддлсекса, пересекли угол Сэрри и приехали в Кент. Видите те огоньки между деревьями? Это «Кедры». Там возле лампы сидит женщина, настороженный слух которой несомненно уже уловил стук копыт нашей лошади.

— Отчего, ведя это дело, вы живете тут, а не на Бейкер-стрит? — спросил я.

— Оттого, что многое приходится расследовать здесь... Миссис Сент-Клер любезно предоставила в мое распоряжение две комнаты, и можете быть уверены, что она будет рада оказать гостеприимство моему другу, помогающему мне в моих розысках. О, как тяжело мне встречаться с ней, Уотсон, пока я не могу сообщить ей ничего нового о ее муже! Приехали! Тпру!..

Мы остановились перед большой виллой, окруженной садом. Передав лошадь выбежавшему нам навстречу конюху, мы с Холмсом пошли к дому по узенькой дорожке, посыпанной гравием. При нашем приближении дверь распахнулась, и у порога появилась маленькая белокурая женщина в светлом шелковом платье с отделкой из пышного розового шифона. Одной рукой она держалась за дверь, а другую подняла в нетерпении; нагнувшись вперед, полураскрыв губы, жадно глядя на нас, она, казалось, всем своим обликом спрашивала, что нового мы ей привезли.

— Ну? — громко спросила она.

Заметив, что нас двое, она радостно вскрикнула, но крик этот превратился в стон, когда товарищ мой покачал головой и пожал плечами.

— Узнали что-нибудь хорошее?

— Нет.

— А дурное?

— Тоже нет.

— И то слава богу. Но входите же. У вас был трудный день, вы, наверно, устали.

— Это мой друг, доктор Уотсон. Он был чрезвычайно полезен мне во многих моих расследованиях, и, по счастливой случайности, мне удалось привезти его сюда, чтобы воспользоваться его помощью в наших поисках.

— Рада вас видеть,— сказала она, приветливо пожимая мне руку.— Боюсь, что вам покажется у нас неуютно. Ведь вы знаете, какой удар внезапно обрушился на нашу семью...

— Сударыня,— сказал я,— я отставной солдат, привыкший к походной жизни, но, право, если бы даже я не был солдатом, вам не в чем было бы извиняться передо мною. Буду счастлив, если мне удастся принести пользу вам или моему другу.

— Мистер Шерлок Холмс,— сказала она, вводя нас в ярко освещенную столовую, где нас поджидал холодный ужин,— я хочу задать вам несколько откровенных вопросов и прошу вас ответить на них так же прямо и откровенно.

— Извольте, сударыня.

— Не щадите моих чувств. Со мной не бывает ни истерик, ни обмороков. Я хочу знать ваше настоящее, подлинное мнение.

— О чем?

— Верите ли вы в глубине души, что Невилл жив?

Шерлок Холмс, видимо, был смущен этим вопросом.

— Говорите откровенно,— повторила она, стоя на ковре и пристально глядя Холмсу в лицо.

— Говоря откровенно, сударыня, не верю.

— Вы думаете, что он умер?

— Да, думаю.

— Убит?

— Я этого не утверждаю.

— В какой же день он умер?

— В понедельник.

— В таком случае, мистер Холмс, будьте любезны объяснить мне, каким образом я могла получить от него сегодня это письмо?

Шерлок Холмс вскочил с кресла, словно его ударило электрическим током.

— Что? — закричал он.

— Да, сегодня.

Она улыбалась, держа в руке листок бумаги.

— Можно прочитать?

— Пожалуйста.

Он выхватил письмо у нее из рук, разложил его на столе, разгладил и принялся внимательно рассматривать. Я поднялся с кресла и стал смотреть через его плечо. Конверт был простой, конторский; на конверте стоял почтовый штемпель Гревзенда; на штемпеле — сегодняшнее или, вернее, вчерашнее число, так как полночь уже миновала.

— Грубый почерк,— пробормотал Холмс.— Уверен, что это почерк не вашего мужа, сударыня.

— Да, на конверте чужой почерк, но внутри — почерк моего мужа.

— Человеку, который надписывал конверт, пришлось наводить справки о вашем адресе.

— Откуда вы это знаете?

— Имя на конверте, как видите, выделяется своей чернотой, потому что чернила, которыми оно написано, высохли сами собою. Адрес же бледноват, потому что к нему прикладывали пресс-папье. Если бы надпись на конверте была сделана сразу и если бы ее всю высушили пресс-папье, все слова были бы одинаково серы. Этот человек написал на конверте сперва только ваше имя и лишь спустя некоторое время приписал к нему адрес, из чего можно заключить, что адрес не был ему вначале известен. Конечно, это пустяк, но в моей профессии нет ничего важнее пустяков. Дайте мне взглянуть на письмо... Ага! Туда было что-то вложено.

— Да, там было кольцо. Его кольцо с печатью.

— А вы уверены, что это почерк вашего мужа?

— Один из его почерков.

— Один из его почерков?

— Его почерк, когда он пишет второпях. Обычно он пишет совсем иначе, но и этот его почерк мне хорошо знаком.

— «*Дорогая, не волнуйся. Все кончится хорошо. Произошла ошибка, на исправление которой требуется некоторое время. Жди терпеливо. Невилл*»... Написано карандашом на листке, вырванном из блокнота. Гм! Отправлено сегодня из Гревзенда человеком, у которого большой палец чем-то выпачкан. Ха! Если не ошибаюсь, человек, заклеивавший конверт, жует табак... Вы убеждены, сударыня, что это почерк вашего мужа?

— Убеждена. Это письмо написал Невилл.

— Оно отправлено сегодня из Гревзенда. Что ж, миссис Сент-Клер, тучи рассеиваются, хотя я не могу сказать, что опасность уже миновала.

— Однако он жив, мистер Холмс!

— Если только это не ловкая подделка, чтобы направить нас на ложный след. Кольцо, в конце концов, ничего не доказывает. Кольцо могли отнять у него.

— Но это его, его, его почерк!

— Хорошо. Но что, если письмо написано в понедельник, а послано только сегодня?

— Это возможно.

— А за этот срок многое могло произойти.

— О, не отнимайте у меня моей радости, мистер Холмс! Я знаю, что с ним ничего не случилось. Мы с ним настолько близки, что я непременно почувствовала бы, если бы он попал в настоящую беду. За день до того, как он исчез, он порезал себе нечаянно палец.

Я была в столовой, он — в спальне, и я сразу побежала к нему, чувствуя, что с ним случилась беда. Неужели вы думаете, что я не знала бы о его смерти, если даже такой пустяк способен повлиять на меня!

— Я человек опытный и знаю, что женское непосредственное чутье может быть иногда ценнее всяких логических выводов. И это письмо, конечно, служит важным указанием, что вы правы. Однако, если мистер Сент-Клер жив, если он может писать вам письма, отчего же он не с вами?

— Не знаю. И представить себе не могу.

— В понедельник, уезжая, он ни о чем вас не предупреждал?

— Нет.

— И вы очень удивились, увидев его на Суондем-лейн?

— Очень.

— Окно было открыто?

— Да.

— Он мог бы окликнуть вас из окна?

— Да.

— Между тем, насколько я понял, у него вырвалось только бессвязное восклицание?

— Да.

— Вы подумали, что он зовет вас на помощь?

— Да. Он махнул мне руками.

— Но, быть может, он вскрикнул от неожиданности. Он мог всплеснуть руками от изумления, что видит вас.

— Возможно.

— И вам показалось, что его оттащили от окна?

— Он исчез так внезапно...

— Он мог просто отскочить от окна. Вы никого больше не видели в комнате?

— Никого. Но ведь этот отвратительный нищий сам признался, что Невилл был там. А ласкар стоял внизу, у лестницы.

— Совершенно верно. Насколько вы могли разглядеть, ваш муж был одет, как всегда?

— Но на нем не было ни воротничка, ни галстука. Я отчетливо видела его голую шею.

— Он когда-нибудь говорил с вами о Суондем-лейн?

— Никогда.

— А вы никогда не замечали каких-нибудь признаков, указывающих на то, что он курит опий?

— Никогда.

— Благодарю вас, миссис Сент-Клер. Это основные пункты, о которых я хотел знать всё. Теперь мы поужинаем и пойдем отдохнуть, так как весьма возможно, что завтра нам предстоит много хлопот.

В наше распоряжение была предоставлена просторная, удобная комната с двумя кроватями, и я сразу улегся, так как ночные похождения утомили меня. Но Шерлок Холмс, когда у него была какая-нибудь нерешенная задача, мог не спать по целым суткам и даже неделям, обдумывая ее, сопоставляя факты, рассматривая ее с разных точек зрения до тех пор, пока ему не удавалось либо разрешить ее, либо убедиться, что он находится на ложном пути. Я скоро понял, что он готовится просидеть без сна всю ночь. Он снял пиджак и жилет, надел синий просторный халат и принялся собирать в одну кучу подушки с кровати, с кушетки и с кресел. Из этих подушек он соорудил себе нечто вроде восточного дивана и взгромоздился на него, поджав ноги и положив перед собой пачку табаку и коробок спичек. При тусклом свете лампы я видел, как он сидит там в облаках голубого дыма, со старой трубкой во рту, рассеянно устремив глаза в потолок, безмолвный, неподвижный, и свет озаряет резкие орлиные черты его лица.

Так сидел он, когда я засыпал, и так сидел он, когда я при блеске утреннего солнца открыл глаза, разбуженный его внезапным восклицанием. Трубка все еще торчала у него изо рта, дым все еще вился кверху, комната была полна табачного тумана, а от пачки табаку, которую я видел вечером, уже ничего не осталось.

— Проснулись, Уотсон? — спросил он.

— Да.

— Хотите прокатиться?

— С удовольствием.

— Так одевайтесь. В доме еще все спят, но я знаю, где ночует конюх, и сейчас у нас будет коляска.

При этих словах он усмехнулся; глаза его блестели, и он нисколько не был похож на того мрачного мыслителя, которого я видел ночью.

Одеваясь, я взглянул на часы. Неудивительно, что в доме все еще спали: было двадцать пять минут пятого. Едва я успел одеться, как вошел Холмс и сказал, что конюх уже запряг лошадь.

— Хочу проверить одну свою версию,— сказал он, надевая ботинки.— Вы, Уотсон, видите перед собой одного из величайших глупцов, какие только существуют в Европе! Я был слеп, как крот. Мне следовало бы дать такого тумака, чтобы я полетел отсюда до Черинг-кросса! Но теперь я, кажется, нашел ключ к этой загадке.

— Где же он, ваш ключ? — спросил я, улыбаясь.

— В ванной,— ответил Холмс.— Нет, я не шучу,— продолжал он, заметив мой недоверчивый взгляд.— Я уже был в ванной, взял его и спрятал вот сюда, в чемоданчик. Поедем, друг мой, и посмотрим, подойдет ли этот ключ к замку.

Мы спустились с лестницы, стараясь ступать как можно тише. На дворе уже ярко сияло утреннее солнце. У ворот нас поджидала коляска; конюх держал под уздцы запряженную лошадь.

Мы вскочили в экипаж и быстро покатили по лондонской дороге. Изредка мы обгоняли телеги, которые везли в столицу овощи, но на виллах кругом все было тихо — все спало, как в заколдованном городе.

— В некоторых отношениях это совершенно исключительное дело,— сказал Холмс, пуская лошадь галопом.— Сознаюсь, я был слеп, как крот, но лучше поумнеть поздно, чем никогда.

Мы въехали в город со стороны Сэрри. В окнах уже начали появляться заспанные лица только что проснувшихся людей. Мы переехали через реку по мосту Ватерлоо, свернули направо на Веллингтон-стрит и очутились на Бау-стрит. Шерлока Холмса хорошо знали в полицейском управлении, и, когда мы подъехали, два констебля отдали ему честь. Один из них взял лошадь под уздцы, а другой повел нас внутрь здания.

— Кто дежурный? — спросил Холмс.

— Инспектор Брэдстрит, сэр.

Из вымощенного каменными плитами коридора навстречу нам вышел высокий грузный полицейский в полной форме.

— А, Брэдстрит! Как поживаете? Я хочу поговорить с вами, Брэдстрит.

— Пожалуйста, мистер Холмс. Зайдите ко мне, в мою комнату.

Комната была похожа на контору: на столе огромная книга для записей, на стене телефон.

Инспектор сел за стол:

— Чем могу служить, мистер Холмс?

— Я хочу расспросить вас о том нищем, который замешан в деле исчезновения мистера Невилла Сент-Клера.

— Его арестовали и привезли сюда для допроса.

— Я знаю. Он здесь?

— В камере.

— Не буйствует?

— Нет, ведет себя тихо. Но как он грязен, этот негодяй!

— Грязен?

— Да. Еле-еле заставили его вымыть руки, а лицо у него черное, как у медника. Вот пусть только кончится следствие, а там уж ему не избежать тюремной ванны! Если бы вы на него посмотрели, вы согласились бы со мною.

— Я очень хотел бы на него посмотреть.

— Правда? Это нетрудно устроить. Идите за мной. Чемоданчик свой можете оставить здесь.

— Нет, я захвачу его с собой.

— Хорошо. Пожалуйте сюда.

Он открыл запертую дверь, спустился по винтовой лестнице и привел нас в коридор с выбеленными стенами. Справа и слева шла вереница дверей.

— Его камера — третья справа,— сказал инспектор.— Вот здесь.

Он осторожно отодвинул дощечку в верхней части двери и глянул в отверстие.

— Спит,— сказал он.— Вы можете хорошенько его рассмотреть.

Мы оба приникли к решетке. Арестант крепко спал, медленно и тяжело дыша. Лицо его было обращено к нам. Это был мужчина среднего роста, одетый, как и подобает людям его профессии, очень скверно: сквозь прорехи порванного пиджака торчали лохмотья цветной рубахи. Он был действительно необычайно грязен, но даже толстый слой грязи, покрывавший лицо, не мог скрыть его отталкивающего безобразия. Широкий шрам шел от глаза к подбородку, и сквозь щель, прорубленную к верхней губе, постоянным оскалом торчали три зуба. Клок ярчайших рыжих волос падал на лоб и на глаза.

— Красавец, не правда ли? — сказал инспектор.

— Ему необходимо помыться,— заметил Холмс.— Я уже и раньше об этом догадывался и захватил с собой весь инструмент.

Он раскрыл чемоданчик и, к нашему изумлению, вынул из него большую губку.

— Хе-хе, да вы шутник! — засмеялся инспектор.

— Будьте любезны, откройте нам тихонько дверь, и мы живо придадим ему более приличный вид.

— Ладно,— сказал инспектор.— А то он и в самом деле позорит нашу тюрьму.

Инспектор открыл дверь, и мы втроем бесшумно вошли в камеру. Арестант шевельнулся, но сразу же заснул еще крепче. Холмс подошел к рукомойнику, намочил свою губку и дважды с силой провел ею по лицу арестанта.

— Позвольте мне представить вас мистеру Невиллу Сент-Клеру из Ли, в графстве Кент! — воскликнул Холмс.

Никогда в жизни не видел я ничего подобного. Лицо сползло с арестанта, как кора с дерева. Исчез грубый темный загар. Исчез ужасный шрам, пересекавший все лицо наискосок. Исчезла разрезанная губа. Исчез отталкивающий оскал зубов. Рыжие лохматые волосы исчезли от одного взмаха руки Холмса, и мы увидели бледного, грустного, изящного человека с черными волосами и нежной кожей, который, сидя в постели, протирал глаза и с недоумением глядел на нас, еще не вполне очнувшись от сна.

Внезапно он понял все, вскрикнул и зарылся головой в подушку.

— Боже, — закричал инспектор, — да ведь это и есть пропавший! Я знаю его, я видел фотографию!

Арестант повернулся к нам с безнадежным видом человека, решившего не противиться судьбе.

— Будь что будет! — сказал он. — За что вы меня держите здесь?

— За убийство мистера Невилла Сент... Тьфу! В убийстве вас теперь обвинить невозможно. Вас могли бы обвинить, пожалуй, только в попытке совершить самоубийство, — сказал инспектор, усмехаясь. — Я двадцать семь лет служу в полиции, но ничего подобного не видел.

— Раз я мистер Невилл Сент-Клер, то, значит, преступления совершено не было и, следовательно, я арестован незаконно.

— Преступления нет, но сделана большая ошибка, — сказал Холмс. — Вы напрасно не доверились жене.

— Дело не в жене, а в детях, — пылко сказал арестант. — Я не хотел, чтобы они стыдились отца. Боже, какой позор! Что мне делать?

Шерлок Холмс сел рядом с ним на койку и ласково похлопал его по плечу.

— Если вы позволите разбираться в вашем деле суду, вам, конечно, не избежать огласки, — сказал он. — Но если вам удастся убедить полицию, что за вами нет никакой вины, газеты ничего не узнают. Инспектор Брэдстрит может записать ваши показания и передать их надлежащим властям, и дело до суда не дойдет.

— О, как я вам благодарен! — вскричал арестант. — Я охотно перенес бы заточение, даже смертную казнь, лишь бы не опозорить детей раскрытием моей несчастной тайны! Вы первые услышите мою историю...

Отец мой был учителем в Честерфилде, и я получил там превосходное образование. В юности я много путешествовал, работал на сцене и, наконец, стал репортером одной вечерней лондонской газеты. Однажды моему редактору понадобилась серия очерков о нищенстве в столице, и я вызвался написать их. С этого и начались все мои приключения. Чтобы добыть необходимые для моих очерков факты, я решил переодеться нищим и стал попрошайничать. Когда я был еще актером, я славился умением гримироваться. Теперь это умение пригодилось. Я раскрасил себе лицо, а для того чтобы вызывать побольше жалости, намалевал на лице шрам и с помощью пластыря телесного цвета изуродовал себе губу, слегка приподняв ее. Затем, надев лохмотья и рыжий парик, я сел в самом оживленном месте Сити и принялся под видом продажи спичек просить милостыню. Семь часов я просидел не вставая, а вечером, вернувшись домой, к величайшему своему изумлению, обнаружил, что набрал двадцать шесть шиллингов и четыре пенса.

Я написал очерки и позабыл обо всей этой истории. Но вот, некоторое время спустя, мне предъявили вексель, по которому я поручился уплатить за приятеля двадцать пять фунтов. Я понятия не имел, где достать эти деньги, и вдруг мне в голову пришла отличная мысль. Упросив кредитора подождать две недели, я взял на работе отпуск и провел его в Сити, прося милостыню. За десять дней я собрал необходимую сумму и уплатил долг. Теперь вообразите себе, легко ли работать за два фунта в неделю, когда знаешь, что эти два фунта ты можешь получить в один день, выпачкав себя лицо, положив кепку на землю и ровно ничего не делая?

Долго длилась борьба между моей гордостью и стремлением к наживе, но страсть к деньгам в конце концов победила. Я бросил работу и стал все дни проводить на давно облюбованном мною углу, вызывая жалость своим уродливым видом и набивая карманы медяками.

Только один человек был посвящен в мою тайну — владелец низкопробного притона на Суондем-лейн, в котором я поселился. Каждое утро я выходил оттуда в виде жалкого нищего, и каждый вечер я превращался там в хорошо одетого господина, я щедро платил этому ласкару за его комнаты, так как был уверен, что он никому ни при каких обстоятельствах не выдаст моей тайны.

Вскоре я стал откладывать крупные суммы денег. Вряд

ли в Лондоне есть хоть один нищий, зарабатывающий по семисот фунтов в год, а я зарабатывал и больше. Я навострился шуткой парировать замечания прохожих и скоро прославился на все Сити. Поток пенсов вперемешку с серебром сыпался на меня непрестанно, и я считал неудачными дни, когда получал меньше двух фунтов. Чем богаче я становился, тем шире я жил. Я снял дом за городом, я женился, и никто не подозревал, чем я занимаюсь в действительности. Моя милая жена знает, что у меня есть какие-то дела в Сити. Но какого рода эти дела, она не имеет ни малейшего представления.

В прошлый понедельник, закончив работу, я переодевался у себя в комнате, как вдруг, выглянув в окно, увидел, к своему ужасу, что жена моя стоит на улице и смотрит прямо на меня. Я вскрикнул от изумления, поднял руки, чтобы закрыть лицо, и кинулся к моему соучастнику ласкару, умоляя его никого ко мне не пускать. Я слышал внизу голос жены, но я знал, что подняться она не сможет. Я быстро разделся, натянул на себя нищенские лохмотья, парик и разрисовал лицо. Даже жена не могла бы узнать меня в этом виде.

Но затем мне пришло в голову, что комнату мою могут обыскать и тогда моя одежда выдаст меня. Я распахнул окно, причем второпях задел раненый палец (я поранил себе палец утром в спальне), и из ранки опять потекла кровь. Потом я схватил пиджак, набитый медяками, которые я только что переложил туда из своей нищенской сумы, швырнул его в окно, и он исчез в Темзе. Я собирался швырнуть туда и остальную одежду, но тут ко мне ворвались полицейские и через несколько минут, вместо того чтобы быть изобличенным как мистер Невилл Сент-Клер, я оказался арестованным как его убийца.

Больше мне нечего прибавить. Желая сохранить грим на лице, я отказывался от умывания. Зная, что жена будет очень тревожиться обо мне, я тайком от полицейских снял с пальца кольцо и передал его ласкару вместе с наскоро нацарапанной запиской, в которой я сообщал ей, что мне не угрожает никакая опасность.

— Она только вчера получила эту записку,— сказал Холмс.

— О боже! Какую неделю она провела!

— За ласкаром следила полиция,— сказал инспектор Брэдстрит,— и ему, видимо, никак не удавалось отправить записку незаметно. Он, вероятно, передал ее какому-нибудь матросу, завсегдатаю своего притона, а тот в течение нескольких дней все забывал опустить ее в ящик.

— Так это, без сомнения, и было,— подтвердил Холмс.— Но неужели вас никогда не привлекали к суду за нищенство?

— Много раз. Но что значит для меня незначительный штраф!

— Однако теперь вам придется оставить свое ремесло,— сказал Брэдстрит.— Если вы хотите, чтобы полиция замяла эту историю, Хью Бун должен исчезнуть.

— Я уже поклялся себе в этом самой торжественной клятвой, какую только может дать человек.

— В таком случае, все будет забыто,— сказал Брэдстрит.— Но если вас заметят опять, мы уже не станем скрывать ничего... Мы очень признательны вам, мистер Холмс, за то, что вы раскрыли это дело. Хотел бы я знать, каким образом вы достигаете подобных результатов.

— На этот раз,— отозвался мой друг,— мне понадобилось посидеть на пяти подушках и выкурить полфунта табаку... Мне кажется, Уотсон, что, если мы сейчас поедем на Бейкер-стрит, мы поспеем как раз к завтраку.

ГОЛУБОЙ КАРБУНКУЛ

На третий день Рождества зашел я к моему приятелю Шерлоку Холмсу, чтобы поздравить его с праздником. Он лежал на кушетке в красном халате; справа от него было несколько трубок, набитых табаком, а слева — груда смятых утренних газет, которые он, видимо, только что просматривал. Рядом с кушеткой стоял стул; на его спинке висела сильно поношенная жалкая фетровая шляпа, продырявленная в нескольких местах. Холмс, должно быть, очень внимательно изучал эту шляпу, так как тут же, на сиденье стула, лежали пинцет и лупа.

— Вы заняты,— сказал я.— Боюсь, что я вам мешаю.

— Нисколько,— ответил он.— Я рад, что у меня есть товарищ, с которым я могу побеседовать о результатах моих исследований. Вещь, как видите, весьма заурядная,— он ткнул большим пальцем в сторону старой шляпы,— но с этой вещью связаны кое-какие любопытные события, не лишенные даже некоторой поучительности.

Я уселся в кресло и стал греть руки у камина, где потрескивал огонь. Был сильный мороз; окна покрылись плотными ледяными узорами.

— Хотя эта шляпа кажется очень невзрачной, она, должно быть, связана с какой-нибудь кровавой историей,— заметил я.— Очевидно, она послужит ключом к разгадке каких-нибудь страшных тайн, и благодаря ей вам удастся изобличить и наказать преступника.

Шерлок Холмс засмеялся.

— Нет, нет,— сказал он,— тут не преступление, а очень мелкий, смешной эпизод, который всегда может произойти в такой местности, где четыре миллиона человек толкутся на пространстве в несколько квадратных миль. В таком колоссальном человеческом улье всегда возможны любые комбинации фактов, которые, будучи чрезвычайно загадочны, все же не таят в себе никаких преступлений. Нам уже приходилось сталкиваться с подобными случаями.

— Еще бы! — воскликнул я.— Из последних шести эпизодов, которые были описаны мною, три не заключали в себе ничего беззаконного.

— Совершенно верно. Я не сомневаюсь, что и этот пустячный случай окажется столь же невинным. Вы знаете Петерсона, рассыльного?

— Да.

— Этот трофей принадлежит ему.

— То есть это его шляпа?

— Нет, нет, он нашел ее. Владелец ее неизвестен. Попробуйте посмотреть на нее не как на старую рухлядь, а как на серьезную задачу... Раньше всего расскажу вам, как эта шляпа попала сюда. Она появилась в первый день Рождества вместе с отличным, жирным гусем, который в данное время жарится у Петерсона на кухне. Произошло это так. На Рождество, в четыре часа утра, Петерсон, человек, как вы знаете, благородный и честный, возвращался с пирушки домой по улице Тоттенхем-Корт-роуд. При свете газового фонаря он заметил, что перед ним, слегка пошатываясь, идет какой-то высокий субъект и несет на плече белоснежного гуся. На углу Гудж-стрит к незнакомцу пристали хулиганы. Один из них сбил с него шляпу. Незнакомец, защищаясь, размахнулся палкой и нечаянно попал в витрину магазина, оказавшуюся у него за спиной. Стекло разлетелось вдребезги. Петерсон бросился вперед, чтобы защитить незнакомца, но несчастный, потрясенный тем, что разбил стекло, как только увидел бегущего к нему человека, бросил гуся, помчался со всех ног и исчез в лабиринте небольших переулков, лежащих позади Тотенхем-Корт-роуд. Петерсон был в форме, и это, должно быть, больше всего напугало беглеца. Так как при появлении Петерсона хулиганы разбежались, рассыльный очутился один на поле битвы и оказался обладателем добычи в виде этой помятой шляпы и превосходного рождественского гуся...

— ...которого Петерсон, конечно, возвратил незнакомцу.

— Вот в этом-то и заключается наша загадка, мой милый. Кто этот незнакомец и где он живет? Правда, на маленькой карточке, привязанной к левой лапке гуся, было написано: *Миссис Генри Бейкер*, правда и то, что инициалы «Г. Б.» можно разобрать на подкладке этой шляпы. Но так как в городе живет несколько тысяч Бейкеров и в том числе несколько сот Генри Бейкеров, нелегко вернуть потерянную собственность одному из них.

— Что же сделал Петерсон?

— Он попросту принес мне и гуся и шляпу, зная, что меня занимает решение даже самых ничтожных загадок. Гуся мы продержали вплоть до сегодняшнего утра, когда стало ясно, что, несмотря на мороз, его все же лучше съесть, не откладывая. Петерсон унес гуся и угостился на славу, а у меня осталась шляпа незнакомца, потерявшего свой рождественский ужин.

— Он не помещал объявления в газете?

— Нет.

— Как же вы узнаете, кто он?

— Только путем размышлений.

— Размышлений над этой шляпой?

— Конечно.

— Вы шутите! Что можно извлечь из этого старого, рваного фетра?

— Вот моя лупа. Возьмите ее и попробуйте применить к этой шляпе мой метод. Вам ведь он хорошо известен. Что вы можете сказать о человеке, которому принадлежала эта шляпа?

Я взял рваную шляпу и уныло повертел ее в руках. Самая обыкновенная черная круглая шляпа. Жесткая, сильно поношенная. Шелковая подкладка была некогда красной, но теперь полиняла. Фабричную марку мне обнаружить не удалось, но, как и сказал мне Холмс, внутри сбоку виднелись инициалы «Г. Б.». На полях я заметил дырочку для придерживавшей шляпу резинки, но резинки не оказалось. Вообще шляпа была рваная, грязная, покрытая пятнами. Впрочем, заметны были попытки замазать эти пятна чернилами.

— Я ничего в ней не вижу,— сказал я, возвращая шляпу Шерлоку Холмсу.

— Нет, Уотсон, вы видите всё, но не даете себе труда

поразмыслить над тем, что вы видите. Вы слишком робки в своих логических выводах.

— Тогда, пожалуйста, скажите мне, какие выводы делаете вы из осмотра этой шляпы.

Холмс взял шляпу в руки и стал пристально разглядывать ее проницательным взглядом, свойственным ему одному.

— Конечно, не все в ней достаточно ясно,— заметил он,— но кое-что можно установить наверняка, а кое-что можно предположить с достаточной долей вероятия. Совершенно очевидно, например, что владелец ее — человек большого ума и что три года назад у него были изрядные деньги, а теперь настали для него черные дни. Он всегда был очень предусмотрителен, всегда заботился о завтрашнем дне, а сейчас немного опустился. Так как благосостояние его тоже упало, мы вправе предположить, что он пристрастился к какому-нибудь пагубному пороку — быть может, к пьянству. По-видимому, из-за этого и жена разлюбила его...

— Милый мой Холмс!

— Но все же в какой-то степени он еще сохранил свое достоинство,— продолжал Холмс, не обращая внимания на мое восклицание.— Он ведет сидячий образ жизни, редко выходит из дому, совершенно не занимается спортом. Это человек средних лет, у него седые волосы, он мажет их помадой и недавно подстригся. Вдобавок я твердо уверен, что в доме у него нет газового освещения.

— Вы, конечно, шутите, Холмс.

— Ничуть. Неужели даже теперь, когда я вам все рассказал, вы не понимаете, как я узнал обо всем этом!

— Считайте меня идиотом, но должен признаться, что я не в состоянии уследить за ходом ваших мыслей. Например, откуда вы взяли, что он очень умен?

Вместо ответа Холмс нахлобучил шляпу себе на голову. Шляпа закрыла его лоб и уперлась в переносицу.

— Видите, какая кубатура! — сказал он.— Не может же быть совершенно пустым такой большой череп.

— Ну, а откуда вы взяли, что он обеднел?

— Этой шляпе три года. Плоские поля, загнутые по краям, были тогда очень модными. Шляпа лучшего качества. Взгляните-ка на эту шелковую ленту, на превосходную подкладку. Если три года назад этот человек был в состоянии купить столь дорогую шляпу и с тех пор не покупал ни одной, совершенно ясно, что дела у него пошатнулись.

— Ну ладно, в этом, пожалуй, вы правы. Но откуда вы могли узнать, что он человек предусмотрительный и что в настоящее время он переживает душевный упадок?

— Предусмотрительность — вот она,— сказал он, показывая на дырочку от резинки.— Резинки никогда не продают вместе со шляпами, их нужно покупать отдельно. Раз этот человек купил резинку и велел прикрепить ее к шляпе, значит, он заботился о том, чтобы уберечь свою шляпу от ветра. Но резинка оторвалась, и он не стал прилаживать новую, а это значит, что раньше он следил за своей наружностью, теперь же опустился и, так сказать, махнул на себя рукой. Однако, с другой стороны, он пытался прикрыть пятна на шляпе, замазать их чернилами,— значит, он еще не вполне потерял чувство собственного достоинства.

— Все это очень похоже на правду.

— Что он человек средних лет, что у него седина, что он недавно стригся, что он помадит волосы — все это становится ясным, если внимательно осмотреть в его шляпе нижнюю часть подкладки. В лупу видны приставшие к подкладке волосы, срезанные ножницами парикмахера. Все эти волосы пахнут помадой. Заметьте, что пыль на ней не уличная — серая и песочная, а домашняя — бурая, пушистая. Значит, шляпа большей частью висела дома. А следы влажности на внутренней ее стороне говорят о том, как легко владелец ее покрывается потом, потому что он отвык от движения.

— А как вы узнали, что его разлюбила жена?

— Шляпа не чищена уже несколько недель. Если бы я увидел, мой дорогой Уотсон, что ваша шляпа не чищена хотя бы одну неделю и что ваша жена позволяет вам выходить в таком виде, я стал бы опасаться, что и вы имели несчастье утратить расположение вашей супруги.

— А может быть, он холостяк?

— Нет, он нес гуся домой именно для того, чтобы задобрить жену. Вспомните карточку, привязанную к лапке этой птицы.

— У вас на все готов ответ. Но откуда вы можете знать, что в его доме нет газа?

— Одно-два сальных пятна на шляпе — случайность. Но когда я вижу их не меньше пяти, я могу не сомневаться в том, что этому человеку часто приходится пользоваться сальной свечой — вероятно, подниматься ночью по лестнице, держа в одной руке шляпу, а в другой оплывшую сальную свечу. Во всяком случае, от газа не бывает сальных пятен... Теперь вы согласны со мною?

— Да, все это очень просто,— смеясь, сказал я.— Но в том, что вы рассказали, еще нет преступления. Никто не понес убытков — никто, кроме человека, потерявшего гуся,— и, значит, вы ломали себе голову зря.

Шерлок Холмс раскрыл было рот для ответа, но в это мгновение дверь распахнулась, и в комнату, потрясенный, взволнованный, влетел посыльный Петерсон. Щеки у него буквально пылали.

— Гусь-то, гусь, мистер Холмс!— задыхаясь, прокричал он.

— Ну? Что с ним такое? Ожил он, что ли, и вылетел в кухонное окно?

Холмс повернулся на кушетке, чтобы лучше всмотреться в возбужденное лицо Петерсона.

— Посмотрите, сэр, что жена нашла у него в зобу!

Он протянул руку, и на его ладони мы увидели ярко сверкающий голубой камень величиной чуть поменьше горошины. Камень был такой чистой воды, что светился на темной ладони, точно электрическая искра.

Холмс свистнул и опустился на кушетку.

— Честное слово, Петерсон,— сказал он,— вы нашли сокровище! Надеюсь, вы понимаете, что это такое?

— Бриллиант, сэр! Драгоценный камень! Он режет стекло, словно масло!

— Это не просто драгоценный камень — это т о т с а м ы й драгоценный камень.

— Неужели это голубой карбункул[1] графини Моркар?— вскричал я.

— Совершенно правильно. Я знаю, каков он, так как последнее время каждый день читал объявления в «Таймс». Камень этот — единственный в своем роде, и можно только догадываться о его настоящей цене. Награда в тысячу фунтов, которую предлагают нашедшему, едва ли составляет двадцатую долю его стоимости.

— Тысяча фунтов! О боже!

Рассыльный бухнулся в кресло, изумленно таращя глаза то на меня, то на Холмса.

— Награда наградой, но у меня есть основания думать,— сказал Холмс,— что по некоторым соображениям графиня отдала бы половину всех своих богатств, только бы вернуть этот камень.

— Если память мне не изменяет, он пропал в гостинице «Космополитен»,— заметил я.

---

[1] К а р б у н к у л — полупрозрачный драгоценный камень, обычно красного цвета.

— Совершенно верно, двадцать второго декабря, ровно пять дней назад. В краже этого камня был обвинен Джон Хорнер, паяльщик. Улики против него так серьезны, что дело направлено в суд. Кажется, у меня есть об этом деле газетный отчет.

Шерлок Холмс долго рылся в газетах, наконец вытащил одну, сложил ее пополам и прочитал следующее:

КРАЖА ДРАГОЦЕННОСТЕЙ В ОТЕЛЕ «КОСМОПОЛИТЕН»

Джон Хорнер, 26 лет, паяльщик, обвиняется в том, что 22 сего месяца похитил у графини Моркар из шкатулки ее драгоценный камень, известный под именем «голубой карбункул». Джеймс Райдер, старший слуга отеля, показал, что в день кражи видел Хорнера в туалетной комнате графини Моркар, где тот припаивал расшатанный прут каминной решетки. Некоторое время Райдер оставался в комнате с Хорнером, но потом его вызвали. Возвратившись, он увидел, что Хорнер исчез, бюро взломано и, как обнаружилось впоследствии, маленький сафьяновый футляр, в котором графиня имела обыкновение держать драгоценный камень, валяется пустой на туалетном столике. Райдер сейчас же забил тревогу, и в тот же вечер Хорнер был арестован. Но камня не нашли ни при нем, ни в его комнате. Кэтрин Кьюзек, горничная графини, показала, что, услышав отчаянный крик Райдера, она вбежала в комнату и тоже обнаружила исчезновение камня. Полицейский инспектор Брэдстрит из округа «Б» отдал распоряжение арестовать Хорнера, который бурно сопротивлялся и горячо доказывал свою невиновность. Но так как Хорнер и раньше судился за кражу, судья отказался разбирать это дело и передал его суду присяжных. Хорнер, все время выказывавший признаки сильной тревоги, упал в обморок при этом решении и был вынесен из зала суда.

— Гм! Вот и все полицейские сведения,— задумчиво сказал Холмс, откладывая газету в сторону.— Наша задача теперь — выяснить, каким образом из футляра графини камень очутился в гусином зобу. Видите, Уотсон, наши скромные размышления оказались внезапно не такими уж невинными. Они гораздо полезнее, чем мы полагали. Вот камень. Этот камень был в гусе, а гусь был у мистера Генри Бейкера, у того самого обладателя истрепанной шляпы, личность которого я пытался охарактеризовать перед вами, чем и навел на вас невыносимую скуку. Что ж, теперь мы должны серьезно заняться розысками этого джентльмена и установить, какую роль он играл в таинственном происшествии. Чтобы разыскать его, мы раньше всего испробуем самый простой способ: напечатаем объявление во всех вечерних газетах. Если таким путем мы не достигнем цели, я прибегну к иным методам.

— Что будет сказано в объявлении?

— Дайте мне карандаш и клочок бумаги. Вот: *«На углу Гудж-стрит найдены гусь и черная фетровая шляпа. Мистер Генри Бейкер может получить их сегодня на Бейкер-стрит, 221б, в 6.30 вечера».* Коротко и ясно.

— Весьма. Но заметит ли он объявление?

— Конечно. Он просматривает теперь все газеты, так как он бедный человек и рождественский гусь для него целое состояние. Он до такой степени был напуган, услышав звон разбитого стекла и увидев бегущего Петерсона, что кинулся бежать, не думая ни о чем. Но потом, конечно, ему стало жалко, что он поддался страху и выронил гуся. В газете мы упоминаем его имя, и любой знакомый обратит его внимание на нашу публикацию... Так вот, Петерсон, бегите скорее в бюро объявлений и поместите эти строки в вечерних газетах.

— В каких, сэр?

— О, в «Глоб», «Стар», «Пэлл-Мэлл», «Сент-Джеймс газетт», «Ивнинг ньюз», «Стандард», «Ико» и во всех других, какие придут вам на ум.

— Слушаю, сэр. А как быть с этим камнем?

— Ах да! Камень я оставлю у себя. Благодарю вас. А на обратном пути, Петерсон, купите гуся и принесите его ко мне. Мы ведь должны дать этому джентльмену гуся взамен того, которого в настоящее время уписывает ваша семья.

Рассыльный вышел, а Холмс взял камень и стал рассматривать его на свет.

— Славный камешек!— сказал он.— Взгляните, как он сверкает и искрится. Как и всякий драгоценный камень, он притягивает к себе преступников, словно магнит. Вот уж подлинно ловушка сатаны. В больших старых драгоценных камнях каждая грань повествует о каком-нибудь кровавом злодеянии. Этому камню нет еще и двадцати лет. Он был найден на берегу реки Амой, в Южном Китае, и замечателен тем, что имеет все свойства карбункула, кроме одного: он не рубиново-красный, а голубой. Несмотря на его молодость, с ним уже связано много ужасных историй. Из-за этого прозрачного кусочка угля весом в сорок гран было совершено множество ограблений, два убийства, одно самоубийство и кого-то облили серной кислотой. Кто бы мог сказать, что такая красивая безделушка ведет людей к тюрьмам и виселицам! Я запру камень в свой несгораемый шкаф и напишу графине, что он хранится у нас.

— Вы считаете, что Хорнер невиновен?

— Не могу ничего утверждать.

— А замешан в это дело Генри Бейкер?

— Вернее всего Генри Бейкер здесь совсем ни при чем. Я думаю, ему и в голову не приходит, что, будь этот гусь из чистого золота, он и то стоил бы гораздо дешевле. Все это мы очень скоро узнаем наверняка, если Генри Бейкер откликнется на наше объявление.

— А до тех пор вы ничего не можете предпринять?

— Ничего.

— В таком случае я уеду к своим пациентам, а вечером в назначенный час снова приду сюда. Я хочу знать, чем окончится это запутанное дело.

— Буду счастлив вас видеть. Я обедаю в семь. Кажется, к обеду будет куропатка. Кстати, после недавних событий не попросить ли миссис Хадсон тщательно осмотреть ее зоб?

Я немного задержался, и было уже больше половины седьмого, когда я снова попал на Бейкер-стрит.

Подойдя к дверям, я увидел высокого мужчину в шотландской шапочке и в наглухо застегнутом до подбородка сюртуке. Как раз в тот момент, когда я подошел, ему отперли, и мы одновременно вошли в комнату Шерлока Холмса.

— Если не ошибаюсь, мистер Генри Бейкер?— сказал Холмс, поднимаясь с кресла и встречая посетителя с наивно-равнодушным видом, который он умел напускать на себя.— Пожалуйста, присаживайтесь поближе к огню, мистер Бейкер. Вечер холодный, а мне кажется, что лето вы переносите лучше, чем зиму... Уотсон, вы пришли как раз вовремя... Это ваша шляпа, мистер Бейкер?

— Да, сэр, это несомненно моя шляпа.

Бейкер был крупный сутулый человек с большой головой, с широким умным лицом и остроконечной каштановой бородкой. Красные пятна на носу и щеках и легкое дрожание протянутой руки подтверждали догадку Холмса о его наклонности к выпивке. На нем был порыжелый сюртук, застегнутый на все пуговицы, а на тощих запястьях, торчащих из рукавов, не видно было ни малейшего признака белья. Он говорил глухо и отрывисто, старательно подбирая слова, и производил впечатление человека интеллигентного, но сильно помятого жизнью.

— Мы на несколько дней задержали шляпу и гуся,— сказал Холмс,— так как все время ждали, что вы напечатаете в газетах объявление со своим адресом. Не понимаю, почему вы этого не сделали.

Наш посетитель смущенно усмехнулся.

— У меня не так много шиллингов, как бывало когда-то, — сказал он. — Я был уверен, что хулиганы, напавшие на меня, унесли с собой и шляпу и гуся, и не хотел тратить деньги по-пустому.

— Вполне естественно. Между прочим, ведь нам пришлось съесть вашего гуся.

— Съесть?!

Наш посетитель в большом волнении приподнялся на стуле.

— Да ведь он все равно испортился бы, если бы мы его не съели, — продолжал Холмс. — Но я полагаю, что вон тот гусь на буфете, совершенно свежий и того же веса, заменит вам вашего гуся.

— О, конечно, конечно! — ответил мистер Бейкер, облегченно вздохнув.

— Но у нас от вашей птицы остались перья, лапки и зоб, так что, если вы хотите...

Бейкер от души расхохотался.

— Разве только на память о моем приключении, — сказал он. — Право, не знаю, на что мне могут пригодиться бренные останки моего покойного знакомца! Нет, сэр, позвольте мне, с вашего разрешения, сосредоточить внимание на том превосходном гусе, которого я вижу на буфете.

Шерлок Холмс быстро переглянулся со мной и чуть заметно пожал плечами.

— Вот ваша шляпа, а вот ваш гусь, — сказал он. — Кстати, не скажете ли мне, где вы достали того гуся? Я кое-что смыслю в этом деле и, признаться, редко видывал столь откормленный экземпляр.

— Охотно, сэр, — сказал Бейкер; он встал и сунул под мышку своего нового гуся. — Наша небольшая компания посещает трактир «Альфа», близ музея, — мы, понимаете ли, проводим в музее целый день. В этом году хозяин нашего трактира Виндигет, отличный человек, основал «гусиный клуб». Выплачивая по нескольку пенсов в неделю, каждый из нас к Рождеству получает по гусю. Я уже целиком выплатил свою долю. Остальное вам известно. Весьма обязан вам, сэр, — ведь неудобно солидному человеку в моем возрасте носить шотландскую шапочку.

Он поклонился нам с комически торжественным видом и ушел.

— С Генри Бейкером покончено, — сказал Холмс, закрыв за ним дверь. — Совершенно очевидно, что он понятия не имеет о драгоценном камне. Вы голодны, Уотсон?

— Не особенно.

— Тогда я предлагаю превратить обед в ужин и немедленно отправиться по горячим следам.

— С удовольствием.

Был морозный вечер, и нам пришлось надеть пальто и обмотать шею шарфом. Звезды холодно сияли на безоблачно ясном небе, и пар от дыхания прохожих был похож на дымки от множества пистолетных выстрелов. Четко и гулко раздавались по улицам наши шаги. Мы шли по Уимпол-стрит, Гарли-стрит, через Вигмор-стрит вышли на Оксфорд-стрит и через четверть часа были в Блумсбери, возле трактира «Альфа», скромного заведения на углу одной из улиц, ведущих к Холборну. Холмс вошел в бар и заказал две кружки пива краснощекому трактирщику в белом переднике.

— У вас, надо полагать, превосходное пиво, если оно не хуже ваших гусей,— сказал Холмс.

— Моих гусей?

Трактирщик, казалось, был изумлен.

— Да. Полчаса назад я беседовал с мистером Генри Бейкером, членом вашего «гусиного клуба».

— А! Да, понимаю. Но, видите ли, сэр, гуси-то ведь не мои.

— В самом деле? А чьи же?

— Я купил две дюжины гусей у одного торговца на Ковент-гарден.

— Да ну? Я знаю кое-кого из них. У кого же вы купили?

— Его зовут Брэкинридж.

— А! Нет, Брэкинриджа я не знаю. Ну, за ваше здоровье, хозяин, и за процветание вашего заведения! Доброй ночи!..

— А теперь к мистеру Брэкинриджу,— сказал Холмс, выходя на мороз и застегивая пальто.— Не забудьте, Уотсон, что на одном конце нашей цепи только гусь, а к другому ее концу прикован человек, которому грозит не меньше семи лет каторги, если мы не докажем его невиновность. Возможно, впрочем, что наши розыски обнаружат, что виноват именно он, но, во всяком случае, в наших руках нить, ускользнувшая от полиции и случайно попавшая к нам. Дойдем же, держась за нее, до конца, как бы печален он ни был. Итак, поворот на юг и шагом марш!

Мы пересекли Холборн, пошли на Энделл-стрит и через какие-то трущобы вышли на Ковентгарденский рынок. На одной из самых больших лавок было написано:

«Брэкинридж». Хозяин лавки, человек с лошадиным лицом и холеными баксенбардами, помогал мальчику запирать ставни.

— Добрый вечер! Каков мороз, а?— сказал Холмс.

Торговец кивнул головой и бросил вопросительный взгляд на моего друга.

— Гуси, видно, распроданы,— продолжал Холмс, указывая на пустой мраморный прилавок.

— Завтра утром можете получить хоть пятьсот штук.

— Завтра они мне ни к чему.

— Вон в той лавке, где горит свет, кое-что осталось.

— Да, но меня направили к вам.

— Кто же?

— Хозяин «Альфы».

— А, да! Я отослал ему две дюжины.

— Отличные были гуси! Откуда вы их достали?

К моему удивлению, вопрос этот привел торговца в бешенство.

— А ну-ка, мистер,— сказал он, поднимая голову и упирая руки в бока,— к чему вы клоните? Говорите прямо.

— Я говорю достаточно прямо. Мне хотелось бы знать, кто продает вам тех гусей, которых вы поставляете в «Альфу».

— Вот и не скажу.

— Не скажете — и не надо. Велика важность! Интересно, отчего вы кипятитесь из-за таких пустяков?

— Кипячусь? Небось на моем месте и вы кипятились бы, если бы к вам так приставали! Я плачу хорошие деньги за хороший товар, и, казалось бы, дело с концом. Так нет: «Где гуси?», «У кого вы купили гусей?», «Кому вы продали гусей?», «Сколько вы возьмете за ваших гусей?» Можно подумать, что на этих гусях свет клином сошелся, когда послушаешь, какой из-за них подняли шум!

— Я не имею никакого отношения к тем людям, которые пристают к вам с расспросами,— небрежно сказал Холмс.— Не хотите говорить — и не надо. Но я понимаю толк в птице и держал пари на пять фунтов стерлингов, что гусь, которого я ел, выкормлен в деревне.

— Вот и пропали ваши фунты! Гусь-то городской!— выпалил торговец.

— Быть не может!

— А я говорю, городской!

— Ни за что не поверю!

— Уж не думаете ли вы, что смыслите в этом деле больше меня, хотя я этим делом занимаюсь чуть не с пеленок? Говорю вам, гуси, проданные в «Альфу», выкормлены не в деревне, а в городе.

— Вы никогда не заставите меня поверить в такую нелепость.

— Хотите пари?

— Это значило бы просто взять у вас деньги. Я не сомневаюсь в своей правоте. Но я согласен поставить соверен только для того, чтобы проучить вас за упрямство.

Торговец мрачно ухмыльнулся.

— Принеси-ка мне книги, Билл, — сказал он.

Мальчишка принес две книги: одну тоненькую, а другую большую, засаленную, и положил их на прилавок под лампой.

— Ну-с, мистер Спорщик, — сказал торговец, — я считал, что сегодня распродал всех гусей, но бог занес ко мне в лавку еще одного гуся. Видите эту книжку?

— Ну и что же?

— Это список тех, у кого я покупаю товар. Видите? Вот здесь, на этой странице, имена деревенских поставщиков, а цифра после каждой фамилии обозначает страницу в большой книге, где ведутся их счета. А эту страницу, исписанную красными чернилами, видите? Это список моих городских поставщиков. Взгляните-ка на третью фамилию. Прочтите ее вслух.

— *«Миссис Окшот, Брикстон-роуд, 117, страница 249»*, — прочел Холмс.

— Совершенно правильно. Теперь откройте 249-ю страницу в большой книге.

Холмс открыл указанную страницу.

— Вот: «Миссис Окшот, Брикстон-роуд, 117, — поставщица дичи и яиц».

— А что гласит последняя запись?

— «Декабрь, двадцать второго. Двадцать четыре гуся по семь шиллингов шесть пенсов».

— Правильно. Запомните это. А внизу?

— *«Проданы мистеру Уиндигету, «Альфа», по двенадцать шиллингов»*.

— Ну, что вы теперь скажете?

Шерлок Холмс, казалось, был глубоко огорчен. Вынув соверен из кармана, он швырнул его на прилавок, повернулся и вышел молча, с расстроенным видом. Пройдя несколько метров, он остановился под фонарем и рассмеялся своим особенным — веселым и беззвучным смехом.

— Если вы видите человека с такими усами и с таким красным платком в кармане, вы можете выудить из него все что угодно, предложив ему любое пари,— сказал он.— Я утверждаю, что и за сто фунтов мне никогда не удалось бы получить у него такие подробные сведения, какие я получил, побившись с ним об заклад. Итак, Уотсон, мне кажется, что мы почти до конца распутали загадочную нить. Единственное, что нам осталось решить,— пойдем ли мы к этой миссис Окшот сейчас или отложим наше посещение до утра. Из слов того грубияна ясно, что этим делом интересуется еще кто-то, кроме нас, и я...

Громкий шум, донесшийся внезапно из лавки, которую мы только что покинули, не дал Холмсу договорить. Обернувшись, мы в желтом свете качающейся лампы увидели маленького краснолицего человечка. Брэкинридж, стоя в дверях лавки, яростно потрясал перед ним кулаками.

— Хватит с меня и вас и ваших гусей!— орал Брэкинридж.— Провалитесь вы все к дьяволу! Если вы еще раз сунетесь ко мне с вашими дурацкими расспросами, я спущу на вас цепную собаку. Приведите сюда миссис Окшот, ей я отвечу. А вы-то тут при чем? Ваших, что ли, я купил гусей?

— Нет, но все же один из них — мой,— захныкал человечек.

— Ну и спрашивайте его тогда с миссис Окшот!

— Она мне велела узнать у вас.

— Спрашивайте хоть у прусского короля! С меня хватит! Довольно! Убирайтесь отсюда!

Он яростно бросился вперед, и человечек быстро исчез во мраке.

— Ага, нам, кажется, не придется идти на Брикстон-роуд,— прошептал Холмс.— Пойдем посмотрим, не пригодится ли нам этот субъект.

Пробираясь между кучками ротозеев, бродящих вокруг освещенных ларьков, мой друг быстро нагнал человечка и положил ему руку на плечо. Тот порывисто обернулся, и при свете газового фонаря я увидел, что он сильно побледнел.

— Кто вы такой? Что вам надо?— спросил он дрожащим голосом.

— Извините меня,— мягко сказал Холмс,— но я случайно слышал, какой вопрос вы задали этому торговцу. Я думаю, что могу быть вам полезен.

— Вы? Кто вы? Откуда вы могли узнать, что мне нужно?

— Меня зовут Шерлок Холмс. Моя профессия — знать то, чего не знают другие.

— Но о том, что мне нужно, вы ничего не можете знать.

— Прошу прощения, но я знаю все. Вы пытаетесь разыскать следы гусей, проданных миссис Окшот с Брикстон-роуд торговцу по имени Брэкинридж, которых он продал мистеру Виндигету, владельцу «Альфы», а тот, в свою очередь, своему «гусиному клубу», членом которого является Генри Бейкер.

— О, сэр, вы как раз тот самый человек, с которым я жаждал встретиться — вскричал человечек, протягивая дрожащие руки.— Я просто не могу выразить вам, как все это важно для меня!

Шерлок Холмс остановил проезжавшего извозчика.

— В таком случае лучше разговаривать в уютной комнате, чем тут, на ветреной рыночной площади,— сказал он.— Но прежде чем мы отправимся в путь, скажите мне, пожалуйста, кому я имею удовольствие оказывать посильную помощь?

Человечек заколебался на мгновение.

— Меня зовут Джон Робинсон,— сказал он, отводя глаза в сторону.

— Нет, нет, как ваше н а с т о я щ е е имя?— ласково сказал Холмс.— Всегда гораздо удобнее действовать под собственным именем.

Бледные щеки незнакомца загорелись румянцем.

— В таком случае,— сказал он,— мое настоящее имя Джеймс Райдер.

— Вот это правильно. Вы служите в отеле «Космополитен». Садитесь, пожалуйста, в кэб, и вскоре я расскажу вам все, что вы пожелаете знать.

Маленький человечек не двигался с места. Он смотрел то на одного, то на другого из нас, и в глазах его надежда сменялась испугом. Видно было, что он не знал, ждет ли его беда или великое счастье. Наконец он сел в экипаж, и через полчаса мы уже были в гостиной на Бейкер-стрит.

Дорогой не было произнесено ни единого слова. Но спутник наш так громко дышал, так крепко сжимал и разжимал ладони, что и без слов было ясно, в каком нервном возбуждении находился он во время пути.

— Ну, вот мы и дома!— весело сказал Холмс.— Что может быть лучше пылающего камина в такую погоду! Вы, кажется, озябли, мистер Райдер. Садитесь, пожалуйста, в плетеное кресло. Я только надену домашние туфли, и мы сейчас же займемся вашим делом. Ну вот! Вы хотите знать, что стало с теми гусями?

— Да, сэр.

— Пожалуй, вернее, с тем гусем? Мне кажется, вас интересовал лишь один из них — белый с черной полоской на хвосте...

Райдер затрепетал от волнения.

— О сэр!— вскричал он.— Вы можете мне сказать, где находится этот гусь?

— Он здесь.

— Здесь?

— Да. И он оказался необыкновенным гусем. Неудивительно, что вы так заинтересовались им. После смерти он снес яйцо; красивое, сверкающее голубое яичко. Оно здесь, у меня в музее.

Наш посетитель встал, шатаясь, и правой рукой уцепился за каминную доску. Холмс открыл несгораемый шкаф и вытащил оттуда голубой карбункул, сверкавший, словно звезда, холодным ярким переливчатым светом. Райдер стоял с искаженным лицом, не зная, требовать ли камень себе или отказаться от всяких прав на него.

— Игра проиграна, Райдер,— спокойно сказал Шерлок Холмс.— Держитесь крепче на ногах, не то вы упадете в огонь. Помогите ему сесть, Уотсон. Он еще недостаточно силен, чтобы хладнокровно мошенничать. Дайте ему глоток водки. Так. Теперь он немного похож на человека. Ну и жалкая же козявка!

Райдер зашатался и чуть не упал на пол, но водка вызвала на его щеки слабый румянец, и он сел, испуганно глядя на своего обличителя.

— Я знаю почти все, и в моих руках почти все доказательства, поэтому вам немногое придется добавить. Однако это немногое вы должны рассказать нам сейчас же, чтобы в деле не было ни малейшей неясности. Откуда вы узнали, Райдер, об этом голубом карбункуле графини Моркар?

— Мне сказала о нем Кэтрин Кьюзек,— ответил тот дрожащим голосом.

— Знаю: горничная ее сиятельства. И искушение легкой наживы оказалось слишком сильным для вас, как это неоднократно бывало и с более достойными людьми. И вы не стали разбираться в средствах. Мне кажется, Райдер, что из вас мог бы выйти неплохой негодяй! Вы знали, что этот паяльщик Хорнер был уже однажды уличен в воровстве и что подозрения раньше всего падут на него. Что же вы сделали? Вы сломали прут от каминной решетки в комнате графини — вы и ваша сообщница Кьюзек — и устроили так, что именно Хорнера послали сделать необходимый ремонт. Когда Хорнер ушел, вы украли камень из футляра, подняли тревогу, и бедняга был арестован. После этого...

Тут Райдер внезапно сполз на ковер и обеими руками обхватил колени моего друга.

— Ради бога, сжальтесь надо мной!— закричал он.— Подумайте о моем отце, о моей матери! Это убьет их! Я никогда не воровал! Никогда! Это не повторится, клянусь вам! Я поклянусь вам на Библии! О, не доводите этого дела до суда! Ради бога, не доводите его до суда!

— Ступайте на место,— сурово сказал Холмс.— Хорошо вам теперь пресмыкаться и ползать! А что вы думали, когда отправляли беднягу Хорнера на скамью подсудимых за преступление, в котором он неповинен?

— Я могу бежать, мистер Холмс! Я покину Англию, сэр! Тогда обвинение против него отпадет...

— Гм! Мы еще потолкуем об этом. А пока послушаем правдивый рассказ о том, что случилось после воровства. Каким образом камень попал в гуся и как этот гусь попал на рынок? Говорите правду, ибо для вас правда — единственный путь к спасению.

Райдер провел языком по пересохшим губам.

— Я расскажу вам всю правду,— сказал он.— Когда арестовали Хорнера, я решил, что мне лучше унести камень, пока полиции не пришло в голову обыскать меня и мою комнату. В гостинице не было подходящего места, чтобы спрятать камень. Я вышел, будто по служебному делу, и направился к дому моей сестры. Она замужем за неким Окшотом, живет на Брикстон-роуд и занимается тем, что откармливает домашнюю птицу для рынка. Каждый встречный казался мне полицейским или сыщиком, и, несмотря на холодный вечер, пот градом струился у меня по лицу, пока я не дошел до Брикстон-роуд. Сестра спросила меня, что случилось и почему я так бледен. Я ответил, что меня взволновала кража драгоценности в нашем отеле. Потом я прошел на задний двор, закурил трубку и стал раздумывать, что предпринять.

У меня был приятель, по имени Модсли, который сбился с пути и отбыл срок наказания в Пентонвильской тюрьме. Однажды мы встретились с ним, разговорились о ворах, и он рассказал мне, как воры сбывают краденое. Я понимал, что он меня не выдаст, так как я сам знал за ним кое-какие грехи, и потому решил идти прямо к нему в Килбурн и посвятить его в свою тайну. Он научил бы меня, как превратить этот камень в деньги. Но как добраться до него? Я вспомнил о тех терзаниях, которые я пережил по пути из гостиницы. Каждую минуту меня могли схватить, обыскать и найти камень в моем жилетном кармане. Я стоял прислонившись к стене, глядя на гусей, которые, переваливаясь, бродили у моих ног, внезапно мне пришла в голову мысль, как обмануть самого ловкого сыщика в мире...

Несколько недель назад сестра сказала мне, что к Рождеству я получу от нее отборнейшего гуся в подарок, а я знал, что она всегда держит слово. Я решил взять гуся сейчас же и в нем донести камень до Килбурна. Во дворе был какой-то сарай, и за этот сарай я загнал огромного, очень хорошего гуся, белого с полосатым хвостом. Я поймал его, открыл ему клюв и как можно глубже засунул камень ему в глотку. Гусь глотнул, и я ощутил рукою, как камень прошел к нему в зоб. Но гусь бился и хлопал крыльями, и сестра вышла узнать, в чем дело. Когда я повернулся к ней, чтобы ответить, негодный гусь вырвался у меня из рук и смешался со стадом.

«Что ты сделал с птицей, Джеймс?» — спросила сестра.

«Да вот,— сказал я,— ты говорила, что подаришь мне гуся к Рождеству, и я пробовал, который из них пожирнее».

«О,— сказала она,— мы уже отобрали для тебя гуся. Мы так и называем его: «гусь Джеймса». Вон тот, большой, весь белый. Гусей всего двадцать шесть, из них один для тебя, один для нас, а две дюжины — на продажу».

«Спасибо, Мэгги,— сказал я.— Но если тебе все равно, дай мне того, которого я только что держал в руках».

«Твой тяжелее этого по крайней мере фунта на три, и мы откармливали его специально для тебя».

«Это ничего не значит. Я хочу именно этого и хочу сейчас же взять его с собой».

«Твое дело,— сказала сестра немного обиженно.— Какого же хотел бы ты взять?»

«Вон того белого, с черной полоской на хвосте... Вон он, в середине стада».

«Пожалуйста. Режь его и бери!»

Я так и сделал, мистер Холмс, и понес птицу в Килбурн. Я рассказал своему приятелю обо всем — он из тех людей, кому легко рассказывать подобные вещи. Он хохотал до упаду, потом мы взяли нож и разрезали гуся. У меня остановилось сердце, когда я увидел, что камня здесь нет и что произошла страшная ошибка. Я оставил гуся, пустился бегом к сестре и влетел к ней на задний двор. Во дворе гусей не было.

«Где гуси, Мэгги?» — крикнул я.

«Отправлены торговцу».

«Какому торговцу?»

«Брэкинриджу, на Ковент-гарден».

«А был среди гусей еще один с полосатым хвостом — такой же, как и тот, которого я только что зарезал?» — спросил я.

«Да, Джеймс, было два гуся с полосатыми хвостами, и я всегда путала их».

Тут, конечно, я понял все и со всех ног помчался к этому Брэкинриджу. Но он уже распродал всех гусей и ни за что не хотел сказать кому. Вы слышали сами, как грубо он мне отвечал. Сестра моя думает, что я сошел с ума. Порой мне самому кажется, что я сумасшедший. И вот... и вот я — презренный вор, хотя даже не прикоснулся к богатству, ради которого погубил свою жизнь. Боже, помоги мне! Боже, помоги!

Он судорожно зарыдал, закрыв лицо руками. Наступило долгое молчание, прерываемое лишь тяжелыми вздохами Райдера да мерным постукиванием пальцев моего друга по краю стола. Вдруг Шерлок Холмс встал и распахнул настежь парадную дверь.

— Убирайтесь! — проговорил он.

— Как, сэр?.. О, да благословит вас небо!

— Ни слова! Убирайтесь отсюда!

Повторять не пришлось. На лестнице загрохотали стремительные шаги, внизу хлопнула дверь и с улицы донесся быстрый топот.

— В конце концов, Уотсон, — сказал Холмс, протягивая руку к глиняной трубке, — я работаю отнюдь не затем, чтобы исправлять промахи нашей полиции. Если бы Хорнеру грозила опасность, тогда другое дело. Но Райдер не станет показывать против него, и дело заглохнет. Возможно, я делаюсь укрывателем мошенника, но, вернее, я спасаю человека от окончательной гибели. С этим молодцом подобных случаев уже не повторится — он слишком напуган. Жизнь столкнула нас со странной и забавной загадкой! Разрешение этой загадки — само по себе награда. Если вы будете любезны дернуть звонок, мы займемся новым «исследованием», в котором главную роль будет играть опять-таки птица: не забудьте, что к обеду у нас куропатка.

ПЕСТРАЯ ЛЕНТА

Просматривая свои записи о приключениях Шерлока Холмса — а таких записей у меня больше семидесяти,— я нахожу в них немало трагического, кое-что забавное, кое-что странное, но нет ни в одной из них ничего заурядного. Работая из любви к своему искусству, а не ради денег, Холмс никогда не брался за расследование обыкновенных, банальных дел; его всегда привлекали только такие дела, в которых есть что-нибудь необычайное, а порою даже фантастическое.

Особенно причудливым кажется мне дело Ройлотта. Мы с Холмсом, два холостяка, жили тогда вместе на Бейкер-стрит. Вероятно, я бы и раньше опубликовал свои записи, но я дал слово держать это дело в тайне и освободился от своего слова лишь месяц назад, после безвременной кончины той женщины, которой оно было дано. Пожалуй, будет небесполезно представить это дело в истинном свете, потому что молва приписывала смерть доктора Гримсби Ройлотта еще более ужасным обстоятельствам, чем те, которые были в действительности.

Проснувшись в одно апрельское утро 1888 года, я увидел, что Шерлок Холмс стоит у моей кровати. Одет он был не по-домашнему. Обычно он поднимался с постели поздно, но теперь часы на камине показывали лишь четверть восьмого. Я посмотрел на него с удивлением и даже несколько укоризненно.

— Весьма сожалею, что разбудил вас, Уотсон,— сказал он.— Но такой уж сегодня день. Разбудили миссис Хадсон, она — меня, а я — вас.

— Что же там такое? Пожар?

— Нет, клиентка. Какая-то девушка, ужасно взволнованная, приехала и непременно желает повидаться со мной. Она ждет в приемной. А уж если молодые дамы решаются в столь ранний час путешествовать по улицам столицы и поднимать с постелей незнакомых людей, я полагаю, что они хотят сообщить какие-то очень важные факты. Дело может оказаться интересным, и вам будет неприятно, если вы не услышите этой истории с самого первого слова.

— Буду счастлив услышать ее.

Я не знал большего наслаждения, как следовать за Холмсом во время его профессиональных занятий и любоваться его стремительной мыслью. Порою казалось, что он решает предлагаемые ему загадки не разумом, а каким-то вдохновенным чутьем, но на самом деле все его выводы были основаны на точной и строгой логике.

Я быстро оделся и через несколько минут был готов. Мы вошли в гостиную. Дама, одетая в черное, с густой вуалью на лице, поднялась при нашем появлении.

— Доброе утро, сударыня,— сказал Холмс приветливо.— Меня зовут Шерлок Холмс. Это мой близкий друг и помощник, доктор Уотсон, с которым вы можете быть столь же откровенны, как и со мной. Ага, я вижу: миссис Хадсон догадалась затопить камин. Это хорошо, так как вы очень продрогли. Подсаживайтесь поближе к огню и разрешите предложить вам чашку кофе.

— Не холод заставляет меня дрожать, мистер Холмс,— тихо сказала женщина, подсаживаясь к камину.

— А что же?

— Страх, мистер Холмс, ужас!

С этими словами она подняла вуаль, и мы увидели, как она возбуждена, какое у нее бледное, искаженное ужасом лицо. В ее остановившихся глазах был испуг, словно у затравленного зверя. Ей было не больше тридцати лет, но в волосах уже блестела седина.

Шерлок Холмс окинул ее своим быстрым всепонимающим взглядом.

— Вам нечего бояться,— сказал он, ласково погладив ее по руке.— Я уверен, что нам удастся отстранить от вас все неприятности... Вы приехали утренним поездом.

— Разве вы меня знаете?

— Нет, но я заметил в вашей левой перчатке обратный билет. Вы рано встали, а потом, направляясь на станцию, долго тряслись в двуколке по скверной дороге.

Дама сильно вздрогнула и в замешательстве взглянула на Холмса.

— Здесь нет никакого чуда, сударыня,— сказал он, улыбаясь.— Левый рукав вашего жакета по крайней мере в семи местах обрызган грязью. Пятна совершенно свежие. Так обрызгаться можно только в двуколке, сидя слева от кучера.

— Все так и было,— сказала она.— Около шести часов я выбралась из дому, в двадцать минут седьмого была в Лэтерхэде и с первым поездом приехала в Лондон, на станцию Ватерлоо... Сэр, я не могу больше вынести этого, я сойду с ума! Я умру!.. У меня нет никого, к кому я могла бы обратиться. Есть, впрочем, один человек, который принимает во мне большое участие, но чем он может мне помочь, бедняга? Я слышала о вас, мистер Холмс, слышала от мисс Фаринтош, которой вы так помогли в минуту ее тяжелого горя. Она дала мне ваш адрес. О сэр, помогите и мне или по крайней мере попытайтесь пролить хоть немного света в тот непроницаемый мрак, который окружает меня! Я не в состоянии отблагодарить вас сейчас за ваши услуги, но месяца через два я буду замужем, тогда у меня будет право распоряжаться своими доходами, и вы увидите, что я умею быть благодарной.

Холмс подошел к конторке, открыл ее, достал оттуда записную книжку.

— Фаринтош... — сказал он. — Ах да, я вспоминаю этот случай. По-моему, это было еще до нашего знакомства, Уотсон. Дело шло о диадеме из опалов. Могу вас уверить, сударыня, что я буду счастлив отнестись к вашему делу с таким же усердием, с каким отнесся к делу вашей приятельницы. А вознаграждения мне никакого не нужно, так как моя работа и служит мне вознаграждением. Конечно, у меня будут кое-какие расходы, и их вы можете возместить, когда вам будет угодно. А теперь попрошу вас сообщить нам все подробности вашего дела.

— Увы! — ответила девушка. — Ужас моего положения заключается в том, что мои страхи так неопределенны и смутны, подозрения основываются на таких мелочах, что даже тот, к кому я имею право обратиться за советом и помощью, считает все мои рассказы бреднями нервной женщины. Он не говорит мне ничего, но я читаю это в его успокоительных словах и уклончивых взорах. Я слышала, мистер Холмс, что вы, как никто, разбираетесь во всяких порочных наклонностях человеческого сердца, и вы можете посоветовать, что мне делать среди окружающих меня опасностей.

— Я весь внимание, сударыня.

— Меня зовут Эллен Стонер. Я живу в доме моего отчима, Ройлотта. Он является последним отпрыском одной из старейших саксонских фамилий в Англии.

Холмс кивнул головой.

— Мне знакомо это имя, — сказал он.

— Было время, когда семья Ройлоттов была одной из самых богатых в Англии. На севере Ройлотты владели поместьями в Беркшире, а на западе — в Хемпшире. Но

в прошлом столетии четыре поколения подряд проматы-
вали свое состояние, пока наконец один из наследников,
страстный игрок, окончательно не разорил семью во времена регентства. От прежнего поместья остались лишь
несколько акров земли да старинный дом, построенный
лет двести назад. Впрочем, дом уже давно заложен.

Последний помещик из этого рода влачил в своем
доме жалкое существование нищего аристократа. Но его
единственный сын, мой отчим, поняв, что надо как-то
приспособляться к новому положению вещей, взял взай-
мы у какого-то родственника необходимую сумму денег,
поступил в университет, окончил его с дипломом врача
и уехал в Калькутту, где благодаря своему искусству и
выдержке вскоре приобрел широкую практику. Но вот
в доме у него случилась кража. Кража эта так возмутила Ройлотта, что в припадке бешенства он избил до
смерти туземца-дворецкого, который служил у него. С
трудом избежав смертной казни, он долгое время то-
мился в тюрьме, а потом возвратился в Англию угрюмым и разочарованным человеком.

В Индии доктор Ройлотт женился на моей матери,
миссис Стонер, молодой вдове генерал-майора бенгаль-
ской артиллерии[1]. Мы были близнецы — я и моя сестра
Джулия. Когда мать наша выходила замуж за доктора,
нам едва минуло два года. Она обладала порядочным
состоянием, дававшим ей не меньше тысячи фунтов дохода в год. По ее завещанию, всем этим доходом должен был пользоваться доктор Ройлотт, но только до
тех пор, пока мы живем в его доме. Если мы выйдем
замуж, каждой из нас должна быть выделена определен-
ная сумма годового дохода.

Вскоре после нашего возвращения в Англию моя
мать умерла — она погибла восемь лет назад при же-
лезнодорожной катастрофе. После ее смерти доктор Ройлотт оставил свои попытки обосноваться в Лондоне, чтобы наладить там медицинскую практику, и вместе с нами
поселился в родовом поместье в Сток-Морене. Состояния
нашей матери вполне хватало на то, чтобы удовлетво-
рять все наши желания, и, казалось, ничто не должно
было мешать нашему счастью.

Но странная перемена произошла с моим отчимом.

Вместо того чтобы подружиться с соседями, которые
вначали радовались, увидев, что Ройлотт из Сток-Мо-

---

[1] Речь идет о британских колониальных войсках в одной из областей Индии — Бенгалии.

рена вернулся в старое родовое гнездо, он заперся в усадьбе и очень редко выходил из дому, да и то лишь затем, чтобы затеять безобразную ссору с первым же человеком, который встретится ему на пути.

Бешеная вспыльчивость, доходящая до исступления, передавалась по мужской линии всем представителям этого рода, а у моего отчима она, вероятно, еще более усилилась благодаря долгому пребыванию в тропиках.

Много было у него яростных столкновений с соседями. Два раза дело кончалось полицейским участком. Он сделался грозой всего селения... Нужно сказать, что он человек невероятной физической силы, и так как он в припадке гнева совершенно не владеет собой, люди при встрече с ним буквально шарахались в разные стороны.

На прошлой неделе он швырнул в реку местного кузнеца, и, чтобы откупиться от публичного скандала, мне пришлось отдать все деньги, какие я могла собрать. Единственные друзья его — кочующие цыгане. Этим бродягам он позволяет раскидывать шатры на небольшом, заросшем ежевикой клочке земли, составляющем все его родовое поместье, и порой кочует вместе с ними, по целым неделям не возвращаясь домой. Еще есть у него страсть к животным, которых присылает ему из Индии один знакомый, и в настоящее время по его владениям свободно разгуливают пантера и павиан, наводя на жителей почти такой же страх, как и он сам.

Из моих слов вы можете заключить, что мы с сестрой жили не слишком-то весело. Слуги не хотели жить у нас, и долгое время всю домашнюю работу мы исполняли сами. Сестре было всего тридцать лет, когда она умерла, а у нее уже начинала пробиваться седина, такая же, как у меня.

— Ваша сестра умерла?

— Она умерла ровно два года назад, и как раз о ее смерти я хочу рассказать вам. Вы сами понимаете, что при таком образе жизни у нас было мало возможностей встречаться с людьми нашего возраста и нашего круга. У нас есть незамужняя тетка, сестра нашей матери, мисс Гонория Уэстфайл, которая живет близ Хэрроу, и к ней время от времени нас отпускали погостить. Два года назад моя сестра Джулия проводила у нее Рождество. Там она встретилась с отставным майором флота, и он сделался ее женихом. Вернувшись домой, она рассказала о своей помолвке нашему отчиму. Отчим не возражал против ее замужества, но за две недели до свадьбы случилось ужасное событие, лишившее меня моей единственной подруги...

Шерлок Холмс сидел в кресле, откинувшись назад и положив голову на диванную подушку. Глаза его были закрыты. Теперь он приподнял веки и взглянул на посетительницу.

— Прошу вас рассказать все возможно точнее, не пропуская ни одной подробности,— сказал он.

— Мне легко быть точной, потому что все события этого ужасного времени глубоко врезались в мою память... Как я уже говорила, помещичий дом очень стар, и только одно крыло пригодно для жилья. В нижнем этаже размещаются спальни, гостиные находятся в центре. В первой спальне спит доктор Ройлотт, во второй спала моя сестра, а в третьей — я. Между спальнями нет сообщения, все они выходят в один коридор. Достаточно ли ясно я рассказываю?

— О да, очень ясно.

— Окна всех трех спален выходят на лужайку. В ту роковую ночь доктор Ройлотт рано удалился в свою комнату, но мы знали, что он не лег, так как сестру мою долго беспокоил запах крепких индийских сигар, которые он имел привычку курить. Запах этот заставил сестру покинуть свою комнату и перейти в мою, где мы просидели некоторое время, болтая о ее предстоящем замужестве. В одиннадцать часов она поднялась и хотела уйти, но у дверей остановилась и спросила меня:

«Скажи, Эллен, не кажется ли тебе по ночам, будто кто-то свистит?»

«Нет»,— сказала я.

«И ты уверена, что тебе не случалось свистеть во время сна?»

«Конечно, не случалось. Но почему ты спрашиваешь об этом?»

«В последние ночи, часов около трех, мне ясно слышится тихий отчетливый свист. Я сплю очень чутко, и свист будит меня. Я не могу понять, откуда он доносится,— быть может, из соседней комнаты, быть может, с лужайки. Я давно уже хотела спросить у тебя, слыхала ли ты его».

«Нет, не слыхала. Может, свистят цыгане?»

«Очень возможно. Однако если бы свист доносился с лужайки, ты тоже слышала бы его».

«Я сплю гораздо крепче тебя».

«Впрочем, все это пустяки»,— улыбнулась сестра, закрыла мою дверь, и спустя несколько мгновений я услышала, как щелкнул ключ в ее двери.

— Вот как!— сказал Холмс.— Вы на ночь всегда запирались на ключ?

— Всегда.

— А почему?

— Я, кажется, уже упомянула, что у доктора жили пантера и павиан. Мы чувствовали себя в безопасности лишь тогда, когда дверь была закрыта на ключ.

— Понимаю. Прошу продолжать.

— Ночью я не могла уснуть. Смутное ощущение какого-то неотвратимого несчастья охватило меня. Была жуткая ночь: выл ветер, дождь барабанил в окна. И вдруг среди грохота бури раздался дикий вопль ужаса. То кричала моя сестра. Я спрыгнула с кровати и, накинув большой платок, выскочила в коридор. Когда я открыла дверь, мне показалось, что я слышу тихий свист, о котором мне рассказывала сестра, а затем что-то звякнуло, словно упал на землю тяжелый металлический предмет. Подбежав к комнате сестры, я увидела, что дверь приоткрыта. Я остановилась, пораженная ужасом, не понимая, что происходит. При свете лампы, горевшей в коридоре, я увидела свою сестру, которая появилась в дверях, шатаясь, как пьяная, с белым от ужаса лицом, протягивая вперед руки, словно моля о помощи. Подбежав к ней, я обняла ее, но в это мгновение колени ее подогнулись и она рухнула наземь. Она корчилась, словно от нестерпимой боли, а руки и ноги ее сводило судорогой. Сначала мне показалось, что она меня не узнала, но когда я склонилась над ней, она вдруг вскрикнула... О, я никогда не забуду ее страшного голоса!

«Боже мой, Эллен!— кричала она.— Пестрая банда!»

Она пыталась еще что-то сказать, указала пальцем в сторону комнаты доктора, но новый приступ судорог оборвал ее слова.

Я выскочила и, громко крича, побежала за отчимом. Он уже спешил мне навстречу в ночном халате. Сестра была без сознания, когда он вбежал к ней в комнату. Он влил ей в рот коньяку и тотчас же послал за деревенским врачом; но все усилия спасти ее были напрасны, и она скончалась не приходя в сознание. Таков был ужасный конец моей любимой сестры...

— Позвольте спросить,— сказал Холмс,— вы уверены, что слышали свист и металлический лязг? Могли бы вы показать это под присягой?

— Об этом спрашивал меня следователь на допросе. Мне кажется, что я слышала эти звуки, однако меня могли ввести в заблуждение завывания бури и потрескивания старого дома.

— Ваша сестра была одета?

— Нет, она выбежала в одной ночной рубашке. В правой руке у нее была обгорелая спичка, а в левой спичечная коробка.

— Это доказывает, что она чиркнула спичкой и стала осматриваться, когда что-то испугало ее. Очень важная подробность. А к каким выводам пришел следователь?

— Он тщательно изучил все это дело, потому что буйный характер доктора Ройлотта был известен всей округе, но ему так и не удалось найти мало-мальски удовлетворительную причину смерти моей сестры. Я показала на следствии, что дверь ее комнаты была заперта изнутри, а окна защищены снаружи старинными ставнями с широкими железными засовами. Стены были подвергнуты самому внимательному изучению, но они повсюду оказались очень прочными. Исследование полов тоже не дало результатов. Печная труба широка, в ней целых четыре вьюшки. Итак, нельзя сомневаться, что сестра во время постигшей ее катастрофы была совершенно одна. Никаких следов насилия обнаружить не удалось.

— А как насчет яда?

— Врачи исследовали ее, но не нашли ничего, что указывало бы на отравление.

— Что же, по-вашему, было причиной смерти?

— Мне кажется, она умерла от ужаса и нервного потрясения. Но я не представляю себе, кто мог ее так напугать.

— А цыгане были в то время в усадьбе?

— Да, цыгане почти всегда живут у нас.

— А что, по-вашему, могли означать ее слова о банде, о пестрой банде?

— Иногда мне казалось, что слова эти были сказаны просто в бреду, а иногда я думала, что они относятся к какой-то банде людей — может быть, к банде цыган. Но почему эта банда пестрая? Возможно, что платки в крапинку, которые многие цыганки носят на голове, внушили ей этот странный эпитет.

Холмс покачал головой: видимо, такое объяснение не удовлетворяло его.

— Это дело темное,— сказал он.— Прошу вас, продолжайте.

— С тех пор прошло два года, и жизнь моя была еще более одинокой, чем раньше. Но месяц назад один близкий мне человек, которого я знала много лет, сделал мне предложение. Его зовут Эрмитедж, Пэрси Эрмитедж, он второй сын мистера Эрмитеджа из Крэнуотера, близ Рединга. Мой отчим не возражал против нашего брака, и весной мы должны обвенчаться.

Два дня назад в западном крыле нашего дома начались кое-какие переделки. Была пробита стена моей спальни, и мне пришлось перебраться в ту комнату, где скончалась сестра, и спать на той самой кровати, на которой спала она. Можете себе представить мой ужас, когда прошлой ночью, лежа без сна и размышляя о ее трагической смерти, я внезапно услышала в тишине тот самый тихий свист, который был предвестником гибели сестры. Я вскочила, зажгла лампу, но в комнате никого не было. Лечь в постель я не могла — я была слишком взволнована, поэтому я оделась и, чуть рассвело, выскользнула из дому, взяла двуколку в гостинице «Корона», которая находится напротив нас, поехала в Лэтерхэд, а оттуда сюда — с одной только мыслью повидать вас и просить у вас совета.

— Вы очень умно поступили,— сказал мой друг.— Но всё ли вы рассказали мне?

— Да, всё.

— Нет, не всё, мисс Ройлотт: вы щадите и выгораживаете своего отчима.

— Я не понимаю вас...

Вместо ответа Холмс откинул черную кружевную отделку рукава нашей посетительницы. Пять багровых пятнышек — следы пяти пальцев — явно виднелись на белом запястье.

— С вами обошлись очень жестоко,— сказал Холмс

Девушка густо покраснела и поспешила опустить кружева.

— Отчим суровый человек,— сказала она.— Он очень силен и, возможно, сам не сознает своей силы.

Наступило долгое молчание, во время которого Холмс сидел подперев руками подбородок и глядя на потрескивавший в камине огонь.

— Это очень сложное дело,— сказал он наконец.— Мне хотелось бы выяснить еще тысячи подробностей, прежде чем решить, как надо действовать. А между тем нельзя терять ни минуты. Если бы мы сегодня же приехали в Сток-Морен, удалось бы нам осмотреть эти комнаты так, чтобы ваш отчим ничего не узнал?

— Он как раз говорил мне, что собирается ехать сегодня в город по каким-то очень важным делам. Возможно, что он будет отсутствовать весь день, и тогда никто вам не помешает. У нас есть экономка, но она стара и глупа, и я легко могу удалить ее.

— Превосходно. Вы ничего не имеете против поездки, Уотсон?

— Ровно ничего.

— Тогда мы приедем оба. А что вы сами собираетесь делать?

— У меня есть кое-какие дела, которые мне хотелось бы сделать здесь, в городе. Но я вернусь двенадцатичасовым поездом, чтобы быть на месте к вашему приезду.

— Ждите нас вскоре после полудня. У меня тоже здесь есть кое-какие дела. Может быть, вы останетесь и позавтракаете с нами?

— Нет, мне надо идти! У меня камень свалился с души, когда я рассказала вам о своем горе. Я буду рада снова увидеться с вами.

Она опустила на лицо черную вуаль и вышла из комнаты.

— Так что же вы обо всем этом думаете, Уотсон?— спросил Шерлок Холмс, откидываясь на спинку кресла.

— По-моему, это в высшей степени темное и грязное дело.

— Достаточно грязное и достаточно темное.

— Но если наша гостья права, утверждая, что пол и стены в той комнате крепки, что через двери, окна и печную трубу невозможно туда проникнуть, ее сестра в минуту своей таинственной смерти находилась в полном одиночестве.

— В таком случае что означают эти ночные свисты и в высшей степени странные слова умирающей?

— Представить себе не могу.

— Если сопоставить все факты вместе: ночные свисты, банду цыган, с которой у этого старого доктора такие близкие отношения, намеки умирающей на какую-то банду и, наконец, тот факт, что мисс Эллен Стонер слышала какой-то металлический лязг, который мог издавать железный засов от ставни... если вспомнить к тому же, что доктор заинтересован в предотвращении замужества своей падчерицы,— я полагаю, что мы напали на верные следы, которые помогут нам пролить свет на это таинственное происшествие.

— Что же, по-вашему, делали здесь цыгане?

— Не знаю... Не могу сообразить.

— У меня множество возражений против вашей гипотезы.

— У меня тоже, и потому мы сегодня же едем в Сток-Морен. Я хочу проверить все на месте... Но черт возьми, что это значит?

Так воскликнул мой друг, потому что дверь внезапно широко распахнулась и в комнату ввалился какой-то субъект колоссального роста. Одет он был не то как врач, не то как помещик. Его костюм представлял собою странную смесь: черный цилиндр, длинный сюртук, высокие гетры и охотничий хлыст. Он был так высок, что шляпой задевал верхнюю перекладину нашей двери, и так широк в плечах, что едва протискался в эту дверь. Его толстое, желтое от загара лицо было перерезано тысячью морщин, а глубоко сидящие, злобно сверкающие глаза и длинный, тонкий, костлявый нос придавали ему сходство со старой хищной птицей.

Он переводил взгляд с Шерлока Холмса на меня и обратно.

— Который из вас Холмс? — промолвил наконец посетитель.

— Это мое имя, сэр,— спокойно ответил мой друг.— Теперь вы имеете предо мной преимущество, так как ваша фамилия мне неизвестна.

— Я доктор Гримсби Ройлотт из Сток-Морена.

— Садитесь, пожалуйста, доктор,— любезно сказал Шерлок Холмс.

— Не стану я садиться! Здесь была моя падчерица. Я выследил ее. Что она говорила вам?

— Холодная у нас нынче весна! — сказал Холмс.

— Что она говорила вам? — злобно закричал старик.

— Но я слышал, что крокусы будут отлично цвести,— невозмутимо продолжал мой приятель.

— Ага, вы хотите отделаться от меня! — сказал наш гость, делая шаг вперед и размахивая охотничьим хлыстом.— Знаю я вас: вы подлец! Я уже слышал про вас. Вы любите соваться в чужие дела.

Мой друг улыбнулся.

— Вы проныра!

Холмс улыбнулся еще шире.

— Полицейская ищейка!

Холмс от души расхохотался.

— Вы удивительно приятный собеседник,— сказал он.— Выходя отсюда, закройте дверь, а то, право же, сильно сквозит.

— Я выйду только тогда, когда выскажусь. Не вздумайте вмешиваться в мои дела. Я знаю, что мисс Стонер была здесь, я выследил ее! Горе тому, кто станет у меня на пути! Глядите!

Он быстро подошел, взял кочергу и согнул ее своими огромными загорелыми руками.

— Постарайтесь не попадаться мне в лапы!— прорычал он, швырнул искривленную кочергу в камин и вышел из комнаты.

— Какой любезный господин!— смеясь, сказал Холмс.— Я не такой великан, но, если бы он не ушел, мне пришлось бы показать ему, что я едва ли слабее его.

С этими словами он поднял стальную кочергу и одним быстрым движением распрямил ее.

— Какая наглость смешивать меня с полицейскими! Благодаря этому происшествию наши исследования стали еще интереснее. Надеюсь, что наша приятельница не пострадает оттого, что так необдуманно позволила этой скотине проследить за собой. Сейчас, Уотсон, мы позавтракаем, а затем я отправлюсь к юристам и наведу у них несколько справок.

Было уже около часа, когда Холмс возвратился домой. В руке у него был лист синей бумаги, весь исписанный заметками и цифрами.

— Я видел завещание покойной жены доктора,— сказал он.— Чтобы точнее разобраться в нем, мне пришлось справиться о нынешней стоимости ценных бумаг, в которых помещено состояние покойной. В год смерти общий доход ее составлял почти тысячу сто фунтов стерлингов, но с тех пор, в связи с падением цен на сельскохозяйственные продукты, уменьшился до семисот пятидесяти фунтов стерлингов. При выходе замуж каждая дочь имеет право на ежегодный доход в двести пятьдесят фунтов стерлингов. Следовательно, если бы обе дочери вышли замуж, наш красавец получал бы только жалкие крохи. Его доходы значительно уменьшились бы и в том случае, если бы замуж вышла лишь одна из дочерей... Я не напрасно потратил все утро, так как получил ясные доказательства, что у отчима были весьма важные основания препятствовать замужеству падчериц. Обстоятельства слишком серьезны, Уотсон, и нельзя терять ни минуты, тем более что старик уже знает, как мы интересуемся его делами. Если вы готовы, надо поскорей вызвать кэб и ехать на вокзал. Буду вам чрезвычайно признателен, если вы сунете в карман револьвер. Револьвер — превосходный аргумент для джентльмена, который может завязать узлом стальную кочергу. Револьвер да зубная щетка — вот и все, что нам понадобится.

На вокзале Ватерлоо нам посчастливилось сразу попасть в вагон. Приехав в Лэтерхэд, мы в гостинице возле станции взяли тарантас и проехали миль пять живописными дорогами Сэрри. Был чудный солнечный день, и лишь несколько перистых облаков плыло по небу. На деревьях и на живой изгороди возле дорог только что распустились зеленые почки, и воздух был напоен восхитительным запахом влажной земли.

Странным казался мне контраст между сладостным пробуждением весны и ужасным делом, из-за которого мы прибыли сюда! Мой приятель сидел, скрестив руки, надвинув шляпу на глаза, опустив подбородок на грудь, погруженный в глубокие думы. Внезапно он поднял голову, хлопнул меня по плечу и указал мне на луга куда-то вдаль:

— Посмотрите!

Обширный парк раскинулся по склону холма; из-за веток виднелись очертания крыши и шпиль старинного помещичьего дома.

— Сток-Морен?— спросил Шерлок Холмс.

— Да, сэр, это дом доктора Гримсби Ройлотта,— ответил возница.

— Там сбоку есть постройка,— сказал Холмс.— Нам нужно попасть туда.

— Мы едем к деревне,— сказал возница, указывая на крыши, видневшиеся в некотором отдалении слева.— Но если вы хотите скорее попасть к дому, ближе всего вам будет перелезть через изгородь, потом пройти полями по тропинке. По той тропинке, где идет эта леди.

— А эта леди как будто мисс Стонер,— сказал Холмс, заслоняя глаза от солнца.— Да, мы пойдем по тропинке.

Мы вышли из тарантаса, расплатились, и экипаж покатил обратно в Лэтерхэд.

— Пусть этот малый думает, что мы архитекторы,— сказал Холмс,— тогда наш приезд не вызовет особых толков. Добрый день, мисс Стонер! Видите, как точно мы сдержали свое слово!

Наша утренняя посетительница радостно спешила нам навстречу.

— Я с таким нетерпением ждала вас!— воскликнула она, горячо пожимая нам руки.— Все устроилось чудесно: доктор Ройлотт уехал в город и вряд ли возвратится раньше вечера.

— Мы имели удовольствие познакомиться с доктором,— сказал Холмс и в двух словах рассказал о том, что произошло.

Мисс Стонер побледнела.

— Боже мой!— воскликнула она.— Значит, он шел за мной следом!

— Похоже на то.

— Он так хитер, что я никогда не чувствую себя в безопасности. Что скажет он, когда возвратится?

— Придется ему быть осторожнее, потому что здесь может найтись кое-кто похитрее его. Вы должны на ночь запереться от него на ключ. Если он будет буйствовать, мы увезем вас к вашей тетке в Хэрроу... Ну, а теперь нам нужно как можно лучше использовать время, и потому проводите нас, пожалуйста, в те комнаты, которые мы должны обследовать.

Дом был построен из серого, покрытого лишайником камня и имел два полукруглых крыла, распростертых, словно клешни краба, по обеим сторонам высокого центрального здания. В одном из этих крыльев окна были выбиты и заколочены досками; крыша местами провалилась. Центральная часть казалась почти столь же разрушенной. Зато правое крыло было сравнительно недавно отделано, и по шторам на окнах, по голубоватым дымкам, которые вились из труб, видно было, что семья живет именно здесь. У крайней стены были воздвигнуты леса, начаты кое-какие работы. Но ни одного каменщика не было видно.

Холмс стал медленно расхаживать по нерасчищенной лужайке, с глубоким вниманием изучая внешний вид окон.

— Насколько я понимаю, тут комната, в которой вы жили прежде. Среднее окно — из комнаты вашей сестры, а третье окно, то, поближе к главному зданию,— из комнаты доктора Ройлотта...

— Совершенно правильно. Но теперь я живу в средней комнате.

— Понимаю, из-за ремонта. Кстати, как-то незаметно, чтобы эта стена нуждалась в столь неотложном ремонте.

— Совсем не нуждается. Я думаю, это просто предлог, чтобы убрать меня из моей комнаты.

— Весьма вероятно. Итак, вдоль противоположной стены тянется коридор, куда выходят двери всех трех комнат. В коридоре, без сомнения, есть окна?

— Да, но очень маленькие. Такие узкие, что в них невозможно пролезть.

— Так как вы обе запирались на ключ, то с той стороны пробраться в ваши комнаты было никак нельзя. Будьте любезны, пройдите в свою комнату и закройте ставни.

Мисс Стонер исполнила его просьбу. Холмс употребил все усилия, чтобы открыть ставни снаружи, но безуспешно: не было ни одной щелки, сквозь которую можно было бы просунуть хоть лезвие ножа, чтобы поднять засов. Он при помощи лупы осмотрел петли, но они были из твердого железа и крепко вделаны в массивную стену.

— Гм!— проговорил он, в раздумье почесывая подбородок.— Моя первоначальная гипотеза не подтверждается фактами. Никто не может влезть в эти окна, когда ставни закрыты... Ладно, посмотрим, не удастся ли нам выяснить что-нибудь, осмотрев комнаты изнутри.

Маленькая боковая дверца вела в выбеленный известкой коридор, в который выходили двери всех трех спален. Холмс не счел нужным осматривать третью комнату, и мы сразу прошли во вторую, где теперь спала мисс Стонер и где умерла ее сестра. Это была просто обставленная комнатка с низким потолком и с широким камином из тех, что встречаются в старинных деревенских домах. В одном углу стоял комод; другой угол занимала узкая кровать, покрытая белым одеялом; слева от окна находился туалетный стол. Убранство комнаты довершали два стула да плетеный коврик посередине. Панели на стенах были из темного, источенного червями дуба, такие древние, что, казалось, их не меняли со времени постройки дома.

Холмс взял стул и молча уселся в углу. Глаза его внимательно скользили вверх и вниз по стенам, бегали вокруг всей комнаты, изучая и осматривая каждую мелочь.

— Куда проведен этот звонок?— спросил он наконец, указывая на висевший над кроватью толстый шнур от звонка, кисточка которого лежала почти на подушке.

— Он проведен в комнату прислуги.

— Он как будто новее всех прочих вещей.

— Да, он проведен всего два-три года назад.

— Вероятно, ваша сестра просила об этом?

— Нет, она никогда им не пользовалась. Мы всегда все делали сами.

— Действительно, здесь это лишняя роскошь. Вы меня извините, я задержу вас на несколько минут: мне хочется хорошенько осмотреть пол.

С лупой в руках он ползал на четвереньках взад и вперед по полу, внимательно исследуя каждую трещину в половицах. Так же тщательно он осмотрел и панели на стенах. Потом подошел к кровати, внимательно оглядел ее и всю стену. Потом взял шнур от звонка и дернул его.

— А звонок-то фальшивый!— сказал он.

— Он не звонит?

— Он даже не соединен с проводом. Любопытно! Видите, он привязан к крючку как раз над тем маленьким отверстием для вентиляции.

— Как странно! Я и не заметила этого.

— Очень странно...— бормотал Холмс, дергая шнур.— В этой комнате многое обращает на себя внимание. Например, каким нужно быть безмозглым строителем, чтобы вывести вентиляцию в соседнюю комнату, когда ее с такой же легкостью можно было вывести наружу!

— Все это сделано тоже очень недавно,— сказала Эллен.

— Сделано примерно в одно время со звонком,— заметил Холмс.

— Да, как раз в то время здесь произвели кое-какие переделки.

— Интересные переделки: звонки, которые не звонят, и вентиляция, которая не вентилирует помещение. С вашего позволения, мисс Стонер, мы перенесем наши исследования в другие комнаты.

Комната доктора Гримсби Ройлотта была больше, чем комната его падчерицы, но обставлена так же просто. Походная кровать, небольшая деревянная полка, уставленная книгами, преимущественно техническими, кресло рядом с кроватью, простой плетеный стул у стены, круглый стол и большой железный несгораемый шкаф — вот те предметы, которые бросились нам в глаза при входе в комнату. Холмс медленно похаживал вокруг, исследуя каждую вещь с живейшим интересом.

— Что здесь? — спросил он, стукнув по несгораемому шкафу.

— Деловые бумаги.

— Ого! Значит, вы заглядывали в этот шкаф?

— Только раз, несколько лет назад. Я помню, там была куча бумаг.

— А нет ли в нем, например, кошки?

— Нет. Что за странная мысль.

— А вот посмотрите!

Он снял со шкафа маленькое блюдце с молоком.

— Нет, кошек мы не держим. Но зато у нас есть пантера и павиан.

— Пантера, конечно, всего только большая кошка, но сомневаюсь, что такое маленькое блюдце может удовлетворить ее жажду. В этом кроется как раз то, что хотел бы я выяснить.

Он присел на корточки перед стулом и принялся с глубоким вниманием изучать его сиденье.

— Благодарю вас, все ясно,— сказал он, поднимаясь и кладя лупу в карман.— Ага, вот нечто весьма интересное!

Внимание его привлекла небольшая плеть для собаки, висевшая в углу кровати. На ее конце была петля.

— Что вы об этом думаете, Уотсон?

— По-моему, самая обыкновенная плеть. Не понимаю, для чего понадобилось свертывать ее в петлю.

— Не такая уж обыкновенная... Ах, сколько зла на свете, и хуже всего, когда злые дела совершает умный человек!.. Ну, с меня достаточно, мисс, я узнал все, что мне нужно, а теперь, с вашего разрешения, мы выйдем пройтись по лужайке.

Я никогда не видел Холмса таким угрюмым и мрачным. Некоторое время мы расхаживали взад и вперед в глубоком молчании, и ни я, ни мисс Стонер не прерывали течения его мыслей, пока он сам не очнулся от задумчивости.

— Очень важно, мисс Стонер, чтобы вы в точности следовали моим советам,— сказал он.

— Я исполню все беспрекословно.

— Обстоятельства слишком серьезны, и колебаться нельзя. От вашего полного повиновения зависит ваша жизнь.

— Я отдаю себя в ваши руки.

— Во-первых, мы оба — мой друг и я — должны провести ночь в вашей комнате.

Мисс Стонер и я взглянули на него с изумлением.

— Это необходимо. Я вам все объясню. Что это там, на той стороне? Деревенская гостиница?

— Да, там «Корона».

— Очень хорошо. Оттуда видны ваши окна?

— Конечно.

— Когда ваш отчим вернется, скажите, что у вас болит голова, уйдите в свою комнату и запритесь на ключ. Потом, когда вы услышите, что он пошел спать, вы откроете ставни вашего окна, снимете засов и поставите на окно лампу; эта лампа будет для нас сигналом. Потом, захватив с собой все, что пожелаете, вы пройдете в ту комнату, которую раньше занимали. Я убежден, что, несмотря на ремонт, вы можете один раз переночевать в ней.

— Безусловно.

— Остальное предоставьте нам.

— Но что же вы собираетесь сделать?

— Мы проведем ночь в вашей комнате и выясним причину шума, напугавшего вас.

— Мне кажется, мистер Холмс, что вы уже пришли к какому-то выводу,— сказала мисс Стонер, дотрагиваясь до рукава моего друга.

— Быть может, да.

— Тогда, ради всего святого, скажите мне: отчего умерла моя сестра?

— Я хотел бы собрать более точные улики.

— Тогда скажите мне, по крайней мере, верно ли мое предположение, что она умерла от внезапного испуга?

— Нет, неверно: я полагаю, что причина ее смерти была более вещественна... А теперь, мисс Стонер, мы должны вас покинуть, потому что, если мистер Ройлотт, возвратившись, увидит нас, наша поездка окажется совершенно напрасной. До свиданья! Будьте мужественны, сделайте все, что я сказал, и не сомневайтесь, что мы быстро устраним грозящую вам опасность.

Мы с Шерлоком Холмсом без всяких затруднений сняли номер в гостинице «Корона». Номер наш находился в верхнем этаже, и из нашего окна видны были ворота парка и обитаемое крыло сток-моренского дома. В сумерках мы видели, как мимо проехал доктор Гримсби Ройлотт; его грузное тело вздымалось горой рядом с тощей фигурой мальчишки, правившего экипажем. Мальчишке не сразу удалось открыть тяжелые ворота, и мы слышали, как хрипло рычал на него доктор, и видели, с какой яростью он потрясал перед ним кулаками. Экипаж миновал ворота, и через несколько минут свет от лампы, зажженной в одной из гостиных, замелькал среди деревьев.

Мы сидели в потемках, не зажигая огня.

— Право, не знаю,— сказал Холмс,— брать ли вас сегодня ночью с собой! Дело-то, оказывается, очень опасное.

— Могу ли я быть полезен вам?

— Ваша помощь может оказаться огромной.

— Тогда я непременно пойду.

— Спасибо.

— Вы говорите об опасности. Очевидно, вы видели в этих комнатах что-то такое, чего я не видел.

— Нет, я видел то же самое, но сделал другие выводы.

— Я не заметил в комнате ничего странного, кроме шнура от звонка, но, признаюсь, не способен понять, для какой цели может служить такой звонок.

— А на вентиляцию вы обратили внимание?

— Да, но мне кажется, что в этом маленьком отверстии между двумя комнатами нет ничего необычного. Оно так мало, что даже мышь едва ли пролезет сквозь него.

— Я знал об этом отверстии прежде, чем мы приехали в Сток-Морен.

— Неужели?

— Да, знал. Вы помните, мисс Стонер сказала, что ее сестра чувствовала запах сигар доктора Ройлотта? А это доказывает, что между двумя комнатами есть отверстие, и, конечно, оно очень мало, иначе оно было бы замечено следователем при осмотре комнаты. Я решил, что тут должна быть вентиляция.

— Но какую опасность может таить в себе вентиляция?

— А посмотрите, какое странное совпадение: над кроватью просверливают отверстие для вентиляции, вешают шнур, и леди, спящая на кровати, умирает. Разве это не поражает вас?

— Я до сих пор не могу связать эти обстоятельства.

— А в кровати вы не заметили ничего особенного?

— Нет.

— Она привинчена к полу. Вы когда-нибудь видели прежде, чтобы кровати привинчивали к полу?

— Пожалуй, не видел.

— Леди не могла передвинуть свою кровать, ее кровать всегда оставалась в одном и том же положении по отношению к вентиляционному отверстию и шнуру. Этот звонок приходится называть просто шнуром, так как он не звонит.

— Холмс!— вскричал я.— Кажется, для меня немного проясняется то, что для вас совершенно ясно. Мы явились как раз вовремя, чтобы предотвратить ужасное и утонченное преступление.

— Да, утонченное и ужасное. Когда врач совершает преступления, он ужаснее всех прочих преступников. У него сильные нервы и опасные знания... Этот человек очень хитер, но я надеюсь, Уотсон, что нам удастся перехитрить его. Сегодня ночью нам предстоит пережить немало страшного, и потому прошу вас, давайте пока спокойно закурим трубки и проведем эти несколько часов, разговаривая о чем-нибудь более веселом.

Часов около девяти свет, видневшийся между деревьями, погас, и усадьба погрузилась во тьму. Так прошло часа два, и вдруг ровно в одиннадцать одинокий яркий свет засиял прямо против нашего окна.

— Это сигнал для нас,— сказал Холмс, вскакивая.— Свет горит в среднем окне.

Выходя, он объяснил хозяину гостиницы, что мы идем в гости к одному знакомому и, возможно, там и переночуем. Через минуту мы вышли на темную дорогу. Свежий ветер дул нам в лицо, и желтый свет, мерцая перед нами во мраке, указывал путь.

Попасть к дому было нетрудно, потому что старая ограда обрушилась во многих местах. Пробираясь между деревьями, мы достигли лужайки, пересекли ее и только собирались лезть в окно, как вдруг какое-то существо, похожее на отвратительного урода-ребенка, выскочило из лавровых кустов, бросилось, корчась, на траву, а потом быстро промчалось через лужайку и скрылось в темноте.

— Боже! — прошептал я.— Вы видели?

В первое мгновение Холмс испугался не меньше меня. Он схватил мою руку и сжал ее словно тисками. Потом тихо рассмеялся и пробормотал еле слышно:

— Милая семейка! Ведь это павиан.

Я забыл о любимцах доктора. А пантера, которая каждую минуту может оказаться у нас на плечах? Признаться, я почувствовал себя значительно лучше, когда, следуя примеру Холмса, сбросил ботинки, влез в окно и очутился в спальне. Мой друг бесшумно закрыл ставни, переставил лампу на стол и быстро оглядел комнату. Здесь было все как днем. Он приблизился ко мне и, сложив руку трубкой, прошептал:

— Малейший звук погубит нас.

Я кивнул головой.

— Нам придется сидеть без огня. Сквозь вентиляцию он может заметить свет.

Я кивнул еще раз.

— Не засните — от этого зависит ваша жизнь. Держите револьвер наготове. Я сяду на край кровати, а вы садитесь на стул.

Я вытащил револьвер и положил его на угол стола. Холмс принес с собой длинную тонкую трость и положил ее возле себя на кровать вместе с коробкой спичек и огарком свечи, потом задул лампу, и мы остались в полной темноте.

Забуду ли я когда-нибудь эту страшную бессонную ночь! Ни один звук не доносился до меня. Я не слышал даже дыхания своего друга, а между тем знал, что он сидит в двух шагах от меня с открытыми глазами, в таком же напряженном нервном состоянии, как и я. Ставни не пропускали ни малейшего луча, и мы сидели в абсолютной тьме. Изредка снаружи доносился крик ночной птицы, а раз у самого нашего окна раздался протяжный вой, похожий на кошачье мяуканье: пантера, видимо, в самом деле гуляла на свободе. Слышно было, как вдалеке церковные часы глухо отбивали четверти. Какими долгими они казались нам, каждые пятнадцать минут! Пробило двенадцать, час, два, три, а мы всё сидели молча, ожидая чего-то неизбежного.

Внезапно в отверстии над кроватью мелькнул луч света. Он сразу же исчез, но мы почувствовали сильный запах горелого масла и накаленного металла — кто-то в соседней комнате зажег потайной фонарь. Я услышал, как что-то двинулось, потом все смолкло, и только запах стал еще сильнее. С полчаса я сидел, напряженно вглядываясь в темноту. Внезапно послышался какой-то новый звук, нежный и тихий, словно вырывалась из котла тонкая струйка пара. Услыхав этот звук, Холмс сразу вскочил с кровати, чиркнул спичкой и яростно хлестнул своей тростью по шнуру.

— Вы видите ее, Уотсон?— проревел он.— Видите?

Но я ничего не видел. Пока Холмс чиркал спичкой, я слышал тихий отчетливый свист, но внезапный яркий свет так ослепил мои утомленные глаза, что я не мог ничего разглядеть и не понял, почему Холмс так яростно хлещет тростью. Однако я успел заметить выражение ужаса и отвращения на его мертвенно-бледном лице.

Холмс перестал хлестать, но не спускал глаз с отверстия в стене, и вдруг тишину ночи прорезал такой ужасный крик, какого я не слышал никогда в жизни. Этот хриплый крик, в котором смешались страдание, страх и ярость, становился все громче и громче. Рассказывали потом, что не только в деревне, но даже в отдаленном домике священника крик этот разбудил всех спящих. Мы в ужасе глядели друг на друга, пока последний вопль не замер в тишине.

— Что это значит?— спросил я, задыхаясь.

— Это значит, что все кончено,— ответил Холмс.— И, в сущности, это к лучшему. Возьмите револьвер, и пойдем в комнату доктора Ройлотта.

Лицо его было сурово. Он зажег лампу и пошел по коридору. Дважды он стукнул в дверь комнаты доктора, но изнутри никто не ответил. Тогда он повернул ручку и вошел в комнату. Я шел за ним следом, держа в руке заряженный револьвер.

Необычайное зрелище представилось нашим взорам. На столе стоял потайной фонарь, бросая яркий луч света на железный несгораемый шкаф, дверца которого была полуоткрыта. У стола на соломенном стуле сидел доктор Гримсби Ройлотт в сером халате, из-под которого виднелись голые лодыжки. Ноги его были в красных турецких туфлях без задников. На коленях лежала та самая плеть, которую мы еще днем заметили в его комнате. Он сидел, задрав подбородок кверху, неподвижно устремив глаза в потолок; в его взоре застыло страшное, угрюмое выражение. Вокруг его головы обвилась какая-то необыкновенная, желтая с коричневыми крапинками лента. При нашем появлении доктор не шевельнулся и не издал ни звука.

— Лента! Пестрая лента!— прошептал Холмс.

Я сделал шаг вперед. В то же мгновение странный головной убор зашевелился, из волос доктора Ройлотта поднялась граненая головка ужасной змеи.

— Болотная гадюка!— вскричал Холмс.— Самая смертоносная индийская змея! Он умер через десять секунд после укуса. «Поднявший меч от меча и погибнет». Посадим эту тварь в ее логово, потом отправим мисс Стонер в какое-нибудь спокойное место и дадим знать полиции о том, что случилось.

При этих словах он быстро взял плеть с колен мертвого, накинул петлю на голову змеи, стащил ее с ее ужасного насеста, понес змею на вытянутой руке к несгораемому шкафу, швырнул туда и захлопнул дверцу.

Таковы истинные обстоятельства смерти доктора Гримсби Ройлотта из Сток-Морена. Не стану подробно рассказывать, как мы сообщили печальную новость испуганной девушке, как с утренним поездом мы препроводили ее на попечение тетки в Хэрроу и как туповатое полицейское следствие пришло к заключению, что доктор погиб от собственной неосторожности, забавляясь со своей любимицей — ядовитой змеей. Остальное Шерлок Холмс рассказал мне, когда мы на следующий день ехали обратно.

— Вначале я пришел к совершенно неправильным выводам, мой дорогой Уотсон,— сказал он,— и это доказывает, как опасно опираться на неточные данные. Присутствие цыган, слово «б а н д а»[1], сказанное несчастной девушкой,— всего этого было достаточно, чтобы навести

---

[1] В английском языке слово «band» означает и «банда» и «лента».

меня на ложный след. Но когда мне стало ясно, что в комнату невозможно проникнуть ни через дверь, ни через окно, что не оттуда грозит опасность обитателю этой комнаты, я сразу понял свою ошибку, и это может послужить мне оправданием. Как я уже говорил вам, внимание мое сразу привлекли вентиляция и шнур от звонка, висящий над кроватью. Когда обнаружилось, что звонок фальшивый, а кровать прикреплена к полу, у меня сразу зародилось подозрение, что шнур служит лишь мостом, соединяющим отверстие с кроватью. Мне сразу пришла мысль о змее, а зная, как доктор любит окружать себя всевозможными индийскими тварями, я понял, что, пожалуй, напал на верный след. Именно такому хитрому, жестокому злодею, прожившему много лет на Востоке, могло прийти в голову употребить яд, который нельзя обнаружить химическим путем. В пользу этого яда, с его точки зрения, говорило и то, что он действует мгновенно. Следователь должен был бы обладать поистине необыкновенно острым зрением, чтобы разглядеть два крошечных темных пятнышка, оставленных зубами змеи. Потом я вспомнил о свисте. Свистом доктор звал змею обратно, чтобы ее не увидели на рассвете. Вероятно, давая ей молоко, он приучил ее возвращаться к нему. Змею он пропускал через вентиляцию в самый глухой час ночи и знал наверняка, что она поползет по шнуру и спустится на кровать. Рано или поздно девушка должна была стать жертвой ужасного замысла, змея ужалила бы ее — если не сейчас, то через неделю. Я пришел к этим выводам еще до того, как посетил комнату доктора Ройлотта. Когда же я исследовал сиденье его стула, я понял, что у доктора была привычка становиться на стул, чтобы достать до вентиляции. А когда я увидел несгораемый шкаф, блюдце с молоком и плеть, мои последние сомнения окончательно рассеялись. Металлический лязг, который слышала мисс Стонер, был, очевидно, стуком дверцы несгораемого шкафа, куда доктор прятал змею. Вам известно, что я предпринял, убедившись в правильности своих выводов. Как только я услышал шипение змеи, я немедленно зажег свет и начал стегать ее тростью.

— Вы прогнали ее назад в вентиляцию...

— ...и тем самым заставил напасть на хозяина. Удары моей трости разозлили ее, в ней проснулась змеиная злоба, и она напала на первого попавшегося ей человека. Таким образом, я косвенно виновен в смерти доктора Гримсби Ройлотта, но не могу сказать, чтобы эта вина тяжким бременем легла на мою совесть.

ПАЛЕЦ ИНЖЕНЕРА

Из всех задач, какие приходилось решать моему другу мистеру Шерлоку Холмсу, мною его вниманию было предложено лишь две, а именно: случай, когда мистер Хэдерли лишился большого пальца, и происшествие с обезумевшим полковником Уорбэртоном. Последняя представляла собой обширное поле деятельности для тонкого и самобытного наблюдателя, зато первая оказалась столь своеобразной и столь драматичной по своим подробностям, что скорее заслуживает изложения в моих записках, хотя и не позволила моему приятелю применить те дедуктивные методы мышления, благодаря которым он неоднократно добивался таких примечательных результатов. Об этой истории, мне помнится, не раз писали газеты, но, как и все подобные события, втиснутая в газетный столбец, она казалась значительно менее увлекательной, нежели тогда, когда ее рассказывал участник событий, и действие как бы медленно развертывалось перед нашими глазами, и мы шаг за шагом проникали в тайну и приближались к истине. В свое время обстоятельства этого дела произвели на меня глубокое впечатление, и прошедшие с тех пор два года ничуть не ослабили этот эффект.

События, о которых я хочу рассказать, произошли летом 1889 года, вскоре после моей женитьбы. Я снова занялся врачебной практикой и навсегда распрощался с квартирой на Бейкер-стрит, хотя часто навещал Холмса и время от времени даже убеждал его отказаться от богемных привычек и почаще приходить к нам. Практика моя неуклонно росла, а поскольку я жил неподалеку от Паддингтона, то среди пациентов у меня было несколько служащих этого вокзала. Один из них, которого мне удалось вылечить от тяжелой, изнурительной болезни, без устали рекламировал мои достоинства и посылал ко мне каждого страждущего, кого он был способен уговорить обратиться к врачу.

Однажды утром, часов около семи, меня разбудила, постучав в дверь, наша служанка. Она сказала, что с Паддингтона пришли двое мужчин и ждут у меня в кабинете. Я быстро оделся, зная по опыту, что несчастные случаи на железной дороге редко бывают пустячными, и сбежал вниз. Из приемной, плотно прикрыв за собой дверь, вышел мой старый пациент-кондуктор.

— Он здесь,— прошептал он, указывая на дверь.— Все в порядке.

— Кто?— не понял я. По его шепоту можно было подумать, что он запер у меня в кабинете какое-то необыкновенное существо.

— Новый пациент,— так же шепотом продолжал он.— Я решил, что лучше сам приведу его, тогда ему не сбежать. Он там, все в порядке. А мне пора. У меня, доктор, как и у вас, свои обязанности.

И он ушел, мой верный поклонник, не дав мне даже возможности поблагодарить его.

Я вошел в приемную; возле стола сидел человек. Он был одет в недорогой костюм из пестротканого твида; кепка его лежала на моих книгах. Одна рука у него была обвязана носовым платком сплошь в пятнах крови. Он был молод, лет двадцати пяти, не больше, с выразительным мужественным лицом, но страшно бледен и словно чем-то потрясен — он был совершенно не в силах овладеть собою.

— Извините, что так рано потревожил вас, доктор,— сказал он,— но со мной нынче ночью произошло нечто серьезное. Я приехал в Лондон утренним поездом, и, когда начал узнавать на Паддингтоне, где найти врача, этот добрый человек любезно проводил меня к вам. Я дал служанке свою карточку, но, вижу, она оставила ее на столе.

Я взял карточку и прочел имя, род занятий и адрес моего посетителя: *Мистер Виктор Хэдерли, инженер-гидравлик. Виктория-стрит, 16-а (4-й этаж)».

— Очень сожалею, что заставил вас ждать,— сказал я, усаживаясь в кресло у письменного стола.— Вы ведь всю ночь ехали — занятие само по себе не из веселых.

— О, эту ночь скучной я никак не могу назвать,— ответил он и расхохотался.

Откинувшись на спинку стула, он весь трясся от смеха, и в его смехе звучала какая-то высокая, звенящая нота. Мне, как медику, его смех не понравился.

— Прекратите! Возьмите себя в руки!— крикнул я и налил ему воды из графина.

Но и это не помогло. Им овладел один из тех истерических припадков, которые случаются у сильных натур, когда переживания уже позади. Наконец смех утомил его, и он несколько успокоился.

— Я веду себя крайне глупо,— задыхаясь, вымолвил он.

— Вовсе нет. Выпейте это!— Я плеснул в воду немного коньяку, и его бледные щеки порозовели.

— Спасибо,— поблагодарил он.— А теперь, доктор, будьте добры посмотреть мой палец или, лучше сказать, то место, где он когда-то был.

Он снял платок и протянул руку. Даже я, привычный к такого рода зрелищам, содрогнулся. На руке торчало только четыре пальца, а на месте большого было страшное красное вздутие. Палец был оторван или отрублен у самого основания.

— Боже мой!— воскликнул я.— Какая ужасная рана! Крови, наверное, вытекло предостаточно.

— Да. После удара я упал в обморок и, наверное, был без сознания очень долго. Очнувшись, я увидел, что кровь все еще идет, тогда я туго завязал платок вокруг запястья и закрутил узел щепкой.

— Превосходно! Из вас вышел бы хороший хирург.

— Да нет, просто я разбираюсь в том, что имеет отношение к гидравлике.

— Рана нанесена тяжелым и острым инструментом,— сказал я, осматривая руку.

— Похожим на нож мясника,— добавил он.

— Надеюсь, случайно?

— Никоим образом.

— Неужели покушение?

— Вот именно.

— Не пугайте меня.

Я промыл и обработал рану, а затем укутал руку ватой и перевязал пропитанными карболкой бинтами. Он сидел, откинувшись на спинку стула, и ни разу не поморщился, хотя время от времени закусывал губы.

— Ну, как?— закончив, спросил я.

— Превосходно! После вашего коньяка и перевязки я словно заново родился. Я очень ослабел, ведь мне пришлось немало испытать.

— Может, лучше не говорить о случившемся? Вы будете волноваться.

— О нет. Сейчас уже нет. Все равно придется выкладывать всю историю в полиции. Но, между нами говоря, только моя рана может заставить их поверить моему заявлению. История эта совершенно необычная, а я ничем подтвердить ее не могу. Даже если мне поверят, доводы, которые я способен представить в доказательство ее, настолько неопределенны, что вряд ли здесь восторжествует правосудие.

— Значит, это загадка, которую нужно разрешить!— воскликнул я.— Тогда я настоятельно рекомендую вам, прежде чем обращаться в полицию, пойти к моему другу мистеру Шерлоку Холмсу.

— Я слышал об этом человеке,— ответил мой пациент,— и был бы очень рад, если бы он взял это дело на себя, хотя, разумеется, все равно придется заявить в полицию. Может, вы порекомендуете меня ему?

— Больше того, я сам отвезу вас к нему.

— Премного буду вам обязан.

— Давайте вызовем экипаж и поедем. Мы как раз поспеем к завтраку. Вы в состоянии ехать?

— Да. На душе у меня будет неспокойно до тех пор, пока я не расскажу мою историю.

— Тогда я попрошу служанку вызвать кэб и через минуту буду готов.

Я побежал наверх, в нескольких словах рассказал о случившемся жене и через пять минут вместе с моим новым знакомым уже ехал по направлению к Бейкер-стрит.

Как я и предполагал, Шерлок Холмс — еще в халате — сидел в гостиной, читал ту колонку из «Таймса», в которой публикуются сведения о розыске различных лиц, и курил трубку. Эту трубку он обычно выкуривал до завтрака, набивал всякими остатками всех табаков — они с особой тщательностью собирались и сушились на каминной доске. Он принял нас с присущим ему спокойствием и радушием, заказал для нас яичницу с ветчиной, и мы на славу позавтракали. Когда с едой было покончено, он усадил нашего нового знакомого на диван, подложил ему под спину подушку, а рядом поставил стакан воды с коньяком.

— Вам, видно, пришлось пережить нечто необычное, мистер Хэдерли,— сказал он.— Прошу вас прилечь на диван и чувствовать себя как дома. Рассказывайте, пока сможете, но, если почувствуете себя плохо, помолчите и попробуйте восстановить силы при помощи вот этого легкого средства.

— Благодарю вас,— ответил мой пациент,— но я чувствую себя другим человеком после того, как доктор перевязал мне руку, а ваш завтрак, по-видимому, завершил курс лечения. Я постараюсь недолго занимать у вас драгоценное время и поэтому тотчас же приступаю к рассказу о моих удивительных приключениях.

Опустив тяжелые веки, будто от усталости — что на самом деле лишь скрывало присущее ему жадное любопытство,— Холмс поудобнее уселся в кресло, я пристроился напротив, и мы принялись слушать действительно невероятную историю, которую наш посетитель изложил во всех подробностях.

— Должен сказать вам,— начал он,— что родители мои умерли, я не женат и потому живу совершенно один в своей лондонской квартире. По профессии я инженер-гидравлик и приобрел немалый опыт в течение тех семи лет, что пробыл в подручных в известной гринвичской фирме «Веннер и Мейтсон». Два года назад, унаследовав солидную сумму денег после смерти отца, я решил завести собственное дело и открыл контору на Виктория-стрит.

Наверное, каждому, кто открывает собственное дело, сначала приходится туго. Во всяком случае, так было со мной. В течение двух лет мне довелось дать всего три консультации и выполнить одну небольшую работу — вот и все, что дала мне моя специальность. Весь мой доход составляет на сегодняшний день двадцать семь фунтов десять шиллингов. Ежедневно с девяти утра до четырех я сидел в своей захудалой конторе и наконец с тяжелым сердцем начал понимать, что у меня не будет настоящей работы.

Но вот вчера, когда я собрался было уходить, вошел мой клерк, доложил, что меня желает видеть по делу какой-то джентльмен, и подал мне визитную карточку: *Полковник Лизандер Старк*. А следом в комнату вошел и сам полковник, человек роста выше среднего, но чрезвычайно худой. До сих пор мне не доводилось встречать таких худых людей. Кожа так обтягивала выпирающие скулы, что лицо его, казалось, состояло лишь из носа и подбородка. Тем не менее худым он был по природе а не от какой-либо болезни, ибо взгляд у него сверкал, двигался он проворно и держался уверенно. Он был просто, но аккуратно одет, а по возрасту, решил я, ему под сорок.

— Мистер Хэдерли? — спросил он с немецким акцентом.— Вас порекомендовали мне как человека не только опытного, но и скромного, умеющего хранить тайну.

Я поклонился, чувствуя себя польщенным, как и всякий молодой человек при обращении подобного рода.

— Разрешите узнать, кто дал мне такую лестную характеристику? — полюбопытствовал я.

Я предпочитаю пока умолчать об этом. Из того же источника мне стало известно, что родители ваши умерли, вы холосты и живете в Лондоне один.

— Совершенно правильно,— ответил я,— но простите, я не совсем понимаю, какое это имеет отношение к моей деятельности. Вы ведь желали увидеть меня по делу?

— Именно так. Вы сейчас убедитесь, что все, о чем я говорю, имеет непосредственное отношение к делу. Я хочу поручить вам одну работу, но при этом должна сохраняться полная тайна, полная тайна, понятно? Чего, разумеется, можно скорее ожидать от человека одинокого, нежели от человека, который живет в кругу семьи.

— Если я дам слово хранить тайну, — сказал я, — можете быть уверены, я его не нарушу.

Он пристально посмотрел на меня, и я подумал, что ни разу не видел столь подозрительного и недоверчивого взгляда.

— Итак, вы обещаете? — спросил он.

— Да, обещаю.

— Обещаете хранить полное молчание до, во время и после работы? Никогда не упоминать об этом деле ни устно, ни письменно?

— Я уже дал вам слово.

— Очень хорошо.

Вдруг он вскочил и, молнией метнувшись по комнате, распахнул дверь настежь. За дверью никого не было.

— Все в порядке, — заметил он, возвращаясь на место. — Известно, как клерки порой интересуются делами своих хозяев. Теперь можем поговорить спокойно.

Он подвинул свой стул вплотную к моему и уставился на меня тем же недоверчиво-пронзительным взглядом.

Чувство отвращения и что-то похожее на страх начало расти во мне при столь странном поведении этого чересчур худого человека. Даже боязнь потерять клиента не могла заставить меня терпеливо ждать, пока он заговорит.

— Прошу вас, сэр, изложить дело, я дорожу своим временем.

Да простит мне небо эти слова, но они сами сорвались с моих уст.

— Вас устроит пятьдесят гиней за одну ночь работы? — спросил он.

— Вполне.

— Я сказал — за ночь работы, но правильнее сказать — за час. Мне просто нужно ваше мнение по поводу гидравлического пресса, который вышел из строя. Если вы подскажете, в чем дело, мы сумеем сами устранить неисправность. Что скажете?

— Дело несложное, плата хороша.

— Именно так. Нам хотелось бы, чтобы вы приехали сегодня вечером последним поездом.

— Куда?

— В Айфорд. Это небольшая деревушка в Беркшире, на границе с Оксфордширом, в семи милях от Рединга. От Паддингтона есть поезд, который прибывает туда примерно в одиннадцать пятнадцать.

— Превосходно.

— Я приеду в экипаже встретить вас.

— Значит, придется добираться на лошадях?

— Да, наш дом находится в стороне от железной дороги. От Айфорда до него добрых семь миль.

— Значит, вряд ли мы доберемся до места к полуночи. И обратного поезда уже не будет. Мне придется провести у вас всю ночь.

— Что ж, это не проблема.

— Но не очень-то удобно. А не мог бы я приехать в какое-нибудь другое, более подходящее время?

— Самое лучшее, считаем мы, если вы приедете поздно вечером. Именно за неудобства мы и платим вам, никому не известному молодому человеку, сумму, за которую можем получить совет самых крупных специалистов по вашей профессии. Конечно, если предложение вам не по душе, еще есть время от него отказаться.

Я подумал, как мне пригодятся пятьдесят гиней.

— Нет, нет,— заспешил я,— я готов сделать так, как вы считаете нужным. Однако мне хотелось бы более четко представить себе, что именно от меня требуется.

— Совершенно справедливо. Обещание хранить тайну, которое мы взяли с вас, вполне естественно, возбудило ваше любопытство. Я отнюдь не хочу, чтобы вы брали какие-то обязательства, не ознакомившись предварительно со всеми деталями. Надеюсь, нас никто не подслушивает?

— Никто.

— Дело обстоит следующим образом. Вам, вероятно, известно, что сукновальная глина — довольно ценное сырье и что залежи ее в Англии встречаются в одном-двух местах?

— Я слышал об этом.

— Некоторое время назад я купил маленький участок земли, совсем крохотный, в десяти милях от Рединга. И вдруг оказалось, что мне повезло: я обнаружил на одном поле пласт сукновальной глины. Я исследовал его и выяснил, что он составляет лишь небольшую перемычку, соединяющую два очень мощных пласта слева и справа, расположенных на участках моих соседей. В их земле хранится сырье не менее ценное, чем золото, а эти добрые люди пребывают в полном неведении. Мне, естественно, было бы выгодно купить у них землю, прежде чем они узнают ее истинную стоимость, но, к сожалению, я не располагаю для этого достаточным капиталом. Поэтому я посвятил в тайну нескольких своих приятелей, и они предложили потихоньку, не говоря никому 'ни слова, разрабатывать наш собственный небольшой пласт, чтобы заработать деньги, а впоследствии купить землю у соседей. Этим мы и заняты вот уже некоторое время и в помощь установили гидравлический пресс. Но пресс, как я уже сказал, вышел из строя, и нам нужен ваш совет. Мы ревностно храним наш секрет, и если станет известно, что к нам приезжал гидравлик, то тотчас же начнутся расспросы, факты выплывут наружу, и тогда прощай соседские поля, а с ними и наши планы. Вот почему я взял с вас слово никому не рассказывать, что вы сегодня вечером едете в Айфорд. Надеюсь, теперь все ясно?

— Единственное, что мне не совсем ясно,— ответил я,— это зачем вам гидравлический пресс. Сукновальную глину, насколько я знаю, вычерпывают, как песок из карьера.

— А,— небрежно махнул он рукой,— у нас свои методы работы. Чтобы соседи ничего не заметили, мы прессуем глину в кирпичи. Но это деталь. Я доверяю вам, мистер Хэдерли, и рассказал все.— Он встал.— Итак, жду вас в Айфорде в 11.15.

— Я обязательно приеду.

— И помните: никому ни слова.

Он еще раз посмотрел на меня долгим вопросительным взглядом и, пожав мне руку своей холодной, влажной рукой, поспешно вышел.

Хладнокровно поразмыслив, я, как вы представляете, не мог все-таки отделаться от удивления по поводу этого странного поручения. С одной стороны, я, разумеется, был рад, ибо плату мне предложили в десять раз большую, чем та, которую запросил бы я сам. Кроме того, есть надежда, что за этим поручением последуют и другие. С другой стороны, облик и манеры моего клиента произвели на меня такое гнетущее впечатление, что я не мог отвязаться от мысли, что вся эта история с сукновальной глиной не вполне объясняет необходимость приехать непременно в полночь и избежать огласки. Однако я отбросил от себя страхи, на славу поужинал, доехал до Паддингтона и отправился в путь.

В Рединге мне пришлось сделать пересадку. Но я успел на последний поезд в Айфорд и в начале двенадцатого прибыл на маленькую, тускло освещенную станцию. Я оказался единственным, кто там сошел, на платформе не было ни души, кроме заспанного носильщика с фонарем в руках. За станционной оградой я увидел моего утреннего знакомого — он стоял в тени на противоположной стороне. Не сказав ни слова, он схватил меня за руку и втащил в экипаж, дверца которого предусмотрительно оказалась' открытой. Опустив с обеих сторон окошки, полковник постучал кучеру, и лошадь рванулась вперед.

— Одна лошадь? — перебил мистера Хэдерли Холмс.

— Да, одна.

— Вы не заметили масть?

— Заметил при свете фонаря, когда садился в экипаж. Лошадь рыжей масти.

— Усталая или свежая?

— Свежая, шерсть у нее лоснилась.

— Благодарю. Извините, что перебил. Прошу продолжать ваше весьма интересное повествование.

— Итак, мы тронулись в путь и ехали по меньшей мере с час. Полковник Лизандер Старк сказал, что до места всего семь миль, но, если принять во внимание скорость, с какой мы мчались, и время, что нам потребовалось, мне показалось, что расстояние там, должно быть, миль в двенадцать. Он молча сидел рядом, и я чувствовал, когда поглядывал на него, что он не спускает с меня глаз. Проселочные дороги в тех местах, по-видимому, в неважном состоянии, и нас ужасно кидало из стороны в сторону. Я попытался было в окошко разглядеть, где мы едем, но сквозь матовое стекло мог различить только мелькавшие кое-где световые пятна. Несколько раз я хотел завести разговор — уж очень монотонным было наше путешествие, но полковник отвечал односложно, и разговор быстро затухал. Наконец ямы и ухабы закончились, колеса захрустели по посыпанной гравием дорожке, и экипаж остановился. Полковник Лизандер Старк спрыгнул на землю, я последовал за ним, и он тут же потащил меня на крыльцо, где зияла отворенная дверь. Таким образом, прямо из экипажа я очутился в прихожей и не сумел даже краем глаза разглядеть фасад дома. Едва я переступил порог, дверь тяжело захлопнулась за нами, и я услышал слабый стук отъезжающего экипажа.

В доме царил полный мрак, и полковник, что-то бормоча себе под нос, принялся шарить по карманам в поисках спичек. Внезапно в дальнем конце коридора дверь отворилась, и в коридор упал длинный луч золотистого света. Луч становился шире и шире, и в дверях, держа высоко над головой лампу, появилась женщина; вытянув шею, она вглядывалась в нас. Я заметил, что она очень красивая, а блеск, которым отливало ее темное платье, свидетельствовал о том, что оно из дорогого материала. Она произнесла несколько слов на каком-то языке, и по тону я догадался, что она о чем-то спросила моего попутчика, но тот лишь сердито буркнул в ответ, и она так вздрогнула, что чуть не выронила лампу. Полковник Старк подошел к ней, шепнул что-то на ухо и, проводив в комнату, вернулся ко мне с лампой в руках.

— Будьте добры подождать несколько минут здесь,— сказал он, отворяя другую дверь в незатейливо убранную комнатку с круглым столом посредине, на котором лежало несколько немецких книг. Полковник Старк поставил лампу на крышку фисгармонии рядом с дверью.— Я постараюсь не задержать вас,— добавил он и исчез в темноте.

Я посмотрел книги на столе и, хотя не знаю немецкого, все же понял, что две из них были научные, а остальные — сборники поэзии. Затем я подошел к окну в надежде разглядеть, где нахожусь, но оно было плотно прикрыто дубовыми ставнями. Удивительно молчаливый дом! Кругом царила мертвая тишина, лишь где-то в коридоре громко тикали часы.

Смутное чувство тревоги овладевало мною. Кто эти немцы и что они делают в этом странном, уединенном доме? И где находится сам дом? Милях в десяти от Айфорда — вот и все, что мне было известно, но к северу, югу, востоку или западу от него, я и представления не имел. Однако неподалеку от Айфорда находится и Рединг и, наверное, другие города, так что место это не может быть уж очень уединенным. Все же царившая вокруг полная тишина ясно давала понять, что мы в деревне. Я ходил взад и вперед по комнате, мурлыкая что-то себе под нос, чтобы окончательно не упасть духом, и размышляя, что недаром получу обещанные пятьдесят гиней.

И вдруг беззвучно и медленно отворилась дверь, и в темном проеме появилась та женщина. Желтый свет от моей лампы упал на ее красивое лицо. Я понял, что она чего-то боится, и мне самому стало страшно. Дрожащим пальцем она подала мне знак хранить молчание и прошептала что-то на ломаном английском языке, то и дело косясь назад во мрак, словно напуганная лошадь.

— Я уйду,— сказала она, очевидно, изо всех сил стараясь говорить спокойно.— Я уйду. Я не могу оставаться здесь. И вам здесь тоже нечего делать.

— Сударыня,— возразил я,— я ведь еще не выполнил того, ради чего приехал. Я не могу уехать, пока не осмотрю пресс.

— Не нужно медлить,— настаивала она.— Уходите в эту дверь. Там никого нет.— Видя, что я лишь улыбаюсь и качаю головой, она вдруг отбросила всю свою сдержанность и, стиснув руки, шагнула ко мне.— Во имя неба,— прошептала она,— уходите отсюда, пока не поздно.

Но я довольно упрям по характеру, и, когда на пути у меня возникает какое-нибудь препятствие, я загораюсь еще больше и хочу довести дело до конца. Я подумал об обещанных пятидесяти гинеях, об утомительном путешествии и о тех неудобствах, что меня ожидают, если мне придется провести ночь на станции. Значит, все впустую? Почему я должен уехать, не выполнив работы и не получив тех денег, которые мне должны? Может, эта женщина — ведь я ничего о ней не знаю — помешанная? С самым независимым видом, хотя, признаться, ее поведение напугало меня больше, чем хотелось бы показать, я снова покачал головой и заявил о своем намерении остаться. Она было принялась уговаривать меня, но где-то наверху стукнула дверь, и послышались шаги на лестнице. На мгновение она прислушалась, а потом, заломив в отчаянии руки, исчезла так же внезапно и бесшумно, как и появилась.

В комнату вошли полковник Лизандер Старк и маленький толстый человек с седой бородой, торчащей из складок его двойного подбородка. Его представили мне как мистера Фергюсона.

— Это мой секретарь и управляющий,— сказал полковник.— Между прочим, мне казалось, что, уходя, я закрыл эту дверь. Вас не просквозило?

— Наоборот,— возразил я,— это я приоткрыл дверь, в комнате душновато.

Полковник вновь нацелился на меня подозрительным взглядом.

— Пора перейти к делу,— сказал он.— Мы с мистером Фергюсоном покажем вам, где стоит пресс.

— Я, пожалуй, надену шляпу.

— Зачем? Пресс находится в доме.

— Что? Разве залежи сукновальной глины здесь в доме?

— Нет-нет! Мы только прессуем ее здесь. Да, собственно, какая разница? Нам нужно, чтобы вы посмотрели машину и сказали, в чем неисправность.

Мы поднялись наверх, впереди полковник с лампой, за ним толстяк-управляющий, а потом я. Это был не дом, а настоящий лабиринт — с бесчисленными коридорами, галереями, узкими винтовыми лестницами и низкими дверцами, пороги которых были истоптаны ногами многих поколений. На первом этаже не было ни ковров, ни мебели, со стен сыпалась штукатурка, и зелеными пятнами проступала сырость. Я старался сделать вид, что все это меня мало трогает, но отнюдь не забывал предостережения женщины — хоть и пренебрег им — и зорко следил за своими спутниками. Фергюсон был угрюм и молчалив, но по тем нескольким словам, что он произнес, я понял, что он по крайней мере уроженец Англии.

Наконец полковник Лизандер Старк остановился и отпер какую-то дверь. Она вела в маленькую квадратную комнату, в которой мы трое вряд ли могли поместиться. Фергюсон остался в коридоре, а мы с полковником вошли в комнату.

— Мы находимся сейчас,— сказал он,— внутри гидравлического пресса, и если бы кто-нибудь включил его, нам несдобровать. Потолок этой камеры в действительности — плоскость рабочего поршня, который с силой, равной весу нескольких тонн, опускается на металлический пол. Снаружи установлены боковые цилиндры, в которые поступает вода, она действует на поршень... Впрочем, с механикой вы знакомы. Пресс работает, но что-то заедает, и он не развивает полную мощность. Будьте добры осмотреть его и подсказать нам, что следует исправить.

Я взял у него лампу и внимательно осмотрел пресс. Это была машина гигантских размеров, способная создавать огромное давление. Когда я вышел из камеры и включил рычаги управления, где-то зашипело, и я понял, что в боковом цилиндре имеется небольшая утечка. Осмотр показал, что резиновая прокладка в одном месте потеряла эластичность и сквозь нее просачивается вода. Именно это было причиной падения мощности. Мои спутники весьма внимательно выслушали меня и задали несколько практических вопросов насчет того, как устранить неисправность. Объяснив им все подробно, я возвратился в главную камеру и из любопытства принялся ее осматривать. С первого же взгляда было ясно, что история с сукновальной глиной — сплошная выдумка, ибо глупо было даже предположить, что столь мощный механизм предназначен для столь ничтожной цели.

Стены камеры были деревянные, но основание из железа, и я увидел на нем металлическую накипь. Я наклонился и попытался соскоблить кусочек, чтобы получше его рассмотреть, как вдруг услышал приглушенное восклицание по-немецки и увидел мертвенно-бледное лицо полковника.

— Что вы тут делаете? — спросил он.

Я разозлился, когда понял, как был обманут той искусно придуманной историей, которую он мне поведал.

— Любуюсь вашей сукновальной глиной,— ответил я.— Думается, я мог бы дать вам лучший совет, если бы знал истинное назначение этого пресса.

Едва я произнес эти слова, как тут же пожалел о своей несдержанности. Лицо его окаменело, в серых глазах вспыхнул зловещий огонек.

— Ну что ж,— прошипел он,— сейчас вы узнаете все подробности.

Он сделал шаг назад, захлопнул дверцу и повернул ключ в замке. Я бросился к двери, стал дергать за ручку, колотить, но дверь оказалась весьма надежной и никак не поддавалась.

— Эй, полковник! — закричал я.— Выпустите меня.

И вдруг в тишине раздался звук, от которого душа у меня ушла в пятки. Это был лязг рычагов и шум воды. Он включил пресс. Лампа стояла на полу, где я ее поставил, когда рассматривал накипь, и при свете ее я увидел, что черный потолок начал надвигаться на меня, медленно, толчками, но с такой силой, что через минуту — и я понимал это лучше, чем кто-либо другой,— от меня останется мокрое место. Я снова с криком бросился к двери, ногтями пытался сорвать замок. Я умолял полковника выпустить меня, но беспощадный лязг рычагов заглушал мои крики. Потолок уже находился на расстоянии одного-двух футов от меня, и, подняв руку, я мог дотронуться до его твердой и неровной поверхности. И в тот же момент в голове у меня сверкнула мысль о том, что смерть моя может оказаться менее болезненной в зависимости от положения, в каком я ее приму. Если лечь на живот, то вся тяжесть придется на позвоночник, и я содрогнулся, представив себе, как он захрустит. Лучше, конечно, лечь на спину, но достанет ли у меня духу смотреть, как неумолимо надвигается черная тень? Я уже не мог стоять в полный рост, но тут я увидел нечто такое, от чего в душе моей затрепетала надежда.

Я уже сказал, что пол и потолок были железными, а стены камеры обшиты деревянной панелью. И вот в ту минуту, когда я в последний раз лихорадочно озирался вокруг, я заметил тонкую щель желтого света между двумя досками, которая ширилась и ширилась по мере того, как потолок опускался. На мгновение я даже не поверил, что это выход, который может спасти меня от смерти. В следующую секунду я бросился вперед и в полуобморочном состоянии свалился с другой стороны. Отверстие закрылось, хруст лампы, а затем и стук металлических плит поведали о том, что я был на волосок от гибели.

Я пришел в себя оттого, что кто-то отчаянно дергал меня за руку, и увидел, что лежу на каменном полу в узком коридоре, надо мной склонилась женщина, одной рукой она тянет меня, в другой — держит свечу. Это была та самая моя благожелательница, чьим предупреждением я по глупости пренебрег.

— Идемте! Идемте! — задыхаясь, вскричала она.— Они сейчас будут здесь. Они увидят, что вас там нет. О, не теряйте драгоценного времени, идемте!

На этот раз я внял ее совету. Кое-как поднявшись на ноги, я вместе с ней бросился по коридору, а потом вниз по винтовой лестнице. Лестница привела нас в более широкий коридор, и тут же мы услышали топот и крики: кто-то, находящийся на том этаже, с которого мы только что спустились, отвечал на возгласы снизу. Моя провожатая остановилась и огляделась вокруг, не зная, что предпринять. Затем она распахнула дверь в спальню, где в окно полным светом светила луна.

— Это единственная возможность,— сказала она.— Окно высоко, но, может, вам удастся спрыгнуть.

В это время в дальнем конце коридора появился свет, и я увидел полковника Лизандера Старка: он бежал, держа в одной руке фонарь, а в другой что-то похожее на нож мясника. Я бросился в комнату к окну, распахнул его и выглянул. Каким тихим, приветливым и спокойным казался сад, залитый лунным светом; окно было не более тридцати футов над землей. Я взобрался на подоконник, но медлил: мне хотелось узнать, что станется с моей спасительницей. Я решил, несмотря ни на что, прийти на помощь, если ей придется плохо. Едва я подумал об этом, как этот негодяй ворвался в комнату и бросился ко мне. Она обхватила его обеими руками и пыталась удержать.

— Фриц! Фриц! Вспомни свое обещание после прошлого раза,— кричала она на английском языке.—

Ты обещал, что этого не повторится. Он будет молчать! Он будет молчать!

— Ты сошла с ума, Эльза! — гремел он, стараясь вырваться от нее. — Ты нас погубишь. Он видел слишком много. Пусти меня, говорю я тебе!

Он отбросил ее в сторону, метнулся к окну и замахнулся своим оружием. Я успел соскользнуть с подоконника и висел, держась за раму, когда он нанес мне удар. Я почувствовал тупую боль, руки мои разжались, и я упал в сад под окном.

Падение меня оглушило, но и только. Я вскочил и со всех ног бросился в кусты, понимая, что не ушел еще от опасности. На бегу меня вдруг охватила страшная слабость и тошнота. Руку дергало от боли, и только тогда я заметил, что у меня нет большого пальца и из раны хлещет кровь. Я попытался было обвязать руку носовым платком, но в этот момент в висках у меня застучало, и я свалился в тяжелом обмороке среди кустов роз.

Сколько я был без сознания, сказать не могу. Наверное, очень долго, потому что, когда я пришел в себя, луна уже зашла и занимался день. Одежда моя промокла до нитки от выпавшей ночью росы, а рукав пиджака был насквозь пропитан кровью. Жгучая боль напомнила мне о событиях минувшей ночи, и я вскочил на ноги, сознавая, что не могу считать себя в полной безопасности. Но каково же было мое удивление, когда, оглядевшись вокруг, я не увидел ни дома, ни сада. Я лежал у изгороди возле дороги, а немного подальше виднелось длинное строение; когда я подошел к нему, оно оказалось той самой станцией, куда я прибыл накануне вечером. И если бы не страшная рана на руке, все происшедшее могло бы показаться просто ночным кошмаром. Ничего не понимая, я вошел в здание и спросил, скоро ли будет утренний поезд. Менее чем через час будет поезд на Рединг, ответили мне. Дежурил тот самый носильщик, что и накануне. Я спросил у него, не знает ли он полковника Лизандера Старка. Нет, имя это ему незнакомо. Не видел ли он экипаж у станции вчера вечером? Нет, не видел. Есть ли поблизости полицейский участок? Да, милях в трех от станции.

Я совсем ослабел, а рука у меня так болела, что нечего было и думать туда дойти. Я решил сначала вернуться в город, а потом уж пойти в полицию. Я приехал в Лондон в начале седьмого, прежде всего отправился перевязать рану, и доктор оказался настолько любезен, что сам привез меня к вам. Целиком полагаюсь на вас и готов следовать любому вашему совету.

Он закончил свое удивительное повествование, и некоторое время мы сидели молча. Затем Шерлок Холмс взял с полки один из увесистых альбомов, в которых хранил вырезки из газет.

— Вот заметка, которая может вас заинтересовать,— сказал он.— Она появилась в газетах около года назад. Послушайте: *«9-го числа этого месяца пропал без вести мистер Джереми Хейлинг, двадцати шести лет, по профессии инженер-гидравлик. Он ушел из дома в десять часов вечера, и с тех пор о нем ничего не известно. Был одет...»* и, так далее и так далее. Это и был, по-видимому, именно **тот** «прошлый раз», когда полковнику понадобилось ремонтировать свой пресс.

— Боже мой! — воскликнул мой пациент.— Так вот что означали слова женщины.

— Несомненно! Совершенно ясно, что полковник — человек хладнокровный и отчаянный и, подобно головорезам, которые не оставляли в живых ни одного человека на захваченном судне, сметает любые препятствия на своем пути. Однако нельзя терять ни минуты, и если вы в состоянии двигаться, мы немедленно отправимся в Скотленд-Ярд, а потом поедем в Айфорд.

Через каких-нибудь три часа или около того мы все сидели в поезде, направлявшемся из Рединга в маленькую беркширскую деревню. Мы — это Шерлок Холмс, гидротехник, инспектор Бродстрит из Скотленд-Ярда, агент в штатском и я. Бродстрит расстелил на скамейке подробную карту Англии и циркулем вычертил на ней окружность с центром в Айфорде.

— Смотрите, эта окружность имеет радиус в десять миль,— сказал он.— Нужное нам место находится где-то внутри этого круга. Вы, кажется, сказали, десять миль, сэр?

— Да, мы ехали около часа.

— И вы предполагаете, что они отвезли вас обратно, пока вы были без сознания?

— По-видимому, так. Мне смутно помнится, что меня поднимали и куда-то несли.

— Не понимаю,— вмешался я,— почему они сохранили вам жизнь, когда нашли вас без сознания в саду. Может, женщина умолила этого негодяя пощадить вас?

— Вряд ли. За всю мою жизнь не видел более зверской физиономии.

— Все это мы скоро выясним, — сказал Бродстрит. — Итак, окружность готова, сейчас остается узнать только, в какой точке находятся те люди, которых мы ищем.

— Мне думается, я могу вам показать, — спокойно ответил Холмс.

— Вот как? — воскликнул инспектор. — Значит, у вас уже есть определенное мнение. Посмотрим, что думают остальные. Я утверждаю, что это произошло на юге, ибо там местность менее населенная.

— А я говорю, на востоке, — возразил мой пациент.

— Я стою за запад, — заметил человек в штатском. — Там расположено несколько тихих деревушек.

— А я — за север, — сказал я. — На севере нет холмов, а наш друг утверждает, что не заметил, чтобы дорога шла в гору.

— Ну и ну! Неплохой букет мнений, — смеясь, подытожил инспектор. — Мы назвали все румбы компаса. Кого же вы поддерживаете, мистер Холмс?

— Вы все ошибаетесь.

— Как же могут все ошибаться?

— Могут. Я считаю, что это произошло здесь. — И Холмс ткнул пальцем в центр окружности. — Тут мы их и найдем.

— А двенадцатимильная поездка? — удивился Хэдерли.

— Нет ничего проще: шесть миль туда и шесть обратно. Вы сами сказали, что, когда вы садились в экипаж, лошадь была свежей и шерсть у нее лоснилась. Могло ли это быть, если она прошла двенадцать миль по плохой дороге?

— Они и в самом деле могли использовать такую уловку, — задумчиво заметил Бродстрит и добавил: — Дела этой шайки, конечно, сомнений не вызывают.

— Разумеется, нет, — ответил Холмс. — Они фальшивомонетчики, причем крупного масштаба, пресс они используют для чеканки амальгамы, которая заменяет серебро.

— Нам уже некоторое время известно о существовании очень ловкой шайки, которая в огромном количестве выпускает полукроны, — сказал инспектор. — Мы даже выследили их до Рединга, но потом застряли. Они так умело замели следы, что сразу видно: стреляные воробьи. И все-таки на этот раз благодаря счастливой случайности их, пожалуй, накроем.

Но инспектор ошибся: преступникам не суждено было попасть в руки правосудия. Подъехав к Айфорду, мы увидели огромный столб дыма, который гигантским страусовым пером висел над деревьями.

— Пожар? — спросил Бродстрит у начальника станции, когда поезд, пыхтя, двинулся дальше.

— Да, сэр, — ответил тот.

— Когда начался?

— Говорят, ночью, сэр, но сейчас усилился, весь дом в огне.

— А чей это дом?

— Доктора Бичера.

— Скажите, — вмешался Хэдерли, — доктор Бичер — это тощий немец с длинным острым носом?

Начальник станции громко рассмеялся.

— Нет, сэр, доктор Бичер — самый настоящий англичанин. Но у него в доме живет какой-то джентльмен, его пациент, говорят, вот он иностранец, и вид у него такой, что ему не помешало бы отведать нашей доброй беркширской говядины.

Не успел начальник станции договорить, как мы все были уже на пути к горящему дому. Дорога поднималась на невысокий холм, на вершине которого стояло большое приземистое, выбеленное известкой строение; из окон и дверей его вырывался огонь, а три пожарные машины тщетно пытались прибить пламя.

— Ну конечно же! — воскликнул Хэдерли в крайнем волнении. — Вон дорожка, посыпанная гравием, а вон розовые кусты, где я лежал. А вот это окно, второе с краю, — то самое, из которого я прыгнул.

— Что ж, — заметил Холмс, — вы по крайней мере сумели им отомстить. Огонь от вашей керосиновой лампы, когда ее сплющило, перекинулся на стены, а преступники, увлекшись погоней, этого не заметили. Смотрите-ка внимательнее, нет ли в этой толпе ваших вчерашних приятелей, хотя, думается мне, они сейчас уже в доброй сотне миль отсюда.

Предположение Холмса оправдалось, ибо с тех пор мы ни слова не слышали ни о красивой женщине, ни о злом немце, ни о мрачном англичанине. Правда, утром в тот день один крестьянин встретил повозку с людьми, доверху набитую какими-то громоздкими ящиками. Повозка направлялась в сторону Рединга, но затем следы беглецов терялись, и даже Холмс при всей его проницательности оказался не в состоянии установить хотя бы приблизительно их местонахождение.

Пожарники были немало озадачены тем странным устройством, которое они обнаружили внутри дома, и еще более тем, что на подоконнике окна на третьем этаже они нашли отрубленный большой палец. На заходе солнца их усилия увенчались наконец успехом, огонь погас, хотя к тому времени крыша уже провалилась и весь дом превратился в руины; от машины, осмотр которой так дорого обошелся нашему незадачливому знакомому, ничего не осталось, если не считать помятых труб и цилиндров. В сарае обнаружили большие запасы никеля и жести, но ни единой монеты не нашли — их, по-видимому, увезли в тех громоздких ящиках, о которых уже говорилось.

Мы оба так никогда бы и не узнали, каким образом наш гидравлик очутился на том месте, где он пришел в себя, если бы не мягкая почва, поведавшая нам весьма простую историю. Его, очевидно, несли двое, у одного из них были удивительно маленькие ноги, а у второго — необыкновенно большие. В общем, весьма вероятно, что молчаливый англичанин, более трусливый или менее жестокий, чем его компаньон, помог женщине избавить потерявшего сознание человека от грозившей ему опасности.

— Да, для меня это хороший урок,— уныло заметил Хэдерли, когда мы сели в поезд, направлявшийся обратно, в Лондон.— Я лишился пальца и пятидесяти гиней, а что я приобрел?

— Опыт,— смеясь, ответил Холмс.— Может, он вам и пригодится. Нужно только облечь его в слова, чтобы всю жизнь слыть отличным рассказчиком.

ЗНАТНЫЙ ХОЛОСТЯК

Женитьба лорда Сент-Саймона, закончившаяся таким удивительным образом, давно перестала занимать те круги великосветского общества, где вращается злополучный жених. Новые скандальные истории своими более пикантными подробностями затмили эту драму и отвлекли от нее внимание салонных болтунов, тем более что с тех пор прошло уже четыре года. Но так как я имею основание думать, что многие факты так и не дошли до широкой публики и так как это дело прояснилось главным образом благодаря моему другу Шерлоку Холмсу, я считаю, что мои воспоминания о нем были бы неполны без краткого очерка об этом любопытном эпизоде.

Как-то днем, за несколько недель до моей собственной свадьбы, когда я еще жил вместе с Холмсом на Бейкер-стрит, на его имя пришло письмо. Холмса не было дома, он где-то бродил после обеда, я же весь день сидел в комнате, потому что погода внезапно испортилась, поднялся сильный осенний ветер, пошел дождь, и застрявшая в ноге пуля, которую я привез с собой на память об афганском походе, напоминала о себе тупой непрерывной болью. Удобно устроившись в одном кресле и положив ноги на другое, я занялся чтением газет, но потом, пресыщенный злободневными новостями, отшвырнул весь этот бумажный ворох в сторону и от нечего делать стал разглядывать лежавшее на столе письмо. Огромный герб и монограмма красовались на конверте, и я лениво размышлял о том, какая же это важная особа состоит в переписке с моим другом.

— Вас ждет великосветское послание,— сообщил я Холмсу, когда он вошел в комнату.— А с утренней почтой вы, если не ошибаюсь, получили письма от торговца рыбой и таможенного чиновника.

— Вся прелесть моей корреспонденции именно в ее разнообразии,— ответил он улыбаясь,— и в большинстве случаев чем скромнее автор письма, тем интереснее письмо. А вот это, мне кажется, одно из тех несносных официальных приглашений, которые либо нагоняют на вас скуку, либо заставляют прибегнуть ко лжи.

Он сломал печать и быстро пробежал письмо.

— Э, нет! Тут, пожалуй, может оказаться кое-что интересное.

— Значит, это не приглашение?

— Нет, письмо сугубо деловое.

— И от знатного клиента?

— От одного из самых знатных в Англии.

— Поздравляю вас, милый друг.

— Даю вам слово, Уотсон,— и поверьте, я не рисуюсь,— что общественное положение моего клиента значит для меня гораздо меньше, чем его дело. Однако этот случай может оказаться любопытным. Вы, кажется, довольно усердно читали газеты в последнее время?

— Как видите! — ответил я уныло, показывая на груду газет в углу.— Больше мне нечего было делать.

— Это очень кстати. В таком случае вы сможете информировать меня. Я ведь ничего не читаю, кроме уголовной хроники и объявлений о розыске пропавших родственников. Там бывают поучительные вещи. Ну а если вы следили за происшествиями, то, вероятно, читали о лорде Сент-Саймоне и его свадьбе?

— О да! С большим интересом.

— Отлично. Так вот, в руке у меня письмо от лорда Сент-Саймона. Сейчас я прочитаю его вам, а вы за это еще раз просмотрите газеты и расскажете все, что имеет отношение к этой истории. Вот что он пишет:

«Уважаемый мистер Шерлок Холмс! Лорд Бэкуотер сказал мне, что я вполне могу довериться Вашему чутью и Вашему умению хранить тайну. Поэтому я решил обратиться к Вам за советом по поводу весьма прискорбного события, которое произошло в связи с моей свадьбой. Мистер Лестрейд из Скотленд-Ярда уже ведет расследование по этому делу, но он ничего не имеет против Вашего сотрудничества, и даже считает, что оно может оказаться полезным. Я буду у Вас сегодня в четыре часа дня и надеюсь, что ввиду первостепенной важности моего дела Вы отложите все другие встречи, если они назначены Вами на это время.

Уважающий вас Роберт Сент-Саймон».

— Письмо отправлено из особняка в Гровнере и написано гусиным пером, причем благородный лорд имел несчастье испачкать чернилами тыльную сторону правого мизинца,— сказал Холмс, складывая послание.

— Он пишет, что приедет в четыре часа. Сейчас три. Через час он будет здесь.

— Значит, я как раз успею с вашей помощью выяснить кое-какие обстоятельства. Просмотрите газеты и подберите заметки в хронологическом порядке, а я покамест взгляну, что представляет собой наш клиент.

Он взял с полки толстую книгу в красном переплете, стоявшую в ряду с другими справочниками.

— Вот он! — сказал Холмс, усевшись в кресло и раскрыв книгу у себя на коленях.— «Роберт Уолсингэм де Вир Сент-Саймон, второй сын герцога Балморалского». Гм!.. «Герб: голубое поле, три звездочки чертополоха над полоской собольего меха. Родился в 1846». Значит, ему сорок один год — достаточно зрелый возраст для женитьбы. Был товарищем министра колоний в прежнем составе кабинета. Герцог, его отец, был одно время министром иностранных дел. Потомки Плантагенетов по мужской линии и Тюдоров — по женской. Так... Все это ничего нам не дает. Надеюсь, что вы, Уотсон, приготовили что-нибудь более существенное?

— Мне было совсем нетрудно найти нужный материал,— сказал я.— Ведь события эти произошли совсем недавно и сразу привлекли мое внимание. Я только потому не рассказывал вам о них, что вы были заняты каким-то расследованием, а мне известно, как вы не любите, когда вас отвлекают.

— А, вы имеете в виду ту пустячную историю с фургоном для перевозки мебели на Гровнер-сквер? Она уже совершенно выяснена, да, впрочем, там все было ясно с самого начала. Ну, расскажите же, что вы там откопали.

— Вот первая заметка. Она помещена несколько недель назад в «Морнинг пост», в разделе «Хроника светской жизни»: «Состоялась помолвка, и, если верить слухам, в скором времени состоится бракосочетание лорда Роберта Сент-Саймона, второго сына герцога Балморалского, и мисс Хетти Доран, единственной дочери эсквайра Алоизиеса Дорана, из Сан-Франциско, Калифорния, США».

— Коротко и ясно,— заметил Холмс, протягивая поближе к огню свои длинные, тонкие ноги.

— На той же самой неделе в какой-то газете, в светской хронике, был столбец, в котором более подробно говорилось об этом происшествии. Ага, вот он: «В скором времени понадобится издание закона об охране нашего брачного рынка, ибо принцип свободной торговли, господствующий ныне, весьма вредно отражается на нашей отечественной продукции. Власть над отпрысками благороднейших фамилий Великобритании постепенно переходит в ручки наших прелестных заатлантических кузин. Список трофеев, захваченных очаровательными завоевательницами, пополнился на прошлой неделе весьма ценным приобретением. Лорд Сент-Саймон, который в течение двадцати с лишним лет был неуязвим для стрел Амура, недавно объявил о своем намерении вступить в брак с мисс Хетти Доран, пленительной дочерью калифорнийского миллионера. Мисс Доран, чья грациозная фигура и прелестное лицо произвели фурор на всех празднествах в Вестбери-Хаус, является единственной дочерью, и, по слухам, ее приданое приближается к миллиону, не говоря уже о видах на будущее. Так как ни для кого не секрет, что герцог Балморалский был вынужден за последние годы распродать свою коллекцию картин, а у лорда Сент-Саймона нет собственного состояния, если не считать небольшого поместья в Берчмуре, ясно, что от этого союза, который с легкостью превратит гражданку республики в титулованную английскую леди, выиграет не только калифорнийская наследница».

— Что-нибудь еще? — спросил Холмс, зевая.

— О да, и очень много. Вот другая заметка. В ней говорится, что свадьба будет самая скромная, что венчание состоится в церкви святого Георгия, на Гановер-сквер, и приглашены будут только пять-шесть самых близких друзей, а потом все общество отправится в меблированный особняк на Ланкастер-гейт, нанятый мистером Алоизиесом Дораном. Два дня спустя, то есть в прошлую среду, появилось краткое сообщение о том, что венчание состоялось и что медовый месяц молодые проведут в поместье лорда Бэкуотера, близ Питерсфилда. Вот и все, что было в газетах до исчезновения невесты.

— Как вы сказали? — спросил Холмс, вскакивая с места.

— До исчезновения новобрачной,— повторил я.

— Когда же она исчезла?

— Во время свадебного обеда.

— Вот как! Дело становится куда интереснее. Весьма драматично.

— Да, мне тоже показалось, что тут что-то не совсем заурядное.

— Женщины нередко исчезают до брачной церемонии, порою во время медового месяца, но я не могу припомнить ни одного случая, когда бы исчезновение произошло столь скоропалительно. Расскажите мне, пожалуйста, подробности.

— Предупреждаю, что они далеко не полны.

— Ну, может быть, нам самим удастся их пополнить.

— Вчера появилась статья в утренней газете, и это все. Сейчас я прочту вам ее. Заголовок: «Удивительное происшествие на великосветской свадьбе».

«Семья лорда Роберта Сент-Саймона потрясена загадочными и в высшей степени прискорбными событиями, связанными с его женитьбой. Венчание действительно состоялось вчера утром, как об этом коротко сообщалось во вчерашних газетах, но только сегодня мы можем подтвердить странные слухи, упорно циркулирующие в публике. Несмотря на попытки друзей замять происшествие, оно привлекло к себе всеобщее внимание, и теперь уж нет смысла замалчивать то, что сделалось достоянием толпы.

Свадьба была очень скромная и происходила в церкви святого Георгия. Присутствовали только отец невесты — мистер Алоизиес Доран, герцогиня Балморалская, лорд Бэкуотер, лорд Юсташ и леди Клара Сент-Саймон (младшие брат и сестра жениха), а также леди Алисия Уитингтон. После венчания все общество отправилось на Ланкастер-гейт, где в доме мистера Алоизиеса Дорана их ждал обед. По слухам, там имел место небольшой инцидент: неизвестная женщина — ее имя так и не было установлено — пыталась проникнуть в дом вслед за гостями, утверждая, будто у нее есть какие-то права на лорда Сент-Саймона. И только после продолжительной и тяжелой сцены дворецкому и лакею удалось выпроводить эту особу. Невеста, к счастью, вошла в дом до этого неприятного вторжения. Она села за стол вместе с остальными, но вскоре пожаловалась на внезапное недомогание и ушла в свою комнату. Так как она долго не возвращалась, гости начали выражать недоумение. Мистер Алоизиес Доран отправился за дочерью, но ее горничная сообщила, что мисс Хетти заходила в комнату только на минутку, что она накинула длинное дорожное пальто, надела шляпку и быстро пошла к выходу. Один из лакеев подтвердил, что какая-то дама в пальто и в шляпке действительно вышла из дому, но он никак не мог признать в ней свою госпожу, так как был уверен, что та в это время сидит за столом с гостями. Убедившись, что дочь исчезла, мистер Алоизиес Доран немедленно отправился вместе с новобрачным в полицию, и начались энергичные поиски, которые, вероятно, очень скоро прольют свет на это удивительное происшествие. Однако пока что местопребывание исчезнувшей леди не выяснено. Ходят слухи, что тут имеет место шантаж и что женщина, которая разыскивала лорда Сент-Саймона, арестована, ибо полиция предполагает, что из ревности или из иных побуждений она могла быть причастна к таинственному исчезновению новобрачной».

— И это все?

— Есть еще одна заметка в другой утренней газете. Пожалуй, она даст вам кое-что.

— О чем же она?

— О том, что мисс Флора Миллар, виновница скандала, и в самом деле арестована. Кажется, она была прежде танцовщицей в «Аллегро» и встречалась с лордом Сент-Саймоном в течение нескольких лет. Других подробностей нет, так что теперь вам известно все, что напечатано об этом случае в газетах.

— Дело представляется мне чрезвычайно интересным. Я был бы крайне огорчен, если бы оно прошло мимо меня. Но кто-то звонит, Уотсон. Пятый час. Не сомневаюсь, что это идет наш высокородный клиент. Только не вздумайте уходить: мне может понадобиться свидетель, хотя бы на тот случай, если я что-нибудь забуду.

— Лорд Роберт Сент-Саймон! — объявил наш юный слуга, распахивая дверь.

Вошел джентльмен с приятными тонкими чертами лица, бледный, с крупным носом, с чуть надменным ртом и твердым, открытым взглядом — взглядом человека, которому выпал счастливый жребий повелевать и встречать повиновение. Движения у него были легкие и живые, но из-за некоторой сутулости и манеры сгибать колени при ходьбе он казался старше своих лет. Волосы на висках у него поседели, а когда он снял шляпу с загнутыми полями, обнаружилось, что они, кроме того, сильно поредели на макушке. Его костюм представлял верх изящества, граничившего с фатовством: высокий крахмальный воротничок, черный сюртук с белым жилетом, желтые перчатки, лакированные ботинки и светлые гетры. Он медленно вошел в комнату и огляделся по сторонам, нервно вертя в руке шнурок от золотого лорнета.

— Добрый день, лорд Сент-Саймон,— любезно сказал Холмс, поднимаясь навстречу посетителю.— Садитесь, пожалуйста, сюда, в плетеное кресло. Это мой друг и коллега, доктор Уотсон. Придвиньтесь поближе к огню, и потолкуем о вашем деле...

— ...как нельзя более мучительном для меня, мистер Холмс! Я потрясен. Разумеется, вам не раз приходилось вести дела щекотливого свойства, сэр, но вряд ли ваши клиенты принадлежали к такому классу общества, к которому принадлежу я.

— Да, вы правы, это для меня ступень вниз.

— Простите?

— Последним моим клиентом по делу такого рода был король.

— Вот как! Я не знал. Какой же это король?

— Король Скандинавии.

— Как, у него тоже пропала жена?

— Надеюсь, вы понимаете,— самым учтивым тоном произнес Холмс,— что в отношении всех моих клиентов я соблюдаю такую же тайну, какую обещаю и вам.

— О, конечно, конечно! Вы совершенно правы, прошу меня извинить. Что касается моего случая, я готов сообщить вам любые сведения, какие могут помочь вам составить мнение по поводу происшедшего.

— Благодарю вас. Я уже ознакомился с тем, что было в газетах, но не знаю ничего больше. Надо полагать, что можно считать их сообщения верными? Хотя бы вот эту заметку — об исчезновении невесты?

Лорд Сент-Саймон наскоро пробежал заметку.

— Да, это более или менее верно.

— Но для того чтобы я мог прийти к определенному заключению, мне понадобится ряд дополнительных данных. Пожалуй, лучше будет, если я задам вам несколько вопросов.

— Я к вашим услугам.

— Когда вы познакомились с мисс Хетти Доран?

— Год назад, в Сан-Франциско.

— Вы путешествовали по Соединенным Штатам?

— Да.

— Вы еще там обручились с нею?

— Нет.

— Но вы ухаживали за ней?

— Мне было приятно ее общество, и я этого не скрывал.

— Отец ее очень богат?

— Он считается самым богатым человеком на всем Тихоокеанском побережье.

— А где и как он разбогател?

— На золотых приисках. Еще несколько лет назад у него ничего не было. Потом ему посчастливилось напасть на богатую золотоносную жилу, он удачно поместил капитал и быстро пошел в гору.

— А не могли бы вы обрисовать мне характер молодой леди — вашей супруги? Что она за человек?

Лорд Сент-Саймон начал быстро раскачивать лорнет и посмотрел в огонь.

— Видите ли, мистер Холмс,— сказал он,— моей жене было уже двадцать лет, когда ее отец стал богатым человеком. До того она свободно носилась по прииску и бродила по лесам и горам, так что ее воспитанием занималась скорее природа, чем школа. Настоящая «сорвиголова», как мы называем таких девушек в Англии, натура сильная и свободолюбивая, не скованная никакими традициями. У нее порывистый, я бы даже сказал бурный характер. Быстро принимает решения и бесстрашно доводит до конца то, что задумала. С другой стороны, я не дал бы ей имени, которое имею честь носить,— тут он с достоинством откашлялся,— если бы не был уверен, что, в сущности, это — благороднейшее создание. Я твердо знаю, что она способна на героическое самопожертвование и что все бесчестное ее отталкивает.

— Есть у вас ее фотография?

— Я принес с собой вот это.

Он открыл медальон и показал нам прелестное женское лицо. Это была не фотография, а миниатюра на слоновой кости. Художнику удалось передать прелесть блестящих черных волос, больших темных глаз, изящно очерченного рта. Холмс долго и внимательно рассматривал миниатюру, потом закрыл медальон и вернул его лорду Сент-Саймону.

— А потом молодая девушка приехала в Лондон и вы возобновили знакомство с нею?

— Да, на этот сезон отец привез ее в Лондон, мы начали встречаться, обручились, и вот теперь я женился на ней.

— За ней дали, должно быть, порядочное приданое?

— Прекрасное приданое, но такова традиция в нашей семье.

— И поскольку ваш брак — уже совершившийся факт, оно, конечно, останется в вашем распоряжении?

— Право, не знаю. Я не наводил никаких справок на этот счет.

— Ну, понятно. Скажите, виделись вы с мисс Доран накануне свадьбы?

— Да.

— И в каком она была настроении?

— В отличном. Все время строила планы нашей будущей совместной жизни.

— Вот как? Это чрезвычайно любопытно. А утром в день свадьбы?

— Она была очень весела — по крайней мере до конца церемонии.

— А потом вы, стало быть, заметили в ней какую-то перемену?

— Да, по правде говоря, я тогда впервые имел случай убедиться в некоторой неровности ее характера. Впрочем, этот эпизод настолько незначителен, что не стоит о нем и рассказывать. Он не имеет ни малейшего значения.

— Все-таки расскажите, прошу вас.

— Хорошо, но это такое ребячество... Когда мы с ней шли от алтаря, она уронила букет. В этот момент мы как раз поравнялись с передней скамьей, и букет упал под скамью. Произошло минутное замешательство, но какой-то джентльмен, сидевший на скамье, тут же нагнулся и подал ей букет, который ничуть не пострадал. И все-таки, когда я заговорил с ней об этом, она ответила какой-то резкостью и потом, сидя в карете, когда мы ехали домой, казалась до нелепости взволнованной этой ерундой.

— Ах вот что! Значит, на скамье сидел какой-то джентльмен? Стало быть, в церкви все-таки была посторонняя публика?

— Ну конечно. Это неизбежно, раз церковь открыта.

— И этот джентльмен не принадлежал к числу знакомых вашей жены?

— О нет! Я только из вежливости назвал его «джентльменом»: судя по виду, это человек не нашего круга. Впрочем, я даже не разглядел его хорошенько. Но, право же, мы отвлекаемся от темы.

— Итак, возвратясь из церкви, леди Сент-Саймон была уже не в таком хорошем расположении духа? Чем она занялась, когда вошла в дом отца?

— Начала что-то рассказывать своей горничной.

— А что представляет собой ее горничная?

— Ее зовут Алиса. Она американка и приехала вместе со своей госпожой из Калифорнии.

— Вероятно, она пользуется доверием вашей жены?

— Пожалуй, даже чересчур большим доверием. Мне всегда казалось, что мисс Хетти слишком много ей позволяет. Впрочем, в Америке иначе смотрят на эти вещи.

— Сколько времени продолжался их разговор?

— Кажется, несколько минут. Не знаю, право, я был слишком занят.

— И вы не слышали, о чем они говорили?

— Леди Сент-Саймон сказала что-то о «захвате чужого участка». Она постоянно употребляет такого рода жаргонные словечки. Понятия не имею, что она имела в виду.

— Американский жаргон иногда очень выразителен. А что делала ваша жена после разговора со служанкой?

— Пошла в столовую.

— Под руку с вами?

— Нет, одна. Она чрезвычайно независима в таких мелочах. Минут через десять она поспешно встала из-за стола, пробормотала какие-то извинения и вышла из комнаты. Больше я не видел ее.

— Если не ошибаюсь, горничная Алиса показала на допросе, что ее госпожа вошла в свою комнату, накинула на подвенечное платье длинное дорожное пальто, надела шляпку и ушла.

— Совершенно верно. И потом ее видели в Гайд-парке. Она там была с Флорой Миллар — женщиной, которая утром того же дня устроила скандал в доме мистера Дорана. Сейчас она арестована.

— Ах да, расскажите, пожалуйста, об этой молодой особе и о характере ваших отношений.

Лорд Сент-Саймон пожал плечами и поднял брови.

— В течение нескольких лет мы были с ней в дружеских, я бы даже сказал в очень дружеских отношениях. Она танцевала в «Аллегро». Я обошелся с ней, как подобает благородному человеку, и она не может иметь ко мне никаких претензий, но вы же знаете женщин, мистер Холмс. Флора — очаровательное существо, но она чересчур импульсивна и до безумия влюблена в меня. Узнав, что я собираюсь жениться, она начала писать мне ужасные письма, и, говоря откровенно, я только потому и устроил такую скромную свадьбу, что боялся скандала в церкви. Едва мы успели приехать после венчания, как она прибежала к дому мистера Дорана и сделала попытку проникнуть туда, выкрикивая при этом оскорбления и даже угрозы по адресу моей жены. Однако, предвидя возможность чего-либо в этом роде, я заранее пригласил двух полицейских в штатском, и те быстро выпроводили ее. Как только Флора поняла, что скандалом тут не поможешь, она сразу успокоилась.

— Слышала все это ваша жена?

— К счастью, нет.

— А потом с этой самой женщиной ее видели на улице?

— Да. И вот этот-то факт мистер Лестрейд из Скотленд-Ярда считает самым тревожным. Он думает, что Флора выманила мою жену из дому и устроила ей какую-нибудь ужасную ловушку.

— Что ж, это не лишено вероятия.

— Значит, и вы того же мнения?

— Вот этого я не сказал. Ну а сами вы допускаете такую возможность?

— Я убежден, что Флора не способна обидеть и муху.

— Однако ревность иногда совершенно меняет характер человека. Скажите, а каким образом объясняете то, что произошло, вы сами?

— Я пришел сюда не для того, чтобы объяснять что-либо, а чтобы получить объяснение от вас. Я сообщил вам все факты, какими располагал. Впрочем, если вас интересует моя точка зрения, извольте: я допускаю, что возбуждение, которое испытала моя жена в связи с огромной переменой, происшедшей в ее судьбе, в ее общественном положении, могло вызвать у нее легкое нервное расстройство.

— Короче говоря, вы полагаете, что она внезапно потеряла рассудок?

— Если хотите, да. Когда я думаю, что она могла отказаться... не от меня, нет, но от всего того, о чем тщетно мечтали многие другие женщины, мне трудно найти иное объяснение.

— Что же, и это тоже вполне приемлемая гипотеза,— ответил Холмс, улыбаясь.— Теперь, лорд Сент-Саймон, у меня, пожалуй, есть почти все нужные сведения. Скажите только одно: могли вы, сидя за свадебным столом, видеть в окно то, что происходило на улице?

— Нам виден был противоположный тротуар и парк.

— Отлично. Итак, у меня, пожалуй, больше нет необходимости вас задерживать. Я напишу вам.

— Только бы вам посчастливилось разрешить эту загадку! — сказал наш клиент, поднимаясь с места.

— Я уже разрешил ее.

— Что? Я, кажется, ослышался.

— Я сказал, что разрешил эту загадку.

— В таком случае, где же моя жена?

— Очень скоро я отвечу вам и на этот вопрос.

Лорд Сент-Саймон нахмурился.

— Боюсь, что над этим делом еще немало помучаются и более мудрые головы, чем у нас с вами,— заметил он и, церемонно поклонившись, с достоинством удалился.

Шерлок Холмс засмеялся:

— Лорд Сент-Саймон оказал моей голове большую честь, поставив ее на один уровень со своей!.. Знаете что, я не прочь бы выпить виски с содовой и выкурить сигару после этого длительного допроса. А заключение по данному делу сложилось у меня еще до того, как наш клиент вошел в комнату.

— Полноте, Холмс!

— В моих заметках есть несколько аналогичных случаев, хотя, как я уже говорил вам, ни одно из тех исчезновений не было столь скоропалительным. Беседа же с лордом Сент-Саймоном превратила мои предположения в уверенность. Побочные обстоятельства бывают иногда так же красноречивы, как муха в молоке,— если вспомнить Торо[1].

— Однако, Холмс, ведь я присутствовал при разговоре и слышал то же, что слышали и вы.

— Да, но вы не знаете тех случаев, которые уже имели место и которые сослужили мне отличную службу. Почти такая же история произошла несколько лет назад в Абердине и нечто очень похожее — в Мюнхене, на следующий год после франко-прусской войны. Данный случай... А, вот и Лестрейд! Здравствуйте, Лестрейд! Вон там, на буфете, вино, а здесь, в ящике, сигары.

_____

[1] Цитата взята из дневника американского писателя Генри Давида Торо (1817—1862).

Официальный сыщик Скотленд-Ярда был облачен в куртку и носил на шее шарф, что делало его похожим на моряка. В руке он держал черный парусиновый саквояж. Отрывисто поздоровавшись, он опустился на стул и закурил предложенную ему сигару.

— Ну, выкладывайте: что случилось?— спросил Холмс с лукавым огоньком в глазах.— У вас недовольный вид.

— И я действительно недоволен. Черт бы побрал этого Сент-Саймона с его свадьбой! Ничего не могу понять.

— Неужели? Вы удивляете меня.

— В жизни не встречал более запутанной истории. Не найти никаких концов. Сегодня я провозился с ней весь день.

— И, кажется, при этом изрядно промокли,— сказал Холмс, дотрагиваясь до рукава куртки.

— Да, я обшарил дно Серпентайна[1].

— О, господи! Да зачем это вам понадобилось?

— Чтобы найти тело леди Сент-Саймон.

Шерлок Холмс откинулся на спинку кресла и от души расхохотался.

— А бассейн фонтана на Трафальгар-сквер вы не забыли обшарить?— спросил он.

— На Трафальгар-сквер? Что вы хотите этим сказать?

— Да то, что у вас точно такие же шансы найти леди Сент-Саймон здесь, как и там.

Лестрейд бросил сердитый взгляд на моего друга.

— Как видно, вы уже разобрались в этом деле?— насмешливо спросил он.

— Мне только что рассказали о нем, но я уже пришел к определенному выводу.

— Неужели! Так вы считаете, что Серпентайн тут ни при чем?

— Полагаю, что так.

— В таком случае, прошу объяснить, каким образом мы могли найти в пруду вот это.

Он открыл саквояж и выбросил на пол шелковое подвенечное платье, пару белых атласных туфелек и веночек с вуалью — все грязное и совершенно мокрое.

— Извольте!— сказал Лестрейд, кладя на эту кучу новенькое обручальное кольцо.— Раскусите-ка этот орешек, мистер Холмс!

— Вот оно что!— сказал Холмс, выпуская сизые кольца дыма.— И все эти вещи вы выудили из пруда?

---

[1] Серпентайн (Змейка) — пруд в Гайд-парке, в Лондоне.

— Они плавали у самого берега, их нашел сторож парка. Родственники леди Сент-Саймон опознали и платье и все остальное. По-моему, если там была одежда, то где-нибудь поблизости найдется и тело.

— Если исходить из этой остроумной теории, тело каждого человека должно быть найдено рядом с его одеждой. Так чего же вы надеетесь добиться с помощью вещей леди Сент-Саймон, хотел бы я знать?

— Какой-нибудь улики, доказывающей, что в ее исчезновении замешана Флора Миллар.

— Боюсь, это будет нелегко.

— Боитесь? — с горечью вскричал Лестрейд. — А я, Холмс, боюсь, что вы совсем оторвались от жизни с вашими вечными теориями и умозаключениями. За несколько минут вы сделали две грубые ошибки. Вот это самое платье, несомненно, уличает мисс Флору Миллар.

— Каким же образом?

— В платье есть карман. В кармане нашелся футляр для визитных карточек. А в футляре — записка. Вот она. — Он расправил записку на столе. — Сейчас я прочту вам ее: «Увидимся, когда все будет готово. Выходите немедленно. Ф. Х. М.». Я с самого начала предполагал, что Флора Миллар под каким-нибудь предлогом выманила леди Сент-Саймон из дому и, разумеется, вместе с сообщниками является виновницей ее исчезновения. И вот перед нами записка — записка с ее инициалами, которую она, несомненно, сунула леди Сент-Саймон у дверей дома, чтобы завлечь ее в свои сети.

— Отлично, Лестрейд, — со смехом сказал Холмс. — Право же, вы очень ловко все это придумали. Покажите-ка записку.

Он небрежно взял в руки бумажку, но что-то в ней вдруг приковало его внимание.

— Да, это действительно очень важно! — сказал он с довольным видом.

— Ага? Теперь убедились?

— Чрезвычайно важно! Поздравляю вас, Лестрейд.

Торжествующий Лестрейд вскочил и наклонился над запиской.

— Что это? — изумился он. — Ведь вы смотрите не на ту сторону!

— Нет, я смотрю именно туда, куда нужно.

— Да вы с ума сошли! Переверните бумажку. Записка-то ведь написана карандашом на обороте!

— Зато здесь я вижу обрывок счета гостиницы, который весьма интересует меня.

— Ничего в нем нет особенного! Я уже видел его. *«Окт. 4-го. Комната —8 шил. Завтрак —2 шил. 6 пенс. Коктейль —1 шил. Ленч —2 шил. 6 пенс. Стакан хереса — 8 пенс.».* Вот и все. Не вижу ничего интересного.

— Вполне возможно, что не видите. А между тем этот счет имеет большое значение. Что касается записки, она тоже имеет значение, во всяком случае, ее инициалы. Так что поздравляю вас еще раз, Лестрейд.

— Ну, хватит терять время!— сказал тот, поднимаясь с места.— Я, знаете ли, считаю, что надо работать, а не сидеть у камина и разводить разные там теории. До свидания, мистер Холмс. Посмотрим, кто первый доберется до сути этого дела.

Он собрал принесенную одежду, сунул ее в саквояж и направился к двери.

— Два слова, Лестрейд,— медленно произнес Холмс, обращаясь к спине своего уходящего соперника.— Я могу вам открыть разгадку нашего дела. Леди Сент-Саймон — миф. Ее нет и никогда не было.

Лестрейд обернулся и с грустью взглянул на моего друга. Потом он посмотрел на меня, трижды постучал пальцем по лбу, многозначительно покачал головой и поспешно вышел.

Как только за ним закрылась дверь, Холмс встал и надел пальто.

— В том, что сказал этот субъект, есть доля истины,— заметил он.— Нельзя все время сидеть дома, надо работать. Поэтому, Уотсон, я должен ненадолго оставить вас наедине с вашими газетами.

Шерлок Холмс покинул меня в половине шестого, но я недолго оставался в одиночестве, ибо не прошло и часа, как к нам явился посыльный из гастрономического магазина с большущей коробкой. С помощью мальчика, пришедшего с ним вместе, он распаковал ее, и, к моему великому удивлению, на скромном обеденном столе нашей квартирки появился роскошный холодный ужин. Здесь была парочка холодных вальдшнепов, фазан, паштет из гусиной печенки и несколько пыльных, покрытых паутиной бутылок старого вина. Расставив все эти лакомые блюда, оба посетителя исчезли, подобно духам из «Тысячи и одной ночи», успев сказать только, что за все уплачено и велено доставить по этому адресу.

Около девяти в комнату бодрыми шагами вошел Холмс. Лицо его было серьезно, но в глазах блестел огонек, по которому я сразу угадал, что он не обманулся в своих догадках.

— А, ужин уже на столе! — сказал он, потирая руки.

— Вы, значит, ждете гостей? Они накрыли на пять персон.

— Да, думаю, что к нам может кое-кто зайти,— ответил он.— Странно, что лорда Сент-Саймона еще нет...

Он не ошибся. В комнату быстро вошел наш утренний посетитель, еще сильнее прежнего раскачивая висевший на шнурке лорнет. На его аристократическом лице отражалось сильнейшее смятение.

— Стало быть, мой посыльный застал вас дома? — спросил Холмс.

— Да, но, признаюсь, содержание письма поразило меня сверх всякой меры. Есть ли у вас доказательства того, что вы сообщили?

— Есть, и самые веские.

Лорд Сент-Саймон опустился в кресло и провел рукой по лбу.

— Что скажет герцог! — прошептал он.— Что он скажет, когда услышит об унижении, которому подвергся один из членов его семьи!

— Но ведь тут чистейшая случайность. Я никак не могу согласиться, что в этом есть что-нибудь унизительное.

— Ах, вы смотрите на такие вещи с другой точки зрения!

— Я решительно не вижу здесь ничьей вины. Мне кажется, эта леди просто не могла поступить иначе. Конечно, она действовала чересчур стремительно, но ведь у нее нет матери — ей не с кем было посоветоваться в критическую минуту.

— Это оскорбление, сэр, публичное оскорбление! — сказал лорд Сент-Саймон, барабаня пальцами по столу.

— Однако вы должны принять в расчет то исключительное положение, в котором оказалась бедная молодая девушка.

— Я не собираюсь принимать в расчет что бы то ни было. Со мной поступили бесчестно. Я просто вне себя.

— Кажется, звонят,— заметил Холмс.— Да, я слышу шаги на площадке... Что ж, если я не в силах убедить вас, лорд Сент-Саймон, более снисходительно отнестись ко всему случившемуся, то может быть, это скорее удастся адвокату, которого я пригласил.

Холмс распахнул дверь и впустил в комнату даму и господина.

— Лорд Сент-Саймон,— сказал он,— позвольте представить вас мистеру и миссис Фрэнсис Хэй Маултон. С миссис Маултон вы, кажется, уже знакомы.

При виде новых посетителей наш клиент вскочил с места. Он стоял выпрямившись, опустив глаза, заложив руку за борт сюртука,— воплощение оскорбленного достоинства. Дама подбежала к нему и протянула руку, но он упорно не поднимал глаз. Так было, пожалуй, лучше для него, если он хотел остаться непреклонным: вряд ли кто-нибудь мог бы устоять перед ее умоляющим взглядом.

— Вы сердитесь, Роберт? — сказала она.— Что ж, я понимаю, вы не можете не сердиться.

— Сделайте одолжение, не оправдывайтесь,— с горечью произнес лорд Сент-Саймон.

— Да, да, я знаю, я виновата, мне надо было поговорить с вами перед тем, как уйти, но я словно обезумела и с той самой минуты, как вдруг увидела Фрэнка, уже не сознавала, что делаю и что говорю. Удивительно еще, как это я не упала в обморок перед алтарем!

— Быть может, сударыня, вам угодно, чтобы мы — я и мой друг удалились на то время, пока вы будете объясняться с лордом Сент-Саймоном? — спросил Холмс.

— Если мне будет позволено высказать мое мнение,— вмешался мистер Маултон,— я скажу, что хватит делать тайну из этой истории. Что до меня, так я бы хотел, чтобы вся Европа и вся Америка услышали наконец правду.

Маултон был крепкий, загорелый молодой человек небольшого роста, с резкими чертами лица и быстрыми движениями.

— Ну хорошо, тогда я расскажу, как было дело,— сказала его спутница.— Мы с Фрэнком познакомились в 1881 году на прииске Мак-Квайра, близ Скалистых гор, где папа разрабатывал участок. Мы дали друг другу слово. Но вот однажды папа напал на богатую золотоносную жилу и разбогател, а участок бедного Фрэнка все истощался и в конце концов совсем перестал что-либо давать. Чем богаче становился папа, тем беднее становился Фрэнк. Папа теперь и слышать не хотел о нашем обручении и увез меня во Фриско. Но Фрэнк не сдавался. Он поехал за мной во Фриско, и мы продолжали видеться без ведома папы. Папа страшно рассердился бы, если б узнал об этом, поэтому мы и решили все сами. Фрэнк сказал, что он уедет и тоже наживет состояние и что приедет за мной только тогда, когда у него будет столько же денег, сколько у папы. А я пообещала, что буду ждать его, сколько бы ни понадобилось, и не выйду замуж за другого, пока он жив. «Если так,— сказал мне Фрэнк,— почему бы нам не обвенчаться теперь же? Я буду более уверен в тебе, а твоим мужем стану лишь тогда, когда вернусь». Так мы и решили. Он отлично все устроил, священник обвенчал нас, и Фрэнк уехал искать счастья, а я вернулась к папе.

Через некоторое время я узнала, что Фрэнк в Монтане. Потом он уехал искать золото в Аризону, а следующее известие о нем я получила уже из Нью-Мексико. Потом появилась длинная газетная статья о нападении на прииски индейцев-апачей, и в списке убитых было имя моего Фрэнка. Я потеряла сознание и потом несколько месяцев была тяжело больна. Папа уж думал, что у меня чахотка, и водил меня по всем докторам Фриско. Больше года я ни слова не слышала о Фрэнке и была совершенно уверена, что он умер. Тут во Фриско приехал лорд Сент-Саймон, потом мы с папой поехали в Лондон, была решена свадьба, и папа был очень доволен, но я все время чувствовала, что ни один мужчина в мире не может занять в моем сердце то место, какое я отдала моему бедному Фрэнку.

И все-таки, если бы я вышла замуж за лорда Сент-Саймона, я была бы ему верной женой. Мы не вольны в нашей любви, но управлять своими поступками в нашей власти. Я шла с ним к алтарю с твердым намерением исполнить свой долг, насколько это было в моих силах. Но вообразите себе, что я почувствовала, когда, подойдя к алтарю и оглянувшись, вдруг увидела Фрэнка. Он стоял возле первой скамьи и смотрел прямо на меня. Сначала я подумала, что это призрак. Но когда я оглянулась снова, он по-прежнему стоял там и взглядом словно спрашивал, рада я, что вижу его, или нет. Удивляюсь, как я не упала в обморок. Все кружилось передо мной, и слова священника доносились до меня, точно жужжание пчелы. Я не знала, как быть. Остановить брачную церемонию, решиться на скандал в церкви? Я снова взглянула на него, и, должно быть, он прочитал мои мысли, потому что приложил палец к губам, как бы советуя молчать. Потом я увидела, как он торопливо пишет что-то на клочке бумаги, и поняла, что эта записка предназначалась мне. Проходя мимо него, я уронила букет, и он, возвращая цветы, успел сунуть мне в руку записку. В ней было всего несколько слов: он просил, чтобы я вышла к нему, как только он подаст знак. У меня, конечно, не было и тени сомнения, что теперь мой главный долг — повиноваться ему и делать все, что он скажет.

Придя домой, я все рассказала моей служанке, которая знала Фрэнка еще в Калифорнии и очень любила его. Я велела ей молчать обо всем, сложить кое-что из самых необходимых вещей и приготовить мне пальто. Я знаю, мне следовало бы поговорить с лордом Сент-Саймоном, но это было так трудно в присутствии его матери и всех этих важных гостей! И я решила, что сначала убегу, а потом уж объяснюсь с ним. Мы просидели за столом минут десять, не больше, и вот, глядя в окно, я увидела Фрэнка, стоявшего на противоположном тротуаре. Он кивнул мне и зашагал по направлению к парку. Я вышла из столовой, накинула пальто и пошла вслед за ним. На улице ко мне подошла какая-то женщина и начала рассказывать что-то о лорде Сент-Саймоне. Я почти не слушала ее, но все же уловила, что и у него тоже была какая-то тайна до нашей женитьбы. Вскоре мне удалось отделаться от этой женщины, и я нагнала Фрэнка. Мы сели в кэб и поехали на Гордон-сквер, где он успел снять квартиру, и это была моя настоящая свадьба после стольких лет ожидания. Фрэнк, оказывается, попал в плен к апачам, бежал, приехал во Фриско, узнал, что я, считая его умершим, уехала в Англию, поспешил вслед за мной сюда и наконец разыскал меня как раз в день моей второй свадьбы.

— Я прочитал о венчании в газетах,— пояснил американец.— Там было указано название церкви и имя невесты, но не было ее адреса.

— Потом мы начали советоваться, как нам поступить. Фрэнк с самого начала стоял за то, чтобы ничего не скрывать, но мне было так стыдно, что хотелось исчезнуть и никогда больше не встречать никого из этих людей, разве только написать несколько слов папе, чтобы он знал, что я жива и здорова. Я с ужасом представляла себе, как все эти лорды и леди сидят за свадебным столом и ждут моего возвращения. Итак, Фрэнк взял мое подвенечное платье и остальные вещи, связал их в узел, чтобы никто не мог выследить меня, и отнес в такое место, где никто не мог бы их найти. По всей вероятности, мы завтра же уехали бы в Париж, если бы сегодня к нам не пришел этот милый джентльмен, мистер Холмс, хотя каким чудом он нас нашел, просто уму непостижимо.

Он доказал нам — очень убедительно и очень мягко, — что я была не права, а Фрэнк прав и что мы сами себе навредим, если будем скрываться. Потом он сказал, что может предоставить нам возможность поговорить с лордом Сент-Саймоном без свидетелей, и вот мы здесь. Теперь, Роберт, вы знаете все. Мне очень, очень жаль, если я причинила вам горе, но я надеюсь, что вы будете думать обо мне не так уж плохо.

Лорд Сент-Саймон слушал этот длинный рассказ все с тем же напряженным и холодным видом. Брови его были нахмурены, а губы сжаты.

— Прошу извинить меня, — сказал он, — но не в моих правилах обсуждать самые интимные свои дела в присутствии посторонних.

— Так вы не хотите простить меня? Не хотите пожать мне руку на прощание?

— Нет, почему же, если это может доставить вам удовольствие.

И он холодно пожал протянутую ему руку.

— Я полагал, — начал было Холмс, — что вы не откажетесь поужинать с нами.

— Право, вы требуете от меня слишком многого, — возразил достойный лорд. — Я вынужден примириться с обстоятельствами, но вряд ли можно ожидать, чтобы я стал радоваться тому, что произошло. С вашего позволения, я пожелаю всем приятного вечера.

Он сделал общий поклон и торжественно удалился.

— Но вы-то, надеюсь, удостоите меня своим обществом, — сказал Шерлок Холмс. — Мне, мистер Маултон, всегда приятно видеть американца, ибо я из тех, кто верит, что недомыслие монарха и ошибки министра[1], имевшие место в давно минувшие годы, не помешают нашим детям превратиться когда-нибудь в граждан некой огромной страны, у которой будет единый флаг — англо-американский.

— Интересный выдался случай, — заметил Холмс, когда гости ушли. — Он с очевидностью доказывает, как просто можно иной раз объяснить факты, которые на первый взгляд представляются почти необъяснимыми. Что может быть проще и естественнее ряда событий, о которых нам рассказала молодая леди? И что может быть удивительнее тех выводов, которые легко сделать,

---

[1] Холмс имеет в виду английского короля Георга III (1738—1820) и премьер-министра Фредерика Норта (1732—1792). Политика Георга III и Норта привела к конфликту, а затем к войне с американскими колониями.

если смотреть на вещи, скажем, с точки зрения мистера Лестрейда из Скотленд-Ярда!

— Так вы, значит, были на правильном пути с самого начала?

— Для меня с самого начала были очевидны два факта: первый — что невеста шла к венцу совершенно добровольно и второй — что немедленно после венчания она уже раскаивалась в своем поступке. Ясно как день, что за это время произошло нечто, вызвавшее в ней такую перемену. Что же это могло быть? Разговаривать с кем-либо вне дома у нее не было возможности, потому что жених ни на секунду не расставался с нею. Но, может быть, она встретила кого-нибудь? Если так, это мог быть только какой-нибудь американец: ведь в Англии она совсем недавно и вряд ли кто-нибудь здесь успел приобрести на нее такое огромное влияние, чтобы одним своим появлением заставить ее изменить все планы. Итак, методом исключения мы уже пришли к выводу, что она встретила какого-то американца. Но кто же он был, этот американец, и почему встреча с ним так подействовала на нее? По-видимому, это был либо возлюбленный, либо муж. Юность девушки прошла, как известно, среди суровых людей и в весьма своеобразной обстановке. Все это я понял еще до рассказа лорда Сент-Саймона. А когда он сообщил нам о мужчине, оказавшемся в церкви, о том, как невеста переменила свое обращение с ним самим, как она уронила букет — испытанный способ получения записок,— о разговоре леди Сент-Саймон с любимой горничной и о ее многозначительном намеке на «захват чужого участка» (а на языке золотопромышленников это означает посягательство на то, чем уже завладел другой), все стало для меня совершенно ясно. Она сбежала с мужчиной, и этот мужчина был либо ее возлюбленным, либо мужем, причем последнее казалось более вероятным.

— Но каким чудом вам удалось разыскать их?

— Это, пожалуй, было бы трудновато, но мой друг Лестрейд, сам того не понимая, оказался обладателем ценнейшей информации. Инициалы, разумеется, тоже имели большое значение, но еще важнее было узнать, что на этой неделе человек с такими инициалами останавливался в одной из лучших лондонских гостиниц.

— А как вы установили, что это была одна из лучших?

— Очень просто: по ценам. Восемь шиллингов за номер и восемь пенсов за стакан хереса берут только в первоклассных гостиницах, а их в Лондоне не так много.

Уже во второй гостинице, которую я посетил, на Нортумберленд-авеню, я узнал из книги для приезжающих, что некто мистер Фрэнсис X. Маултон, из Америки, выехал оттуда как раз накануне. А просмотрев его счета, я нашел те самые цифры, которые видел в копии счета. Свою корреспонденцию он распорядился пересылать по адресу: Гордон-сквер, 226, куда я и направился. Мне посчастливилось застать влюбленную пару дома, и я отважился дать молодым несколько отеческих советов. Мне удалось доказать им, что они только выиграют, если разъяснят широкой публике, и особенно лорду Сент-Саймону, создавшееся положение. Я пригласил их сюда, пообещав им встречу с лордом, и, как видите, мне удалось убедить его явиться на это свидание.

— Но результаты не блестящи,— заметил я.— Он был не слишком любезен.

— Ах, Уотсон,— с улыбкой возразил мне Холмс,— пожалуй, вы тоже были бы не слишком любезны, если бы после всех хлопот, связанных с ухаживанием и со свадьбой, оказались вдруг и без жены и без состояния. По-моему, мы должны быть крайне снисходительны к лорду Сент-Саймону и благодарить судьбу за то, что, по всей видимости, никогда не окажемся в его положении... Передайте мне скрипку и садитесь поближе. Ведь теперь у нас осталась неразрешенной только одна проблема — как мы будем убивать время в эти темные осенние вечера.

БЕРИЛЛОВАЯ ДИАДЕМА

— Посмотрите-ка, Холмс,— сказал я.— Какой-то сумасшедший бежит. Не понимаю, как родные отпускают такого без присмотра.

Я стоял у сводчатого окна нашей комнаты и глядел вниз, на Бейкер-стрит.

Холмс лениво поднялся с кресла, встал у меня за спиной и, засунув руки в карманы халата, взглянул в окно.

Было ясное февральское утро. Выпавший вчера снег лежал плотным слоем, сверкая в лучах зимнего солнца. На середине улицы снег превратился в бурую грязную массу, но по обочинам он оставался белым, как будто только что выпал. Хотя тротуары уже очистили, было все же очень скользко, и пешеходов на улице было меньше, чем обычно. Сейчас на улице на всем протяжении от станции подземки до нашего дома находился только один человек. Его эксцентричное поведение и привлекло мое внимание.

Это был мужчина лет пятидесяти, высокий, солидный, с широким энергичным лицом и представительной фигурой. Одет он был богато, но не броско: блестящий цилиндр, темный сюртук из дорогого материала, хорошо сшитые светло-серые брюки и коричневые гетры. Однако все его поведение решительно не соответствовало его внешности и одежде. Он бежал, то и дело подскакивая, как человек, не привыкший к физическим упражнениям, размахивал руками, вертел головой, лицо его искажалось гримасами.

— Что с ним? — недоумевал я.— Он, кажется, ищет какой-то дом.

— Я думаю, он спешит сюда,— сказал Холмс, потирая руки.

— Сюда?

— Да. Полагаю, ему нужно посоветоваться со мной. Все признаки налицо. Ну, прав я был или нет?

В это время незнакомец, тяжело дыша, кинулся к нашей двери и принялся судорожно дергать колокольчик, огласив звоном весь дом.

Через минуту он вбежал в комнату, едва переводя дух и жестикулируя. В глазах у него затаилось такое горе и отчаяние, что наши улыбки погасли и насмешка уступила место глубокому сочувствию и жалости. Сначала он не мог вымолвить ни слова, только раскачивался взад и вперед и хватал себя за голову, как человек, доведенный до грани сумасшествия. Вдруг он бросился к стене и ударился о нее головой. Мы кинулись к нашему посетителю и оттащили его на середину комнаты. Холмс усадил несчастного в кресло, сам сел напротив и, похлопав его по руке, заговорил так мягко и успокаивающе, как никто, кроме него, не умел.

— Вы пришли ко мне, чтобы рассказать, что с вами случилось? — спросил он.— Вы утомились от быстрой ходьбы. Успокойтесь, придите в себя, и я с радостью выслушаю все, что вы имеете сказать.

Незнакомцу потребовалась минута или больше того, чтобы отдышаться и побороть волнение. Наконец он провел платком по лбу, решительно сжал губы и повернулся к нам.

— Вы, конечно, сочли меня за сумасшедшего? — спросил он.

— Нет, но я вижу, что с вами стряслась беда,— ответил Холмс.

— Да, видит бог! Беда такая неожиданная и страшная, что можно сойти с ума. Я вынес бы бесчестье, хотя на моей совести нет ни единого пятнышка. Личное несчастье — это случается с каждым. Но одновременно и то и другое, да еще в такой ужасной форме! Кроме того, это касается не только меня. Если не будет немедленно найден выход из моего бедственного положения, может пострадать одна из знатнейших персон нашей страны.

— Успокойтесь, сэр, прошу вас,— сказал Холмс.— Расскажите, кто вы и что с вами случилось.

— Мое имя, возможно, известно вам,— проговорил посетитель.— Я — Александр Холдер из банкирского дома «Холдер и Стивенсон» на Треднидл-стрит.

Действительно, имя было хорошо знакомо нам: оно принадлежало старшему компаньону второй по значению банкирской фирмы в Лондоне. Что же привело в такое жалкое состояние одного из виднейших граждан столицы? Мы с нетерпением ждали ответа на этот вопрос. Огромным усилием воли Холдер взял себя в руки и приступил к рассказу:

— Я понимаю, что нельзя терять ни минуты. Как только полицейский инспектор порекомендовал мне обратиться к вам, я немедленно поспешил сюда. Я добрался до Бейкер-стрит подземкой и всю дорогу от станции бежал: по такому снегу кэбы движутся очень медленно. Я вообще мало двигаюсь и потому так запыхался. Но сейчас мне стало лучше, и я постараюсь изложить все факты как можно короче и яснее.

Вам, конечно, известно, что в банковском деле очень многое зависит от умения удачно вкладывать средства и в то же время расширять клиентуру. Один из наиболее выгодных способов инвестирования средств — выдача ссуд под солидное обеспечение. За последние годы мы немало успели в этом отношении. Мы ссужаем крупными суммами знатные семейства под обеспечение картинами, фамильными библиотеками, сервизами.

Вчера утром я сидел в своем кабинете в банке, и кто-то из клерков принес мне визитную карточку. Я вздрогнул, прочитав имя, потому что это был не кто иной, как... Впрочем, пожалуй, даже вам я не решусь его назвать. Это имя известно всему миру; имя одной из самых высокопоставленных и знатных особ Англии. Я был ошеломлен оказанной мне честью и, когда он вошел, хотел было выразить свои чувства высокому посетителю. Но он прервал меня: ему, видно, хотелось как можно быстрее уладить неприятное для него дело.

«Мистер Холдер, я слышал, что вы предоставляете ссуды».

«Да. Фирма дает ссуды под надежные гарантии»,— отвечал я.

«Мне совершенно необходимы пятьдесят тысяч фунтов стерлингов, и притом немедленно,— заявил он.— Конечно, такую небольшую сумму я мог бы одолжить у своих друзей, но я предпочитаю сделать этот заем в деловом порядке. И я вынужден сам заниматься этим. Вы, конечно, понимаете, что человеку моего положения неудобно вмешивать в это дело посторонних».

«Позвольте узнать, на какой срок вам нужны деньги?» — осведомился я.

«В будущий понедельник мне вернут крупную сумму денег, и я погашу вашу ссуду с уплатой любого процента. Но мне крайне важно получить деньги сразу».

«Я был бы счастлив безоговорочно дать вам деньги из своих личных средств, но это довольно крупная сумма, так что придется сделать это от имени фирмы. Элементарная справедливость по отношению к моему компаньону требует, чтобы я принял меры деловой предосторожности».

«Иначе и быть не может,— сказал он и взял в руки квадратный футляр черного сафьяна, который перед тем положил на стул возле себя.— Вы, конечно, слышали о знаменитой берилловой диадеме?»

«Разумеется. Это — национальное достояние».

«Совершенно верно». Он открыл футляр — на мягком розовом бархате красовалось великолепнейшее произведение ювелирного искусства.

«В диадеме тридцать девять крупных бериллов,— сказал он.— Ценность золотой оправы не поддается исчислению. Самая минимальная ее стоимость вдвое выше нужной мне суммы. Я готов оставить диадему у вас».

Я взял в руки футляр с драгоценной диадемой и с некоторым колебанием поднял глаза на своего именитого посетителя.

«Вы сомневаетесь в ценности диадемы?» — улыбнулся он.

«О, что вы, я сомневаюсь лишь...»

«...удобно ли мне оставить эту диадему у вас? Можете не беспокоиться. Мне эта мысль и в голову бы не пришла, не будь я абсолютно убежден, что через четыре дня получу диадему обратно. Пустая формальность! Ну а само обеспечение вы считаете удовлетворительным?»

«Вполне».

«Вы, разумеется, понимаете, мистер Холдер, что мой поступок — свидетельство глубочайшего доверия, которое я питаю к вам. Это доверие основано на том, что я знаю о вас. Я рассчитываю на вашу скромность, на то, что вы воздержитесь от каких-либо разговоров о диадеме. Прошу вас также беречь ее особенно тщательно, так как любое повреждение вызовет скандал. Оно повлечет почти такие же катастрофические последствия, как и пропажа диадемы. В мире больше нет таких бериллов, и, если потеряется хоть один, возместить его будет нечем. Но я доверяю вам и со спокойной душой оставляю у вас диадему. Я вернусь за ней лично в понедельник утром».

Видя, что мой клиент спешит, я без дальнейших разговоров вызвал кассира и распорядился выдать пятьдесят банковских билетов по тысяче фунтов стерлингов.

Оставшись один и разглядывая драгоценность, лежащую на моем письменном столе, я подумал об огромной ответственности, которую принял на себя. В случае пропажи диадемы, несомненно, разразится невероятный скандал: ведь она достояние нации! Я даже начал сожалеть, что впутался в это дело. Но сейчас уже ничего нельзя было изменить. Я запер диадему в свой личный сейф и вернулся к работе.

Когда настал вечер, я подумал, что было бы опрометчиво оставлять в банке такую драгоценность. Кому не известны случаи взлома сейфов? А вдруг взломают и мой? В каком ужасном положении я окажусь, случись такая беда! И я решил держать диадему при себе. Затем я вызвал кэб и поехал домой в Стритем с футляром в кармане. Я не мог успокоиться, пока не поднялся к себе наверх и не запер диадему в бюро в комнате, смежной с моей спальней.

А теперь два слова о людях, живущих в моем доме. Я хочу, чтобы вы, мистер Холмс, полностью ознакомились с положением дел. Мой конюх и мальчик-слуга — приходящие работники, поэтому о них можно уже не говорить. У меня три горничные, работающие уже много лет, и их абсолютная честность не вызывает ни малейшего сомнения. Четвертая — Люси Парр, официантка, живет у нас только несколько месяцев. Она поступила с прекрасной рекомендацией и вполне справляется со своей работой. Люси — хорошенькая девушка, у нее есть поклонники, которые слоняются возле дома. Это — единственное, что мне не нравится. Впрочем, я считаю ее вполне порядочной девушкой во всех отношениях.

Вот и все, что касается слуг. Моя собственная семья так немногочисленна, что мне не придется много о ней говорить. Я вдовец и имею единственного сына Артура. К великому моему огорчению, он обманул мои надежды. Нет ни малейшего сомнения, что виноват я сам. Говорят, я избаловал его. Очень может быть. Когда скончалась жена, я понял, что теперь сын — моя единственная привязанность. Я не мог ему отказать ни в чем, я совершенно не мог выносить даже малейшего его неудовольствия. Может быть, для нас обоих было бы лучше, будь я с ним хоть чуточку построже. Но в то время я думал иначе.

Естественно, я мечтал, что Артур когда-нибудь сменит меня в моем деле. Однако у него не оказалось никакой склонности к этому. Он стал необузданным, своенравным, и, говоря по совести, я не мог доверить ему большие деньги. Юношей он вступил в аристократический клуб, а позже благодаря обаятельным манерам стал своим человеком в кругу очень богатых и расточительных людей. Он пристрастился к крупной игре в карты, проматывал деньги на скачках и поэтому все чаще обращался ко мне с просьбой дать ему денег — в счет будущих карманных расходов. Деньги нужны были для того, чтобы расплатиться с карточными долгами. Правда, Артур неоднократно пытался отойти от этой компании, но каждый раз влияние его друга сэра Джорджа Бэрнвелла возвращало его на прежний путь.

Собственно говоря, меня не очень удивляет, что сэр Джордж Бэрнвелл оказывал такое влияние на моего сына. Артур нередко приглашал его к нам, и должен сказать, что даже я подпадал под обаяние сэра Джорджа. Он старше Артура, светский человек до мозга костей, интереснейший собеседник, много поездивший и повидавший на своем веку, к тому же человек исключительно привлекательной внешности. Но все же, думая о нем спокойно, отвлекаясь от его личного обаяния и вспоминая его циничные высказывания и взгляды, я сознавал, что сэру Джорджу нельзя доверять.

Так думал не только я — того же взгляда придерживалась и Мэри, обладающая тонкой женской интуицией.

Теперь остается рассказать лишь о Мэри, моей племяннице. Когда лет пять тому назад умер брат и она осталась одна на всем свете, я взял ее к себе. С тех пор она для меня словно родная дочь. Мэри — солнечный луч в моем доме — такая ласковая, чуткая, милая, какой только может быть женщина, и к тому же превосходная хозяйка. Мэри — моя правая рука, я не могу себе представить, что я делал бы без нее. И только в одном она шла против моей воли. Мой сын Артур любит ее и дважды просил ее руки, но она каждый раз отказывала ему. Я глубоко убежден, что если хоть кто-нибудь способен направить моего сына на путь истинный, так это только она. Брак с ней мог бы изменить всю его жизнь... но сейчас, увы, слишком поздно. Все погибло!

Ну вот, мистер Холмс, теперь вы знаете людей, которые живут под моей крышей, и я продолжу свою печальную повесть.

Когда в тот вечер после обеда мы пили кофе в гостиной, я рассказал Артуру и Мэри, какое сокровище находится у нас в доме. Я, конечно, не назвал имени клиента. Люси Парр, подававшая нам кофе, к тому времени уже вышла из комнаты. Я твердо уверен в этом, хотя не берусь утверждать, что дверь за ней была плотно закрыта. Мэри и Артур, заинтригованные моим рассказом, хотели посмотреть знаменитую диадему, но я почел за благо не прикасаться к ней.

«Куда же ты ее положил?» — спросил Артур.

«В бюро».

«Будем надеяться, что сегодня ночью к нам не вломятся грабители»,— сказал он.

«Бюро заперто на ключ»,— возразил я.

«Пустяки! К нему подойдет любой ключ. В детстве я сам открывал его ключом от буфета».

Он часто нес всякий вздор, и я не придал значения его словам. После кофе Артур с мрачным видом последовал в мою комнату.

«Послушай, папа,— сказал он, опустив глаза.— Не мог бы ты одолжить мне двести фунтов?»

«Ни в коем случае,— ответил я резко.— Я и так слишком распустил тебя в денежных делах».

«Да, ты всегда щедр,— сказал он.— Но сейчас мне крайне нужна эта сумма, иначе я не смогу показаться в клубе».

«Тем лучше!» — воскликнул я.

«Но меня же могут посчитать за нечестного человека! Я не вынесу такого позора. Так или иначе я должен достать деньги. Если ты не дашь мне двести фунтов, я буду вынужден раздобыть их иным способом».

Я возмутился: за последний месяц он третий раз обращался ко мне с подобной просьбой.

«Ты не получишь ни фартинга!» — закричал я.

Он поклонился и вышел из комнаты, не сказав ни слова.

После ухода Артура я заглянул в бюро, убедился, что драгоценность на месте, и снова запер его на ключ.

Затем я решил обойти комнаты и посмотреть, все ли в порядке. Обычно эту обязанность берет на себя Мэри, но сегодня я решил, что лучше сделать это самому. Спускаясь с лестницы, я увидел свою племянницу — она закрывала окно в гостиной.

«Скажите, папа, вы разрешили Люси отлучиться?» Мне показалось, что Мэри немного встревожена.

«Об этом и речи не было».

«Она только что вошла через черный ход. Думаю, что она выходила к калитке повидаться с кем-нибудь. Мне кажется, это ни к чему, и пора это прекратить».

«Непременно поговори с ней завтра, или, если хочешь, я сам это сделаю. Ты проверила, все хорошо заперто?»

«Да, папа».

«Тогда спокойной ночи, дитя мое». Я поцеловал ее, отправился к себе в спальню и вскоре уснул.

Я подробно говорю обо всем, что может иметь хоть какое-нибудь отношение к делу, мистер Холмс. Но если что-либо покажется вам неясным, спрашивайте, не стесняйтесь.

— Нет, нет, вы рассказываете вполне ясно,— ответил Холмс.

— Сейчас я перехожу к той части рассказа, которую хотел бы изложить особенно детально. Обычно я сплю не очень крепко, а беспокойство в тот раз отнюдь не способствовало крепкому сну. Около двух часов ночи я проснулся от какого-то слабого шума. Шум прекратился прежде, чем я сообразил, в чем дело, но у меня создалось впечатление, что где-то осторожно закрыли окно. Я весь обратился в слух. Вдруг до меня донеслись легкие шаги в комнате рядом с моей спальней. Я выскользнул из постели и, дрожа от страха, выглянул за дверь.

«Артур! — закричал я.— Негодяй! Вор! Как ты посмел притронуться к диадеме!»

Газ был притушен, и при его свете я увидел своего несчастного сына — на нем была только рубашка и брюки. Он стоял около газовой горелки и держал в руках диадему. Мне показалось, что он старался согнуть ее или сломать. Услышав меня, Артур выронил диадему и повернулся ко мне, бледный как смерть. Я схватил сокровище: не хватало золотого зубца с тремя бериллами.

«Подлец! — закричал я вне себя от ярости. — Сломать такую вещь! Ты обесчестил меня, понимаешь? Куда ты дел камни, которые украл?»

«Украл?» — попятился он.

«Да, украл! Ты вор!» — кричал я, тряся его за плечи.

«Нет, не может быть, ничего не могло пропасть!» — бормотал он.

«Тут недостает трех камней. Где они? Ты, оказывается, не только вор, но и лжец! Я же видел, как ты пытался отломить еще кусок».

«Хватит! Я больше не намерен терпеть оскорблений, — холодно сказал Артур. — Ты не услышишь от меня ни слова. Утром я ухожу из дому и буду сам устраиваться в жизни».

«Ты уйдешь из моего дома только в сопровождении полиции! — кричал я, обезумев от горя и гнева. — Я хочу знать все, абсолютно все!»

«Я не скажу ни слова! — неожиданно взорвался он. — Если ты считаешь нужным вызвать полицию — пожалуйста, пусть ищут!»

Я кричал так, что поднял на ноги весь дом. Мэри первой вбежала в комнату. Увидев диадему и растерянного Артура, она все поняла и, вскрикнув, упала без чувств. Я послал горничную за полицией. Когда прибыли полицейский инспектор и констебль, Артур, мрачно стоявший со скрещенными руками, спросил меня, неужели я действительно собираюсь предъявить ему обвинение в воровстве. Я ответил, что это дело отнюдь не частное, что диадема — собственность нации и что я твердо решил дать делу законный ход.

«Но ты по крайней мере не дашь им арестовать меня сейчас же, — сказал он. — Во имя наших общих интересов разреши мне отлучиться из дому хотя бы на пять минут».

«Для того, чтобы ты скрылся или получше припрятал краденое?» — воскликнул я.

Я понимал весь ужас своего положения и заклинал его подумать о том, что на карту поставлено не только мое имя, но и честь гораздо более высокого лица, что исчезновение бериллов вызовет огромный скандал, который потрясет всю нацию. Всего этого можно избежать, если только он скажет, что он сделал с тремя камнями.

«Пойми, — говорил я. — Ты задержан на месте преступления. Признание не усугубит твою вину. Напротив, если ты вернешь бериллы, то поможешь исправить создавшееся положение и тебя простят».

«Приберегите свое прощение для тех, кто в нем нуждается»,— сказал он высокомерно и отвернулся.

Я видел, что он крайне ожесточен, и понял, что дальнейшие уговоры бесполезны. Оставался один выход. Я пригласил инспектора, и тот взял Артура под стражу.

Полицейские немедленно обыскали Артура и его комнату, обшарили каждый закоулок в доме, но обнаружить драгоценные камни не удалось, а негодный мальчишка не раскрывал рта, несмотря на наши увещевания и угрозы. Сегодня утром его отправили в тюрьму. А я, закончив формальности, поспешил к вам. Умоляю вас применить все свое искусство, чтобы раскрыть это дело. В полиции мне откровенно сказали, что в настоящее время вряд ли смогут чем-нибудь помочь мне. Я не остановлюсь ни перед какими расходами. Я уже предложил вознаграждение в тысячу фунтов... Боже! Что же мне делать? Я потерял честь, состояние и сына в одну ночь... О, что мне делать?!

Он схватился за голову и, раскачиваясь из стороны в сторону, бормотал, как ребенок, который не в состоянии выразить свое горе.

Несколько минут Холмс сидел молча, нахмурив брови и устремив взгляд на огонь в камине.

— У вас часто бывают гости? — спросил он.

— Нет, у нас никого не бывает, иногда разве придет компаньон с женой да изредка кто-либо из друзей Артура. Недавно к нам несколько раз заглядывал сэр Джордж Бэрнвелл. Больше никого.

— А вы сами часто бываете в обществе?

— Артур — часто. А мы с Мэри всегда дома. Мы оба домоседы.

— Это необычно для молодой девушки.

— Она не очень общительная и к тому же не такая уж юная. Ей двадцать четыре года.

— Вы говорите, что случившееся явилось для нее ударом?

— О да! Она потрясена больше меня.

— А у вас не появлялось сомнения в виновности Артура?

— Какие же могут быть сомнения, когда я собственными глазами видел диадему в руках у Артура?

— Я не считаю это решающим доказательством вины. Скажите, кроме отломанного зубца, были какие-нибудь еще повреждения на диадеме?

— Она была погнута.

— А вам не приходила мысль, что ваш сын просто пытался распрямить ее?

— Что вы! Я понимаю, вы хотите оправдать его в моих глазах. Но это невозможно. Что он делал в моей комнате? Если он не имел преступных намерений, отчего он молчит?

— Все это верно. Но, с другой стороны, если он виновен, то почему бы ему не попытаться придумать какую-нибудь версию в свое оправдание? То обстоятельство, что он не хочет говорить, по-моему, исключает оба предположения. И вообще тут есть несколько неясных деталей. Что думает полиция о шуме, который вас разбудил?

— Они считают, что Артур, выходя из спальни, неосторожно стукнул дверью.

— Очень похоже! Человек, идущий на преступление, хлопает дверью, чтобы разбудить весь дом! А что они думают по поводу исчезнувших камней?

— Они и сейчас еще простукивают стены и обследуют мебель.

— А они не пытались искать вне дома?

— Они проявили исключительную энергию. Они прочесали весь сад.

— Ну, дорогой мистер Холдер,— сказал Холмс,— разве не очевидно, что все гораздо сложнее, чем предполагаете и вы и полиция? Вы считаете дело ясным, а с моей точки зрения это очень запутанная история. Судите сами, по-вашему, ход событий таков: Артур поднимается с постели, пробирается с большим риском в ту комнату, открывает бюро и достает диадему, отламывает с большим трудом зубец, выходит и где-то прячет три берилла из тридцати девяти, причем с такой ловкостью, что никто не может их разыскать, затем вновь возвращается в вашу комнату, подвергая себя огромному риску: ведь его могут застать там. Неужели такая версия в самом деле кажется вам правдоподобной?

— Но тогда я ума не приложу, что могло случиться! — воскликнул банкир в отчаянии.— Если он не имел дурных намерений, почему он молчит?

— А вот это уже наше дело — разгадать загадку,— ответил Холмс.— Теперь, мистер Холдер, мы отправимся вместе с вами в Стритем и потратим часок-другой, чтобы на месте познакомиться с кое-какими обстоятельствами.

Мой друг настоял, чтобы я сопровождал его. И я охотно согласился: эта странная история вызвала у меня предельное любопытство и глубокую симпатию к несчастному мистеру Холдеру. Говоря откровенно, виновность Артура казалась мне, как и нашему клиенту, совершенно бесспорной, и все же я верил в чутье Холмса; если мой друг не удовлетворился объяснениями Холдера, значит, есть какая-то надежда.

Пока мы ехали к южной окраине Лондона, Холмс не проронил ни слова. Погруженный в глубокое раздумье, он сидел, опустив голову на грудь и надвинув шляпу на самые глаза. Наш клиент, напротив, казалось, воспрянул духом от слабого проблеска надежды и даже пытался завести со мной разговор о своих банковских делах. В пути мы были недолго: непродолжительная поездка по железной дороге, краткая прогулка пешком — и вот мы уже в Фэрбенке, скромной резиденции богатого финансиста.

Фэрбенк — большой квадратный дом из белого камня, расположенный недалеко от шоссе, с которым его соединяет только дорога для экипажей. Сейчас эта дорога, упирающаяся в массивные железные ворота, была занесена снегом. Направо от нее — густые заросли кустарника, за ними — узкая тропинка, по обе стороны которой живая изгородь; тропинка ведет к кухне, и ею пользуются главным образом поставщики продуктов. Налево — дорожка к конюшне. Она, собственно говоря, не входит во владения Фэрбенка и является общественной собственностью. Впрочем, там очень редко можно встретить посторонних.

Холмс не вошел в дом вместе с нами; он медленно двинулся вдоль фасада, по дорожке, ведущей на кухню и дальше через сад, в сторону конюшни. Мистер Холдер и я так и не дождались Холмса; войдя в дом, мы молча расположились в столовой около камина. Внезапно дверь отворилась, и в комнату тихо вошла молодая девушка. Она была немного выше среднего роста, стройная, с темными волосами и глазами. Эти глаза казались еще темнее от того, что в лице ее не было ни кровинки. Мне никогда еще не приходилось видеть такой мертвенной бледности. Губы тоже были совсем белые, глаза заплаканы. Казалось, что она сильнее потрясена горем, чем даже мистер Холдер. В то же время черты ее лица говорили о сильной воле и огромном самообладании.

Не обращая на меня внимания, она подошла к дяде и нежно провела рукой по его волосам.

— Вы распорядились, чтобы Артура освободили, папа? — спросила она.

— Нет, моя девочка, дело надо расследовать до конца.

— Я глубоко убеждена, что он не виновен. Мне сердце подсказывает это. Он не мог сделать ничего дурного. Вы потом сами пожалеете, что обошлись с ним так сурово.

— Но почему же он молчит, если не виновен?

— Возможно, он обиделся, что вы подозреваете его в краже.

— Как же не подозревать, если я застал его с диадемой в руках?

— Он взял диадему в руки, чтобы посмотреть. Поверьте, папа, он не виновен. Пожалуйста, прекратите это дело. Как ужасно, что наш дорогой Артур в тюрьме!

— Я не прекращу дела, пока не будут найдены бериллы. Ты настолько привязана к Артуру, что забываешь об ужасных последствиях. Нет, Мэри, я не отступлюсь, напротив, я пригласил джентльмена из Лондона для самого тщательного расследования.

— Это вы? — Мэри повернулась ко мне.

— Нет, это его друг. Тот джентльмен попросил, чтобы мы оставили его одного. Он хотел пройти по дорожке, которая ведет к конюшне.

— К конюшне? — Ее темные брови удивленно поднялись. — Что он думает там найти? А вот, очевидно, и он сам. Я надеюсь, сэр, что вам удастся доказать непричастность моего кузена к этому преступлению. Я убеждена в этом.

— Я полностью разделяю ваше мнение, — сказал Холмс, стряхивая у половика снег с ботинок. — Полагаю, я имею честь говорить с мисс Мэри Холдер? Вы позволите мне задать вам несколько вопросов?

— Ради бога, сэр! Если б только мои ответы помогли распутать это ужасное дело!

— Вы ничего не слышали сегодня ночью?

— Ничего, пока до меня не донесся громкий голос дяди, и тогда я спустилась вниз.

— Накануне вечером вы закрывали окна и двери. Хорошо ли вы их заперли?

— Да.

— И они были заперты сегодня утром?

— Да.

— У вашей горничной есть поклонник. Вчера вечером вы говорили дяде, что она выходила к нему?

— Да, она подавала нам вчера кофе. Она могла слышать, как дядя рассказывал о диадеме.

— Понимаю. Отсюда вы делаете вывод, что она могла что-то сообщить своему поклоннику и они вместе замыслили кражу.

— Ну какой прок от всех этих туманных предположений? — нетерпеливо воскликнул мистер Холдер. — Ведь я же сказал, что застал Артура с диадемой в руках.

— Не надо спешить, мистер Холдер. К этому мы еще

вернемся. Теперь относительно вашей прислуги. Мисс Холдер, она вошла в дом через кухню?

— Да. Я спустилась посмотреть, заперта ли дверь, и увидела Люси у порога. Заметила в темноте и ее поклонника.

— Вы знаете его?

— Да, он зеленщик, приносит нам овощи. Его зовут Фрэнсис Проспер.

— И он стоял немного в стороне, не у самой двери?

— Да.

— И у него деревянная нога?

Что-то вроде испуга промелькнуло в выразительных черных глазах девушки.

— Вы волшебник,— сказала она.— Как вы это узнали?— Она улыбнулась, но на худощавом энергичном лице Холмса не появилось ответной улыбки.

— Я хотел бы подняться наверх,— сказал он.— Впрочем, сначала я осмотрю окна.

Он быстро обошел первый этаж, переходя от одного окна к другому, затем остановился у большого окна, которое выходило на дорожку, ведущую к конюшне. Он открыл окно и тщательно, с помощью сильной лупы осмотрел подоконник.

— Что ж, теперь пойдемте наверх,— сказал он наконец.

Комната, расположенная рядом со спальней банкира, выглядела очень скромно: серый ковер, большое бюро и высокое зеркало. Холмс первым делом подошел к бюро и тщательно осмотрел замочную скважину.

— Каким ключом отперли его?— спросил он.

— Тем самым, о котором говорил мой сын,— от буфета в чулане.

— Где ключ?

— Вон он, на туалетном столике.

Холмс взял ключ и открыл бюро.

— Замок бесшумный,— сказал он.— Неудивительно, что вы не проснулись. В этом футляре, я полагаю, и находится диадема? Посмотрим...— Он открыл футляр, извлек диадему и положил на стол. Это было чудесное произведение ювелирного искусства. Таких изумительных камней, как эти тридцать шесть бериллов, мне никогда не приходилось видеть. Один зубец диадемы был отломан.

— Вот этот зубец соответствует отломанному,— сказал Холмс.— Будьте любезны, мистер Холдер, попробуйте отломить его.

— Боже меня сохрани!— воскликнул банкир, в ужасе отшатнувшись от Холмса.

— Ну, так попробую я.— Холмс напряг все силы, но попытка оказалась безуспешной.— Немного поддается, но мне, пожалуй, пришлось бы долго повозиться, чтобы отломить зубец, хотя руки у меня очень сильные. Человеку с обычным физическим развитием это вообще не под силу. Но допустим, что я все же сломал диадему. Раздался бы треск, как выстрел из пистолета. Неужели вы полагаете, мистер Холдер, что это произошло чуть ли не над самым вашим ухом и вы ничего не услышали?

— Уж не знаю, что и думать. Мне все это совершенно непонятно.

— Как знать, может быть, все разъяснится. А что вы думаете, мисс Холдер?

— Признаюсь, я разделяю недоумение моего дяди.

— Скажите, мистер Холдер, были ли в тот момент на ногах у вашего сына ботинки или туфли?

— Нет, он был босой, на нем были только брюки и рубашка.

— Благодарю вас. Ну что ж, нам просто везет, и если мы не раскроем тайну, то только по нашей собственной вине. С вашего разрешения, мистер Холдер, я еще раз обойду вокруг дома.

Холмс вышел один: лишние следы, по его словам, только затрудняют работу.

Он пропадал около часа, а когда вернулся, ноги у него были все в снегу, а лицо непроницаемо, как обычно.

— Мне кажется, я осмотрел все, что нужно,— сказал он,— и могу отправиться домой.

— Ну а как же камни, мистер Холмс, где они?— воскликнул банкир.

— Этого я сказать не могу.

Банкир в отчаянии заломил руки.

— Неужели они безвозвратно пропали?— простонал он.— А как же Артур? Дайте хоть маленькую надежду!

— Мое мнение о вашем сыне не изменилось.

— Ради всего святого, что же произошло в моем доме?

— Если вы посетите меня на Бейкер-стрит завтра утром между девятью и десятью, я думаю, что смогу дать более подробные объяснения. Надеюсь, вы предоставите мне свободу действий при условии, разумеется, что камни будут возвращены, и не постоите за расходами?

— Я отдал бы все свое состояние!

— Прекрасно. Я подумаю над этой историей. До свидания. Возможно, я еще загляну сегодня сюда.

Было совершенно ясно, что Холмс уже что-то надумал, но я даже приблизительно не мог представить себе, к каким выводам он пришел. По дороге в Лондон я несколько раз пытался навести беседу на эту тему, но Холмс всякий раз уходил от ответа. Наконец, отчаявшись, я прекратил свои попытки. Не было еще и трех часов, когда мы возвратились домой. Холмс поспешно ушел в свою комнату и через несколько минут снова появился. Он успел переодеться. Потрепанное пальто с поднятым воротником, небрежно повязанный красный шарф, и стоптанные башмаки придавали ему вид типичного бродяги.

— Ну, так, я думаю, сойдет,— сказал он, взглянув в зеркало над камином.— Хотелось бы взять с собою и вас, Уотсон, но это невозможно. На верном пути я или нет, скоро узнаем. Думаю, что я вернусь через несколько часов.— Он открыл буфет, отрезал кусок говядины, положил его между двумя кусками хлеба и, засунув сверток в карман, ушел.

Я только что закончил пить чай, когда Холмс возвратился в прекрасном настроении, размахивая каким-то старым ботинком. Он швырнул его в угол и налил себе чашку.

— Я заглянул на минутку, сейчас отправлюсь дальше.

— Куда же?

— На другой конец Вест-Энда. Вернусь, возможно, не скоро. Не ждите меня, если я запоздаю.

— Как успехи?

— Ничего, пожаловаться не могу. Я был в Стритеме, но в дом не заходил. Интересное дельце, не хотелось бы упустить его. Хватит, однако, болтать, надо сбросить это тряпье и снова стать приличным человеком.

По поведению моего друга я видел, что он доволен результатами. Глаза у него блестели, на бледных щеках даже появился слабый румянец. Он поднялся к себе в комнату, и через несколько минут я услышал, как стукнула входная дверь. Холмс снова отправился на «охоту».

Я ждал до полуночи, но, видя, что его все нет и нет, отправился спать. Холмс имел обыкновение исчезать на долгое время, когда нападал на след, так что меня ничуть не удивило его опоздание. Не знаю, в котором часу он вернулся, но, когда на следующее утро я вышел к завтраку, Холмс сидел за столом с чашкой кофе в одной руке и газетой в другой. Как всегда, он был бодр и подтянут.

— Простите, Уотсон, что я начал завтрак без вас,— сказал он.— Но вот-вот явится наш клиент.

— Да, уже десятый час,— ответил я.— Кажется, звонят? Наверное, это он.

И в самом деле это был мистер Холдер. Меня поразила перемена, происшедшая в нем. Обычно массивное и энергичное лицо его осунулось и как-то сморщилось, волосы, казалось, побелели еще больше. Он вошел усталой походкой, вялый, измученный, что представляло еще более тягостное зрелище, чем его бурное отчаяние вчерашним утром. Тяжело опустившись в придвинутое мною кресло, он проговорил:

— Не знаю, за что такая кара! Два дня назад я был счастливым, процветающим человеком, а сейчас опозорен и обречен на одинокую старость. Беда не приходит одна. Исчезла Мэри.

— Исчезла?

— Да. Постель ее не тронута, комната пуста, а на столе вот эта записка. Вчера я сказал ей, что, выйди она замуж за Артура, с ним ничего не случилось бы. Я говорил без тени гнева, просто был убит горем. Вероятно, так не нужно было говорить. В записке она намекает на эти слова.

«Дорогой дядя!

Я знаю, что причинила вам много горя и что, поступи я иначе, не произошло бы это ужасное несчастье. С этой мыслью я не смогу быть счастливой под вашей крышей и покидаю вас навсегда. Не беспокойтесь о моем будущем и, самое главное, не ищите меня, потому что это бесцельно и может только повредить мне. Всю жизнь до самой смерти

любящая вас Мэри».

— Что означает эта записка, мистер Холмс? Уж не хочет ли она покончить самоубийством?

— О нет, ничего подобного. Может быть, это наилучшим образом решает все проблемы. Я уверен, мистер Холдер, что ваши испытания близятся к концу.

— Да, вы так думаете? Вы узнали что-нибудь новое, мистер Холмс? Узнали, где бериллы?

— Тысячу фунтов за каждый камень вы не сочтете чересчур высокой платой?

— Я заплатил бы все десять!

— В этом нет необходимости. Трех тысяч вполне достаточно, если не считать некоторого вознаграждения мне. Чековая книжка при вас? Вот перо. Выпишите чек на четыре тысячи фунтов.

Банкир в изумлении подписал чек. Холмс подошел к письменному столу, достал маленький треугольный кусок золота с тремя бериллами и положил на стол. Мистер Холдер с радостным криком схватил свое сокровище.

— Я спасен, спасен! — повторял он, задыхаясь. — Вы нашли их!

Радость его была столь же бурной, как и вчерашнее отчаяние. Он крепко прижимал к груди найденное сокровище.

— За вами еще один долг, мистер Холдер, — сказал Холмс сурово.

— Долг? — Банкир схватил перо. — Назовите сумму, и я выпишу вам ее немедленно.

— Нет, не мне. Вы должны попросить прощения у вашего сына. Он держал себя мужественно и благородно. Имей я такого сына, я гордился бы им.

— Значит, не Артур взял камни?

— Да, не он. Я говорил это вчера и повторяю сегодня.

— В таком случае поспешим к нему и сообщим, что правда восторжествовала.

— Он все знает. Я беседовал с ним, когда распутал дело. Поняв, что он не хочет говорить, я сам изложил ему всю эту историю, и он признал, что я прав, и, в свою очередь, рассказал о некоторых подробностях, которые были неясны мне. Новость, которую вы нам только что сообщили, возможно, заставит его быть вполне откровенным.

— Так раскройте же, ради бога, эту невероятную тайну!

— Сейчас я расскажу, каким путем мне удалось добраться до истины. Но сначала разрешите сообщить вам тяжелую весть: ваша племянница Мэри была в сговоре с сэром Джорджем Бэрнвеллом. Сейчас они оба скрылись.

— Мэри? Это невозможно!

— К сожалению, это факт! Принимая в своем доме сэра Джорджа Бэрнвелла, ни вы, ни ваш сын не знали его как следует. А между тем он один из опаснейших субъектов, игрок, отъявленный негодяй, человек без сердца и совести. Ваша племянница и понятия не имела, что бывают такие люди. Слушая его признания и клятвы, она думала, что завоевала его любовь. А он говорил то же самое многим до нее. Одному дьяволу известно, как он сумел поработить волю Мэри, но так или иначе она сделалась послушным орудием в его руках. Они виделись почти каждый вечер.

— Я не верю, не могу этому верить! — вскричал банкир. Его лицо стало пепельно-серым.

— А теперь я расскажу, что произошло в вашем доме вчера ночью. Когда ваша племянница убедилась, что вы ушли к себе, она спустилась вниз и, приоткрыв окно над дорожкой, которая ведет в конюшню, сообщила своему возлюбленному о диадеме. Следы сэра Джорджа ясно отпечатались на снегу под окном. Жажда наживы охватила сэра Джорджа, он буквально подчинил Мэри своей воле. Я не сомневаюсь, что Мэри любит вас, но есть категория женщин, у которых любовь к мужчине преодолевает все другие чувства. Мэри из их числа. Едва она успела договориться с ним о похищении драгоценности, как услышала, что вы спускаетесь по лестнице. Тогда, быстро закрыв окно, она сказала вам, что к горничной приходил ее зеленщик. И он в самом деле приходил...

В ту ночь Артуру не спалось: его тревожили клубные долги. Вдруг он услышал, как мимо его комнаты прошуршали осторожные шаги. Он встал, выглянул за дверь и с изумлением увидел двоюродную сестру — та крадучись пробиралась по коридору и исчезла в вашей комнате. Ошеломленный Артур наскоро оделся и стал ждать, что произойдет дальше. Скоро Мэри вышла; при свете лампы в коридоре ваш сын заметил у нее в руках драгоценную диадему. Мэри спустилась по лестнице. Трепеща от ужаса, Артур проскользнул за портьеру около вашей двери: оттуда видно все, что происходит в гостиной. Мэри потихоньку открыла окно, передала кому-то в темноте диадему, а затем, закрыв окно, поспешила в свою комнату, пройдя совсем близко от Артура, застывшего за портьерой.

Боясь разоблачить любимую девушку, Артур ничего не мог предпринять, хотя понимал, каким ударом будет для вас пропажа диадемы и как важно вернуть драгоценность. Но едва Мэри скрылась за дверью своей комнаты, он бросился вниз полуодетый и босой, распахнул окно, выскочил в сад и помчался по дорожке; там, вдали, виднелся при свете луны чей-то темный силуэт.

Сэр Джордж Бэрнвелл попытался бежать, но Артур догнал его. Между ними завязалась борьба. Ваш сын тянул диадему за один конец, его противник — за другой. Ваш сын ударил сэра Джорджа и повредил ему бровь. Затем что-то неожиданно хрустнуло, и Артур почувствовал, что диадема у него в руках; он кинулся назад, закрыл окно и поднялся в вашу комнату. Только тут он заметил, что диадема погнута, и попытался распрямить ее. В это время вошли вы.

— Боже мой! Боже мой!— задыхаясь, повторял банкир.

— Артур был потрясен вашим несправедливым обвинением. Ведь, напротив, вы должны были бы благодарить его. Он не мог рассказать вам правду, не предав Мэри, хотя она и не заслуживала снисхождения. Он вел себя как рыцарь и сохранил тайну.

— Так вот почему она упала в обморок, когда увидела диадему!— воскликнул мистер Холдер.— Бог мой, какой же я безумец! Ведь Артур просил отпустить его хотя бы на пять минут! Бедный мальчик думал отыскать отломанный кусок диадемы на месте схватки. Как я ошибался!

— Приехав к вам,— продолжал Холмс,— я в первую очередь внимательно осмотрел участок возле дома, надеясь что-нибудь обнаружить. Снега со вчерашнего вечера не выпадало, а сильный мороз должен был хорошо сохранить следы на снегу. Я прошел по дорожке, которой подвозят продукты, но она была вся утоптана. Но неподалеку от двери в кухню я заметил следы женских ботинок; рядом с женщиной стоял мужчина. Круглые отпечатки показывали, что одна нога у него деревянная. По-видимому, кто-то помешал их разговору, так как женщина побежала к двери. Носки женских ботинок отпечатались глубже, чем каблуки. Человек с деревянной ногой подождал немного, а затем ушел. Я тут же подумал, что это, должно быть, горничная и ее поклонник, о которых вы говорили. Так оно и оказалось. Я обошел сад, но больше ничего не заметил, кроме беспорядочных следов, разбегавшихся во всех направлениях. Это ходили полицейские. Но когда я дошел до дорожки, которая вела к конюшне, вся сложная история этой ночи открылась мне, будто написанная на снегу.

Я увидел две линии следов: одна из них принадлежала человеку в ботинках, другая, как я с удовлетворением заметил,— человеку, бежавшему босиком. Я был уверен, что эта вторая линия — следы вашего сына. Впоследствии ваши слова подтвердили правильность моего предположения.

Первый человек спокойно шагал в обоих направлениях, второй бежал. Следы бежавшего отпечатались там же, где шел человек в ботинках. Из этого можно было сделать вывод, что второй человек преследовал первого. Я пошел по следам человека в ботинках. Они привели меня к окну вашей гостиной; здесь снег был весь истоптан, очевидно, этот человек кого-то долго поджидал. Тогда я направился по его следам в противоположную сторону. Они тянулись по дорожке примерно на сотню ярдов. Потом человек в ботинках обернулся — в этом месте снег был сильно истоптан, словно шла борьба. Капли крови на снегу свидетельствовали о том, что это так и было. Затем человек в ботинках бросился бежать. На некотором расстоянии я снова заметил кровь; значит, ранен был именно он. Я пошел по тропинке до самой дороги; там снег был счищен и следы обрывались.

Вы помните, что, войдя в дом, я осмотрел через лупу подоконник и раму окна гостиной и обнаружил, что кто-то вылезал из окна. Я заметил также очертание следа мокрой ноги, то есть человек влезал и обратно. После этого я уже был в состоянии представить себе все, что произошло. Кто-то стоял под окном, и кто-то подал ему диадему. Ваш сын видел это, бросился преследовать неизвестного, вступил с ним в борьбу. Каждый из них тянул сокровище к себе. Тогда-то и был отломан кусок диадемы. Артур поспешил с диадемой домой, не заметив, что у противника остался обломок. Пока все понятно. Но возникал вопрос: кто этот человек, боровшийся с вашим сыном, и кто подал ему диадему?

Мой старый принцип расследования состоит в том, чтобы исключить все явно невозможные предположения. Тогда то, что остается, является истиной, какой бы неправдоподобной она ни казалась,

Рассуждал я примерно так: естественно, не вы отдали диадему. Значит, оставались только ваша племянница или горничные. Но если в похищении замешаны горничные, то ради чего ваш сын согласился принять вину на себя? Для такого предположения нет оснований. Вы говорили, что Артур любит свою двоюродную сестру. И мне стала понятна причина его молчания: он не хотел выдавать Мэри. Тогда я вспомнил, что вы застали ее у окна и что она упала в обморок, увидев диадему в руках Артура. Мои предположения превратились в уверенность.

Но кто ее сообщник? Разумеется, это мог быть только ее возлюбленный. Лишь под его влиянием она могла так легко забыть, чем обязана вам. Я знал, что вы редко бываете в обществе и круг ваших знакомых ограничен. Но в их числе сэр Джордж Бэрнвелл. Я и прежде слышал о нем как о человеке крайне легкомысленном по отношению к женщинам. Очевидно, это он стоял под окном и только у него должны находиться пропавшие бериллы. Артур узнал его, и все же сэр Джордж считал себя в безопасности, ибо был уверен, что ваш сын не скажет ни слова, чтобы не скомпрометировать свою собственную семью.

Ну а теперь элементарная логика подскажет вам, что я предпринял. Переодевшись бродягой, я отправился к сэру Джорджу. Мне удалось познакомиться с его лакеем, который сообщил, что его хозяин накануне где-то расшиб до крови голову. Мне удалось раздобыть у него за шесть шиллингов старые ботинки сэра Джорджа, с которыми я отправился в Стритем и убедился, что ботинки точно соответствуют следам на снегу.

— Вчера вечером я видел какого-то бродягу на тропинке,— сказал мистер Холдер.

— Совершенно верно, это был я. Я понял, что сэр Джордж в моих руках. Нужен был большой такт, чтобы успешно завершить дело и избежать огласки. Этот хитрый негодяй понимал, как связаны у нас руки.

Вернувшись домой, я переоделся и отправился к сэру Джорджу. Вначале он, разумеется, все отрицал, но когда я рассказал в подробностях, что произошло той ночью, он стал угрожать мне и даже схватил висевшую на стене трость. Я знал, с кем имею дело, и мигом приставил револьвер к его виску. Тогда он образумился. Я объявил ему, что мы согласны выкупить камни по тысяче фунтов за каждый. Тогда-то он впервые обнаружил признаки огорчения.

— Черт побери! Я уже отдал все три камня за шестьсот фунтов!— воскликнул он.

Пообещав сэру Джорджу, что против него не будет возбуждено судебное преследование, я узнал адрес скупщика, поехал туда и после долгого торга выкупил у него камни по тысяче фунтов каждый. Затем я отправился к вашему сыну, объяснил ему, что все в порядке, и к двум часам ночи после тяжкого трудового дня добрался домой.

— Благодаря вам в Англии не разразился огромный скандал,— сказал банкир, поднимаясь с кресла.— Сэр, у меня нет слов, чтобы выразить свою признательность. Но вы убедитесь, что я не забуду того, что вы сделали для меня. Ваше искусство превосходит всякую фантазию. А сейчас я поспешу к моему дорогому мальчику и буду просить у него прощения за то, что так с ним обошелся. Что же касается бедняжки Мэри, то ее поступок глубоко поразил меня. Боюсь, что даже вы с вашим богатым опытом не сможете разыскать ее.

— Можно с уверенностью сказать,— возразил Холмс,— что она сейчас там же, где сэр Джордж Бэрнвелл. Несомненно также и то, как бы ни расценивать поступок вашей племянницы, она будет скоро наказана.

«МЕДНЫЕ БУКИ»

— Человек, который любит искусство ради искусства,— заговорил Шерлок Холмс, отбрасывая в сторону страницу с объявлениями из «Дейли телеграф»,— самое большое удовольствие зачастую черпает из наименее значительных и ярких его проявлений. Отрадно отметить, что вы, Уотсон, хорошо усвоили эту истину и при изложении наших скромных подвигов, которые по доброте своей вы решились увековечить и, вынужден констатировать, порой пытаетесь приукрасить, уделяете внимание не столько громким делам и сенсационным процессам, в коих я имел честь принимать участие, сколько случаям самим по себе незначительным, но зато предоставляющим большие возможности для дедуктивного метода мышления и логического синтеза, что особенно меня интересует.

— Тем не менее,— улыбнулся я,— не смею утверждать, что в моих записках вовсе отсутствует стремление к сенсационности.

— Возможно, вы и ошибаетесь,— продолжал он, подхватив щипцами тлеющий уголек и раскуривая длинную трубку вишневого дерева, которая заменяла глиняную в те дни, когда он был настроен скорее спорить, нежели размышлять,— возможно, вы и ошибаетесь, стараясь приукрасить и оживить ваши записки, вместо того чтобы ограничиться сухим анализом причин и следствий, который единственно может вызывать интерес в том или ином деле.

— Мне кажется, в своих записках я отдаю вам должное,— несколько холодно возразил я, ибо меня раздражало самомнение моего друга, которое, как я неоднократно убеждался, было весьма приметной чертой в его своеобразном характере.

— Нет, это не эгоизм и не тщеславие,— сказал он, отвечая по привычке скорее моим мыслям, чем моим словам.— Если я прошу отдать должное моему искусству, то это не имеет никакого отношения ко мне лично, оно — вне меня. Преступление — вещь повседневная. Логика — редкая. Именно на логике, а не на преступлении вам и следовало бы сосредоточиться. А у вас курс серьезных лекций превратился в сборник занимательных рассказов.

Было холодное утро начала весны; покончив с завтраком, мы сидели возле ярко пылавшего камина в нашей квартире на Бейкер-стрит. Густой туман повис между рядами сумрачных домов, и лишь окна напротив тусклыми, расплывшимися пятнами маячили в темно-желтой мгле. У нас горел свет, и блики его играли на белой скатерти и на посуде — со стола еще не убирали. Все утро Шерлок Холмс молчал, сосредоточенно просматривая газетные объявления, пока наконец, по-видимому отказавшись от поисков и пребывая не в лучшем из настроений, не принялся читать мне нравоучения по поводу моих литературных занятий.

— В то же время,— после паузы продолжал он, попыхивая своей длинной трубкой и задумчиво глядя в огонь,— вас вряд ли можно обвинить в стремлении к сенсационности, ибо большинство тех случаев, к которым вы столь любезно проявили интерес, вовсе не представляет собой преступления. Незначительное происшествие с королем Богемии, когда я пытался оказать ему помощь, странный случай с Мэри Сазерлэнд, история человека с рассеченной губой и случай со знатным холостяком — все это не может стать предметом судебного разбирательства. Боюсь, однако, что, избегая сенсационности, вы оказались в плену тривиальности.

— Может, в конце концов так и случилось,— ответил я,— но методы, о которых я рассказываю, своеобразны и не лишены новизны.

— Мой дорогой, какое дело публике, великой, но лишенной наблюдательности публике, едва ли способной по зубам узнать ткача или по большому пальцу левой руки — наборщика, до тончайших оттенков анализа и дедукции? И тем не менее даже если вы банальны, я вас не виню, ибо дни великих дел сочтены. Человек или, по крайней мере, преступник утратил предприимчивость и самобытность. Что же касается моей скромной практики, то я, похоже, превращаюсь в агента по розыску утерянных карандашей и наставника молодых леди из пансиона для благородных девиц. Наконец-то я разобрался, на что гожусь. А полученное мною утром письмо означает, что мне пора приступить к новой деятельности. Прочтите его.— И он протянул мне помятый листок.

Письмо было отправлено из Монтегю-плейс накануне вечером.

«Дорогой мистер Холмс!

Мне очень хочется посоветоваться с Вами по поводу предложения занять место гувернантки. Если разрешите, я зайду к Вам завтра в половине одиннадцатого.

С уважением Вайолет Хантер».

— Вы знаете эту молодую леди? — спросил я.

— Нет.

— Сейчас половина одиннадцатого.

— Да, а вот, не сомневаюсь, она звонит.

— Это дело может оказаться более интересным, нежели вы предполагаете. Вспомните случай с голубым карбункулом, который сначала вы сочли просто недоразумением, а потом он потребовал серьезного расследования. Так может получиться и на этот раз.

— Что ж, будем надеяться! Наши сомнения очень скоро рассеются, ибо вот и особа, о которой идет речь.

Дверь отворилась, и в комнату вошла молодая женщина. Она была просто, но аккуратно одета, лицо у нее было смышленое, живое, все в веснушках, как яичко ржанки, а энергичность, которая чувствовалась в ее движениях, свидетельствовала о том, что ей самой приходится пробивать себе дорогу в жизни.

— Ради бога извините за беспокойство,— сказала она, когда мой друг поднялся ей навстречу,— но со мной произошло нечто настолько необычное, что я решила просить у вас совета. У меня нет ни родителей, ни родственников, к которым я могла бы обратиться.

— Прошу садиться, мисс Хантер. Буду счастлив помочь вам чем могу.

Я понял, что речь и манеры клиентки произвели на Холмса благоприятное впечатление. Он испытующе оглядел ее с ног до головы, а затем, прикрыв глаза и сложив вместе кончики пальцев, приготовился слушать.

— В течение пяти лет я была гувернанткой в семье полковника Спенса Манроу, но два месяца назад полковник получил назначение в Канаду и забрал с собой в Галифакс и детей. Я осталась без работы. Я давала объявления, сама ходила по объявлениям, но все безуспешно. Наконец та небольшая сумма денег, что мне удалось скопить, начала иссякать, и я просто ума не приложу, что делать.

В Вест-Энде есть агентство по найму «Вестэуэй» — его все знают,— и я взяла за правило заходить туда раз в неделю в поисках чего-либо подходящего. Вестэуэй — фамилия владельца этого агентства, в действительности же все дела вершит некая мисс Стопер. Она сидит у себя в кабинете, женщины, которые ищут работу, ожидают в приемной; их поочередно вызывают в кабинет, и она, заглядывая в свой гроссбух, предлагает им те или иные вакансии.

По обыкновению, и меня пригласили в кабинет, когда я зашла туда, но на этот раз мисс Стопер была не одна. Рядом с ней сидел толстый-претолстый человек с улыбчивым лицом и большим подбородком, тяжелыми складками спускавшимся на грудь, и сквозь очки внимательно разглядывал просительниц. Стоило лишь мне войти, как он подскочил на месте и обернулся к мисс Стопер.

— Подходит! — воскликнул он.— Лучшего и желать нельзя. Грандиозно! Грандиозно!

Он, по-видимому, был в восторге и от удовольствия потирал руки. На него приятно было смотреть: таким добродушным он казался.

— Ищете место, мисс? — спросил он.

— Да, сэр.

— Гувернантки?

— Да, сэр.

— А сколько вы хотите получать?

— Полковник Спенс Манроу, у которого я служила, платил мне четыре фунта в месяц.

— Вот это да! Самая что ни на есть настоящая эксплуатация! — вскричал он, яростно размахивая пухлыми кулаками.— Разве можно предлагать столь ничтожную сумму леди, наделенной такой внешностью и такими достоинствами?

— Мои достоинства, сэр, могут оказаться менее привлекательными, нежели вы полагаете,— сказала я.— Немного французский, немного немецкий, музыка и рисование...

— Вот это да! — снова вскричал он.— Значит, и говорить не о чем. Кратко, в двух словах, вопрос вот в чем: обладаете ли вы манерами настоящей леди? Если нет, то вы нам не подходите, ибо речь идет о воспитании ребенка, который в один прекрасный день может сыграть значительную роль в истории Англии. Если да, то разве имеет джентльмен право предложить вам сумму, выраженную менее чем трехзначной цифрой? У меня, сударыня, вы будете получать для начала сто фунтов в год.

Вы, конечно, представляете, мистер Холмс, что подобное предложение показалось мне просто невероятным — я ведь осталась совсем без средств. Однако джентльмен, прочитав недоверие на моем лице, вынул бумажник и достал оттуда деньги.

— В моих обычаях также ссужать юным леди половину жалованья вперед,— сказал он, улыбаясь на самый приятный манер, так что глаза его превратились в две сияющие щелочки среди белых складок лица,— дабы они могли оплатить мелкие расходы во время путешествия и приобрести нужный гардероб.

«Никогда еще я не встречала более очаровательного и внимательного человека»,— подумалось мне. Ведь у меня уже появились кое-какие долги, аванс был очень кстати, и все-таки было что-то странное в этом деле, и, прежде чем дать согласие, я попыталась разузнать об этом человеке побольше.

— А где вы живете, сэр? — спросила я.

— В Хемпшире. Чудная сельская местность. «Медные буки», в пяти милях от Винчестера. Место прекрасное, моя дорогая юная леди, и дом восхитительный — старинный загородный дом.

— А мои обязанности, сэр? Хотелось бы знать, в чем они состоят.

— Один ребенок, очаровательный маленький проказник, ему только что исполнилось шесть лет. Если бы вы видели, как он бьет комнатной туфлей тараканов! Шлеп! Шлеп! Шлеп! Не успеешь и глазом моргнуть, а трех как не бывало.

Расхохотавшись, он откинулся на спинку стула, и глаза его снова превратились в щелочки.

Меня несколько удивил характер детских забав, но отец смеялся — я решила, что он шутит.

— Значит, мои обязанности — присматривать за ребенком? — спросила я.

— Нет, нет, не только присматривать, не только, моя дорогая юная леди! — вскричал он.— Вам придется также — я уверен, вы и протестовать не будете,— выполнять кое-какие поручения моей жены при условии, разумеется, если эти поручения не будут унижать вашего достоинства. Не много, не правда ли?

— Буду рада оказаться вам полезной.

— Вот именно. Ну, например, речь пойдет о платье. Мы, знаете ли, люди чудаковатые, но сердце у нас доброе. Если мы попросим вас надеть платье, которое мы дадим, вы ведь не будете возражать против нашей маленькой прихоти, а?

— Нет,— ответила я в крайнем удивлении.

— Или сесть там, где нам захочется? Это ведь не покажется вам обидным?

— Да нет...

— Или остричь волосы перед приездом к нам?

Я едва поверила своим ушам. Вы видите, мистер Холмс, у меня густые каштановые волосы с красноватым отливом. Их считают красивыми. Зачем мне ни с того ни с сего жертвовать ими?

— Нет, это невозможно,— ответила я.

Он жадно глядел на меня своими глазками, и я заметила, что лицо у него помрачнело.

— Но это — обязательное условие,— сказал он.— Маленькая прихоть моей жены, а дамским капризам, как вам известно, сударыня, следует потакать. Значит, вам не угодно остричь волосы?

— Нет, сэр, не могу,— твердо ответила я.

— Что ж... Значит, вопрос решен. Жаль, во всем остальном вы нам подходите. Мисс Стопер, в таком случае мне придется познакомиться с другими юными леди.

Заведующая агентством все это время сидела, просматривая свои бумаги и не проронив ни слова, но теперь она глянула на меня с таким раздражением, что я поняла: из-за меня она потеряла немалое комиссионное вознаграждение.

— Вы хотите остаться в наших списках? — спросила она.

— Если можно, мисс Стопер.

— Мне это представляется бесполезным, поскольку вы отказались от очень интересного предложения,— резко заметила она.— Не будем же мы из кожи лезть вон, чтобы подобрать для вас такое место. Всего хорошего, мисс Хантер.

Она позвонила в колокольчик, и мальчик проводил меня обратно в приемную.

Вернувшись домой — в буфете у меня было пусто, а на столе — лишь новые счета,— я спросила себя, не поступила ли я неосмотрительно. Что из того, что у этих людей есть какие-то причуды и они хотят, чтобы исполнялись самые неожиданные их капризы? Они ведь готовы платить за это. Много ли в Англии гувернанток, получающих сотню в год? Кроме того, какой прок от моих волос? Некоторым даже идет короткая стрижка, может, пойдет и мне? На следующий день я подумала, что совершила ошибку, а еще через день перестала в этом сомневаться. Я уже собиралась, подавив чувство гордости, пойти снова в агентство, чтобы узнать, не занято ли еще это место, как вдруг получаю письмо от этого самого джентльмена. Вот оно, мистер Холмс, я прочту его.

«Медные буки», близ Винчестера.

Дорогая мисс Хантер!

Мисс Стопер любезно согласилась дать мне Ваш адрес, и я пишу Вам из дома, желая осведомиться, не переменили ли Вы свое решение. Моя жена очень хочет, чтобы вы приехали к нам,— я описал ей вас, и вы ей страшно понравились. Мы готовы платить вам десять фунтов в месяц, то есть сто двадцать в год в качестве компенсации за те неудобства, которые могут причинить наши требования. Да они не так уж и суровы. Моя жена очень любит цвет электрик, и ей хотелось бы, чтобы вы надевали платья такого цвета по утрам. Вам совершенно незачем

442

тратиться на подобную вещь, поскольку у нас есть платье моей дорогой дочери Алисы (ныне пребывающей в Филадельфии); думаю, оно будет Вам впору. Полагаю, что и просьбу занять определенное место в комнате или выполнить какое-либо иное поручение Вы не сочтете чересчур обременительной. Что же касается Ваших волос, то их действительно очень жаль; даже во время нашей краткой беседы я успел заметить, как они хороши, но тем не менее я вынужден настаивать на этом условии. Надеюсь, что прибавка к жалованью вознаградит Вас за эту жертву. Обязанности в отношении ребенка весьма несложны. Пожалуйста, приезжайте, я встречу Вас в Винчестере. Сообщите, каким поездом Вы прибудете.

Искренне Ваш

Джефро Рукасл».

Вот какое письмо я получила, мистер Холмс, и твердо решила принять предложение. Однако, прежде чем сделать окончательный шаг, мне хотелось бы услышать ваше мнение.

— Что ж, мисс Хантер, коли вы решились, значит, дело сделано,— улыбнулся Холмс.

— А вы не советуете?

— Признаюсь, место это не из тех, что я пожелал бы для своей сестры.

— А что все-таки под этим кроется, мистер Холмс?

— Не знаю. Может, у вас есть какие-либо соображения?

— Я думаю, что мистер Рукасл мягкосердечный человек. А его жена, наверное, немного сумасшедшая. Вот он и старается держать это в тайне, опасаясь, как бы ее не забрали в дом для умалишенных, и потворствует ее причудам, чтобы с ней не случился припадок.

— Может быть, может быть. На сегодняшний день это самое вероятное предположение. Тем не менее место это вовсе не для молодой леди.

— Но деньги, мистер Холмс, деньги!

— Да, конечно, жалованье хорошее, даже слишком хорошее. Вот это меня и тревожит. Почему они дают сто двадцать фунтов, когда легко найти человека и за сорок? Значит, есть какая-то веская причина.

— Вот я и подумала, что, если расскажу вам все обстоятельства дела, вы позволите мне в случае необходимости обратиться к вам за помощью. Я буду чувствовать себя гораздо спокойнее, зная, что у меня есть заступник.

— Можете вполне на меня рассчитывать. Уверяю вас, ваша маленькая проблема обещает оказаться наиболее интересной за последние месяцы. В деталях определенно есть нечто оригинальное. Если у вас появятся какие-либо подозрения или возникнет опасность...

— Опасность! Какая опасность?

— Если бы опасность можно было предвидеть, то ее не нужно было бы страшиться,— с самым серьезным видом пояснил Холмс.— Во всяком случае, в любое время дня или ночи шлите телеграмму, и я приду к вам на помощь.

— Тогда все в порядке.— Выражение озабоченности исчезло с ее лица, она проворно поднялась.— Сейчас же напишу мистеру Рукаслу, вечером остригу мои бедные волосы и завтра отправлюсь в Винчестер.

Скупо поблагодарив Холмса и попрощавшись, она поспешно ушла.

— Во всяком случае,— сказал я, прислушиваясь к ее быстрым шагам на лестнице,— она производит впечатление человека, умеющего за себя постоять.

— Ей придется это сделать,— мрачно заметил Холмс.— Не сомневаюсь, через несколько дней мы получим от нее известие...

Предсказание моего друга, как всегда, сбылось. Прошла неделя, в течение которой я неоднократно возвращался мыслями к нашей посетительнице, задумываясь над тем, в какие дебри человеческих отношений может завести жизнь эту одинокую женщину. Большое жалованье, странные условия, легкие обязанности — во всем этом было что-то неестественное, хотя я абсолютно был не в состоянии решить, причуда это или какой-то замысел, филантроп этот человек или негодяй. Что касается Холмса, то он подолгу сидел, нахмурив лоб и рассеянно глядя вдаль, но, когда я принимался его расспрашивать, он лишь махал в ответ рукой.

— Ничего не знаю, ничего! — раздраженно восклицал он.— Когда под рукой нет глины, из чего лепить кирпич?

А потом бормотал себе под нос, что, будь у него сестра, он не посоветовал бы ей принять подобное предложение.

Телеграмма, которую мы получили, прибыла поздно вечером, когда я уже собирался лечь спать, а Холмс приступил к опытам, за которыми частенько проводил ночи напролет. Когда я уходил к себе, он стоял, наклонившись над ретортой и пробирками; утром, спустившись к завтраку, я застал его в том же положении. Он открыл желтый конверт и, пробежав взглядом листок, передал его мне.

— Посмотрите расписание поездов,— сказал он и повернулся к своим колбам.

Текст телеграммы был кратким и настойчивым:

«Прошу быть в гостинице «Черный лебедь» в Винчестере завтра в полдень. Приезжайте! Не знаю, что делать. Хантер».

— Поедете со мной? — спросил Холмс, на секунду отрываясь от своих колб.

— С удовольствием.

— Тогда посмотрите расписание.

— Есть поезд в половине десятого,— сказал я, изучая справочник.— Он прибывает в Винчестер в одиннадцать тридцать.

— Прекрасно. Тогда, пожалуй, я отложу анализ ацетона: завтра утром нам может понадобиться максимум энергии.

В одиннадцать утра на следующий день мы уже были на пути к древней столице Англии. Холмс всю дорогу не отрывался от газет, но после того, как мы переехали границу Хэмпшира, он отбросил их и принялся смотреть в окно. Стоял прекрасный весенний день, бледно-голубое небо было испещрено маленькими кудрявыми облаками, которые плыли с запада на восток. Солнце светило ярко, и в воздухе царили веселье и бодрость. На протяжении всего пути, вплоть до холмов Олдершота, среди яркой весенней листвы проглядывали красные и серые крыши ферм.

— До чего приятно на них смотреть! — воскликнул я с энтузиазмом человека, вырвавшегося из туманов Бейкер-стрит.

Но Холмс мрачно покачал головой.

— Знаете, Уотсон,— сказал он,— беда такого мышления, как у меня, в том, что я воспринимаю окружающее очень субъективно. Вот вы смотрите на эти рассеянные вдоль дороги дома и восхищаетесь их красотой. А я, когда вижу их, думаю только о том, как они уединенны и как безнаказанно здесь можно совершить преступление.

— О господи! — воскликнул я.— Кому бы в голову пришло связывать эти милые сердцу старые домики с преступлением?

— Они внушают мне страх. Я уверен, Уотсон,— и уверенность эта проистекает из опыта,— что в самых отвратительных трущобах Лондона не свершается столько страшных грехов, сколько в этой восхитительной и веселой сельской местности.

— Вас прямо страшно слушать.

— И причина этому совершенно очевидна. То, чего не в состоянии совершить закон, в городе делает общественное мнение. В самой жалкой трущобе крик ребенка, которого бьют, или драка, которую затеял пьяница, тотчас же вызовет участие или гнев соседей, и правосудие близко, так что единое слово жалобы приводит его механизм в движение. Значит, от преступления до скамьи подсудимых — всего один шаг. А теперь взгляните на эти уединенные дома — каждый из них отстоит от соседнего на добрую милю, они населены в большинстве своем невежественными бедняками, которые мало что смыслят в законодательстве. Представьте, какие дьявольски жестокие помыслы и безнравственность тайком процветают здесь из года в год. Если бы эта дама, что обратилась к нам за помощью, поселилась в Винчестере, я не боялся бы за нее. Расстояние в пять миль от города — вот где опасность! И все-таки ясно, что опасность угрожает не ей лично.

— Понятно. Если она может приехать в Винчестер встретить нас, значит, она в состоянии вообще уехать.

— Совершенно справедливо. Ее свобода передвижения не ограничена.

— В чем же тогда дело? Вы нашли какое-нибудь объяснение?

— Я придумал семь разных версий, и каждая из них опирается на известные нам факты. Но какая из них правильная, покажут новые сведения, которые, не сомневаюсь, нас ждут. А вот и купол собора, скоро мы узнаем, что же хочет сообщить нам мисс Хантер.

«Черный лебедь» оказался уважаемой в городе гостиницей на Хай-стрит, совсем близко от станции, там мы и нашли молодую женщину. Она сидела в гостиной, на столе нас ждал завтрак.

— Я рада, что вы приехали,— серьезно сказала она.— Большое спасибо. Я и в самом деле не знаю, что делать. Мне страшно нужен ваш совет.

— Расскажите же, что случилось.

— Сейчас расскажу; я должна спешить, потому что обещала мистеру Рукаслу вернуться к трем. Он разрешил мне съездить в город нынче утром, хотя ему, конечно, неведомо зачем.

— Изложите все по порядку.— Холмс вытянул свои

длинные ноги в сторону камина и приготовился слушать.

— Прежде всего должна сказать, что, в общем, мистер и миссис Рукасл встретили меня довольно приветливо. Ради справедливости об этом стоит упомянуть. Но понять их я не могу, и это не дает мне покоя.

— Что именно?

— Их поведение. Однако все по порядку. Когда я приехала, мистер Рукасл встретил меня на станции и повез в своем экипаже в «Медные буки». Поместье, как он и говорил, чудесно расположено, но вовсе не отличается красотой: большой квадратный дом, побеленный известкой, весь в пятнах и подтеках от дождя и сырости. С трех сторон его окружает лес, а с фасада — луг, который опускается к дороге на Саутгемптон, что проходит примерно ярдах в ста от парадного крыльца. Участок перед домом принадлежит мистеру Рукаслу, а леса вокруг — собственность лорда Саутертона.

Мой хозяин, сама любезность, встретил меня на станции и в тот же вечер познакомил со своей женой и сыном. Наша с вами догадка, мистер Холмс, оказалась неверной. Миссис Рукасл не сумасшедшая. Молчаливая бледная женщина, она намного моложе своего мужа, на вид ей не больше тридцати, в то время как ему дашь все сорок пять. Из разговоров я поняла, что они женаты лет семь, что он остался вдовцом и от первой жены у него одна дочь — та самая, которая в Филадельфии. Мистер Рукасл по секрету сообщил мне, что уехала она из-за того, что испытывала какую-то непонятную антипатию к мачехе. Поскольку дочери никак не менее двадцати лет, то я вполне представляю, как неловко она чувствовала себя рядом с молодой женой отца.

Миссис Рукасл показалась мне внутренне столь же бесцветным существом, сколь и внешне. Она не произвела на меня никакого впечатления. Пустое место. И сразу заметна ее страстная преданность мужу и сыну. Светлосерые глаза ее постоянно блуждают от одного к другому, подмечая их малейшее желание и по возможности предупреждая его. Мистер Рукасл в присущей ему грубовато-добродушной манере неплохо к ней относится, и в целом они производят впечатление благополучной пары. Но у женщины есть какая-то тайна. Она часто погружается в глубокую задумчивость, и лицо ее становится печальным. Не раз я заставала ее в слезах. Порой мне кажется, что причиной этому — ребенок, ибо мне еще ни разу не доводилось видеть такое испорченное и злобное маленькое существо. Для своего возраста он мал, зато у него несоразмерно большая голова. Он то подвержен припадкам дикой ярости, то пребывает в состоянии мрачной угрюмости. Причинять боль любому слабому созданию — вот единственное его развлечение, и он выказывает недюжинный талант в ловле мышей, птиц и насекомых. Но о нем незачем распространяться, мистер Холмс, он не имеет отношения к нашей истории.

— Мне нужны все подробности,— сказал Холмс,— представляются они вам относящимися к делу или нет.

— Постараюсь ничего не пропустить. Что мне сразу не понравилось в этом доме, так это внешность и поведение слуг. Их всего двое, муж и жена. Толлер — так зовут слугу — грубый, неотесанный человек с серой гривой и серыми бакенбардами, от него постоянно несет спиртным. Я дважды видела его совершенно пьяным, но мистер Рукасл, по-моему, не обращает на это внимания. Жена Толлера — высокая сильная женщина с сердитым лицом; она так же молчалива, как миссис Рукасл, но гораздо менее любезна. Удивительно неприятная пара! К счастью, большую часть времени я провожу в детской и в моей собственной комнате; они расположены рядом.

Первые два дня после моего приезда в «Медные буки» все шло спокойно. На третий день сразу после завтрака миссис Рукасл что-то шепнула своему мужу.

— Мы очень обязаны вам, мисс Хантер,— поворачиваясь ко мне, сказал он,— за снисходительность к нашим капризам, вы ведь даже остригли волосы. Право же, это ничуть не испортило вашу внешность. А теперь посмотрим, как вам идет цвет электрик. У себя на кровати вы найдете платье, и мы будем очень благодарны, если вы согласитесь его надеть.

Платье, которое лежало у меня в комнате, весьма своеобразного оттенка синего цвета, сшито было из хорошей шерсти, но, сразу заметно, уже ношеное. Сидело оно безукоризненно, как будто его шили специально для меня. Когда я вошла, мистер и миссис Рукасл выразили восхищение, но мне их восторг показался несколько наигранным. Мы находились в гостиной, которая тянется по всему фасаду дома, с тремя огромными окнами, доходящими до самого пола. Возле среднего окна спинкой к нему стоял стул. Меня усадили на этот стул, а мистер Рукасл принялся ходить взад и вперед по комнате и рассказывать смешные истории. Вы представить себе не можете, как комично он рассказывал, и я хохотала до изнеможения. Миссис Рукасл чувство юмора, очевидно, чуждо; она сидела, сложив на коленях руки, с грустным и озабоченным выражением на лице, так ни разу и не улыбнувшись. Примерно через час мистер Рукасл вдруг объявил, что пора приступить к повседневным обязанностям и что я могу переодеться и пойти в детскую к маленькому Эдуарду.

Два дня спустя при совершенно таких же обстоятельствах вся эта сцена повторилась. Снова я должна была переодеться, сесть у окна и хохотать над теми забавными историями, неисчислимым запасом которых обладал мой хозяин. И рассказчиком он был неподражаемым. Затем он дал мне какой-то роман в желтой обложке и, подвинув мой стул так, чтобы моя тень не падала на страницу, попросил почитать ее вслух. Я читала минут десять, начав где-то в середине главы, а потом он вдруг перебил меня, не дав закончить фразы, и велел пойти переодеться.

Вы, конечно, понимаете, мистер Холмс, как меня удивил этот спектакль. Я заметила, что они настойчиво усаживали меня так, чтобы я оказалась спиной к окну, поэтому я решила во что бы то ни стало узнать, что происходит на улице. Сначала это не представлялось возможным, но потом мне пришла в голову счастливая мысль: у меня был осколок ручного зеркальца, и я спрятала его в носовой платок. В следующий раз, в самый разгар веселья, я приложила носовой платок к глазам и, чуть-чуть приспособившись, сумела рассмотреть все, что находилось позади. Признаться, я была разочарована. Там не было ничего.

По крайней мере так было на первый взгляд. Но, присмотревшись, я заметила на Саутгемптонской дороге невысокого бородатого человека в сером костюме. Он смотрел в нашу сторону. Дорога эта очень оживленная, на ней всегда полно народу. Но этот человек стоял, опершись на ограду, и пристально вглядывался в дом. Я опустила платок и увидела, что миссис Рукасл испытующе смотрит на меня. Она ничего не сказала, но, я уверена, поняла, что у меня зеркало и что я видела, кто стоит перед домом. Она тотчас же поднялась.

— Джефро, — сказала она, — на дороге стоит какой-то мужчина и самым непозволительным образом разглядывает мисс Хантер.

— Может быть, ваш знакомый, мисс Хантер? — спросил он.

— Нет. Я никого здесь не знаю.

— Подумайте, какая наглость! Пожалуйста, повернитесь и помашите ему, чтобы он ушел.

— А не лучше ли просто не обращать внимания?

— Нет, нет, не то он все время будет здесь слоняться. Пожалуйста, повернитесь и помашите ему.

Я сделала, как меня просили, и в ту же секунду миссис Рукасл опустила занавеску. Это произошло неделю назад, с тех пор я не сидела у окна, не надевала синего платья и человека на дороге тоже не видела...

— Прошу вас, продолжайте,— сказал Холмс.— Все это очень интересно...

— Боюсь, мой рассказ довольно бессвязен. Не знаю, много ли общего между всеми этими событиями. Так вот, в первый же день моего приезда в «Медные буки» мистер Рукасл подвел меня к маленькому флигелю позади дома. Когда мы приблизились, я услышала звяканье цепи: внутри находилось какое-то большое животное.

— Загляните-ка сюда,— сказал мистер Рукасл, указывая на щель между досками.— Ну, разве не красавец?

Я заглянула и увидела два горящих во тьме глаза и смутное очертание какого-то животного. Я вздрогнула.

— Не бойтесь,— засмеялся мой хозяин,— это мой дог Карло. Я называю его моим, но в действительности только старик Толлер осмеливается подойти к нему, чтобы спустить с цепи на ночь, и да поможет бог тому, в кого он вонзит свои клыки. Ни под каким видом не переступайте порога дома ночью, ибо тогда вам суждено распроститься с жизнью.

Предупредил он меня не зря. На третью ночь я случайно выглянула из окна спальни примерно часа в два. Стояла прекрасная лунная ночь, и лужайка перед домом вся сверкала серебром. Я стояла, захваченная мирной красотой пейзажа, как вдруг заметила, что в тени буков кто-то движется. Таинственное существо вышло на лужайку, и я увидела огромного, величиной с теленка, дога рыжевато-коричневой масти, с отвислым подгрудком, черной мордой и могучими мослами. Он медленно пересек лужайку и исчез в темноте на противоположной стороне. При виде этого страшного немого стража сердце у меня замерло так, как никогда бы не случилось при появлении грабителя.

А вот еще одно происшествие, о котором мне тоже хочется вам рассказать. Вы знаете, что я остригла волосы еще до отъезда из Лондона и отрезанную косу спрятала на дно чемодана. Однажды вечером, уложив мальчика спать, я принялась раскладывать свои вещи. В комнате стоит старый комод, два верхних ящика его открыты, и там ничего не было, но нижний заперт. Я положила свое белье в верхние ящики, места не хватило, и я, естественно, была недовольна тем, что нижний ящик заперт. Я решила, что его заперли по недоразумению, поэтому, достав ключи, я попыталась его открыть. Подошел первый же ключ, ящик открылся. Там лежала только одна вещь. И как вы думаете, что именно? Моя коса.

Я взяла ее и как следует рассмотрела. Тот же оттенок волос, что и у меня, и такая же толстая. Но затем я сообразила, что это не мои волосы. Как они могли очутиться в запертом ящике комода? Дрожащими руками я раскрыла свой чемодан, выбросила из него вещи и на дне его увидела свою косу. Я положила две косы рядом, уверяю вас, они были совершенно одинаковыми. Ну, разве это не удивительно? Я была в полнейшем недоумении. Я положила чужую косу обратно в ящик и ничего не сказала об этом Рукаслам: я поступила дурно, чувствовала я, открыв запертый ящик.

Вы, мистер Холмс, наверное, заметили, что я наблюдательна, поэтому мне не составило труда освоиться с расположением комнат и коридоров в доме. Одно крыло его, по-видимому, было нежилым. Дверь, которая вела туда, находилась напротив комнат Толлеров, но была заперта. Однажды, поднимаясь по лестнице, я увидела, как оттуда с ключами в руках выходил мистер Рукасл. Лицо его в этот момент было совсем не таким, как всегда. Щеки его горели, лоб морщился от гнева, а на висках набухли вены. Не взглянув на меня и не сказав ни слова, он запер дверь и поспешил вниз.

Это событие пробудило мое любопытство. Отправившись на прогулку с ребенком, я пошла туда, откуда хорошо видны окна той части дома. Окон было четыре, все они выходили на одну сторону, три просто грязные, а четвертое еще и загорожено ставнями. Там, по-видимому, никто не жил. Пока я ходила взад и вперед по саду, ко мне вышел снова веселый и жизнерадостный мистер Рукасл.

— Не сочтите за грубость, моя дорогая юная леди,— обратился ко мне он,— что я прошел мимо вас, не сказав ни слова привета. Я был очень озабочен своими делами.

Я уверила его, что ничуть не обиделась.

— Между прочим,— сказала я,— у вас наверху, по-видимому, никто не живет, потому что одно окно даже загорожено ставнями.

— Я увлекаюсь фотографией,— ответил он,— и устроил там темную комнату. Но до чего вы наблюдательны, моя дорогая юная леди! Кто бы мог подумать!

Говорил он шутливым тоном, но во взгляде его я прочла подозрение, раздражение, но не шутку.

Так вот, мистер Холмс, как только я поняла, что от меня что-то скрывают, я загорелась желанием проникнуть в эти комнаты. Это было не просто любопытство, хоть и оно мне не чуждо. Это было чувство долга и уверенность, что, если я туда проникну, я совершу добрый поступок. Говорят, что у женщин есть какое-то особое чутье. Быть может, именно оно поддерживало эту уверенность. Во всяком случае, я настойчиво искала возможность проникнуть за запретную дверь.

Возможность эта представилась только вечером. Должна сказать вам, что, кроме мистера Рукасла, в пустые комнаты зачем-то входили Толлер и его жена, а один раз я даже видела, как Толлер вынес оттуда большой черный мешок. Последние дни он много пьет и вчера вечером был совсем пьян. Поднявшись наверх, я заметила, что ключ от двери торчит в замке. Мистер и миссис Рукасл находились внизу, ребенок был с ними, поэтому я решила воспользоваться представившейся мне возможностью. Тихо повернув ключ, я отворила дверь и проскользнула внутрь.

Передо мной был небольшой коридор с голыми стенами, и пол не был застлан ковром. В конце коридор сворачивал налево. За углом шли подряд три двери, первая и третья были отворены и вели в пустые комнаты, запыленные и мрачные. В первой комнате было два окна, а во второй — одно, такое грязное, что сквозь него еле-еле проникал вечерний свет. Средняя дверь была закрыта и заложена снаружи широкой перекладиной от железной кровати; один конец перекладины был продет во вделанное в стену кольцо, а другой привязан толстой веревкой. Ключа в двери не оставалось. Эта забаррикадированная дверь вполне соответствовала закрытому ставнями окну, но по свету, что пробивался из-под нее, я поняла, что в комнате не совсем темно. По-видимому, свет проникал туда из люка, ведущего на чердак. Я стояла в коридоре, глядя на страшную дверь, и раздумывала, что может таиться за нею, как вдруг услышала внутри шаги и увидела, как на узкую полосу тусклого света, проникавшего из-под двери, то надвигалась какая-то тень, то удалялась от нее. Безумный страх охватил меня, мистер Холмс. Напряженные нервы не выдержали, я повернулась и бросилась бежать — так, будто сзади меня хватала какая-то страшная рука. Я промчалась по коридору, выбежала на площадку и очутилась прямо в объятиях мистера Рукасла.

— Значит,— улыбаясь, сказал он,— это были вы. Я так и подумал, когда увидел, что дверь открыта.

— Ох, как я перепугалась! — пролепетала я.

— Моя дорогая юная леди! Что же так напугало вас, моя дорогая юная леди?

Вы и представить себе не можете, как ласково и успокаивающе он это говорил.

Но голос его был чересчур добрым. Он переигрывал. Я снова была начеку.

— По глупости я забрела в нежилое крыло,— объяснила я.— Но там так пусто и такой мрак, что я испугалась и убежала. Ох, как это страшно!

— И это все? — спросил он, зорко вглядываясь в меня.

— Что же еще? — воскликнула я.

— Как вы думаете, почему я запер эту дверь?

— Откуда же мне знать?

— Чтобы посторонние не совали туда свой нос. Понятно?

Он продолжал улыбаться самой любезной улыбкой.

— Уверяю вас, если бы я знала...

— Что ж, теперь знайте. И если вы хоть раз снова переступите этот порог...— При этих словах улыбка его превратилась в гневную гримасу, словно дьявол глянул на меня своим свирепым оком,— я отдам вас на растерзание моему псу.

Я была так напугана, что не помню, как поступила в ту минуту. Наверное, метнулась мимо него в свою комнату. Очнулась я, дрожа всем телом, уже у себя на постели. И тогда я подумала о вас, мистер Холмс. Я больше не могла там находиться, мне нужно было посоветоваться с вами. Этот дом, этот человек, его жена, его слуги, даже ребенок — все внушало мне страх. Если бы только вызвать вас сюда, тогда все было бы в порядке. Конечно, я могла бы бежать оттуда, но меня терзало любопытство не менее сильное, чем страх. И я решила послать вам телеграмму. Я надела пальто и шляпу, сходила на почту, что в полумиле от нас, и затем, испытывая некоторое облегчение, пошла назад. У самого дома мне пришла в голову мысль, что не спустили ли они собаку, но тут же я вспомнила, что Толлер напился до бесчувствия, а без него никто не сумел бы спустить с цепи эту злобную тварь. Я благополучно проскользнула внутрь и полночи не спала, радуясь, что увижу вас. Сегодня утром я без труда получила разрешение съездить в Винчестер. Правда, мне нужно вернуться к трем часам, так как мистер и миссис Рукасл едут к кому-то в гости, поэтому я весь вечер должна быть с ребенком. Теперь вам известны, мистер Холмс, все мои приключения, и я была бы очень рада, если бы вы объяснили мне, что все это значит, и прежде всего научили, как я должна поступить.

Холмс и я затаив дыхание слушали этот удивительный рассказ. Мой друг встал и, засунув руки в карманы, принялся ходить взад и вперед по комнате. Лицо его было чрезвычайно серьезным.

— Толлер все еще пьян? — спросил он.

— Да. Его жена утром говорила миссис Рукасл, что ничего не может с ним сделать.

— Хорошо. Так вы говорите, что Рукаслов нынче весь вечер не будет дома?

— Да.

— В доме есть какой-нибудь погреб, который закрывается на хороший, крепкий замок?

— Да, винный погреб.

— Мисс Хантер, вы вели себя очень отважно и разумно. Сумеете ли вы совершить еще один смелый поступок? Я не обратился бы с подобной просьбой, если бы не считал вас женщиной незаурядной.

— Попробую. А что я должна сделать?

— Мы, мой друг и я, приедем в «Медные буки» в семь часов. К этому времени Рукаслы уедут, а Толлер, надеюсь, не проспится. Останется миссис Толлер. Если вы сумеете под каким-нибудь предлогом послать ее в погреб, а потом запереть там, вы значительно облегчите нашу задачу.

— Я это сделаю.

— Прекрасно! Тогда нам удастся поподробнее расследовать эту историю, у которой только одно объяснение. Вас пригласили туда сыграть роль некоей молодой особы, которую они заточили в комнате наверху. Тут нет никаких сомнений. Кто она? Я уверен, что дочь мистера Рукасла, Алиса, которая, если я не запамятовал, уехала в Америку. Выбор пал на вас: вы похожи на нее ростом, фигурой и цветом волос. Во время болезни ей, наверное, остригли волосы, поэтому пришлось принести в жертву и ваши. Вы случайно нашли ее косу. Человек на дороге — это ее друг или жених, а так как вы похожи на нее — на вас было ее платье,— то, видя, что вы смеетесь и даже машете, чтобы он ушел, он решил, что мисс Рукасл счастлива и более в нем не нуждается. Собаку спускали по ночам для того, чтобы помешать его попыткам увидеться с Алисой. Все это совершенно ясно. Самое существенное в этом доме — это ребенок.

— Он-то какое отношение имеет ко всей этой истории?! — воскликнул я.

— Мой дорогой Уотсон, вы врач и должны знать, что поступки ребенка можно понять, изучив нрав его родителей. И наоборот. Я часто определял характер родителей, изучив нрав их детей. Этот ребенок анормален в своей жестокости, он наслаждается ею, и унаследовал ли он ее от своего улыбчивого отца или от матери, эта черта одинаково опасна для той бедной девушки, что находится в их власти.

— Вы совершенно правы, мистер Холмс! — вскричала наша клиентка.— Мне приходят на память тысячи мелочей, которые свидетельствуют о том, как вы правы. О, давайте не будем терять время и поможем этой бедняжке.

— Надо быть осторожным, потому что мы имеем дело с очень хитрым человеком. До вечера мы ничего не можем предпринять. В семь мы будем у вас и сумеем разгадать эту тайну.

Мы сдержали слово и ровно в семь, оставив нашу двуколку у придорожного трактира, явились в «Медные буки». Даже если бы мисс Хантер с улыбкой на лице и не ждала нас на пороге, мы все равно узнали бы дом, увидев деревья с темными листьями, сверкающими, как начищенная медь, в лучах заходящего солнца.

— Удалось? — только и спросил Холмс.

Откуда-то снизу доносился глухой стук.

— Это миссис Толлер в погребе,— объяснила мисс Хантер.— А ее муж храпит в кухне на полу. Вот ключи, кажется, такие же, как у мистера Рукасла.

— Умница! — восхищенно вскричал Холмс.— А теперь ведите нас, через несколько минут преступление будет раскрыто.

Мы поднялись по лестнице, отперли дверь, прошли по коридору и очутились перед дверью, о которой рассказывала нам мисс Хантер. Холмс перерезал веревку и снял перекладину.

Затем он хотел отпереть дверь, но ни один ключ не подходил к замку. Изнутри не доносилось ни звука, и Холмс нахмурился.

— Надеюсь, мы не опоздали,— сказал он.— Мне кажется, мисс Хантер, нам лучше войти туда без вас. Ну-ка, Уотсон, нажмите на дверь плечом, не удастся ли нам открыть ее силой.

Старая, обшарпанная дверь тотчас же уступила нашим объединенным усилиям, и мы ворвались в комнату. Она была пуста. В ней не было ничего, кроме маленькой жесткой постели, стола и корзины с бельем. Люк на чердак был распахнут, пленница бежала.

— Здесь что-то произошло,— сказал Холмс.— Этот красавчик, очевидно, догадался о намерениях мисс Хантер и уволок свою жертву.

— Но каким образом?

— Через люк. Сейчас посмотрим, как он это сделал.— Он влез на стол.— Правильно, вот и обрывок веревочной лестницы, привязанной к карнизу. Вот как он это сделал.

— Но это невозможно,— возразила мисс Хантер.— Когда Рукаслы уезжали, никакой лестницы не было.

— Он вернулся и проделал все, что надо. Говорю вам, это умный и опасный человек. Я не удивлюсь, если услышу сейчас на лестнице его шаги. Уотсон, вам лучше приготовить свой пистолет.

Едва он произнес эти слова, как на пороге появился очень полный, крупный мужчина с толстой палкой в руке. Мисс Хантер вскрикнула и прижалась к стене, но Шерлок Холмс решительно встал между ними.

— Негодяй! — сказал он.— Куда вы дели свою дочь?

Толстяк обежал глазами комнату и затем бросил взгляд на люк.

— Это я у вас должен спросить! — закричал он.— Воры! Шпионы и воры! Я поймал вас! Вы в моей власти! Я вам покажу! — Он повернулся и бросился вниз по лестнице.

— Он пошел за собакой! — воскликнула мисс Хантер.

— У меня есть пистолет,— сказал я.

— Надо закрыть парадную дверь,— распорядился Холмс, и мы втроем побежали вниз.

Едва мы спустились, как раздался собачий лай, а затем ужасный вопль, сопровождаемый жутким рычанием. Из соседней двери, спотыкаясь, выскочил пожилой мужчина с красным лицом и дрожащими руками.

— Боже мой! — вскричал он.— Кто-то спустил собаку. Ее не кормили целых два дня. Быстрее, не то будет поздно!

Мы с Холмсом выбежали из дома и вслед за Толлером завернули за угол. Огромный зверь с черной мордой терзал горло Рукасла, а тот корчился на земле и кричал. Подбежав к собаке, я выстрелил; она упала, но белые ее клыки так и остались в жирных складках шеи. С большим трудом мы оторвали собаку от Рукасла и понесли его, еще живого, но жестоко искалеченного, в дом. Мы положили его на диван в гостиной, послали протрезвевшего Толлера за его женой, а я попытался по мере сил и возможностей облегчить положение раненого. Мы все стояли вокруг него, когда дверь отворилась и в комнату вошла высокая худая женщина.

— Миссис Толлер! — воскликнула мисс Хантер.

— Да, мисс, это я. Мистер Рукасл отпер погреб, когда вернулся, а потом уже пошел наверх к вам. Как жаль, мисс, что вы не рассказали мне о своих намерениях. Я бы убедила вас, что вы стараетесь напрасно.

— Так! — воскликнул Холмс, пристально глядя на нее.— Значит, миссис Толлер известно об этом деле больше, чем кому-либо другому.

— Да, сэр, и я готова рассказать, что знаю.

— Тогда, пожалуйста, садитесь, а мы послушаем некоторые детали, которые, признаюсь, я еще не совсем уяснил.

— Постараюсь прояснить их,— сказала она.— Я бы сделала это и раньше, если бы сумела выбраться из погреба. Коли вмешается полиция, прошу вас помнить, что я была на вашей стороне и помогла мисс Алисе.

У мисс Алисы не было счастья с тех пор, как ее отец женился вторично. На нее не обращали внимания, с ней не считались. Но совсем плохо стало, когда у своей подруги она познакомилась с молодым мистером Фаулером. Насколько мне известно, у мисс Алисы по завещанию были собственные деньги, но уж такой робкой и терпеливой она была, что и словом не заикнулась про них, а просто передала все в руки мистера Рукасла. Он знал, что в отношении денег ему беспокоиться не о чем. Однако перспектива замужества, когда супруг может потребовать все, что принадлежит ему по закону, заставила его призадуматься и решить, что пора действовать. Он хотел, чтобы она подписала бумагу о том, что он имеет право распоряжаться деньгами, независимо от того, выйдет она замуж или нет. Она отказалась это сделать, но он не отставал до тех пор, пока у нее не сделалось воспаление мозга, и шесть недель она находилась между жизнью и смертью. Потом она поправилась, но стала как тень, а ее прекрасные волосы пришлось остричь. Правда, молодого человека это ничуть не смутило — он по-прежнему оставался ей предан, как и полагается порядочному человеку.

— Ваш рассказ значительно прояснил дело,— заметил Холмс.— Остальное я, пожалуй, в состоянии домыслить сам. Значит, мистер Рукасл применил систему насильственной изоляции?

— Да, сэр.

— И привез мисс Хантер из Лондона, чтобы избавиться от настойчивости мистера Фаулера?

— Именно так, сэр.

— Но мистер Фаулер, будучи человеком упрямым, как и подобает настоящему моряку, осадил дом, а встретившись с вами, сумел звоном монет и другими способами убедить вас, что у вас с ним общие интересы.

— Мистер Фаулер умеет уговаривать, человек он щедрый,— безмятежно отозвалась миссис Толлер.

— Ему удалось сделать так, что ваш почтенный супруг не испытывал недостатка в спиртном и чтобы на тот случай, когда ваш хозяин уедет из дома, лестница была наготове.

— Именно так, сэр, все и произошло.

— Премного вам обязан, миссис Толлер, за то, что вы разъяснили нам кое-какие непонятные вещи,— сказал Холмс.— А вот и здешний доктор и с ним миссис Рукасл! Мне думается, Уотсон, нам пора взять мисс Хантер с собой в Винчестер, так как наш status[1] представляется сейчас довольно сомнительным.

Так была раскрыта тайна страшного дома с медными буками у парадного крыльца. Мистер Рукасл остался жив, но превратился в полного инвалида, и существование его теперь целиком зависит от забот преданной жены. Они по-прежнему живут вместе со своими слугами, которым, наверное, так много известно из прошлой жизни мистера Рукасла, что у него нет сил с ними расстаться. Мистер Фаулер и мисс Рукасл обвенчались в Саутгемптоне на следующий же день после побега, и сейчас он правительственный чиновник на острове Святого Маврикия. Что же касается мисс Вайолет Хантер, то мой друг Холмс, к крайнему моему неудовольствию, больше не проявил к ней никакого интереса, поскольку она перестала быть центром занимающей его проблемы, и сейчас она трудится на посту директора частной школы в Уолсоле, делая это, не сомневаюсь, весьма успешно.

---

[1] Положение (лат.).

ЗАПИСКИ О ШЕРЛОКЕ ХОЛМСЕ

СЕРЕБРЯНЫЙ

— Боюсь, Уотсон, что мне придется ехать,— сказал как-то за завтраком Холмс.

— Ехать? Куда?

— В Дартмур, в Кингс-Пайленд.

Я не удивился. Меня куда больше удивляло, что Холмс до сих пор не принимает участия в расследовании этого из ряда вон выходящего дела, о котором говорила вся Англия. Весь вчерашний день мой приятель ходил по комнате из угла в угол, сдвинув брови и низко опустив голову, то и дело набивая трубку крепчайшим черным табаком и оставаясь абсолютно глухим ко всем моим вопросам и замечаниям. Свежие номера газет, присылаемые нашим почтовым агентом, Холмс бегло просматривал и бросал в угол. И все-таки, несмотря на его молчание, я знал, что́ занимает его. В настоящее время в центре внимания публики было только одно, что могло бы дать достаточно пищи его аналитическому уму,— таинственное исчезновение фаворита, который должен был участвовать в скачках на кубок Уэссекса, и трагическое убийство его тренера. И когда Холмс вдруг объявил мне о своем намерении ехать в Кингс-Пайленд, то есть туда, где разыгралась трагедия, то я ничуть не удивился — я ждал этого.

— Я был бы счастлив поехать с вами, если, конечно, не буду помехой,— сказал я.

— Мой дорогой Уотсон, вы сослужите мне большую службу, если поедете. И я уверен, что вы недаром потратите время, ибо случай этот, судя по тому, что уже известно, обещает быть исключительно интересным. Едем сейчас в Паддингтон, мы еще успеем на ближайший поезд. По дороге я расскажу вам подробности. Да, захватите, пожалуйста, ваш превосходный полевой бинокль, он может пригодиться.

Вот так и случилось, что спустя час после нашего разговора мы уже сидели в купе первого класса, и поезд мчал нас в направлении Эксетера. Худое сосредоточенное лицо моего друга в надвинутом на лоб дорожном картузе склонилось над пачкой свежих газет, которыми он запасся в киоске на Паддингтонском вокзале. Наконец — Рединг к тому времени остался уже далеко позади — он сунул последнюю газету под сиденье и протянул мне портсигар.

— А мы хорошо едем,— заметил он, взглядывая то на часы, то в окно.— Делаем пятьдесят три с половиной мили в час.

— Я не заметил ни одного дистанционного столбика.

— И я тоже. Но расстояние между телеграфными столбами по этой дороге шестьдесят ярдов, так что высчитать скорость ничего не стоит. Вам, конечно, известны подробности об убийстве Джона Стрэкера и исчезновении Серебряного?

— Только те, о которых сообщалось в «Телеграф» и в «Кроникл».

— Это один из случаев, когда искусство логически мыслить должно быть использовано для тщательного анализа и отбора уже известных фактов, а не для поисков новых. Трагедия, с которой мы столкнулись, так загадочна и необычна и связана с судьбами стольких людей, что полиция буквально погибает от обилия версий, догадок и предположений. Трудность в том, чтобы выделить из массы измышлений и домыслов досужих толкователей и репортеров несомненные, непреложные факты. Установив исходные факты, мы начнем строить, основываясь на них, нашу теорию и попытаемся определить, какие моменты в данном деле можно считать узловыми. Во вторник вечером я получил две телеграммы — от хозяина Серебряного полковника Росса и от инспектора Грегори, которому поручено дело. Оба просят моей помощи.

— Во вторник вечером! — воскликнул я.— А сейчас уже четверг. Почему вы не поехали туда вчера?

— Я допустил ошибку, милый Уотсон. Боюсь, со мной это случается гораздо чаще, чем думают люди, знающие меня только по вашим запискам. Я просто не мог поверить, что лучшего скакуна Англии можно скрывать так долго, да еще в таком пустынном краю, как Северный Дартмур. Вчера я с часу на час ждал сообщения, что лошадь нашли и что ее похититель — убийца Джона Стрэкера. Но прошел день, прошла ночь, и единственное, что прибавилось к делу,— это арест молодого Фицроя Симпсона. Я понял, что пора действовать. И все-

461

таки у меня такое ощущение, что вчерашний день не прошел зря.

— У вас уже есть версия?

— Нет, но я выделил самые существенные факты. Сейчас я вам изложу их. Ведь лучший способ добраться до сути дела — рассказать все его обстоятельства кому-то другому. К тому же вы вряд ли сможете мне помочь, если не будете знать, чем мы сейчас располагаем.

Я откинулся на подушки, дымя сигарой, а Холмс, подавшись вперед и чертя для наглядности по ладони тонким длинным пальцем, стал излагать мне события, заставившие нас предпринять это путешествие.

— Серебряный, — начал он, — сын Самоцвета и Отрады и ничем не уступает своему знаменитому отцу. Сейчас ему пять лет. Вот уже три года, как его счастливому обладателю, полковнику Россу, достаются на скачках все призы. Когда произошло несчастье, Серебряный считался первым фаворитом скачек на кубок Уэссекса; ставки на него заключались три к одному. Он был любимец публики и еще ни разу не подводил своих почитателей. Даже если с ним бежали лучшие лошади Англии, на него всегда ставили огромные суммы. Понятно поэтому, что есть много людей, в интересах которых не допустить появления Серебряного у флага в будущий вторник. Это, конечно, прекрасно понимали в Кингс-Пайленде, где находится тренировочная конюшня полковника Росса. Фаворита строжайше охраняли. Его тренером был Джон Стрэкер, прослуживший у полковника двенадцать лет, из которых пять лет он был жокеем, пока не стал слишком тяжел для положенного веса. Обязанности свои он всегда выполнял образцово и был преданным слугой. У него было трое помощников, потому что конюшня маленькая — всего четыре лошади. Ночью один конюх дежурил в конюшне, а другие спали на сеновале. Все трое — абсолютно надежные парни. Джон Стрэкер жил с женой в небольшом коттедже, ярдах в двухстах от конюшни. Платил ему полковник хорошо, детей у них нет, убирает в доме и стряпает служанка. Местность вокруг Кингс-Пайленда пустынная, только к северу на расстоянии полумили каким-то подрядчиком из Тавистока выстроено несколько вилл для больных и вообще желающих подышать целебным дартмурским воздухом. Сам Тависток находится на западе, до него две мили, а по другую сторону равнины, тоже на расстоянии двух миль, расположен Кейплтон — усадьба лорда Бэкуотера, где также имеется конюшня. Лошадей там больше, чем в

Кингс-Пайленде; управляющим служит Сайлес Браун. Вокруг на много миль тянутся поросшие кустарником пустоши, совершенно необитаемые, если не считать цыган, которые время от времени забредают сюда. Вот обстановка, в которой в ночь с понедельника на вторник разыгралась драма.

Накануне вечером, как обычно, лошадей тренировали и купали, а в девять часов конюшню заперли. Двое конюхов пошли в домик тренера, где их в кухне накормили ужином, а третий — Нэд Хантер — остался дежурить в конюшне. В начале десятого служанка — ее зовут Эдит Бакстер — понесла ему ужин — баранину с чесночным соусом. Никакого питья она не взяла, потому что в конюшне имеется кран, а пить что-нибудь, кроме воды, ночному сторожу не разрешается. Девушка зажгла фонарь, — уже совсем стемнело, а тропинка к конюшне шла сквозь заросли дрока. Ярдах в тридцати от конюшни перед Эдит Бакстер возник из темноты человек и крикнул, чтобы она подождала. В желтом свете фонаря она увидела мужчину — по виду явно джентльмена — в сером твидовом костюме и фуражке, в гетрах и с тяжелой тростью в руках. Он был очень бледен и сильно нервничал. Лет ему, она решила, тридцать — тридцать пять.

— Вы не скажете мне, где я нахожусь? — спросил он девушку. — Я уж решил, что придется ночевать в поле, и вдруг увидел свет вашего фонаря.

— Вы в Кингс-Пайленде, возле конюшни полковника Росса, — отвечала ему девушка.

— Неужели? Какая удача! — воскликнул он. — Один из конюхов, кажется, всегда ночует в конюшне, да? А вы, наверное, несете ему ужин? Вы ведь не такая гордая, правда, и не откажетесь от нового платья?

Он вынул из кармана сложенный листок бумаги.

— Передайте это сейчас конюху, и у вас будет самое нарядное платье, какое только можно купить за деньги.

Волнение незнакомца испугало девушку, она бросилась к оконцу, через которое всегда подавала конюху ужин. Оно было уже открыто, Хантер сидел возле за столиком. Только служанка открыла рот, чтобы рассказать ему о случившемся, как незнакомец снова оказался рядом.

— Добрый вечер, — проговорил он, заглядывая в окошко. — У меня к вам дело.

Девушка клянется, что, произнося эти слова, он сжимал в руке какую-то бумажку.

— Какое у вас ко мне может быть дело? — сердито спросил конюх.

— Дело, от которого и вам может кое-что перепасть. Две ваши лошади, Серебряный и Баярд, участвуют в скачках на кубок Уэссекса. Ответьте мне на несколько вопросов, и я не останусь в долгу. Правда, что вес, который несет Баярд, позволяет ему обойти Серебряного на сто ярдов в забеге на пять ферлонгов и что вы сами ставите на него?

— Ах, вот вы кто!— закричал конюх.— Сейчас я покажу вам, как мы встречаем шпионов!

Он побежал спустить собаку. Служанка бросилась к дому, но на бегу оглянулась и увидела, что незнакомец просунул голову в окошко. Когда через минуту Хантер выскочил из конюшни с собакой, то его уже не было и, хотя они обежали все здания и пристройки, никаких следов не обнаружили.

— Стойте!— перебил я Холмса.— Когда конюх выбежал с собакой во двор, он оставил дверь конюшни открытой?

— Прекрасно, Уотсон, прекрасно!— улыбнулся мой друг.— Это обстоятельство показалось мне столь существенным, что я вчера даже запросил об этом Дартмур телеграммой. Так вот, дверь конюх запер. А окошко, оказывается, очень узкое, человек сквозь него не пролезет. Когда другие конюхи вернулись после ужина, Хантер послал одного рассказать обо всем тренеру. Стрэкер встревожился, но большого значения случившемуся как будто не придал. Впрочем, смутная тревога все-таки не оставляла его, потому что, проснувшись в час ночи, миссис Стрэкер увидела, что муж одевается. Он объяснил ей, что беспокоится за лошадей и хочет посмотреть, все ли в порядке. Она умоляла его не ходить, потому что начался дождь,— она слышала, как он стучит в окно,— но Стрэкер накинул плащ и ушел. Миссис Стрэкер проснулась снова в семь утра. Муж еще не возвращался. Она поспешно оделась, кликнула служанку и пошла в конюшню. Дверь была отворена, Хантер сидел, уронив голову на стол, в состоянии полного беспамятства, денник фаворита пуст, нигде никаких следов тренера. Немедленно разбудили ночевавших на сеновале конюхов. Ребята они молодые, спят крепко, ночью никто ничего не слыхал. Хантер был, по всей видимости, под действием какого-то очень сильного наркотика. Так как толку от него добиться было нельзя, обе женщины оставили его отсыпаться, а сами побежали искать пропавших. Они все еще надеялись, что тренер из каких-то соображений вывел жеребца на раннюю прогулку. Поднявшись на бугор за коттеджем, откуда было хорошо видно кругом, они не заметили никаких следов фаворита, зато в глаза им бросилась одна вещь, от которой у них сжалось сердце в предчувствии беды.

Примерно в четверти мили от конюшни на куст дрока был брошен плащ Стрэкера, и ветерок трепал его полы. Подбежав к кусту, женщины увидели за ним небольшой овражек и на дне его труп несчастного тренера. Голова была размозжена каким-то тяжелым предметом, на бедре рана — длинный тонкий порез, нанесенный, без сомнения, чем-то чрезвычайно острым. Все говорило о том, что Стрэкер отчаянно защищался, потому что его правая рука сжимала маленький нож, по самую рукоятку в крови, а левая — красный с черным шелковый галстук, тот самый галстук, который, по словам служанки, был на незнакомце, появившемся накануне вечером у конюшни. Очнувшись, Хантер подтвердил, что это галстук незнакомца. Он также не сомневался, что незнакомец подсыпал ему чего-то в баранину, когда стоял у окна, и в результате конюшня осталась без сторожа. Что касается пропавшего Серебряного, то многочисленные следы в грязи, покрывавшей дно роковой впадины, указывали на то, что он был тут во время борьбы. Но затем он исчез. И хотя за сведения о нем полковник Росс предлагает огромное вознаграждение и все кочующие по Дартмуру цыгане допрошены, до сих пор о Серебряном нет ни слуху ни духу. И наконец вот еще что: анализ остатков ужина Хантера показал, что в еду была подсыпана большая доза опиума, между тем все остальные обитатели Кингс-Пайленда ели в тот вечер то же самое блюдо, и ничего дурного с ними не произошло. Вот основные факты, очищенные от наслоения домыслов и догадок, которыми обросло дело. Теперь я расскажу вам, какие шаги предприняла полиция. Инспектор Грегори, которому поручено дело,— человек энергичный. Одари его природа еще и воображением, он мог бы достичь вершин сыскного искусства. Прибыв на место происшествия, он очень быстро нашел и арестовал человека, на которого, естественно, падало подозрение. Найти его не составило большого труда, потому что он был хорошо известен в округе. Имя его — Фицрой Симпсон. Он хорошего рода, получил прекрасное образование, но все свое состояние проиграл на скачках. Последнее время жил тем, что мирно занимался букмекерством в спортивных лондонских клубах. В его записной книжке обнаружили несколько пари до пяти тысяч фунтов против фаворита. Когда его арестовали, он признался, что приехал в Дартмур в надежде раздобыть сведения о лошадях Кингс-Пайленда и о втором фаворите, жеребце Беспечном, находящемся на попечении Сайлеса Брауна в кейплтонской конюшне. Он и не пытался отрицать, что в понедельник вечером был в Кингс-Пайленде, однако уверяет, что ничего дурного не замышлял, хотел только получить сведения из первых рук. Когда ему показали галстук, он сильно побледнел и совершенно не мог объяснить, как галстук оказался в руке убитого. Мокрая одежда Симпсона доказывала, что ночью он попал под дождь, а его суковатая трость со свинцовым набалдашником вполне могла быть тем самым оружием, которым тренеру были нанесены эти ужасные раны. С другой стороны, на нем самом нет ни царапины, а ведь окровавленный нож Стрэкера — неопровержимое доказательство, что по крайней мере один из напавших на него бандитов пострадал. Вот, собственно, и все, и если вы сможете мне помочь, Уотсон, я буду очень вам признателен.

Я с огромным интересом слушал Холмса, изложившего мне обстоятельства этого дела со свойственной ему ясностью и последовательностью. Хотя все факты были мне уже известны, я не мог установить между ними ни связи, ни зависимости.

— А не может ли быть, — предположил я, — что Стрэкер сам нанес себе рану во время конвульсий, которыми сопровождается повреждение лобных долей головного мозга?

— Вполне возможно, — сказал Холмс. — Если так, то обвиняемый лишается одной из главных улик, свидетельствующих в его пользу.

— И все-таки, — продолжал я, — я никак не могу понять гипотезу полиции.

— Боюсь, в этом случае против любой гипотезы можно найти очень веские возражения. Насколько я понимаю, полиция считает, что Фицрой Симпсон подсыпал опиум в ужин Хантера, отпер конюшню ключом, который он где-то раздобыл, и увел жеребца, намереваясь, по всей видимости, похитить его. Уздечки в конюшне не нашли — Симпсон, вероятно, надел ее на лошадь. Оставив дверь незапертой, он повел ее по тронинке через пустошь, и тут его встретил или догнал тренер. Началась драка, Симпсон проломил тренеру череп тростью, сам же не получил и царапины от ножичка Стрэкера, которым тот пытался защищаться. Потом вор увел лошадь и где-то спрятал ее, или, может быть, лошадь убежала, пока они дрались, и теперь бродит где-то по пустоши. Вот как представляет происшедшее полиция, и, как ни маловероятна эта версия, все остальные кажутся мне еще менее вероятными. Как только мы прибудем в Дартмур, я проверю ее,— иного способа сдвинуться с мертвой точки я не вижу.

Начинало вечереть, когда мы подъехали к Тавистоку — маленькому городку, торчащему, как яблоко на щите, в самом центре обширного Дартмурского плоскогорья. На платформе нас встретили высокий блондин с львиной гривой, пышной бородой и острым взглядом голубых глаз и невысокий элегантно одетый джентльмен, энергичный, с небольшими холеными баками и моноклем.

Это были инспектор Грегори, чье имя приобретало все большую известность в Англии, и знаменитый спортсмен и охотник полковник Росс.

— Я очень рад, что вы приехали, мистер Холмс,— сказал полковник, здороваясь.— Инспектор сделал все возможное, но, чтобы отомстить за гибель несчастного Стрэкера и найти Серебряного, я хочу сделать и невозможное.

— Есть какие-нибудь новости?— спросил Холмс.

— Увы, результаты расследования пока оставляют желать лучшего,— сказал инспектор.— Вы, конечно, хотите поскорее увидеть место происшествия. Поэтому едем, пока не стемнело, поговорим по дороге. Коляска нас ждет.

Через минуту удобное, изящное ландо катило нас по улицам старинного живописного городка. Инспектор Грегори с увлечением делился с Холмсом своими мыслями и соображениями; Холмс молчал, время от времени задавая ему вопросы. Полковник Росс в разговоре участия не принимал, он сидел, откинувшись на спинку сиденья, скрестив руки на груди и надвинув шляпу на лоб. Я с интересом прислушивался к разговору двух детективов: версию, которую излагал сейчас Грегори, я уже слышал от Холмса в поезде.

— Петля вот-вот затянется вокруг шеи Фицроя Симпсона,— заключил Грегори.— Я лично считаю, что преступник он. С другой стороны, нельзя не признать, что все улики против него косвенные и что новые факты могут опровергнуть наши выводы.

— А нож Стрэкера?

— Мы склонились к мнению, что Стрэкер сам себя ранил, падая.

— Мой друг Уотсон высказал такое же предположение по пути сюда. Если так, это обстоятельство оборачивается против Симпсона.

— Разумеется. У него не нашли ни ножа, ни хотя бы самой пустяковой царапины на теле. Но улики против него, конечно, очень сильные. Он был в высшей степени заинтересован в исчезновении фаворита; никто, кроме него, не мог отравить конюха, ночью он попал где-то под сильный дождь, он был вооружен тяжелой тростью, и, наконец, его галстук был зажат в руке покойного. Улик, по-моему, достаточно, чтобы начать процесс.

Холмс покачал головой.

— Неглупый защитник не оставит от доводов обвинения камня на камне,— заметил он.— Зачем Симпсону нужно было выводить лошадь из конюшни? Если он хотел что-то с ней сделать, почему не сделал этого там? А ключ — разве у него нашли ключ? В какой аптеке продали ему порошок опиума? И наконец, где Симпсон, человек, впервые попавший в Дартмур, мог спрятать лошадь, да еще такую, как Серебряный? Кстати, что он говорит о бумажке, которую просил служанку передать конюху?

— Говорит, это была банкнота в десять фунтов. В его кошельке действительно такую банкноту нашли. Что касается всех остальных ваших вопросов, ответить на них вовсе не так сложно, как вам кажется. Симпсон в этих краях не впервые,— летом он дважды приезжал в Тависток. Опиум он скорее всего привез из Лондона. Ключ, отперев конюшню, выкинул. А лошадь, возможно, лежит мертвая в одной из заброшенных шахт.

— Что он сказал о галстуке?

— Признался, что галстук его, но твердит, что потерял его где-то в тот вечер. Но тут выяснилось еще одно обстоятельство, которое как раз и может объяснить, почему он увел лошадь из конюшни.

Холмс насторожился.

— Мы установили, что примерно в миле от места убийства ночевал в ночь с понедельника на вторник табор цыган. Утром они снялись и ушли. Так вот, если предположить, что у Симпсона с цыганами был сговор, то напрашивается вывод, что именно к ним он и вел коня, когда его повстречал тренер, и что сейчас Серебряный у них, не так ли?

— Вполне вероятно.

— Плоскогорье сейчас прочесывается в поисках этих цыган. Кроме того, я осмотрел все конюшни и сараи в радиусе десяти миль от Тавистока.

— Тут ведь поблизости есть еще одна конюшня, где содержат скаковых лошадей?

— Совершенно верно, и это обстоятельство ни в коем случае не следует упускать из виду. Поскольку их жеребец Беспечный — второй претендент на кубок Уэссекса, исчезновение фаворита было его владельцу тоже очень выгодно. Известно, что, во-первых, кейплтонский тренер Сайлес Браун заключил несколько крупных пари на этот забег и что, во-вторых, дружбы с беднягой Стрэкером он никогда не водил. Мы, конечно, осмотрели его конюшню, но не обнаружили ничего, указывающего на причастность кейплтонского тренера к преступлению.

— И ничего, указывающего на связь Симпсона с кейплтонской конюшней?

— Абсолютно ничего.

Холмс уселся поглубже, и разговор прервался.

Через несколько минут экипаж наш остановился возле стоящего у дороги хорошенького домика из красного кирпича, с широким выступающим карнизом. За ним, по ту сторону загона, виднелось строение под серой черепичной крышей. Вокруг до самого горизонта тянулась волнистая равнина, буро-золотая от желтеющего папоротника, только далеко на юге подымались островерхие крыши Тавистока да к западу от нас стояло рядом несколько домиков кейплтонской конюшни. Мы все выпрыгнули из коляски, а Холмс так и остался сидеть, глядя прямо перед собой, поглощенный какими-то своими мыслями. Только когда я тронул его за локоть, он вздрогнул и стал вылезать.

— Простите меня,— обратился он к полковнику Россу, который глядел на моего друга с недоумением,— простите меня, я задумался.

По блеску его глаз и волнению, которое он старался скрыть, я догадался, что он близок к разгадке, хотя и не представлял себе хода его мыслей.

— Вы, наверное, хотите первым делом осмотреть место происшествия, мистер Холмс?— предположил Грегори.

— Мне хочется побыть сначала здесь и уточнить несколько деталей. Стрэкера потом принесли сюда, не так ли?

— Да, он лежит сейчас наверху.

— Он служил у вас несколько лет, полковник?

— Я всегда был им очень доволен.

— Карманы убитого, вероятно, осмотрели, инспектор?

— Все вещи в гостиной. Если хотите, можете взглянуть.

— Да, благодарю вас.

В гостиной мы сели вокруг стоящего посреди комнаты стола. Инспектор отпер сейф и разложил перед нами его содержимое: коробка восковых спичек, огарок свечи длиной в два дюйма, трубка из корня вереска, кожаный кисет и в нем пол-унции плиточного табаку, серебряные часы на золотой цепочке, пять золотых соверенов, алюминиевый наконечник для карандаша, какие-то бумаги, нож с ручкой из слоновой кости и очень тонким негнущимся стальным лезвием, на котором стояла марка «Вайс и К°, Лондон».

— Очень интересный нож,— сказал Холмс, внимательно разглядывая его.— Судя по засохшей крови, это и есть тот самый нож, который нашли в руке убитого. Что вы о нем скажете, Уотсон? Такие ножи по вашей части.

— Это хирургический инструмент, так называемый катарактальный нож.

— Так я и думал. Тончайшее лезвие, предназначенное для тончайших операций. Не странно ли, что человек, отправляющийся защищаться от воров, захватил его с собой,— особенно если учесть, что нож не складывается?

— На кончике был надет кусочек пробки, мы его нашли возле трупа,— объяснил инспектор.— Жена Стрэкера говорит, нож лежал у них несколько дней на комоде, и, уходя ночью, Стрэкер взял его с собой. Оружие не ахти какое, но, вероятно, ничего другого у него под рукой в тот момент не было.

— Вполне возможно. Что это за бумаги?

— Три оплаченных счета за сено. Письмо полковника Росса с распоряжениями. А это счет на тридцать семь фунтов пятнадцать шиллингов от портнихи, мадам Лезерье с Бонд-стрит, на имя Уильяма Дербишира. Миссис Стрэкер говорит, что Дербишир — приятель ее мужа и что время от времени письма для него приходили на их адрес.

— У миссис Дербишир весьма дорогие вкусы,— заметил Холмс, просматривая счет.— Двадцать две гинеи за один туалет многовато. Ну что ж, тут как будто все, теперь отправимся на место преступления.

Мы вышли из гостиной, и в этот момент стоящая в коридоре женщина шагнула вперед и тронула инспектора за рукав. На ее бледном, худом лице лежал отпечаток пережитого ужаса.

— Нашли вы их? Поймали?— Голос ее сорвался.

— Пока нет, миссис Стрэкер. Но вот только что из Лондона приехал мистер Холмс, и мы надеемся с его помощью найти преступников.

— По-моему, мы с вами не так давно встречались, миссис Стрэкер,— помните, в Плимуте, на банкете?— спросил Холмс.

— Нет, сэр, вы ошибаетесь.

— В самом деле? А мне показалось, это были вы. На вас было стального цвета шелковое платье, отделанное страусовыми перьями.

— У меня никогда не было такого платья, сэр!

— А-а, значит, я обознался.— И, извинившись, Холмс последовал за инспектором во двор.

Несколько минут ходьбы по тропинке среди кустов привели нас к оврагу, в котором нашли труп. У края его рос куст дрока, на котором в то утро миссис Стрэкер и служанка заметили плащ убитого.

— Ветра в понедельник ночью как будто не было,— сказал Холмс.

— Ветра — нет, но шел сильный дождь.

— В таком случае плащ не был заброшен ветром на куст, его кто-то положил туда.

— Да, он был аккуратно сложен.

— А знаете, это очень интересно! На земле много следов. Я вижу, с понедельника здесь побывало немало народу.

— Мы вставали только на рогожу. Она лежала вот здесь, сбоку.

— Превосходно.

— В этой сумке ботинок, который был в ту ночь на Стрэкере, ботинок Фицроя Симпсона и подкова Серебряного.

— Дорогой мой инспектор, вы превзошли самого себя!

Холмс взял сумку, спустился в яму и подвинул рогожу ближе к середине. Потом улегся на нее и, подперев руками подбородок, принялся внимательно изучать истоптанную глину.

— Ага!— вдруг воскликнул он.— Это что?

Холмс держал в руках восковую спичку, покрытую таким слоем грязи, что с первого взгляда ее можно было принять за сучок.

— Не представляю, как я проглядел ее,— с досадой сказал инспектор.

— Ничего удивительного! Спичка была втоптана в землю. Я заметил ее только потому, что искал.

— Как! Вы знали, что найдете здесь спичку?

— Я не исключал такой возможности.

Холмс вытащил ботинки из сумки и стал сравнивать подошвы со следами на земле. Потом он выбрался из ямы и пополз, раздвигая кусты.

— Боюсь, больше никаких следов нет,— сказал инспектор.— Я все здесь осмотрел самым тщательным образом. В радиусе ста ярдов.

— Ну что ж,— сказал Холмс,— я не хочу быть невежливым и не стану еще раз все осматривать. Но мне бы хотелось, пока не стемнело, побродить немного по долине, чтобы лучше ориентироваться здесь завтра. Подкову я возьму себе в карман на счастье.

Полковник Росс, с некоторым нетерпением следивший за спокойными и методичными действиями Холмса, взглянул на часы.

— А вы, инспектор, пожалуйста, пойдемте со мной. Я хочу с вами посоветоваться. Меня сейчас волнует, как быть со списками участников забега. По-моему, наш долг перед публикой — вычеркнуть оттуда имя Серебряного.

— Ни в коем случае!— решительно возразил Холмс.— Пусть остается.

Полковник поклонился.

— Я чрезвычайно благодарен вам за совет, сэр. Когда закончите свою прогулку, найдете нас в домике несчастного Стрэкера, и мы вместе вернемся в Тависток.

Они направились к дому, а мы с Холмсом медленно пошли вперед. Солнце стояло над самыми крышами кейплтонской конюшни; перед нами полого спускалась к западу равнина, то золотистая, то красновато-бурая от осенней ежевики и папоротника. Но Холмс, погруженный в глубокую задумчивость, не замечал прелести пейзажа.

— Вот что, Уотсон,— промолвил он наконец,— мы пока оставим вопрос, кто убил Стрэкера, и будем думать, что произошло с лошадью. Предположим, Серебряный в момент преступления или немного позже ускакал. Но куда? Лошадь очень привязана к человеку. Предоставленный самому себе, Серебряный мог вернуться в Кингс-Пайленд или убежать в Кейплтон. Что ему делать одному в поле? И уж, конечно, кто-нибудь да увидел бы его там. Теперь цыгане,— зачем им было красть его? Они чуть что прослышат — спешат улизнуть: полиции они боятся хуже чумы. Надежды продать такую лошадь, как Серебряный, у них нет. Украсть ее — большой риск, а выгоды — никакой. Это вне всякого сомнения.

— Где же тогда Серебряный?

— Я уже сказал, что он или вернулся в Кингс-Пайленд, или поскакал в Кейплтон. В Кингс-Пайленде его нет. Значит, он в Кейплтоне. Примем это за рабочую гипотезу и посмотрим, куда она нас приведет. Земля здесь, как заметил инспектор, высохла и стала тверже камня, но местность слегка понижается к Кейплтону, и в той лощине ночью в понедельник, наверное, было очень сыро. Если наше предположение правильно, Серебряный скакал в этом направлении, и там нужно искать его следы.

Беседуя, мы быстро шли вперед и через несколько минут спустились в лощину. Холмс попросил меня обойти ее справа, а сам взял левее, но не успел я сделать и пяти — десяти шагов, как он закричал мне и замахал рукой. На мягкой глине у его ног виднелся отчетливый конский след. Холмс вынул из кармана подкову, которая как раз пришлась по отпечатку.

— Вот что значит воображение,— улыбнулся Холмс.— Единственное качество, которого недостает Грегори. Мы представили себе, что могло бы произойти, стали проверять предположение, и оно подтвердилось. Идем дальше.

Мы перешли хлюпающее под ногами дно лощинки и с четверть мили шагали по сухому жесткому дерну. Снова начался небольшой уклон, и снова мы увидели следы, потом они исчезли и появились только через полмили, совсем близко от Кейплтона. Увидел их первым Холмс — он остановился и с торжеством указал на них рукой. Рядом с отпечатками копыт на земле виднелись следы человека.

— Сначала лошадь была одна!— вырвалось у меня.

— Совершенно верно, сначала лошадь была одна. Стойте! А это что?

Двойные следы человека и лошади резко повернули в сторону Кингс-Пайленда. Холмс свистнул. Мы пошли по следам. Он не подымал глаз от земли, но я повернул голову вправо и с изумлением увидел, что эти же следы шли и в обратном направлении.

— Один ноль в вашу пользу, Уотсон,— сказал Холмс, когда я указал ему на них,— теперь нам не придется делать крюк, который привел бы нас туда, где мы стоим. Пойдемте по обратному следу.

Нам не пришлось идти далеко. Следы кончились у асфальтовой дорожки, ведущей к воротам Кейплтона. Когда мы подошли к ним, нам навстречу выбежал конюх.

— Идите отсюда!— закричал он.— Нечего вам тут делать.

— Позвольте только задать вам один вопрос,— сказал Холмс, засовывая указательный и большой пальцы в карман жилета.— Если я приду завтра в пять часов утра повидать вашего хозяина мистера Сайлеса Брауна, это будет не слишком рано?

— Скажете тоже «рано», сэр. Мой хозяин подымается ни свет ни заря. Да вот он и сам, поговорите с ним. Нет-нет, сэр, он прогонит меня, если увидит, что я беру у вас деньги. Лучше потом.

Только Шерлок Холмс опустил в карман полкроны, как из калитки выскочил немолодой мужчина свирепого вида с хлыстом в руке и закричал:

— Это что такое, Даусон? Сплетничаете, да? У вас дела, что ли, нет? А вы какого черта здесь шляетесь?

— Чтобы побеседовать с вами, дорогой мой сэр. Всего десять минут,— нежнейшим голосом проговорил Холмс.

— Некогда мне беседовать со всякими проходимцами! Здесь не место посторонним! Убирайтесь, а то я сейчас спущу на вас собаку.

Холмс нагнулся к его уху и что-то прошептал. Мистер Браун вздрогнул и покраснел до корней волос.

— Ложь!— закричал он.— Гнусная, наглая ложь!

— Отлично! Ну что же, будем обсуждать это прямо здесь, при всех, или вы предпочитаете пройти в дом?

— Ладно, идемте, если хотите.

Холмс улыбнулся.

— Я вернусь через пять минут, Уотсон. К вашим услугам, мистер Браун.

Вернулся он, положим, через двадцать пять минут, и, пока я его ждал, теплые краски вечера погасли. Тренер тоже вышел с Холмсом, и меня поразила происшедшая с ним перемена: лицо у него стало пепельно-серое, лоб покрылся каплями пота, хлыст прыгал в трясущихся руках. Куда девалась наглая самоуверенность этого человека! Он семенил за Холмсом, как побитая собака.

— Я все сделаю, как вы сказали, сэр. Все ваши указания будут выполнены,— повторял он.

— Вы знаете, чем грозит ослушание.— Холмс повернул к нему голову, и тот съежился под его взглядом.

— Что вы, что вы, сэр! Доставлю к сроку. Сделать все, как было раньше?

Холмс на минуту задумался, потом рассмеялся:

— Не надо, оставьте, как есть. Я вам напишу. И смотрите, без плутовства, иначе...

— О, верьте мне, сэр, верьте!

— Берегите как зеницу ока.

— Да, сэр, можете на меня положиться, сэр.

— Думаю, что могу. Завтра получите от меня указания.

И Холмс отвернулся, не замечая протянутой ему дрожащей руки. Мы зашагали к Кингс-Пайленду.

— Такой великолепной смеси наглости, трусости и подлости, как у мистера Сайлеса Брауна, я давно не встречал,— сказал Холмс, устало шагая рядом со мной по склону.

— Значит, лошадь у него?

— Он сначала на дыбы взвился, отрицая все. Но я так подробно описал ему утро вторника, шаг за шагом, что он поверил, будто я все видел собственными глазами. Вы, конечно, обратили внимание на необычные, как будто обрубленные носки у следов и на то, что на нем были именно такие ботинки. Кроме того, для простого слуги это был бы слишком дерзкий поступок... Я рассказал ему, как он, встав по обыкновению первым и выйдя в загон, увидел в поле незнакомую лошадь, как он пошел к ней и, не веря собственным глазам, увидел у нее на лбу белую отметину, из-за которой она и получила свою кличку — Серебряный, и как сообразил, что судьба отдает в его руки единственного соперника той лошади, на которую он поставил большую сумму. Потом я рассказал ему, что первым его побуждением было отвести Серебряного в Кингс-Пайленд, но тут дьявол стал нашептывать ему, что так легко увести лошадь и спрятать, пока не кончатся скачки, и тогда он повернул к Кейплтону и укрыл ее там. Когда он все это услышал, он стал думать только о том, как спасти собственную шкуру.

— Да ведь конюшню осматривали!

— Ну, этот старый барышник обведет вокруг пальца кого угодно.

— А вы не боитесь оставлять лошадь в его руках? Он же с ней может что-нибудь сделать, ведь это в его интересах.

— Нет, мой друг, он в самом деле будет беречь ее как зеницу ока. В его интересах вернуть ее целой и невредимой. Это единственное, чем он может заслужить прощение.

— Полковник Росс не произвел на меня впечатления человека, склонного прощать врагам!

— Дело не в полковнике Россе. У меня свои методы, и я рассказываю ровно столько, сколько считаю нужным,— в этом преимущество моего неофициального положения. Не знаю, заметили ли вы или нет, Уотсон, но полковник держался со мной немного свысока, и мне хочется слегка позабавиться. Не говорите ему ничего о Серебряном.

— Конечно, не скажу, раз вы не хотите.

— Но все это пустяки по сравнению с вопросом, кто убил Джона Стрэкера.

— Вы сейчас им займетесь?

— Напротив, мой друг, мы с вами вернемся сегодня ночным поездом в Лондон.

Слова Холмса удивили меня. Мы пробыли в Дартмуре всего несколько часов, он так успешно начал распутывать клубок и вдруг хочет все бросить. Я ничего не понимал. До самого дома тренера мне не удалось вытянуть из Холмса ни слова. Полковник с инспектором дожидались нас в гостиной.

— Мой друг и я возвращаемся ночным поездом в Лондон,— заявил Холмс.— Приятно было подышать прекрасным воздухом Дартмура.

Инспектор широко раскрыл глаза, а полковник скривил губы в презрительной усмешке.

— Значит, вы сложили оружие. Считаете, что убийцу несчастного Стрэкера арестовать невозможно,— сказал он.

— Боюсь, это сопряжено с очень большими трудностями.— Холмс пожал плечами.— Но я совершенно убежден, что во вторник ваша лошадь будет бежать, и прошу вас предупредить жокея, чтобы он был готов. Могу я взглянуть на фотографию мистера Джона Стрэкера?

Инспектор извлек из кармана конверт и вынул оттуда фотографию.

— Дорогой Грегори, вы предупреждаете все мои желания! Если позволите, господа, я оставлю вас на минуту, мне нужно задать вопрос служанке Стрэкеров.

— Должен признаться, ваш лондонский советчик меня разочаровал,— с прямолинейной резкостью сказал полковник Росс, как только Холмс вышел из комнаты.— Не вижу, чтобы с его приезда дело подвинулось хоть на шаг.

— По крайней мере вам дали слово, что ваша лошадь будет бежать,— вмешался я.

— Слово-то мне дали,— пожал плечами полковник.— Я предпочел бы лошадь, а не слово.

Я открыл было рот, чтобы защитить своего друга, но в эту минуту он вернулся.

— Ну вот, господа, — заявил он. — Я готов ехать.

Один из конюхов отворил дверцу коляски. Холмс сел рядом со мной и вдруг перегнулся через борт и тронул конюха за рукав.

— У вас есть овцы, я вижу, — сказал он. — Кто за ними ходит?

— Я, сэр.

— Вы не замечали, с ними в последнее время ничего не случилось?

— Да нет, сэр, как будто ничего, только вот три начали хромать, сэр.

Холмс засмеялся, потирая руки, чем-то очень довольный.

— Неплохо придумано, Уотсон, очень неплохо! — Он незаметно подтолкнул меня локтем. — Грегори, позвольте рекомендовать вашему вниманию странную эпидемию, поразившую овец. Поехали.

Лицо полковника Росса по-прежнему выражало, какое невысокое мнение составил он о талантах моего друга, зато инспектор так и встрепенулся.

— Вы считаете это обстоятельство важным? — спросил он.

— Чрезвычайно важным.

— Есть еще какие-то моменты, на которые вы советовали бы мне обратить внимание?

— На странное поведение собаки в ночь преступления.

— Собаки? Но она никак себя не вела!

— Это-то и странно, — сказал Холмс.

Четыре дня спустя мы с Холмсом снова сидели в поезде, мчащемся в Винчестер, где должен был разыгрываться кубок Уэссекса. Полковник Росс ждал нас, как и было условлено, в своем экипаже четверкой у вокзала на площади. Мы поехали за город, где был беговой круг. Полковник был мрачен, держался в высшей степени холодно.

— Никаких известий о моей лошади до сих пор нет, — заявил он.

— Надеюсь, вы ее узнаете, когда увидите?

Полковник вспылил:

— Я могу описать вам одну за другой всех лошадей, участвовавших в скачках за последние двадцать лет. Моего фаворита, с его отметиной на лбу и белым пятном на правой передней бабке, узнает каждый ребенок!

— А как ставки?

— Происходит что-то непонятное. Вчера ставили пятнадцать к одному, утром разрыв начал быстро сокращаться, не знаю, удержатся ли сейчас на трех к одному.

— Хм,— сказал Холмс,— сомнений нет, кто-то что-то пронюхал.

Коляска подъехала к ограде, окружающей главную трибуну. Я взял афишу и стал читать:

«ПРИЗ УЭССЕКСА

Жеребцы четырех и пяти лет. Дистанция 1 миля 5 ферлонгов. 50 фунтов подписных. Первый приз — 1000 фунтов. Второй приз — 300 фунтов. Третий приз — 200 фунтов.

1. Негр — владелец Хит Ньютон; наездник — красный шлем, песочный камзол.

2. Боксер — владелец полковник Уордлоу; наездник — оранжевый шлем, камзол васильковый, рукава черные.

3. Беспечный — владелец лорд Бэкуотер; наездник — шлем и рукава камзола желтые.

4. Серебряный — владелец полковник Росс; наездник — шлем черный, камзол красный.

5. Хрусталь — владелец герцог Балморал; наездник — шлем желтый, камзол черный с желтыми полосами.

6. Озорник — владелец лорд Синглфорд; наездник — шлем фиолетовый, рукава камзола черные».

— Мы вычеркнули Баярда, нашу вторую лошадь, которая должна была бежать, полагаясь на ваш совет,— сказал полковник.— Но что это? Фаворит сегодня Серебряный?

— Серебряный — пять к четырем!— неслось с трибун.— Серебряный — пять к четырем! Беспечный — пятнадцать к пяти! Все остальные — пять к четырем!

— Лошади на старте!— закричал я.— Смотрите, все шесть!

— Все шесть! Значит, Серебряный бежит!— воскликнул полковник в сильнейшем волнении.— Но я не вижу его. Моих цветов пока нет.

— Вышло только пятеро. Вот, наверное он,— сказал я, и в эту минуту из падока крупной рысью выбежал великолепный гнедой жеребец и пронесся мимо нас. На наезднике были цвета полковника, известные всей Англии.

— Это не моя лошадь! — закричал полковник Росс.—
На ней нет ни единого белого пятнышка! Объясните, что
происходит, мистер Холмс!

— Посмотрим, как он возьмет,— невозмутимо сказал
Холмс. Несколько минут он не отводил бинокля от
глаз... — Прекрасно! Превосходный старт! — вдруг воскликнул он.— Вот они, смотрите, поворачивают!

Из коляски нам было хорошо видно, как лошади вышли на прямой участок круга. Они шли так кучно, что
всех их, казалось, можно накрыть одной попоной, но вот
на половине прямой желтый цвет лорда Бэкуотера
вырвался вперед. Однако ярдах в тридцати от того
места, где стояли мы, жеребец полковника обошел Бес-
печного и оказался у финиша на целых шесть корпусов
впереди. Хрусталь герцога Балморала с большим отры-
вом пришел третьим.

— Как бы там ни было, кубок мой,— прошептал полковник, проводя ладонью по глазам.— Убейте меня, если я
хоть что-нибудь понимаю. Вам не кажется, мистер Холмс,
что вы уже достаточно долго мистифицируете меня?

— Вы правы, полковник. Сейчас вы все узнаете. Пойдемте поглядим на лошадь все вместе. Вот он,— продолжал Холмс, входя в падок, куда впускали только владельцев лошадей и их друзей.— Стоит лишь потереть
ему лоб и бабку спиртом,— и вы узнаете Серебряного.

— Что?!

— Ваша лошадь попала в руки мошенника, я нашел
ее и взял на себя смелость выпустить на поле в том виде,
как ее сюда доставили.

— Дорогой сэр, вы совершили чудо! Лошадь в великолепной форме. Никогда в жизни она не шла так хорошо, как сегодня. Приношу вам тысячу извинений за то,
что усомнился в вас. Вы оказали мне величайшую услугу,
вернув жеребца. Еще большую услугу вы мне окажете,
если найдете убийцу Джона Стрэкера.

— Я его нашел,— спокойно сказал Холмс.

Полковник и я в изумлении раскрыли глаза.

— Нашли убийцу! Так где же он?

— Он здесь.

— Здесь! Где же?!

— В настоящую минуту я имею честь находиться в
его обществе.

Полковник вспыхнул.

— Я понимаю, мистер Холмс, что многим обязан
вам, но эти слова я могу воспринять только как чрезвычайно неудачную шутку или как оскорбление.

Холмс расхохотался.

— Ну что вы, полковник, у меня и в мыслях не было, что вы причастны к преступлению! Убийца собственной персоной стоит у вас за спиной.

Он шагнул вперед и положил руку на лоснящуюся холку скакуна.

— Убийца — лошадь!— в один голос вырвалось у нас с полковником.

— Да, лошадь. Но вину Серебряного смягчает то, что он совершил убийство из самозащиты и что Джон Стрэкер был совершенно недостоин вашего доверия... Но я слышу звонок. Отложим подробный рассказ до более подходящего момента. В следующем забеге я надеюсь немного выиграть.

Возвращаясь вечером того дня домой в купе пульмановского вагона, мы не заметили, как поезд привез нас в Лондон,— с таким интересом слушали мы с полковником рассказ о том, что произошло в дартмурских конюшнях в понедельник ночью и как Холмс разгадал тайну.

— Должен признаться,— говорил Холмс,— что все версии, которые я составил на основании газетных сообщений, оказались ошибочными. А ведь можно было даже исходя из них нащупать вехи, если бы не ворох подробностей, которые газеты спешили обрушить на головы читателей. Я приехал в Девоншир с уверенностью, что преступник — Фицрой Симпсон, хоть и понимал, что улики против него очень неубедительны. Только когда мы подъехали к домику Стрэкера, я осознал важность того обстоятельства, что на ужин в тот вечер была баранина под чесночным соусом. Вы, вероятно, помните мою рассеянность — все вышли из коляски, а я продолжал сидеть, ничего не замечая. Так я был поражен, что чуть было не прошел мимо столь очевидной улики.

— Признаться,— прервал его полковник,— я и сейчас не понимаю, при чем здесь эта баранина.

— Она была первым звеном в цепочке моих рассуждений. Порошок опиума вовсе не безвкусен, а запах его не то чтобы неприятен, но достаточно силен. Если его подсыпать в пищу, человек сразу почувствует и скорее всего есть не станет. Чесночный соус — именно то, что может заглушить запах опиума. Вряд ли можно найти какую-нибудь зависимость между появлением Фицроя Симпсона в тех краях именно в тот вечер с бараниной под чесночным соусом на ужин в семействе Стрэкеров. Остается предположить, что он случайно захватил с собой в тот вечер порошок опиума. Но такая случайность относится уже к области чудес. Так что этот вариант исключен. Значит, Симпсон оказывается вне подозрения, но зато в центр внимания попадают Стрэкер и его жена — единственные люди, кто мог выбрать на ужин баранину с чесноком. Опиум подсыпали конюху прямо в тарелку, потому что все остальные обитатели Кингс-Пайленда ели то же самое блюдо без всяких последствий. Кто-то всыпал опиум, пока служанка не видела. Кто же? Тогда я вспомнил, что собака молчала в ту ночь. Как вы догадываетесь, эти два обстоятельства теснейшим образом связаны. Из рассказа о появлении Фицроя Симпсона в Кингс-Пайленде явствовало, что в конюшне есть собака, но она почему-то не залаяла и не разбудила спящих на сеновале конюхов, когда в конюшню кто-то вошел и увел лошадь. Несомненно, собака хорошо знала ночного гостя. Я уже был уверен — или, если хотите, почти уверен,— что ночью в конюшню вошел и увел Серебряного Джон Стрэкер. Но какая у него была цель? Явно бесчестная, иначе зачем ему было усыплять собственного помощника? Однако что он задумал? Этого я еще не понимал. Известно немало случаев, когда тренеры ставят большие суммы против своих же лошадей через подставных лиц и с помощью какого-нибудь мошенничества не дают им выиграть. Иногда они подкупают жокея, и тот придерживает лошадь, иногда прибегают к более хитрым и верным приемам. Что хотел сделать Стрэкер? Я надеялся, что содержимое его карманов поможет в этом разобраться. Так и случилось. Вы помните, конечно, тот странный нож, который нашли в руке убитого, нож, которым человек, находясь в здравом уме, никогда бы не воспользовался в качестве оружия, будь то для защиты или для нападения. Это был, как подтвердил наш доктор Уотсон, хирургический инструмент для очень тонких операций. В ту ночь им и должны были проделать одну из таких операций. Вы, разумеется, полковник, знаете,— ведь вы опытный лошадник,— что можно проколоть сухожилие на ноге лошади так искусно, что на коже не останется никаких следов. Лошадь после такой операции будет слегка хромать, а все припишут хромоту ревматизму или чрезмерным тренировкам, но никому и в голову не придет заподозрить здесь чей-то злой умысел.

— Негодяй! Мерзавец!— вскричал полковник.

— Почувствовав укол ножа, такой горячий жеребец, как Серебряный, взвился бы и разбудил своим криком и мертвого. Нужно было проделать операцию подальше от людей, вот почему Джон Стрэкер и увел Серебряного в поле.

— Я был слеп, как крот!— горячился полковник.— Ну, конечно, для того-то ему и понадобилась свеча, для того-то он и зажигал спичку.

— Несомненно. А осмотр его вещей помог мне установить не только способ, которым он намеревался совершить преступление, но и причины, толкнувшие его на это. Вы, полковник, как человек, хорошо знающий жизнь, согласитесь со мной, что довольно странно носить у себя в бумажнике чужие счета. У всех нас хватает собственных забот. Из этого я заключил, что Стрэкер вел двойную жизнь. Счет показал, что в деле замешана женщина, вкусы которой требуют денег. Как ни щедро вы платите своим слугам, полковник, трудно представить, чтобы они могли платить по двадцать гиней за туалет своей любовницы. Я незаметно расспросил миссис Стрэкер об этом платье и, удостоверившись, что она его в глаза не видела, записал адрес портнихи. Я был уверен, что, когда покажу ей фотографию Стрэкера, таинственный Дербишир развеется, как дым. Теперь уже клубок стал разматываться легко. Стрэкер завел лошадь в овраг, чтобы огня свечи не было видно. Симпсон, убегая, потерял галстук, Стрэкер увидел его и для чего-то подобрал, может быть, хотел завязать лошади ногу. Спустившись в овраг, он чиркнул спичкой за крупом лошади, но, испуганное внезапной вспышкой, животное, почувствовавшее к тому же опасность, рванулось прочь и случайно ударило Стрэкера копытом в лоб. Стрэкер, несмотря на дождь, уже успел снять плащ,— операция ведь предстояла тонкая. Падая от удара, он поранил себе бедро. Мой рассказ убедителен?

— Невероятно!— воскликнул полковник.— Просто невероятно! Вы как будто все видели собственными глазами!

— И последнее, чтобы поставить точки над i. Мне пришло в голову, что такой осторожный человек, как Стрэкер, не взялся бы за столь сложную операцию, как прокол сухожилия, не попрактиковавшись предварительно. На ком он мог практиковаться в Кингс-Пайленде? Я увидел овец в загоне, спросил конюха, не случалось ли с ними чего в последнее время. Его ответ в точности подтвердил мое предположение. Я даже сам удивился.

— Теперь я понял все до конца, мистер Холмс!

— В Лондоне я зашел к портнихе и показал ей фотографию Стрэкера. Она сразу же узнала его, сказала, что это один из ее постоянных клиентов и зовут его мистер Дербишир. Жена у него большая модница и обожает дорогие туалеты. Не сомневаюсь, что он влез по уши в долги и решился на преступление именно из-за этой женщины.

— Вы не объяснили только одного,— сказал полковник,— где была лошадь?

— Ах, лошадь... Она убежала, и ее приютил один из ваших соседей. Думаю, мы должны проявить к нему снисхождение. Мы сейчас проезжаем Клэпем, не так ли? Значит, до вокзала Виктории минут десять. Если вы зайдете к нам выкурить сигару, полковник, я с удовольствием дополню свой рассказ интересующими вас подробностями.

ЖЕЛТОЕ ЛИЦО

Вполне естественно, что я, готовя к изданию эти короткие очерки, в основу которых легли те многочисленные случаи, когда своеобразный талант моего друга побуждал меня жадно выслушивать его отчет о какой-нибудь необычной драме, а порой и самому становиться ее участником, что я при этом чаще останавливаюсь на его успехах, чем на неудачах. Я поступаю так не в заботе о его репутации, нет: ведь именно тогда, когда задача ставила его в тупик, он особенно удивлял меня своей энергией и многогранностью дарования. Я поступаю так по той причине, что там, где Холмс терпел неудачу, слишком часто оказывалось, что и никто другой не достиг успеха, и тогда рассказ оставался без развязки. Временами, однако, случалось и так, что мой друг заблуждался, а истина все же бывала раскрыта. У меня записано пять-шесть случаев этого рода, и среди них наиболее яркими и занимательными представляются два — дело о втором пятне и та история, которую я собираюсь сейчас рассказать.

Шерлок Холмс редко когда занимался тренировкой ради тренировки. Немного найдется людей, в большей мере способных к напряжению всей своей мускульной силы, и в своем весе он был бесспорно одним из лучших боксеров, каких я только знал; но в бесцельном напряжении телесной силы он видел напрасную трату энергии, и его, бывало, с места не сдвинешь, кроме тех случаев, когда дело касалось его профессии. Вот тогда он бывал совершенно неутомим и неотступен, хотя, казалось бы, для этого требовалась постоянная и неослабная тренировка; но, правда, он всегда соблюдал крайнюю умеренность в еде и в своих привычках был до строгости прост. Он не был привержен ни к каким порокам, а если изредка и прибегал к кокаину, то разве что в порядке протеста против однообразия жизни, когда загадочные случаи становились редки и газеты не предлагали ничего интересного.

Как-то ранней весной он был в такой расслабленности, что пошел со мною днем прогуляться в парк. На вязах только еще пробивались первые хрупкие зеленые побеги, а клейкие копьевидные почки каштанов уже начали развертываться в пятиперстные листики. Два часа мы прохаживались вдвоем, большей частью молча, как и пристало двум мужчинам, превосходно знающим друг друга. Было около пяти, когда мы вернулись на Бейкер-стрит.

— Разрешите доложить, сэр,— сказал наш мальчик-лакей, открыв нам дверь.— Тут приходил один джентльмен, спрашивал вас, сэр.

Холмс посмотрел на меня с упреком.

— Вот вам и погуляли среди дня!— сказал он.— Так он ушел, этот джентльмен?

— Да, сэр.

— Ты не предлагал ему зайти?

— Предлагал, сэр, он заходил и ждал.

— Долго он ждал?

— Полчаса, сэр. Очень был беспокойный джентльмен, сэр, он все расхаживал, пока был тут, притопывал ногой. Я ждал за дверью, сэр, и мне все было слышно. Наконец он вышел в коридор и крикнул: «Что же он так никогда и не придет, этот человек?» Это его точные слова, сэр. А я ему: «Вам только надо подождать еще немного». «Так я,— говорит,— подожду на свежем воздухе, а то я просто задыхаюсь! Немного погодя зайду еще раз»,— с этим он встал и ушел, и, что я ему ни говорил, его никак было не удержать.

— Хорошо, хорошо, ты сделал что мог,— сказал Холмс, проходя со мной в нашу общую гостиную.— Как все-таки досадно получилось, Уотсон! Мне позарез нужно какое-нибудь интересное дело, а это, видно, такое и есть, судя по нетерпению джентльмена. Эге! Трубка на столе не ваша! Значит, это он оставил свою. Добрая старая трубка из корня вереска с длинным чубуком, какой в табачных магазинах именуется янтарным. Хотел бы я знать, сколько в Лондоне найдется чубуков из настоящего янтаря! Иные думают, что признаком служит муха. Возникла, знаете, целая отрасль промышленности — вводить поддельную муху в поддельный янтарь. Он был, однако, в сильном расстройстве, если забыл здесь свою трубку, которой явно очень дорожит.

— Откуда вы знаете, что он очень ею дорожит? — спросил я.

— Такая трубка стоит новая семь с половиной шиллингов. А между тем она, как вы видите, дважды побывала в починке: один раз чинилась деревянная часть, другой — янтарная. Починка, заметьте, оба раза стоила дороже самой трубки — здесь в двух местах перехвачено серебряным кольцом. Человек должен очень дорожить трубкой, если предпочитает дважды чинить ее, вместо того чтобы купить за те же деньги новую.

— Что-нибудь еще? — спросил я, видя, что Холмс вертит трубку в руке и задумчиво, как-то по-своему ее разглядывает. Он высоко поднял ее и постукивал по ней длинным и тонким указательным пальцем, как мог бы профессор, читая лекцию, постукивать по кости.

— Трубки бывают обычно очень интересны, — сказал он. — Ничто другое не заключает в себе столько индивидуального, кроме, может быть, часов да шнурков на ботинках. Здесь, впрочем, указания не очень выраженные и не очень значительные. Владелец, очевидно, крепкий человек с отличными зубами, левша, неаккуратный и не должен наводить экономию.

Мой друг бросал эти сведения небрежно, как бы вскользь, но я видел, что он скосил на меня взгляд, проверяя, слежу ли я за его рассуждением.

— Вы думаете, человек не стеснен в деньгах, если он курит трубку за семь шиллингов? — спросил я.

— Он курит гросвенорскую смесь по восемь пенсов унция, — ответил Холмс, побарабанив по головке трубки и выбив на ладонь немного табаку. — А ведь можно и за половину этой цены купить отличный табак — значит, ему не приходится наводить экономию.

— А прочие пункты?

— Он имеет привычку прикуривать от лампы и газовой горелки. Вы видите, что трубка с одного боку сильно обуглилась. Спичка этого, конечно, не наделала бы. С какой стати станет человек, разжигая трубку, держать спичку сбоку? А вот прикурить от лампы вы не сможете, не опалив головки. И опалена она с правой стороны. Отсюда я вывожу, что ее владелец левша. Попробуйте сами прикурить от лампы и посмотрите, как, естественно, будучи правшой, вы поднесете трубку к огню левой ее стороной. Иногда вы, может быть, сделаете и наоборот, но не будете так поступать из раза в раз. Эту трубку постоянно подносили правой стороной. Далее, смотрите, он прогрыз янтарь насквозь. Это может сделать только крепкий, энергичный человек да еще с отличными зубами. Но, кажется, я слышу на лестнице его шаги, так что нам будет что рассмотреть поинтересней трубки.

Не прошло и минуты, как дверь отворилась, и в комнату вошел высокий молодой человек. На нем был отличный, но не броский темно-серый костюм, и в руках он держал коричневую фетровую шляпу с широкими полями. Выглядел он лет на тридцать, хотя на самом деле был, должно быть, старше.

— Извините,— начал он в некотором смущении.— Полагаю, мне бы следовало постучать. Да, конечно, следовало... Понимаете, я несколько расстроен, тем и объясняется...— Он провел рукой по лбу, как делает человек, когда он сильно не в себе, и затем не сел, а скорей упал на стул.

— Я вижу, что вы ночи две не спали,— сказал Холмс в спокойном, сердечном тоне.— Это изматывает человека больше, чем работа, и даже больше, чем наслаждение. Разрешите спросить, чем могу вам помочь?

— Мне нужен ваш совет, сэр. Я не знаю, что мне делать, все в моей жизни пошло прахом.

— Вы хотели бы воспользоваться моими услугами сыщика-консультанта?

— Не только. Я хочу услышать от вас мнение рассудительного человека... и человека, знающего свет. Я хочу понять, что мне теперь делать дальше. Я так надеюсь, что вы что-то мне посоветуете.

Он не говорил, а выпаливал резкие, отрывочные фразы, и мне казалось, что говорить для него мучительно и что он все время должен превозмогать себя усилием воли.

— Дело это очень щепетильное,— продолжал он.— Никто не любит говорить с посторонними о своих семейных делах. Ужасно, знаете, обсуждать поведение своей жены с людьми, которых ты видишь в первый раз. Мне противно, что я вынужден это делать! Но я больше не в силах терпеть, и мне нужен совет.

— Мой милый мистер Грэнт Манро...— начал Холмс. Наш гость вскочил со стула.

— Как!— вскричал он.— Вы знаете мое имя?

— Если вам желательно сохранять инкогнито,— сказал с улыбкой Холмс,— я бы вам посоветовал отказаться от обыкновения проставлять свое имя на подкладке шляпы или уж держать ее тульей к собеседнику. Я как раз собирался объяснить вам, что мы с моим другом выслушали в этой комнате немало странных тайн и что мы имели счастье внести мир во многие встревоженные души. Надеюсь, нам удастся сделать то же и для вас. Я попрошу вас, поскольку время может оказаться дорого, не тянуть и сразу изложить факты.

Наш гость опять провел рукой по лбу, как будто исполнить эту просьбу ему было до боли тяжело. По выражению его лица и по каждому жесту я видел, что он сдержанный, замкнутый человек, склонный скорее прятать свои раны, нежели чванливо выставлять их напоказ. Потом он вдруг взмахнул стиснутым кулаком, как бы отметая прочь всю сдержанность, и начал.

— Факты эти таковы, мистер Холмс. Я женатый человек, и женат я три года. Все это время мы с женой искренне любили друг друга и были очень счастливы в нашей брачной жизни. Никогда у нас не было ни в чем разлада — ни в мыслях, ни в словах, ни на деле. И вот в этот понедельник между нами вдруг возник барьер: я открываю, что в ее жизни и в ее мыслях есть что-то, о чем я знаю так мало, как если б это была не она, а та женщина, что метет улицу перед нашим домом. Мы сделались чужими, и я хочу знать, почему.

Прежде, чем рассказывать дальше, я хочу, чтобы вы твердо знали одно, мистер Холмс: Эффи любит меня. На этот счет пусть у вас не будет никаких сомнений. Она любит меня всем сердцем, всей душой и никогда не любила сильней, чем теперь. Я это знаю, чувствую. Этого я не желаю обсуждать. Мужчина может легко различить, любит ли его женщина. Но между нами легла тайна, и не пойдет у нас по-прежнему, пока она не разъяснится.

— Будьте любезны, мистер Манро, излагайте факты,— сказал Холмс с некоторым нетерпением.

— Я сообщу вам, что мне известно о прошлой жизни Эффи. Она была вдовой, когда мы с нею встретились, хотя и совсем молодою — ей было двадцать пять. Звали ее тогда миссис Хеброн. В юности она уехала в Америку, и жила она там в городе Атланте, где и вышла замуж за этого Хеброна, адвоката с хорошей практикой. У них был ребенок, но потом там вспыхнула эпидемия желтой лихорадки и унесла обоих — мужа и ребенка. Я видел сам свидетельство о смерти мужа. После этого Америка ей опротивела, она вернулась на родину и стала жить с теткой, старой девой, в Мидлсексе, в городе Пиннере. Пожалуй, следует упомянуть, что муж не оставил ее без средств: у нее был небольшой капитал — четыре с половиной тысячи фунтов, которые он так удачно поместил, что она получала в среднем семь процентов. Она прожила в Пиннере всего полгода, когда я встретился с ней. Мы полюбили друг друга и через несколько недель поженились.

Сам я веду торговлю хмелем, и, так как мой доход составляет семь-восемь сотен в год, мы живем не нуждаясь, снимаем виллу в Норбери за восемьдесят фунтов в год. У нас там совсем по-дачному, хоть это и близко от города. Рядом с нами, немного дальше по шоссе, гостиница и еще два дома, прямо перед нами — поле, а по ту сторону его — одинокий коттедж; и, помимо этих домов, никакого жилья ближе, чем на полпути до станции. Выпадают такие месяцы в году, когда дела держат меня в городе, но летом я бываю более или менее свободен, и тогда мы с женою в нашем загородном домике так счастливы, что лучше и желать нельзя. Говорю вам, между нами никогда не было никаких размолвок, пока не началась эта проклятая история.

Одну вещь я вам должен сообщить, прежде чем стану рассказывать дальше. Когда мы поженились, моя жена перевела на меня все свое состояние — в сущности, вопреки моей воле, потому что я понимаю, как неудобно это может обернуться, если мои дела пойдут под уклон. Но так она захотела, и так было сделано. И вот шесть недель тому назад она вдруг говорит мне:

— Джек, когда ты брал мои деньги, ты сказал, что когда бы они мне ни понадобились, мне довольно будет просто попросить.

— Конечно, — сказал я, — они твои.

— Хорошо, — сказала она, — мне нужно сто фунтов.

Я опешил — я думал, ей понадобилось на новое платье или что-нибудь в этом роде.

— Зачем тебе вдруг? — спросил я.

— Ах, — сказала она шаловливо, — ты же говорил, что ты только мой банкир, а банкиры, знаешь, никогда не спрашивают.

— Если тебе в самом деле нужны эти деньги, ты их, конечно, получишь, — сказал я.

— Да, в самом деле нужны.

— И ты мне не скажешь, на что?

— Может быть, когда-нибудь и скажу, но только, Джек, не сейчас.

Пришлось мне этим удовольствоваться, хотя до сих пор у нас никогда не было друг от друга никаких секретов. Я выписал ей чек и больше об этом деле не думал. Может быть, оно и не имеет никакого отношения к тому, что произошло потом, но я посчитал правильным рассказать вам о нем.

Так вот, как я уже упоминал, неподалеку от нас стоит коттедж. Нас от него отделяет только поле, но, чтобы добраться до него, надо сперва пройти по шоссе, а потом свернуть по проселку. Сразу за коттеджем славный сосновый борок, я люблю там гулять, потому что среди деревьев всегда так приятно. Коттедж последние восемь месяцев стоял пустой, и было очень жаль, потому что это премилый двухэтажный домик с крыльцом на старинный манер и жимолостью вокруг. Я, бывало, остановлюсь перед этим коттеджем и думаю, как мило можно бы в нем устроиться.

Так вот в этот понедельник вечером я пошел погулять в свой любимый борок, когда на проселке мне встретился возвращающийся пустой фургон, а на лужайке возле крыльца я увидел груду ковров и разных вещей. Было ясно, что коттедж наконец кто-то снял. Я прохаживался мимо, останавливался, как будто от нечего делать,— стою, оглядываю дом, любопытствуя, что за люди поселились так близко от нас. И вдруг вижу в одном из окон второго этажа чье-то лицо, уставившееся прямо на меня.

Не знаю, что в нем было такого, мистер Холмс, только у меня мороз пробежал по спине. Я стоял в отдалении, так что не мог разглядеть черты, но было в этом лице что-то неестественное, нечеловеческое. Такое создалось у меня впечатление. Я быстро подошел поближе, чтобы лучше разглядеть следившего за мной. Но едва я приблизился, лицо вдруг скрылось — и так внезапно, что оно, показалось мне, нырнуло во мрак комнаты. Я постоял минут пять, думая об этой истории и стараясь разобраться в своих впечатлениях. Я не мог даже сказать, мужское это было лицо или женское. Больше всего меня поразил его цвет. Оно было мертвенно-желтое с лиловыми тенями и какое-то застывшее, отчего и казалось таким жутко неестественным. Я до того расстроился, что решил узнать немного больше о новых жильцах. Я подошел и постучался в дверь, и мне тут же открыла худая высокая женщина с неприветливым лицом.

— Чего вам надо?— спросила она с шотландским акцентом.

— Я ваш сосед, вон из того дома,— ответил я, кивнув на нашу виллу.— Вы, я вижу, только что приехали, я и подумал, не могу ли я быть вам чем-нибудь полезен.

— Эге! Когда понадобитесь, мы сами вас попросим,— сказала она и хлопнула дверью у меня перед носом.

Рассердясь на такую грубость, я повернулся и пошел домой. Весь вечер, как ни старался я думать о другом, я не мог забыть призрака в окне и ту грубую женщину. Я решил ничего жене не рассказывать — она нервная, впечатлительная женщина, и я не хотел делиться с нею неприятным переживанием. Все же перед сном я как бы невзначай сказал ей, что в коттедже появились жильцы, на что она ничего не ответила.

Я вообще сплю очень крепко. В семье у нас постоянно шутили, что ночью меня пушкой не разбудишь; но почему-то как раз в эту ночь — потому ли, что я был немного возбужден своим маленьким приключением, или по другой причине, не знаю,— только спал я не так крепко, как обычно. Я смутно сознавал сквозь сон, что в комнате что-то происходит, и понемногу до меня дошло, что жена стоит уже в платье и потихоньку надевает пальто и шляпу. Мои губы шевельнулись, чтобы пробормотать сквозь сон какие-то слова недоумения или упрека за эти несвоевременные сборы, когда, вдруг приоткрыв глаза, я посмотрел на ее озаренное свечой лицо, и у меня отнялся язык от изумления. Никогда раньше я не видел у нее такого выражения лица — я даже и не думал, что ее лицо может быть таким. Она была мертвенно-бледна, дышала учащенно и, застегивая пальто, украдкой косилась на кровать, чтобы проверить, не разбудила ли меня. Потом, решив, что я все-таки сплю, она бесшумно выскользнула из комнаты, и секундой позже раздался резкий скрип, какой могли произвести только петли парадных дверей. Я приподнялся в постели, потер кулаком о железный край кровати, чтобы увериться, что это не сон. Потом я достал часы из-под подушки. Они показывали три пополуночи. Что на свете могло понадобиться моей жене в этот час на шоссейной дороге?

Я просидел так минут двадцать, перебирая это все в уме и стараясь подыскать объяснение. Чем больше я думал, тем это дело представлялось мне необычайней и необъяснимей. Я еще ломал над ним голову, когда опять послышался скрип петель внизу, и затем по лестнице раздались ее шаги.

— Господи, Эффи, где это ты была?— спросил я, как только она вошла.

Она задрожала и вскрикнула, когда я заговорил, и этот сдавленный крик и дрожь напугали меня больше, чем все остальное, потому что в них было что-то невыразимо виноватое. Моя жена всегда была женщиной прямого и открытого нрава, но я похолодел, когда увидел, как она украдкой пробирается к себе же в спальню и дрожит оттого, что муж заговорил с ней.

— Ты не спишь, Джек?— вскрикнула она с нервным смешком.— Смотри, а я-то думала, тебя ничем не разбудишь.

— Где ты была?— спросил я строже.

— Так понятно, что это тебя удивляет,— сказала она, и я видел, что пальцы ее дрожат, расстегивая пальто.— Я и сама не припомню, чтобы когда-нибудь прежде делала такую вещь. Понимаешь, мне вдруг стало душно, и меня прямо-таки неодолимо потянуло подышать свежим воздухом. Право, мне кажется, у меня был бы обморок, если бы я не вышла на воздух. Я постояла несколько минут в дверях, и теперь я совсем отдышалась.

Рассказывая мне эту историю, она ни разу не поглядела в мою сторону, и голос был у нее точно не свой. Мне стало ясно, что она говорит неправду. Я ничего не сказал в ответ и уткнулся лицом в стенку с чувством дурноты и с тысячью ядовитых подозрений и сомнений в голове. Что скрывает от меня жена? Где она побывала во время своей странной прогулки? Я чувствовал, что не найду покоя, пока этого не узнаю, и все-таки мне претило расспрашивать дальше после того, как она уже раз солгала. До конца ночи я кашлял и ворочался с боку на бок, строя догадку за догадкой, одна другой невероятнее.

Назавтра мне нужно было ехать в город, но я был слишком взбудоражен и даже думать не мог о делах. Моя жена была, казалось, расстроена не меньше, чем я, и по ее быстрым вопросительным взглядам, которые она то и дело бросала на меня, я видел: она поняла, что я не поверил ее объяснению, и прикидывет, как ей теперь быть. За первым завтраком мы едва обменялись с ней двумя-тремя словами, затем я сразу вышел погулять, чтобы собраться с мыслями на свежем утреннем воздухе.

Я дошел до Хрустального Дворца, просидел там целый час в парке и вернулся в Норбери в начале второго. Случилось так, что на обратном пути мне нужно было пройти мимо коттеджа, и я остановился на минутку посмотреть, не покажется ли опять в окошке то странное лицо, что глядело на меня накануне. Я стою и смотрю, и вдруг — вообразите себе мое удивление, мистер Холмс,— дверь открывается, и выходит моя жена!

Я онемел при виде ее, но мое волнение было ничто перед тем, что отразилось на ее лице, когда глаза наши встретились. В первую секунду она как будто хотела шмыгнуть обратно в дом; потом, поняв, что всякая попытка спрятаться будет бесполезна, она подошла ко мне с побелевшим лицом и с испугом в глазах, не вязавшимся с ее улыбкой.

— Ах, Джек!— сказала она.— Я заходила сейчас туда спросить, не могу ли я чем-нибудь помочь нашим новым соседям. Что ты так смотришь на меня, Джек? Ты на меня сердишься?

— Так!— сказал я.— Значит, вот куда ты ходила ночью?

— Что ты говоришь!— закричала она.

— Ты ходила туда. Я уверен. Кто эти люди, что ты должна навещать их в такой час?

— Я не бывала там раньше.

— Как ты можешь утверждать вот так заведомую ложь?— закричал я.— У тебя и голос меняется, когда ты это говоришь. Когда у меня бывали от тебя секреты? Я сейчас же войду в дом и узнаю, в чем дело.

— Нет, нет, Джек, ради бога!— У нее осекся голос, она была сама не своя от волнения. Когда же я подошел к дверям, она судорожно схватила меня за рукав и с неожиданной силой оттащила прочь.

— Умоляю тебя, Джек, не делай этого,— кричала она.— Клянусь, я все тебе расскажу когда-нибудь, но если ты сейчас войдешь в коттедж, ничего из этого не выйдет, кроме горя.— А потом, когда я попробовал ее отпихнуть, она прижалась ко мне с исступленной мольбой.

— Верь мне, Джек!— кричала она.— Поверь мне на этот только раз! Я никогда не дам тебе повода пожалеть об этом. Ты знаешь, я не стала б ничего от тебя скрывать иначе, как ради тебя самого. Дело идет о всей нашей жизни. Если ты сейчас пойдешь со мной домой, все будет хорошо. Если ты вломишься в этот коттедж, у нас с тобой все будет испорчено.

Она говорила так убежденно, такое отчаяние чувствовалось в ее голосе и во всей манере, что я остановился в нерешительности перед дверью.

— Я поверю тебе на одном условии — и только на одном,— сказал я наконец,— с этой минуты между нами никаких больше тайн!· Ты вольна сохранить при себе свой секрет, но ты пообещаешь мне, что больше не будет ночных хождений в гости, ничего такого, что нужно от меня скрывать. Я согласен простить то, что уже в прошлом, если ты даешь мне слово, что в будущем ничего похожего не повторится.

— Я знала, что ты мне поверишь,— сказала она и вздохнула с облегчением.— Все будет, как ты пожелаешь.— Уйдем же, ах, уйдем от этого дома! — Все еще цепко держась за мой рукав, она увела меня прочь от коттеджа.

Я оглянулся на ходу — из окна на втором этаже за нами следило то желтое, мертвенное лицо. Что могло быть общего у этой твари и моей жены? И какая могла быть связь между Эффи и той простой и грубой женщиной, которую я видел накануне? Даже странно было спрашивать, и все-таки я знал, что у меня не будет спокойно на душе, покуда я не разрешу загадку.

Два дня после этого я сидел дома и моя жена как будто честно соблюдала наш уговор; во всяком случае, насколько мне было известно, она даже не выходила из дому. Но на третий день я получил прямое доказательство, что ее торжественного обещания было недостаточно, чтобы пересилить то тайное воздействие, которое отвлекало ее от мужа и долга.

В тот день я поехал в город, но вернулся поездом не три тридцать шесть, как обычно, а пораньше — поездом два сорок. Когда я вошел в дом, наша служанка вбежала в переднюю с перепуганным лицом.

— Где хозяйка? — спросил я.

— А она, наверно, вышла погулять,— ответила девушка.

В моей голове сейчас же зароились подозрения. Я побежал наверх удостовериться, что ее в самом деле нет дома. Наверху я случайно посмотрел в окно и увидел, что служанка, с которой я только что разговаривал, бежит через поле прямиком к коттеджу. Я, конечно, сразу понял, что это все означает: моя жена пошла туда и попросила служанку вызвать ее, если я вернусь. Дрожа от бешенства, я сбежал вниз и помчался туда же, решив раз и навсегда положить конец этой истории. Я видел, как жена со служанкой бежали вдвоем по проселку, но я не стал их останавливать. То темное, что омрачало мою жизнь, затаилось в коттедже. Я дал себе слово: что бы ни случилось потом, но тайна не будет больше тайной. Подойдя к дверям, я даже не постучался, а прямо повернул ручку и ворвался в коридор.

На первом этаже было тихо и мирно. В кухне посвистывал на огне котелок, и большая черная кошка лежала, свернувшись клубком, в корзинке; но нигде и следа той женщины, которую я видел в прошлый раз. Я кидаюсь из кухни в комнату — и там никого. Тогда я взбежал по лестнице и убедился, что и в верхних двух комнатах пусто и нет никого. Во всем доме ни души! Мебель и картины были самого пошлого, грубого пошиба, кроме как в одной-единственной комнате — той, в окне которой я видел то странное лицо. Здесь было уютно и изящно, и мои подозрения разгорелись яростным, злым огнем, когда я увидел, что там стоит на камине карточка моей жены: всего три месяца тому назад она по моему настоянию снялась во весь рост, и это была та самая фотография!

Я пробыл в доме довольно долго, пока не убедился, что там и в самом деле нет никого. Потом я ушел, и у меня было так тяжело на сердце, как никогда в жизни. Жена встретила меня в передней, когда я вернулся домой, но я был так оскорблен и рассержен, что не мог с ней говорить, и пронесся мимо нее прямо к себе в кабинет.

Она, однако, вошла следом за мной, не дав мне даже времени закрыть дверь.

— Мне очень жаль, что я нарушила обещание, Джек,— сказала она,— но если бы ты знал все обстоятельства, ты, я уверена, простил бы меня.

— Так расскажи мне все,— говорю я.

— Я не могу, Джек, не могу! — закричала она.

— Пока ты мне не скажешь, кто живет в коттедже и кому это ты подарила свою фотографию, между нами больше не может быть никакого доверия,— ответил я и, вырвавшись от нее, ушел из дому. Это было вчера, мистер Холмс, и с того часа я ее не видел и не знаю больше ничего об этом странном деле. В первый раз легла между нами тень, и я так потрясен, что не знаю, как мне теперь вернее всего поступить. Вдруг сегодня утром меня осенило, что если есть на свете человек, который может дать мне совет, так это вы, и вот я поспешил к вам и безоговорочно отдаюсь в ваши руки. Если я что-нибудь изложил неясно, пожалуйста, спрашивайте. Но только скажите скорей, что мне делать, потому что я больше не в силах терпеть эту муку.

Мы с Холмсом с неослабным вниманием слушали эту необыкновенную историю, которую он нам рассказывал отрывисто, надломленным голосом, как говорят в минуту сильного волнения. Мой товарищ сидел некоторое время молча, подперев подбородок рукой и весь уйдя в свои мысли.

— Скажите,— спросил он наконец,— вы могли бы сказать под присягой, что лицо, которое вы видели в окне, было лицом человека?

— Оба раза, что я его видел, я смотрел на него издалека, так что сказать это наверное я никак не могу.

— И, однако же, оно явно произвело на вас неприятное впечатление.

— Его цвет казался неестественным, и в его чертах была странная неподвижность. Когда я подходил ближе, оно как-то рывком исчезало.

— Сколько времени прошло с тех пор, как жена попросила у вас сто фунтов?

— Почти два месяца.

— Вы когда-нибудь видели фотографию ее первого мужа?

— Нет, в Атланте вскоре после его смерти произошел большой пожар, и все ее бумаги сгорели.

— Но все-таки у нее оказалось свидетельство о его смерти. Вы сказали, что вы его видели.

— Да, она после пожара выправила дубликат.

— Вы хоть раз встречались с кем-нибудь, кто был с ней знаком в Америке?

— Нет.

— Она когда-нибудь заговаривала о том, чтобы съездить туда?

— Нет.

— Не получала оттуда писем?

— Насколько мне известно,— нет.

— Благодарю вас. Теперь я хотел бы немножко подумать об этом деле. Если коттедж оставлен навсегда, у нас могут возникнуть некоторые трудности; если только на время, что мне представляется более вероятным, то это значит, что жильцов вчера предупредили о вашем приходе, и они успели скрыться,— тогда, возможно, они уже вернулись, и мы все это легко выясним. Я вам посоветую: возвращайтесь в Норбери и еще раз осмотрите снаружи коттедж. Если вы убедитесь, что он обитаем, не врывайтесь сами в дом, а только дайте телеграмму мне и моему другу. Получив ее, мы через час будем у вас, а там мы очень скоро дознаемся, в чем дело.

— Ну, а если в доме все еще никого нет?

— В этом случае я приеду завтра, и мы с вами обсудим, как быть. До свидания, и главное — не волнуйтесь, пока вы не узнали, что вам в самом деле есть из-за чего волноваться.

— Боюсь, дело тут скверное, Уотсон,— сказал мой товарищ, когда, проводив мистера Грэнта Манро до дверей, он вернулся в наш кабинет.— Как оно вам представляется?

— Грязная история,— сказал я.

— Да. И подоплекой здесь шантаж, или я жестоко ошибаюсь.

— А кто шантажист?

— Не иначе, как та тварь, что живет в единственной уютной комнате коттеджа и держит у себя эту фотографию на камине. Честное слово, Уотсон, есть что-то очень завлекательное в этом мертвенном лице за окном, и я бы никак не хотел прохлопать этот случай.

— Есть у вас своя гипотеза?

— Пока только первая наметка. Но я буду очень удивлен, если она окажется неверной. В коттедже — первый муж этой женщины.

— Почему вы так думаете?

— Чем еще можно объяснить ее безумное беспокойство, как бы туда не вошел второй? Факты, как я их читаю, складываются примерно так. Женщина выходит в Америке замуж. У ее мужа обнаруживаются какие-то нестерпимые свойства, или, скажем, его поражает какая-нибудь скверная болезнь — он оказывается прокаженным или душевнобольным. В конце концов она сбегает от него, возвращается в Англию, меняет имя и начинает, как ей думается, строить жизнь сызнова. Она уже три года замужем за другим и полагает себя в полной безопасности — мужу она показала свидетельство о смерти какого-то другого человека, чье имя она и приняла,— как вдруг ее местопребывание становится известно ее первому мужу или, скажем, какой-нибудь не слишком разборчивой женщине, связавшейся с больным. Они пишут жене и грозятся приехать и вывести ее на чистую воду. Она просит сто фунтов и пробует откупиться от них. Они все-таки приезжают, и когда муж в разговоре с женой случайно упоминает, что в коттедже поселились новые жильцы, она по каким-то признакам догадывается, что это ее преследователи. Она ждет, пока муж заснет, и затем кидается их уговаривать, чтоб они уехали. Ничего не добившись, она на другой день с утра отправляется к ним опять, и муж, как он нам это рассказал, встречает ее в ту минуту, когда она выходит от них. Тогда она обещает ему больше туда не ходить, но через два дня, не устояв перед надеждой навсегда избавиться от страшных соседей, она предпринимает новую попытку, прихватив с собою фотографию, которую, возможно, они вытребовали у нее. В середине переговоров прибегает служанка с сообщением, что хозяин уже дома, и тут жена, понимая, что он пойдет сейчас прямо в коттедж, выпроваживает его обитателей через черный ход — вероятно, в тот сосновый борок, о котором здесь упоминалось. Муж приходит и застает жилище пустым. Я, однако ж, буду крайне удивлен, если он и сегодня найдет его пустым, когда выйдет вечером в рекогносцировку. Что вы скажете об этой гипотезе?

— В ней все предположительно.

— Зато она увязывает все факты. Когда нам станут известны новые факты, которые не улягутся в наше построение, тогда мы успеем ее пересмотреть. В ближайшее время мы ничего не можем начать, пока не получим новых известий из Норбери.

Долго нам ждать не пришлось. Телеграмму принесли, едва мы отпили чай. *«В коттедже еще живут,*— гласила она.— *Опять видел в окне лицо. Приду встречать к поезду семь ноль-ноль и до вашего прибытия ничего предпринимать не стану».*

Когда мы вышли из вагона, Грэнт Манро ждал нас на платформе, и при свете станционных фонарей нам было видно, что он очень бледен и дрожит от волнения.

— Они еще там, мистер Холмс,— сказал он, ухватив моего друга за рукав.— Я, когда шел сюда, видел в коттедже свет. Теперь мы с этим покончим раз и навсегда.

— Какой же у вас план? — спросил мой друг, когда мы пошли по темной, обсаженной деревьями дороге.

— Я силой вломлюсь в дом и увижу сам, кто там есть. Вас двоих я попросил бы быть при этом свидетелями.

— Вы твердо решились так поступить, несмотря на предостережения вашей жены, что для вас же лучше не раскрывать ее тайну?

— Да, решился.

— Что ж, вы, пожалуй, правы. Правда, какова бы она ни была, лучше неопределенности и подозрений. Предлагаю отправиться сразу же. Конечно, пред лицом закона мы этим поставим себя в положение виновных, но я думаю, стоит пойти на риск.

Ночь была очень темная, и начал сеять мелкий дождик, когда мы свернули с шоссейной дороги на узкий, в глубоких колеях проселок, пролегший между двух рядов живой изгороди. Мистер Грэнт Манро в нетерпении чуть не бежал, и мы, хоть и спотыкаясь, старались не отстать от него.

— Это огни моего дома,— сказал он угрюмо, указывая на мерцающий сквозь деревья свет,— а вот коттедж, и сейчас я в него войду!

Проселок в этом месте сворачивал. У самого поворота стоял домик. Желтая полоса света на черной земле перед нами показывала, что дверь приоткрыта, и одно окно на втором этаже было ярко освещено. Мы поглядели и увидели движущееся по шторе темное пятно.

— Она там, эта тварь! — закричал Грэнт Манро.— Вы видите сами, что там кто-то есть. За мной, и сейчас мы все узнаем!

Мы подошли к двери, но вдруг из черноты выступила женщина и встала в золотой полосе света, падавшего от лампы. В темноте я не различал ее лица, но ее протянутые руки выражали мольбу.

— Ради бога, Джек, остановись! — закричала она.— У меня было предчувствие, что ты придешь сегодня вечером. Не думай ничего дурного, дорогой! Поверь мне еще раз, и тебе никогда не придется пожалеть об этом.

— Я слишком долго верил тебе, Эффи! — сказал он строго.— Пусти! Я все равно войду. Я и мои друзья, мы решили покончить с этим раз и навсегда.

Он отстранил ее, и мы, не отставая, последовали за ним. Едва он распахнул дверь, прямо на него выбежала пожилая женщина и попыталась заступить ему дорогу, но он оттолкнул ее, и мгновением позже мы все трое уже поднимались по лестнице. Грэнт Манро влетел в освещенную комнату второго этажа, а за ним и мы.

Комната была уютная, хорошо обставленная, на столе горели две свечи и еще две на камине. В углу, согнувшись над письменным столом, сидела маленькая девочка. Ее лицо, когда мы вошли, было повернуто в другую сторону, мы разглядели только, что она в красном платьице и длинных белых перчатках. Когда она живо кинулась к нам, я вскрикнул от ужаса и неожиданности. Она обратила к нам лицо самого странного мертвенного цвета, и его черты были лишены всякого выражения. Мгновением позже загадка разрешилась. Холмс со смехом провел рукой за ухом девочки, маска соскочила, и угольно-черная негритяночка засверкала всеми своими белыми зубками, весело смеясь над нашим удивленным видом. Разделяя ее веселье, громко засмеялся и я, но Грэнт Манро стоял, выкатив глаза и схватившись рукой за горло.

— Боже! — закричал он.— Что это значит?

— Я скажу тебе, что это значит,— объявила женщина, вступая в комнату с гордой решимостью на лице.— Ты вынуждаешь меня открыть тебе мою тайну, хоть это и кажется мне неразумным. Теперь давай вместе решать, как нам с этим быть. Мой муж в Атланте умер. Мой ребенок остался жив.

— Твой ребенок!

Она достала спрятанный на груди серебряный медальон.

— Ты никогда не заглядывал внутрь.

— Я думал, что он не открывается.

Она нажала пружину, и передняя створка медальона отскочила. Под ней был портрет мужчины с поразительно красивым и тонким лицом, хотя его черты являли безошибочные признаки африканского происхождения.

— Это Джон Хеброн из Атланты,— сказала женщина,— и не было на земле человека благородней его. Выйдя за него, я оторвалась от своего народа, но, пока он был жив, я ни разу ни на минуту не пожалела о том. Нам не посчастливилось — наш единственный ребенок пошел не в мой род, а больше в его. Это нередко так бывает при смешанных браках, и маленькая Люси куда черней, чем был ее отец. Но черная или белая, она моя родная, моя дорогая маленькая девочка, и мама очень любит ее! — Девочка при этих словах подбежала к ней и зарылась личиком в ее платье.

— Я оставила ее тогда в Америке,— продолжала женщина,— только по той причине, что она еще не совсем поправилась и перемена климата могла повредить ее здоровью. Я отдала ее на попечение преданной шотландки, нашей бывшей служанки. У меня и в мыслях не было отступаться от своего ребенка. Но когда я встретила тебя на своем пути, когда я тебя полюбила, Джек, я не решилась рассказать тебе про своего ребенка. Да простит мне бог, я побоялась, что потеряю тебя, и у меня недостало мужества все рассказать. Мне пришлось выбирать между вами, и по слабости своей я отвернулась от родной моей девочки. Три года я скрывала от тебя ее существование, но я переписывалась с няней и знала, что с девочкой все хорошо. Однако в последнее время у меня появилось неодолимое желание увидеть своего ребенка. Я боролась с ним, но напрасно. И хотя я знала, что это рискованно, я решилась на то, чтоб девочку привезли сюда — пусть хоть на несколько недель. Я послала няне сто фунтов и дала ей указания, как вести себя здесь в коттедже, чтобы она могла сойти просто за соседку, к которой я не имею никакого отношения. Я очень боялась и поэтому не велела выводить ребенка из дому в дневные часы. Дома мы всегда прикрываем ей личико и руки: вдруг кто-нибудь увидит ее в окно, и пойдет слух, что по соседству появился черный ребенок. Если бы я меньше остерегалась, было бы куда разумней, но я сходила с ума от страха, как бы не дошла до тебя правда.

Ты первый и сказал мне, что в коттедже кто-то поселился. Мне бы подождать до утра, но я не могла уснуть от волнения, и наконец я вышла потихоньку, зная, как крепко ты спишь. Но ты увидел, что я выходила, и с этого начались все мои беды. На другой день мне пришлось отдаться на твою милость, и ты из благородства не стал допытываться. Но на третий день, когда ты ворвался в коттедж с парадного, няня с ребенком едва успели убежать через черный ход. И вот сегодня ты все узнал, и я спрашиваю тебя: что с нами будет теперь — со мной и с моим ребенком? — Она сжала руки и ждала ответа.

Две долгих минуты Грэнт Манро не нарушал молчания, и когда он ответил, это был такой ответ, что мне и сейчас приятно его вспомнить. Он поднял девочку, поцеловал и затем, держа ее на одной руке, протянул другую жене и повернулся к двери.

— Нам будет удобней поговорить обо всем дома, — сказал он. — Я не очень хороший человек, Эффи, но, кажется мне, все же не такой дурной, каким ты меня считала.

Мы с Холмсом проводили их до поворота, и, когда мы вышли на проселок, мой друг дернул меня за рукав.

— Полагаю, — сказал он, — в Лондоне от нас будет больше пользы, чем в Норбери.

Больше он ни слова не сказал об этом случае вплоть до поздней ночи, когда, взяв зажженную свечу, он повернулся к двери, чтобы идти в свою спальню.

— Уотсон, — сказал он, — если вам когда-нибудь покажется, что я слишком полагаюсь на свои способности или уделяю случаю меньше старания, чем он того заслуживает, пожалуйста, шепните мне на ухо: «Норбери» — и вы меня чрезвычайно этим обяжете.

ПРИКЛЮЧЕНИЕ КЛЕРКА

Вскоре после женитьбы я купил в Паддингтоне практику у доктора Фаркера. Старый доктор некогда имел множество пациентов, но потом вследствие болезни —

он страдал чем-то вроде пляски святого Витта,— а также преклонных лет их число заметно поуменьшилось. Ведь люди, и это понятно, предпочитают лечиться у того, кто сам здоров, и мало доверяют медицинским познаниям человека, который не может исцелить даже самого себя. И чем хуже становилось здоровье моего предшественника, тем в больший упадок приходила его практика, и к тому моменту, когда я купил ее, она приносила вместо прежних тысячи двухсот немногим больше трехсот фунтов в год. Но я положился на свою молодость и энергию и не сомневался, что через год-другой от пациентов не будет отбою.

Первые три месяца, как я поселился в Паддингтоне, я был очень занят и совсем не виделся со своим другом Шерлоком Холмсом. Зайти к нему на Бейкер-стрит у меня не было времени, а сам он если и выходил куда, то только по делу. Поэтому я очень обрадовался, когда однажды июньским утром, читая после завтрака «Британский медицинский вестник», услыхал в передней звонок и вслед за тем резкий голос моего старого друга.

— А, мой дорогой Уотсон,— сказал он, входя в комнату,— рад вас видеть! Надеюсь, миссис Уотсон уже оправилась после тех потрясений, что пришлось нам пережить в деле со «Знаком четырех».

— Благодарю вас, она чувствует себя превосходно,— ответил я, горячо пожимая ему руку.

— Надеюсь также,— продолжал Шерлок Холмс, усаживаясь в качалку,— занятия медициной еще не совсем отбили у вас интерес к нашим маленьким загадкам?

— Напротив! — воскликнул я.— Не далее, как вчера вечером, я разбирал свои старые заметки, а некоторые даже перечитал.

— Надеюсь, вы не считаете свою коллекцию завершенной?

— Разумеется, нет! Я бы очень хотел еще пополнить ее.

— Скажем, сегодня?

— Пусть даже сегодня.

— Даже если придется ехать в Бирмингем?

— Куда хотите.

— А практика?

— Что практика? Попрошу соседа, он примет моих пациентов. Я ведь подменяю его, когда он уезжает.

— Ну и прекрасно,— сказал Шерлок Холмс, откидываясь в качалке и бросая на меня проницательный взгляд из-под полуопущенных век.— Эге, да вы, я вижу, были больны. Простуда летом — вещь довольно противная.

— Вы правы. На той неделе я сильно простудился и целых три дня сидел дома. Но мне казалось, от болезни теперь уже не осталось и следа.

— Это верно, вид у вас вполне здоровый.

— Как же вы догадались, что я болел?

— Мой дорогой Уотсон, вы же знаете мой метод.

— Метод логических умозаключений?

— Разумеется.

— С чего же вы начали?

— С ваших домашних туфель.

Я взглянул на новые кожаные туфли, которые были на моих ногах.

— Но что по этим туфлям...— начал было я, но Холмс ответил на вопрос прежде, чем я успел его закончить.

— Туфли ваши новые,— разъяснил он.— Вы их носите не больше двух недель, а подошвы, которые вы сейчас выставили напоказ, уже подгорели. Вначале я подумал, что вы их промочили, а затем, когда сушили, сожгли. Но потом я заметил у самых каблуков бумажные ярлычки с клеймом магазина. От воды они наверняка бы отсырели. Значит, вы сидели у камина, вытянув ноги к самому огню, что вряд ли кто, будь он здоров, стал бы делать даже в такое сырое и холодное лето, какое выдалось в этом году.

Как всегда, после объяснений Шерлока Холмса, все оказалось очень просто. Холмс, прочтя эту мысль на моем лице, грустно улыбнулся.

— Боюсь, что мои объяснения приносят мне только вред,— заметил он.— Одни следствия без причины действуют на воображение гораздо сильнее... Ну, вы готовы со мной в Бирмингем?

— Конечно. А что там за дело?

— Все узнаете по дороге. Внизу нас ждет экипаж и клиент. Едемте.

— Одну минуту.

Я черкнул записку своему соседу, забежал наверх к жене, чтобы предупредить ее об отъезде, и догнал Холмса на крыльце.

— Ваш сосед тоже врач? — спросил он, кивнув на медную дощечку на соседней двери.

— Да, он купил практику одновременно со мной.

— И давно она существует?

— Столько же, сколько моя. С тех пор, как построили эти дома.

— Вы купили лучшую.

— Да. Но как вы узнали об этом?

— По ступенькам, мой дорогой Уотсон. Ваши ступеньки сильно стерты подошвами, так, что каждая на три дюйма ниже, чем у соседа. А вот и наш клиент. Мистер Холл Пикрофт, позвольте представить вам моего друга, доктора Уотсона,— сказал Холмс.— Эй, кэбмен,— добавил он,— подстегните-ка лошадей, мы опаздываем на поезд.

Я уселся напротив Пикрофта.

Это был высокий, хорошо сложенный молодой человек с открытым, добродушным лицом и светлыми закрученными усиками. На нем был блестящий цилиндр и аккуратный черный костюм, придававший ему вид щеголеватого клерка из Сити, как оно и было на самом деле. Он принадлежал к тому сорту людей, которых у нас называют «кокни»[1], но которые дают нам столько прекрасных солдат-волонтеров, а также отличных спортсменов, как ни одно сословие английского королевства. Его круглое румяное лицо было от природы веселым, но сейчас уголки его губ опустились, и это придало ему слегка комический вид. Какая беда привела его к Шерлоку Холмсу, я узнал, только когда мы уселись в вагон первого класса и поезд тронулся.

— Итак,— сказал Холмс,— у нас впереди больше часа свободного времени. Мистер Пикрофт, расскажите, пожалуйста, моему другу о своем приключении, как вы его рассказывали мне, а если можно, то и подробнее. Мне тоже будет полезно проследить еще раз ход событий. Дело, Уотсон, может оказаться пустяковым, но в нем есть некоторые довольно интересные обстоятельства, которые вы, как и я, так любите. Итак, мистер Пикрофт, начинайте. Я не буду прерывать вас больше.

Наш спутник взглянул на меня, и глаза его загорелись.

— Самое неприятное в этой истории — то,— начал он,— что я в ней выгляжу полнейшим дураком. Правда, может, все еще обойдется. Да, признаться, я и не мог поступить иначе. Но если я и этого места лишусь, не получив ничего взамен, то и выйдет, что нет на свете другого такого дурака, как я. Хотя я и не мастер рассказывать, но послушайте, что произошло.

Служил я в маклерской фирме «Коксон и Вудхаус» в Дрейпер-Гарденсе, но весной этого года лопнул вене-

---

[1] К о к н и (англ.) — пренебрежительно-насмешливое прозвище лондонского обывателя.

суэльский займ,— вы, конечно, об этом слышали,— и фирма обанкротилась. Всех служащих, двадцать семь человек, разумеется, уволили. Работал я у них пять лет, и, когда разразилась гроза, старик Коксон дал мне блестящую характеристику. Я начал искать новое место, сунулся туда, сюда, но таких горемык, как я, везде было полно.

Положение было отчаянное. У Коксона я получал в неделю три фунта стерлингов и за пять лет накопил семьдесят фунтов, но эти деньги, как и все на свете, подошли к концу. И вот я дошел до того, что не осталось денег даже на марки и конверты, чтобы писать по объявлениям. Я истрепал всю обувь, обивая пороги различных фирм, но найти работы не мог.

Когда я уже совсем потерял надежду, то услышал о вакантной должности в большом банкирском доме «Мейсон и Уильямсы» на Ломбард-стрит. Смею предположить, что вы мало знакомы с деловой частью Лондона, но можете мне поверить, что это один из самых богатых и солидных банков. Обращаться с предложением своих услуг следовало только почтой. Я послал им заявление вместе с характеристикой безо всякой надежды на успех. И вдруг обратной почтой получаю ответ, что в ближайший понедельник могу приступить к исполнению своих новых обязанностей. Как это случилось, никто не мог объяснить. Говорят, что в таких случаях управляющий просто сует руку в кучу заявлений и вытаскивает наугад первое попавшееся, вот и все. Но, так или иначе, мне повезло, и я никогда так не радовался, как на сей раз. Жалованье у них в неделю было даже больше на один фунт, а обязанности мало чем отличались от тех, что я исполнял у Коксона.

Теперь я подхожу к самой удивительной части моей истории. Надо вам сказать, что я снимаю квартиру за Хэмпстедом: Поттерс-стрит, 17. В тот самый вечер, когда пришло это приятное письмо, я сидел дома и курил трубку. Вдруг входит квартирная хозяйка и подает визитную карточку, на которой напечатано: *Артур Пиннер, финансовый агент*. Я никогда прежде о таком не слыхал и не представлял, зачем я ему понадобился, однако попросил хозяйку пригласить его наверх. Вошел среднего роста темноглазый брюнет, с черной бородой и лоснящимся носом. Походка у него была быстрая, речь отрывистая, как у человека, привыкшего дорожить временем.

— Мистер Пикрофт, если не ошибаюсь? — спросил он.

— Да, сэр,— ответил я, предлагая стул.

— Раньше служили у Коксона?

— Да, сэр.

— А сейчас поступили в банкирский дом Мейсонов?

— Совершенно верно.

— Так-с,— произнес он.— Видите ли, я слыхал, что вы обладаете незаурядными деловыми способностями. Вас очень хвалил мне Паркер, бывший управляющий у Коксона.

Я, разумеется, был весьма польщен, услышав столь лестный о себе отзыв. Я всегда хорошо справлялся со своими обязанностями у Коксона, но мне и в голову не приходило, что в Сити идут обо мне такие разговоры.

— У вас хорошая память? — спросил затем Пиннер.

— Неплохая,— ответил я скромно.

— Вы следили за курсом бумаг последнее время?

— Безусловно! Я каждое утро просматриваю «Биржевые ведомости».

— Удивительное прилежание! — воскликнул он.— Вот где источник всякого успеха! Если не возражаете, я вас немного поэкзаменую. Скажите, каков курс Эйширских акций?

— От ста пяти до ста пяти с четвертью.

— А Объединенных новозеландских?

— Сто четыре.

— Хорошо, а Брокенхиллских английских?

— От ста семи до ста семи с половиной.

— Великолепно! — вскричал он.— Просто замечательно. Таким я вас и представлял себе. Мальчик мой, вы созданы для большего, чем быть простым клерком у Мейсонов!

Его восторг, как вы понимаете, меня, конечно, несколько смутил.

— Так-то оно так, мистер Пиннер,— отвечал я,— но не все обо мне такого высокого мнения. Я не один день побегал, пока нашел эту вакансию. И я очень рад ей.

— Ах, господи, что это вы говорите! Разве ваше место там? Вот послушайте, что я вам скажу. Правда, я не могу предложить вам уже сейчас место, которое вы заслуживаете, но в сравнении с Мейсонами это небо и земля. Когда вы начнете работать у Мейсонов?

— В понедельник.

— Хм-м, готов биться об заклад, что вы туда не пойдете.

— Что, не пойду к Мейсонам?!

505

— Вот именно, мой дорогой. К этому времени вы уже будете работать коммерческим директором Франко-Мидландской компании скобяных изделий, имеющей сто тридцать четыре отделения в различных городах и селах Франции, не считая Брюсселя и Сан-Ремо.

У меня даже дыхание перехватило.

— Но я никогда не слышал об этой компании,— пробормотал я.

— Очень может быть. Мы не кричим о себе на каждом углу, капитал фирмы целиком составляют частные вклады, а дела идут так хорошо, что реклама просто ни к чему. Генеральный директор фирмы — мой брат Гарри Пиннер, он же и основал ее. Зная, что я еду в Лондон, он попросил меня подыскать ему расторопного помощника — молодого человека, способного и делового, с хорошими рекомендациями. Паркер рассказал мне о вас, и вот я здесь. Для начала мы можем предложить вам всего каких-то пятьсот фунтов в год, но в дальнейшем...

— Пятьсот фунтов?! — вскричал я, пораженный.

— Это для начала. Кроме того, вы будете получать один процент комиссионных с каждого нового контракта, и, можете поверить мне, ваше жалованье удвоится.

— Но я ничего не смыслю в скобяных изделиях.

— Зато вы смыслите в бухгалтерии.

Голова моя закружилась, и я едва усидел на месте. Но вдруг в душу мою закралось сомнение.

— Я буду откровенен с вами, сэр,— сказал я.— Мейсоны положили мне двести фунтов в год, но фирма «Мейсон и Уильямсы» — дело верное. А о вас я ровно ничего...

— Вы просто прелесть! — вскричал мой гость в восторге.— Именно такой человек нам и нужен. Вас не проведешь. И это очень хорошо. Вот чек на сто фунтов, и если считаете, что дело сделано, смело кладите их в свой карман в качестве аванса.

— Это очень большая сумма,— сказал я.— Когда я должен приступить к работе?

— Поезжайте завтра утром в Бирмингем,— ответил он.— И в час приходите во временную контору фирмы на Корпорейшн-стрит, дом 126. Я дам вам письмо моему брату. Нужно его согласие. Но, между нами говоря, я считаю ваше назначение решенным.

— Не знаю, как и благодарить вас, мистер Пиннер,— сказал я.

— Пустое, мой мальчик. Вы должны благодарить только самого себя. А теперь еще один-два пункта,—

так, чистая формальность, но это необходимо уладить. Есть у вас бумага? Будьте добры, напишите на ней: «*Согласен поступить на должность коммерческого директора во Франко-Мидландскую компанию скобяных изделий с годовым жалованьем 500 фунтов*».

Я написал то, что мистер Пиннер продиктовал мне, и он положил бумагу в карман.

— И еще один вопрос,— сказал он.— Как вы думаете поступить с Мейсонами?

На радостях я совсем было о них забыл.

— Напишу им о своем отказе от места,— ответил я.

— По-моему, этого делать не надо. Я был у Мейсона и поссорился из-за вас с его управляющим. Я зашел к нему навести о вас справки, а он стал кричать, что я сманиваю его людей и тому подобное. Ну я и не выдержал. «Если вы хотите держать хороших работников, платите им как следует»,— сказал я в сердцах. А он мне ответил, что вы предпочтете служить у них на маленьком жалованье, чем у нас на большом.

«Ставлю пять фунтов,— сказал я,— что, когда я предложу ему место коммерческого директора у нас, он даже не напишет вам о своем отказе».— «Идет! — воскликнул он.— Мы его, можно сказать, из петли вытащили, и он от нас не откажется!» Это точные его слова.

— Каков нахал! — возмутился я.— Я его и в глаза не видел, а он смеет говорить обо мне такие вещи... Да я теперь ни за что не напишу им, хоть умоляйте меня!

— Ну и прекрасно. Так, значит, по рукам,— сказал он, поднимаясь со стула.— Я рад, что нашел брату хорошего помощника. Вот ваш аванс, а вот и письмо. Запомните адрес: Корпорейшн-стрит, 126; не забудьте: завтра в час. Спокойной ночи, и пусть счастье всегда сопутствует вам, как вы того заслуживаете.

Вот, насколько я помню, какой у нас произошел разговор. Можете себе представить, доктор Уотсон, как я обрадовался этому предложению. Я не спал до полуночи, взволнованный блестящей перспективой, и на следующий день выехал в Бирмингем самым ранним поездом. По приезде я оставил вещи в гостинице на Нью-стрит, а сам отправился пешком по данному адресу.

До назначенного срока оставалось около четверти часа, но я подумал, что ничего не случится, если я приду раньше. Дом 126 оказался большим пассажем, в конце которого по обе стороны располагались два больших магазина, за одним виднелась лестница, наподобие винтовой, куда выходили двери различных контор и отделений местных фирм.

Внизу, в начале лестницы, висел на стене большой указатель с названием фирм, но как я ни искал, а «Франко-Мидландской» там не оказалось. Сердце мое упало, и я несколько минут стоял возле указателя, тупо разглядывая его и спрашивая себя, кто и зачем вздумал разыграть меня таким нелепым образом, как вдруг ко мне подошел незнакомец — точная копия моего вчерашнего посетителя, только этот был чисто выбрит и волосы у него были чуть посветлее.

— Мистер Пикрофт? — спросил он меня.

— Да,— ответил я.

— Я ждал вас, но вы пришли немного раньше. Сегодня утром мне передали письмо от моего брата. Он очень вас хвалит.

— Я искал на указателе мою будущую фирму, когда вы подошли.

— У нас пока еще нет вывески, мы только на прошлой неделе сняли это помещение. Ну что же, идемте наверх, там и переговорим.

Мы поднялись по лестнице чуть не под самую крышу и очутились в пустой и грязной комнатке, ободранной и обшарпанной, из которой вела дверь в другую, такую же. Надеясь увидеть большую контору с рядами сверкающих столов и кучей клерков, я оторопело оглядел голое окно без штор или занавесок, две сосновые табуретки и маленький стол, которые вместе со счетами и корзиной для бумаг составляли всю обстановку.

— Мистер Пикрофт, пусть вас не смущает наше скромное помещение,— подбодрил меня мой новый начальник, заметив мое вытянувшееся лицо,— Рим не сразу строился. Наша фирма достаточно богата, но мы не швыряем деньги на ветер. Прошу вас, садитесь и давайте ваше письмо.

Я протянул ему письмо, которое он внимательно прочел.

— О, да вы произвели сильное впечатление на моего брата Артура,— заметил он.— А брат мой — человек проницательный. Правда, он меряет людей по лондонской мерке, а я — по своей, бирмингемской. Но на этот раз я последую его совету. Считайте себя с сегодняшнего дня принятым на службу в нашу контору.

— Каковы будут мои обязанности? — спросил я.

— Вы будете скоро заведовать большим филиалом нашей компании в Париже, который имеет во Франции сто тридцать четыре отделения и будет распространять английскую керамику по всей стране. Оформление торговых заказов заканчивается в ближайшие дни. А пока вы останетесь в Бирмингеме и будете делать свое дело здесь.

— Что именно? — спросил я.

Вместо ответа он достал из ящика стола большую книгу в красном переплете.

— Это справочник города Парижа, — сказал он, — с указанием рода занятий его жителей. Возьмите его домой и выпишите всех торговцев железоскобяными изделиями с их адресами. Это нам крайне необходимо.

— Но ведь, наверное, есть специальные справочники по профессиям, — заметил я.

— Они очень неудобны. Французская система отличается от нашей. Словом, берите этот справочник и в следующий понедельник к двенадцати часам принесите мне готовый список. До свидания, мистер Пикрофт. Я уверен, что вам понравится у нас, если, конечно, вы и впредь будете усердны и сообразительны.

С книгой в руках я вернулся в отель; душу мою обуревали самые противоречивые чувства. С одной стороны, меня окончательно приняли на работу, и в моем кармане лежало сто фунтов. С другой — жалкий вид конторы, отсутствие вывески на стене и другие мелочи, сразу бросающиеся в глаза человеку, опытному в банковских делах, заставляли меня призадуматься о финансовом положении моих новых хозяев. Но будь что будет — аванс я получил, надо приниматься за работу. Все воскресенье я усердно трудился, и тем не менее к понедельнику я дошел только до буквы «Н». Я отправился к своему новому шефу и застал его все в той же ободранной комнате; он велел мне продолжать списывать парижских жестянщиков и прийти с готовой работой в среду. Но и в среду работа все еще не была окончена. Я корпел над списком вплоть до пятницы, то есть до вчерашнего дня. Вчера я наконец принес Пиннеру готовый список.

— Благодарю вас, — сказал он. — Боюсь, что я недооценил трудностей задачи. Этот список мне будет очень полезен.

— Да, над ним пришлось изрядно попотеть, — заметил я.

— А теперь, — заявил он, — я попрошу вас составить список мебельных магазинов, они также занимаются продажей керамики.

— Хорошо.

— Приходите в контору завтра к семи часам вечера, чтобы я знал, как идут дела. Но не переутомляйтесь. Пойдите вечером в мюзик-холл. Я думаю, это не повредит ни вам, ни вашей работе.

Сказав это, он рассмеялся, и я, к своему ужасу, вдруг заметил на его нижнем втором слева зубе плохо наложенную золотую пломбу.

Шерлок Холмс даже руки потер от удовольствия, я же слушал нашего клиента, недоумевая.

— Ваше недоумение понятно, доктор Уотсон,— сказал Пикрофт.— Вы просто не знаете всех обстоятельств дела. Помните, в Лондоне я разговаривал с братом моего хозяина? Так вот, у него во рту была точно такая же золотая пломба. Я обратил на нее внимание, когда он рассмеялся, рассказывая мне о своем разговоре с управляющим Мейсонов.

Тогда я сравнил мысленно обоих братьев и увидел, что голос и фигура у них абсолютно одинаковы и что отличаются они только тем, что можно легко изменить с помощью бритвы или же парика. Сомнений не было: передо мной был тот же самый человек, который приходил ко мне в Лондоне. Конечно, бывает, что два брата похожи друг на друга, как две капли воды, но чтобы у них был одинаково запломбирован один и тот же зуб — этого быть не могло.

Шеф мой с поклоном проводил меня до двери, и я очутился на улице, едва соображая, где я и что со мной происходит.

Кое-как я добрался до гостиницы, сунул голову в таз с холодной водой, чтобы прийти в себя, и стал думать, зачем он послал меня из Лондона в Бирмингем к самому себе, зачем написал это идиотское письмо? Как ни ломал я голову, ответа на эти вопросы не находил. И тут меня осенило: поеду к Шерлоку Холмсу; только он может понять, в чем тут дело. В тот же день вечерним поездом я выехал в Лондон, чтобы еще утром свидеться с Шерлоком Холмсом и привезти его в Бирмингем.

Клерк закончил рассказ о своем удивительном приключении. Наступило молчание. Шерлок Холмс многозначительно взглянул на меня и откинулся на подушки. Выражение его лица было довольное и вместе с тем критическое, как у знатока, только что отведавшего глоток превосходного вина.

— Ну что, Уотсон, ловко придумано, а? — заметил он.— В этом есть что-то заманчивое для меня. Надеюсь, вы согласитесь, что интервью с Гарри-Артуром Пиннером во временной конторе Франко-Мидландской компании скобяных изделий было бы для нас небезынтересно.

— Да, но как это сделать? — спросил я.

— Очень просто,— вмешался в разговор Холл Пикрофт.— Вы оба — мои друзья, ищете работу, и я, естественно, решил рекомендовать вас моему хозяину.

— Отлично, так и сделаем! — воскликнул Холмс.— Я хочу повидать этого господина и, если удастся, выяснить, какую игру он затеял. Что особенного он нашел в вас? Почему дал такой большой аванс? Быть может...

Он принялся грызть ногти, уставившись отсутствующим взглядом в окно, и до самого Нью-стрита нам больше не удалось вытянуть из него ни слова.

В тот же день в семь часов вечера мы втроем шагали по Корпорейшн-стрит, направляясь в контору Франко-Мидландской компании.

— Приходить раньше нет надобности,— заметил клерк.— Он там бывает, по-видимому, только затем, чтобы повидаться со мной. Так что до назначенного часа в конторе все равно никого не будет.

— Это интересно,— сказал Холмс.

— Ну, что я вам говорил! — воскликнул Пикрофт.— Вон он идет впереди нас.

Он указал на невысокого, белокурого, хорошо одетого мужчину, спешившего по другой стороне улицы. Пока мы его разглядывали, Пиннер, заметив напротив газетчика, размахивающего свежими номерами вечерней газеты, кинулся к нему через улицу, огибая пролетки и омнибусы, и купил одну. Затем с газетой в руках он скрылся в дверях пассажа.

— Он уже в конторе! — воскликнул Пикрофт.— Идемте со мной, я сейчас вас представлю.

Вслед за нашим спутником мы взобрались на пятый этаж и очутились перед незапертой дверью. Пикрофт постучал. Из-за двери послышалось: «Войдите». Мы зашли в пустую, почти не меблированную комнату, вид которой полностью совпадал с описанием Пикрофта. За единственным столом с развернутой газетой в руках сидел человек, только что виденный нами на улице. Он поднял голову, и я увидел лицо, искаженное таким страданием, вернее, даже не страданием, а безысходным отчаянием, как бывает, когда с человеком стряслась непоправимая беда. Лоб его блестел от испарины, щеки приняли мертвенно-бледный оттенок, напоминавший брюхо вспоротой рыбы, остекленевший взгляд был взглядом сумасшедшего. Он уставился на своего клерка, точно видел его впервые, и по лицу Пикрофта я понял, что таким он видит хозяина первый раз.

— Мистер Пиннер, что с вами, вы больны? — воскликнул он.

— Да, я что-то неважно себя чувствую,— выдавил из себя мистер Пиннер.— Что это за джентльмены, которые пришли с вами? — добавил он, облизывая пересохшие губы.

— Это мистер Гаррис из Бэрмендси, а это мистер Прайс — он здешний житель,— словоохотливо ответил наш клерк.— Мои друзья. Они хорошо знают конторское дело. Но оба сейчас без работы. И я подумал, может, у вас найдется для них местечко.

— Конечно, почему бы нет! — вскричал Пиннер, через силу улыбаясь.— Я даже уверен, что найдется. Вы по какой части, мистер Гаррис?

— Я бухгалтер,— ответил Холмс.

— Так-так, бухгалтеры нам нужны. А ваша специальность, мистер Прайс?

— Я клерк,— ответил я.

— Полагаю, что и для вас дело найдется. Как только мы примем решение, я тотчас дам вам знать. А сейчас я попрошу вас уйти. Ради бога, оставьте меня одного!

Последние слова вырвались у него помимо воли. Точно у него больше не было сил сдерживаться. Мы с Холмсом переглянулись, а Пикрофт шагнул к столу.

— Мистер Пиннер, вы, наверное, забыли, что я пришел сюда за дальнейшими инструкциями,— сказал он.

— Да-да, конечно, мистер Пикрофт,— ответил хозяин конторы неожиданно бесстрастным тоном.— Подождите меня здесь минутку. Да и ваши друзья пусть подождут. Я буду к вашим услугам через пять минут, если позволите мне злоупотребить вашим терпением в такой степени.

Он встал, учтиво поклонился, вышел в соседнюю комнату и затворил за собой дверь.

— Что там такое? — зашептал Холмс.— Он не ускользнет от нас?

— Нет! — уверенно ответил Пикрофт.— Эта дверь ведет только во вторую комнату.

— А из нее нет другого выхода?

— Нет.

— Там тоже пусто?

— Вчера по крайней мере там ничего не было.

— Зачем он туда пошел? Мне здесь не все ясно. Такое впечатление, что Пиннер внезапно повредился в уме. Что-то испугало его до потери сознания. Но что?

— Возможно, он решил, что мы из полиции,— предположил я.

— Возможно,— согласился Пикрофт.

Холмс покачал головой.

— Нет, он уже был бледен, как смерть, когда мы вошли,— возразил он.— Разве только...

Его слова были прерваны резким стуком, раздавшимся из соседней комнаты.

— Какого черта он стучится в собственную дверь!— вскричал Пикрофт.

Стук не прекращался. Мы все в ожидании уставились на закрытую дверь. Лицо у Холмса стало жестким. Он в сильном возбуждении наклонился вперед.

Потом из соседней комнаты вдруг донесся тихий булькающий звук, словно кто-то полоскал горло, и чем-то часто забарабанили по деревянной перегородке. Холмс, как бешеный, прыгнул через всю комнату к двери и толкнул ее. Дверь оказалась на запоре. Мы с Пикрофтом тоже бросились к двери, и все втроем навалились на нее. Сорвалась одна петля, потом вторая, и дверь с треском рухнула на пол. Мы ворвались внутрь. Комната была пуста.

Наша растерянность длилась не больше минуты. В ближайшем углу комнаты виднелась еще одна дверь. Холмс подскочил к ней и отворил ее рывком. За дверью на полу лежали пиджак и жилетка, а на крюке на собственных подтяжках, затянутых вокруг шеи, висел управляющий Франко-Мидландской компании скобяных изделий. Колени его подогнулись, голова неестественно свесилась на грудь, пятки, ударяя по двери, издавали тот самый непонятный стук, который заставил нас насторожиться. В мгновение ока я обхватил и приподнял его бесчувственное тело, а Холмс и Пикрофт стали развязывать резиновую петлю, которая почти исчезла под багрово-синими складками шеи. Затем мы перенесли Пиннера в другую комнату и положили на пол. Лицо у него стало свинцово-серым, но он был жив, и его фиолетово-синие губы с каждым вдохом и выдохом выпячивались и опадали. Это было жалкое подобие того здорового, цветущего человека, которого мы видели на улице всего полчаса назад.

— Как его состояние, Уотсон?— спросил меня Холмс.

Я наклонился над распростертым телом и начал осмотр. Пульс по-прежнему оставался слабым, но дыхание постепенно выравнивалось, веки слегка дрожали, приоткрыв тонкую белую полоску глазных яблок.

— Чуть было не отправился к праотцам,— заметил я,— но, кажется, все обошлось. Откройте-ка окно и дайте сюда графин с водой.

Я расстегнул ему рубашку на груди, смочил холодной водой лицо и принялся поднимать и опускать его руки, делая искусственное дыхание, пока он не вздохнул наконец всей грудью.

— Теперь все остальное — только вопрос времени,— заметил я, отходя от него.

Холмс стоял у стола, засунув руки в карманы брюк и опустив голову на грудь.

— Ну что же,— сказал он,— пора вызывать полицию. Должен признаться, что мне будет приятно посвятить их в подробности этого дела.

— Я все-таки ничего не понимаю,— признался Пикрофт, почесав затылок.— Черт возьми! Для чего, спрашивается, я был им здесь нужен?

— Все очень просто,— махнул рукой Холмс,— мне непонятна только заключительная сцена.— Холмс указал на подтяжки.

— А все остальное понятно?

— Думаю, что да. А вы, Уотсон, что скажете?

Я пожал плечами.

— Ровным счетом ничего не понимаю.

— А ведь если внимательно проследить ход событий, то вывод напрашивается сам собой.

— Какой же?

— Одну минутку. Вначале вернемся к двум исходным точкам: первое — заявление Пикрофта с просьбой принять его на работу в эту нелепую компанию. Надеюсь, вы догадываетесь, зачем его заставили написать это заявление.

— Боюсь, что нет.

— И все-таки оно зачем-то понадобилось! Ведь, как правило, чтобы принять человека на службу, достаточно устного соглашения, и на сей раз не было никаких причин, чтобы делать исключение. Отсюда вывод: им до зарезу нужен был образец вашего почерка.

— Но зачем?

— В самом деле, зачем? Ответив на этот вопрос, мы с вами решим и всю задачу. Так, значит, зачем же им стал нужен ваш почерк? А затем, что кому-то понадобилось написать что-то, подделываясь под вашу руку. Теперь второй момент. Как вы сейчас увидите, одно дополняет другое. Помните, как у мистера Пикрофта было взято обещание не посылать Мейсонам письменного отказа от места, а отсюда следует, что управляющий названного банка и по сей день пребывает в уверенности, что в понедельник к нему на службу явился не кто иной, как мистер Пикрофт.

— Боже мой!— вскричал бедняга Пикрофт.— Каким же я оказался идиотом!

— Сейчас вы окончательно поймете, зачем им понадобился ваш почерк. Вообразите себе, что человек, проникший под вашим именем к Мейсонам, не знает вашего почерка. Ясно, его тут же поймают, и он проиграет игру, еще не начав ее. Но если мошенник знаком с вашей рукой, то бояться ему нечего. Ибо, насколько я понял, у Мейсонов вас никто никогда в глаза не видел.

— В том-то и дело, что никто!— простонал Пикрофт.

— Прекрасно. Далее, мошенникам было крайне важно, чтобы вы не передумали или случайно не узнали, что у Мейсонов работает ваш двойник. Поэтому вам дали солидный аванс и увезли в Бирмингем, где поручили вам такую работу, которая удержала бы вас вдали от Лондона хотя бы с неделю. Все очень просто, как видите.

— Да, но зачем ему понадобилось выдавать себя за собственного брата?

— И это понятно. Их, очевидно, двое. Один должен был заменить вас у Мейсонов, второй — отправить вас в Бирмингем. Приглашать третьего, на роль управляющего фирмой, им не хотелось. Поэтому второй изменил, сколько мог, свою внешность и выдал себя за собственного брата, так что даже разительное сходство не могло бы вызвать подозрений. И если бы не золотая пломба, вам бы и в голову никогда не пришло, что ваш лондонский посетитель и управляющий бирмингемской конторы — одно и то же лицо.

Холл Пикрофт затряс сжатыми кулаками.

— Боже мой!— вскричал он.— А чем же занимался мой двойник в конторе Мейсонов, пока я тут позволил водить себя за нос? Что же теперь нам делать, мистер Холмс? Что?

— Во-первых, без промедления телеграфировать Мейсонам.

— Сегодня суббота, банк закрывается в двенадцать.

— Это неважно, там наверняка есть сторож или швейцар...

— Да, они держат специального сторожа. Об этом как-то говорили в Сити. У них в банке хранятся большие ценности.

— Прекрасно. Мы сейчас позвоним и узнаем у него, все ли там в порядке и работает ли клерк с вашей фамилией. В общем, дело ясное. Не ясно одно, почему, увидев нас, один из мошенников тотчас ушел в другую комнату и повесился.

— Газета!.. — послышался хриплый голос позади нас.

Самоубийца сидел на полу, бледный и страшный, в глазах его появились проблески сознания, руки нервно растирали широкую красную полосу, оставленную петлей на шее.

— Газета! Ну конечно! — вскричал Холмс возбужденно. — Какой же я идиот! Я все хотел связать самоубийство с нашим визитом и совсем забыл про газету. Разгадка, безусловно, в ней. — Он развернул газету на столе, и крик торжества сорвался с его уст.

— Посмотрите, Уотсон! — вскричал он. — Это лондонская «Ивнинг стандард». Какие заголовки! *«Ограбление в Сити! Убийство в банке Мейсонов! Грандиозная попытка ограбления! Преступник пойман!»* Вот здесь, Уотсон. Читайте. Я просто сгораю от нетерпения.

Это неудавшееся ограбление, судя по тому, сколько места отвела ему газета, было главным происшествием дня.

Вот что я прочитал:

«Сегодня днем в Сити была совершена дерзкая попытка ограбления банка. Убит один человек. Преступник пойман.

Несколько дней назад известный банкирский дом «Мейсон и Уильямсы» получил на хранение ценные бумаги на сумму, значительно превышающую миллион фунтов стерлингов. Управляющий банком, сознавая ответственность, легшую на его плечи, и понимая всю опасность хранения такой огромной суммы, установил в банке круглосуточное дежурство вооруженного сторожа. Полученные ценности были помещены в сейфы самой последней конструкции. В это время в банк на службу был принят новый клерк, по имени Холл Пикрофт, оказавшийся не кем иным, как знаменитым взломщиком и грабителем Беддингтоном, который со своим братом вышел на днях на свободу, отсидев пять лет в каторжной тюрьме. Каким-то образом, каким, еще не установлено, этому Беддингтону удалось устроиться в банк клерком. Проработав несколько дней, он изучил распо-

ложение кладовой и сейфов, а также снял слепки с нужных ему ключей.

Обычно в субботу служащие Мейсонов покидают банк ровно в двенадцать часов дня. Вот почему Тьюсон, сержант полиции, дежуривший в Сити, был слегка удивлен, когда увидел какого-то господина с саквояжем в руках, выходящего из банка в двенадцать минут второго. Заподозрив неладное, он последовал за неизвестным и после отчаянного сопротивления задержал его с помощью подоспевшего констебля Поллока. Сразу стало ясно, что совершено дерзкое и грандиозное ограбление. Саквояж оказался битком набит ценными бумагами, американскими железнодорожными акциями и акциями других компаний. Стоимость бумаг превышала сто тысяч фунтов стерлингов.

При осмотре здания обнаружили труп несчастного сторожа, засунутый в один из самых больших сейфов, где он пролежал бы до понедельника, если бы не расторопность и находчивость сержанта Тьюсона. Череп бедняги был размозжен ударом кочерги, нанесенным сзади. Очевидно, Беддингтон вернулся назад в контору, сделав вид, что забыл там что-то. Убив сторожа и быстро очистив самый большой сейф, он попытался скрыться со своей добычей. Его брат, обычно работающий вместе с ним, на этот раз, как пока известно, в деле не участвовал. Однако полиция принимает энергичные меры, чтобы установить его местопребывание».

— Мы можем, пожалуй, избавить полицию от лишних хлопот,— сказал Холмс, бросив взгляд на поникшую фигуру, скорчившуюся у окна.— Человеческая натура — странная вещь, Уотсон. Этот человек так любит своего брата, убийцу и злодея, что готов был руки на себя наложить, узнав, что тому грозит виселица. Но делать нечего, мы с доктором побудем здесь, а вы, мистер Пикрофт, будьте добры, сходите за полицией.

«ГЛОРИЯ СКОТТ»

— У меня здесь кое-какие бумаги,— сказал мой друг Шерлок Холмс, когда мы зимним вечером сели у огня.— Вам не мешало бы их просмотреть, Уотсон. Это документы, касающиеся одного необыкновенного дела — дела «Глории Скотт». Когда мировой судья Тревор прочитал вот эту записку, с ним случился удар, и он, не приходя в себя, умер.

Шерлок Холмс достал из ящика письменного стола потемневшую от времени коробочку, вынул оттуда и протянул мне записку, нацарапанную на клочке серой бумаги.

Записка заключала в себе следующее:

«С дичью дело, мы полагаем, закончено. Глава предприятия Хадсон, по сведениям, рассказал о мухобойках все. Фазаньих курочек берегитесь».

Когда я оторвался от этого загадочного письма, то увидел, что Холмс удовлетворен выражением моего лица.

— Вид у вас довольно-таки озадаченный,— сказал он.

— Я не понимаю, как подобная записка может внушить кому-нибудь ужас. Мне она представляется нелепой.

— Возможно. И все-таки факт остается фактом, что вполне еще крепкий пожилой человек, прочитав ее, упал, как от пистолетного выстрела.

— Вы возбуждаете мое любопытство,— сказал я.— Но почему вы утверждаете, что мне необходимо ознакомиться с этим делом?

— Потому что это — мое первое дело.

Я часто пытался выяснить у своего приятеля, что́ толкнуло его в область расследования уголовных дел, но до сих пор он ни разу не пускался со мной в откровенности. Сейчас он сел в кресло и разложил бумаги на коленях. Потом закурил трубку, некоторое время попыхивал ею и переворачивал страницы.

— Вы никогда не слышали от меня о Викторе Треворе? — спросил Шерлок Холмс.— Он был моим единственным другом в течение двух лет, которые я провел в колледже. Я не был общителен, Уотсон, я часами оставался один в своей комнате, размышляя надо всем, что замечал и слышал вокруг,— тогда как раз я и начал создавать свой метод. Потому-то я и не сходился в колледже с моими сверстниками. Не такой уж я любитель спорта, если не считать бокса и фехтования, словом, занимался я вовсе не тем, чем мои сверстники, так что точек соприкосновения у нас было маловато. Тревор был единственным моим другом, да и подружились-то мы случайно, по милости его терьера, который однажды утром вцепился мне в лодыжку, когда я шел в церковь. Начало дружбы прозаическое, но эффективное. Я пролежал десять дней, и Тревор ежедневно приходил справляться о моем здоровье. На первых порах наша беседа длилась не более минуты, потом Тревор стал засиживаться, и к концу семестра мы с ним были уже близкими друзьями. Сердечный и мужественный, жизнерадостный и энергичный, Тревор представлял собой полную противоположность мне, и все же у нас было много общего. Когда же я узнал, что у него, как и у меня, нет друзей, мы сошлись с ним еще короче.

В конце концов он предложил мне провести каникулы в имении его отца в Дониforpe, в Норфолке, и я решил на этот месяц воспользоваться его гостеприимством.

У старика Тревора, человека, по-видимому, состоятельного и почтенного, было имение. Дониforp — это деревушка к северу от Лангмера, недалеко от Бродз. Кирпичный дом Тревора, большой, старомодный, стоял на дубовых сваях. В тех местах можно было отлично поохотиться на уток, половить рыбу. У Треворов была небольшая, но хорошо подобранная библиотека. Как я понял, ее купили у бывшего владельца вместе с домом. Кроме того, старик Тревор держал сносного повара, так что только уж очень привередливый человек не провел бы здесь приятно время.

Тревор давно овдовел. Кроме моего друга, детей у него не было. Я слышал, что у него была еще дочь, но она умерла от дифтерита в Бирмингеме, куда ездила гостить. Старик, мировой судья, заинтересовал меня. Человек он был малообразованный, но с недюжинным умом и очень сильный физически. Едва ли он читал книги, зато много путешествовал, много видел и все запоминал.

С виду это был коренастый, плотный человек с копной седых волос, с загорелым, обветренным лицом и голубыми глазами. Взгляд этих глаз казался колючим, почти свирепым, и все-таки в округе он пользовался репутацией человека доброго и щедрого, был хорошо известен как снисходительный судья.

Как-то, вскоре после моего приезда, мы сидели после обеда за стаканом портвейна. Молодой Тревор заговорил о моей наблюдательности и моем методе дедукции, который мне уже удалось привести в систему, хотя тогда я еще не представлял себе точно, какое он найдет применение в дальнейшем. Старик, по-видимому, считал, что его сын преувеличивает мое искусство.

— Попробуйте ваш метод на мне, мистер Холмс,— со смехом сказал он: в тот день он был в отличном расположении духа,— я прекрасный объект для выводов и заключений.

— Боюсь, что о вас я немногое могу рассказать,— заметил я.— Я лишь могу предположить, что весь последний год вы кого-то опасались.

Смех замер на устах старика, и он уставился на меня в полном изумлении.

— Да, это правда,— подтвердил он и обратился к сыну: — Знаешь, Виктор, когда мы разогнали шайку браконьеров, они поклялись, что зарежут нас. И они в самом деле напали на сэра Эдварда Хоби. С тех пор я все время настороже, хотя, как ты знаешь, я не из пугливых.

— У вас очень красивая палка,— продолжал я.— По надписи я определил, что она у вас не больше года. Но вам пришлось просверлить отверстие в набалдашнике и налить туда расплавленный свинец, чтобы превратить палку в грозное оружие. Если б вам нечего было бояться, вы бы не прибегали к таким предосторожностям.

— Что еще? — улыбаясь, спросил старик Тревор.

— В юности вы часто дрались.

— Тоже верно. А это как вы узнали? По носу, который у меня глядит в сторону?

— Нет,— ответил я,— по форме ушей, они у вас прижаты к голове. Такие уши бывают у людей, занимающихся боксом.

— А еще что?

— Вы часто копали землю — об этом свидетельствуют мозоли.

— Все, что у меня есть, я заработал на золотых приисках.

— Вы были в Новой Зеландии.

— Опять угадали.

— Вы были в Японии.

— Совершенно верно.

— Вы были связаны с человеком, инициалы которого Д. А., а потом вы постарались забыть его.

Мистер Тревор медленно поднялся, устремил на меня непреклонный, странный, дикий взгляд больших голубых глаз и вдруг упал в обморок — прямо на скатерть, на которой была разбросана ореховая скорлупа. Можете себе представить, Уотсон, как мы оба, его сын и я, были потрясены. Обморок длился недолго. Мы расстегнули мистеру Тревору воротник и сбрызнули ему лицо водой. Мистер Тревор вздохнул и поднял голову.

— Ах, мальчики! — силясь улыбнуться, сказал он.— Надеюсь, я не испугал вас? На вид я человек сильный, а сердце у меня слабое, и оно меня иногда подводит. Не знаю, как вам это удается, мистер Холмс, но, по-моему, все сыщики по сравнению с вами младенцы.

Это — ваше призвание, можете поверить человеку, который кое-что повидал в жизни.

И, знаете, Уотсон, именно преувеличенная оценка моих способностей навела меня на мысль, что это могло бы быть моей профессией, а до того дня это было увлечение, не больше. Впрочем, тогда я не мог думать ни о чем, кроме как о внезапном обмороке моего хозяина.

— Надеюсь, я ничего не сказал такого, что причинило вам боль?— спросил я.

— Вы дотронулись до больного места... Позвольте задать вам вопрос: как вы все узнаете и что вам известно?

Задал он этот вопрос полушутливым тоном, но в глубине его глаз по-прежнему таился страх.

— Все очень просто объясняется,— ответил я.— Когда вы засучили рукав, чтобы втащить рыбу в лодку, я увидел у вас на сгибе локтя буквы Д. А. Буквы были все еще видны, но размазаны, вокруг них на коже расплылось пятно — очевидно, их пытались уничтожить. Еще мне стало совершенно ясно, что эти инициалы были вам когда-то дороги, но впоследствии вы пожелали забыть их.

— Какая наблюдательность!— со вздохом облегчения воскликнул мистер Тревор.— Все так, как вы говорите. Ну, довольно об этом. Худшие из всех призраков — это призраки наших былых привязанностей. Пойдемте покурим в бильярдной.

С этого дня к радушию, которое неизменно оказывал мне мистер Тревор, примешалась подозрительность. Даже его сын обратил на это внимание.

— Задали вы моему отцу задачу,— сказал мой друг.— Он все еще не в состоянии понять, что вам известно, а что неизвестно.

Мистер Тревор не подавал вида, но это, должно быть, засело у него в голове, и он часто поглядывал на меня украдкой.

Наконец я убедился, что нервирую его и что мне лучше уехать.

Накануне моего отъезда произошел случай, доказавший всю важность моих наблюдений.

Мы, все трое, разлеглись на шезлонгах, расставленных перед домом на лужайке, грелись на солнышке и восхищались видом на Бродз, как вдруг появилась служанка и сказала, что какой-то мужчина хочет видеть мистера Тревора.

— Кто он такой?— спросил мистер Тревор.

— Он не назвал себя.

— Что ему нужно?

— Он уверяет, что вы его знаете и что ему нужно с вами поговорить.

— Проведите его сюда.

Немного погодя мы увидели сморщенного человечка с заискивающим видом и косолапой походкой. Рукав его распахнутой куртки был выпачкан в смоле. На незнакомце были рубашка в красную и черную клетку, брюки из грубой бумажной ткани и стоптанные тяжелые башмаки. Лицо у него было худое, загорелое, глазки хитренькие. Он все время улыбался; улыбка обнажала желтые кривые зубы. Его морщинистые руки словно хотели что-то зажать в горсти — привычка, характерная для моряка. Когда он своей развинченной походкой шел по лужайке, у мистера Тревора вырвался какой-то сдавленный звук; он вскочил и побежал к дому. Вернулся он очень скоро, и когда проходил мимо меня, я почувствовал сильный запах бренди.

— Ну, мой друг, чем я могу быть вам полезен?— осведомился он.

Моряк смотрел на него, прищурившись и нагло улыбаясь.

— Узнаете?— спросил он.

— Как же, как же, дорогой мой! Вне всякого сомнения, вы — Хадсон?— не очень уверенно спросил Тревор.

— Да, я — Хадсон,— ответил моряк.— Тридцать с лишним лет прошло с тех пор, как мы виделись в последний раз. И вот у вас собственный дом, а я все еще питаюсь солониной из бочек.

— Сейчас ты убедишься, что я старых друзей не забываю!— воскликнул мистер Тревор и, подойдя к моряку, что-то сказал ему на ухо.— Пойди на кухню,— продолжал он уже громко,— там тебе дадут и выпить и закусить. И работа для тебя найдется.

— Спасибо,— теребя прядь волос, сказал моряк.— Я долго бродяжничал, пора и отдохнуть. Я надеялся, что найду пристанище у мистера Бедоза или у вас.

— А разве ты знаешь, где живет мистер Бедоз?— с удивлением спросил мистер Тревор.

— Будьте спокойны, сэр: я знаю, где живут все мои старые друзья,— со зловещей улыбкой ответил моряк и вразвалку пошел за служанкой в кухню.

Мистер Тревор пробормотал, что он сдружился с этим человеком на корабле, когда они ехали на прииски, а затем пошел к дому. Когда мы через час вошли в столовую, то увидели, что он, мертвецки пьяный, валяется на диване.

Этот случай произвел на меня неприятное впечатление, и на другой день я уже не жалел о том, что уезжаю из Донифорпа, я чувствовал, что мое присутствие стесняет моего друга.

Все эти события произошли в первый месяц наших каникул. Я вернулся в Лондон и там около двух месяцев делал опыты по органической химии.

Осень уже вступила в свои права, и каникулы подходили к концу, когда я неожиданно получил телеграмму от моего друга — он вызывал меня в Донифорп, так как нуждался, по его словам, в моей помощи и совете. Разумеется, я все бросил и поехал на север.

Мой друг встретил меня в экипаже на станции, и я с первого взгляда понял, что последние два месяца были для него очень тяжелыми. Он похудел, у него был измученный вид, и он уже не так громко и оживленно разговаривал.

— Отец умирает.— Это было первое, что я от него услышал.

— Не может быть!— воскликнул я.— Что с ним?

— Удар. Нервное потрясение. Он на волоске от смерти. Не знаю, застанем ли мы его в живых.

Можете себе представить, Уотсон, как я был ошеломлен этой новостью.

— Что случилось?— спросил я.

— В том-то все и дело... Садитесь, дорóгой поговорим... Помните того субъекта, который явился к нам накануне вашего отъезда?

— Отлично помню.

— Знаете, кого мы впустили в дом?

— Понятия не имею.

— Это был сущий дьявол, Холмс!— воскликнул мой друг.

Я с удивлением посмотрел на него.

— Да, это был сам дьявол. С тех пор у нас не было ни одного спокойного часа — ни одного! С того вечера отец не поднимал головы, жизнь его была разбита, в конце концов сердце не выдержало — и все из-за этого проклятого Хадсона!

— Как же Хадсон этого добился?

— Ах, я бы много дал, чтобы это выяснить! Мой отец — добрый, сердечный, отзывчивый старик! Как он мог попасть в лапы к этому головорезу? Я так рад, что вы приехали, Холмс! Я верю в вашу рассудительность и осторожность, я знаю, что вы мне дадите самый разумный совет.

Мы мчались по гладкой, белой деревенской дороге. Перед нами открывался вид на Бродз, освещенный красными лучами заходящего солнца. Дом стоял на открытом месте; слева от рощи еще издали можно было разглядеть высокие трубы и флагшток.

— Отец взял к себе этого человека в качестве садовника, — продолжал мой друг, — но Хадсону этого было мало, и отец присвоил ему чин дворецкого. Можно было подумать, что это его собственный дом, — он слонялся по всем комнатам и делал, что хотел. Служанки пожаловались на его грубые выходки и мерзкий язык. Отец, чтобы вознаградить их, увеличил им жалованье. Этот тип брал лучшее ружье отца, брал лодку и уезжал на охоту. С лица его не сходила насмешливая, злобная и наглая улыбка, так что, будь мы с ним однолетки, я бы уже раз двадцать сшиб его с ног. Скажу, положа руку на сердце, Холмс: все это время я должен был держать себя в руках, а теперь я говорю себе: дурак я, дурак, зачем только я сдерживался?.. Ну, а дела шли все хуже и хуже. Эта скотина Хадсон становился все нахальнее, и наконец за один его наглый ответ отцу я схватил его за плечи и выпроводил из комнаты. Он удалился медленно, с мертвенно-бледным лицом; его злые глаза выражали угрозу явственнее, чем ее мог бы выразить его язык. Я не знаю, что произошло между моим бедным отцом и этим человеком, но на следующий день отец пришел ко мне и попросил меня извиниться перед Хадсоном. Вы, конечно, догадываетесь, что я отказался и спросил отца, как он мог дать этому негодяю такую волю, как смеет Хадсон всеми командовать в доме.

— Ах, мой мальчик! — воскликнул отец. — Тебе хорошо говорить, ты не знаешь, в каком я положении. Но ты узнаешь все. Я чувствую, что ты узнаешь, а там будь что будет! Ты не поверишь, если тебе скажут дурное о твоем бедном старом отце, ведь правда, мой мальчик?..

Отец был очень расстроен. На целый день он заперся у себя в кабинете. В окно мне было видно, что он писал. Вечер, казалось, принес нам большое облегчение, так как Хадсон сказал, что намерен покинуть нас. Он вошел в столовую, где мы с отцом сидели после обеда, и объявил о своем решении тем развязным тоном, каким говорят в подпитии.

— Хватит с меня Норфолка, — сказал он, — я отправляюсь к мистеру Бедозу в Хампшир. Наверно, он будет так же рад меня видеть, как и вы.

— Надеюсь, вы не будете поминать нас лихом?— сказал мой отец с кротостью, от которой у меня кровь закипела в жилах.

— Со мной здесь дурно обошлись,— сказал он и мрачно поглядел в мою сторону.

— Виктор! Ты не считаешь, что обошелся с этим достойным человеком довольно грубо?— обернувшись ко мне, спросил отец.

— Напротив! Я полагаю, что по отношению к нему мы оба выказали необыкновенное терпение,— ответил я.

— Ах, вот вы как думаете?— зарычал Хадсон.— Ладно, дружище, мы еще посмотрим!..

Сгорбившись, он вышел из комнаты, а через полчаса уехал, оставив моего отца в самом плачевном состоянии. По ночам я слышал шаги у него в комнате. Я был уверен, что катастрофа вот-вот разразится.

— И как же она разразилась?— с нетерпением в голосе спросил я.

— Чрезвычайно просто. На письме, которое мой отец получил вчера вечером, был штамп Фординбриджа. Отец прочитал его, схватился за голову и начал бегать по комнате, как сумасшедший. Когда я наконец уложил его на диван, его рот и глаза были перекошены — с ним случился удар. По первому зову пришел доктор Фордем. Мы перенесли отца на кровать. Потом его всего парализовало, сознание к нему уже не возвращается, и я боюсь, что мы не застанем его в живых.

— Какой ужас!— воскликнул я.— Что же могло быть в этом роковом письме?

— Ничего особенного. Все это необъяснимо. Письмо нелепое, бессмысленное... Ах, боже мой, этого-то я и боялся!

Как раз в это время мы обогнули аллею. При меркнущем солнечном свете было видно, что все шторы в доме спущены. Когда мы подъехали к дому, лицо моего друга исказилось от душевной боли. Из дома вышел господин в черном.

— Когда это произошло, доктор?— спросил Тревор.

— Почти тотчас после вашего отъезда.

— Он приходил в сознание?

— На одну минуту, перед самым концом.

— Что-нибудь просил мне передать?

— Только одно: бумаги находятся в потайном отделении японского шкафчика.

Мой друг вместе с доктором прошел в комнату умершего, а я остался в кабинете. Я перебирал в памяти все события. Кажется, никогда в жизни я не был так подавлен, как сейчас... Кем был прежде Тревор? Боксером, искателем приключений, золотоискателем? И как он очутился в лапах у этого моряка с недобрым лицом? Почему он упал в обморок при одном упоминании о полустертых инициалах на руке и почему это письмо из Фордингбриджа послужило причиной его смерти?

Потом я вспомнил, что Фордингбридж находится в Хампшире и что мистер Бедоз, к которому моряк поехал прямо от Тревора и которого он, по-видимому, тоже шантажировал, жил в Хампшире. Письмо, следовательно, могло быть или от Хадсона, угрожавшего тем, что он выдаст некую тайну, или от Бедоза, предупреждавшего своего бывшего сообщника, что над ним нависла угроза разоблачения. Казалось бы, все ясно. Но могло ли письмо быть таким тривиальным и бессмысленным, как охарактеризовал его сын? Возможно, он неправильно истолковал его. Если так, то, по всей вероятности, это искусный шифр: вы пишете об одном, а имеется в виду совсем другое. Я решил ознакомиться с этим письмом. Я был уверен, что если в нем есть скрытый смысл, то мне удастся его разгадать.

Я долго думал. Наконец заплаканная служанка принесла лампу, а следом за ней вошел мой друг, бледный, но спокойный, держа в руках те самые документы, которые сейчас лежат у меня на коленях.

Он сел напротив меня, подвинул лампу к краю стола и протянул мне короткую записку — как видите, написанную второпях на клочке серой бумаги:

«С дичью дело, мы полагаем, закончено. Глава предприятия Хадсон, по сведениям, рассказал о мухобойках все. Фазаньих курочек берегитесь».

Должен заметить, что, когда я впервые прочел это письмо, на моем лице выразилось такое же замешательство, как сейчас на вашем. Потом я внимательно перечитал его.

Как я и предвидел, смысл письма был скрыт в загадочном наборе слов. Быть может, он кроется именно в *«мухобойках»* или в *«фазаньих курочках»*? Но такое толкование произвольно и вряд ли к чему-нибудь привело бы. И все же я склонялся к мысли, что все дело в расстановке слов. Фамилия Хадсон как будто указывала на то, что, как я и предполагал, он является действующим лицом этого письма, а письмо скорее всего от Бедоза. Я попытался прочитать его с конца, но сочетание слов: *«Берегитесь курочек фазаньих»* — меня не вдохновило. Тогда я решил переставить слова, но ни *«дичь»*, ни *«с»* тоже света не пролили. Внезапно ключ к загадке оказался у меня в руках.

Я обнаружил, что если взять каждое третье слово, то вместе они составят то самое письмо, которое довело старика Тревора до такого отчаяния.

Письмо оказалось коротким, выразительным, и теперь, когда я прочел его моему другу, в нем явственно прозвучала угроза:

«Дело закончено. Хадсон рассказал все. Берегитесь».

Виктор Тревор дрожащими руками закрыл лицо.

— Наверное, вы правы,— заметил он.— Но это еще хуже смерти — это бесчестье! А при чем же тут *«глава предприятия»* и *«фазаньи курочки»*?

— К содержанию записки они ничего не прибавляют, но если у нас с вами не окажется иных средств, чтобы раскрыть отправителя, они могут иметь большое значение. Смотрите, что он пишет: *«Дело... закончено...»* — и так далее. После того как он расположил шифр, ему нужно было заполнить пустые места любыми двумя словами. Естественно, он брал первое попавшееся. Можете быть уверены, что он охотник или занимается разведением домашней птицы. Вы что-нибудь знаете об этом Бедозе?

— Когда вы заговорили о нем, я вспомнил, что мой несчастный отец каждую осень получал от него приглашение поохотиться в его заповедниках,— ответил мой друг.

— В таком случае не подлежит сомнению, что записка от Бедоза,— сказал я.— Остается выяснить, как моряку Хадсону удавалось держать в страхе состоятельных и почтенных людей.

— Увы, Холмс! Боюсь, что их всех связывало преступление и позор! — воскликнул мой друг.— Но от вас у меня секретов нет. Вот исповедь, написанная моим отцом, когда он узнал, что над ним нависла опасность. Как мне доктор и говорил, я нашел ее в японском шкафчике. Прочтите вы — у меня для этого недостанет ни душевных сил, ни смелости.

Вот эта исповедь, Уотсон. Сейчас я вам ее прочитаю, так же как я в ту ночь, в старом кабинете, прочел ему. Видите? Она написана на обороте документа, озаглавленного: «Некоторые подробности рейса «Глории Скотт», отплывшей из Фалмута 8 октября 1855 года и разбившейся 6 ноября под 15°20′ северной широты и 25°14′ западной долготы». Написана исповедь в форме письма и заключает в себе следующее:

«Мой дорогой, любимый сын! Угроза бесчестья омрачила последние годы моей жизни. Со всей откровенностью могу сказать, что не страх перед законом, не утрата положения, которое я здесь себе создал, не мое падение в глазах всех, кто знал меня, надрывает мне душу. Мне не дает покоя мысль, что ты меня так любишь, а тебе придется краснеть за меня. Между тем до сих пор я мог льстить себя надеждой, что тебе не за что презирать меня. Но если удар, которого я ждал каждую минуту, все-таки разразится, то я хочу, чтобы ты все узнал непосредственно от меня и мог судить, насколько я виноват. Если же все будет хорошо, если милосердный господь этого не допустит, я заклинаю тебя всем святым, памятью твоей дорогой матери и нашей взаимной привязанностью: буде это письмо попадет к тебе в руки, брось его в огонь и никогда не вспоминай о нем. Если же ты когда-нибудь прочтешь эти строки, то это будет значить, что я разоблачен и меня уже нет в этом доме или, вернее всего (ты же знаешь: сердце у меня плохое), что я мертв. И в том и в другом случае запрет снимается. Все, о чем я здесь пишу, я пишу тебе с полной откровенностью, так как надеюсь на твою снисходительность.

Моя фамилия, милый мальчик, не Тревор. Раньше меня звали Джеймс Армитедж. Теперь ты понимаешь, как меня потрясло открытие, сделанное твоим другом,— мне показалось, что он разгадал мою тайну. Под фамилией Армитедж я поступил в лондонский банк и под той же фамилией я был осужден за нарушение законов страны и приговорен к ссылке. Не думай обо мне дурно, мой мальчик. Это был так называемый долг чести: чтобы уплатить его, я воспользовался чужими деньгами, будучи уверен, что верну, прежде чем их хватятся. Но злой рок преследовал меня.

Деньги, на которые я рассчитывал, я не получил, а внезапная ревизия обнаружила у меня недостачу. На это могли бы посмотреть сквозь пальцы, но тридцать лет тому назад законы соблюдались строже, чем теперь. И вот, когда мне было всего двадцать три года, я, в кандалах, как уголовный преступник, вместе с тридцатью семью другими осужденными, очутился на палубе «Глории Скотт», отправлявшейся в Австралию.

Это со мной случилось в пятьдесят пятом году, когда Крымская война была в разгаре и суда, предназначенные для переправки осужденных, в большинстве случаев играли роль транспортных судов в Черном море. Вот почему правительство было вынуждено воспользоваться для отправки в ссылку заключенных маленькими и не очень подходящими для этой цели судами. «Глория Скотт» возила чай из Китая. Это было старомодное, неповоротливое судно, новые клипера легко обгоняли ее. Водоизмещение ее равнялось пятистам тоннам. Кроме тридцати восьми заключенных на борту ее находилось двадцать шесть человек, составлявших судовую команду, восемнадцать солдат, капитан, три помощника капитана, доктор, священник и четверо караульных. Словом, когда мы отошли от Фалмута, на борту «Глории Скотт» находилось около ста человек. Перегородки между камерами были не из дуба, как полагалось на кораблях для заключенных,— они были тонкими и непрочными. Еще когда нас привели на набережную, один человек обратил на себя мое внимание, и теперь он оказался рядом со мной на корме «Глории». Это был молодой человек с гладким, лишенным растительности лицом, с длинным, тонким носом и тяжелыми челюстями. Держался он независимо, походка у него была важная, благодаря огромному росту он возвышался над всеми. Я не видел, чтобы кто-нибудь доставал ему до плеча. Я убежден, что росту он был не менее шести с половиной футов. Среди печальных и усталых лиц энергичное лицо этого человека, выражавшее непреклонную решимость, выделялось особенно резко. Для меня это был как бы маячный огонь во время шторма. Я обрадовался, узнав, что он мой сосед; когда же, глубокой ночью, я услышал чей-то шепот, а затем обнаружил, что он ухитрился проделать отверстие в разделявшей нас перегородке, то это меня еще больше обрадовало.

— Эй, приятель! — прошептал он.— Как тебя зовут и за что ты здесь?

Я ответил ему и, в свою очередь, поинтересовался, с кем я разговариваю.

— Я Джек Прендергаст,— ответил он.— Клянусь богом, ты слышал обо мне еще до нашего знакомства!

Тут я вспомнил его нашумевшее дело,— я узнал о нем незадолго до моего ареста. Это был человек из хорошей семьи, очень способный, но с неискоренимыми пороками. Благодаря сложной системе обмана он сумел выудить у лондонских купцов огромную сумму денег.

— Ах, так вы помните мое дело? — с гордостью спросил он.

— Отлично помню.

— В таком случае вам, быть может, запомнилась и одна особенность этого дела?

— Какая именно?

— У меня было почти четверть миллиона, верно?

— Говорят.

— И этих денег так и не нашли, правильно?

— Не нашли.

— Ну, а как вы думаете, где они? — спросил он.

— Не знаю,— ответил я.

— Деньги у меня,— громким шепотом проговорил он.— Клянусь богом, у меня больше фунтов стерлингов, чем у тебя волос на голове. А если у тебя есть деньги, сын мой, и ты знаешь, как с ними надо обращаться, то с их помощью ты сумеешь кое-чего добиться! Уж не думаешь ли ты, что такой человек, как я, до того запуган, что намерен просиживать штаны в этом вонючем трюме, в этом ветхом, прогнившем гробу, на этом утлом суденышке? Нет, милостивый государь, такой человек прежде всего позаботится о себе и о своих товарищах. Можешь положиться на этого человека. Держись за него и возблагодари судьбу, что он берет тебя на буксир.

Такова была его манера выражаться. Поначалу я не придал его словам никакого значения, но немного погодя, после того как он подверг меня испытанию и заставил принести торжественную клятву, он дал мне понять, что на «Глории» существует заговор: решено подкупить команду и переманить ее на нашу сторону. Человек десять заключенных вступило в заговор еще до того, как нас погрузили на «Глорию». Прендергаст стоял во главе этого заговора, а его деньги служили движущей силой.

— У меня есть друг,— сказал он,— превосходный, честнейший человек, он-то и должен подкупить команду. Деньги у него. А как ты думаешь, где он сейчас? Он священник на «Глории» — ни больше ни меньше! Он явился на корабль в черном костюме, с поддельными документами и с такой крупной суммой, на которую здесь все что угодно можно купить. Команда за него в огонь и в воду. Он купил их всех оптом за наличный расчет, когда они только нанимались. Еще он подкупил двух караульных, Мерсера, второго помощника капитана, а если понадобится, подкупит и самого капитана.

— Что же мы должны делать? — спросил я.

— Как что делать? Мы сделаем то, что красные мундиры солдат станут еще красней.

— Но они вооружены! — возразил я.

— У нас тоже будет оружие, мой мальчик. На каждого маменькиного сынка придется по паре пистолетов. И вот, если при таких условиях мы не сумеем захватить это суденышко вместе со всей командой, то нам ничего иного не останется, как поступить в институт для благородных девиц. Поговори со своим товарищем слева и реши, можно ли ему доверять».

Я выяснил, что мой сосед слева — молодой человек, который, как и я, совершил подлог. Фамилия его была Иванс, но впоследствии, как и я, он переменил ее. Теперь это богатый и преуспевающий человек; живет он на юге Англии. Он выразил готовность примкнуть к заговору, — он видел в этом единственное средство спасения. Мы еще не успели проехать залив, а уже заговор охватил всех заключенных — только двое не участвовали в нем. Один из них был слабоумный, и мы ему не доверяли, другой страдал желтухой, и от него не было никакого толка. Вначале ничто не препятствовало нам овладеть кораблем. Команда представляла собой шайку головорезов, как будто нарочно подобранную для такого дела. Мнимый священник посещал наши камеры, дабы наставить нас на путь истинный. Приходил он к нам с черным портфелем, в котором якобы лежали брошюры духовно-нравственного содержания. Посещения эти были столь часты, что на третий день у каждого из нас оказались под кроватью напильник, пара пистолетов, фунт пороха и двадцать пуль. Двое караульных были прямыми агентами Прендергаста, а второй помощник капитана — его правой рукой. Противную сторону составляли капитан, два его помощника, двое караульных, лейтенант Мартин, восемнадцать солдат и доктор. Так как мы не навлекли на себя ни малейших подозрений, то решено было, не принимая никаких мер предосторожности, совершить внезапное нападение ночью. Однако все произошло гораздо скорее, чем мы предполагали.

Мы находились в плавании уже более двух недель. И вот однажды вечером доктор спустился в трюм осмотреть заболевшего заключенного и, положив руку на койку, наткнулся на пистолеты. Если бы он не показал виду, то дело наше было бы проиграно, но доктор был человек нервный. Он вскрикнул от удивления и помертвел. Больной понял, что доктор обо всем догадался, и бросился на него. Тревогу тот поднять не успел — заключенный заткнул ему рот и привязал к кровати. Спускаясь к нам, он отворил дверь, ведущую на палубу, и мы все ринулись туда. Застрелили двоих караульных, а также капрала, который выбежал посмотреть, в чем дело. У дверей кают-компании стояли два солдата, но их мушкеты, видимо, не были заряжены, потому что они в нас ни разу не выстрелили, а пока они собирались броситься в штыки, мы их прикончили. Затем мы подбежали к каюте капитана, но когда отворили дверь, в каюте раздался выстрел. Капитан сидел за столом, уронив голову на карту Атлантического океана, а рядом стоял священник с дымящимся пистолетом в руке. Двух помощников капитана схватила команда. Казалось, все было кончено.

Мы все собрались в кают-компании, находившейся рядом с каютой капитана, расселись на диванах и заговорили все сразу — хмель свободы ударил нам в голову. В каюте стояли ящики, и мнимый священник Уилсон достал из одного ящика дюжину бутылок темного хереса. Мы отбили у бутылок горлышки, разлили вино по бокалам и только успели поставить бокалы на стол, как раздался треск ружейных выстрелов и кают-компания наполнилась таким густым дымом, что не видно было стола. Когда же дым рассеялся, то глазам нашим открылось побоище. Уилсон и еще восемь человек валялись на полу друг на друге, а на столе кровь смешалась с хересом. Воспоминание об этом до сих пор приводит меня в ужас. Мы были так напуганы, что, наверное, не смогли бы оказать сопротивление, если бы не Прендергаст. Наклонив голову, как бык, он бросился к двери вместе со всеми, кто остался в живых. Выбежав, мы увидели лейтенанта и десять солдат. В кают-компании над столом был приоткрыт люк, и они стреляли в нас через эту щель.

Однако, прежде чем они успели перезарядить ружья, мы на них набросились. Они героически сопротивлялись, но у нас было численное превосходство, и через пять минут все было кончено. Боже мой! Происходило ли еще такое побоище на другом каком-нибудь корабле? Прендергаст, словно рассвирепевший дьявол, поднимал солдат, как малых детей, и — живых и мертвых — швырял за борт. Один тяжело раненный сержант долго держался на воде, пока кто-то из сострадания не выстрелил ему в голову. Когда схватка кончилась, из наших врагов остались в живых только караульные, помощники капитана и доктор.

Схватка кончилась, но затем вспыхнула ссора. Все мы были рады отвоеванной свободе, но кой-кому не хотелось брать на душу грех. Одно дело — сражение с вооруженными людьми, и совсем другое дело — убийство безоружных. Восемь человек — пятеро заключенных и три моряка — заявили, что они против убийства. Но на Прендергаста и его сторонников это не произвело впечатления. Он сказал, что мы должны на это решиться, что это единственный выход — свидетелей оставлять нельзя. Все это едва не привело к тому, что и мы разделили бы участь арестованных, но потом Прендергаст все-таки предложил желающим сесть в лодку. Мы согласились — нам претила его кровожадность, а кроме того, мы опасались, что дело может обернуться совсем худо для нас. Каждому из нас выдали по робе и на всех — бочонок воды, бочонок с солониной, бочонок с сухарями и компас. Прендергаст бросил нам в лодку карту и крикнул на прощание, что мы — потерпевшие кораблекрушение, что наш корабль затонул под 15° северной широты и 25° западной долготы. И перерубил фалинь.

Теперь, мой милый сын, я подхожу к самой удивительной части моего рассказа. Во время свалки «Глория Скотт» стояла носом к ветру. Как только мы сели в лодку, судно изменило курс и начало медленно удаляться. С северо-востока дул легкий ветер, наша лодка то поднималась, то опускалась на волнах. Иванс и я, как наиболее грамотные, сидели над картой, пытаясь определить, где мы находимся, и выбрать, к какому берегу лучше пристать. Задача оказалась не из легких: на севере, в пятистах милях от нас, находились острова Зеленого Мыса, а на востоке, примерно милях в семистах, берег Африки. В конце концов, так как ветер дул с юга, мы выбрали Сьерра-Леоне и поплыли по направлению к ней. «Глория» была уже сейчас так далеко, что по правому борту видны были только ее мачты. Внезапно над «Глорией» взвилось густое черное облако дыма, похожее на какое-то чудовищное дерево. Несколько минут спустя раздался взрыв, а когда дым рассеялся, «Глория Скотт» исчезла. Мы немедленно направили лодку туда, где над водой все еще поднимался легкий туман, как бы указывая место катастрофы.

Плыли мы томительно долго, и сперва нам показалось, что уже поздно, что никого не удастся спасти. Разбитая лодка, масса плетеных корзин и обломки, колыхавшиеся на волнах, указывали место, где судно пошло ко дну, но людей не было видно, и мы, потеряв надежду, хотели было повернуть обратно, как вдруг послышался крик: «На помощь!» — и мы увидели вдали доску, а на ней человека. Это был молодой матрос Хадсон. Когда мы втащили его в лодку, он был до того измучен и весь покрыт ожогами, что мы ничего не могли у него узнать.

Наутро он рассказал нам, что, как только мы отплыли, Прендергаст и его шайка приступили к совершению казни над пятерыми уцелевшими после свалки: двух ка-

533

раульных они расстреляли и бросили за борт, не избег этой участи и третий помощник капитана. Прендергаст своими руками перерезал горло несчастному доктору. Только первый помощник капитана, мужественный и храбрый человек, не дал себя прикончить. Когда он увидел, что арестант с окровавленным ножом в руке направляется к нему, он сбросил оковы, которые как-то ухитрился ослабить, и побежал на корму.

Человек десять арестантов, вооруженных пистолетами, бросились за ним и увидели, что он стоит около открытой пороховой бочки, а в руке у него коробка спичек. На корабле находилось сто человек, и он поклялся, что если только до него пальцем дотронутся, все до одного взлетят на воздух. И в эту секунду произошел взрыв. Хадсон полагал, что взрыв вернее всего вызвала шальная пуля, выпущенная кем-либо из арестантов, а не спичка помощника капитана. Какова бы ни была причина, «Глории Скотт» и захватившему ее сброду пришел конец.

Вот, мой дорогой, краткая история этого страшного преступления, в которое я был вовлечен. На другой день нас подобрал бриг «Хотспур», шедший в Австралию. Капитана нетрудно было убедить в том, что мы спаслись с затонувшего пассажирского корабля. В Адмиралтействе транспортное судно «Глория Скотт» сочли пропавшим; его истинная судьба так и осталась неизвестной. «Хотспур» благополучно доставил нас в Сидней. Мы с Ивансом переменили фамилии и отправились на прииски. На приисках нам обоим легко было затеряться в той многонациональной среде, которая нас окружала.

Остальное нет нужды досказывать. Мы разбогатели, много путешествовали, а когда вернулись в Англию как богатые колонисты, то приобрели имения. Более двадцати лет мы вели мирный и плодотворный образ жизни и все надеялись, что наше прошлое забыто навеки. Можешь себе представить мое состояние, когда в моряке, который пришел к нам, я узнал человека, подобранного в море! Каким-то образом он разыскал меня и Бедоза и решил шантажировать нас. Теперь ты догадываешься, почему я старался сохранить с ним мирные отношения, и отчасти поймешь мой ужас, который еще усилился после того, как он, угрожая мне, отправился к другой жертве».

Под этим неразборчиво, дрожащей рукой написано: «Бедоз написал мне шифром, что Хадсон рассказал все. Боже милосердный, спаси нас!»

Вот что я прочитал в ту ночь Тревору-сыну. На мой взгляд, Уотсон, эта история полна драматизма. Мой друг был убит горем. Он отправился на чайные плантации в Терай и там, как я слышал, преуспел. Что касается моряка и мистер Бедоза, то со дня получения предостерегающего письма ни о том, ни о другом не было ни слуху ни духу. Оба исчезли бесследно. В полицию никаких донесений не поступало, следовательно, Бедоз ошибся, полагая, что угроза будет приведена в исполнение. Кто-то как будто видел Хадсона мельком. Полиция решила на этом основании, что он прикончил Бедоза и скрылся. Я же думаю, что все вышло как раз наоборот: Бедоз, доведенный до отчаяния, полагая, что все раскрыто, рассчитался наконец с Хадсоном и скрылся, не забыв захватить с собой изрядную сумму денег. Таковы факты, доктор, и если они когда-нибудь понадобятся вам для пополнения вашей коллекции, то я с радостью предоставлю их в ваше распоряжение.

ОБРЯД ДОМА МЕСГРЕЙВОВ

В характере моего друга Холмса меня часто поражала одна странная особенность: хотя в своей умственной работе он был точнейшим и аккуратнейшим из людей, а его одежда всегда отличалась не только опрятностью, но даже изысканностью, во всем остальном это было самое беспорядочное существо в мире и его привычки могли свести с ума любого человека, живущего с ним под одной кровлей.

Не то чтобы я сам был безупречен в этом отношении. Сумбурная работа в Афганистане, еще усилившая мое врожденное пристрастие к кочевой жизни, сделала меня более безалаберным, чем это позволительно для врача. Но все же моя неаккуратность имеет известные границы, и когда я вижу, что человек держит свои сигары в ведерке для угля, табак — в носке персидской туфли, а письма, которые ждут ответа, прикалывает перочинным ножом к деревянной доске над камином, мне, право же, начинает казаться, будто я образец всех добродетелей. Кроме того, я всегда считал, что стрельба из пистолета, бесспорно, относится к такого рода развлечениям, которыми можно заниматься только под открытым небом. Поэтому, когда у Холмса появлялась охота стрелять и он, усевшись в кресло с револьвером и патронташем, начинал украшать противоположную стену патриотическим вензелем «V. R.»[1], выводя его при помощи пуль,

---

[1] V. R. — Victoria Gerina — королева Виктория *(лат.)*.

я особенно остро чувствовал, что это занятие отнюдь не улучшает ни воздух, ни внешний вид нашей квартиры. Комнаты наши были вечно полны странных предметов, связанных с химией или с какой-нибудь уголовщиной, и эти реликвии постоянно оказывались в самых неожиданных местах, например, в масленке, а то и в еще менее подходящем месте. Однако больше всего мучили меня бумаги Холмса. Он терпеть не мог уничтожать документы, особенно если они были связаны с делами, в которых он когда-либо принимал участие, но вот разобрать свои бумаги и привести их в порядок — на это у него хватало мужества не чаще одного или двух раз в год. Где-то в своих бессвязных записках я, кажется, уже говорил, что приливы кипучей энергии, которые помогали Холмсу в замечательных расследованиях, прославивших его имя, сменялись у него периодами безразличия, полного упадка сил. И тогда он по целым дням лежал на диване со своими любимыми книгами, лишь изредка поднимаясь, чтобы поиграть на скрипке. Таким образом, из месяца в месяц бумаг накапливалось все больше и больше, и все углы были загромождены пачками рукописей. Жечь эти рукописи ни в коем случае не разрешалось, и никто, кроме их владельца, не имел права распоряжаться ими.

В один зимний вечер, когда мы сидели вдвоем у камина, я отважился намекнуть Холмсу, что, поскольку он кончил вносить записи в свою памятную книжку, пожалуй, не грех бы ему потратить часок-другой на то, чтобы придать нашей квартире более жилой вид. Он не мог не признать справедливости моей просьбы и с довольно унылой физиономией поплелся к себе в спальню. Вскоре он вышел оттуда, волоча за собой большой жестяной ящик. Поставив его посреди комнаты и усевшись перед ним на стул, он откинул крышку. Я увидел, что ящик был уже на одну треть заполнен пачками бумаг, перевязанных красной тесьмой.

— Здесь немало интересных дел, Уотсон,— сказал он, лукаво посматривая на меня.— Если бы вы знали, что́ лежит в этом ящике, то, пожалуй, попросили бы меня извлечь из него кое-какие бумаги, а не укладывать туда новые.

— Так это отчеты о ваших прежних делах? — спросил я.— Я не раз жалел, что у меня нет записей об этих давних случаях.

— Да, мой дорогой Уотсон. Все они происходили еще до того, как у меня появился собственный биограф, вздумавший прославить мое имя.

Мягкими, ласкающими движениями он вынимал одну пачку за другой.

— Не все дела кончались удачей, Уотсон,— сказал он,— но среди них есть несколько прелюбопытных головоломок. Вот, например, отчет об убийстве Тарлтона. Вот дело Вамбери, виноторговца, и происшествие с одной русской старухой. Вот странная история алюминиевого костыля. Вот подробный отчет о кривоногом Риколетти и его ужасной жене. А это... вот это действительно прелестно.

Он сунул руку на самое дно ящика и вытащил деревянную коробочку с выдвижной крышкой, похожую на те, в каких продаются детские игрушки. Оттуда он вынул измятый листок бумаги, медный ключ старинного фасона, деревянный колышек с привязанным к нему мотком бечевки и три старых, заржавленных металлических кружка.

— Ну что, друг мой, как вам нравятся эти сокровища? — спросил он, улыбаясь недоумению, написанному на моем лице.

— Любопытная коллекция.

— Очень любопытная. А история, которая с ней связана, покажется вам еще любопытнее.

— Так у этих реликвий есть своя история?

— Больше того,— они сами — история.

— Что вы хотите этим сказать?

Шерлок Холмс разложил все эти предметы на краю стола, уселся в свое кресло и стал разглядывать их блестевшими от удовольствия глазами.

— Это все,— сказал он,— что я оставил себе на память об одном деле, связанном с «Обрядом дома Месгрейвов».

Холмс не раз упоминал и прежде об этом деле, но мне все не удавалось добиться от него подробностей.

— Как бы мне хотелось, чтобы вы рассказали об этом случае! — попросил я.

— И оставил весь этот хлам неубранным? — насмешливо возразил он.— А как же ваша любовь к порядку? Впрочем, я и сам хочу, чтобы вы приобщили к своим летописям это дело, потому что в нем есть такие детали, которые делают его уникальным в хронике уголовных преступлений не только Англии, но и других стран. Коллекция моих маленьких подвигов была бы неполной без описания этой весьма оригинальной истории...

Вы, должно быть, помните, как происшествие с «Глорией Скотт» и мой разговор с тем несчастным стариком, о судьбе которого я вам рассказывал, впервые натолкнули меня на мысль о профессии, ставшей потом делом всей моей жизни. Сейчас мое имя стало широко известно. Не только публика, но и официальные круги считают меня последней инстанцией для разрешения спорных вопросов. Но даже и тогда, когда мы только что познакомились с вами — в то время я занимался делом, которое вы увековечили под названием «Этюд в багровых тонах»,— у меня уже была довольно значительная, хотя и не очень прибыльная практика. И вы не можете себе представить, Уотсон, как трудно мне приходилось вначале и как долго я ждал успеха.

Когда я впервые приехал в Лондон, я поселился на Монтегю-стрит, совсем рядом с Британским музеем, и там я жил, заполняя свой досуг — а его было у меня даже чересчур много — изучением всех тех отраслей знаний, какие могли бы мне пригодиться в моей профессии. Время от времени ко мне обращались за советом — преимущественно по рекомендации бывших товарищей-студентов, потому что в последние годы моего пребывания в университете там немало говорили обо мне и моем методе. Третье дело, по которому ко мне обратились, было дело «Дома Месгрейвов», и тот интерес, который привлекла к себе эта цепь странных событий, а также те важные последствия, какие имело мое вмешательство, и явились первым шагом на пути к моему нынешнему положению.

Реджинальд Месгрейв учился в одном колледже со мной, и мы были с ним в более или менее дружеских отношениях. Он не пользовался особенной популярностью в нашей среде, хотя мне всегда казалось, что высокомерие, в котором его обвиняли, было лишь попыткой прикрыть крайнюю застенчивость. По наружности это был типичный аристократ: тонкое лицо, нос с горбинкой, большие глаза, небрежные, но изысканные манеры. Это и в самом деле был отпрыск одного из древнейших родов королевства, хотя и младшей его ветви, которая еще в шестнадцатом веке отделилась от северных Месгрейвов и обосновалась в Западном Суссексе, а замок Харлстон — резиденция Месгрейвов — является, пожалуй, одним из самых старинных зданий графства. Казалось, дом, где он родился, оставил свой отпечаток на внешности этого человека, и когда я смотрел на его бледное, с резкими чертами лицо и горделивую осанку, мне всегда невольно представлялись серые башенные своды, решетчатые окна и все эти благородные остатки феодальной архитектуры. Время от времени нам случалось беседовать, и, помнится, всякий раз он живо интересовался моими методами наблюдений и выводов.

Мы не виделись года четыре, и вот однажды утром он явился ко мне на Монтегю-стрит. Изменился он мало, одет был прекрасно — он всегда был немного франтоват — и сохранил спокойное изящество, отличавшее его и прежде.

— Как поживаете, Месгрейв? — спросил я после того, как мы обменялись дружеским рукопожатием.

— Вы, вероятно, слышали о смерти моего бедного отца,— сказал он.— Это случилось около двух лет назад. Разумеется, мне пришлось тогда взять на себя управление Харлстонским поместьем. Кроме того, я депутат от своего округа, так что человек я занятой. А вы, Холмс, говорят, решили применить на практике те выдающиеся способности, которыми так удивляли нас в былые времена?

— Да,— ответил я,— теперь я пытаюсь зарабатывать на хлеб с помощью собственной смекалки.

— Очень рад это слышать, потому что ваш совет был бы сейчас просто драгоценен для меня. У нас в Харлстоне произошли странные вещи, и полиции не удалось ничего выяснить. Это настоящая головоломка.

Можете себе представить, с каким чувством я слушал его, Уотсон. Ведь случай, тот самый случай, которого я с таким жгучим нетерпением ждал в течение этих месяцев бездеятельности, наконец-то, казалось мне, был передо мной. В глубине души я всегда был уверен, что могу добиться успеха там, где другие потерпели неудачу, и теперь мне представлялась возможность испытать самого себя.

— Расскажите мне все подробности! — вскричал я.

Реджинальд Месгрейв сел против меня и закурил папиросу.

— Надо вам сказать,— начал он,— что хоть я и не женат, мне приходится держать в Харлстоне целый штат прислуги. Замок очень велик, выстроен он крайне бестолково и потому нуждается в постоянном присмотре. Кроме того, у меня есть заповедник, и в сезон охоты на фазанов в доме обычно собирается большое общество, что тоже требует немало слуг. Всего у меня восемь горничных, повар, дворецкий, два лакея и мальчуган на посылках. В саду и при конюшнях имеются, конечно, свои рабочие.

Из этих людей дольше всех прослужил в нашей семье Брантон, дворецкий. Когда отец взял его к себе, он был молодым школьным учителем без места, и вскоре благодаря своему сильному характеру и энергии он сделался незаменимым в нашем доме. Это рослый, красивый мужчина с великолепным лбом, и хотя он прожил у нас лет около двадцати, ему и сейчас не больше сорока. Может показаться странным, что при такой привлекательной наружности и необычайных способностях — он говорит на нескольких языках и играет чуть ли не на всех музыкальных инструментах — он так долго удовлетворялся своим скромным положением, но, видимо, ему жилось хорошо, и он не стремился ни к каким переменам. Харлстонский дворецкий всегда обращал на себя внимание всех наших гостей.

Но у этого совершенства есть один недостаток: он немного донжуан и, как вы понимаете, в нашей глуши ему не слишком трудно играть эту роль.

Все шло хорошо, пока он был женат, но когда его жена умерла, он стал доставлять нам немало хлопот. Правда, несколько месяцев назад мы уж было успокоились и решили, что все опять наладится: Брантон обручился с Рэчел Хауэлз, нашей младшей горничной. Однако вскоре он бросил ее ради Дженет Треджелис, дочери старшего егеря.

Рэчел — славная девушка, но очень горячая и неуравновешенная, как все вообще уроженки Уэльса. У нее началось воспаление мозга, и она слегла, но потом выздоровела и теперь ходит — вернее, ходила до вчерашнего дня — как тень; у нее остались одни глаза.

Такова была наша первая драма в Харлстоне, но вторая быстро изгладила ее из нашей памяти, тем более, что этой второй предшествовало еще одно большое событие: дворецкий Брантон был с позором изгнан из нашего дома.

Вот как это произошло. Я уже говорил вам, что Брантон очень умен, и, как видно, именно ум стал причиной его гибели, ибо в нем проснулось жадное любопытство к вещам, не имевшим к нему никакого отношения. Мне и в голову не приходило, что оно может завести его так далеко, но случай открыл мне глаза.

Как я уже говорил, наш дом выстроен очень бестолково: в нем множество всяких ходов и переходов. На прошлой неделе — точнее, в прошлый четверг ночью — я никак не мог уснуть, потому что по глупости выпил после обеда чашку крепкого черного кофе. Промучившись до двух часов ночи и почувствовав, что все равно не засну, я наконец встал и зажег свечу, чтобы продолжить чтение начатого романа. Но оказалось, что книгу я забыл в бильярдной, поэтому, накинув халат, я отправился за нею.

Чтобы добраться до бильярдной, мне надо было спуститься на один лестничный пролет и пересечь коридор, ведущий в библиотеку и в оружейную. Можете вообразить себе мое изумление, когда, войдя в этот коридор, я увидел слабый свет, падавший из открытой двери библиотеки! Перед тем как лечь в постель, я сам погасил там лампу и закрыл дверь. Разумеется, первой моей мыслью было, что к нам забрались воры. Стены всех коридоров в Харлстоне украшены старинным оружием — это военные трофеи моих предков. Схватив с одной из стен алебарду, я поставил свечу на пол, прокрался на цыпочках по коридору и заглянул в открытую дверь библиотеки.

Дворецкий Брантон, совершенно одетый, сидел в кресле. На коленях у него был разложен лист бумаги, похожий на географическую карту, и он смотрел на него в глубокой задумчивости. Остолбенев от изумления, я не шевелился и наблюдал за ним из темноты. Комната была слабо освещена огарком свечи. Вдруг Брантон встал, подошел к бюро, стоявшему у стены, отпер его и выдвинул один из ящиков. Вынув оттуда какую-то бумагу, он снова сел на прежнее место, положил ее на стол возле свечи, разгладил и стал внимательно рассматривать. Это спокойное изучение наших фамильных документов привело меня в такую ярость, что я не выдержал, шагнул вперед, и Брантон увидел, что я стою в дверях. Он вскочил, лицо его позеленело от страха, и он поспешно сунул в карман похожий на карту лист бумаги, который только что изучал.

«Отлично! — сказал я.— Вот как вы оправдываете наше доверие! С завтрашнего дня вы уволены».

Он поклонился с совершенно подавленным видом и проскользнул мимо меня, не сказав ни слова. Огарок остался на столе, и при его свете я разглядел бумагу, которую Брантон вынул из бюро. К моему изумлению, оказалось, что это не какой-нибудь важный документ, а всего лишь копия с вопросов и ответов, произносимых при выполнении одного оригинального старинного обряда, который называется у нас «Обряд дома Месгрейвов». Вот уже несколько веков каждый мужчина из нашего рода, достигнув совершеннолетия, выполняет известный церемониал, который представляет интерес только для членов нашей семьи или, может быть, для какого-нибудь археолога — как вообще вся наша геральдика,— но никакого практического применения иметь не может.

— К этой бумаге мы еще вернемся,— сказал я Месгрейву.

— Если вы полагаете, что это действительно необходимо...— с некоторым колебанием ответил мой собеседник.— Итак, я продолжаю изложение фактов. Замкнув бюро ключом, который оставил Брантон, я уже собрался было уходить, как вдруг с удивлением увидел, что дворецкий вернулся и стоит передо мной.

«Мистер Месгрейв,— вскричал он голосом, хриплым от волнения,— я не вынесу бесчестья! Я человек маленький, но гордость у меня есть, и бесчестье убьет меня. Смерть моя будет на вашей совести, сэр, если вы доведете меня до отчаяния! Умоляю вас, если после того, что случилось, вы считаете невозможным оставить меня в доме, дайте мне месяц сроку, чтобы я мог сказать, будто ухожу добровольно. А быть изгнанным на глазах у всей прислуги, которая так хорошо меня знает,— нет, это выше моих сил!»

«Вы не стоите того, чтобы с вами особенно церемонились, Брантон,— ответил я.— Ваш поступок просто возмутителен. Но так как вы столько времени прослужили в нашей семье, я не стану подвергать вас публичному позору. Однако месяц — это слишком долго. Можете уйти через неделю и под каким хотите предлогом».

«Через неделю, сэр? — вскричал он с отчаянием.— О, дайте мне хотя бы две недели!»

«Через неделю,— повторил я,— и считайте, что с вами обошлись очень мягко».

Низко опустив голову, он медленно побрел прочь, совершенно уничтоженный, а я погасил свечу и пошел к себе.

В течение двух следующих дней Брантон самым тщательным образом выполнял свои обязанности. Я не напоминал ему о случившемся и с любопытством ждал, что он придумает, чтобы скрыть свой позор. Но на третий день он, вопреки обыкновению, не явился ко мне за приказаниями. После завтрака, выходя из столовой, я случайно увидел горничную Рэчел Хауэлз. Как я уже говорил вам, она только недавно оправилась после болезни и сейчас была так бледна, у нее был такой изнуренный вид, что я даже пожурил ее за то, что она начала работать.

«Напрасно вы встали с постели,— сказал я.— Приметесь за работу, когда немного окрепнете».

Она взглянула на меня с таким странным выражением, что я подумал, уж не подействовала ли болезнь на ее рассудок.

«Я уже окрепла, мистер Месгрейв»,— ответила она.

«Посмотрим, что скажет врач,— возразил я.— А пока что бросьте работу и идите вниз. Кстати, скажите Брантону, чтобы он зашел ко мне».

«Дворецкий пропал»,— сказала она.

«Пропал?! То есть как пропал?»

«Пропал. Никто не видел его. В комнате его нет. Он пропал, да-да, пропал!»

Она прислонилась к стене и начала истерически хохотать, а я, напуганный этим внезапным припадком, подбежал к колокольчику и позвал на помощь. Девушку увели в ее комнату, причем она все еще продолжала хохотать и рыдать, я же стал расспрашивать о Брантоне. Сомнения не было: он исчез. Постель его оказалась нетронутой, и никто не видел его с тех пор, как он ушел к себе накануне вечером. Однако трудно было бы себе представить, каким образом он мог выйти из дому, потому что утром и окна и двери оказались запертыми изнутри. Одежда, часы, даже деньги Брантона — все было в его комнате, все, кроме черной пары, которую он обыкновенно носил. Не хватало также комнатных туфель, но сапоги были налицо. Куда же мог уйти ночью дворецкий Брантон и что с ним сталось?

Разумеется, мы обыскали дом и все службы, но нигде не обнаружили его следов. Повторяю, наш дом — это настоящий лабиринт, особенно самое старое крыло, теперь уже необитаемое, но все же мы обыскали каждую комнату и даже чердаки. Все наши поиски оказались безрезультатными. Мне просто не верилось, чтобы Брантон мог уйти из дому, оставив все свое имущество, но ведь все-таки он ушел, и с этим приходилось считаться. Я вызвал местную полицию, но ей не удалось что-либо обнаружить. Накануне шел дождь, и осмотр лужаек и дорожек вокруг дома ни к чему не привел. Так обстояло дело, когда новое событие отвлекло наше внимание от этой загадки.

Двое суток Рэчел Хауэлз переходила от бредового состояния к истерическим припадкам. Она была так плоха, что приходилось на ночь приглашать к ней сиделку. На третью ночь после исчезновения Брантона сиделка, увидев, что больная спокойно заснула, тоже задремала в своем кресле. Проснувшись рано утром, она увидела, что кровать пуста, окно открыто, а пациентка исчезла.

Меня тотчас разбудили, я взял с собой двух лакеев и отправился на поиски пропавшей. Мы легко определили, в какую сторону она убежала: начиная от окна по газону шли следы, которые кончались у пруда рядом с посыпанной гравием дорожкой, выводившей из наших владений. Пруд в этом месте имеет восемь футов глубины; вы можете себе представить, какое чувство охватило нас, когда мы увидели, что отпечатки ног бедной безумной девушки обрывались у самой воды. Разумеется, мы немедленно вооружились баграми и принялись разыскивать тело утопленницы, но не нашли его. Зато мы извлекли на поверхность другой, совершенно неожиданный предмет. Это был полотняный мешок, набитый обломками старого, заржавленного, потерявшего цвет металла и какими-то тусклыми осколками не то гальки, не то стекла. Кроме этой странной добычи, мы не нашли в пруду решительно ничего и, несмотря на все наши вчерашние поиски и расспросы, так ничего и не узнали ни о Рэчел Хауэлз, ни о Ричарде Брантоне. Местная полиция совершенно растерялась, и теперь последняя моя надежда на вас.

Можете себе представить, Уотсон, с каким интересом выслушал я рассказ об этих необыкновенных событиях, как хотелось мне связать их в единое целое и отыскать путеводную нить, которая привела бы к разгадке!

Дворецкий исчез. Горничная исчезла. Прежде горничная любила дворецкого, но потом имела основания возненавидеть его. Она была уроженка Уэльса, натура необузданная и страстная. После исчезновения дворецкого она была крайне возбуждена. Она бросила в пруд мешок с весьма странным содержимым. Каждый из этих фактов заслуживал внимания, но ни один из них не объяснял сути дела. Где я должен был искать начало этой запутанной цепи событий? Ведь предо мной было лишь последнее ее звено...

— Месгрейв,— сказал я,— мне необходимо видеть документ, изучение которого ваш дворецкий считал настолько важным, что даже пошел ради него на риск потерять место.

— В сущности, этот наш обряд — чистейший вздор,— ответил он,— и единственное, что его оправдывает,— это его древность. Я захватил с собой копию вопросов и ответов на случай, если бы вам вздумалось взглянуть на них.

Он протянул мне тот самый листок, который вы видите у меня в руках, Уотсон. Этот обряд нечто вроде экзамена, которому должен был подвергнуться каждый мужчина из рода Месгрейвов, достигший совершеннолетия. Сейчас я прочитаю вам вопросы и ответы в том порядке, в каком они записаны здесь:

«Кому это принадлежит?

Тому, кто ушел.

Кому это будет принадлежать?

Тому, кто придет.

В каком месяце это было?

В шестом, начиная с первого.

Где было солнце?

Над дубом.

Где была тень?

Под вязом.

Сколько надо сделать шагов?

На север — десять и десять, на восток — пять и пять, на юг — два и два, на запад — один и один и потом вниз.

Что мы отдадим за это?

Всё, что у нас есть.

Ради чего отдадим мы это?

Во имя долга».

— В подлиннике нет даты,— заметил Месгрейв,— но, судя по его орфографии, он относится к середине семнадцатого века. Боюсь, впрочем, что он мало поможет нам в раскрытии нашей тайны.

— Зато он ставит перед нами вторую загадку,— ответил я,— еще более любопытную. И возможно, что, разгадав ее, мы тем самым разгадаем и первую. Надеюсь, что вы не обидитесь на меня, Месгрейв, если я скажу, что ваш дворецкий, по-видимому, очень умный человек и обладает большей проницательностью и чутьем, чем десять поколений его господ.

— Признаться, я вас не понимаю,— ответил Месгрейв.— Мне кажется, что эта бумажка не имеет никакого практического значения.

— А мне она кажется чрезвычайно важной именно в практическом отношении, и, как видно, Брантон был того же мнения. По всей вероятности, он видел ее и до той ночи, когда вы застали его в библиотеке.

— Вполне возможно. Мы никогда не прятали ее.

— По-видимому, на этот раз он просто хотел освежить в памяти ее содержание. Насколько я понял, он держал в руках какую-то карту или план, который сравнивал с манускриптом и немедленно сунул в карман, как только увидел вас?

— Совершенно верно. Но зачем ему мог понадобиться наш старый семейный обряд и что означает весь этот вздор?

— Полагаю, что мы можем выяснить это без особого труда,— ответил я.— С вашего позволения, мы первым же поездом отправимся с вами в Суссек и разберемся в деле уже на месте.

Мы прибыли в Харлстон в тот же день. Вам, наверно, случалось, Уотсон, видеть изображение этого знаменитого древнего замка или читать его описания, поэтому я скажу лишь, что он имеет форму буквы «L», причем длинное крыло его является более современным, а короткое — более древним, так сказать, зародышем, из которого и выросло все остальное. Над низкой массивной дверью в центре старинной части высечена дата «1607», но знатоки единодушно утверждают, что деревянные балки и каменная кладка значительно старше. В прошлом веке чудовищно толстые стены и крошечные окна этой части здания побудили наконец владельцев выстроить новое крыло, и старое теперь служит лишь кладовой и погребом, а то и вовсе пустует. Вокруг здания великолепный парк с прекрасными старыми деревьями. Озеро же или пруд, о котором упоминал мой клиент, находится в конце аллеи, в двухстах ярдах от дома.

К этому времени у меня уже сложилось твердое убеждение, Уотсон, что тут не было трех отдельных загадок, а была только одна и что если бы мне удалось вникнуть в смысл обряда Месгрейвов, это дало бы мне ключ к тайне исчезновения обоих — и дворецкого Брантона и горничной Хауэлз. На это я и направил все силы своего ума. Почему Брантон так стремился проникнуть в суть этой старинной формулы? Очевидно, потому, что он увидел в ней нечто ускользнувшее от внимания всех поколений родовитых владельцев замка — нечто такое, из чего он надеялся извлечь какую-то личную выгоду. Что же это было и как это могло отразиться на дальнейшей судьбе дворецкого?

Когда я прочитал бумагу, мне стало совершенно ясно, что все цифры относятся к какому-то определенному месту, где спрятано то, о чем говорится в первой части документа, и что если бы мы нашли это место, мы оказались бы на верном пути к раскрытию тайны — той самой тайны, которую предки Месгрейвов сочли нужным облечь в столь своеобразную форму. Для начала поисков нам даны были два ориентира: дуб и вяз. Что касается дуба, то тут не могло быть никаких сомнений. Прямо перед домом, слева от дороги, стоял дуб, дуб-патриарх, одно из великолепнейших деревьев, какие мне когда-либо приходилось видеть.

— Он уже существовал, когда был записан ваш «обряд»? — спросил я Месгрейва.

— По всей вероятности, этот дуб стоял здесь еще во времена завоевания Англии норманнами,— ответил он.— Он имеет двадцать три фута в обхвате.

Таким образом, один из нужных мне пунктов был выяснен.

— Есть у вас здесь старые вязы? — спросил я.

— Был один очень старый, недалеко отсюда, но десять лет назад в него ударила молния и пришлось срубить его под корень.

— Но вы знаете то место, где он рос прежде?

— Ну, конечно, знаю.

— А других вязов поблизости нет?

— Старых нет, а молодых очень много.

— Мне бы хотелось взглянуть, где он рос.

Мы приехали в двуколке, и мой клиент сразу, не заходя в дом, повез меня к тому месту на лужайке, где когда-то рос вяз. Это было почти на полпути между дубом и домом. Пока что мои поиски шли успешно.

— По всей вероятности, сейчас уже невозможно определить высоту этого вяза? — спросил я.

— Могу вам ответить сию же минуту: в нем было шестьдесят четыре фута.

— Как вам удалось узнать это? — воскликнул я с удивлением.

— Когда мой домашний учитель задавал мне задачи по тригонометрии, они всегда были построены на измерениях высоты. Поэтому я еще мальчиком измерил каждое дерево и каждое строение в нашем поместье.

Вот это была неожиданная удача! Нужные мне сведения пришли ко мне быстрее, чем я мог рассчитывать.

— А скажите, пожалуйста, ваш дворецкий никогда не задавал вам такого же вопроса? — спросил я.

Реджинальд Месгрейв взглянул на меня с большим удивлением.

— Теперь я припоминаю,— сказал он,— что несколько месяцев назад Брантон действительно спрашивал меня о высоте этого дерева. Кажется, у него вышел какой-то спор с грумом.

Это было превосходное известие, Уотсон. Значит, я был на верном пути. Я взглянул на солнце. Оно уже заходило, и я рассчитал, что меньше чем через час оно окажется как раз над ветвями старого дуба. Итак, одно условие, упомянутое в документе, будет выполнено. Что касается тени от вяза, то речь шла, очевидно, о самой дальней ее точке — в противном случае указателем направления избрали бы не тень, а ствол. И, следовательно, теперь мне нужно было определить, куда падал конец тени от вяза в тот момент, когда солнце оказывалось прямо над дубом...

— Это, как видно, было нелегким делом, Холмс? Ведь вяза-то уже не существовало.

— Конечно. Но я знал, что если Брантон мог это сделать, то смогу и я. А кроме того, это было не так уж трудно. Я пошел вместе с Месгрейвом в его кабинет и вырезал себе вот этот колышек, к которому привязал длинную веревку, сделав на ней узелки, отмечающие каждый ярд. Затем я связал вместе два удилища, что дало мне шесть футов, и мы с моим клиентом отправились обратно к тому месту, где когда-то рос вяз. Солнце как раз касалось в эту минуту вершины дуба. Я воткнул свой шест в землю, отметил направление тени и измерил ее. В ней было девять футов.

Дальнейшие мои вычисления были совсем уж несложны. Если палка высотой в шесть футов отбрасывает тень в девять футов, то дерево высотой в шестьдесят четыре фута отбросит тень в девяносто шесть футов, и направление той и другой, разумеется, будет совпадать. Я отмерил это расстояние. Оно привело меня почти к самой стене дома, и я воткнул там колышек. Вообразите мое торжество, Уотсон, когда в двух дюймах от колышка я увидел в земле конусообразное углубление! Я понял, что это была отметина, сделанная Брантоном при его измерении, и что я продолжаю идти по его следам.

От этой исходной точки я начал отсчитывать шаги, предварительно определив с помощью карманного компаса, где север, где юг. Десять шагов и еще десять (очевидно, имелось в виду, что каждая нога делает поочередно по десять шагов) в северном направлении повели меня параллельно стене дома, и, отсчитав их, я снова отметил место своим колышком. Затем я тщательно отсчитал пять и пять шагов на восток, потом два и два — к югу, и они привели меня к самому порогу старой двери. Оставалось сделать один и один шаг на запад, но тогда мне пришлось бы пройти эти шаги по выложенному каменными плитами коридору. Неужели это и было место, указанное в документе?

Никогда в жизни я не испытывал такого горького разочарования, Уотсон. На минуту мне показалось, что в мои вычисления вкралась какая-то существенная ошибка. Заходящее солнце ярко освещало своими лучами пол коридора, и я видел, что эти старые, избитые серые каменные плиты были плотно спаяны цементом и, уж конечно, не сдвигались с места в течение многих и многих лет. Нет, Брантон не прикасался к ним, это было ясно. Я постучал по полу в нескольких местах, но звук получался одинаковый повсюду, и не было никаких признаков трещины или щели. К счастью, Месгрейв, который начал вникать в смысл моих действий и был теперь не менее взволнован, чем я, вынул документ, чтобы проверить мои расчеты.

— И вниз! — вскричал он.— Вы забыли об этих словах: «и вниз».

Я думал, это означало, что в указанном месте надо будет копать землю, но теперь мне сразу стало ясно, что я ошибся.

— Так, значит, у вас внизу есть подвал? — воскликнул я.

— Да, и он ровесник этому дому. Скорее вниз, через эту дверь!

По винтовой каменной лестнице мы спустились вниз, и мой спутник, чиркнув спичкой, зажег большой фонарь, стоявший на бочке в углу. В то же мгновение мы убедились, что попали туда, куда нужно, и что кто-то недавно побывал здесь до нас.

В этом подвале хранились дрова, но поленья, которые, как видно, покрывали прежде весь пол, теперь были отодвинуты к стенкам, освободив пространство посередине. Здесь лежала широкая и тяжелая каменная плита с заржавленным железным кольцом в центре, а к кольцу был привязан плотный клетчатый шарф.

— Черт возьми, это шарф Брантона! — вскричал Месгрейв.— Я не раз видел этот шарф у него на шее. Но что он мог здесь делать, этот негодяй?

По моей просьбе были вызваны два местных полисмена, и в их присутствии я сделал попытку приподнять плиту, ухватившись за шарф. Однако я лишь слегка пошевелил ее, и только с помощью одного из констеблей мне удалось немного сдвинуть ее в сторону. Под плитой зияла черная яма, и все мы заглянули в нее. Месгрейв, стоя на коленях, опустил свой фонарь вниз.

Мы увидели узкую квадратную каморку глубиной около семи футов, шириной и длиной около четырех. У стены стоял низкий, окованный медью деревянный сундук с откинутой крышкой; в замочной скважине торчал вот этот самый ключ — забавный и старомодный. Снаружи сундук был покрыт толстым слоем пыли. Сырость и черви до того изъели дерево, что оно поросло плесенью даже изнутри. Несколько металлических кружков, таких же, как вы видите здесь,— должно быть, старинные монеты — валялись на дне. Больше в нем не было ничего.

Однако в первую минуту мы не смотрели на старый сундук — глаза наши были прикованы к тому, что находилось рядом. Какой-то мужчина в черном костюме сидел на корточках, опустив голову на край сундука и обхватив его обеими руками. Лицо этого человека посинело и было искажено до неузнаваемости, но, когда мы приподняли его, Реджинальд Месгрейв по росту, одежде и волосам сразу узнал в нем своего пропавшего дворецкого. Брантон умер уже несколько дней назад, но на теле у него не было ни ран, ни кровоподтеков, которые могли бы объяснить его страшный конец. И когда мы вытащили труп из подвала, то оказались перед загадкой, пожалуй, не менее головоломной, чем та, которую мы только что разрешили...

Признаюсь, Уотсон, пока что я был обескуражен результатами моих поисков. Я предполагал, что стоит мне найти место, указанное в древнем документе, как все станет ясно само собой, но вот я стоял здесь, на этом месте, а разгадка тайны, так тщательно скрываемой семейством Месгрейвов, была, по-видимому, столь же далека от меня, как и раньше. Правда, я пролил свет на участь Брантона, но теперь мне предстояло еще выяснить, каким образом постигла его эта участь и какую роль сыграла во всем этом исчезнувшая женщина. Я присел на бочонок в углу и стал еще раз перебирать в уме все подробности случившегося...

Вы знаете мой метод в подобных случаях, Уотсон: я ставлю себя на место действующего лица и, прежде всего уяснив для себя его умственный уровень, пытаюсь вообразить, как бы я сам поступил при аналогичных обстоятельствах. В этом случае дело упрощалось: Брантон был человек незаурядного ума, так что мне не приходилось принимать в расчет разницу между уровнем его и моего мышления. Брантон знал, что где-то было спрятано нечто ценное. Он определил это место. Он убедился, что камень, закрывающий вход в подземелье, слишком тяжел для одного человека. Что он сделал потом? Он не мог прибегнуть к помощи людей посторонних. Ведь даже если бы нашелся человек, которому он мог бы довериться, пришлось бы отпирать ему наружные двери, а это было сопряжено со значительным риском. Удобнее было бы найти помощника внутри дома. Но к кому мог обратиться Брантон? Та девушка была когда-то предана ему. Мужчина, как бы скверно ни поступил он с женщиной, никогда не верит, что ее любовь окончательно потеряна для него. Очевидно, оказывая Рэчел мелкие знаки внимания, Брантон попытался помириться с ней, а потом уговорил ее сделаться его сообщницей. Ночью они вместе спустились в подвал, и объединенными усилиями им удалось сдвинуть камень. До этой минуты их действия были мне так ясны, как будто я наблюдал их собственными глазами.

Но и для двух человек, особенно если один из них женщина, вероятно, это была нелегкая работа. Даже нам — мне и здоровенному полисмену из Суссекса — стоило немалых трудов сдвинуть эту плиту. Что же они сделали, чтобы облегчить свою задачу? Да, по-видимому, то же, что сделал бы и я на их месте. Тут я встал, внимательно осмотрел валявшиеся на полу дрова и почти сейчас же нашел то, что ожидал найти. Одно полено длиной около трех футов было обломано на конце, а несколько других сплющены: видимо, они испытали на себе действие значительной тяжести. Должно быть, приподнимая плиту, Брантон и его помощница вводили эти поленья в щель, пока отверстие не расширилось настолько, что в него уже можно было проникнуть, а потом подперли плиту еще одним поленом, поставив его вертикально, так что оно вполне могло обломаться на нижнем конце — ведь плита давила на него всем своим весом. Пока что все мои предположения были как будто вполне обоснованы.

Как же должен был я рассуждать дальше, чтобы полностью восстановить картину ночной драмы? Ясно, что в яму мог забраться только один человек, и, конечно, это был Брантон. Девушка, должно быть, ждала наверху. Брантон отпер сундук и передал ей его содержимое (это было очевидно, так как ящик оказался пустым), а потом... что же произошло потом?

Быть может, жажда мести, тлевшая в душе этой пылкой женщины, разгорелась ярким пламенем, когда она увидела, что ее обидчик — а обида, возможно, была гораздо сильнее, чем мы могли подозревать,— находится теперь в ее власти. Случайно ли упало полено и каменная плита замуровала Брантона в этом каменном гробу? Если так, Рэчел виновна лишь в том, что умолчала о случившемся. Или она намеренно вышибла подпорку и сама захлопнула ловушку? Так или иначе, но я словно видел перед собой эту женщину: прижимая к груди найденное сокровище, она летела вверх по ступенькам винтовой лестницы, убегая от настигавших ее заглушенных стонов и отчаянного стука в каменную плиту, под которой задыхался ее неверный возлюбленный.

Вот в чем была разгадка ее бледности, ее возбуждения, приступов истерического смеха на следующее утро. Но что же все-таки было в сундуке? Что сделала девушка с его содержимым?

Несомненно, это были те самые обломки старого металла и осколки камней, которые она при первой же возможности бросила в пруд, чтобы скрыть следы своего преступления...

Минут двадцать я сидел неподвижно, в глубоком раздумье. Месгрейв, очень бледный, все еще стоял, раскачивая фонарь, и глядел вниз, в яму.

— Это монеты Карла Первого[1],— сказал он, протягивая мне несколько кружочков, вынутых из сундука.— Видите, мы правильно определили время возникновения нашего «обряда».

— Пожалуй, мы найдем еще кое-что оставшееся от Карла Первого! — вскричал я, вспомнив вдруг первые два вопроса документа.— Покажите-ка мне содержимое мешка, который вам удалось выудить в пруду.

Мы поднялись в кабинет Месгрейва, и он разложил передо мной обломки. Взглянув на них, я понял, почему Месгрейв не придал им никакого значения: металл был почти черен, а камешки бесцветны и тусклы. Но я потер один из них о рукав, и он засверкал, как искра, у меня на ладони. Металлические части имели вид двойного обруча, но они были погнуты, перекручены и почти потеряли свою первоначальную форму.

— Вы, конечно, помните,— сказал я Месгрейву,— что партия короля главенствовала в Англии даже и после его смерти. Очень может быть, что перед тем, как бежать, ее члены спрятали где-нибудь самые ценные вещи, намереваясь вернуться за ними в более спокойные времена.

— Мой предок, сэр Ральф Месгрейв, занимал видное положение при дворе и был правой рукой Карла Второго[2] во время его скитаний.

---

[1] К а р л I (1600—1649) — английский король (1625—1649), казнен 30 января 1649 года во время Английской буржуазной революции.
[2] К а р л II (1630—1685) — английский король (1660—1685), сын Карла I.

— Ах, вот что! — ответил я.— Прекрасно. Это дает нам последнее, недостающее звено. Поздравляю вас, Месгрейв! Вы стали обладателем — правда, при весьма трагических обстоятельствах — одной реликвии, которая представляет огромную ценность и сама по себе и как историческая редкость.

— Что же это такое? — спросил он, страшно взволнованный.

— Не более не менее, как древняя корона английских королей.

— Корона?!

— Да, корона. Вспомните, что говорится в документе: «Кому это принадлежит?» — «Тому, кто ушел». Это было написано после казни Карла Первого. «Кому это будет принадлежать?» — «Тому, кто придет». Речь шла о Карле Втором, чье восшествие на престол уже предвиделось в то время. Итак, вне всяких сомнений, эта измятая и бесформенная диадема венчала головы королей из династии Стюартов.

— Но как же она попала в пруд?

— А вот на этот вопрос не ответишь в одну минуту.

И я последовательно изложил Месгрейву весь ход моих предположений и доказательств. Сумерки сгустились, и луна уже ярко сияла в небе, когда я кончил свой рассказ.

— Но интересно, почему же Карл Второй не получил обратно свою корону, когда вернулся? — спросил Месгрейв, снова засовывая в полотняный мешок свою реликвию.

— О, тут вы поднимаете вопрос, который мы с вами вряд ли сможем когда-либо разрешить. Должно быть, тот Месгрейв, который был посвящен в тайну, оставил перед смертью своему преемнику этот документ в качестве руководства, но совершил ошибку, не объяснив ему его смысла. И с этого дня вплоть до нашего времени документ переходил от отца к сыну, пока наконец не попал в руки человека, который сумел вырвать его тайну, но поплатился за это жизнью...

Такова история «Обряда дома Месгрейвов», Уотсон. Корона и сейчас находится в Харлстоне, хотя владельцам замка пришлось немало похлопотать и заплатить порядочную сумму денег, пока они не получили официального разрешения оставить ее у себя.

Если вам вздумается взглянуть на нее, они, конечно, с удовольствием ее покажут, стоит вам только назвать мое имя.

Что касается той женщины, она бесследно исчезла. По всей вероятности, она покинула Англию и унесла в заморские края память о своем преступлении.

РЕЙГЕТСКИЕ СКВАЙРЫ

В то время мой друг Шерлок Холмс еще не оправился после нервного переутомления, полученного в результате крайне напряженной работы весной тысяча восемьсот восемьдесят седьмого года. Нашумевшая история с Нидерландско-Суматрской компанией и грандиозным мошенничеством барона Мопэртуиса слишком свежа в памяти публики и слишком тесно связана с политикой и финансами, чтобы о ней можно было рассказать в этих записках. Однако косвенным путем она явилась причиной одного редкостного и головоломного дела, которое дало возможность моему другу продемонстрировать еще одно оружие среди множества других, служивших ему в его нескончаемой войне с преступлениями.

Четырнадцатого апреля, как помечено в моих записях, я получил телеграмму из Лиона с известием о том, что Холмс лежит больной в отеле Дюлонж. Не прошло и суток, как я уже был у него в номере и с облегчением убедился, что ничего страшного ему не грозит. Однако тянувшееся больше двух месяцев расследование, в течение которого он работал по пятнадцати часов в день, а случалось, и несколько суток подряд, подорвало железный организм Холмса. Блистательная победа, увенчавшая его труды, не спасла его от упадка сил после такого предельного нервного напряжения, и в то время как его имя гремело по всей Европе, а комната была буквально по колено завалена поздравительными телеграммами, я нашел его здесь во власти жесточайшей хандры. Даже сознание, что он одержал успех там, где не справилась полиция трех стран, и обвел вокруг пальца самого искусного мошенника в Европе, не могло победить овладевшего им безразличия.

Три дня спустя мы вернулись вместе на Бейкер-стрит, но мой друг явно нуждался в перемене обстановки, да и меня соблазняла мысль выбраться в эту весеннюю пору на недельку в деревню. Мой старинный приятель, полковник Хэйтер, который был моим пациентом в Афганистане, а теперь снял дом поблизости от городка Рейгет в графстве Суррей, часто приглашал меня к себе погостить. В последний раз он сказал, что был бы рад оказать гостеприимство и моему другу. Я повел речь издали, но, когда Холмс узнал, что нас приглашают в дом с холостяцкими порядками и что ему будет предоставлена полная свобода, он согласился с моим планом, и через неделю после нашего возвращения из Лиона полковник уже принимал нас у себя. Хэйтер был человек очень приятный и бывалый, объездивший чуть ли не весь свет, и скоро обнаружилось — как я и ожидал,— что у них с Холмсом много общего.

В день нашего приезда, вечером, мы, отобедав, сидели в оружейной полковника; Холмс растянулся на диване, а мы с Хэйтером рассматривали небольшую коллекцию огнестрельного оружия.

— Да, кстати,— вдруг сказал наш хозяин,— я возьму с собой наверх один из этих пистолетов на случай тревоги.

— Тревоги? — воскликнул я.

— Тут у нас недавно случилось происшествие, перепугавшее всю округу. В прошлый понедельник ограбили дом старого Эктона, одного из самых богатых здешних сквайров. Убыток причинен небольшой, но воры до сих пор на свободе.

— И никаких следов? — спросил Холмс, насторожив слух.

— Пока никаких. Но это — мелкое дело. Обычное местное преступление, слишком незначительное, чтобы заинтересовать вас, мистер Холмс, после того громкого международного дела.

Холмс ответил на комплимент небрежным жестом, но по его улыбке было заметно, что он польщен.

— Ничего примечательного?

— По-моему, ничего. Воры обыскали библиотеку, и, право же, добыча не стоила затраченных ими трудов. Все в комнате было перевернуто вверх дном, ящики столов взломаны, книжные шкафы перерыты, а вся-то пропажа — томик переводов Гомера, два золоченых подсвечника, пресс-папье из слоновой кости, маленький дубовый барометр да клубок бечевки.

— Что за удивительный набор! — воскликнул я.

— О, воры, видимо, схватили все, что им попалось под руку.

Холмс хмыкнул со своего дивана.

— Полиция графства должна бы кое-что извлечь из этого,— сказал он.— Ведь совершенно очевидно, что...

Но я предостерегающе поднял палец.

— Вы приехали сюда отдыхать, друг мой. Ради бога, не принимайтесь за новую задачу, пока не окрепли нервы.

Холмс посмотрел на полковника с комическим смирением и пожал плечами, после чего беседа повернула в более спокойное русло.

Однако судьбе было угодно, чтобы все мои старания оберечь друга пропали даром, ибо на следующее утро это дело вторглось в нашу жизнь таким образом, что было невозможно остаться в стороне, и наше пребывание в деревне приняло неожиданный для всех нас оборот. Мы сидели за завтраком, когда к нам ворвался дворецкий, забыв о всякой пристойности, и выпалил, задыхаясь:

— Вы слышали новость, сэр? У Каннингемов, сэр?

— Опять ограбление? — вскричал полковник, и его рука с чашкой кофе застыла в воздухе.

— Убийство!

Полковник присвистнул.

— Бог мой! — промолвил он.— Кто убит? Мировой судья или его сын?

— Ни тот, ни другой, сэр. Убит Уильям, кучер. Пуля угодила прямо в сердце.

— Кто в него стрелял?

— Вор, сэр. Убил кучера наповал и был таков. Он успел добраться только до окна кладовой. Тут Уильям и бросился на него и нашел свою смерть, спасая добро хозяина.

— Когда это случилось?

— Вчера, сэр, около полуночи.

— А-а, в таком случае мы заглянем туда попозже,— сказал полковник, невозмутимо принимаясь за прерванный завтрак.

— Скверное дело,— добавил он, когда дворецкий ушел.— Старый Каннингем — самый влиятельный сквайр в наших местах и очень почтенный человек. Это его сразит. Уильям служил ему много лет и был хороший работник. Очевидно, это те же негодяи, что побывали у Эктона.

— И похитили ту чрезвычайно любопытную коллекцию?

— Именно.

— Гм! Возможно, окажется, что дело не стоит выеденного яйца. И тем не менее на первый взгляд это немного странно, не так ли? Следовало бы ожидать, что шайка грабителей, действующая в провинции, будет менять места своих налетов, а не совершать две кражи со взломом в соседних усадьбах в течение нескольких дней. Когда вчера вечером вы говорили о мерах предосторожности, помнится, мне пришло в голову, что вор или воры выбрали бы эту округу самой последней во всей Англии; из чего следует, что мне надо еще многому учиться.

— Я думаю, это был кто-то из местных. Понятно, что его привлекли именно эти усадьбы. В здешних краях они самые крупные.

— И самые богатые?

— Должны были быть. Но Эктон и Каннингемы уже несколько лет ведут тяжбу, которая высосала кровь из обоих, мне думается. Старый Эктон возбудил иск на половину имения Каннингемов, и адвокаты изрядно нажились на этом деле.

— Если это местный вор, изловить его не составит большого труда,— сказал Холмс, зевнув.— Не волнуйтесь, Уотсон, я не собираюсь вмешиваться.

— Инспектор Форрестер, сэр,— возвестил дворецкий, распахивая дверь.

В комнату вошел полицейский сыщик, быстрый молодой человек с живым, энергичным лицом.

— Доброе утро, полковник,— сказал он.— Надеюсь, я не помешал, но нам стало известно, что мистер Холмс с Бейкер-стрит находится у вас.

Полковник жестом руки показал на моего друга, и инспектор поклонился.

— Мы думали, что, возможно, вы пожелаете принять участие, мистер Холмс.

— Судьба против вас, Уотсон,— сказал Холмс, смеясь.— Мы как раз беседовали об этом деле, инспектор, когда вы пришли. Может быть, вы познакомите нас с некоторыми подробностями?

Когда он откинулся на стуле в знакомой мне позе, я понял, что все мои надежды рухнули.

— Нам не за что было ухватиться в деле с ограблением Эктона. Но здесь достаточно материала, чтобы начать расследование, и мы не сомневаемся, что в обоих случаях действовало одно и то же лицо. Взломщика видели.

— А-а!

— Да, сэр. Но он умчался быстрей оленя, как только прогремел выстрел, убивший несчастного Уильяма Кервана. Мистер Каннингем видел его из окна своей спальни, а мистер Алек Каннингем видел его с черной лестницы. Тревога поднялась без четверти двенадцать. Мистер Каннингем только что лег спать, а мистер Алек в халате курил трубку. Они оба слышали, как Уильям, кучер, звал на помощь, и мистер Алек бросился вниз посмотреть, что случилось. Входная дверь была раскрыта, и когда он сбежал по черной лестнице, то увидел перед домом двух мужчин, схватившихся друг с другом. Один из них выстрелил, другой упал, и убийца кинулся прочь прямо по саду, пролез через живую изгородь и исчез. Мистер Каннингем из окна своей спальни видел, как он выскочил на дорогу, но тут же потерял его из виду. Мистер Алек задержался посмотреть, нельзя ли помочь умирающему, и, таким образом, злодей успел скрыться. Нам известно только, что это был человек среднего роста, в чем-то темном. Другими приметами мы не располагаем, но мы ведем усиленные розыски, и если преступник — человек нездешний, он скоро будет найден.

— А что там делал этот Уильям? Он что-нибудь сказал перед смертью?

— Ни слова. Уильям жил в сторожке со своей матерью. Он был преданный слуга, и мы предполагаем, что он подошел к дому с намерением проверить, все ли благополучно. Это и понятно: кража у Эктона заставила всех быть начеку. Грабитель, видимо, только что открыл дверь — замок был взломан,— как Уильям набросился на него.

— А Уильям ничего не сказал своей матери перед уходом?

— Она очень стара и глуха, и нам ничего не удалось узнать от нее. Горе почти лишило ее рассудка, но я подозреваю, что она всегда была туповата. Однако есть одна очень важная улика. Взгляните!

Он вынул из своего блокнота клочок бумаги и расправил его на колене.

— Это было найдено у мертвого Уильяма в руке. Зажат между большим и указательным пальцами. По-видимому, это краешек какой-то записки. Обратите внимание, что указанное здесь время в точности совпадает со временем, когда бедняга встретил свою судьбу. Не то убийца вырывал у него записку, не то он у убийцы. Написанное наводит на мысль, что кого-то приглашали на свидание.

Холмс взял обрывок бумаги, факсимиле которого я здесь привожу[1].

— Если это действительно так,— продолжал инспектор,— то напрашивается весьма вероятное предположение, что этот Уильям Керван, несмотря на свою репутацию честного человека, мог быть заодно с вором. Они могли встретиться в условленном месте, вдвоем взломать дверь, после чего между ними вспыхнула ссора.

— Этот документ представляет чрезвычайный интерес,— сказал Холмс, изучая обрывок с самым сосредоточенным вниманием,— дело куда тоньше, чем я думал.

Он обхватил руками голову, а инспектор с улыбкой наблюдал, какое действие произвел его рассказ на прославленного лондонского специалиста.

— Ваше последнее замечание,— сказал Холмс немного погодя,— о том, что взломщик, возможно, был в сговоре со слугой и что это была записка одного к другому, в которой назначалась встреча, остроумно и не лишено правдоподобия. Однако этот документ раскрывает...

Он опять обхватил голову руками и несколько минут просидел молча, весь уйдя в свои мысли. Когда он поднял лицо, я с удивлением увидел, что щеки его порозовели, а глаза блестят, как до болезни. Он вскочил на ноги со всей прежней энергией.

— Вот что,— заявил он,— я хотел бы бегло осмотреть место, где было совершено убийство. С вашего разрешения, полковник, я покину моего друга Уотсона и вас и прогуляюсь вместе с инспектором, чтобы проверить правильность моих догадок. Я буду обратно через полчаса.

Прошло полтора часа, инспектор вернулся один.

— Мистер Холмс ходит взад и вперед по полю,— сказал он.— Он хочет, чтобы мы вчетвером отправились в усадьбу.

— К мистеру Каннингему?

— Да, сэр.

— Зачем?

Инспектор пожал плечами.

— Это мне не совсем ясно, сэр. Между нами говоря, мне кажется, что мистер Холмс еще не совсем выздоровел после своей болезни. Он ведет себя очень странно. Я бы сказал, он немного не в себе.

— Думаю, что не стоит беспокоиться,— заметил я.— Я не раз убеждался, что в его безумии есть метод.

— Скорее в его методе есть безумие,— пробормотал инспектор.— Но он горит нетерпением, и если вы готовы, полковник, то лучше пойдемте.

Холмс расхаживал взад и вперед по полю, низко опустив голову и засунув руки в карманы.

— Дело становится все интересней,— сказал он.— Уотсон, наша поездка в деревню определенно удалась. Я провел восхитительное утро.

— Вы были на месте преступления, как я догадываюсь? — спросил полковник.

— Да, мы с инспектором сделали небольшую разведку.

— И с успехом?

— Да, мы видели интересные вещи. По дороге я обо всем вам расскажу. Прежде всего мы осмотрели тело бедняги. Он действительно умер от револьверной раны, как сообщалось.

— А вы в этом сомневались?

— Все надо проверить. Мы не зря совершали свой обход. Потом мы беседовали с мистером Каннингемом и его сыном, и они смогли точно указать место, где преступник, убегая, пролез сквозь изгородь. Это было в высшей степени любопытно.

— Несомненно.

— Потом мы заглянули к матери несчастного Уильяма. От нее, однако, мы не могли добиться толку: она очень стара и слаба.

— И к какому результату привело вас ваше обследование?

— К убеждению в том, что это — весьма необычное преступление. Может быть, наш теперешний визит прольет на него немного света. Я полагаю, инспектор, мы с вами единодушны в том, что этот клочок бумаги в руке убитого, на котором записано точное время его смерти, имеет огромнейшее значение.

— Он должен дать ключ, мистер Холмс.

— Он *дает* ключ. Кто бы ни писал записку, это был человек, поднявший Уильяма Кервана с постели в этот час. Но где же она?

— Я тщательно обыскал землю и не нашел,— сказал инспектор.

— Записку из руки Уильяма вырвали. Почему она была так нужна кому-то? Потому что она его уличала. И что он должен был с ней сделать? Сунуть ее в карман, по всей вероятности, не заметив, что уголок остался зажатым в пальцах у трупа. Если бы мы нашли недостающую часть, мы бы очень легко распутали дело.

— Да, но как нам залезть в карман к преступнику, если мы не поймали самого преступника?

— Н-да, над этим стоит поломать голову. Затем вот еще что. Эту записку кто-то принес Уильяму. Конечно, не тот, кто ее писал: ему проще было бы тогда все передать на словах. Кто же принес записку? Или она пришла по почте?

— Я навел справки, — сказал инспектор. — Вчера вечерней почтой Уильям получил письмо. Конверт он уничтожил.

— Отлично! — воскликнул Холмс, похлопывая инспектора по плечу. — Вы уже повидали почтальона. Работать с вами одно удовольствие. Однако вот и сторожка, и, если вы последуете за нами, полковник, я покажу вам место преступления.

Мы прошли мимо хорошенького домика, где жил убитый кучер, и вступили в дубовую аллею, которая привела нас к прекрасному старому зданию времен королевы Анны, с датой битвы при Мальплаке[1], высеченной над дверями. Следуя за Холмсом и инспектором, мы обогнули дом и подошли к боковому входу, отделенному цветником от живой изгороди, окаймлявшей дорогу. У двери на кухню дежурил полицейский.

— Распахните дверь, сержант, — приказал Холмс. — Вон на той лестнице стоял молодой Каннингем, и оттуда он видел двух мужчин, дерущихся как раз здесь, где мы стоим. Старый Каннингем смотрел из того окна — второго налево. Он говорит, что убийца побежал вон туда. За тот куст. То же самое видел и сын. Оба показывают одно направление. Затем мистер Алек выбежал из дома и склонился над раненым. Земля очень твердая, как видите, и не осталось никаких следов, которые могли бы помочь нам.

Пока он говорил, из-за угла дома показались двое мужчин; они шли к нам по садовой дорожке. Один был джентльмен почтенной наружности, с волевым лицом, изрезанным глубокими морщинами, и удрученным взглядом; другой — щеголеватый молодой человек, чья нарядная одежда и веселый, беззаботный вид никак не вязались с делом, которое привело нас сюда.

— Ну как, все на том же месте? — спросил он Холмса. — Я думал, вы, столичные специалисты, шутя решаете любую головоломку. Вы не так уж проворны, как я погляжу.

---

[1] В битве при Мальплаке (11 сентября 1709 года), во время войны за Испанское наследство, англичане и их союзники одержали победу над французами.

— О, дайте нам немного времени,— сказал Холмс добродушно.

— Оно вам понадобится,— ответил молодой Алек Каннингем.— У вас пока еще нет в руках ни одной нити.

— Одна есть,— вмешался инспектор.— Мы думаем, что если бы нам только удалось найти... Боже! Мистер Холмс, что с вами?

Мой бедный друг внезапно ужасно изменился в лице. Глаза закатились, все черты свело судорогой, и, глухо застонав, он упал ничком наземь. Потрясенные внезапностью и силой припадка, мы перенесли несчастного в кухню, и там, полулежа на большом стуле, он несколько минут тяжело дышал. Наконец он поднялся, сконфуженно извиняясь за свою слабость.

— Уотсон вам объяснит, что я только что поправился после тяжелой болезни. Но я до сих пор подвержен этим внезапным нервным приступам.

— Хотите, я отправлю вас домой в своей двуколке? — спросил старый Каннингем.

— Ну, раз уж я здесь, я хотел бы уточнить один не совсем ясный мне пункт. Нам будет очень легко это сделать.

— Какой именно?

— Мне кажется вполне вероятным, что бедняга Уильям пришел после того, как взломщик побывал в доме. Вы, видимо, считаете само собой разумеющимся, что грабитель не входил в помещение, хотя дверь и была взломана.

— По-моему, это вполне очевидно,— сказал мистер Каннингем внушительно.— Мой сын Алек тогда еще не лег спать, и он, конечно, услышал бы, что кто-то ходит по дому.

— Где он сидел?

— Я сидел в моей туалетной и курил.

— Какое это окно?

— Последнее налево, рядом с окном отца.

— И у вас и у него, конечно, горели лампы?

— Разумеется.

— Как странно,— улыбнулся Холмс.— Не удивительно ли, что взломщик — при этом взломщик, который недавно совершил одну кражу,— умышленно вторгается в дом в такое время, когда он видит по освещенным окнам, что два члена семьи еще бодрствуют?

— Должно быть, это был дерзкий вор.

— Не будь это дело таким необычным, мы, конечно, не обратились бы к вам за разгадкой,— сказал ми-

стер Алек.— Но ваше предположение, что вор успел ограбить дом, по-моему, величайшая нелепость. Мы наверняка заметили бы беспорядок в доме и хватились бы по-
хищенных вещей.

— Это зависит от того, какие были украдены вещи,—
сказал Холмс.— Не забывайте, что наш взломщик —
большой причудник и у него своя собственная линия в
работе. Чего стоит, например, тот любопытнейший набор, который он унес из дома Эктонов. Позвольте, что
там было?.. Клубок бечевки, пресс-папье и бог знает
какая еще чепуха!

— Мы в ваших руках, мистер Холмс,— сказал старый Каннингем.— Все, что предложите вы или инспектор, будет выполнено беспрекословно.

— Прежде всего,— сказал Холмс,— я хотел бы,
чтобы вы назначили награду за обнаружение преступника от своего имени, потому что пока в полиции дого-
ворятся о сумме, пройдет время, а в таких делах чем
скорее, тем лучше. Я набросал текст, подпишите, если вы не возражаете. Пятидесяти фунтов, по-моему,
вполне достаточно.

— Я бы с радостью дал пятьсот,— сказал мировой
судья, беря из рук Холмса бумагу и карандаш.— Только здесь не совсем правильно написано,— добавил он,
пробегая глазами документ.

— Я немного торопился, когда писал.

— Смотрите, вот тут, в начале: *«Поскольку во вторник, без четверти час ночи, была совершена попытка...»*
и т. д. В действительности это случилось без четверти
двенадцать.

Меня огорчила эта ошибка, потому что я знал, как бо-
лезненно должен переживать Холмс любой подобный
промах. Точность во всем, что касалось фактов, была
его коньком, но недавняя болезнь подорвала его силы,
и один этот маленький случай убедительно показал мне,
что мой друг еще далеко не в форме. В первую минуту
Холмс заметно смутился, инспектор же поднял брови, а
Алек Каннингем расхохотался. Старый джентльмен,
однако, исправил ошибку и вручил бумагу Холмсу.

— Отдайте это в газету как можно скорее,— сказал
он,— прекрасная мысль, я нахожу.

Холмс бережно вложил листок в свою записную
книжку.

— А теперь,— сказал он,— было бы неплохо пройтись всем вместе по дому и посмотреть, не унес ли чего
с собой этот оригинальный грабитель.

До того как войти в дом, Холмс осмотрел взломанную дверь. Очевидно, ее открыли с помощью прочного ножа или стамески, с силой отведя назад язычок замка. В том месте, куда просовывали острие, на дереве остались следы.

— А вы не запираетесь изнутри на засов? — спросил он.

— Мы никогда не видели в этом необходимости.

— Вы держите собаку?

— Да, но она сидит на цепи с другой стороны дома.

— Когда слуги ложатся спать?

— Часов в десять.

— Как я понимаю, Уильям тоже в это время обычно был в постели?

— Да.

— Странно, что именно в эту ночь ему вздумалось не спать. Теперь, мистер Каннингем, я буду вам очень признателен, если вы согласитесь провести нас по дому.

Из выложенной каменными плитами передней, от которой в обе стороны отходили кухни, прямо на второй этаж вела деревянная лестница. Она выходила на площадку напротив другой, парадной лестницы, ведущей наверх из холла. От этой площадки тянулся коридор с дверями в гостиную и в спальни, в том числе в спальни мистера Каннингема и его сына. Холмс шел медленно, внимательно изучая планировку дома. Весь его вид говорил о том, что он идет по горячему следу, хотя я не мог представить себе даже отдаленно, чей это след.

— Любезный мистер Холмс, — сказал старший Каннингем с ноткой нетерпения в голосе. — Уверяю вас, это совершенно лишнее. Вон моя комната, первая от лестницы, а за ней комната сына. Судите сами: возможно ли, чтобы вор поднялся наверх, не потревожив нас?

— Вам бы походить вокруг дома да поискать там свежих следов, — сказал сын с недоброй улыбкой.

— И все же разрешите мне еще немного злоупотребить вашим терпением. Я хотел бы, например, посмотреть, как далеко обозревается из окон спален пространство перед домом. Это, насколько я понимаю, комната вашего сына, — он толкнул дверь, — а там, вероятно, туалетная, в которой он сидел и курил, когда поднялась тревога. Куда выходит ее окно?

Холмс прошел через спальню, раскрыл дверь в туалетную и обвел комнату взглядом.

— Надеюсь, теперь вы удовлетворены? — спросил мистер Каннингем раздраженно.

— Благодарю вас. Кажется, я видел все, что хотел.

— Ну, если это действительно необходимо, мы можем пройти и в мою комнату.

— Если это вас не слишком затруднит.

Мировой судья пожал плечами и повел нас в свою спальню, ничем не примечательную комнату с простой мебелью. Когда мы направились к окну, Холмс отстал, и мы с ним оказались позади всех. В ногах кровати стоял квадратный столик с блюдом апельсинов и графином с водой. Проходя мимо, Холмс, к моему несказанному удивлению, вдруг наклонился и прямо перед моим носом нарочно опрокинул все это на пол. Стекло разбилось вдребезги, а фрукты раскатились по всем углам.

— Ну и натворили вы дел, Уотсон,— сказал он, нимало не смутившись,— во что вы превратили ковер!

Я в растерянности наклонился и стал собирать фрукты, догадываясь, что по какой-то причине мой друг пожелал, чтобы я взял вину на себя. Остальные присоединились ко мне, и столик снова поставили на ножки.

— Вот те на! — вскричал инспектор.— Куда же он делся?

Холмс исчез.

— Подождите здесь одну минутку,— сказал Алек Каннингем,— по-моему, ваш приятель свихнулся. Пойдемте со мной, отец, посмотрим, куда он в самом деле делся!

Они ринулись вон из комнаты, а мы остались втроем с полковником и инспектором, в недоумении глядя друг на друга.

— Честное слово, я склонен согласиться с мистером Алеком,— сказал сыщик.— Возможно, это — следствие болезни, но мне кажется...

Внезапные громкие вопли: «На помощь! На помощь! Убивают!» — не дали ему договорить. Я с содроганием узнал голос своего друга. Не помня себя, я кинулся из комнаты на площадку. Вопли перешли в хриплые, сдавленные стоны, которые неслись из той комнаты, куда мы заходили сначала. Я ворвался в нее, а оттуда в туалетную. Два Каннингема склонились над распростертым телом Шерлока Холмса; молодой обеими руками душил его за горло, а старый выкручивал ему кисть. В следующее мгновение мы втроем оторвали от него обоих, и Холмс, шатаясь, встал, очень бледный и, видимо, крайне обессиленный.

— Арестуйте этих людей, инспектор,— сказал он, задыхаясь.

— На каком основании?

— По обвинению в убийстве их кучера, Уильяма Кервана.

Инспектор уставился на Холмса широко раскрытыми глазами.

— О, помилуйте, мистер Холмс,— промолвил он наконец,— я уверен, что вы, конечно, не думаете в самом деле...

— Довольно, посмотрите на их лица! — приказал Холмс сердито.

Ручаюсь, что никогда мне не приходилось видеть на человеческих физиономиях такого явного признания вины. Старший был ошеломлен и раздавлен. Его суровые, резкие черты выражали угрюмую безнадежность. А сын сбросил с себя развязность и нарочитую беспечность, злобное бешенство опасного зверя вспыхнуло в его черных глазах и исказило красивые черты. Инспектор ничего не сказал, но пошел к двери и дал свисток. Немедля явились двое полицейских.

— У меня нет выбора, мистер Каннингем,— сказал он.— Надеюсь, все это окажется нелепой ошибкой, но вы сами видите, что... А-а, вот вы как? Бросьте сейчас же!

Он ударил по руке молодого Каннингема, и револьвер со взведенным курком упал на пол.

— Спрячьте его,— сказал Холмс, проворно наступив на револьвер ногой,— он вам пригодится на суде. Но вот что действительно нам необходимо...— Он показал маленький скомканный листок бумаги.

— Записка! — вскричал инспектор.

— Вы угадали.

— Где она была?

— Там, где она должна была быть, по моим соображениям. Я все объясню вам позже. Я думаю, полковник, что вы с Уотсоном можете вернуться, я же приду самое большее через час. Нам с инспектором надо поговорить с арестованными, но я непременно буду ко второму завтраку.

Шерлок Холмс сдержал свое слово — около часу дня он присоединился к нам в курительной полковника. Его сопровождал невысокий пожилой джентльмен. Холмс представил его мне. Это был мистер Эктон, дом которого первым подвергся нападению.

— Я хотел, чтобы мистер Эктон присутствовал, когда я буду рассказывать вам о своем расследовании этого пустячного дела,— сказал Холмс,— понятно, что ему будут очень интересны подробности. Боюсь, полковник, что вы жалеете о той минуте, когда приняли под свой кров такого буревестника, как я.

— Напротив,— ответил полковник горячо,— я считаю великой честью познакомиться с вашим методом.

Признаюсь, что он далеко превзошел мои ожидания и что я просто не в состоянии постичь, как вам удалось разрешить эту загадку. Я до сих пор ничего не понимаю.

— Боюсь, что мое объяснение вас разочарует, но я никогда ничего не скрываю от моего друга Уотсона, ни от любого другого человека, всерьез интересующегося моим методом. Но прежде всего, полковник, я позволю себе выпить глоток вашего бренди: эта схватка в туалетной у Каннингемов меня порядком обессилила.

— Надеюсь, больше у вас не было этих нервных приступов?

Шерлок Холмс рассмеялся от всей души.

— Об этом в свою очередь. Я расскажу вам все по порядку, задерживаясь на разных пунктах, которые вели меня к решению. Пожалуйста, остановите меня, если какой-нибудь вывод покажется вам не совсем ясным.

В искусстве раскрытия преступлений первостепенное значение имеет способность выделить из огромного количества фактов существенные и отбросить случайные. Иначе ваша энергия и внимание непременно распылятся вместо того, чтобы сосредоточиться на главном. Ну, а в этом деле у меня с самого начала не было ни малейшего сомнения в том, что ключ следует искать в клочке бумаги, найденном в руке убитого.

Прежде чем заняться им, я хотел бы обратить ваше внимание на тот факт, что если рассказ Алека Каннингема верен и если убийца, застрелив Уильяма Кервана, бросился бежать мгновенно, то он, очевидно, не мог вырвать листок из руки мертвеца. Но если это сделал не он, тогда это сделал не кто иной, как Алек Каннингем, так как к тому времени, когда отец спустился вниз, на место происшествия уже сбежались слуги. Соображение очень простое, но инспектору оно не пришло в голову. Он и в мыслях не допускал, что эти почтенные сквайры имеют какое-то отношение к убийству. Ну, а в моих правилах — не иметь предвзятых мнений, а послушно идти за фактами, и поэтому еще на самой первой стадии расследования мистер Алек Каннингем был у меня на подозрении.

Итак, я очень внимательно исследовал тот оторванный уголок листка, который предъявил нам инспектор. Мне сразу стало ясно, что он представляет собой часть интереснейшего документа. Вот он, перед вами. Вы не замечаете в нем ничего подозрительного?

— Слова написаны как-то неровно и беспорядочно,— сказал полковник.

— Милейший полковник! — вскричал Холмс.— Не

может быть ни малейшего сомнения в том, что этот документ писали два человека, по очереди, через слово. Если я обращу ваше внимание на энергичное «t» в словах «at» и «to» и попрошу вас сравнить его с вялым «t» в словах «quarter» и «twelve», вы тотчас же признаете этот факт. Самый простой анализ этих четырех слов даст вам возможность сказать с полнейшей уверенностью, что «learn» и «maybe» написаны более сильной рукой, а «what» — более слабой.

— Боже правый! Да это ясно как день! — воскликнул полковник.— Но с какой стати два человека будут писать письмо подобным образом?

— Очевидно, дело было скверное, и один из них, не доверявший другому, решил, что каждый должен принять равное участие. Далее, ясно, что один из двух — тот, кто писал «at» и «to»,— был главарем.

— А это откуда вы взяли?

— Мы можем вывести это из простого сравнения одной руки с другой по их характеру. Но у нас есть более веские основания для такого предположения. Если вы внимательно изучите этот клочок, вы придете к выводу, что обладатель более твердой руки писал все свои слова первым, оставляя пропуски, которые должен был заполнить второй. Эти пропуски не всегда были достаточно большими, и вы можете видеть, что второму было трудно уместить свое «quarter» между «at» и «to», из чего следует, что эти слова были уже написаны. Человек, который написал все свои слова первым, был, безусловно, тем человеком, который планировал это преступление.

— Блестяще! — воскликнул мистер Эктон.

— Но все это очевидные вещи,— сказал Холмс.— Теперь, однако, мы подходим к одному важному пункту. Возможно, вам неизвестно, что эксперты относительно точно определяют возраст человека по его почерку. В нормальных случаях они ошибаются не больше чем на три-четыре года. Я говорю, в нормальных случаях, потому что болезнь или физическая слабость порождают признаки старости даже у юноши. В данном случае, глядя на четкое, энергичное письмо одного и на нетвердое, но все еще вполне разборчивое письмо второго, однако уже теряющее поперечные черточки, мы можем сказать, что один из них — молодой человек, а другой — уже в годах, хотя еще не дряхлый.

— Блестяще! — еще раз воскликнул мистер Эктон.

— И есть еще один момент, не такой явный и более интересный. Оба почерка имеют в себе нечто общее. Они принадлежат людям, состоящим в кровном родстве. Для вас это наиболее очевидно проявляется в том, что «е» он пишет как греческое « ε », но я вижу много более мелких признаков, говорящих о том же. Для меня нет никакого сомнения в том, что в обоих образцах письма прослеживается фамильное сходство. Разумеется, вам я сообщу только основные результаты исследования этого документа. Я сделал еще двадцать три заключения, которые интереснее экспертам, чем вам. И все они усиливали мое впечатление, что это письмо написали Каннингемы — отец и сын.

Когда я дошел до этого вывода, моим следующим шагом было изучить подробности преступления и посмотреть, не могут ли они нам помочь. Я отправился в усадьбу Каннингемов с инспектором и увидел все, что требовалось. Рана на теле убитого, как я мог установить с абсолютной уверенностью, была получена в результате револьверного выстрела, сделанного с расстояния примерно около четырех ярдов. На одежде не было никаких следов пороха. Поэтому Алек Каннингем явно солгал, сказав, что двое мужчин боролись друг с другом, когда прогремел выстрел. Далее, отец и сын одинаково показали место, где преступник выскочил на дорогу. Но в этом месте как раз проходит довольно широкая сырая канава. Поскольку в канаве не оказалось никаких следов, я твердо убедился не только в том, что Каннингемы опять солгали, но и в том, что на месте происшествия вообще не было никакого неизвестного человека.

Теперь мне надо было выяснить мотив этого редкостного преступления. Чтобы добраться до него, я решил прежде всего попробовать узнать, с какой целью была совершена первая кража со взломом у мистера Эктона. Как я понял со слов полковника, между вами, мистер Эктон, и Каннингемами велась тяжба. Разумеется, мне сразу же пришло на ум, что они проникли в вашу библиотеку, чтобы заполучить какой-то документ, который играет важную роль в деле.

— Совершенно верно,— сказал мистер Эктон,— насчет их намерений не может быть никаких сомнений. У меня есть неоспоримое право на половину их имения, и если бы только им удалось выкрасть одну важную бумагу — которая, к счастью, хранится в надежном сейфе моих поверенных,— они, несомненно, выиграли бы тяжбу.

— Вот то-то и оно! — сказал Холмс, улыбаясь.— Это была отчаянная, безрассудная попытка, в которой чувствуется влияние молодого Алека. Ничего не найдя, они попытались отвести подозрение, инсценировав обычную кражу со взломом, и с этой целью унесли что попалось под руку. Все это достаточно ясно, но многое оставалось для меня по-прежнему темным. Больше всего мне хотелось найти недостающую часть записки. Я был уверен, что Алек вырвал ее из руки мертвого, и почти уверен, что он сунул ее в карман своего халата. Куда еще он мог ее деть? Вопрос заключался в том, была ли она все еще там. Стоило приложить усилия, чтобы это выяснить, и ради этого мы все пошли в усадьбу.

Каннингемы присоединились к нам, как вы, несомненно, помните, в саду, около двери, ведущей на кухню. Конечно, было чрезвычайно важно не напоминать им о существовании этого документа, иначе они уничтожили бы его немедля. Инспектор был уже готов посвятить их в то, почему мы придавали такое значение этой бумажке, как благодаря счастливейшему случаю со мной сделалось нечто вроде припадка, и я грохнулся на землю, изменив таким образом тему разговора.

— Боже правый! — воскликнул полковник, смеясь.— Вы хотите сказать, ваш припадок был ловкий трюк и мы зря вам сочувствовали?

— С профессиональной точки зрения это проделано великолепно! — воскликнул я, с изумлением глядя на Холмса, который не переставал поражать меня все новыми проявлениями своего изобретательного ума.

— Это — искусство, которое часто может оказаться полезным,— сказал он.— Когда я пришел в себя, мне удалось с помощью не такого уж хитрого приема заставить старого Каннингема написать слово «twelve», чтобы я мог сравнить его с тем же словом, написанным на нашем клочке.

— Каким же идиотом я был! — воскликнул я.

— Я видел, какое сочувствие вызвала у вас моя слабость,— сказал Холмс, смеясь.— И мне было очень жаль огорчать вас,— ведь я знаю, как вы беспокоитесь обо мне. Затем мы все вместе отправились на второй этаж, и после того, как мы зашли в комнату младшего Каннингема и я приметил халат, висевший за дверью, я сумел отвлечь их внимание на минуту, перевернул стол и проскользнул обратно, чтобы обыскать карманы. Но только я успел достать бумажку, которая, как я ожидал, была в одном из них, как оба Каннингема накинулись на меня и убили бы меня на месте, если бы не ваша быстрая и дружная помощь. По правде говоря, я и сейчас чувствую железную хватку этого молодого человека у себя на горле, а отец чуть не вывернул мне кисть, стараясь вырвать у меня бумажку. Они поняли, что я знаю все, и внезапный переход от абсолютной безопасности к полному отчаянию сделал их невменяемыми.

Потом у меня был небольшой разговор со старым Каннингемом по поводу мотива этого преступления. Старик вел себя смирно, зато сын — сущий дьявол, и если бы он только мог добраться до своего револьвера, он пустил бы пулю в лоб себе или кому-нибудь еще. Когда Каннингем понял, что против него имеются такие тяжкие улики, он совсем пал духом и чистосердечно во всем признался. Оказывается, Уильям тайно следовал за своими хозяевами в ту ночь, когда они совершили свой налет на дом Эктона и, приобретя таким образом над ними власть, стал вымогать у них деньги под угрозой выдать их полиции. Однако мистер Алек был слишком опасной личностью, чтобы с ним можно было вести такую игру. В панике, охватившей всю округу после кражи во взломом, он поистине гениально усмотрел возможность отделаться от человека, которого он боялся. Итак, Уильям был завлечен в ловушку и убит, и если бы только они не оставили этого клочка бумаги и внимательнее отнеслись к подробностям своей инсценировки, возможно, на них никогда бы не пало подозрение.

— А записка? — спросил я.

Шерлок Холмс развернул перед нами записку, приложив к ней оторванный уголок[1].

---

[1] «Если вы придете без четверти двенадцать к восточному входу, то вы узнаете то, что может вас очень удивить и сослужит большую службу как вам, так и Анни Моррисон. Только об этом никто не должен знать».

— Нечто вроде этого я и ожидал найти. Конечно, мы еще не знаем, в каких отношениях были Алек Каннингем, Уильям Керван и Анни Моррисон. Результат показывает, что ловушка была подстроена искусно. Я уверен, что вам доставит удовольствие проследить родственные черты в буквах «p» и в хвостиках у буквы «g». Отсутствие точек в написании буквы «i» у Каннингема-отца тоже очень характерно. Уотсон, наш спокойный отдых в деревне, по-моему, удался как нельзя лучше, и я, несомненно, вернусь завтра на Бейкер-стрит со свежими силами.

ГОРБУН

Однажды летним вечером, спустя несколько месяцев после моей женитьбы, я сидел у камина и, покуривая последнюю трубку, дремал над каким-то романом — весь день я был на ногах и устал до потери сознания. Моя жена поднялась наверх, в спальню, да и прислуга уже отправилась на покой — я слышал, как запирали входную дверь. Я встал и начал было выколачивать трубку, как раздался звонок.

Я взглянул на часы. Было без четверти двенадцать. Поздновато для гостя. Я подумал, что зовут к пациенту и чего доброго придется сидеть всю ночь у его постели. С недовольной гримасой я вышел в переднюю, отворил дверь. И страшно удивился — на пороге стоял Шерлок Холмс.

— Уотсон,— сказал он,— я надеялся, что вы еще не спите.

— Рад вас видеть, Холмс.

— Вы удивлены, и немудрено! Но, я полагаю, у вас отлегло от сердца! Гм... Вы курите все тот же табак, что и в холостяцкие времена. Ошибки быть не может: на вашем костюме пушистый пепел. И сразу видно, что вы привыкли носить военный мундир, Уотсон. Вам никогда не выдать себя за чистокровного штатского, пока вы не бросите привычки засовывать платок за обшлаг рукава. Вы меня приютите сегодня?

— С удовольствием.

— Вы говорили, что у вас есть комната для одного гостя, и, судя по вешалке для шляп, она сейчас пустует.

— Я буду рад, если вы останетесь у меня.

— Спасибо. В таком случае я повешу свою шляпу на свободный крючок. Вижу, у вас в доме побывал рабочий. Значит, что-то стряслось. Надеюсь, канализация в порядке?

— Нет, это газ...

— Ага! На вашем линолеуме остались две отметины от гвоздей его башмаков... как раз в том месте, куда падает свет. Нет, спасибо, я уже поужинал в Ватерлоо, но. с удовольствием выкурю с вами трубку.

Я вручил ему свой кисет, и он, усевшись напротив, некоторое время молча курил. Я прекрасно знал, что привести его ко мне в столь поздний час могло только очень важное дело, и терпеливо ждал, когда он сам заговорит.

— Вижу, сейчас вам много приходится заниматься вашим прямым делом,— сказал он, бросив на меня проницательный взгляд.

— Да, сегодня был особенно тяжелый день,— ответил я и, подумав, добавил: — Возможно, вы сочтете это глупым, но я не понимаю, как вы об этом догадались.

Холмс усмехнулся.

— Я ведь знаю ваши привычки, мой дорогой Уотсон,— сказал он.— Когда у вас мало визитов, вы ходите пешком, а когда много,— берете кэб. А так как я вижу, что ваши ботинки не грязные, а лишь немного запылились, то я, ни минуты не колеблясь, делаю вывод, что в настоящее время у вас работы по горло и вы ездите в кэбе.

— Превосходно! — воскликнул я.

— И совсем просто,— добавил он.— Это тот самый случай, когда можно легко поразить воображение собеседника, упускающего из виду какое-нибудь небольшое обстоятельство, на котором, однако, зиждется весь ход рассуждений. То же самое, мой дорогой Уотсон, можно сказать и о ваших рассказиках, интригующих читателя только потому, что вы намеренно умалчиваете о некоторых подробностях. Сейчас я нахожусь в положении этих самых читателей, так как держу в руках несколько нитей одного очень странного дела, объяснить которое можно, только зная все его обстоятельства. И я их узна́ю, Уотсон, непременно узна́ю!

Глаза его заблестели, впалые щеки слегка зарумянились. На мгновение на лице его отразился огонь его беспокойной, страстной натуры. Но тут же погас. И лицо опять стало бесстрастной маской, как у индейца. О Холмсе часто говорили, что он не человек, а машина.

— В этом деле есть интересные особенности,— добавил он.— Я бы даже сказал — исключительно интересные особенности. Мне кажется, я уже близок к его раскрытию. Остается выяснить немногое. Если бы вы согласились поехать со мной, вы оказали бы мне большую услугу.

— С великим удовольствием.

— Могли бы вы отправиться завтра в Олдершот?

— Конечно. Я уверен, что Джексон не откажется посетить моих пациентов.

— Поедем поездом, который отходит от Ватерлоо в десять часов одиннадцать минут.

— Прекрасно. Я как раз успею договориться с Джексоном.

— В таком случае, если вы не очень хотите спать, я коротко расскажу вам, что случилось и что нам предстоит.

— До вашего прихода мне очень хотелось спать. А теперь сна ни в одном глазу.

— Я буду краток, но постараюсь не упустить ничего важного. Возможно, вы читали в газетах об этом происшествии. Я имею в виду предполагаемое убийство полковника Барклея из полка «Роял Мэллоуз», расквартированного в Олдершоте.

— Нет, не читал.

— Значит, оно еще не получило широкой огласки. Не успело. Полковника нашли мертвым всего два дня назад. Факты вкратце таковы.

Как вы знаете, «Роял Мэллоуз» — один из самых славных полков британской армии. Он отличился и в Крымскую кампанию и во время восстания сипаев. До прошлого понедельника им командовал Джеймс Барклей, доблестный ветеран, который начал службу рядовым солдатом, был за храбрость произведен в офицеры и в конце концов стал командиром полка, в который пришел новобранцем.

Полковник Барклей женился, будучи еще сержантом. Его жена, в девичестве мисс Нэнси Дэвой, была дочерью отставного сержанта-знаменщика, когда-то служившего в той же части. Нетрудно себе представить, что в офицерской среде молодую пару приняли не слишком благожелательно. Но они, по-видимому, быстро освоились.

Насколько мне известно, миссис Барклей всегда пользовалась расположением полковых дам, а ее супруг — своих сослуживцев-офицеров. Я могу еще добавить, что она была очень красива, и даже теперь, через тридцать лет, она все еще очень привлекательна.

Полковник Барклей был, по-видимому, всегда счастлив в семейной жизни. Майор Мерфи, которому я обязан большей частью своих сведений, уверяет меня, что он никогда не слышал ни о каких размолвках этой четы. Но, в общем, он считает, что Барклей любил свою жену больше, чем она его. Расставаясь с ней даже на один день, он очень тосковал. Она же, хотя и была ему нежной и преданной женой, относилась к нему более ровно. В полку их считали образцовой парой. В их отношениях не было ничего такого, что могло бы хоть отдаленно намекнуть на возможность трагедии.

Характер у полковника Барклея был весьма своеобразный. Обычно веселый и общительный, этот старый служака временами становился вспыльчивым и злопамятным. Однако эта черта его характера, по-видимому, никогда не проявлялась по отношению к жене. Майора Мерфи и других трех офицеров из пяти, с которыми я беседовал, поражало угнетенное состояние, порой овладевавшее полковником. Как выразился майор, средь шумной и веселой застольной беседы нередко будто чья-то невидимая рука вдруг стирала улыбку с его губ. Когда на него находило, он по многу дней пребывал в сквернейшем настроении. Была у него в характере еще одна странность, замеченная сослуживцами,— он боялся оставаться один, и особенно в темноте. Эта ребяческая черта у человека, несомненно, обладавшего мужественным характером, вызывала толки и всякого рода догадки.

Первый батальон полка «Роял Мэллоуз» квартировал уже несколько лет в Олдершоте. Женатые офицеры жили не в казармах, и полковник все это время занимал виллу Лэчайн, находящуюся примерно в полумиле от Северного лагеря. Дом стоит в глубине сада, но его западная сторона всего ярдах в тридцати от дороги. Прислуга в доме — кучер, горничная и кухарка. Только они да их господин с госпожой жили в Лэчайн. Детей у Барклеев не было, а гости у них останавливались нечасто.

А теперь я расскажу о событиях, которые произошли в Лэчайн в этот понедельник между девятью и десятью часами вечера.

Миссис Барклей была, как оказалось, католичка и принимала горячее участие в деятельности благотворительного общества «Сент-Джордж», основанного при церкви на Уот-стрит, которое собирало и раздавало беднякам поношенную одежду. Заседание общества было назначено в тот день на восемь часов вечера, и миссис Барклей пообедала наскоро, чтобы не опоздать. Выходя из дому, она, по словам кучера, перекинулась с мужем несколькими ничего не значащими словами и обещала долго не задерживаться. Потом она зашла за мисс Моррисон, молодой женщиной, жившей на соседней вилле, и они вместе отправились на заседание, которое продолжалось минут сорок. В четверть десятого миссис Барклей вернулась домой, расставшись с мисс Моррисон у дверей виллы, в которой та жила.

Гостиная виллы Лэчайн обращена к дороге, и ее большая стеклянная дверь выходит на газон, имеющий в ширину ярдов тридцать и отделенный от дороги невысокой железной оградой на каменном основании. Вернувшись, миссис Барклей прошла именно в эту комнату. Шторы не были опущены, так как в ней редко сидят по вечерам, но миссис Барклей сама зажгла лампу, а затем позвонила и попросила горничную Джейн Стюарт принести ей чашку чаю, что было совершенно не в ее привычках. Полковник был в столовой; услышав, что жена вернулась, он пошел к ней. Кучер видел, как он, миновав холл, вошел в комнату. Больше его в живых не видели.

Минут десять спустя чай был готов, и горничная понесла его в гостиную. Подойдя к двери, она с удивлением услышала гневные голоса хозяина и хозяйки. Она постучала, но никто не откликнулся. Тогда она повернула ручку, однако дверь оказалась запертой изнутри. Горничная, разумеется, побежала за кухаркой. Обе женщины, позвав кучера, поднялись в холл и стали слушать. Ссора продолжалась. За дверью, как показывают все трое, раздавались только два голоса — Барклея и его жены. Барклей говорил тихо и отрывисто, так что ничего нельзя было разобрать. Хозяйка же очень гневалась, и, когда повышала голос, слышно ее было хорошо. «Вы трус! — повторяла она снова и снова.— Что же теперь делать? Верните мне жизнь. Я не могу больше дышать с вами одним воздухом! Вы трус, трус!» Вдруг послышался страшный крик, это кричал хозяин, потом грохот и, наконец, душераздирающий вопль хозяйки. Уверенный, что случилась беда, кучер бросился к двери, за которой не утихали рыдания, и пытался высадить ее. Дверь не поддавалась. Служанки от страха совсем потеряли голову, и помощи от них не было никакой. Кучер вдруг сообразил, что в гостиной есть вторая дверь, выходящая в сад. Он бросился из дому. Одна из створок двери была открыта — дело обычное по летнему времени, — и кучер в мгновение ока очутился в комнате. На софе без чувств лежала его госпожа, а рядом с задранными на кресло ногами, с головой в луже крови на полу у каминной решетки распростерлось тело хозяина. Несчастный полковник был мертв.

Увидев, что хозяину уже ничем не поможешь, кучер решил первым делом отпереть дверь в холл. Но тут перед ним возникло странное и неожиданное препятствие. Ключа в двери не было. Его вообще не было нигде в комнате. Тогда кучер вышел через наружную дверь и отправился за полицейским и врачом. Госпожу, на которую, разумеется, прежде всего пало подозрение, в бессознательном состоянии отнесли в ее спальню. Тело полковника положили на софу, а место происшествия тщательно осмотрели.

На затылке полковника была обнаружена большая рваная рана, нанесенная каким-то тупым орудием. Каким — догадаться было нетрудно. На полу, рядом с трупом, валялась необычного вида дубинка, вырезанная из твердого дерева, с костяной ручкой. У полковника была коллекция всевозможного оружия, вывезенного из разных стран, где ему приходилось воевать, и полицейские высказали предположение, что дубинка принадлежит к числу его трофеев. Однако слуги утверждают, что прежде они этой дубинки не видели. Но так как в доме полно всяких диковинных вещей, то возможно, что они проглядели одну из них. Ничего больше полицейским обнаружить в комнате не удалось. Неизвестно было, куда девался ключ: ни в комнате, ни у миссис Барклей, ни у ее несчастного супруга его не нашли. Дверь в конце концов пришлось открывать местному слесарю.

Таково было положение вещей, Уотсон, когда во вторник утром я по просьбе майора Мерфи отправился в Олдершот, чтобы помочь полиции. Думаю, вы согласитесь со мной, что дело уже было весьма интересное, но, ознакомившись с ним подробнее, я увидел, что оно представляет исключительный интерес.

Перед тем, как осмотреть комнату, я допросил слуг, но ничего нового от них не узнал. Только горничная Джейн Стюарт припомнила одну важную подробность. Услышав, что господа ссорятся, она пошла за кухаркой и кучером, если вы помните. Хозяин и хозяйка говорили очень тихо, так что о ссоре она догадалась скорее по их раздраженному тону, чем по тому, что они говорили.

Но благодаря моей настойчивости она все-таки вспомнила одно слово из разговора хозяев: миссис Барклей дважды произнесла имя «Давид». Это очень важное обстоятельство — оно дает нам ключ к пониманию причины ссоры. Ведь полковника, как вы знаете, звали Джеймс.

В деле есть также обстоятельство, которое произвело сильнейшее впечатление и на слуг и на полицейских. Лицо полковника исказил смертельный страх. Гримаса была так ужасна, что мороз подирал по коже. Было ясно, что полковник видел свою судьбу, и это повергло его в неописуемый ужас. Это, в общем, вполне вязалось с версией полиции о виновности жены, если, конечно, допустить, что полковник видел, кто наносит ему удар. А тот факт, что рана оказалась на затылке, легко объяснили тем, что полковник пытался увернуться. Миссис Барклей ничего объяснить не могла: после пережитого потрясения она находилась в состоянии временного беспамятства, вызванного нервной лихорадкой.

От полицейских я узнал еще, что мисс Моррисон, которая, как вы помните, возвращалась в тот вечер домой вместе с миссис Барклей, заявила, что ничего не знает о причине плохого настроения своей приятельницы.

Узнав все это, Уотсон, я выкурил несколько трубок подряд, пытаясь понять, что же главное в этом нагромождении фактов. Прежде всего бросается в глаза странное исчезновение дверного ключа. Самые тщательные поиски в комнате оказались безрезультатными. Значит, нужно предположить, что его унесли. Но ни полковник, ни его супруга не могли этого сделать. Это ясно. Значит, в комнате был кто-то третий. И этот третий мог проникнуть внутрь только через стеклянную дверь. Я сделал вывод, что тщательное обследование комнаты и газона могло бы обнаружить какие-нибудь следы этого таинственного незнакомца. Вы знаете мои методы, Уотсон. Я применил их все и нашел следы, но совсем не те, что ожидал. В комнате действительно был третий — он пересек газон со стороны дороги. Я обнаружил пять отчетливых следов его обуви — один на самой дороге, в том месте, где он перелезал через невысокую ограду, два на газоне и два, очень слабых, на крашеных ступенях лестницы, ведущей к двери, в которую он вошел. По газону он, по всей видимости, бежал, потому что отпечатки носков гораздо более глубокие, чем отпечатки каблуков. Но поразил меня не столько этот человек, сколько его спутник.

— Спутник?

Холмс достал из кармана большой лист папиросной бумаги и тщательно расправил его на колене.

— Как вы думаете, что это такое? — спросил он.

На бумаге были следы лап какого-то маленького животного. Хорошо заметны были отпечатки пяти пальцев и отметины, сделанные длинными когтями. Каждый след достигал размеров десертной ложки.

— Это собака,— сказал я.

— А вы когда-нибудь слышали, чтобы собака взбиралась вверх по портьерам? Это существо оставило следы и на портьере.

— Тогда обезьяна?

— Но это не обезьяньи следы.

— В таком случае что бы это могло быть?

— Ни собака, ни кошка, ни обезьяна, ни какое бы то ни было другое известное нам животное! Я пытался представить себе его размеры. Вот четыре отпечатка, когда зверек стоял неподвижно. Вы видите, расстояние от передних лап до задних не менее пятнадцати дюймов. Добавьте к этому длину шеи и головы — и вы получите зверька длиной около двух футов, а возможно, и больше, если у него есть хвост. Теперь взгляните вот на эти следы. Они дают нам длину его шага, которая, как видите, постоянна и составляет всего три дюйма. А это значит, что у зверька длинное тело и очень короткие лапы. К сожалению, он не позаботился оставить нам где-нибудь хотя бы один волосок. Но, в общем, его внешний вид ясен, он может лазить по портьерам. И, кроме того, наш таинственный зверь — существо плотоядное.

— А это почему?

— А потому, что над дверью, занавешенной портьерой, висит клетка с канарейкой. И зверек, конечно, взобрался по шторе вверх, рассчитывая на добычу.

— Какой же это все-таки зверь?

— Если бы я это узнал, дело было бы почти раскрыто. Я думаю, что этот зверек из семейства ласок или горностаев. Но, если память не изменяет мне, он больше и ласки и горностая.

— А в чем заключается его участие в этом деле?

— Пока не могу сказать. Но согласитесь, нам уже многое известно. Мы знаем, во-первых, что какой-то человек стоял на дороге и наблюдал за ссорой Барклеев: ведь шторы были подняты, а комната освещена. Мы знаем также, что он перебежал через газон в сопровождении какого-то странного зверька и либо ударил полковника, либо, что тоже вероятно, полковник, увидев нежданного гостя, так испугался, что лишился чувств и упал, ударившись затылком об угол каминной решетки. И, наконец, мы знаем еще одну интересную деталь: незнакомец, побывавший в этой комнате, унес с собой ключ.

— Но ваши наблюдения и выводы, кажется, еще больше запутали дело,— заметил я.

— Совершенно верно. Но они с несомненностью показали, что первоначальные предположения неосновательны. Я продумал все снова и пришел к заключению, что должен рассмотреть это дело с иной точки зрения. Впрочем, Уотсон, вам давно уже пора спать, а все остальное я могу с таким же успехом рассказать вам завтра по пути в Олдершот.

— Покорно благодарю, вы остановились на самом интересном месте.

— Ясно, что, когда миссис Барклей уходила в половине восьмого из дому, она не была сердита на мужа. Кажется, я упоминал, что она никогда не питала к нему особенно нежных чувств, но кучер слышал, как она, уходя, вполне дружелюбно болтала с ним. Вернувшись же, она тотчас пошла в комнату, где меньше всего надеялась застать супруга, и попросила чаю, что говорит о расстроенных чувствах. А когда в гостиную вошел полковник, разразилась буря. Следовательно, между половиной восьмого и девятью часами случилось что-то такое, что совершенно переменило ее отношение к нему. Но в течение всего этого времени с нею неотлучно была мисс Моррисон, из чего следует, что мисс Моррисон должна что-то знать, хотя она и отрицает это.

Сначала я предположил, что у молодой женщины были с полковником какие-то отношения, в которых она и призналась его жене. Это объясняло, с одной стороны, почему миссис Барклей вернулась домой разгневанная, а с другой — почему мисс Моррисон отрицает, что ей что-то известно. Это соображение подкреплялось и словами миссис Барклей, сказанными во время ссоры. Но тогда при чем здесь какой-то Давид? Кроме того, полковник любил свою жену, и трудно было предположить существование другой женщины. Да и трагическое появление на сцене еще одного мужчины вряд ли имеет связь с предполагаемым признанием мисс Моррисон. Нелегко было выбрать верное направление. В конце концов я отверг предположение, что между полковником и мисс Моррисон что-то было. Но убеждение, что девушка знает причину внезапной ненависти миссис Барклей к мужу, стало еще сильнее. Тогда я решил пойти прямо к мисс Моррисон и сказать ей, что я не сомневаюсь в ее осведомленности и что ее молчание может дорого обойтись миссис Барклей, которой наверняка предъявят обвинение в убийстве.

Мисс Моррисон оказалась воздушным созданием с белокурыми волосами и застенчивым взглядом, но ей ни в коем случае нельзя было отказать ни в уме, ни в здравом смысле. Выслушав меня, она задумалась, потом повернулась ко мне с решительным видом и сказала мне следующие замечательные слова.

— Я дала миссис Барклей слово никому ничего не говорить. А слово надо держать,— сказала она.— Но, если я могу ей помочь, когда против нее выдвигается такое серьезное обвинение, а она сама, бедняжка, не способна защитить себя из-за болезни, то, я думаю, мне будет простительно нарушить обещание. Я расскажу вам абсолютно все, что случилось с нами в понедельник вечером.

Мы возвращались из церкви на Уот-стрит примерно без четверти девять. Надо было идти по очень пустынной улочке Хадсон-стрит. Там на левой стороне горит всего один фонарь, и, когда мы приближались к нему, я увидела сильно сгорбленного мужчину, который шел нам навстречу с каким-то ящиком, висевшим через плечо. Это был калека, весь скрюченный, с кривыми ногами. Мы поравнялись с ним как раз в том месте, где от фонаря падал свет. Он поднял голову, посмотрел на нас, остановился как вкопанный и закричал душераздирающим голосом: «О боже, ведь это же Нэнси!» Миссис Барклей побелела как мел и упала бы, если бы это ужасное существо не подхватило ее. Я уже было хотела позвать полицейского, но, к моему удивлению, они заговорили вполне мирно.

«Я была уверена, Генри, все эти тридцать лет, что тебя нет в живых,— сказала миссис Барклей дрожащим голосом».

«Так оно и есть».

Эти слова были сказаны таким тоном, что у меня сжалось сердце. У несчастного было очень смуглое и сморщенное, как печеное яблоко, лицо, совсем седые волосы и бакенбарды, а сверкающие его глаза до сих пор преследуют меня по ночам.

«Иди домой, дорогая, я тебя догоню,— сказала миссис Барклей.— Мне надо поговорить с этим человеком наедине. Бояться нечего».

Она бодрилась, но по-прежнему была смертельно бледна, и губы у нее дрожали.

Я пошла вперед, а они остались. Говорили они всего несколько минут. Скоро миссис Барклей догнала меня, глаза ее горели. Я обернулась: несчастный калека стоял под фонарем и яростно потрясал сжатыми кулаками, точно он потерял рассудок. До самого моего дома она не произнесла ни слова и только у калитки взяла меня за руку и стала умолять никому не говорить о встрече.

«Это мой старый знакомый. Ему очень не повезло в жизни»,— сказала она.

Я пообещала ей, что не скажу никому ни слова, тогда она поцеловала меня и ушла. С тех пор мы с ней больше не виделись. Я рассказала вам всю правду, и если я скрыла ее от полиции, так только потому, что не понимала, какая опасность грозит миссис Барклей. Теперь я вижу, что ей можно помочь, только рассказав все без утайки.

Вот что я узнал от мисс Моррисон. Как вы понимаете, Уотсон, ее рассказ был для меня лучом света во мраке ночи. Все прежде разрозненные факты стали на свои места, и я уже смутно предугадывал истинный ход событий. Было очевидно, что я должен немедленно разыскать человека, появление которого так потрясло миссис Барклей. Если он все еще в Олдершоте, то сделать это было бы нетрудно. Там живет не так уж много штатских, а калека, конечно, привлекает к себе внимание. Я потратил на поиски день и к вечеру нашел его. Это Генри Вуд. Он снимает квартиру на той самой улице, где его встретили дамы. Живет он там всего пятый день. Под видом служащего регистратуры я зашел к его квартирной хозяйке, и та выболтала мне весьма интересные сведения. По профессии этот человек — фокусник; по вечерам он обходит солдатские кабачки и дает в каждом небольшое представление. Он носит с собой в ящике какое-то животное. Хозяйка очень боится его, потому что никогда не видела подобного существа. По ее словам, это животное участвует в некоторых его трюках. Вот и все, что удалось узнать у хозяйки, которая еще добавила, что удивляется, как он, такой изуродованный, вообще живет на свете, и что по ночам он говорит иногда на каком-то незнакомом языке, а две последние ночи — она слышала — он стонал и рыдал у себя в спальне. Что же касается денег, то они у него водятся, хотя в задаток он дал ей, похоже, фальшивую монету. Она показала мне монету, Уотсон. Это была индийская рупия.

Итак, мой дорогой друг, вы теперь точно знаете, как обстоит дело и почему я просил вас поехать со мной. Очевидно, что после того, как дамы расстались с этим человеком, он пошел за ними следом, что он наблюдал за ссорой между мужем и женой через стеклянную дверь, что он ворвался в комнату и что животное, которое он носит с собой в ящике, каким-то образом очутилось на свободе. Все это не вызывает сомнений. Но самое главное — он единственный человек на свете, который может рассказать нам, что же, собственно, произошло в комнате.

— И вы собираетесь расспросить его?

— Безусловно... но в присутствии свидетеля.

— И этот свидетель я?

— Если вы будете так любезны. Если он все откровенно расскажет, то и хорошо. Если же нет, нам ничего не останется, как требовать его ареста.

— Но почему вы думаете, что он будет еще там, когда мы приедем?

— Можете быть уверены, я принял некоторые меры предосторожности. Возле его дома стоит на часах один из моих мальчишек с Бейкер-стрит. Он вцепится в него, как клещ, и будет следовать за ним, куда бы он ни пошел. Так что мы встретимся с ним завтра на Хадсон-стрит, Уотсон. Ну, а теперь... С моей стороны было бы преступлением, если бы я сейчас же не отправил вас спать.

Мы прибыли в городок, где разыгралась трагедия, ровно в полдень, и Шерлок Холмс сразу же повел меня на Хадсон-стрит. Несмотря на его умение скрывать свои чувства, было заметно, что он едва сдерживает волнение, да и сам я испытывал полуспортивный азарт, то захватывающее любопытство, которое я всегда испытывал, участвуя в расследованиях Холмса.

— Это здесь,— сказал он, свернув на короткую улицу, застроенную простыми двухэтажными кирпичными домами.— А вот и Симпсон. Послушаем, что он скажет.

— Он в доме, мистер Холмс! — крикнул, подбежав к нам, мальчишка.

— Прекрасно, Симпсон! — сказал Холмс и погладил его по голове.— Пойдем, Уотсон. Вот этот дом.

Он послал свою визитную карточку с просьбой принять его по важному делу, и немного спустя мы уже стояли лицом к лицу с тем самым человеком, ради которого приехали сюда. Несмотря на теплую погоду, он льнул к пылавшему камину, а в маленькой комнате было жарко, как в духовке. Весь скрюченный, сгорбленный, человек этот сидел на стуле в невообразимой позе, не оставлявшей сомнений, что перед нами калека. Но его лицо, обращенное к нам, хотя и было изможденным и загорелым до черноты, носило следы красоты замечательной. Он подозрительно посмотрел на нас желтоватыми, говорящими о больной печени глазами и, молча, не вставая, показал рукой на два стула.

— Я полагаю, что имею дело с мистером Генри Вудом, недавно прибывшим из Индии? — вежливо осведомился Холмс.— Я пришел по небольшому делу, связанному со смертью полковника Барклея.

— А какое я имею к этому отношение?

— Вот это я и должен установить. Я полагаю, вы знаете, что если истина не откроется, то миссис Барклей, ваш старый друг, предстанет перед судом по обвинению в убийстве?

Человек вздрогнул.

— Я не знаю, кто вы,— закричал он,— и как вам удалось узнать то, что вы знаете, но клянетесь ли вы, что сказали правду?

— Конечно. Ее хотят арестовать, как только к ней вернется разум.

— Господи! А вы сами из полиции?

— Нет.

— Тогда какое же вам дело до всего этого?

— Стараться, чтобы свершилось правосудие,— долг каждого человека.

— Я даю вам слово, что она невиновна.

— В таком случае виновны вы.

— Нет, и я невиновен.

— Тогда кто же убил полковника Барклея?

— Он пал жертвой самого провидения. Но знайте же: если бы я вышиб ему мозги, что, в сущности, я мечтал сделать, то он только получил бы по заслугам. Если бы его не поразил удар от сознания собственной вины, весьма возможно, я бы сам обагрил руки его кровью. Хотите, чтобы я рассказал вам, как все было? А почему бы и не рассказать? Мне стыдиться нечего.

Дело было так, сэр. Вы видите, спина у меня сейчас горбатая, как у верблюда, а ребра все срослись вкривь и вкось, но было время, когда капрал Генри Вуд считался одним из первых красавцев в сто семнадцатом пехотном полку. Мы тогда были в Индии, стояли лагерем возле городка Бхарти. Барклей, который умер на днях, был сержантом в той роте, где служил я, а первой красавицей полка... да и вообще самой чудесной девушкой на свете была Нэнси Дэвой, дочь сержанта-знаменщика. Двое любили ее, а она любила одного; вы улыбнетесь, взглянув на несчастного калеку, скрючившегося у камина, который говорит, что когда-то он был любим за красоту.

Но, хотя я и покорил ее сердце, отец ее хотел, чтобы она вышла замуж за Барклея. Я был ветреный малый, отчаянная голова, а он имел образование и уже был намечен к производству в офицеры. Но Нэнси была верна мне, и мы уже думали пожениться, как вдруг вспыхнул бунт и страна превратилась в ад кромешный.

Нас осадили в Бхарти — наш полк, полубатарею артиллерии, роту сикхов и множество женщин и всяких гражданских. Десять тысяч бунтовщиков стремились добраться до нас с жадностью своры терьеров, окруживших клетку с крысами. Примерно на вторую неделю осады у нас кончилась вода, и было сомнительно, чтобы мы могли снестись с колонной генерала Нилла, которая отступила в глубь страны. В этом было наше единственное спасение, так как надежды пробиться со всеми женщинами и детьми не было никакой. Тогда я вызвался пробраться сквозь осаду и известить генерала Нилла о нашем бедственном положении. Мое предложение было принято; я посоветовался с сержантом Барклеем, который, как считалось, лучше всех знал местность, и он объяснил мне, как лучше пробраться через линии бунтовщиков. В тот же вечер, в десять часов, я отправился в путь. Мне предстояло спасти тысячи жизней, но в тот вечер я думал только об одной.

Мой путь лежал по руслу пересохшей речки, которое, как мы надеялись, скроет меня от часовых противника, но только я ползком одолел первый поворот, как наткнулся на шестерых бунтовщиков, которые, притаившись в темноте, поджидали меня. В то же мгновение удар по голове оглушил меня. Очнулся я у врагов, связанный по рукам и ногам. И тут я получил смертельный удар в самое сердце: прислушавшись к разговору врагов, я понял, что мой товарищ, тот самый, что помог мне выбрать путь через вражеские позиции, предал меня, известив противника через своего слугу-туземца.

Стоит ли говорить, что было дальше? Теперь вы знаете, на что был способен Джеймс Барклей. На следующий день подоспел на выручку генерал Нилл, и осада была снята, но, отступая, бунтовщики захватили меня с собой. И прошло много-много лет, прежде чем я снова увидел белые лица. Меня пытали, я бежал, меня поймали и снова пытали. Вы видите, что они со мной сделали. Потом бунтовщики бежали в Непал и меня потащили с собой. В конце концов я очутился в горах за Дарджилингом. Но горцы перебили бунтовщиков, и я стал пленником горцев, покуда не убежал. Путь оттуда был только один — на север. И я оказался у афганцев. Там я бродил много лет и в конце концов вернулся в Пенджаб, где жил по большей части среди туземцев и зарабатывал на хлеб, показывая фокусы, которым я к тому времени научился. Зачем было мне, жалкому калеке, возвращаться в Англию и искать старых товарищей? Даже жажда мести не могла заставить меня решиться на этот шаг. Я предпочитал, чтобы Нэнси и мои старые друзья думали, что Генри Вуд умер с прямой спиной, я не хотел предстать перед ними похожим на обезьяну. Они не сомневались, что я умер, и мне хотелось, чтобы они так и думали. Я слышал, что Барклей женился на Нэнси и что он сделал блестящую карьеру в полку, но даже это не могло вынудить меня заговорить.

Но когда приходит старость, человек начинает тосковать по родине. Долгие годы я мечтал о ярких зеленых полях и живых изгородях Англии. И я решил перед смертью повидать их еще раз. Я скопил на дорогу денег и вот поселился здесь, среди солдат,— я знаю, что им надо, знаю, чем их позабавить, и заработанного вполне хватает мне на жизнь.

— Ваш рассказ очень интересен,— сказал Шерлок Холмс.— О вашей встрече с миссис Барклей и о том, что вы узнали друг друга, я уже слышал. Как я могу судить, поговорив с миссис Барклей, вы пошли за ней следом и стали свидетелем ссоры между женой и мужем. В тот вечер миссис Барклей бросила в лицо мужу обвинение в совершенной когда-то подлости. Целая буря чувств вскипела в вашем сердце, вы не выдержали, бросились к дому и ворвались в комнату...

— Да, сэр, все именно так и было. Когда он увидел меня, лицо у него исказилось до неузнаваемости. Он покачнулся и тут же упал на спину, ударившись затылком о каминную решетку. Но он умер не от удара, смерть поразила его сразу, как только он увидел меня. Я это прочел на его лице так же просто, как читаю сейчас вон ту надпись над камином. Мое появление было для него выстрелом в сердце.

— А потом?

— Нэнси потеряла сознание, я взял у нее из руки ключ, думая отпереть дверь и позвать на помощь. Вложив ключ в скважину, я вдруг сообразил, что, пожалуй, лучше оставить все как есть и уйти, ведь дело очень легко может обернуться против меня. И уж, во всяком случае, секрет мой, если бы меня арестовали, стал бы известен всем. В спешке я опустил ключ в карман, а ловя Тедди, который успел взобраться на портьеру, потерял палку. Сунув его в ящик, откуда он каким-то образом улизнул, я бросился вон из этого дома со всей быстротой, на какую были способны мои ноги.

— Кто этот Тедди? — спросил Холмс.

Горбун наклонился и выдвинул переднюю стенку ящика, стоявшего в углу. Тотчас из него показался красивый красновато-коричневый зверек, тонкий и гибкий, с лапками горностая, с длинным, тонким носом и парой самых прелестных глазок, какие я только видел у животных.

— Это же мангуста! — воскликнул я.

— Да,— кивнув головой, сказал горбун.— Одни называют его мангустой, а другие фараоновой мышью. Змеелов — вот как зову его я. Тедди замечательно быстро расправляется с кобрами. У меня здесь есть одна, у которой вырваны ядовитые зубы. Тедди ловит ее каждый вечер, забавляя солдат. Есть еще вопросы, сэр?

— Ну что ж, возможно, мы еще обратимся к вам, но только в том случае, если миссис Барклей придется действительно туго.

— Я всегда к вашим услугам.

— Если же нет, то вряд ли стоит ворошить прошлую жизнь покойного, как бы отвратителен ни был его поступок. У вас по крайней мере есть то удовлетворение, что он тридцать лет мучился угрызениями совести. А это, кажется, майор Мерфи идет по той стороне улицы? До свидания, Вуд. Хочу узнать, нет ли каких новостей со вчерашнего дня.

Мы догнали майора, прежде чем он успел завернуть за угол.

— А, Холмс,— сказал он.— Вы уже, вероятно, слышали, что весь этот переполох кончился ничем.

— Да? Но что же все-таки выяснилось?

— Медицинская экспертиза показала, что смерть наступила от апоплексии. Как видите, дело оказалось самое простое.

— Да, проще не может быть,— сказал, улыбаясь, Холмс.— Пойдем, Уотсон, домой. Не думаю, чтобы наши услуги еще были нужны в Олдершоте.

— Но вот что странно,— сказал я по дороге на станцию.— Если мужа звали Джеймсом, а того несчастного — Генри, то при чем здесь Давид?

— Мой дорогой Уотсон, одно это имя должно было бы раскрыть мне глаза, будь я тем идеальным логиком, каким вы меня любите описывать. Это слово было брошено в упрек.

— В упрек?

— Да. Как вам известно, библейский Давид[1] то и дело сбивался с пути истинного и однажды забрел туда же, куда и сержант Джеймс Барклей. Помните то небольшое дельце с Урией и Вирсавией? Боюсь, я изрядно подзабыл Библию, но, если мне не изменяет память, вы его найдете в первой или второй книге Царств.

ПОСТОЯННЫЙ ПАЦИЕНТ

Просматривая довольно непоследовательные записки, коими я пытался проиллюстрировать особенности мышления моего друга мистера Шерлока Холмса, я вдруг обратил внимание на то, как трудно было подобрать примеры, которые всесторонне отвечали бы моим целям. Ведь в тех случаях, когда Холмс совершал tour de force[2] аналитического мышления и демонстрировал значение своих особых методов расследования, сами факты часто бывали столь незначительны и заурядны, что я не считал себя вправе опубликовывать их. С другой стороны, нередко случалось, что он занимался расследованиями некоторых дел, имевших по своей сути выдающийся и драматический характер, но роль Холмса в их раскрытии была менее значительна, чем это хотелось бы мне, его биографу. Небольшое дело, которое я описал под заглавием «Этюд в багровых тонах», и еще одно, более позднее, связанное с исчезновением «Глории Скотт», могут послужить примером тех самых сцилл и харибд, которые извечно угрожают историку. Быть может, роль, сыгранная моим другом в деле, к описанию которого я собираюсь приступить, и не очень видна, но все же обстоятельства дела настолько значительны, что я не могу позволить себе исключить его из своих записок.

Был душный пасмурный октябрьский день, к вечеру, однако, повеяло прохладой.

— А что, если нам побродить по Лондону, Уотсон? — сказал мой друг.

---

[1] Согласно библейской легенде, израильско-иудейский царь Давид, чтобы взять себе в жены Вирсавию — жену военачальника Урии, послал его на верную смерть при осаде города Раввы.

[2] Подвиг (*франц.*).

Сидеть в нашей маленькой гостиной было невмоготу, и я охотно согласился. Мы гуляли часа три по Флит-стрит и Стрэнду, наблюдая за калейдоскопом уличных сценок. Беседа с Холмсом, как всегда очень наблюдательным и щедрым на остроумные замечания, была захватывающе интересна.

Мы вернулись на Бейкер-стрит часов в десять. У подъезда стоял экипаж.

— Гм! Экипаж врача... — сказал Холмс.— Практикует не очень давно, но уже имеет много пациентов. Полагаю, приехал просить нашего совета! Как хорошо, что мы вернулись!

Я был достаточно сведущ в дедуктивном методе Холмса, чтобы проследить ход его мыслей. Стоило ему заглянуть в плетеную сумку, висевшую в экипаже и освещенную уличным фонарем, как по характеру и состоянию медицинских инструментов он мгновенно сделал вывод, чей это экипаж. А свет в окне одной из наших комнат на втором этаже говорил о том, что этот поздний гость приехал именно к нам. Мне было любопытно, что бы это могло привести моего собрата-медика в столь поздний час, и я последовал за Холмсом в наш кабинет.

Когда мы вошли, со стула у камина поднялся бледный узколицый человек с рыжеватыми бакенбардами. Ему было не больше тридцати трех — тридцати четырех лет, но выглядел он старше. Судя по его унылому лицу землистого оттенка, жизнь не баловала его. Как и все легкоранимые люди, он был и порывист и застенчив, а его худая белая рука, которой он, вставая, взялся за каминную доску, казалась скорей рукой художника, а не хирурга. Одежда на нем была спокойных тонов: черный сюртук, темные брюки, цветной, но скромный галстук.

— Добрый вечер, доктор,— любезно сказал Холмс.— Рад, что вам пришлось ждать лишь несколько минут.

— Вы что же, говорили с моим кучером?

— Нет, я определил это по свече, которая стоит на столике. Пожалуйста, садитесь и расскажите, чем могу служить.

— Я доктор Перси Тревельян,— сказал наш гость.— Я живу в доме номер четыреста три, по Брук-стрит.

— Не вы ли автор монографии о редких нервных болезнях? — спросил я.

Когда он услышал, что я знаком с его книгой, бледные щеки его порозовели от удовольствия.

— На эту работу так редко ссылаются, что я уже совсем похоронил ее,— сказал он.— Мои издатели говорили мне, что она раскупается убийственно плохо. А вы сами, я полагаю, тоже врач?

— Военный хирург в отставке.

— Я всегда увлекался нервными заболеваниями и хотел бы специализироваться на них, но приходится довольствоваться тем, что есть. Впрочем, мистер Шерлок Холмс, это не относится к делу, и я вполне понимаю, что у вас каждая минута на счету. С некоторых пор у меня в доме на Брук-стрит происходят очень странные вещи, а сегодня вечером дело приняло такой оборот, что я больше не мог ждать ни часа и принужден был приехать к вам, чтобы просить вашего совета и помощи.

Шерлок Холмс сел и раскурил трубку.

— Располагайте мною,— сказал он.— Расскажите подробно, что вас встревожило.

— Сущие пустяки,— сказал доктор Тревельян,— и мне даже стыдно говорить о них. Однако они привели меня в растерянность, а последнее происшествие таково, что я лучше расскажу вам все по порядку, и вы уже сами решите, что существенно, а что нет.

Придется начать с того, как я учился. Видите ли, я закончил Лондонский университет, и не думайте, что я пою себе дифирамбы, но мои профессора возлагали на меня большие надежды. По окончании университета я не бросил исследовательские работы и остался на небольшой должности в клинике при Королевском колледже.

Мне посчастливилось привлечь внимание к своей работе о редких случаях каталепсии и в конце концов получить премию Брюса Пинкертона и медаль за свою монографию о нервных болезнях, только что упомянутую вашим другом. Скажу, не преувеличивая, что в то время мне все прочили блестящую будущность.

У меня было одно препятствие: я был беден. Меня нетрудно понять — врачу-специалисту, который метит высоко, надо начинать свою карьеру на одной из улиц, примыкающих к Кавендиш-сквер, где снять и обставить квартиру стоит безумных денег. Не говоря уже об этих издержках, надо еще как-то жить в течение нескольких лет и при этом держать приличный выезд. Все это было мне не по карману, и я решил вести экономную жизнь и копить деньги, чтобы лет через десять можно было заняться частной практикой. И вдруг мне помог случай.

Однажды утром ко мне в комнату ввалился совершенно незнакомый человек, некий господин Блессингтон, и с ходу приступил к делу.

«Вы тот самый Перси Тревельян, который за выдающиеся успехи недавно получил премию?» — спросил он.

Я поклонился.

«Отвечайте мне прямо, — продолжал он, — так как это в ваших же интересах. Чтобы иметь успех, ума у вас хватит. А вот как насчет такта?»

Услышав этот неожиданный вопрос, я не мог не улыбнуться.

«Наверно, я не лишен этого достоинства».

«У вас есть какие-нибудь дурные привычки? Вы выпиваете, а?»

«Да что вы в самом деле, сэр!» — воскликнул я.

«Ладно, ладно! Тогда все в порядке. Но я был обязан спросить. Как же вы с такой головой и не у дел?»

Я пожал плечами.

«Да ну же! — сказал он со свойственной ему живостью. — Старая история. В голове у вас больше, чем в кармане, а? А что бы вы сказали, если бы для начала я помог вам обосноваться на Брук-стрит?»

Я смотрел на него в изумлении.

«О, это я ради собственной выгоды, не вашей, — сказал он. — Сказать откровенно, — если это подойдет вам, то обо мне и говорить нечего. Видите ли, у меня есть несколько лишних тысяч, и я думаю вложить этот капитал в вас».

«Но почему?» — едва мог вымолвить я.

«Ну, это такое же прибыльное дело, как и всякое другое, только более безопасное».

«И что я должен делать?»

«Сейчас объясню. Я сниму дом, обставлю его, буду платить слугам... Словом, заправлять всем. Вам остается только просиживать штаны в кабинете. Я дам вам денег на мелкие расходы и все прочее. Вы будете отдавать мне три четверти своего заработка, остальное оставлять себе».

— Вот с таким странным предложением, мистер Холмс, и обратился ко мне этот Блессингтон. Я не буду злоупотреблять вашим терпением, излагая подробности наших переговоров. На Благовещенье я переехал и стал принимать больных, рассчитываясь с мистером Блессингтоном почти на тех самых условиях, которые он предложил. Он и сам поселился тут же в доме, став чем-то вроде постоянного пациента, живущего при кабинете врача. Оказалось, что у него слабое сердце и он нуждается в постоянном наблюдении. Две лучшие комнаты на втором этаже он занял под собственные гостиную и спальню. Привычки у него были странные — он избегал общества и очень редко выходил. Не отличаясь особой пунктуальностью, он был сама пунктуальность лишь в одном. Каждый вечер в один и тот же час он заходил в мой кабинет, просматривал книгу приема больных, откладывал пять шиллингов и три пенса из каждой заработанной мною гинеи и забирал все остальные деньги, пряча их в сундук, стоявший в его комнате. Скажу вам откровенно, что у него ни разу не было оснований сожалеть о помещении своего капитала. С самого начала дело оказалось прибыльным. Первые же успехи и репутация, которую я завоевал в клинике, позволили мне быстро выдвинуться, и за последние два года я обогатил его.

Таковы, мистер Холмс, мое прошлое и мои отношения с мистером Блессингтоном. Остается только рассказать, какие события привели меня сегодня к вам.

Несколько недель назад мистер Блессингтон вошел в мой кабинет в очень возбужденном состоянии. Он говорил о каком-то ограблении, которое, по его словам, было совершено в Вест-Энде. Это, насколько мне помнится, сильно взволновало его, и он заявил, что мы должны поставить дополнительные засовы на двери и окна, не откладывая этого дела ни на день. Целую неделю он пребывал в страшном беспокойстве, то и дело выглядывая из окон и прекратив короткие прогулки, которые обычно совершал перед обедом. Наблюдая его поведение, я вдруг подумал, что он смертельно боится чего-то или кого-то, но, когда я спросил его об этом прямо, он стал так ругаться, что я принужден был прекратить разговор. Со временем его страхи постепенно рассеялись, и он вернулся было к прежним привычкам, как вдруг новое событие повергло его в такое состояние, что на него просто жалко было смотреть. В нем он пребывает и по сей день.

А случилось вот что. Два дня назад я получил письмо, которое я сейчас прочту вам. На нем нет ни обратного адреса, ни даты отправления.

«*Русский дворянин, живущий в настоящее время в Англии,* — говорится в нем, — *был бы весьма признателен, если бы доктор Перси Тревельян согласился принять его. Вот уже несколько лет он страдает припадками каталепсии, а как известно, доктор Тревельян — знаток этой болезни. Он предполагает зайти завтра в чет-*

верть седьмого вечера, если доктор Тревельян сочтет для себя удобным находиться дома в это время».

Это письмо меня заинтересовало, так как каталепсия — заболевание очень редкое. Ровно в назначенный час я был у себя в кабинете. Слуга ввел пациента.

Это был пожилой человек, худой, серьезный, обладающий самой заурядной внешностью,— русского дворянина я представлял себе совсем другим. Гораздо больше меня поразила наружность его товарища — высокого молодого человека, удивительно красивого, со смуглым злым лицом и руками, ногами и грудью Геркулеса. Он поддерживал своего спутника под локоть и помог ему сесть на стул с такой заботливостью, какой вряд ли можно было ожидать от человека его внешности.

«Простите, доктор, что я вошел тоже,— сказал он мне по-английски, но несколько пришептывая.— Это мой отец, и его здоровье для меня все».

Я был тронут сыновней тревогой.

«Может быть, вы хотите остаться с отцом во время приема?»— спросил я.

«Боже упаси!— воскликнул он, в ужасе всплеснув руками.— Я не могу выразить, как больно мне смотреть на отца. Если с ним случится один из его ужасных припадков, я не переживу. У меня самого исключительно чувствительная нервная система. С вашего позволения, пока вы будете заниматься отцом, я подожду в приемной».

Я, разумеется, согласился, и молодой человек вышел. Я стал расспрашивать пациента о его болезни и вел подробные записи. Он не отличался умом, и ответы его часто были невразумительны, что я относил за счет плохого владения языком. Вдруг он вообще перестал отвечать на мои вопросы, и, обернувшись к нему, я с удивлением увидел, что он сидит на стуле очень прямо, с неподвижным лицом и смотрит на меня в упор бессмысленным взглядом. У него снова начался приступ его загадочной болезни.

Сначала я почувствовал жалость и страх. Но потом, как ни стыдно признаться, профессиональный интерес взял верх. Я записывал температуру и пульс своего пациента, проверял неподвижность его мышц, обследовал рефлексы. Никаких отклонений от моих прежних наблюдений не было. В подобных случаях я получал хорошие результаты путем ингаляции нитрита амила, и сейчас, кажется, представилась превосходная возможность еще раз проверить эффективность этого лекарства. Бутыль с лекарством была в моей лаборатории на первом этаже. Оставив пациента на стуле, я побежал за ней. Ища бутыль, я замешкался и вернулся... скажем, минут через пять. Представьте мое изумление, когда я обнаружил, что комната пуста, а моего пациента и след простыл!

Первым делом я, разумеется, выбежал в приемную. Сын ушел тоже. Дверь в прихожую была закрыта, но не заперта. Мой слуга-мальчик, который пускает пациентов, еще неопытен и далеко не отличается расторопностью. Он ждет внизу и бежит наверх, чтобы проводить пациентов к двери, когда я звоню из кабинета. Он ничего не слышал, и все это оставалось для меня полнейшей загадкой. Немного погодя пришел с прогулки мистер Блессингтон. Я ему ничего не сказал, потому что последнее время, по правде говоря, старался общаться с ним как можно меньше.

Я никогда не думал, что мне придется увидеть русского и его сына еще раз, и поэтому можете представить себе мое удивление, когда сегодня вечером они оба явились в мой кабинет в тот же час.

«Я очень прошу вас извинить меня за вчерашний неожиданный уход, доктор», — сказал мой пациент.

«Признаться, я очень удивился», — сказал я.

«Видите ли, дело в том, — пояснил он, — что когда я прихожу в себя после припадков, то почти ничего не помню, что со мной было до этого. Я очнулся, как мне показалось, в незнакомой комнате и в изумлении поспешил выйти на улицу».

«А я, — добавил сын, — увидев, что отец прошел через приемную, естественно, подумал, что прием закончился. И только когда мы пришли домой, я стал понимать, что произошло».

«Ну, что ж, — сказал я, рассмеявшись, — ничего серьезного не случилось, разве что вы заставили меня поломать голову. Итак, не соблаговолите ли, сэр, пройти в приемную, а я снова займусь вашим отцом».

Примерно полчаса старый джентльмен рассказывал мне о симптомах болезни, а потом, выписав рецепт, я проводил его к сыну.

Я уже говорил вам, что в этот час мистер Блессингтон обычно прогуливался. Вскоре он пришел и поднялся наверх. И тотчас я услышал, как он сбегает вниз. Мистер Блессингтон ворвался ко мне в кабинет в паническом страхе.

«Кто заходил в мою комнату?» — крикнул он.

«Никто», — ответил я.

«Вы врете! — вопил он. — Поднимитесь и посмотрите».

Я решил не обращать внимания на его грубость — он был вне себя от ужаса. Мы поднялись наверх, и он показал мне следы, отпечатавшиеся на пушистом ковре.

«Вы думаете, это мои?» — кричал он.

Таких больших следов он, конечно, оставить не мог, и они были явно свежие. Сегодня днем, как вы знаете, шел сильный дождь, и у меня побывали только отец с сыном. Значит, пока я занимался с отцом, сын, ожидавший в приемной, с какой-то неизвестной целью входил в комнату моего постоянного пациента. Из комнаты ничего не пропало, но следы, несомненно, свидетельствовали, что там кто-то побывал.

Мне показалось, что мистер Блессингтон волнуется как-то чрезмерно, впрочем, тут бы всякий потерял покой. Опустившись в кресло, он буквально рыдал, и мне стоило великих трудов привести его в чувство. Это он предложил мне отправиться к вам, и я счел его предложение вполне уместным, так как происшествие действительно очень странное, хотя и не такое ужасное, как это померещилось мистеру Блессингтону. Если бы вы поехали сейчас со мной, то мне бы хоть удалось успокоить его. Впрочем, по-моему, он вряд ли способен объяснить, что его так взволновало.

Шерлок Холмс слушал этот длинный рассказ очень внимательно, и я понял, что дело его увлекло. Как всегда, на лице его ничего не отражалось, только веки набрякли, да, пыхтя трубкой, он выпускал более густые клубы дыма всякий раз, когда доктор рассказывал очередной странный эпизод. Как только наш гость кончил держать речь, Холмс молча вскочил, сунул мне мою шляпу, взял со стола собственную и пошел следом за Тревельяном к двери. Не прошло и четверти часа, как мы подъехали к дому врача на Брук-стрит. Это был скромный, ничем не выделяющийся дом, в каких живут врачи, имеющие практику в Вест-Энде. Мальчик-слуга открыл нам дверь, и мы тотчас стали подниматься наверх по широкой лестнице, покрытой хорошим ковром.

Но тут случилось нечто странное... Свет наверху внезапно погас, и из темноты донесся пронзительный, дрожащий голос:

— У меня пистолет. Еще шаг, и я буду стрелять.

— Это уже выходит за всякие рамки, мистер Блессингтон! — возмутился доктор Тревельян.

— А, это вы, доктор? — проговорили из темноты, и послышался вздох облегчения. — А джентльмены, что с вами, — они и в самом деле те, за кого себя выдают?

Мы чувствовали, что из темноты нас изучающе рассматривают.

— Да, это те самые.

— Ладно, можете подняться, и если вас раздражают меры предосторожности, которые я принял, то прошу прощения.

Говоря это, он снова зажег газ на лестнице, и мы увидели перед собой странного человека, вид которого, как и голос, свидетельствовал о расстроенных нервах. Он был очень толст, но когда-то, видно, был еще толще, потому что щеки у него висели, как у гончей, большими складками. Он был болезненно-бледен, а редкие рыжеватые волосы от пережитого страха стояли дыбом. Рука его сжимала пистолет, который он сунул в карман, когда мы приблизились.

— Добрый вечер, мистер Холмс,— сказал он.— Большое спасибо, что приехали. Еще никто так не нуждался в вашем совете, как я сейчас. Наверно, доктор Тревельян уже рассказал вам о совершенно недопустимом вторжении в мою комнату?

— Совершенно верно,— сказал Шерлок Холмс.— Мистер Блессингтон, кто эти два человека и почему они вам досаждают?

— Видите ли, понимаете ли,— суетливо заговорил постоянный пациент,— мне трудно сказать что-либо определенное. Да и почем мне знать, мистер Холмс?

— Значит, не знаете?

— Входите, пожалуйста. Ну, сделайте одолжение, войдите.

Он провел нас в свою спальню, большую и обставленную удобной мебелью.

— Вы видите это?— спросил он, показывая на большой черный сундук, стоявший у спинки кровати.— Я никогда не был особенно богатым человеком, мистер Холмс... За всю жизнь я только раз вложил деньги в дело... вот доктор Тревельян не даст мне соврать. И банкирам я не верю. Я бы не доверил свои деньги банкиру ни за что на свете, мистер Холмс. Между нами, все свое маленькое состояние я храню в этом сундуке, и вы теперь понимаете, что́ я пережил, когда в комнату ко мне вломились незнакомые люди.

Холмс изучающе посмотрел на Блессингтона и покачал головой.

— Если вы будете обманывать меня, я ничего не смогу вам посоветовать,— сказал он.

— Но я же все вам рассказал.

Досадливо махнув рукой, Холмс резко повернулся к нему спиной.

— Спокойной ночи, доктор Тревельян,— сказал он.

— И вы не дадите никакого совета? — дрогнувшим голосом воскликнул Блессингтон.

— Мой совет вам, сэр, говорить только правду.

Через минуту мы уже были на улице и зашагали домой. Мы пересекли Оксфорд-стрит, прошли половину Харли-стрит, и только тогда мой друг наконец заговорил.

— Простите, что напрасно вытащил вас из дому, Уотсон. Но если покопаться, дело это интересное.

— А я не вижу здесь ничего серьезного,— признался я.

— Вполне очевидно, что двое... может, их больше, но будем считать, что двое... по какой-то причине решили добраться до этого человека, этого Блессингтона. В глубине души я не сомневаюсь, что как в первом, так и во втором случае тот молодой человек проникал в комнату Блессингтона, а его сообщник весьма нехитрым способом отвлекал доктора.

— А каталепсия?

— Злостная симуляция, Уотсон, хотя мне и не хотелось говорить об этом нашему специалисту. Симулировать эту болезнь очень легко. Я и сам это проделывал.

— Что же было потом?

— По чистой случайности оба раза Блессингтон отсутствовал. Столь необычный час для своего визита к врачу они выбрали только потому, что в это время в приемной нет других пациентов. Но так уж совпало, что Блессингтон совершает свой моцион именно в этот час — они, видно, не очень хорошо знакомы с его привычками. Разумеется, если бы замышлялся простой грабеж, они бы по крайней мере попытались обшарить комнату. Кроме того, я прочел в глазах этого человека, что страх пробрал его до мозга костей. Трудно поверить, что, имея двух таких мстительных врагов, он ничего не знает об их существовании. Он, разумеется, отлично знает, кто эти люди, но у него есть причины скрывать это. Возможно даже, завтра он станет более разговорчивым.

— А нельзя ли допустить иное предположение,— сказал я,— без сомнения, совершенно невероятное, но все же убедительное? Может быть, всю эту историю с каталептиком-русским и его сыном измыслил сам доктор Тревельян, которому надо было забраться в комнату к Блессингтону?

При свете газового фонаря я увидел, что моя блестящая версия вызвала у Холмса улыбку.

— Дорогой Уотсон,— сказал он,— это было первое, что пришло мне в голову, но рассказу доктора есть подтверждение. Этот молодой человек оставил следы не только в комнате, но и на лестничном ковре. Молодой человек существует. Он носит ботинки с тупыми носами, а не остроносые, как Блессингтон, и они на дюйм с третью побольше размером, чем докторские. Ну, а теперь сразу в постель, ибо я буду удивлен, если поутру мы не получим каких-нибудь известий с Брук-стрит.

Предсказание Шерлока Холмса сбылось, и новость была трагическая. В половине восьмого утра, когда хмурый день еще только занимался, Холмс уже стоял в халате у моей постели.

— Уотсон,— сказал он,— нас ждет экипаж.

— А что такое?

— Дело Брук-стрит.

— Есть новости?

— Трагические, но какие-то невнятные,— сказал он, поднимая занавеску.— Поглядите... вот листок из записной книжки, и на нем накарябано карандашом: *«Ради бога, приезжайте немедленно. П. Т.».*

Наш друг доктор и сам, кажется, потерял голову. Поторопитесь, дорогой Уотсон, нас срочно ждут. Примерно через четверть часа мы были в доме врача. Он выбежал нам навстречу с лицом, перекосившимся от ужаса.

— Такая беда!— воскликнул он, сдавливая пальцами виски.

— Что случилось?

— Блессингтон покончил с собой.

Холмс присвистнул.

— Да, этой ночью он повесился.

Мы вошли, и доктор повел нас в комнату, которая по виду была его приемной.

— Я даже не соображаю, что делаю,— говорил он.— Полиция уже наверху. Я потрясен до глубины души.

— Когда вы узнали об этом?

— Каждый день рано утром ему относили чашку чая. Горничная вошла примерно в семь, и несчастный уже висел посредине комнаты. Он привязал веревку к крюку, на котором обычно висела тяжелая лампа, и спрыгнул с того самого сундука, что показывал нам вчера.

Холмс стоял, глубоко задумавшись.

— С вашего позволения,— сказал он наконец,— я бы поднялся наверх и взглянул на все сам.

Мы оба в сопровождении доктора пошли наверх.

За дверью спальни нас ожидало ужасное зрелище. Я уже говорил о том впечатлении дряблости, которое производил этот Блессингтон. Теперь, когда он висел на крюке, оно еще усилилось. В лице не осталось почти ничего человеческого. Шея вытянулась, как у ощипанной курицы, и по контрасту с ней тело казалось еще более тучным и неестественным. На нем была лишь длинная ночная рубаха, из-под которой окоченело торчали распухшие лодыжки и нескладные ступни. Рядом стоял щеголеватый инспектор, делавший заметки в записной книжке.

— А, мистер Холмс,— сказал он, когда мой друг вошел.— Рад видеть вас.

— Доброе утро, Лэннер,— откликнулся Холмс.— Надеюсь, вы не против моего вмешательства. Вы уже слышали о событиях, предшествовавших этому происшествию?

— Да, кое-что слышал.

— Ну, а каково ваше мнение?

— Насколько я могу судить, Блессингтон обезумел от страха. Посмотрите на постель — он провел беспокойную ночь. Вот довольно глубокий отпечаток его тела. Вы знаете, что самоубийства чаще всего совершаются часов в пять утра. Примерно в это время он и повесился. И, наверно, заранее все обдумал.

— Судя по тому, как затвердели его мышцы, он умер часа три назад,— сказал я.

— Что-нибудь особенное в комнате обнаружили?— спросил Холмс.

— Нашли на подставке для умывальника отвертку и несколько винтов. И ночью здесь, видно, много курили. Вот четыре сигарных окурка, которые я подобрал в камине.

— Гм!— произнес Холмс.— Нашли вы его мундштук?

— Нет.

— А портсигар?

— Да, он был у него в кармане пальто.

Холмс открыл портсигар и понюхал единственную оставшуюся в нем сигару.

— Это гаванская сигара, а это окурки сигар особого сорта, который импортируется голландцами из их ост-индских колоний. Их обычно заворачивают в солому, как вы знаете, и они потоньше и подлиннее, чем сигары других сортов.

Он взял четыре окурка и стал рассматривать их в свою карманную лупу.

— Две сигары выкурены через мундштук, а две просто так,— продолжал он.— Две были обрезаны не очень острым ножом, а концы двух других — откушены набором великолепных зубов. Это не самоубийство, мистер Лэннер. Это тщательно продуманное и хладнокровно совершенное убийство.

— Не может быть!— воскликнул инспектор.

— Почему же это не может быть?

— А зачем убивать человека таким неудобным способом — вешать?

— Вот это мы и должны узнать.

— Как убийцы могли проникнуть сюда?

— Через парадную дверь.

— Но она была заперта на засов.

— Ее заперли после того, как они вошли.

— Почем вы знаете?

— Я видел следы. Простите, через минуту я, возможно, сообщу вам еще кое-какие сведения.

Он подошел к двери и, повернув ключ в замке, со свойственной ему методичностью осмотрел его. Затем он вынул ключ, который торчал с внутренней стороны, и тоже обследовал его. Постель, ковер, стулья, камин, труп и веревка — все было по очереди осмотрено, пока, наконец, Холмс не заявил, что удовлетворен, после чего он, призвав на помощь меня и инспектора, отрезал веревку, на которой висел труп несчастного Блессингтона, и почтительно прикрыл его простыней.

— Откуда взялась веревка?— спросил я.

— Ее отрезали отсюда,— сказал доктор Тревельян, вытягивая из-под кровати веревку, уложенную в большой круг.— Он ужасно боялся пожаров и всегда держал ее поблизости, чтобы бежать через окно, если лестница загорится.

— Это, должно быть, избавило убийц от лишних хлопот,— задумчиво сказал Холмс.— Да, все свершилось очень просто, и я сам буду удивлен, если к полудню не сообщу вам причины преступления. Я возьму фотографию Блессингтона, ту, что на камине. Она может помочь мне в моем расследовании.

— Но, ради бога, объясните нам, что́ же здесь произошло?— взмолился доктор.

— Последовательность событий ясна для меня, как будто я сам здесь присутствовал,— сказал Холмс.— Преступников было трое: один — молодой, другой — пожилой, а каков был третий, я пока определить не могу. Вряд ли надо говорить, что первые два — те самые, что выдавали себя за русского дворянина и его сына, и, следовательно, у нас есть их полный словесный портрет. Они были впущены сообщником, находившимся в доме. Примите мой совет, инспектор, и арестуйте слугу-мальчишку, который, как помнится, поступил к вам, доктор, на службу совсем недавно.

— Этого постреленка нигде не могут найти,— сказал доктор Тревельян.— Горничная и кухарка только что искали его.

Холмс пожал плечами.

— Он сыграл в этой драме немаловажную роль,— сказал он.— Три преступника поднялись по лестнице на цыпочках — пожилой шел первым, молодой — вторым, а неизвестный замыкал шествие...

— Это уж слишком, дорогой Холмс! — воскликнул я.

— Судя по тому, как накладываются друг на друга следы, сомнений быть не может. Я имел возможность изучить, кому какие принадлежат следы, когда побывал здесь вчера вечером. Затем все трое подошли к комнате мистера Блессингтона, дверь в которую была заперта. Ключ они повернули с помощью куска проволоки. Даже без лупы видно по царапинам на бородке, что они действовали отмычкой. Войдя в комнату, они первым делом вставили мистеру Блессингтону кляп. Он, наверно, спал или был так парализован страхом, что не мог кричать. Стены здесь толстые, и понятно, что крик его, если даже он успел крикнуть, никто не слышал. Затем — это мне совершенно ясно — злоумышленники устроили совет, что-то вроде суда. Тогда-то они и выкурили эти сигары. Пожилой сидел на том плетеном стуле — это он курил через мундштук. Молодой сидел там — он стряхивал пепел на комод. Третий ходил по комнате. Блессингтон, по-моему, сидел на постели, но в этом я не совсем уверен. Ну, и все кончилось тем, что они повесили Блессингтона. Они так хорошо подготовились к этому, что, наверно, принесли с собой какой-нибудь блок или шкив, который мог бы служить виселицей. Эта отвертка и винты были нужны им, как я полагаю, для закрепления блока. Но, увидев крюк, они, естественно, воспользовались им. Покончив с Блессингтоном, они вышли, а их сообщник запер за ними дверь.

Все мы с глубоким интересом слушали этот рассказ о ночных событиях, которые Холмс восстановил по приметам столь незаметным и малозначительным, что, даже видя их воочию, мы едва могли следить за ходом его рассуждений. Инспектор тотчас вышел, чтобы принять меры по розыску слуги, а мы с Холмсом вернулись завтракать на Бейкер-стрит.

— Я вернусь к трем,— сказал он, кончив завтракать.— Инспектор с доктором уже будут здесь к этому времени, и я надеюсь окончательно прояснить для них это дело.

Наши гости пришли в назначенный срок, но мой друг появился только без четверти четыре. Однако, когда он вошел, по выражению его лица я увидел, что ему сопутствовал полный успех.

— Какие новости, инспектор?

— Мы нашли мальчишку, сэр.

— Превосходно, а я нашел взрослых.

— Вы нашли их!— воскликнули мы в один голос.

— Ну, по крайней мере, я узнал, кто они. Ваш Блессингтон, как я и ожидал, хорошо известен в полицейском управлении. Да и его убийцы тоже. Это Биддл, Хэйуорд и Моффат.

— Банда, ограбившая Уортингдонский банк!— воскликнул инспектор.

— Совершенно верно,— сказал Холмс.

— Значит, Блессингтон, должно быть, Сатон?

— Да,— сказал Холмс.

— Ну, тогда все встает на свои места,— сказал инспектор.

Но мы с Тревельяном смотрели друг на друга, ничего не понимая.

— Вы, наверно, помните знаменитое ограбление Уортингдонского банка,— сказал Холмс.— В банде было пять человек — четверо нам знакомы, а пятого звали Картрайт. Был убит сторож Тобин, и воры скрылись с семью тысячами фунтов. Это было в тысяча восемьсот семьдесят пятом году. Все пятеро были арестованы, но убедительных улик против них не имелось. Блессингтон, или Сатон, самый гнусный тип в этой пятерке бандитов, стал доносчиком. Картрайта повесили, а трем остальным дали по пятнадцать лет. Не отсидев нескольких лет до полного срока, они вышли на свободу на днях и решили, как вы догадываетесь, выследить предателя и отомстить ему за смерть товарища. Дважды они пытались добраться до него и терпели неудачу; на третий раз, как видите, получилось. Теперь вам все ясно, доктор Тревельян?

— Мне кажется, что лучше уж объяснить нельзя,— сказал доктор.— И, конечно, в первый раз он был так сильно встревожен именно в тот день, когда прочел в газетах, что их выпускают на свободу.

— Совершенно верно. А все его страхи, что его могут ограбить, для отвода глаз.

— Но почему он не сказал всей правды вам?

— Ну, видите ли, уважаемый сэр, он знал мстительный характер своих бывших сообщников и пытался как можно дольше скрывать ото всех, кто он на самом деле. Это была постыдная тайна, и он не мог заставить себя признаться мне. Однако, каким бы негодяем он ни был, он все же жил под защитой английских законов, и я не сомневаюсь, что вы, инспектор, примете надлежащие меры. Щит правосудия на этот раз не помог, но меч его по-прежнему обязан карать.

Таковы были странные обстоятельства, связанные с делом постоянного пациента и его врача с Брук-стрит. Полиция так и не нашла убийц, и в Скотленд-Ярде решили, что они уплыли из Англии на злополучном пароходе «Норма Крейна», который исчез несколько лет назад со всей командой у берегов Португалии, в нескольких лигах[1] севернее Опорто. Судебное дело против мальчика-слуги было прекращено за недостатком улик. В газетах «тайна Брук-стрит» до настоящего времени полностью не освещалась.

СЛУЧАЙ С ПЕРЕВОДЧИКОМ

За все мое долгое и близкое знакомство с мистером Шерлоком Холмсом я не слышал от него ни слова о его родне и едва ли хоть что-нибудь о его детских и отроческих годах. От такого умалчивания еще больше усиливалось впечатление чего-то нечеловеческого, которое он на меня производил, и временами я ловил себя на том, что вижу в нем некое обособленное явление, мозг без сердца, человека, настолько же чуждого человеческих чувств, насколько он выделялся силой интеллекта. И нелюбовь его к женщинам и несклонность завязывать новую дружбу были достаточно характерны для этой чуждой эмоциям натуры, но не в большей мере, чем это полное забвение родственных связей. Я уже склонялся к мысли, что у моего друга не осталось в живых никого из родни, когда однажды, к моему большому удивлению, он заговорил со мной о своем брате.

---

[1] Л и г а — мера длины. Морская лига равна 5,56 км.

Был летний вечер, мы пили чай, и разговор, беспорядочно перескакивая с гольфа на причины изменений в наклонности эклиптики к экватору, завертелся под конец вокруг вопросов атавизма и наследственных свойств. Мы заспорили, в какой мере человек обязан тем или другим своим необычайным дарованием предкам, а в какой — самостоятельному упражнению с юных лет.

— В вашем собственном случае,— сказал я,— из всего, что я слышал от вас, по-видимому, явствует, что вашей наблюдательностью и редким искусством в построении выводов вы обязаны систематическому упражнению.

— В какой-то степени,— ответил он задумчиво.— Мои предки были захолустными помещиками и жили, наверно, точно такою жизнью, какая естественна для их сословия. Тем не менее эта склонность у меня в крови, и идет она, должно быть, от бабушки, которая была сестрой Верне[1], французского художника. Артистичность, когда она в крови, закономерно принимает самые удивительные формы.

— Но почему вы считаете, что это свойство у вас наследственное?

— Потому что мой брат Майкрофт наделен им в большей степени, чем я.

Новость явилась для меня поистине неожиданной. Если в Англии живет еще один человек такого же редкостного дарования, как могло случиться, что о нем до сих пор никто ничего не слышал — ни публика, ни полиция? Задавая свой вопрос, я выразил уверенность, что мой товарищ только из скромности поставил брата выше себя самого. Холмс рассмеялся.

— Мой дорогой Уотсон,— сказал он,— я не согласен с теми, кто причисляет скромность к добродетелям. Логик обязан видеть вещи в точности такими, каковы они есть, а недооценивать себя — такое же отклонение от истины, как преувеличивать свои способности. Следовательно, если я говорю, что Майкрофт обладает большей наблюдательностью, чем я, то так оно и есть и вы можете понимать мои слова в прямом и точном смысле.

— Он моложе вас?

— Семью годами старше.

— Как же это он никому не известен?

— О, в своем кругу он очень известен.

---

[1] В е р н е — семья французских художников. Холмс, очевидно, имеет в виду Ораса Верне (1789—1863) — баталиста и автора ряда картин из восточной жизни.

— В каком же?

— Да хотя бы в клубе «Диоген».

Я никогда не слышал о таком клубе, и, должно быть, недоумение ясно выразилось на моем лице, так как Шерлок Холмс, достав из кармана часы, добавил:

— Клуб «Диоген» — самый чудной клуб в Лондоне, а Майкрофт — из чудаков чудак. Он там ежедневно с без четверти пять до сорока минут восьмого. Сейчас ровно шесть, и вечер прекрасный, так что, если вы не прочь пройтись, я буду рад познакомить вас с двумя диковинками сразу.

Пять минут спустя мы были уже на улице и шли к площади Риджент-серкес.

— Вас удивляет, — заметил мой спутник, — почему Майкрофт не применяет свои дарования в сыскной работе? Он к ней неспособен.

— Но вы, кажется, сказали...

— Я сказал, что он превосходит меня в наблюдательности и владении дедуктивным методом. Если бы искусство сыщика начиналось и кончалось размышлением в покойном кресле, мой брат Майкрофт стал бы величайшим в мире деятелем по раскрытию преступлений. Но у него нет честолюбия и нет энергии. Он бы лишнего шагу не сделал, чтобы проверить собственные умозаключения, и, чем брать на себя труд доказывать свою правоту, он предпочтет, чтобы его считали неправым. Я не раз приходил к нему с какой-нибудь своей задачей, и всегда предложенное им решение впоследствии оказывалось правильным. Но если требовалось предпринять какие-то конкретные меры, чтобы можно было передать дело в суд, — тут он становился совершенно беспомощен.

— Значит, он не сделал из этого профессии?

— Никоим образом. То, что дает мне средства к жизни, для него не более как любимый конек дилетанта. У него необыкновенные способности к вычислениям, и он проверяет финансовую отчетность в одном министерстве. Майкрофт снимает комнаты на Пэлл-Мэлл, так что ему только за угол завернуть, и он в Уайтхолле — утром туда, вечером назад, и так изо дня в день, из года в год. Больше он никуда не ходит, и нигде его не увидишь, кроме как в клубе «Диоген», прямо напротив его дома.

— Я не припомню такого названия.

— Вполне понятно. В Лондоне, знаете, немало таких людей, которые — кто из робости, а кто по мизантропии — избегают общества себе подобных. Но при том они не прочь посидеть в покойном кресле и просмотреть свежие журналы и газеты. Для их удобства и создан был в свое время клуб «Диоген», и сейчас он объединяет в себе самых необщительных, самых «антиклубных» людей нашего города. Членам клуба не дозволяется обращать друг на друга хоть какое-то внимание. Кроме как в комнате для посторонних посетителей, в клубе ни под каким видом не допускаются никакие разговоры, и после трех нарушений этого правила, если о них донесено в клубный комитет, болтун подлежит исключению. Мой брат — один из членов-учредителей, и я убедился лично, что обстановка там самая успокаивающая.

В таких разговорах мы дошли до Сент-Джеймса и свернули на Пэлл-Мэлл. Немного не доходя до Карлтона, Шерлок Холмс остановился у подъезда и, напомнив мне, что говорить воспрещается, вошел в вестибюль. Сквозь стеклянную дверь моим глазам открылся на мгновение большой и роскошный зал, где сидели, читая газеты, какие-то мужчины, каждый в своем обособленном уголке. Холмс провел меня в маленький кабинет, смотревший окнами на Пэлл-Мэлл, и, оставив меня здесь на минутку, вернулся со спутником, который, как я знал, не мог быть не кем иным, как только его братом.

Майкрофт Холмс был много выше и толще Шерлока. Он был, что называется, грузным человеком, и только в его лице, хоть и тяжелом, сохранилось что-то от той острой выразительности, которой так поражало лицо его брата. Его глаза, водянисто-серые и до странности светлые, как будто навсегда удержали тот устремленный в себя и вместе отрешенный взгляд, какой я подмечал у Шерлока только в те минуты, когда он напрягал всю силу своей мысли.

— Рад познакомиться с вами, сэр,— сказал он, протянув широкую, толстую руку, похожую на ласт моржа.— С тех пор, как вы стали биографом Шерлока, я слышу о нем повсюду. Кстати, Шерлок, я ждал, что ты покажешься еще на прошлой неделе — придешь обсудить со мной случай в Мэнор-Хаусе. Мне казалось, что он должен поставить тебя в тупик.

— Нет, я его разрешил,— улыбнулся мой друг.

— Адамс, конечно?

— Да, Адамс.

— Я был уверен в этом с самого начала.— Они сели рядом в фонаре окна.— Самое подходящее место для всякого, кто захочет изучать человека,— сказал Майкрофт.— Посмотри, какие великолепные типы! Вот, например, эти двое, идущие прямо на нас.

— Маркер и тот другой, что с ним?

— Именно. Кто, по-твоему, второй?

Двое прохожих остановились напротив окна. Следы мела над жилетным карманом у одного были единственным, на мой взгляд, что наводило на мысль о бильярде. Второй был небольшого роста смуглый человек в съехавшей на затылок шляпе и с кучей свертков под мышкой.

— Бывший военный, как я погляжу,— сказал Шерлок.

— И очень недавно оставивший службу,— заметил брат.

— Служил он, я вижу, в Индии.

— Офицер по выслуге, ниже лейтенанта.

— Я думаю, артиллерист,— сказал Шерлок.

— И вдовец.

— Но имеет ребенка.

— Детей, мой мальчик, детей.

— Постойте,— рассмеялся я,— для меня это многовато.

— Ведь нетрудно же понять,— ответил Холмс,— что мужчина с такой выправкой, властным выражением лица и такой загорелый — солдат, что он не рядовой и недавно из Индии.

— Что службу он оставил лишь недавно, показывают его, как их называют, «амуничные» башмаки,— заметил Майкрофт.

— Походка не кавалерийская, а пробковый шлем он все же носил надвинутым на бровь, о чем говорит более светлый загар с одной стороны лба. Сапером он быть не мог — слишком тяжел. Значит, артиллерист.

— Далее, глубокий траур показывает, конечно, что он недавно потерял близкого человека. Тот факт, что он сам делает закупки, позволяет думать, что умерла жена. А накупил он, как вы видите, массу детских вещей. В том числе погремушку, откуда видно, что один из детей — грудной младенец. Возможно, мать умерла родами. Из того, что он держит под мышкой книжку с картинками, заключаем, что есть и второй ребенок.

Мне стало понятно, почему мой друг сказал, что его брат обладает еще более острой наблюдательностью, чем он сам. Шерлок поглядывал на меня украдкой и улыбался. Майкрофт взял понюшку из черепаховой табакерки и отряхнул с пиджака табачные крошки большим красным шелковым платком.

— Кстати, Шерлок,— сказал он,— у меня тут как раз кое-что есть в твоем вкусе — довольно необычная задача, которую я пытался разрешить. У меня, правда, не хватило энергии довести дело до конца, я предпринял только кое-какие шаги, но она мне дала приятный случай пораскинуть мозгами. Если ты склонен прослушать данные...

— Милый Майкрофт, я буду очень рад.

Брат настрочил записку на листке блокнота и, позвонив, вручил ее лакею.

— Я пригласил сюда мистера Мэласа,— сказал Майкрофт.— Он живет через улицу, прямо надо мной, и мы с ним немного знакомы, почему он и надумал прийти ко мне со своим затруднением. Мистер Мэлас, как я понимаю, родом грек и замечательный полиглот. Он зарабатывает на жизнь отчасти как переводчик в суде, отчасти работая гидом у разных богачей с Востока, когда они останавливаются в отелях на Нортумберленд-авеню. Я думаю, мы лучше предоставим ему самому рассказать о своем необыкновенном приключении.

Через несколько минут в кабинет вошел низенький толстый человек, чье оливковое лицо и черные, как уголь, волосы выдавали его южное происхождение, хотя по разговору это был образованный англичанин. Он горячо пожал руку Шерлоку Холмсу, и его темные глаза загорелись радостью, когда он услышал, что его историю готов послушать такой знаток.

— Я думаю, в полиции мне не поверили, поручусь вам, что нет,— начал он с возмущением в голосе.— Раз до сих пор они такого не слыхивали, они полагают, что подобная вещь невозможна. У меня не будет спокойно на душе, пока я не узнаю, чем это кончилось для того несчастного человека с пластырем на лице.

— Я весь внимание,— сказал Шерлок Холмс.

— Сегодня у нас среда,— продолжал мистер Мэлас.— Так вот, все это случилось в понедельник поздно вечером, не далее как два дня тому назад. Я переводчик, как вы уже, может быть, слышали от моего соседа. Перевожу я со всех и на все языки или почти со всех, но так как я по рождению грек и ношу греческое имя, то с этим языком мне и приходится работать больше всего. Я много лет являюсь главным греческим переводчиком в Лондоне, и мое имя хорошо знают в гостиницах.

Случается, и нередко, что меня в самое несуразное время вызывают к какому-нибудь иностранцу, попавшему в затруднение, или к путешественникам, приехавшим поздно ночью и нуждающимся в моих услугах. Так что я не удивился, когда в понедельник поздно вечером явился ко мне на квартиру элегантно одетый молодой человек, некто Латимер, и пригласил меня в свой кэб, ждавший у подъезда. К нему, сказал он, приехал по делу его приятель — грек, и так как тот говорит только на своем родном языке, без переводчика не обойтись. Мистер Латимер дал мне понять, что ехать к нему довольно далеко — в Кенсингтон, и он явно очень спешил: как только мы вышли на улицу, он быстрехонько втолкнул меня в кэб.

Я говорю — кэб, но у меня тут же возникло подозрение, не сижу ли я скорей в карете. Экипаж был, во всяком случае, куда просторней этого лондонского позорища — четырехколесного кэба, и обивка, хотя и потертая, была из дорогого материала. Мистер Латимер сел против меня, и мы покатили на Чаринг-Кросс и затем вверх по Шефтсбери-авеню. Мы выехали на Оксфорд-стрит, и я уже хотел было сказать, что мы как будто едем в Кенсингтон кружным путем, когда меня остановило на полуслове чрезвычайно странное поведение спутника.

Для начала он вытащил из кармана самого грозного вида дубинку, налитую свинцом, и помахал ею, как бы проверяя ее вес. Потом, ни слова не сказав, он положил ее рядом с собой на сиденье. Проделав это, он поднял с обеих сторон оконца, и я, к своему удивлению, увидел, что стекла их затянуты бумагой, как будто нарочно для того, чтобы мне через них ничего не было видно.

— Извините, что лишаю вас удовольствия смотреть в окно, мистер Мэлас,— сказал он.— Дело в том, понимаете, что в мои намерения не входит, чтобы вы видели, куда мы с вами едем. Для меня может оказаться неудобным, если вы сможете потом сами найти ко мне дорогу.

Как вы легко себе представите, мне стало не по себе: мой спутник был молодой парень, крепкий и плечистый, так что, и не будь при нем дубинки, я все равно с ним не сладил бы.

— Вы очень странно себя ведете, мистер Латимер,— сказал я, запинаясь.— Неужели вы не понимаете, что творите беззаконие?

— Спору нет, я позволил себе некоторую вольность,— отвечал он,— когда я стану расплачиваться с вами, все будет учтено. Должен, однако, вас предупредить, мистер Мэлас, что если вы сегодня вздумаете поднять тревогу или предпринять что-нибудь, идущее вразрез с моими интересами, то дело для вас обернется не шуткой. Прошу вас не забывать, что, как здесь в карете, так и у меня дома, вы равно в моей власти.

Он говорил спокойно, но с хрипотцой, отчего его слова звучали особенно угрожающе. Я сидел молча и недоумевал, что на свете могло послужить причиной, чтобы похитить меня таким необычайным образом. Но в чем бы ни заключалась причина, было ясно, что сопротивляться бесполезно и что мне оставалось одно: ждать, а уж там будет видно.

Мы были в пути почти что два часа, но я все не мог уяснить себе, куда мы едем. Временами грохот колес говорил, что мы катим по булыжной мостовой, а потом их ровный и бесшумный ход наводил на мысль об асфальте, но, кроме этой смены звука, не было ничего, что хотя бы самым далеким намеком подсказало мне, где мы находимся. Бумага на обоих окнах не пропускала света, а стекло передо мной было задернуто синей занавеской. С Пэлл-Мэлл мы выехали в четверть восьмого, и на моих часах было уже без десяти девять, когда мы наконец остановились. Мой спутник опустил оконце, и я увидел низкий сводчатый подъезд с горящим над ним фонарем. Меня быстро высадили из кареты, в подъезде распахнулась дверь, и я очутился в доме, причем, когда я входил, у меня создалось смутное впечатление газона и деревьев по обе стороны от меня. Но был ли это уединенный городской особняк в собственном саду или bona fide[1] загородный дом, не берусь утверждать.

В холле горел цветной газовый рожок, но пламя было так сильно привернуто, что я мало что мог разглядеть — только, что холл был довольно велик и увешан картинами. В тусклом свете я различил, что дверь нам открыл маленький, невзрачный человек средних лет с сутулыми плечами. Когда он повернулся к нам, отблеск света показал мне, что он в очках.

— Это мистер Мэлас, Гарольд? — спросил он.

— Да.

— Хорошо сработано! Очень хорошо! Надеюсь, вы на нас не в обиде, мистер Мэлас, — нам без вас никак не обойтись. Если вы будете вести себя с нами честно, вы не пожалеете, но если попробуете выкинуть какой-нибудь фокус, тогда... да поможет вам бог!

Он говорил отрывисто, нервно перемежая речь смешком, но почему-то наводил на меня больше страха, чем тот, молодой.

— Что вам нужно от меня? — спросил я.

— Только, чтобы вы задали несколько вопросов одному джентльмену из Греции, нашему гостю, и перевели бы нам его ответы. Но ни полслова сверх того, что вам при-

---

[1] Здесь: настоящий (лат.).

кажут сказать, или...— снова нервный смешок,—...лучше б вам и вовсе не родиться на свет!

С этими словами он открыл дверь и провел нас в комнату, освещенную опять-таки только одной лампой с приспущенным огнем. Комната была, безусловно, очень большая, и то, как ноги мои утонули в ковре, едва я вступил в нее, говорило о ее богатом убранстве. Я видел урывками крытые бархатом кресла, высокий с белой мраморной доской камин и по одну его сторону — то, что показалось мне комплектом японских доспехов. Одно кресло стояло прямо под лампой, и пожилой господин молча указал мне на него. Молодой оставил нас, но тут же появился из другой двери, ведя с собой джентльмена в каком-то балахоне, медленно подвигавшегося к нам. Когда он вступил в круг тусклого света, я смог разглядеть его, и меня затрясло от ужаса, такой у него был вид. Он был мертвенно-бледен и крайне истощен, его выкаченные глаза горели, как у человека, чей дух сильней его немощного тела. Но что потрясло меня даже больше, чем все признаки физического изнурения,— это то, что его лицо вдоль и поперек уродливо пересекали полосы пластыря и широкая наклейка из того же пластыря закрывала его рот.

— Есть у тебя грифельная доска, Гарольд?— крикнул старший, когда это странное существо не село, а скорее упало в кресло.— Руки ему развязали? Хорошо, дай ему карандаш. Вы будете задавать вопросы, мистер Мэлас, а он писать ответы. Спросите прежде всего, готов ли он подписать бумаги.

Глаза человека метнули огонь.

«Никогда»,— написал он по-гречески на грифельной доске.

— Ни на каких условиях?— спросил я по приказу нашего тирана.

«Только, если ее обвенчает в моем присутствии знакомый мне греческий священник».

Тут пожилой захихикал своим ядовитым смешком.

— Вы знаете, что вас ждет в таком случае?

«О себе я не думаю».

Я привожу вам образцы вопросов и ответов, составлявших наш полуустный-полуписьменный разговор. Снова и снова я должен был спрашивать, сдастся ли он и подпишет ли документ. Снова и снова я получал тот же негодующий ответ. Но вскоре мне пришла на ум счастливая мысль. Я стал к каждому вопросу прибавлять коротенькие фразы от себя — сперва совсем невинные, чтобы проверить, понимают ли хоть слово наши два свидетеля, а потом, убедившись, что на лицах у них ничего не отразилось, я повел более опасную игру. Наш разговор пошел примерно так:

— От такого упрямства вам добра не будет. *Кто вы?*
— Мне все равно. *В Лондоне я чужой.*
— Вина за вашу судьбу падет на вашу собственную голову. *Давно вы здесь?*
— Пусть так. *Три недели.*
— Вашей эта собственность уже никогда не будет. *Что они с вами делают?*
— Но и негодяям она не достанется. *Морят голодом.*
— Подпишите бумаги, и вас выпустят на свободу. *Что это за дом?*
— Не подпишу никогда. *Не знаю.*
— Этим вы ей не оказываете услуги. *Как вас зовут?*
— Пусть она скажет мне это сама. *Кратидес.*
— Вы увидите ее, если подпишете. *Откуда вы?*
— Значит, я не увижу ее никогда. *Из Афин.*

Еще пять минут, мистер Холмс, и я бы выведал всю историю у них под носом. Уже на моем следующем вопросе, возможно, дело разъяснилось бы, но в это мгновение открылась дверь, и в комнату вошла женщина. Я не мог ясно ее разглядеть и знаю только, что она высокая, изящная, с черными волосами и что на ней было что-то вроде широкого белого халата.

— Гарольд!— заговорила она по-английски, но с заметным акцентом.— Я здесь больше не выдержу. Так скучно, когда никого с тобой нет, кроме... Боже, это Паулос!

Последние слова она сказала по-гречески, и в тот же миг несчастный судорожным усилием сорвал пластырь с губ и с криком: «София! София!»— бросился ей на грудь. Однако их объятие длилось лишь одну секунду, потому что младший схватил женщину и вытолкнул из комнаты, в то время как старший без труда одолел свою изнуренную голодом жертву и уволок несчастного в другую дверь. На короткий миг я остался в комнате один. Я вскочил на ноги со смутной надеждой, что, возможно, как-нибудь, по каким-то признакам мне удастся разгадать, куда я попал. Но, к счастью, я еще ничего не предпринял, потому что, подняв голову, я увидел, что старший стоит в дверях и не сводит с меня глаз.

— Вот и все, мистер Мэлас,— сказал он.— Вы видите, мы оказали вам доверие в некоем сугубо личном деле. Мы бы вас не побеспокоили, если бы не случилось так, что один наш друг, который знает по-гречески и начал вести для нас эти переговоры, не был вынужден вернуться на Восток. Мы оказались перед необходимостью найти кого-нибудь ему в замену и были счастливы узнать о таком одаренном переводчике, как вы.

Я поклонился.

— Здесь пять соверенов,— сказал он, подойдя ко мне,— гонорар, надеюсь, достаточный. Но запомните,— добавил он, и со смешком легонько похлопал меня по груди,— если вы хоть одной душе обмолвитесь о том, что увидели — хоть одной душе!— тогда... да помилует бог вашу душу!

Не могу вам передать, какое отвращение и ужас внушал мне этот человек, такой жалкий с виду. Свет лампы падал теперь прямо на него, и я мог разглядеть его лучше. Желто-серое остренькое лицо и жидкая бороденка клином, точно из мочалы. Когда он говорил, то вытягивал шею вперед, и при этом губы и веки у него непрерывно подергивались, как если б он страдал пляской святого Витта. Мне невольно подумалось, что и этот странный, прерывистый смешок — тоже проявление какой-то нервной болезни. И все же лицо его было страшно — из-за серых, жестких, с холодным блеском глаз, затаивших в своей глубине злобную, неумолимую жестокость.

— Нам будет известно, если вы проговоритесь,— сказал он.— У нас есть свои каналы осведомления. А сейчас вас ждет внизу карета, и мой друг вас отвезет.

Меня быстро провели через холл, запихали в экипаж, и опять у меня перед глазами мелькнули деревья и сад. Мистер Латимер шел за мной по пятам и, не обронив ни слова, сел против меня. Опять мы ехали куда-то в нескончаемую даль, в полном молчании и при закрытых оконцах, пока наконец, уже в первом часу ночи, карета не остановилась.

— Вы сойдете здесь, мистер Мэлас,— сказал мой спутник.— Извините, что я вас покидаю так далеко от вашего дома, но ничего другого нам не оставалось. Всякая попытка с вашей стороны проследить обратный путь кареты окажется вам же во вред.

С этими словами он открыл дверцу, и не успел я соскочить, как кучер взмахнул кнутом, и карета, громыхая, покатила прочь. В недоумении смотрел я вокруг. Я стоял посреди какого-то выгона, поросшего вереском и черневшими здесь и там кустами дрока. Вдалеке тянулся ряд домов, и там кое-где в окнах под крышей горел свет.

По другую сторону я видел красные сигнальные фонари железной дороги.

Привезшая меня карета уже скрылась из виду. Я стоял, озираясь, и гадал, куда же меня занесло, как вдруг увидел, что в темноте прямо на меня идет какой-то человек. Когда он поравнялся со мной, я распознал в нем железнодорожного грузчика.

— Вы мне не скажете, что это за место?— спросил я.

— Уондсуэрт-Коммон,— сказал он.

— Могу я поспеть на поезд в город?

— Если пройдете пешочком до Клэпемского разъезда — это примерно в миле отсюда,— вы как раз захватите последний поезд на Викторию.

На том и закончилось мое приключение, мистер Холмс. Я не знаю, ни где я был, ни кто со мной разговаривал — ничего, кроме того, что вы от меня услышали. Но я знаю, что ведется подлая игра, и хотел бы, если сумею, помочь этому несчастному. Наутро я рассказал обо всем мистеру Майкрофту Холмсу, а затем сообщил в полицию.

Выслушав этот необычайный рассказ, мы короткое время сидели молча. Потом Шерлок посмотрел через всю комнату на брата.

— Предприняты шаги?— спросил он.

Майкрофт взял лежавший на столике сбоку номер «Дейли ньюс».

— *«Всякий, кто что-нибудь сообщит о местопребывании господина Паулоса Кратидеса из Афин, грека, не говорящего по-английски, получит вознаграждение. Равная награда будет выплачена также всякому, кто доставит сведения о гречанке, носящей имя София. X 2473».* Объявление появилось во всех газетах. Пока никто не откликнулся.

— Как насчет греческого посольства?

— Я справлялся. Там ничего не знают.

— Так! Дать телеграмму главе афинской полиции!

— Вся энергия нашей семьи досталась Шерлоку,— сказал, обратясь ко мне, Майкрофт.— Что ж, берись за этот случай, приложи все свое умение и, если добьешься толку, дай мне знать.

— Непременно,— ответил мой друг, поднявшись с кресла.— Дам знать и тебе и мистеру Мэласу. А до тех пор, мистер Мэлас, я бы на вашем месте очень остерегался, потому что по этим объявлениям они, конечно, узнали, что вы их выдали.

Мы отправились домой. По дороге Холмс зашел на телеграф и послал несколько депеш.

— Видите, Уотсон,— сказал он,— мы не потеряли даром вечер. Многие мои случаи — самые интересные — попали ко мне таким же путем, через Майкрофта. Заданная нам задача может иметь, конечно, только одно решение, но тем не менее она отмечена своими особенными чертами.

— Вы надеетесь ее решить?

— Знать столько, сколько знаем мы, и не раскрыть остальное — это будет поистине странно. Вы, наверно, и сами уже построили гипотезу, которая могла бы объяснить сообщенные нам факты.

— Да, но лишь в общих чертах.

— Какова же ваша идея?

— Мне представляется очевидным, что эта девушка-гречанка была увезена молодым англичанином, который называет себя Гарольдом Латимером.

— Увезена — откуда?

— Возможно, из Афин.

Шерлок Холмс покачал головой.

— Молодой человек не знает ни слова по-гречески. Девица довольно свободно говорит по-английски. Вывод: она прожила некоторое время в Англии, он же в Греции не бывал никогда.

— Хорошо. Тогда мы можем предположить, что она приехала в Англию погостить, и этот Гарольд уговорил ее бежать с ним.

— Это более вероятно.

— Затем ее брат (думаю, они именно брат с сестрой) решил вмешаться и приехал из Греции. По неосмотрительности он попал в руки молодого человека и его старшего сообщника. Теперь злоумышленники силой вынуждают его подписать какие-то бумаги и этим перевести на них имущество девушки, состоящее, возможно, под его опекой. Он отказывается. Для переговоров с ним необходим переводчик. Они находят мистера Мэласа, сперва воспользовавшись услугами другого. Девушке не сообщали, что приехал брат, и она открывает это по чистой случайности.

— Превосходно, Уотсон,— воскликнул Холмс,— мне кажется, говорю вам это искренне, что вы недалеки от истины. Вы видите сами, все карты у нас в руках, и теперь нам надо спешить, пока не случилось непоправимое. Если время позволит, мы захватим их непременно.

— А как мы узнаем, где этот дом?

— Ну, если наше рассуждение правильно и девушку действительно зовут — или звали — Софией Кратидес, то мы без труда нападем на ее след. На нее вся надежда, так как брата никто, конечно, в городе не знает. Ясно, что с тех пор как между Гарольдом и девицей завязались какие-то отношения, должен был пройти некоторый срок — по меньшей мере несколько недель: пока известие достигло Греции, пока брат приехал сюда из-за моря. Если все это время они жили в одном определенном месте, мы, вероятно, получим какой-нибудь ответ на объявление Майкрофта.

В таких разговорах мы пришли к себе на Бейкер-стрит. Холмс поднялся наверх по лестнице первым и, отворив дверь в нашу комнату, ахнул от удивления. Заглянув через его плечо, я удивился не меньше. Майкрофт, его брат, сидел в кресле и курил.

— Заходи, Шерлок! Заходите, сэр,— приглашал он учтиво, глядя с улыбкой в наши изумленные лица.— Ты не ожидал от меня такой прыти, а, Шерлок? Но этот случай почему-то не выходит у меня из головы.

— Но как ты сюда попал?

— Я обогнал вас в кэбе.

— Дело получило дальнейшее развитие?

— Пришел ответ на мое объявление.

— Вот как!

— Да, через пять минут после вашего ухода.

— Что сообщают?

Майкрофт развернул листок бумаги.

— Вот,— сказал он.— Писано тупым пером на желтоватой бумаге стандартного размера человеком средних лет, слабого сложения. «Сэр,— говорит он,— *в ответ на ваше объявление от сегодняшнего числа разрешите сообщить вам, что я отлично знаю названную молодую особу. Если вы соизволите навестить меня, я смогу вам дать некоторые подробности относительно ее печальной истории. Она проживает в настоящее время на вилле «Мирты» в Беккенхэме. Готовый к услугам Дж. Дэвенпорт*».

— Пишет он из Лоуэр-Брикстона,— добавил Майкрофт Холмс.— Как ты думаешь, Шерлок, не следует ли нам съездить к нему сейчас же и узнать упомянутые подробности?

— Мой милый Майкрофт, спасти брата важней, чем узнать историю сестры. Думаю, нам нужно поехать в Скотленд-Ярд за инспектором Грегсоном и двинуть прямо в Беккенхэм. Мы знаем, что человек приговорен, и каждый час промедления может стоить ему жизни.

— Хорошо бы прихватить по дороге и мистера Мэласа,— предложил я,— нам может потребоваться переводчик.

— Превосходно!— сказал Шерлок Холмс.— Пошлите лакея за кэбом, и мы поедем немедленно. С этими словами он открыл ящик стола, и я заметил, как он сунул в карман револьвер.

— Да,— ответил он на мой вопросительный взгляд.— По всему, что мы слышали, нам, я сказал бы, предстоит иметь дело с крайне опасной шайкой.

Уже почти стемнело, когда мы достигли Пэлл-Мэлл и поднялись к мистеру Мэласу. За ним, узнали мы, заходил какой-то джентльмен, и он уехал.

— Вы нам не скажете, куда?— спросил Майкрофт Холмс.

— Не знаю, сэр,— отвечала женщина, открывшая нам дверь.— Знаю только, что тот господин увез его в карете.

— Он назвал вам свое имя?

— Нет, сэр.

— Это не был высокий молодой человек, красивый, с темными волосами?

— Ах, нет, сэр; он был маленький, в очках, с худым лицом, но очень приятный в обращении: когда говорил, все время посмеивался.

— Едем!— оборвал Шерлок Холмс.— Дело принимает серьезный оборот!— заметил он, когда мы подъезжали к Скотленд-Ярду.— Эти люди опять завладели Мэласом. Он не из храбрых, как они убедились в ту ночь. Негодяй, наверно, навел на него ужас уже одним своим появлением. Им, несомненно, опять нужны от него профессиональные услуги; но потом они пожелают наказать его за предательство: как иначе могут они расценивать его поведение?

Мы надеялись, поехав поездом, прибыть на место если не раньше кареты, то хотя бы одновременно с ней. Но в Скотленд-Ярде мы прождали больше часа, пока нас провели к инспектору Грегсону и пока там выполняли все формальности, которые позволили бы нам именем закона проникнуть в дом. Было без четверти десять, когда мы подъехали к Лондонскому мосту, и больше половины одиннадцатого, когда сошли вчетвером на Беккенхэмской платформе. От станции было с полмили до виллы «Мирты»— большого, мрачного дома, стоявшего на некотором расстоянии от дороги в глубине участка. Здесь мы отпустили кэб и пошли по аллее.

— Во всех окнах темно,— заметил инспектор.— В доме, видать, никого нет.

— Гнездо пусто, птички улетели,— сказал Холмс.

— Почему вы так думаете?

— Не позже, как час назад, отсюда уехала карета с тяжелой поклажей.

Инспектор рассмеялся.

— Я и сам при свете фонаря над воротами видел свежую колею, но откуда у вас взялась еще поклажа?

— Вы могли бы заметить и вторую колею, идущую к дому. Обратная колея глубже — много глубже. Вот почему мы можем с несомненностью утверждать, что карета взяла весьма основательный груз.

— Ничего не скажешь. Очко в вашу пользу,— сказал инспектор и пожал плечами.— Эге, взломать эту дверь будет не так-то легко. Попробуем — может быть, нас кто-нибудь услышит.

Он громко стучал молотком и звонил в звонок, однако безуспешно. Холмс тем временем тихонько ускользнул, но через две-три минуты вернулся.

— Я открыл окно,— сказал он.

— Слава богу, что вы действуете на стороне полиции, а не против нее, мистер Холмс,— заметил инспектор, когда разглядел, каким остроумным способом мой друг оттянул щеколду.— Так! Полагаю, при сложившихся обстоятельствах можно войти, не дожидаясь приглашения.

Мы один за другим прошли в большую залу — по-видимому, ту самую, в которой побывал мистер Мэлас. Инспектор зажег свой фонарь, и мы увидели две двери, портьеры, лампу и комплект японских доспехов, как нам их описали. На столе стояли два стакана, пустая бутылка из-под коньяка и остатки еды.

— Что такое? — вдруг спросил Шерлок Холмс.

Мы все остановились, прислушиваясь. Где-то наверху, над нашими головами, раздавались как будто стоны. Холмс бросился к дверям и прямо в холл. Вдруг сверху отчетливо донесся вопль. Холмс стремглав взбежал по лестнице, я с инспектором — за ним по пятам. Брат его Майкрофт поспешал, насколько позволяло его грузное сложение.

Три двери встретили нас на площадке второго этажа, и эти страшные стоны раздавались за средней; они то затихали до глухого бормотания, то опять переходили в пронзительный вопль. Дверь была заперта, но снаружи торчал ключ. Холмс распахнул створки, кинулся вперед и мгновенно выбежал вон, схватившись рукой за горло.

— Угарный газ! — вскричал он.— Подождите немного. Сейчас он уйдет.

Заглянув в дверь, мы увидели, что комнату освещает только тусклое синее пламя, мерцающее в маленькой медной жаровне посередине. Оно отбрасывало на пол круг неестественного, мертвенного света, а в темной глубине мы различили две смутные тени, скорчившиеся у стены. В раскрытую дверь тянуло страшным ядовитым чадом, от которого мы задыхались и кашляли. Холмс взбежал по лестнице на самый верх, чтобы вдохнуть свежего воздуха, и затем, ринувшись в комнату, распахнул окно и вышвырнул горящую жаровню в сад.

— Через минуту нам можно будет войти,— прохрипел он, выскочив опять на площадку.— Где свеча? Вряд ли мы сможем зажечь спичку в таком угаре. Ты, Майкрофт, будешь стоять у дверей и светить, а мы их вытащим. Ну, идем, теперь можно!

Мы бросились к отравленным и выволокли их на площадку. Оба были без чувств, с посиневшими губами, с распухшими, налитыми кровью лицами, с глазами навыкате. Лица их были до того искажены, что только черная бородка и плотная короткая фигура позволили нам опознать в одном из них грека-переводчика, с которым мы расстались только несколько часов тому назад в «Диогене». Он был крепко связан по рукам и ногам, и над глазом у него был заметен след от сильного удара. Второй оказался высоким человеком на последней стадии истощения; он тоже был связан, и несколько лент лейкопластыря исчертили его лицо причудливым узором. Когда мы его положили, он перестал стонать, и я с одного взгляда понял, что здесь помощь наша опоздала. Но мистер Мэлас был еще жив, и, прибегнув к нашатырю и бренди, я менее чем через час с удовлетворением убедился, увидев, как он открывает глаза, что моя рука исторгла его из темной долины, где сходятся все стези.

То, что он рассказал нам, было просто и только подтвердило наши собственные выводы. Посетитель, едва войдя в его комнату на Пэлл-Мэлл, вытащил из рукава налитую свинцом дубинку и под угрозой немедленной и неизбежной смерти сумел вторично похитить его. Этот негодяй с его смешком производил на злосчастного полиглота какое-то почти магнетическое действие; даже и сейчас, едва он заговаривал о нем, у него начинали трястись руки, и кровь отливала от щек. Его привезли в

Беккенхэм и заставили переводить на втором допросе, еще более трагическом, чем тот, первый: англичане грозились немедленно прикончить своего узника, если он не уступит их требованиям. В конце концов, убедившись, что никакими угрозами его не сломить, они уволокли его назад в его тюрьму, а затем, выбранив Мэласа за его измену, раскрывшуюся через объявления, оглушили его ударом дубинки, и больше он ничего не помнил, пока не увидел наши лица, склоненные над ним.

Такова необычайная история с греком-переводчиком, в которой еще и сейчас многое покрыто тайной. Снесшись с джентльменом, отозвавшимся на объявление, мы выяснили, что несчастная девица происходила из богатой греческой семьи и приехала в Англию погостить у своих друзей. В их доме она познакомилась с молодым человеком по имени Гарольд Латимер, который приобрел над нею власть и в конце концов склонил ее на побег. Друзья, возмущенные ее поведением, дали знать о случившемся в Афины ее брату, но тем и ограничились. Брат, прибыв в Англию, по неосторожности очутился в руках Латимера и его сообщника по имени Уилсон Кэмп — человека с самым грязным прошлым. Эти двое, увидев, что, не зная языка, он перед ними совершенно беспомощен, пытались истязаниями и голодом принудить его перевести на них все свое и сестрино состояние. Они держали его в доме тайно от девушки, а пластырь на лице предназначался для того, чтобы сестра, случайно увидев его, не могла бы узнать. Но хитрость не помогла: острым женским глазом она сразу узнала брата, когда впервые увидела его — при том первом визите переводчика. Однако несчастная девушка была и сама на положении узницы, так как в доме не держали никакой прислуги, кроме кучера и его жены, которые были оба послушным орудием в руках злоумышленников. Убедившись, что их тайна раскрыта и что им от пленника ничего не добиться, два негодяя бежали вместе с девушкой, отказавшись за два-три часа до отъезда от снятого ими дома с полной обстановкой и успев, как они полагали, отомстить обоим: человеку, который не склонился перед ними, и тому, который посмел их выдать.

Несколько месяцев спустя мы получили любопытную газетную вырезку из Будапешта. В ней рассказывалось о трагическом конце двух англичан, которые путешествовали в обществе какой-то женщины. Оба были найдены заколотыми, и венгерская полиция держалась того мнения, что они, поссорившись, смертельно ранили друг друга. Но Холмс, как мне кажется, склонен был думать иначе. Он и по сей день считает, что если б разыскать ту девушку-гречанку, можно было б узнать от нее, как она отомстила за себя и за брата.

МОРСКОЙ ДОГОВОР

Июль того года, когда я женился, памятен мне по трем интересным делам. Я имел честь присутствовать при их расследовании. В моих дневниках они называются: «Второе пятно», «Морской договор» и «Усталый капитан». Первое из этих дел связано с интересами высокопоставленных лиц, в нем замешаны самые знатные семейства королевства, так что долгие годы было невозможно предать его гласности. Но именно оно наиболее ясно иллюстрирует аналитический метод Холмса, который произвел глубочайшее впечатление на всех, кто принимал участие в расследовании. У меня до сих пор хранится почти дословная запись беседы, во время которой Холмс рассказал все, что доподлинно произошло, месье Дюбюку из парижской полиции и Фрицу фон Вальдбауму, известному специалисту из Данцига, которые потратили немало энергии, распутывая нити, оказавшиеся второстепенными. Но только когда наступит новый век, рассказать этот случай можно будет безо всякого ущерба для кого бы то ни было. А сейчас мне хотелось бы рассказать историю с морским договором. Это дело в свое время тоже имело государственное значение, и в нем есть несколько моментов, придающих ему совершенно уникальный характер.

Еще в школьные годы я сдружился с Перси Фелпсом, который был почти что моим ровесником, но опередил меня на два класса. У него были блестящие способности — он получал почти все школьные премии и за выдающиеся успехи был удостоен стипендии, которая позволила ему добиться триумфа и в Кембридже. Помнится, у него были большие родственные связи. Еще в школе мы знали, что брат его матери лорд Холдхэрст — крупный деятель консервативной партии. Но тогда это знатное родство приносило ему мало пользы; напротив, было очень забавно вывалять его в пыли на спортивной площадке или ударить ракеткой ниже спины. Другое дело, когда он ступил на путь самостоятельной жизни. Краем уха я слышал, что благодаря своим способностям и влиянию дяди он получил хорошее место в министерстве иностранных дел. Но затем я совершенно забыл о нем, пока не получил следующее письмо:

«Брайарбрэ, Уокинг.

Дорогой Уотсон, я не сомневаюсь, что вы помните «Головастика» Фелпса, который учился в пятом классе, когда вы были в третьем. Возможно даже, вы слышали, что благодаря влиянию моего дяди я получил хорошую должность в министерстве иностранных дел и был в доверии и чести, пока на меня не обрушилось ужасное несчастье и не погубило мою карьеру.

Нет надобности писать обо всех подробностях этого кошмарного происшествия. Если вы снизойдете до моей просьбы, мне все равно придется вам рассказать все от начала до конца.

Я только что оправился от нервной горячки, которая длилась два месяца, и я все еще слаб. Не могли бы вы навестить меня вместе с вашим другом, мистером Холмсом? Мне бы хотелось услышать его мнение об этом деле, хотя авторитетные лица утверждают, что ничего больше поделать нельзя. Пожалуйста, приходите с ним как можно скорее. Пока я живу в этом ужасном неведении, мне каждая минута кажется часом. Объясните ему, что если я и не обратился к нему прежде, то не потому, что я не ценил его талантов, а потому, что с тех пор, как на меня обрушился этот удар, я все время находился в беспамятстве. Теперь сознание вернулось ко мне, хотя я и не слишком уверенно чувствую себя, так как боюсь рецидива. Я еще так слаб, что могу, как вы видите, только диктовать. Прошу вас, приходите вместе с вашим другом.

Ваш школьный товарищ Перси Фелпс».

Что-то в его письме тронуло меня, было что-то жалостное в его повторяющихся просьбах привести Холмса. Попроси он что-нибудь неисполнимое, я и тогда постарался бы все для него сделать, но я знал, как Холмс любит свое искусство, знал, что он всегда готов прийти на помощь тому, кто в нем нуждается. Моя жена согласилась со мной, что нельзя терять ни минуты, и вот я тотчас после завтрака оказался еще раз в моей старой квартире на Бейкер-стрит.

Холмс сидел в халате за приставным столом и усердно занимался какими-то химическими исследованиями. Над голубоватым пламенем бунзеновской горелки в большой изогнутой реторте неистово кипела какая-то жидкость, дистиллированные капли которой падали в двух-литровую мензурку. Когда я вошел, мой друг даже не поднял головы, и я, видя, что он занят важным делом, сел в кресло и принялся ждать. Он окунал стеклянную пипетку то в одну бутылку, то в другую, набирая по нескольку капель жидкости из каждой, и наконец перенес пробирку со смесью на письменный стол. В правой руке он держал полоску лакмусовой бумаги.

— Вы пришли в самый ответственный момент, Уотсон,— сказал Холмс.— Если эта бумага останется синей, все хорошо. Если она станет красной, то это будет стоить человеку жизни.

Он окунул полоску в пробирку, и она мгновенно окрасилась в ровный грязновато-алый цвет.

— Гм, я так и думал! — воскликнул он.— Уотсон, я буду к вашим услугам через минуту. Табак вы найдете в персидской туфле.

Он повернулся к столу и написал несколько телеграмм, которые тут же вручил мальчику-слуге. Затем сел на стул, стоявший против моего кресла, поднял колени и, сцепив длинные пальцы, обхватил руками худые, длинные ноги.

— Самое обыкновенное убийство,— сказал он.— Догадываюсь, что вы принесли кое-что получше. Вы буревестник преступлений, Уотсон. Что у вас?

Я дал ему письмо, которое он прочел самым внимательным образом.

— В нем сообщается не слишком много, верно? — заметил он, отдавая письмо.

— Почти ничего.

— И все же почерк интересный.

— Но это не его почерк.

— Верно. Писала женщина!

— Да нет, это мужской почерк!

— Нет, писала женщина, и притом обладающая редким характером. Видите ли, знать в начале расследования, что ваш клиент, к счастью или на свою беду, тесно общается с незаурядной личностью,— это уже много. Если вы готовы, то мы тотчас отправимся в Уокинг и встретимся с этим попавшим в беду дипломатом и с дамой, которой он диктует свои письма.

На Ватерлоо мы удачно сели на ранний поезд и меньше чем через час оказались среди хвойных лесов и вересковых зарослей Уокинга. Усадьба Брайарбрэ находилась в нескольких минутах ходу от станции. Мы послали свои визитные карточки, и нас провели в гостиную, обставленную элегантной мебелью, куда через несколько минут вошел довольно полный человек, принявший нас очень гостеприимно. Ему было лет за тридцать пять, но из-за очень румяных щек и веселых глаз он производил впечатление пухлого, озорного мальчугана.

— Я рад, что вы приехали,— сказал он, экспансивно пожимая наши руки.— Перси все утро спрашивает о вас. Бедняга, он цепляется за любую соломинку. Его отец с матерью просили меня встретить вас, потому что им больно даже упоминание об этом деле.

— Мы пока еще ничего не знаем,— заметил Холмс.— Как я догадываюсь, вы не член этой семьи.

Наш новый знакомый удивился, но, посмотрев вниз, рассмеялся.

— Вы, разумеется, увидели монограмму «Дж. Г.» у меня на брелоке,— сказал он.— А я уж было поразился вашей проницательности. Я Джозеф Гаррисон, и так как Перси собирается жениться на моей сестре Энни, то буду его родственником по крайней мере со стороны жены. Сестру мою вы увидите в его комнате — последние два месяца она нянчит его, как ребенка. Пожалуй, нам лучше пройти к нему тотчас: он ждет вас с нетерпением.

Комната, в которую нас провели, была на том же этаже, что и гостиная. Это была полугостиная-полуспальня, в ней было много цветов. Теплый летний воздух, напоенный садовыми ароматами, вливался в раскрытое окно, у которого на кушетке лежал очень бледный и изможденный молодой человек. Когда мы вошли, сидевшая рядом с ним женщина встала.

— Я пойду, Перси? — спросила она.

Он схватил ее за руку, чтобы удержать.

— Здравствуйте, Уотсон,— сказал он сердечно.— Вы отпустили усы — я бы ни за что не узнал вас, да и меня узнать мудрено. А это, наверно, ваш знаменитый друг — мистер Шерлок Холмс?

Я коротко представил Холмса, и мы оба сели. Толстый молодой человек вышел, но его сестра осталась с больным, который не выпускал ее руки. Это была женщина примечательной внешности — с красивым смуглова́тым цветом лица, большими черными миндалевидными глазами и копной иссиня-черных волос, но для своего небольшого роста она была, пожалуй, несколько полновата. По контрасту с ее яркими красками бледное лицо ее жениха казалось еще более осунувшимся, изможденным.

— Я не хочу, чтобы вы теряли время,— сказал он, приподнявшись на кушетке,— и сразу перейду к делу.

Я был счастливым и преуспевающим человеком, мистер Холмс. Уже готовилась моя свадьба, как вдруг ужасная беда разрушила все мои жизненные планы.

Уотсон, наверно, говорил вам, что я служил в министерстве иностранных дел и благодаря влиянию моего дяди, лорда Холдхэрста, быстро получил ответственную должность. Когда дядюшка стал министром иностранных дел в нынешнем правительстве, он стал давать мне ответственные поручения, и, так как я выполнял их с неизменным успехом, он в конце концов совершенно уверился в моих способностях и дипломатическом такте.

Примерно десять недель назад, а точнее двадцать третьего мая, он вызвал меня к себе в кабинет и, похвалив за старание, сказал, что хочет поручить мне новое ответственное дело.

— Вот это,— сказал он, беря серый свиток бумаги со стола,— оригинал тайного договора между Англией и Италией, сведения о котором уже просочились, к сожалению, в печать. Чрезвычайно важно, чтобы в дальнейшем никакой утечки информации не было. Французское или русское посольства заплатили бы огромные деньги, чтобы узнать содержание этого документа. Я бы предпочел не вынимать его из ящика моего письменного стола, если бы не было настоятельной необходимости снять с него копию. В вашем кабинете есть сейф?

— Да, сэр.

— Тогда возьмите договор и заприте его в сейфе. Я дам указание, чтобы вам разрешили остаться, когда все уйдут, и вы сможете снять копию, не спеша и не боясь, что за вами будут подглядывать. Когда вы все кончите, заприте и оригинал и копию в сейф и завтра утром вручите их мне лично.

Я взял документ и...

— Простите,— перебил его Холмс,— вы были одни во время разговора?

— Совершенно одни.

— В большой комнате?

— Футов тридцать на тридцать.

— Посередине ее?

— Да, примерно.

— И говорили тихо?

— Дядя всегда говорит очень тихо. А я почти ничего не говорил.

— Спасибо,— сказал Холмс, закрывая глаза.— Пожалуйста, продолжайте.

— Я сделал точно так, как он мне велел, и подождал, пока уйдут клерки. Один из клерков, работавших со мной в одной комнате, Чарльз Горо, не управился вовремя со своей работой, и поэтому я решил сходить пообедать. Когда я вернулся, он уже ушел. Мне не терпелось поскорее закончить работу: я знал, что Джозеф — мистер Гаррисон, которого вы только что видели, — в городе и что он поедет в Уокинг одиннадцатичасовым поездом. И я тоже хотел поспеть на этот поезд.

С первого же взгляда я понял, что дядя нисколько не преувеличил значения договора. Не вдаваясь в подробности, могу сказать, что им определялась позиция Великобритании по отношению к Тройственному союзу и предопределялась будущая политика нашей страны на тот случай, если французский флот по своей боевой мощи превзойдет в Средиземном море итальянский флот. В договоре трактовались вопросы, имеющие отношение только к военно-морским делам. В конце стояли подписи высоких договаривающихся сторон. Я пробежал глазами договор и стал переписывать его.

Это был пространный документ, написанный на французском языке и насчитывающий двадцать шесть статей. Я писал очень быстро, но к девяти часам одолел всего лишь девять статей и уже потерял надежду попасть на поезд. Я хотел спать и плохо соображал, потому что плотно пообедал, да и сказывался целый день работы. Чашка кофе взбодрила бы меня. Швейцар у нас дежурит всю ночь в маленькой комнате возле лестницы и обычно варит на спиртовке кофе для тех сотрудников, которые остаются работать в неурочное время. И я звонком вызвал его.

К моему удивлению, на звонок пришла высокая, плотная, пожилая женщина в фартуке. Это была жена швейцара, работающая у нас уборщицей, и я попросил ее сварить кофе.

Переписав еще две статьи, я почувствовал, что совсем засыпаю, встал и прошелся по комнате, чтобы размять ноги. Кофе мне еще не принесли, и я решил узнать, в чем там дело. Открыв дверь, я вышел в коридор. Из комнаты, где я работал, можно пройти к выходу только плохо освещенным коридором. Он кончается изогнутой лестницей, спускающейся в вестибюль, где находится и комнатка швейцара. Посередине лестницы есть площадка, от которой под прямым углом отходит еще один коридор. По нему, минуя небольшую лестницу, можно пройти к боковому входу, которым пользуются слуги и клерки, когда они идут со стороны Чарльз-стрит и хотят сократить путь. Вот примерный план помещения:

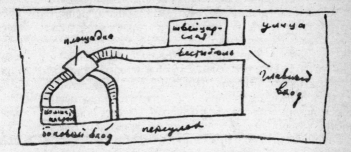

— Спасибо. Я внимательно слушаю вас,— сказал Шерлок Холмс.

— Вот что очень важно. Я спустился по лестнице в вестибюль, где нашел швейцара, который крепко спал. На спиртовке, брызгая водой на пол, бешено кипел чайник. Я протянул было руку, чтобы разбудить швейцара, который все еще крепко спал, как вдруг над его головой громко зазвонил звонок. Швейцар, вздрогнув, проснулся.

— Это вы, мистер Фелпс! — сказал он, смущенно глядя на меня.

— Я сошел вниз, чтобы узнать, готов ли кофе.

— Я варил кофе и уснул, сэр,— сказал он, взглянул на меня и уставился на все еще раскачивающийся звонок. Лицо его выражало крайнее изумление.

— Сэр, если вы здесь, то кто же тогда звонил? — спросил он.

— Звонил? — переспросил я.— Что вы имели в виду? Что это значит?

— Этот звонок из той комнаты, где вы работаете.

Мое сердце словно сжала ледяная рука. Значит, сейчас кто-то есть в комнате, где лежит на столе мой драгоценный договор. Что было духу я понесся вверх по лестнице, по коридору. В коридоре не было никого, мистер Холмс. Не было никого и в комнате. Все лежало на своих местах, кроме доверенного мне документа,— он исчез со стола. Копия была на столе, а оригинал пропал.

Холмс откинулся на спинку стула и потер руки. Я видел, что дело это захватило его.

— Скажите, пожалуйста, а что вы сделали потом? — спросил он.

— Я мигом сообразил, что похититель, по-видимому, поднялся наверх, войдя в дом с переулка. Я бы, наверно, встретился с ним, если бы он шел другим путем.

— А вы убеждены, что он не прятался все это время в комнате или в коридоре, который, по вашим словам, был плохо освещен?

— Это совершенно исключено. В комнате или коридоре не спрячется и мышь. Там просто негде прятаться.

— Благодарю вас. Пожалуйста, продолжайте.

— Швейцар, увидев по моему побледневшему лицу, что случилась какая-то беда, тоже поднялся наверх. Мы оба бросились вон из комнаты, побежали по коридору, а затем по крутой лесенке, которая вела на Чарльз-стрит. Дверь внизу была закрыта, но не заперта. Мы распахнули ее и выбежали на улицу. Я отчетливо помню, что со стороны соседней церкви донеслось три удара колоколов. Было без четверти десять.

— Это очень важно,— сказал Холмс, записав что-то на манжете сорочки.

— Вечер был очень темный, шел мелкий теплый дождик. На Чарльз-стрит не было никого, на Уайтхолл, как всегда, движение продолжалось самое бойкое. В чем были, без головных уборов мы побежали по тротуару и нашли на углу полицейского.

— Совершена кража,— задыхаясь, сказал я.— Из министерства иностранных дел украден чрезвычайно важный документ. Здесь кто-нибудь проходил?

— Я стою здесь уже четверть часа, сэр,— ответил полицейский,— за все это время прошел только один человек — высокая пожилая женщина, закутанная в шаль.

— А, это моя жена,— сказал швейцар.— А кто-нибудь еще не проходил?

— Никто.

— Значит, вор, наверно, пошел в другую сторону,— сказал швейцар и потянул меня за рукав.

Но его попытка увести меня отсюда только усилила возникшее у меня подозрение.

— Куда пошла женщина? — спросил я.

— Не знаю, сэр. Я только заметил, как она прошла мимо, но причин следить за ней у меня не было. Кажется, она торопилась.

— Как давно это было?

— Несколько минут назад.

— Сколько? Пять?

— Ну, не больше пяти.

— Мы напрасно тратим время, сэр, а сейчас дорога каждая минута,— уговаривал меня швейцар.— Поверьте мне, моя старуха никакого отношения к этому не имеет. Пойдемте скорее в другую сторону от входной двери. И если вы не пойдете, то я пойду один.

С этими словами он бросился в противоположную сторону. Но я догнал его и схватил за рукав.

— Где вы живете? — спросил я.

— В Брикстоне. Айви-лейн, 16,— ответил он,— но вы на ложном следу, мистер Фелпс. Пойдем лучше в ту сторону улицы и посмотрим, нет ли там чего!

Терять было нечего. Вместе с полицейским мы поспешили в противоположную сторону и вышли на улицу, где было большое движение и масса прохожих. Но все они в этот сырой вечер только и мечтали поскорее добраться до крова. Не нашлось ни одного праздношатающегося, который бы мог сказать нам, кто здесь проходил.

Потом мы вернулись в здание, поискали на лестнице и в коридоре, но ничего не нашли. Пол в коридоре покрыт кремовым линолеумом, на котором заметен всякий след. Мы тщательно осмотрели его, но не обнаружили никаких следов.

— Дождь шел весь вечер?

— Примерно с семи.

— Как же в таком случае женщина, заходившая в комнату около девяти, не наследила своими грязными башмаками?

— Я рад, что вы обратили внимание на это обстоятельство. То же самое пришло в голову и мне. Но оказалось, что уборщицы обычно снимают башмаки в швейцарской и надевают тряпочные туфли.

— Понятно. Значит, хотя на улице в тот вечер шел дождь, никаких следов не оказалось? Дело принимает чрезвычайно интересный оборот. Что вы сделали затем?

— Мы осмотрели и комнату. Потайной двери там быть не могло, а от окон до земли добрых футов тридцать. Оба окна защелкнуты изнутри. На полу ковер, так что люк исключается, а потолок обыкновенный, беленый. Кладу голову на отсечение, что украсть документ могли, только войдя в дверь.

— А через камин?

— Камина нет. Только печка. Шнур от звонка висит справа от моего стола. Значит, тот, кто звонил, стоял по правую руку. Но зачем понадобилось преступнику звонить? Это неразрешимая загадка.

— Происшествие, разумеется, необычайное. Но что вы делали дальше? Вы осмотрели комнату, я полагаю, чтобы убедиться, не оставил ли незваный гость каких-нибудь следов своего пребывания — окурков, например, потерянной перчатки, шпильки или другого пустяка?

— Ничего не было.

— А как насчет запахов?

— Об этом мы не подумали.

— Запах табака оказал бы нам величайшую услугу при расследовании.

— Я сам не курю и поэтому, думаю, заметил бы табачный запах. Нет. Зацепиться там было совершенно не за что. Одно только существенно — жена швейцара миссис Танджи спешно покинула здание. Сам швейцар объяснил, что его жена всегда в это время уходит домой. Мы с полицейским решили, что лучше всего было бы немедленно арестовать женщину, чтобы она не успела избавиться от документа, если, конечно, похитила его она.

Мы тут же дали знать в Скотленд-Ярд, и оттуда тотчас прибыл сыщик мистер Форбс, энергично взявшийся за дело. Наняв кэб, мы через полчаса уже стучались в дверь дома, где жил швейцар. Нам отворила девушка, оказавшаяся старшей дочерью миссис Танджи. Ее мать еще не вернулась, и нас провели в комнату.

Минут десять спустя раздался стук. И тут мы совершили серьезный промах, в котором я виню только себя. Вместо того чтобы открыть дверь самим, мы позволили сделать это девушке. Мы услышали, как она сказала: «Мама, тебя ждут двое мужчин»,— и тотчас услышали в коридоре быстрый топот. Форбс распахнул дверь, и мы оба бросились за женщиной в заднюю комнату или кухню. Она вбежала туда первая и вызывающе взглянула на нас, но потом вдруг, узнав меня, от изумления даже переменилась в лице.

— Да это же мистер Фелпс из министерства!— воскликнула она.

— А вы за кого нас приняли? Почему бросились бежать от нас?— спросил мой спутник.

— Я думала, пришли описывать имущество,— сказала она.— Мы задолжали лавочнику.

— Придумано не так уж ловко,— парировал Форбс.— У нас есть причины подозревать вас в краже важного документа из министерства иностранных дел. И я думаю, что вы бросились в кухню, чтобы спрятать его. Вы должны поехать с нами в Скотленд-Ярд, где вас обыщут.

Напрасно она протестовала и сопротивлялась. Подъехал кэб, и мы все трое сели в него. Но перед тем мы все-таки осмотрели кухню и особенно очаг, предположив, что она успела сжечь бумаги за то короткое время, пока была в кухне одна. Однако ни пепла, ни обрывков мы не нашли. Приехав в Скотленд-Ярд, мы сразу передали ее в руки одной из сотрудниц. Я ждал ее доклада, сгорая от нетерпения. Но никакого документа не нашли.

Тут только я понял весь ужас моего положения. До сих пор я действовал и, действуя, забывался. Я был совершенно уверен, что договор найдется немедленно, и не смел даже думать о том, какие последствия меня ожидают, если этого не случится. Но теперь, когда розыски окончились, я мог подумать о своем положении. Оно было поистине ужасно! Уотсон вам скажет, что в школе я был нервным, чувствительным ребенком. Я подумал о дяде и его коллегах по кабинету министров, о позоре, который я навлек на него, на себя, на всех, кто был связан со мной. А что если я стал жертвой какого-то невероятного случая? *Никакая случайность не допустима,* когда на карту ставятся *дипломатические интересы.* Я потерпел крах, постыдный, безнадежный крах. Не помню, что я потом делал. Наверно, со мной была истерика. Смутно припоминаю столпившихся вокруг и старающихся утешить меня служащих Скотленд-Ярда. Один из них поехал со мной до Ватерлоо и посадил меня в поезд на Уокинг. Наверно, он проводил бы меня до самого дома, если бы не подвернулся доктор Ферьер, живущий по соседству от нас и ехавший тем же поездом. Доктор любезно взял на себя заботу обо мне, и как раз вовремя, потому что на станции у меня начался припадок, и мы еще не добрались до дому, как я превратился в буйнопомешанного.

Можете представить себе, что здесь было, когда после звонка доктора все поднялись с постелей и увидели меня в таком состоянии. Бедняжка Энни, сидящая здесь, и моя мать были в отчаянии. Доктор Ферьер рассказал родным то, что ему сообщил на вокзале сыщик, и только подлил масла в огонь. Всем было ясно, что я заболел надолго, а посему Джозефа выпроводили из этой веселой комнаты и обратили ее в больничную палату. Здесь я и провалялся более девяти недель в полном беспамятстве и бреду. Если бы не мисс Гаррисон и не заботы доктора, я бы еще и сейчас не был способен здраво рассуждать. Энни ходила за мной днем, а ночью дежурила сиделка, так как в приступе безумия я мог сделать что угодно. Постепенно сознание мое прояснилось, но память ко мне вернулась только три дня назад. Порой мне хочется вовсе лишиться ее. В первую очередь я попросил телеграфировать мистеру Форбсу, который расследует дело. Он приехал и заверил меня, что делается все возможное, хотя на след преступника еще не напали. Швейцара и его жену проверили самым тщательным образом и ничего не обнаружили. Тогда полиция стала подозревать Горо, который, как вы помните, оставался в тот вечер работать дольше других. Подозрение могла вызвать только его французская фамилия и тот факт, что он тогда задержался в министерстве; но я приступил к работе лишь после его ухода, а он сам и его семья — предки Горо были гугенотами — по своим симпатиям и образу жизни такие же англичане, как вы и я. Как бы там ни было, инкриминировать ему ничего не могли, и пришлось отказаться и от этой версии. Вы, мистер Холмс,— моя последняя надежда. Если вы не спасете меня, моя честь и мое положение — все погибло безвозвратно.

Устав от длинного рассказа, больной опустился на подушки, а его сиделка налила ему в стакан какую-то успокаивающую микстуру. Холмс сидел, запрокинув голову и закрыв глаза, и молчал. Стороннему человеку показалось бы, что им овладело безразличие, но я-то знал, что эта его поза означает напряженнейшую работу мысли.

— Ваш рассказ был настолько исчерпывающим,— сказал он наконец,— что мне почти нечего спрашивать. Но один вопрос, имеющий первостепенное значение, я вам все-таки задам. Говорили вы кому-нибудь о том, что получили специальное задание?

— Никому.

— Хотя бы вот... мисс Гаррисон?

— Нет. Я не был в Уокинге после того, как мне дали это задание.

— И ни с кем из ваших вы тогда случайно не виделись?

— Ни с кем.

— Кто-нибудь из них знает, где расположена ваша комната в министерстве?

— О да, у меня там бывали все.

— Конечно, этот последний вопрос излишен, если вы никому ничего не говорили.

— Никому ничего.

— Что вы знаете о швейцаре?

— Ничего, кроме того, что он отставной солдат.

— Какого полка?

— Я слышал, как будто... Коулдстрим-Гардз.

— Спасибо. Я не сомневаюсь, что узна́ю подробности у Форбса. Следователи Скотленд-Ярда отлично умеют собирать факты, но не всегда умеют объяснить их. Ах, какая прелестная роза!

Холмс прошел мимо кушетки к открытому окну, приподнял опустившийся стебель розы и полюбовался тончайшими оттенками розового и зеленого. Эта сторона его характера мне еще не была знакома — я до сих пор ни разу не видел, чтобы он проявлял интерес к живой природе.

— Нигде так не нужна дедукция, как в религии,— сказал он, прислонившись к ставням.— Логик может поднять ее до уровня точной науки. Мне кажется, что своей верой в божественное провидение мы обязаны цветам. Все остальное — наши способности, наши желания, наша пища — необходимо нам в первую очередь для существования. Но роза дана нам сверх всего. Запах и цвет розы украшают жизнь, а не являются условием ее существования. Только божественное провидение может быть источником прекрасного. Вот почему я и говорю: пока есть цветы, человек может надеяться.

Перси Фелпс и его невеста с удивлением слушали разглагольствования Холмса, и на их лицах появилось разочарование. Держа розу в пальцах, он замечтался. Это продолжалось несколько минут, пока голос молодой женщины не заставил его очнуться.

— Вы уже видите, как можно решить эту загадку?— резковато сказала она.

— О, загадку!— откликнулся он, опускаясь с небес на землю.— Было бы нелепо отрицать, что дело это весьма трудное и запутанное, но я обещаю заняться им серьезно и держать вас в курсе дела.

— У вас уже есть какая-нибудь версия?

— У меня их есть уже семь, но я, разумеется, должен все проверить, прежде чем высказать их вслух.

— Вы кого-нибудь подозреваете?

— Я подозреваю себя...

— Что?

— В том, что делаю слишком поспешные выводы.

— В таком случае поезжайте в Лондон и проверьте их.

— Вы дали прекрасный совет, мисс Гаррисон,— вставая, сказал Холмс.— Думаю, Уотсон, это лучшее, что мы можем предпринять. Не позволяйте себе тешиться слишком радужными надеждами, мистер Фелпс. Дело очень запутанное.

— Я места себе не найду, пока снова не увижу вас,— взмолился дипломат.

— Хорошо, я приеду завтра тем же поездом, хотя более чем вероятно, что не сообщу вам ничего нового.

— Благослови вас бог за ваше обещание приехать,— сказал наш клиент.— Я знаю теперь, что дело в надежных руках, и это придает мне силы. Кстати, я получил письмо от лорда Холдхэрста.

— Так. Что он пишет?

— Он холоден, но не резок. Думаю, что он щадит меня только из-за моего состояния. Он пишет, что дело чрезвычайно серьезное, но что в отношении моего будущего ничего не будет предприниматься... он, конечно, имеет в виду увольнение... пока я не встану на ноги и не получу возможности исправить положение.

— Ну, это все очень разумно и деликатно,— сказал Холмс.— Пойдемте, Уотсон, у нас в городе работы на целый день.

Мистер Джозеф Гаррисон отвез нас на станцию, и вскоре мы уже мчались в портсмутском поезде. Холмс глубоко задумался и не проронил ни слова, пока мы не проехали узловой станции Клэпем.

— Очень интересно подъезжать к Лондону по высокому месту и смотреть на дома внизу.

Я подумал, что он шутит, потому что вид был совсем непривлекательный, но он тут же пояснил:

— Посмотрите вон на те большие дома, громоздящиеся над шиферными крышами, как кирпичные острова в свинцово-сером море.

— Это казенные школы.

— Маяки, друг мой! Бакены будущего! Коробочки с сотнями светлых маленьких семян в каждой. Из них вырастет просвещенная Англия будущего. Кажется, этот Фелпс не пьет?

— Думаю, что нет.

— И я тоже так думаю. Но мы обязаны предусмотреть все. Бедняга увяз по уши, а вытащим ли мы его из этой трясины — еще вопрос. Что вы думаете о мисс Гаррисон?

— Девушка с сильным характером.

— И к тому же неплохой человек, если я не ошибаюсь. Они с братом — единственные дети фабриканта железных изделий, живущего где-то на севере, в Нортумберленде. Фелпс обручился с ней этой зимой во время своего путешествия, и она в сопровождении брата приехала познакомиться с родными жениха. Затем произошла катастрофа, и она осталась, чтобы ухаживать за возлюбленным. Ее брат Джозеф, найдя, что тут довольно неплохо, остался тоже. Я уже, как видите, навел кое-какие справки. И сегодня нам придется заниматься этим весь день.

— Мои пациенты...— начал было я.

— О, если вы находите, что ваши дела интереснее моих...— сердито перебил меня Холмс.

— Я хотел сказать, что мои пациенты проживут без меня денек-другой, тем более что в это время года болеют мало.

— Превосходно,— сказал он, снова приходя в хорошее настроение.— В таком случае займемся этой историей вдвоем. Думается мне, что в первую очередь нам надо повидать Форбса. Вероятно, он может рассказать нам много интересного. Тогда нам будет легче решить, с какой стороны браться за дело.

— Вы сказали, что у вас уже есть версия.

— Даже несколько, но только дальнейшее расследование может показать, чего они стоят. Труднее всего раскрыть преступление, совершенное без всякой цели. Это преступление не бесцельное. Кому оно выгодно? Либо французскому послу, либо русскому послу, либо тому, кто может продать документ одному из этих послов, либо, наконец, лорду Холдхэрсту.

— Лорду Холдхэрсту!

— Можно же представить себе государственного деятеля в таком положении, когда он не пожалеет, если некий документ будет случайно уничтожен.

— Но только не лорд Холдхэрст. У этого государственного деятеля безупречная репутация.

— А все-таки мы не можем позволить себе пренебречь и такой версией. Сегодня мы навестим благородного лорда и послушаем, что он нам скажет. Между прочим, расследование уже идет полным ходом.

— Уже?

— Да, я послал со станции Уокинг телеграммы в вечерние лондонские газеты. Это объявление появится сразу во всех газетах.

Он дал мне листок, вырванный из записной книжки. Там было написано карандашом:

«*10 фунтов стерлингов вознаграждения всякому, кто сообщит номер кэба, с которого седок сошел на Чарльз-стрит возле подъезда министерства иностранных дел без четверти десять вечера 23 мая. Обращаться по адресу: Бейкер-стрит, 221б*».

— Вы уверены, что похититель приехал в кэбе?

— Если и не в кэбе, то вреда никакого не будет. Но если верить мистеру Фелпсу, что ни в комнате, ни в коридоре спрятаться нельзя, значит, человек должен был прийти с улицы. Если он пришел с улицы в такой дождливый вечер и не оставил мокрых следов на линолеуме, который тут же тщательно осмотрели, более чем вероятно, что он приехал в кэбе. Да, я думаю, можно смело предположить, что он приехал в кэбе.

— Это выглядит правдоподобно.

— Такова одна из версий, о которых я говорил. Возможно, она приведет нас к чему-нибудь. Потом, разумеется, надо выяснить, почему зазвенел звонок,— это самая приметная деталь. Что это: бравада похитителя? Или кто-то хотел помешать преступнику? Или просто случайность? Или?..

Холмс замолчал и снова стал напряженно думать, и мне, знакомому со всеми его настроениями, показалось, что мысли его вдруг устремились по новому руслу.

Мы были на городском вокзале в двадцать минут четвертого и, наскоро перекусив в буфете, сразу отправились в Скотленд-Ярд. Холмс уже телеграфировал Форбсу, и он нас ждал.

Это был коротышка с решительным, но отнюдь не дружелюбным выражением на лисьей физиономии. Он принял нас очень холодно, особенно когда узнал, по какому делу мы пришли.

— Я уже слышал о ваших методах, мистер Холмс,— сказал он с кислым видом.— Вы пользуетесь всей информацией, какую может предоставить в ваше распоряжение полиция, легко находите преступника и лишаете наших сыщиков заслуженных лавров.

— Напротив,— возразил Холмс,— из последних пятидесяти трех преступлений, мною раскрытых, только о четырех стало известно, что это сделал я, а остальные же сорок девять на счету полиции. Я не виню вас за то, что вы не знаете этого, вы еще молоды и неопытны, но если вы хотите преуспеть в своей новой должности, вы станете работать со мной, а не против меня.

— Я был бы рад, если бы вы мне дали несколько советов по этому делу,— сказал сыщик, сменив гнев на милость.— Мне еще пока нечем похвастаться.

— Что вы предприняли?

— Мы следили за Танджи, швейцаром. Он ушел в отставку из гвардии с хорошей характеристикой, никаких компрометирующих данных у нас о нем нет, но у жены его дурная слава. Думается мне, она знает больше, чем это кажется.

— За ней вы следили?

— Мы подставили к ней одну из наших сотрудниц. Миссис Танджи пьет, наша сотрудница провела с ней два вечера, но ничего не могла вытянуть из нее.

— Кажется, к ним наведывались судебные исполнители?

— Да, но им заплатили.

— А откуда взялись деньги?

— Здесь все в порядке. Швейцар как раз получил пенсию. Нет никаких признаков, что у них стали водиться деньги.

— Как она объяснила, что в тот вечер на звонок мистера Фелпса поднялась она?

— Она сказала, что муж очень устал и она хотела помочь ему.

— Что ж, это согласуется с тем, что немного позже его нашли спящим на стуле. Значит, против них нет никаких улик, разве что у женщины плохая репутация. Вы спросили, почему она так спешила в тот вечер? Ее поспешность привлекла внимание постового полицейского.

— Она задержалась против обычного и хотела поскорее добраться домой.

— Вы указали ей на то, что вы с мистером Фелпсом, выйдя из министерства по крайней мере минут на двадцать позже нее, добрались до ее дома раньше?

— Она объясняет это разницей в скорости омнибуса и кэба.

— А сказала она, почему, придя домой, она бегом бросилась в кухню?

— У нее там были приготовлены деньги для судебных исполнителей.

— У нее, я вижу, есть ответ на любой вопрос. А спросили вы ее, не встретила ли она кого-нибудь на Чарльз-стрит, когда выходила из министерства?

— Она не видела никого, кроме постового.

— Допросили вы ее тщательно. А что еще вы сделали?

— Следили все эти девять недель за клерком Горо, но безрезультатно. Против него нет никаких улик.

— Что еще?

— Вот и все... и ни следов, ни улик.

— Вы думали над тем, почему звонил звонок?

— Должен признаться, что я в полном недоумении.

Кто бы он ни был, но у этого человека железные нервы... взять и самому поднять тревогу!

— Да, очень странный поступок. Большое спасибо за сведения. Если я найду преступника, я дам вам знать. Пойдем, Уотсон!

— Куда теперь?—спросил я, когда мы вышли из кабинета.

— Теперь мы пойдем и побеседуем с лордом Холдхэрстом, членом кабинета министров и будущим премьером Англии.

К счастью, лорд Холдхэрст был еще в своем служебном кабинете. Холмс послал свою визитную карточку, и нас тотчас провели к нему. Государственный деятель принял нас со старомодной учтивостью, которой он отличался, и усадил в роскошные удобные кресла, стоявшие по обе стороны камина. Он стоял перед нами на ковре, высокий, худощавый, с резкими чертами одухотворенного лица, с вьющимися, рано тронутыми сединой волосами. Живое воплощение так редко встречающегося истинного благородства.

— Ваше имя мне очень хорошо знакомо, мистер Холмс,— улыбаясь, сказал он.— И, разумеется, я не буду притворяться, что не знаю о цели вашего визита. Только одно происшествие, случившееся в этом учреждении, могло привлечь ваше внимание. Могу ли я спросить, чьи интересы вы представляете?

— Мистера Перси Фелпса,— ответил Холмс.

— О, моего несчастного племянника! Вы понимаете, что из-за нашего родства мне гораздо труднее защищать его. Боюсь, что это происшествие скажется губительно на его карьере.

— А если документ будет найден?

— Тогда, разумеется, все будет иначе.

— Позвольте задать вам несколько вопросов, лорд Холдхэрст.

— Я буду рад дать вам любые сведения, которыми я располагаю.

— В этом кабинете вы дали указание переписать документ?

— Да.

— Следовательно, вас вряд ли могли подслушать?

— Это исключается.

— Говорили вы кому-нибудь, что хотите отдать договор для переписки?

— Не говорил.

— Вы уверены в этом?

— Совершенно уверен.

— Но если ни вы, ни мистер Фелпс никому ничего не говорили, то, значит, похититель оказался в комнате клерков совершенно случайно. Он увидел документ и решил воспользоваться счастливым случаем.

Государственный деятель улыбнулся.

— Это уже вне моей компетенции,— сказал он.

Холмс минуту помолчал.

— Есть еще одно важное обстоятельство, которое я хотел бы обсудить с вами,— сказал Холмс.— Насколько я понимаю, вы опасаетесь очень серьезных последствий, если станет известно содержание договора.

По выразительному лицу министра пробежала тень.

— Да, очень серьезных.

— Сейчас уже заметно что-нибудь?

— Пока нет.

— Если бы договор попал в руки, скажем, французского или русского министерства иностранных дел, вы бы узнали об этом?

— Мне следовало бы знать,— поморщившись, сказал лорд Холдхэрст.

— Но прошло уже десять недель, а ничего еще не произошло. Значит, есть основания полагать, что по какой-то причине договор еще не попал к тому, кто в нем заинтересован.

Лорд Холдхэрст пожал плечами.

— Вряд ли можно полагать, мистер Холмс, что похититель унес договор, чтобы вставить его в рамку и повесить на стену.

— Может быть, он ждет, чтобы ему предложили побольше.

— Еще немного, и он вообще ничего не получит. Через несколько месяцев договор уже ни для кого не будет секретом.

— Это очень важно,— сказал Холмс.— Разумеется, можно еще предположить, что похититель внезапно заболел...

— Нервной горячкой, например? — спросил министр, бросив на Холмса быстрый взгляд.

— Я этого не говорил,— невозмутимо сказал Холмс.— А теперь, лорд Холдхэрст, позвольте откланяться, мы и так отняли у вас столько драгоценного времени.

— Желаю успеха в вашем расследовании, кто бы ни оказался преступником,— сказал учтиво министр, и мы, откланявшись, вышли.

— Прекрасный человек,— сказал Холмс, когда мы оказались на Уайтхолл.— Но и ему знакома жизненная борьба. Он далеко не богат, а у него много расходов. Вы, разумеется, заметили, что его ботинки побывали в починке? Но я больше не стану, Уотсон, отвлекать вас от ваших прямых обязанностей. Сегодня мне больше нечего делать, разве что пойти и узнать, кто откликнулся на мое объявление о кэбе. Но я был бы вам весьма признателен, если бы вы завтра поехали со мной в Уокинг тем же поездом, что и сегодня.

Мы встретились на следующее утро, как договорились, и поехали в Уокинг. Холмс сказал, что на объявление никто не откликнулся и ничего нового по делу нет. При этом лицо у него стало совершенно бесстрастным, как у краснокожего, и я никак не мог определить по его виду, доволен ли он ходом расследования или нет. Помнится, он завел разговор о бертильоновской[1] системе измерений и бурно восхищался этим французским ученым.

Наш клиент все еще находился под надзором своей заботливой сиделки, но вид у него был уже лучше. Когда мы вошли, он без труда встал с кушетки и приветствовал нас.

— Какие новости?— жадно спросил он.

— Как я и думал, пока никаких,— сказал Холмс.— Я встретился с Форбсом, потом с вашим дядей и начал расследование сразу по нескольким каналам, которые, возможно, и приведут к чему-нибудь.

— Значит, ваш интерес к делу еще не остыл?

— Конечно, нет!

— Благослови вас бог за эти слова!— воскликнула мисс Гаррисон.— Если мы будем мужественны и терпеливы, правда непременно откроется.

— А у нас новостей побольше, чем у· вас,— сказал Фелпс, снова садясь на кушетку.

— Я ожидал этого.

— Да, ночью у нас было происшествие, и, кажется, весьма серьезное.— Он нахмурился, и в его глазах мелькнул страх.— Знаете, я уже начинаю подозревать, что стал нечаянной жертвой чудовищного заговора и что за-

---

[1] Бертильон, Альфонс (1853—1914) — французский антрополог и криминалист, предложивший систему судебной идентификации личности. Способ Бертильона включал 11 измерений (черепа, среднего пальца, мизинца, носа), словесный портрет, фотографию, обозначение цвета радужной оболочки глаза, цвета и формы волос и описание особых примет.

говорщики посягают не только на мою честь, но и на мою жизнь.

— Ого!— воскликнул Холмс.

— Это кажется невероятным, потому что, как я раньше считал, у меня нет в целом мире ни одного врага. Но прошлой ночью я убедился в обратном.

— Продолжайте, пожалуйста.

— К вашему сведению, я прошлую ночь впервые провел без сиделки. Мне стало гораздо лучше, и я думал, что смогу обойтись без нее. В комнате горел ночник. Часа в два ночи я забылся тревожным сном, как вдруг меня разбудил негромкий шорох, похожий на то, как скребется мышь. Некоторое время я лежал, прислушиваясь. Мышь, решил я, но тут шум усилился, и вдруг со стороны окна донесся резкий металлический скрежет. Я сразу догадался, в чем дело. Слабый шум производился инструментом, который кто-то старался просунуть в щель между оконными створками, а скрежет — отодвигаемым шпингалетом.

Потом наступила примерно десятиминутная пауза — словно человек хотел убедиться, не проснулся ли я от шума. Затем я услышал легкое поскрипывание, и окно стало медленно раскрываться. Я не выдержал — нервы у меня теперь не те. Соскочил с постели и распахнул ставни. Под окном на корточках сидел какой-то человек, но я не успел рассмотреть его — он мгновенно скрылся. На нем было что-то вроде плаща, скрывавшего и нижнюю часть лица. В одном только я уверен: рука его сжимала какое-то оружие. Мне показалось, что это длинный нож. Я отчетливо видел, как блеснул металл, когда человек бросился бежать.

— Очень интересно,— сказал Холмс.— И что же вы сделали?

— Если бы я не был так слаб, я бы выскочил в раскрытое окно и побежал за ним. Но я мог только позвонить и поднял на ноги весь дом. Сделать это удалось не сразу: звонок звенит на кухне, а все слуги спят наверху. На мой крик сверху прибежал Джозеф, он и разбудил остальных. На клумбе под окном Джозеф с конюхом нашли следы, но земля была настолько сухая, что дальше, в траве, следы затерялись. Но на деревянном заборе, отделяющем сад от дороги, осталась отметина — ее нашли Джозеф с конюхом,— кто-то перелезал через забор и надломил доску. Я еще ничего не говорил местным полицейским, потому что хотел сперва выслушать ваше мнение.

Рассказ нашего клиента произвел на Шерлока Холмса сильное впечатление. Он вскочил со стула и, не скрывая волнения, стал быстро ходить по комнате.

— Беда никогда не приходит одна,— улыбаясь, сказал Фелпс, хотя было видно, что происшествие его потрясло.

— К вам, во всяком случае,— сказал Холмс.— Не могли бы вы обойти со мной вокруг дома?

— Погреться немного на солнышке мне бы не повредило. Джозеф тоже пойдет.

— И я,— сказала мисс Гаррисон.

— Боюсь, что вам лучше остаться здесь,— покачал головой Холмс.— Сидите в этой комнате и никуда не отлучайтесь.

Девушка с недовольным видом села. Ее брат, однако, пошел с нами. Мы все четверо обогнули газон и приблизились к окну комнаты молодого дипломата. На клумбе, как он и говорил, были следы, но безнадежно затоптанные. Холмс склонился над ними, тут же выпрямился и пожал плечами.

— Ну, здесь немногое можно увидеть,— сказал он.— Давайте вернемся к дому и поглядим, почему взломщик выбрал именно эту комнату. Мне кажется, большие окна гостиной и столовой должны были показаться ему более привлекательными.

— Их лучше видно с дороги,— предположил мистер Джозеф Гаррисон.

— Да, разумеется. А эта дверь куда ведет? Он мог бы ее попытаться взломать.

— Это вход для лавочников. На ночь она запирается.

— А раньше когда-нибудь случалось подобное?

— Никогда,— ответил наш клиент.

— У вас есть столовое серебро или еще что-нибудь, что может привлечь грабителя?

— В доме нет ничего ценного.

Засунув руки в карманы, Холмс с необычным для него беспечным видом завернул за угол.

— Кстати,— обратился он к Джозефу Гаррисону,— вы, помнится, обнаружили место, где вор поломал забор. Пойдемте туда, посмотрим.

Молодой человек привел нас к забору — у одной тесины верхушка была надломлена, и кусок ее торчал. Холмс совсем отломал ее и с сомнением осмотрел.

— Думаете, это сделано вчера вечером? Судя по излому, здесь лезли уже давно.

— Может быть.

— И по другую сторону забора нет никаких следов, не видно, чтобы кто-то прыгал. Нет, нам здесь делать нечего. Пойдемте-ка обратно в спальню и поговорим.

Перси Фелпс шел очень медленно, опираясь на руку своего будущего шурина. Холмс быстро пересек газон, и мы оказались у открытого окна гораздо раньше, чем они.

— Мисс Гаррисон,— очень серьезно сказал Холмс,— вы должны оставаться на этом месте в течение всего дня. Ни в коем случае не уходите отсюда. Это необычайно важно.

— Я, разумеется, сделаю так, как вы хотите, мистер Холмс,— сказала удивленно девушка.

— Когда пойдете спать, заприте дверь этой комнаты снаружи и возьмите ключ с собой. Обещаете?

— А как же Перси?

— Он поедет с нами в Лондон.

— А я должна остаться здесь?

— Ради его блага. Этим вы окажете ему большую услугу! Обещайте мне! Хорошо?

Едва девушка успела кивнуть, как вошли ее жених с братом.

— Что ты загрустила, Энни?— спросил ее брат.— Ступай на солнышко.

— Нет, Джозеф, не хочу. У меня немного болит голова, а в этой комнате так прохладно и тихо.

— Что вы теперь намереваетесь делать, мистер Холмс?— спросил наш клиент.

— Видите ли, расследуя это небольшое дело, мы не должны упускать из виду главную цель. И вы бы мне очень помогли, если бы поехали со мной в Лондон.

— Мы едем сейчас же?

— И как можно скорей. Скажем, через час.

— Я чувствую себя довольно хорошо, но будет ли от меня какой-нибудь толк?

— Самый большой.

— Наверно, вы захотите, чтобы я остался ночевать в Лондоне?

— Именно это я и хотел предложить вам.

— Значит, если мой ночной приятель вздумает посетить меня еще раз, он обнаружит, что клетка пуста. Все мы в полном вашем распоряжении, мистер Холмс. Вы только должны дать нам точные инструкции, чтó делать. Вероятно, вы хотите, чтобы Джозеф поехал с нами и приглядывал за мной?

— Это необязательно. Мой друг Уотсон, как вы знаете,— врач, и он позаботится о вас. С вашего позволения, мы поедим и втроем отправимся в город.

Мы так и сделали, а мисс Гаррисон, согласно уговору с Холмсом, под каким-то предлогом осталась в спальне. Я не представлял себе, какова цель этих маневров моего друга, разве что он хотел разлучить зачем-то девушку с Фелпсом, который, оживившись от прилива сил и возможности действовать, завтракал вместе с нами в столовой. Однако у Холмса в запасе был еще более поразительный сюрприз: дойдя с нами до станции и проводив нас до вагона, он спокойно объявил, что не собирается уезжать из Уокинга.

— Мне еще тут надо кое-что выяснить, я приеду позже,— сказал он.— Ваше отсутствие, мистер Фелпс, будет мне своеобразной подмогой. Уотсон, вы меня очень обяжете, если по приезде в Лондон тотчас отправитесь с нашим другом на Бейкер-стрит и будете ждать меня там. К счастью, вы старые школьные товарищи — вам будет о чем поговорить. Мистер Фелпс пусть расположится на ночь в моей спальне. Я буду к завтраку — поезд приходит на вокзал Ватерлоо в восемь.

— А как же с нашим расследованием в Лондоне?— уныло спросил Фелпс.

— Мы займемся этим завтра. Мне кажется, что мое присутствие необходимо сейчас именно здесь.

— Скажите в Брайарбрэ, что я надеюсь вернуться завтра к вечеру!— крикнул Фелпс, когда поезд тронулся.

— Я вряд ли вернусь в Брайарбрэ,— ответил Холмс и весело помахал вслед поезду, уносившему нас в Лондон.

По пути мы с Фелпсом долго обсуждали этот неожиданный маневр Холмса, но так и не могли ничего понять.

— Наверно, он хочет выяснить кое-что в связи с сегодняшним ночным происшествием. Был ли это действительно взломщик? Лично я не верю, что это был обыкновенный вор.

— А кто же это, по-вашему?

— Можете считать, что это — следствие нервной горячки, но у меня такое чувство, будто вокруг меня плетется какая-то сложная политическая интрига, заговорщики покушаются на мою жизнь. Хотя зачем это им, я, хоть убейте, не понимаю. Можно подумать, что у меня мания величия, так нелепо мое предположение. Но, скажите, зачем было вору взламывать окно спальни, где совершенно нечем поживиться, и зачем ему такой длинный нож?

— А может, это была простая отмычка?

— О нет! Это был нож. Я отчетливо видел, как блестело лезвие.

— Но, скажите ради бога, кто может питать к вам такую вражду?

— Если бы я знал!

— Если то же думает Холмс, то тогда понятно, почему он остался. Предположим, что ваша догадка правильная. Тогда Холмс сегодня ночью выследит покушавшегося на вас человека, а это значительно облегчит поиски морского договора. Ведь нелепо предполагать, что у вас есть сразу два врага — один ворует у вас документ, а другой покушается на вашу жизнь.

— Но мистер Холмс сказал, что он не собирается возвращаться в Брайарбрэ.

— Я знаю его не первый день,— сказал я.— Холмс никогда ничего не делает, не имея веских оснований.

И мы заговорили о другом.

Но день для меня выдался утомительный. Фелпс еще не совсем оправился после своей болезни, обрушившееся на него несчастье сделало его нервным и раздражительным. Тщетно я старался развлечь его рассказами об Афганистане, Индии, занимал его разговорами о последних политических новостях, только чтобы согнать с него хандру. Он то и дело возвращался к своему пропавшему договору, высказывал предположения, что́ бы такое мог делать сейчас Холмс, какие шаги предпринимает лорд Холдхэрст, гадал, что нового мы узнаем завтра утром. Словом, к концу дня на него было жалко смотреть, так он себя измучил.

— Вы очень верите в Холмса? — то и дело спрашивал он.

— Он на моих глазах распутал не одно сложное дело.

— Но такого сложного у него еще не бывало?

— Бывали и посложнее.

— Но тогда не ставились на карту государственные интересы?

— Этого я не знаю. Но мне достоверно известно, что услугами Шерлока Холмса для расследования очень важных дел пользовались три королевских дома Европы.

— Вы-то знаете его хорошо, Уотсон. Но для меня он совершенно непостижимый человек, и я ума не приложу, как ему удастся найти разгадку этого дела. Вы считаете, что на него можно надеяться? Вы думаете, что он уверен в успешном разрешении этого дела?

— Он мне ничего не сказал.

— Это плохой признак.

— Напротив. Я давно заметил, что, потеряв след, Холмс обычно говорит об этом. А вот когда он вышел на след, но еще не совсем уверен, что след ведет его правильно, он становится особенно сдержанным. Ну, полноте, дорогой мой, не терзайте себя, этим делу не поможешь. Идите лучше спать — утро вечера мудренее.

Наконец мне удалось уговорить Фелпса, и он лег, но я не думаю, чтобы он спал в ту ночь,— в таком он был возбуждении. Его настроение передалось и мне, и я ворочался в постели до глубокой ночи, вдумываясь в это странное дело, сочиняя сотни версий, одну невероятнее другой. Почему Холмс остался в Уокинге? Почему он попросил мисс Гаррисон не уходить из «больничной палаты» весь день? Почему он так старался скрыть от обитателей Брайарбрэ, что не едет в Лондон, а остается поблизости? Я ломал себе голову, стараясь найти всем этим фактам объяснение, пока наконец не уснул.

Проснулся я в семь часов и тотчас пошел к Фелпсу. Бедняга очень осунулся после бессонной ночи и выглядел усталым. Первым делом он спросил меня, не приехал ли Холмс.

— Он будет, когда обещал,— ответил я.— Ни минутой раньше, ни минутой позже.

И я не ошибся: едва пробило восемь, как к подъезду подкатил кэб, и из него вышел наш друг. Мы стояли у окна и видели, что его левая рука перевязана бинтами, а лицо очень мрачное и бледное. Он вошел в дом, но наверх поднялся не сразу.

— У него вид человека, потерпевшего поражение,— уныло сказал Фелпс.

Мне пришлось признать, что он прав.

— Но, может быть,— сказал я,— ключ к делу следует искать здесь, в городе.

Фелпс застонал.

— Я не знаю, с чем он приехал,— сказал он,— но я так надеялся на его возвращение! А что у него с рукой? Ведь вчера она не была завязана?

— Вы не ранены, Холмс? — спросил я, когда мой друг вошел в комнату.

— А, пустяки! Из-за собственной неосторожности получил царапину,— ответил он, поклонившись.— Должен сказать, мистер Фелпс, более сложного дела у меня никогда не было.

— Я боялся, что вы найдете его неразрешимым.

— Да, с таким я еще не сталкивался.

— Судя по забинтованной руке, вы попали в переделку,— сказал я.— Вы не расскажете нам, что случилось?

— После завтрака, дорогой Уотсон, после завтрака! Не забывайте, что я проделал немалый путь, добрых тридцать миль, и нагулял на свежем воздухе аппетит. Наверно, по моему объявлению о кэбе никто не являлся? Ну да ладно, подряд несколько удач не бывает.

Стол был накрыт, и только я собирался позвонить, как миссис Хадсон вошла с чаем и кофе. Еще через несколько минут она принесла приборы, и мы все сели за стол: проголодавшийся Холмс, совершенно подавленный Фелпс и я, преисполненный любопытства.

— Миссис Хадсон на высоте положения,— сказал Холмс, снимая крышку с курицы, приправленной кэрри.— Она не слишком разнообразит стол, но для шотландки завтрак задуман недурно. Что у вас там, Уотсон?

— Яичница с ветчиной,— ответил я.

— Превосходно! Что вам предложить, мистер Фелпс: курицу с приправой, яичницу?

— Благодарю вас, я ничего не могу есть,— сказал Фелпс.

— Полноте! Вот попробуйте это блюдо.

— Спасибо, но я и в самом деле не хочу.

— Что ж,— сказал Холмс, озорно подмигнув,— надеюсь, вы не откажете в любезности и поухаживаете за мной.

Фелпс поднял крышку и вскрикнул. Он побелел, как тарелка, на которую он уставился. На ней лежал свиток синевато-серой бумаги. Фелпс схватил его, жадно пробежал глазами и пустился в пляс по комнате, прижимая свиток к груди и вопя от восторга. Обессиленный таким бурным проявлением чувств, он вдруг упал в кресло, и мы, опасаясь, как бы он не потерял сознание, заставили его выпить бренди.

— Ну, будет вам! Будет! — успокаивал его Холмс, похлопывая по плечу.— С моей стороны, конечно, нехорошо так внезапно обрушивать на человека радость, но Уотсон скажет вам, я никак не могу удержаться от театральных жестов.

Фелпс схватил его руку и поцеловал ее.

— Да благословит вас бог! — вскричал он.— Вы спасли мне честь!

— Ну, положим, моя честь тоже была поставлена на карту,— сказал Холмс.— Уверяю вас, мне так же неприятно не раскрыть преступления, как вам не справиться с дипломатическим поручением.

Фелпс затолкал драгоценный документ во внутренний карман сюртука.

— Я не осмеливаюсь больше отвлекать вас от завтрака, но умираю от любопытства: как вам удалось добыть этот документ и где он был?

Шерлок Холмс выпил чашку кофе, затем отдал должное яичнице с ветчиной. Потом он встал, закурил трубку и уселся поудобнее в кресло.

— Я буду рассказывать вам все по порядку,— начал Холмс.— Проводив вас на станцию, я совершил прелестную прогулку по восхитительному уголку Суррея к красивой деревеньке под названием Рипли, где выпил в гостинице чаю и на всякий случай наполнил свою флягу и положил в карман сверток с бутербродами. Там я оставался до вечера, а потом направился в сторону Уокинга и ·после захода солнца оказался на дороге, ведущей в Брайарбрэ. Дойдя до усадьбы и подождав, пока дорога не опустеет — по-моему, там вообще прохожих бывает не слишком много,— я перелез через забор в сад.

— Но ведь калитка была не заперта! — воскликнул Фелпс.

— Да. Но в таких случаях я люблю быть оригинальным. Я выбрал место, где стоят три елки, и под этим прикрытием перелез через забор незаметно для обитателей дома. В саду, прячась за кустами, я пополз — чему свидетельство печальное состояние моих брюк — к зарослям рододендронов, откуда очень удобно наблюдать за окнами спальни. Здесь я присел на корточки и стал ждать, как будут развиваться события.

Портьера в комнате не была опущена, и я видел, как мисс Гаррисон сидела за столом и читала. В четверть одиннадцатого она закрыла книгу, заперла ставни и удалилась. Я слышал, как она захлопнула дверь, а потом повернула ключ в замке.

— Ключ? — удивился Фелпс.

— Да, я посоветовал мисс Гаррисон, когда она пойдет спать, запереть дверь снаружи и взять ключ с собой. Она точно выполнила мои указания, и, разумеется, без ее содействия документ не лежал бы сейчас в кармане вашего сюртука. Потом она ушла, огни погасли, а я продолжал сидеть на корточках под рододендроновым кустом.

Ночь была прекрасна, но тем не менее сидеть в засаде было очень утомительно. Конечно, в этом было что-то от ощущений охотника, который лежит у источника, поджидая крупную дичь. Впрочем, ждать мне пришлось очень долго... почти столько же, Уотсон, сколько мы с вами ждали в той комнате смерти, когда расследовали историю с «пестрой лентой». Часы на церкви в Уокинге били каждую четверть часа, и мне не раз казалось, что они остановились. Но вот наконец часа в два ночи я вдруг услышал, как кто-то тихо-тихо отодвинул засов и повернул в замке ключ. Через секунду дверь для прислуги отворилась, и на пороге, освещенный лунным светом, показался мистер Джозеф Гаррисон.

— Джозеф! — воскликнул Фелпс.

Он был без шляпы, но запахнут в черный плащ, которым мог при малейшей тревоге мгновенно прикрыть лицо. Он пошел на цыпочках в тени стены, а дойдя до окна, просунул нож с длинным лезвием в щель и поднял шпингалет. Затем он распахнул окно, сунул нож в щель между ставнями, сбросил крючок и открыл их.

Со своего места я прекрасно видел, что́ делается внутри комнаты, каждое его движение. Он зажег две свечи, которые стояли на камине, подошел к двери и завернул угол ковра. Потом наклонился и поднял квадратную планку, которой прикрывается доступ к стыку газовых труб,— здесь от магистрали ответвляется труба, снабжающая газом кухню, которая находится в нижнем этаже. Сунув руку в тайник, Джозеф Гаррисон достал оттуда небольшой бумажный сверток, вставил планку на место, отвернул ковер, задул свечи и, спрыгнув с подоконника, попал прямо в мои объятия, так как я уже ждал его у окна.

Я не представлял себе, что господин Джозеф может оказаться таким злобным. Он бросился на меня с ножом, и мне пришлось дважды сбить его с ног и порезаться о его нож, прежде чем я взял верх. Хоть он и смотрел на меня «убийственным» взглядом единственного глаза, который еще мог открыть после того, как кончилась потасовка, но уговорам моим все-таки внял и документ отдал. Овладев документом, я отпустил Гаррисона, но сегодня же утром телеграфировал Форбсу все подробности этой ночи. Если он окажется расторопным и схватит эту птицу, честь ему и хвала! Но если он явится к опустевшему уже гнезду, а я подозреваю, что так оно и случится, то правительство от этого еще и выиграет. Я полагаю, что ни лорду Холдхэрсту, ни мистеру Перси Фелпсу совсем не хотелось бы, чтобы это дело разбиралось в полицейском суде.

— Господи! — задыхаясь проговорил наш клиент.— Скажите мне, неужели украденный документ в течение всех этих долгих десяти недель, когда я находился между жизнью и смертью, был все время со мной в одной комнате?

— Именно так и было.

— А Джозеф! Подумать только, Джозеф оказался негодяем и вором!

— Гм! Боюсь, что Джозеф — человек гораздо более сложный и опасный, чем об этом можно судить по его внешности. Из его слов, сказанных мне ночью, я понял, что он по неопытности сильно запутался в игре на бирже и готов был пойти на все, чтобы поправить дела. Как только представился случай, он, будучи эгоистом до мозга костей, не пощадил ни счастья своей сестры, ни вашей репутации.

Перси Фелпс поник в своем кресле.

— Голова идет кругом! — сказал он.— От ваших слов мне становится дурно.

— Раскрыть это дело было трудно главным образом потому,— заметил своим менторским тоном Холмс,— что скопилось слишком много улик. Важные улики были погребены под кучей второстепенных. Из всех имеющихся фактов надо было отобрать те, которые имели отношение к преступлению, и составить из них картину подлинных событий. Я начал подозревать Джозефа еще тогда, когда вы сказали, что он в тот вечер собирался ехать домой вместе с вами и, следовательно, мог, зная хорошо расположение комнат в здании министерства иностранных дел, зайти за вами по пути. Когда я услышал, что кто-то горит желанием забраться в вашу спальню, в которой спрятать что-нибудь мог только Джозеф (вы в самом начале рассказывали, как Джозефа выдворили из нее, когда вы вернулись домой с доктором), мое подозрение перешло в уверенность. Особенно когда я узнал о попытке забраться в спальню в первую же ночь, которую вы провели без сиделки. Это означало, что непрошеный гость хорошо знаком с расположением дома.

— Как я был слеп!

— Я подумал и решил, что дело обстояло так: этот Джозеф Гаррисон вошел в министерство со стороны

Чарльз-стрит и, зная дорогу, прошел прямо в вашу комнату тотчас после того, как вы из нее вышли. Не застав никого, он быстро позвонил, и в то же мгновение на глаза ему попался документ, лежавший на столе. Достаточно было одного взгляда, чтобы понять, что случай дает ему в руки документ огромной государственной важности. В мгновенье ока он сунул документ в карман и вышел. Как вы помните, прежде чем сонный швейцар обратил ваше внимание на звонок, прошло несколько минут, и этого было достаточно, чтобы вор успел скрыться.

Он уехал в Уокинг первым же поездом и, приглядевшись к своей добыче и уверившись, что она в самом деле чрезвычайно ценна, спрятал ее, как ему казалось, в очень надежное место. Дня через два он намеревался взять ее оттуда и отнести во французское посольство или в другое место, где, по его мнению, ему дали бы большие деньги. Но дело получило неожиданный оборот. Его без предупреждения выпроводили из собственной комнаты, и с тех пор в ней всегда находились по крайней мере два человека, что мешало ему забрать свое сокровище. Это, по-видимому, страшно бесило его. И вот наконец удобный случай представился. Он попытался забраться в комнату, но ваша бессонница расстроила его планы. Наверно, вы помните, что в тот вечер вы не выпили своего успокоительного лекарства.

— Помню.

— Я полагаю, что Джозеф принял меры, чтобы лекарство стало особенно эффективным, и вполне полагался на ваш глубокий сон. Я, разумеется, понял, что он повторит попытку, как только будет возможность сделать это без риска. И тут вы покинули комнату. Чтобы он не упредил нас, я целый день продержал в ней мисс Гаррисон. Затем, внушив ему мысль, что путь свободен, я занял свой пост. Я уже знал, что документ скорее всего находится в комнате, но не имел никакого желания срывать в поисках его всю обшивку и плинтусы. Я позволил ему взять документ из тайника и таким образом избавил себя от неимоверных хлопот. Есть еще какие-нибудь неясности?

— Почему в первый раз он полез в окно,— спросил я,— когда мог проникнуть через дверь?

— До двери ему надо было идти мимо семи спален. Легче было пройти по газону. Что еще?

— Но не думаете же вы,— спросил Фелпс,— что он намеревался убить меня? Нож ему нужен был только как инструмент.

— Возможно,— пожав плечами, ответил Холмс.— Одно могу сказать определенно: мистер Гаррисон — такой джентльмен, на милосердие которого я не стал бы рассчитывать ни в коем случае.

ПОСЛЕДНЕЕ ДЕЛО ХОЛМСА

С тяжелым сердцем приступаю я к последним строкам этих воспоминаний, повествующих о необыкновенных талантах моего друга Шерлока Холмса. В бессвязной и — я сам это чувствую — в совершенно неподходящей манере я пытался рассказать об удивительных приключениях, которые мне довелось пережить бок о бок с ним, начиная с того случая, который я в своих записках назвал «Этюд в багровых тонах», и вплоть до истории с «Морским договором», когда вмешательство моего друга, безусловно, предотвратило серьезные международные осложнения. Признаться, я хотел поставить здесь точку и умолчать о событии, оставившем такую пустоту в моей жизни, что даже двухлетний промежуток оказался бессильным ее заполнить. Однако недавно опубликованные письма полковника Джеймса Мориарти, в которых он защищает память своего покойного брата, вынуждают меня взяться за перо, и теперь я считаю своим долгом открыть людям глаза на то, что произошло. Ведь одному мне известна вся правда, и я рад, что настало время, когда уже нет причин ее скрывать.

Насколько мне известно, в газеты попали только три сообщения: заметка в «Журналь де Женев» от 6 мая 1891 года, телеграмма агентства Рейтер в английской прессе от 7 мая и, наконец, недавние письма, о которых упомянуто выше. Из этих писем первое и второе чрезвычайно сокращены, а последнее, как я сейчас докажу, совершенно искажает факты. Моя обязанность — поведать наконец миру о том, что на самом деле произошло между профессором Мориарти и мистером Шерлоком Холмсом.

Читатель, может быть, помнит, что после моей женитьбы тесная дружба, связывавшая меня и Холмса, приобрела несколько иной характер. Я занялся частной врачебной практикой. Он продолжал время от времени заходить ко мне, когда нуждался в спутнике для своих расследований, но это случалось все реже и реже, а в 1890 году было только три случая, о которых у меня сохранились какие-то записи.

Зимой этого года и в начале весны 1891-го газеты писали о том, что Холмс приглашен французским правительством по чрезвычайно важному делу, и из полученных от него двух писем — из Нарбонна и Нима — я заключил, что, по-видимому, его пребывание во Франции сильно затянется. Поэтому я был несколько удивлен, когда вечером 24 апреля он внезапно появился у меня в кабинете. Мне сразу бросилось в глаза, что он еще более бледен и худ, чем обычно.

— Да, я порядком истощил свои силы,— сказал он, отвечая скорее на мой взгляд, чем на слова.— В последнее время мне приходилось трудновато... Что, если я закрою ставни?

Комната была освещена только настольной лампой, при которой я обычно читал. Осторожно двигаясь вдоль стены, Холмс обошел всю комнату, захлопывая ставни и тщательно замыкая их засовами.

— Вы чего-нибудь боитесь?— спросил я.

— Да, боюсь.

— Чего же?

— Духового ружья.

— Дорогой мой Холмс, что вы хотите этим сказать?

— Мне кажется, Уотсон, вы достаточно хорошо меня знаете, и вам известно, что я не робкого десятка. Однако не считаться с угрожающей тебе опасностью — это скорее глупость, чем храбрость. Дайте мне, пожалуйста, спичку.

Он закурил папиросу, и, казалось, табачный дым благотворно подействовал на него.

— Во-первых, я должен извиниться за свой поздний визит,— сказал он.— И, кроме того, мне придется попросить у вас позволения совершить второй бесцеремонный поступок — перелезть через заднюю стенку вашего сада, ибо я намерен уйти от вас именно таким путем.

— Но что все это значит?— спросил я.

Он протянул руку ближе к лампе, и я увидел, что суставы двух его пальцев изранены и в крови.

— Как видите, это не совсем пустяки,— сказал он с улыбкой.— Пожалуй, этак можно потерять и всю руку. А где миссис Уотсон? Дома?

— Нет, она уехала погостить к знакомым.

— Ага! Так, значит, вы один?

— Совершенно один.

— Если так, мне легче будет предложить вам поехать со мной на недельку на континент.

— Куда именно?

— Куда угодно. Мне решительно все равно.

Все это показалось мне как нельзя более странным. Холмс не имел обыкновения праздно проводить время, и что-то в его бледном, изнуренном лице говорило о дошедшем до предела нервном напряжении. Он заметил недоумение в моем взгляде и, опершись локтями о колени и сомкнув кончики пальцев, стал объяснять мне положение дел.

— Вы, я думаю, ничего не слышали о профессоре Мориарти?— спросил он.

— Нет.

— Гениально и непостижимо. Человек опутал своими сетями весь Лондон, и никто даже не слышал о нем. Это-то и поднимает его на недосягаемую высоту в уголовном мире. Уверяю вас, Уотсон, что если бы мне удалось победить этого человека, если бы я мог избавить от него общество, это было бы венцом моей деятельности, я считал бы свою карьеру законченной и готов был бы перейти к более спокойным занятиям. Между нами говоря, Уотсон, благодаря последним двум делам, которые позволили мне оказать кое-какие услуги королевскому дому Скандинавии и республике Франции, я имею возможность вести образ жизни, более соответствующий моим наклонностям, и серьезно заняться химией. Но я еще не могу спокойно сидеть в своем кресле, пока такой человек, как профессор Мориарти, свободно разгуливает по улицам Лондона.

— Что же он сделал?

— О, у него необычная биография! Он происходит из хорошей семьи, получил блестящее образование и от природы наделен феноменальными математическими способностями. Когда ему исполнился двадцать один год, он написал трактат о биноме Ньютона, завоевавший ему европейскую известность. После этого он получил кафедру математики в одном из наших провинциальных университетов, и, по всей вероятности, его ожидала блестящая будущность. Но в его жилах течет кровь преступника. У него наследственная склонность к жестокости. И его необыкновенный ум не только не умеряет, но даже усиливает эту склонность и делает ее еще более опасной. Темные слухи поползли о нем в том университетском городке, где он преподавал, и в конце концов он был вынужден оставить кафедру и перебраться в Лондон, где стал готовить молодых людей к экзамену на офицерский чин... Вот то, что знают о нем все, а вот что узнал о нем я.

Мне не надо вам говорить, Уотсон, что никто не знает лондонского уголовного мира лучше меня. И вот уже несколько лет, как я чувствую, что за спиною у многих преступников существует неизвестная мне сила — могучая организующая сила, действующая наперекор закону и прикрывающая злодея своим щитом. Сколько раз в самых разнообразных случаях, будь то подлог, ограбление или убийство, я ощущал присутствие этой силы и логическим путем обнаруживал ее следы также и в тех еще не распутанных преступлениях, к расследованию которых я не был непосредственно привлечен. В течение нескольких лет пытался я прорваться сквозь скрывавшую ее завесу, и вот пришло время, когда я нашел конец нити и начал распутывать узел, пока эта нить не привела меня после тысячи хитрых петель к бывшему профессору Мориарти, знаменитому математику.

Он Наполеон преступного мира, Уотсон. Он организатор половины всех злодеяний и почти всех нераскрытых преступлений в нашем городе. Это гений, философ, это человек, умеющий мыслить абстрактно. У него первоклассный ум. Он сидит неподвижно, словно паук в центре своей паутины, но у этой паутины тысячи нитей, и он улавливает вибрацию каждой из них. Сам он действует редко. Он только составляет план. Но его агенты многочисленны и великолепно организованы. Если кому-нибудь понадобится выкрасть документ, ограбить дом, убрать с дороги человека,— стоит только довести об этом до сведения профессора, и преступление будет подготовлено, а затем и выполнено. Агент может быть пойман. В таких случаях всегда находятся деньги, чтобы взять его на поруки или пригласить защитника. Но главный руководитель, тот, кто послал этого агента, никогда не попадется: он вне подозрений. Такова организация, Уотсон, существование которой я установил путем логических умозаключений, и всю свою энергию я отдал на то, чтобы обнаружить ее и сломить.

Но профессор хитро замаскирован и так великолепно защищен, что, несмотря на все мои старания, раздобыть улики, достаточные для судебного приговора, невозможно. Вы знаете, на что я способен, милый Уотсон, и все же спустя три месяца я вынужден был признать, что наконец-то встретил достойного противника. Ужас и негодование, которые внушали мне его преступления, почти уступили место восхищению перед его мастерством. Однако в конце концов он сделал промах, маленький, совсем маленький промах, но ему нельзя было допускать и такого, поскольку за ним неотступно следил я. Разумеется, я воспользовался этим промахом и, взяв его за исходную точку, начал плести вокруг Мориарти свою сеть. Сейчас она почти готова, и через три дня, то есть в ближайший понедельник, все будет кончено,— профессор вместе с главными членами своей шайки окажется в руках правосудия. А потом начнется самый крупный уголовный процесс нашего века. Разъяснится тайна более чем сорока загадочных преступлений, и все виновные понесут наказание. Но стоит поторопиться, сделать один неверный шаг, и они могут ускользнуть от нас даже в самый последний момент.

Все было бы хорошо, если бы я мог действовать так, чтобы профессор Мориарти не знал об этом. Но он слишком коварен. Ему становился известен каждый шаг, который я предпринимал для того, чтобы поймать его в свои сети. Много раз пытался он вырваться из них, но я каждый раз преграждал ему путь. Право же, друг мой, если бы подробное описание этой безмолвной борьбы могло появиться в печати, оно заняло бы свое место среди самых блестящих и волнующих книг в истории детектива. Никогда еще я не поднимался до такой высоты, и никогда еще не приходилось мне так туго от действий противника. Его удары были сильны, но я отражал их с еще бо́льшей силой. Сегодня утром я предпринял последние шаги, и мне нужны были еще три дня, только три дня, чтобы завершить дело. Я сидел дома, обдумывая все это, как вдруг дверь отворилась — передо мной стоял профессор Мориарти.

У меня крепкие нервы, Уотсон, но, признаюсь, я не мог не вздрогнуть, увидев, что человек, занимавший все мои мысли, стоит на пороге моей комнаты. Его наружность была хорошо знакома мне и прежде. Он очень тощ и высок. Лоб у него большой, выпуклый и белый. Глубоко запавшие глаза. Лицо гладко выбритое, бледное, аскетическое,— что-то еще осталось в нем от профессора Мориарти. Плечи сутулые — должно быть, от постоянного сидения за письменном столом, а голова выдается вперед и медленно, по-змеиному, раскачивается из стороны в сторону. Его колючие глаза так и впились в меня.

«У вас не так развиты лобные кости, как я ожидал,— сказал он наконец.— Опасная это привычка, мистер Холмс, держать заряженный револьвер в кармане собственного халата».

Действительно, когда он вошел, я сразу понял, какая огромная опасность мне угрожает: ведь единственная возможность спасения заключалась для него в том, чтобы заставить мой язык замолчать навсегда. Поэтому я молниеносно переложил револьвер из ящика стола в карман и в этот момент нащупывал его через сукно. После его замечания я вынул револьвер из кармана и, взведя курок, положил на стол перед собой. Мориарти продолжал улыбаться и щуриться, но что-то в выражении его глаз заставляло меня радоваться близости моего оружия.

«Вы, очевидно, не знаете меня»,— сказал он.

«Напротив,— возразил я,— мне кажется, вам нетрудно было понять, что я вас знаю. Присядьте, пожалуйста. Если вам угодно что-нибудь мне сказать, я могу уделить вам пять минут».

«Все, что я хотел вам сказать, вы уже угадали»,— ответил он.

«В таком случае, вы, вероятно, угадали мой ответ».

«Вы твердо стоите на своем?»

«Совершенно твердо».

Он сунул руку в карман, а я взял со стола револьвер. Но он вынул из кармана только записную книжку, где были нацарапаны какие-то даты.

«Вы встали на моем пути четвертого января,— сказал он.— Двадцать третьего вы снова причинили мне беспокойство. В середине февраля вы уже серьезно потревожили меня. В конце марта вы совершенно расстроили мои планы. А сейчас из-за вашей непрерывной слежки я оказался в таком положении, что передо мной стоит реальная опасность потерять свободу. Так продолжаться не может».

«Что вы предлагаете?» — спросил я.

«Бросьте это дело, мистер Холмс,— сказал он, покачивая головой.— Право же, бросьте».

«После понедельника»,— ответил я.

«Полноте, мистер Холмс. Вы слишком умны и, конечно, поймете меня: вам необходимо устраниться. Вы сами повели дело так, что другого исхода нет. Я испытал интеллектуальное наслаждение, наблюдая за вашими методами борьбы, и, поверьте, был бы огорчен, если бы вы заставили меня прибегнуть к крайним мерам... Вы улыбаетесь, сэр, но уверяю вас, я говорю искренне».

«Опасность — неизбежный спутник моей профессии»,— заметил я.

«Это не опасность, а неминуемое уничтожение,— возразил он.— Вы встали поперек дороги не одному человеку, а огромной организации, всю мощь которой даже вы, при всем вашем уме, не в состоянии постигнуть. Вы должны отойти в сторону, мистер Холмс, или вас растопчут».

«Боюсь,— сказал я вставая,— что из-за нашей приятной беседы я могу пропустить одно важное дело, призывающее меня в другое место».

Он тоже встал и молча смотрел на меня, с грустью покачивая головой.

«Ну что ж! — сказал он наконец.— Мне очень жаль, но я сделал все, что мог. Я знаю каждый ход вашей игры. До понедельника вы бессильны. Это поединок между нами, мистер Холмс. Вы надеетесь посадить меня на скамью подсудимых — заявляю вам, что этого никогда не будет. Вы надеетесь победить меня — заявляю вам, что это вам никогда не удастся. Если у вас хватит умения погубить меня, то, уверяю вас, вы и сами погибнете вместе со мной».

«Вы наговорили мне столько комплиментов, мистер Мориарти, что я хочу ответить тем же и потому скажу, что во имя общественного блага я с радостью согласился бы на второе, будь я уверен в первом».

«Первого обещать не могу, зато охотно обещаю второе»,— отозвался он со злобной усмешкой и, повернувшись ко мне сутулой спиной, вышел, оглядываясь и щурясь.

Такова была моя своеобразная встреча с профессором Мориарти, и, по правде говоря, она оставила во мне неприятное чувство. Его спокойная и точная манера выражаться заставляет вас верить в его искренность, несвойственную заурядным преступникам. Вы, конечно, скажете мне: «Почему же не прибегнуть к помощи полиции?» Но ведь дело в том, что удар будет нанесен не им самим, а его агентами — в этом я убежден. И у меня уже есть веские доказательства.

— Значит, на вас уже было совершено нападение?

— Милый мой Уотсон, профессор Мориарти не из тех, кто любит откладывать дело в долгий ящик. После его ухода, часов около двенадцати, мне понадобилось пойти на Оксфорд-стрит. Переходя улицу на углу Бентинк-стрит и Уэлбек-стрит, я увидел парный фургон, мчавшийся со страшной быстротой прямо на меня. Я едва успел отскочить на тротуар. Какая-то доля секунды — и я был бы раздавлен насмерть. Фургон завернул за угол и мгновенно исчез. Теперь уж я решил не сходить с тротуара, но на Вир-стрит с крыши одного из домов упал кирпич и рассыпался на мелкие куски у моих ног. Я подозвал полицейского и приказал осмотреть место происшествия. На крыше были сложены кирпичи и шиферные плиты, приготовленные для ремонта, и меня хотели убедить в том, что кирпич сбросило ветром. Разумеется, я лучше знал, в чем дело, но у меня не было доказательств. Я взял кэб и доехал до квартиры моего брата на Пэлл-Мэлл, где и провел весь день. Оттуда я отправился прямо к вам. По дороге на меня напал какой-то негодяй с дубинкой. Я сбил его с ног, и полиция задержала его, но даю вам слово, что никому не удастся обнаружить связь между джентльменом, о чьи передние зубы я разбил сегодня руку, и тем скромным учителем математики, который, вероятно, решает сейчас задачки на грифельной доске за десять миль отсюда. Теперь вы поймете, Уотсон, почему, придя к вам, я прежде всего закрыл ставни и зачем мне понадобилось просить вашего разрешения уйти из дома не через парадную дверь, а каким-нибудь другим, менее заметным ходом.

Я не раз восхищался смелостью моего друга, но сегодня меня особенно поразило его спокойное перечисление далеко не случайных происшествий этого ужасного дня.

— Надеюсь, вы переночуете у меня? — спросил я.

— Нет, друг мой, я могу оказаться опасным гостем. Я уже обдумал план действий, и все кончится хорошо. Сейчас дело находится в такой стадии, что арест могут произвести и без меня. Моя помощь понадобится только во время следствия. Таким образом, на те несколько дней, которые еще остаются до решительных действий полиции, мне лучше всего уехать. И я был бы очень рад, если бы вы могли поехать со мной на континент.

— Сейчас у меня мало больных,— сказал я,— а мой коллега, живущий по соседству, охотно согласится заменить меня. Так что я с удовольствием поеду с вами.

— И можете выехать завтра же утром?

— Если это необходимо.

— О да, совершенно необходимо. Теперь выслушайте мои инструкции, и я попрошу вас, Уотсон, следовать им буквально, так как нам предстоит вдвоем вести борьбу против самого талантливого мошенника и самого мощного объединения преступников во всей Европе. Итак, слушайте. Свой багаж, не указывая на нем станции назначения, вы должны сегодня же вечером отослать с надежным человеком на вокзал Виктория. Утром вы пошлете слугу за кэбом, но скажете ему, чтобы он не брал ни первый, ни второй экипаж, которые попадутся ему навстречу. Вы сядете в кэб и поедете на Стрэнд, к Лоусерскому пассажу, причем адрес вы дадите кучеру на листке бумаги и скажете, чтобы он ни в коем случае не выбрасывал его. Расплатитесь с ним заранее и, как только кэб остановится, моментально нырните в пассаж с тем расчетом, чтобы ровно в четверть десятого оказаться на другом его конце. Там, у самого края тротуара, вы увидите небольшой экипаж. Править им будет человек в плотном черном плаще с воротником, обшитым красным кантом. Вы сядете в этот экипаж и прибудете на вокзал как раз вовремя, чтобы попасть на экспресс, отправляющийся на континент.

— А где я должен встретиться с вами?

— На станции. Нам будет оставлено второе от начала купе первого класса.

— Так, значит, мы встретимся уже в вагоне?

— Да.

Тщетно я упрашивал Холмса остаться у меня ночевать. Мне было ясно, что он боится навлечь неприятности на приютивший его дом и что это единственная причина, которая гонит его прочь. Сделав еще несколько торопливых указаний по поводу наших завтрашних дел, он встал, вышел вместе со мной в сад, перелез через стенку прямо на Мортимер-стрит, свистком подозвал кэб, и я услышал удаляющийся стук колес.

На следующее утро я в точности выполнил указания Холмса. Кэб был взят со всеми необходимыми предосторожностями — он никак не мог оказаться ловушкой,— и сразу после завтрака я поехал в условленное место. Подъехав к Лоусерскому пассажу, я пробежал через него со всей быстротой, на какую был способен, и увидел карету, которая ждала меня, как было условлено. Как только я сел в нее, огромного роста кучер, закутанный в темный плащ, стегнул лошадь и мигом довез меня до вокзала Виктория. Едва я успел сойти, он повернул экипаж и снова умчался, даже не взглянув в мою сторону.

Пока все шло прекрасно. Мой багаж уже ждал меня на вокзале, и я без труда нашел купе, указанное Холмсом, хотя бы потому, что оно было единственное с надписью *«занято»*. Теперь меня тревожило только одно — отсутствие Холмса. Я посмотрел на вокзальные часы: до отхода поезда оставалось всего семь минут. Напрасно искал я в толпе отъезжающих и провожающих худощавую фигуру моего друга — его не было. Несколько минут я убил, помогая почтенному итальянскому патеру, пытавшемуся на ломаном английском языке объяснить носильщику, что его багаж должен быть отправлен прямо в Париж. Потом я еще раз обошел платформу и вернулся в свое купе, где застал уже знакомого мне дряхлого итальянца. Оказалось, что, хотя у него не было билета в это купе, носильщик все-таки усадил его ко мне. Бесполезно было объяснять моему непрошеному дорожному спутнику, что его вторжение мне неприятно: я владел итальянским еще менее, чем он английским. Поэтому я только пожал плечами и продолжал тревожно смотреть в окно, ожидая моего друга. Мною начал овладевать страх: а вдруг его отсутствие означало, что за ночь с ним произошло какое-нибудь несчастье! Уже все двери были закрыты, раздался свисток, как вдруг...

— Милый Уотсон, вы даже не соблаговолили поздороваться со мной! — произнес возле меня чей-то голос.

Я оглянулся, пораженный. Пожилой священник стоял теперь ко мне лицом. На секунду его морщины разгладились, нос отодвинулся от подбородка, нижняя губа перестала выдвигаться вперед, а рот — шамкать, тусклые глаза заблистали прежним огоньком, сутулая спина выпрямилась. Но все это длилось одно мгновение, и Холмс исчез так же быстро, как появился.

— Боже милостивый! — вскричал я.— Ну и удивили же вы меня!

— Нам все еще необходимо соблюдать максимальную осторожность,— прошептал он.— У меня есть основания думать, что они напали на наш след. А, вот и сам Мориарти!

Поезд как раз тронулся, когда Холмс произносил эти слова. Выглянув из окна и посмотрев назад, я увидел высокого человека, который яростно расталкивал толпу и махал рукой, словно желая остановить поезд. Однако было уже поздно: скорость движения все увеличивалась, и очень быстро станция осталась позади.

— Вот видите,— сказал Холмс со смехом,— несмотря на все наши предосторожности, нам еле-еле удалось отделаться от этого человека.

Он встал, снял с себя черную сутану и шляпу — принадлежности своего маскарада — и спрятал их в саквояж.

— Читали вы утренние газеты, Уотсон?

— Нет.

— Значит, вы еще не знаете о том, что случилось на Бейкер-стрит?

— На Бейкер-стрит?

— Сегодня ночью они подожгли нашу квартиру, но большого ущерба не причинили.

— Как же быть, Холмс? Это становится невыносимым.

— По-видимому, после того как их агент с дубинкой был арестован, они окончательно потеряли мой след. Иначе они не могли бы предположить, что я вернулся домой. Но потом они, как видно, стали следить за вами — вот что привело Мориарти на вокзал Виктория. Вы не могли сделать какой-нибудь промах по пути к вокзалу?

— Я в точности выполнил все ваши указания.

— Нашли экипаж на месте?

— Да, он ожидал меня.

— А кучера вы узнали?

— Нет.

— Это был мой брат, Майкрофт. В таких делах лучше не посвящать в свои секреты наемного человека. Ну, а теперь мы должны подумать, как нам быть с Мориарти.

— Поскольку мы едем экспрессом, а пароход отойдет, как только придет наш поезд, мне кажется, теперь уж ему ни за что не угнаться за нами.

— Милый мой Уотсон, ведь я говорил вам, что, когда речь идет об интеллекте, к этому человеку надо подходить точно с той же меркой, что и ко мне. Неужели вы думаете, что если бы на месте преследователя был я, такое ничтожное происшествие могло бы меня остановить? Ну, а если нет, то почему же вы так плохо думаете о нем?

— Но что он может сделать?

— То же, что сделал бы я.

— Тогда скажите мне, как поступили бы вы.

— Заказал бы экстренный поезд.

— Но ведь он все равно опоздает.

— Никоим образом. Наш поезд останавливается в Кентербери, а там всегда приходится по крайней мере четверть часа ждать парохода. Вот там-то он нас и настигнет.

— Можно подумать, что преступники мы, а не он. Прикажите арестовать его, как только он приедет.

— Это уничтожило бы плоды трехмесячной работы. Мы поймали бы крупную рыбу, а мелкая уплыла бы из сетей в разные стороны. В понедельник все они будут в наших руках. Нет, сейчас арест недопустим.

— Что же нам делать?

— Мы должны выйти в Кентербери.

— А потом?

— А потом нам придется проехать в Ньюхейвен и оттуда — в Дьепп. Мориарти снова сделает то же, что сделал бы я: он приедет в Париж, пойдет в камеру хранения багажа, определит, какие чемоданы наши, и будет там два дня ждать. Мы же тем временем купим себе пару ковровых дорожных мешков, поощряя таким образом промышленность и торговлю тех мест, по которым будем путешествовать, и спокойно направимся в Швейцарию через Люксембург и Базель.

Я слишком опытный путешественник и потому не позволил себе огорчаться из-за потери багажа, но, признаюсь, мне была неприятна мысль, что мы должны увертываться и прятаться от преступника, на счету у которого столько гнусных злодеяний. Однако Холмс, конечно, лучше понимал положение вещей. Поэтому в Кентербери мы вышли. Здесь мы узнали, что поезд в Ньюхейвен отходит только через час.

Я все еще уныло смотрел на исчезавший вдали багажный вагон, быстро уносивший весь мой гардероб, когда Холмс дернул меня за рукав и показал на железнодорожные пути.

— Видите, как быстро! — сказал он.

Вдалеке, среди Кентских лесов, вилась тонкая струйка дыма. Через минуту другой поезд, состоявший из локомотива с одним вагоном, показался на изогнутой линии рельсов, ведущей к станции. Мы едва успели спрятаться за какими-то тюками, как он со стуком и грохотом пронесся мимо нас, дохнув нам в лицо струей горячего пара.

— Проехал! — сказал Холмс, следя взглядом за вагоном, подскакивавшим и слегка покачивавшимся на рельсах.— Как видите, проницательность нашего друга тоже имеет границы. Было бы поистине чудом, если бы он сделал точно те же выводы, какие сделал я, и действовал бы в соответствии с ними.

— А что бы он сделал, если бы догнал нас?

— Без сомнения, попытался бы меня убить. Ну, да ведь и я не стал бы дожидаться его сложа руки. Теперь вопрос в том, позавтракать ли нам здесь или рискнуть умереть с голоду и подождать до Ньюхейвена.

В ту же ночь мы приехали в Брюссель и провели там два дня, а на третий двинулись в Страсбург. В понедельник утром Холмс послал телеграмму лондонской полиции, и вечером, придя в нашу гостиницу, мы нашли там ответ. Холмс распечатал телеграмму и с проклятием швырнул ее в камин.

— Я должен был это предвидеть! — простонал он.— Бежал!

— Мориарти?

— Они накрыли всю шайку, кроме него! Он один ускользнул! Ну, конечно, я уехал, и этим людям было не справиться с ним. Хотя я был уверен, что дал им в руки все нити. Знаете, Уотсон, вам лучше поскорее вернуться в Англию.

— Почему это?

— Я теперь опасный спутник. Этот человек потерял все. Если он вернется в Лондон, он погиб. Насколько я понимаю его характер, он направит теперь все свои силы на то, чтобы отомстить мне. Он очень ясно высказался во время нашего короткого свидания, и я уверен, что это не пустая угроза. Право же, я советую вам вернуться в Лондон, к вашим пациентам.

Но я, старый солдат и старинный друг Холмса, конечно, не счел возможным покинуть его в такую минуту. Более получаса мы спорили об этом, сидя в ресторане страсбургской гостиницы, и в ту же ночь двинулись дальше, в Женеву.

Целую неделю мы с наслаждением бродили по долине Роны, а потом, миновав Лейк, направились через перевал Гемми, еще покрытый глубоким снегом, и дальше — через Интерлакен — к деревушке Мейринген. Это была чудесная прогулка — нежная весенняя зелень внизу и белизна девственных снегов наверху, над нами,— но мне было ясно, что ни на одну минуту Холмс не забывал о нависшей над ним угрозе. В уютных альпийских деревушках, на уединенных горных тропах — всюду я видел по его быстрому, пристальному взгляду, внимательно изучающему лицо каждого встречного путника, что он твердо убежден в неотвратимой опасности, идущей за нами по пятам.

Помню такой случай: мы проходили через Гемми и шли берегом задумчивого Даубена, как вдруг большая каменная глыба сорвалась со скалы, возвышавшейся справа, скатилась вниз и с грохотом погрузилась в озеро позади нас. Холмс взбежал на скалу и, вытянув шею, начал осматриваться по сторонам. Тщетно уверял его проводник, что весною обвалы каменных глыб — самое обычное явление в здешних краях. Холмс ничего не ответил, но улыбнулся мне с видом человека, который давно уже предугадывал эти события.

И все же при всей своей настороженности он не предавался унынию. Напротив, я не помню, чтобы мне когда-либо приходилось видеть его в таком жизнерадостном настроении. Он снова и снова повторял, что, если бы общество было избавлено от профессора Мориарти, он с радостью прекратил бы свою деятельность.

— Мне кажется, я имею право сказать, Уотсон, что не совсем бесполезно прожил свою жизнь,— говорил он,— и даже если бы мой жизненный путь должен был оборваться сегодня, я все-таки мог бы оглянуться на него с чувством душевного удовлетворения. Благодаря мне воздух Лондона стал чище. Я принимал участие в тысяче с лишним дел и убежден, что никогда не злоупотреблял своим влиянием, помогая неправой стороне. В последнее время меня, правда, больше привлекало изучение загадок, поставленных перед нами природой, нежели те поверхностные проблемы, ответственность за которые несет несовершенное устройство нашего общества. В тот день, Уотсон, когда я увенчаю свою карьеру поимкой или уничтожением самого опасного и самого талантливого преступника в Европе, вашим мемуарам придет конец.

Теперь я постараюсь кратко, но точно изложить то немногое, что еще осталось недосказанным. Мне нелегко задерживаться на этих подробностях, но я считаю своим долгом не пропустить ни одной из них.

3 мая мы пришли в местечко Мейринген и остановились в гостинице «Англия», которую в то время содержал Петер Штайлер-старший. Наш хозяин был человек смышленый и превосходно говорил по-английски, так как около трех лет прослужил кельнером в гостинице «Гровнер» в Лондоне. 4 мая, во второй половине дня, мы по его совету отправились вдвоем в горы с намерением провести ночь в деревушке Розенлау. Хозяин особенно рекомендовал нам осмотреть Рейхенбахский водопад, который находится примерно на половине подъема, но несколько в стороне.

Это — поистине страшное место. Вздувшийся от тающих снегов горный поток низвергается в бездонную пропасть, и брызги взлетают из нее, словно дым из горящего здания. Ущелье, куда устремляется поток, окружено блестящими скалами, черными, как уголь. Внизу, на неизмеримой глубине, оно суживается, превращаясь в пенящийся, кипящий колодец, который все время переполняется и со страшной силой выбрасывает воду обратно, на зубчатые скалы вокруг. Непрерывное движение зеленых струй, с беспрестанным грохотом падающих вниз, плотная, волнующаяся завеса водяной пыли, в безостановочном вихре взлетающей вверх,— все это доводит человека до головокружения и оглушает его своим несмолкаемым ревом.

Мы стояли у края, глядя в пропасть, где блестела вода, разбивавшаяся далеко внизу о черные камни, и слушали доносившееся из бездны бормотание, похожее на человеческие голоса.

Дорожка, по которой мы поднялись, проложена полукругом, чтобы дать туристам возможность лучше видеть водопад, но она кончается обрывом, и путнику приходится возвращаться той же дорогой, какой он пришел. Мы как раз повернули, собираясь уходить, как вдруг увидели мальчика-швейцарца, который бежал к нам навстречу с письмом в руке. На конверте стоял штамп той гостиницы, где мы остановились. Оказалось, что письмо от хозяина и адресовано мне. Он писал, что буквально через несколько минут после нашего ухода в гостиницу прибыла англичанка, находящаяся в последней стадии чахотки. Она провела зиму в Давосе, а теперь ехала к своим друзьям в Люцерн, но по дороге у нее внезапно пошла горлом кровь. По-видимому, ей осталось жить не более нескольких часов, но для нее было бы большим утешением видеть около себя доктора-англичанина, и если бы я приехал, то... и т. д. и т. д. В постскриптуме добряк Штайлер добавлял, что он и сам будет мне крайне обязан, если я соглашусь приехать, так как приезжая дама категорически отказывается от услуг врача-швейцарца, и что на нем лежит огромная ответственность.

Я не мог не откликнуться на этот призыв, не мог отказать в просьбе соотечественнице, умиравшей на чужбине. Но вместе с тем я опасался оставить Холмса одного. Однако мы решили, что с ним в качестве проводника и спутника останется юный швейцарец, а я вернусь в Мейринген. Мой друг намеревался еще немного пробыть у водопада, а затем потихоньку отправиться через холмы в Розенлау, где вечером я должен был к нему присоединиться.

Отойдя немного, я оглянулся: Холмс стоял, прислонясь к скале, и, скрестив руки, смотрел вниз, на дно стремнины. Я не знал тогда, что больше мне не суждено было видеть моего друга.

Спустившись вниз, я еще раз оглянулся. С этого места водопад уже не был виден, но я разглядел ведущую к нему дорожку, которая вилась вдоль уступа горы. По этой дорожке быстро шагал какой-то человек. Его черный силуэт отчетливо выделялся на зеленом фоне. Я заметил его, заметил необыкновенную быстроту, с какой он поднимался, но я и сам очень спешил к моей больной, а потому вскоре забыл о нем.

Примерно через час я добрался до нашей гостиницы в Мейрингене. Старик Штайлер стоял на пороге.

— Ну что? — спросил я, подбегая к нему.— Надеюсь, ей не хуже?

На лице у него выразилось удивление, брови поднялись. Сердце у меня так и оборвалось.

— Значит, не вы писали это? — спросил я, вынув из кармана письмо.— В гостинице нет больной англичанки?

— Ну, конечно, нет! — вскричал он.— Но что это? На конверте стоит штамп моей гостиницы?.. А, понимаю! Должно быть, письмо написал высокий англичанин, который приехал вскоре после вашего ухода. Он сказал, что...

Но я не стал ждать дальнейших объяснений хозяина. Охваченный ужасом, я уже бежал по деревенской улице к той самой горной дорожке, с которой только что спустился.

Спуск к гостинице занял у меня час, и, несмотря на то, что я бежал изо всех сил, прошло еще два, прежде чем я снова достиг Рейхенбахского водопада. Альпеншток Холмса все еще стоял у скалы, возле которой я его оставил, но самого Холмса не было, и я тщетно звал его. Единственным ответом было эхо, гулко повторявшее мой голос среди окружавших меня отвесных скал.

При виде этого альпенштока я похолодел. Значит, Холмс не ушел на Розенлау. Он оставался здесь, на этой дорожке шириной в три фута, окаймленной отвесной стеной с одной стороны и заканчивавшейся отвесным обрывом с другой. И здесь его настиг враг. Юного швейцарца тоже не было. По-видимому, он был подкуплен Мориарти и оставил противников с глазу на глаз. А что случилось потом? Кто мог сказать мне, что случилось потом?

Минуты две я стоял неподвижно, скованный ужасом, силясь прийти в себя. Потом я вспомнил о методе самого Холмса и сделал попытку применить его, чтобы объяснить себе разыгравшуюся трагедию. Увы, это было нетрудно! Во время нашего разговора мы с Холмсом не дошли до конца тропинки, и альпеншток указывал на то место, где мы остановились. Черноватая почва никогда не просыхает здесь из-за постоянных брызг потока, так что птица — и та оставила бы на ней свой след. Два ряда шагов четко отпечатывались почти у самого конца тропинки. Они удалялись от меня. Обратных следов не было. За несколько шагов от края земля была вся истоптана и разрыта, а терновник и папоротник вырваны и забрызганы грязью. Я лег лицом вниз и стал всматриваться в несущийся поток. Стемнело, и теперь я мог видеть только блестевшие от сырости черные каменные стены да где-то далеко в глубине сверкание бесчисленных водяных брызг. Я крикнул, но лишь гул водопада, чем-то похожий на человеческие голоса, донесся до моего слуха.

Однако судьбе было угодно, чтобы последний привет моего друга и товарища все-таки дошел до меня. Как я уже сказал, его альпеншток остался прислоненным к невысокой скале, нависшей над тропинкой. И вдруг на верхушке этого выступа что-то блеснуло. Я поднял руку — то был серебряный портсигар, который Холмс всегда носил с собой. Когда я взял его, несколько листочков бумаги, лежавших под ним, рассыпались и упали на землю. Это были три листика, вырванные из блокнота и адресованные мне. Характерно, что адрес был написан так же четко, почерк был так же уверен и разборчив, как если бы Холмс писал у себя в кабинете.

«Дорогой мой Уотсон,— говорилось в записке.— Я пишу Вам эти строки благодаря любезности мистера Мориарти, который ждет меня для окончательного разрешения вопросов, касающихся нас обоих. Он бегло обрисовал мне способы, с помощью которых ему удалось ускользнуть от английской полиции и узнать о нашем маршруте. Они только подтверждают мое высокое мнение о его выдающихся способностях. Мне приятно думать, что я могу избавить общество от дальнейших неудобств, связанных с его существованием, но боюсь, что это будет достигнуто ценой, которая огорчит моих друзей, и особенно Вас, милый Уотсон. Впрочем, я уже говорил Вам, что мой жизненный путь дошел до своей высшей точки, и я не мог бы желать для себя лучшего конца. Между прочим, если говорить откровенно, я нимало не сомневался в том, что письмо из Мейрингена — западня, и, отпуская Вас, был твердо убежден, что последует нечто в этом роде. Передайте инспектору Петерсону, что бумаги, необходимые для разоблачения шайки, лежат у меня в столе, в ящике под литерой «М» — синий конверт с надписью: «Мориарти». Перед отъездом из Англии я сделал все необходимые распоряжения относительно моего имущества и оставил их у моего брата Майкрофта. Прошу Вас передать мой сердечный привет миссис Уотсон.

Искренне преданный Вам Шерлок Холмс».

Остальное можно рассказать в двух словах. Осмотр места происшествия, произведенный экспертами, не оставил никаких сомнений в том, что схватка между противниками кончилась так, как она неизбежно должна была кончиться при данных обстоятельствах: видимо, они вместе упали в пропасть, так и не разжав смертельных объятий. Попытки отыскать трупы были тотчас же признаны безнадежными, и там, в глубине этого страшного котла кипящей воды и бурлящей пены, навеки остались лежать тела опаснейшего преступника и искуснейшего поборника правосудия своего времени. Мальчика-швейцарца так и не нашли — разумеется, это был один из многочисленных агентов, находившихся в распоряжении Мориарти. Что касается шайки, то, вероятно, все в Лондоне помнят, с какой полнотой улики, собранные Холмсом, разоблачили всю организацию и обнаружили, в каких железных тисках держал ее покойный Мориарти. На процессе страшная личность ее главы и вдохновителя осталась почти не освещенной, и если мне пришлось раскрыть здесь всю правду о его преступной деятельности, это вызвано теми недобросовестными защитниками, которые пытались обелить его память нападками на человека, которого я всегда буду считать самым благородным и самым мудрым из всех известных мне людей.

СОДЕРЖАНИЕ

КОНАН ДОЙЛ
Артур

ВЕСЬ ШЕРЛОК ХОЛМС

Дебют

Заведующий редакцией А. И. Белинский
Редактор Н. Н. Сотников
Мл. редактор А. В. Богданова
Художественный редактор В. В. Быков
Технический редактор Г. В. Преснова
Корректор В. В. Безымянская

ИБ № 6273
Лицензия ЛР № 010246 от 28.05.92 г.

Сдано в набор 03.09.93. Подписано к печати 04.11.93. Формат 84×108¹/₃₂. Гарн. «Таймс».
Печать офсетная. Усл. печ. л. 35,28. Усл. кр.-отт. 36,33. Уч.-изд. л. 39,97. Тираж 50 000 экз.
Заказ № 445. С 297.

ГИПК «Лениздат», 191023, Санкт-Петербург, Фонтанка, 59. Типография им. Володарского
Лениздата, 191023, Санкт-Петербург, Фонтанка, 57.

Конан Дойл А.

К64   Весь Шерлок Холмс: Дебют/Пер. с англ. Л.: Лениздат, 1993.— 670 с.

ISBN 5-289-01796-8

В однотомник всемирно известного писателя Артура Конан
Дойла (1859—1930) вошли произведения, на страницах которых
впервые появляется детектив-исследователь Шерлок Холмс. Все
эти повести и рассказы были написаны в конце XIX века и с
тех пор остаются непревзойденными образцами детективного
жанра.

К $\frac{4703010100-159}{М171(03)-93}$ без объявл.

84.4 Англ.

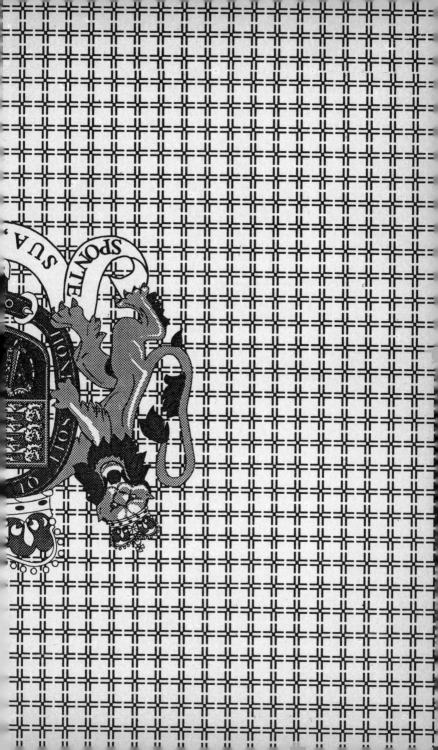